Buch

Amerika an der Schwelle zum 20. Jahrhundert, eine noch junge Nation, die sich anschickt, zur Weltmacht aufzusteigen, und in der nach dem Sieg im spanisch-amerikanischen Krieg die Imperialisten, die ihr Land als den natürlichen Nachfolger der alten europäischen Kolonialmächte sehen, auf dem besten Wege sind, die Oberhand zu gewinnen. Ein Staat in Aufbruchstimmung, mit Politikern, deren Macht so weit reicht wie ihr finanzieller Hintergrund, ein Staat, in dem ein noch ungehemmter Liberalismus sich nicht hinter sozialstaatlichen Euphemismen verschanzen muß, in dem das demokratische Prinzip allerdings erste Siege über die alten oligarchischen Strukturen feiert.

Im Mittelpunkt dieses großen historischen Romans von Gore Vidal steht die in Frankreich aufgewachsene Caroline Sanford – neben ihrem Halbbruder Blaise die einzige fiktive Person in »Empire« –, die sich nach dem Tod ihres Vaters vor der Entscheidung sieht, standesgemäß zu heiraten oder ihre Geschickte selbst in die Hand zu nehmen. Sie wählt die Selbständigkeit, und so verbindet sich ihr Leben direkt mit dem Aufblühen der jungen Nation.

In »Empire« erweckt Vidal die Großen dieser Zeit zu neuem Leben – Präsident McKinley, Theodore Roosevelt, William Jennings Bryan, John Hay, Henry Adams und den einzigartigen Henry James, die Astors, die Vanderbilts und die Whitneys; und schließlich William Randolph Hearst, der in Washington einzig in Caroline Sanford auf eine ebenbürtige journalistische Konkurrenz trifft.

Autor

Gore Vidal, geboren 1925 in Westpoint im Bundesstaat New York, nahm als Marineoffizier am zweiten Weltkrieg teil und machte sich später durch vielseitige literarische Produktion einen Namen. Vor allem seine historischen Romane haben auf beiden Seiten des Atlantiks ein großes Publikum gefunden. Außer dem vorliegenden Band sind von Gore Vidal als Goldmann-Taschenbuch erschienen:

Ich, Cyrus, Enkel des Zarathustra. Roman (42087)
Julian. Roman (42005)
Lincoln. Roman (42088)

ROMAN

Aus dem Amerikanischen
von Günter Panske

GOLDMANN VERLAG

Ungekürzte Ausgabe

Titel der Originalausgabe: Empire
Originalverlag: Random House, Inc., New York

Der Abdruck der Gedichtzeilen auf Seite 153/154 erfolgt mit freundlicher Genehmigung des Haffmans Verlages, Zürich, aus: Rudyard Kipling, Werkausgabe, Band 6: Selected Poems / Ausgewählte Gedichte, englisch und deutsch, herausgegeben und übersetzt von Gisbert Haefs

Umwelthinweis:
Alle bedruckten Materialien dieses Taschenbuches
sind chlorfrei und umweltschonend.

Der Goldmann Verlag
ist ein Unternehmen der Verlagsgruppe Bertelsmann

Umschlagentwurf: Design Team München
Umschlagfoto: FPG/Bavaria
Druck: Presse-Druck Augsburg
Verlagsnummer: 42091
MV · Herstellung: Stefan Hansen
Made in Germany
ISBN 3-442-42091-1

1 3 5 7 9 10 8 6 4 2

Gore Vidal · Empire

Teil I

1

Der Krieg ist letzte Nacht zu Ende gegangen, Caroline. Helfen Sie mir doch bei diesen Blumen.« Elizabeth Cameron stand in der offenen Terrassentür, in den Händen eine große blauweiße Porzellanvase mit Rosen, die in ihrer Üppigkeit bereits ein wenig überblüht wirkten. Caroline half ihrer Gastgeberin, die schwere Vase in den langen, kühlen, trüben Salon zu tragen.

Mit ihren vierzig Jahren war Mrs. Cameron in Carolines jugendlichen Augen schon sehr alt; dennoch war sie zweifellos die attraktivste unter Amerikas großen Ladys und mit absoluter Sicherheit die auf souveräne Weise allertüchtigste: fähig, schon vor dem Frühstück eine Batterie von Blumenvasen mit ähnlich flotter und forscher Hand zu arrangieren, mit der ihr Onkel, General Sherman, Georgia verwüstet hatte.

»Im August muß man stets bei Tagesanbruch auf den Beinen sein.« Mrs. Cameron, fand Caroline, klang wie Julius Cäsar nach der Heimkehr von gewonnener Schlacht. »Bedienstete – genau wie Blumen – haben die Tendenz zu welken. Wir werden zum Lunch siebenunddreißig sein. Haben Sie die Absicht, Del zu heiraten?«

»Ich glaube kaum, daß ich überhaupt jemals heiraten werde.« Caroline krauste die Stirn vor lauter Vergnügen über Mrs. Camerons Direktheit. Sie fühlte sich zwar als Amerikanerin, hatte jedoch den größen Teil ihres Lebens in Paris verbracht und war daher nur wenig mit Frauen wie Elizabeth Sherman Cameron in Kontakt gekommen, der perfekten modernen amerikanischen Lady – also der Welt jüngstem und höchstem Produkt, wie Henry James ohne übermäßige Ironie festgestellt hatte.

Als Caroline von Del gebeten worden war, zur House-Party auf Surrenden Dering, tief in der englischen Provinz, zu kommen, hatte sie sich nicht einmal die Mühe gemacht, Unentschlossenheit zu heucheln. Sie war geradewegs aus Paris gekommen, hatte nur eine einzige Nacht in Brown's Hotel in London Station gemacht. Das war am Freitag gewesen, und zu diesem Zeitpunkt hatten sich die Vereinigten Staaten und Spanien noch im Krieg befunden, seit drei aufregenden Monaten. Jetzt war der Krieg offensichtlich vorüber. Sie versuchte, sich das Datum ins Gedächtnis zu rufen. War es der 12. oder der 13. August 1898?

»Mr. Hay sagt, der Präsident habe gestern nachmittag einem Waffenstillstand zugestimmt. Für uns hier war das gestern nacht.« Ihr Blick verfinsterte sich. »Diese Rosen sehen ziemlich scheußlich aus, nicht wahr?«

»Sie wirken ein wenig . . . staubig. Das kommt wohl von all der Hitze.«

»Hitze!« Mrs. Cameron lachte: ein relativ angenehmes Geräusch, so ganz anders als das stilisierte Stakkato-Gekreische einer Pariser Lady. »Da müßten sie mal Pennsylvania um diese Jahreszeit erleben! Mein Mann besitzt dort zwei Anwesen. Das eine heißer als das andere, mit Moskitos und Mücken und irgend etwas sehr Kleinem und Gemeinem, das sich einem maulwurfsartig unter die Haut gräbt und eine Schwellung verursacht. Sie würden für Del eine gute Gattin abgeben.«

»Aber würde er auch für mich einen guten Gatten abgeben?« Durch die hohen Fenster konnte Caroline auf der weiter unten gelegenen Rasenfläche Don Cameron, ihren Gastgeber, sehen. Er fuhr einen Buggy mit einem amerikanischen Trabergespann. Senator Cameron, rotgesichtig, mit starkem Schnurr-, jedoch eher bescheidenem Kinnbart, war ein rundes Vierteljahrhundert älter als seine Frau. Da sie ihn nicht ausstehen konnte, behandelte sie ihn mit ausgesuchter Höflichkeit und Ehrerbietung; dagegen verfuhr sie mit Carolines anderem Gastgeber, dem gleichermaßen uralten Henry Adams, der sie genauso rückhaltlos anbetete, wie sie ihn rückhaltlos akzeptierte, auf eher kühle und beiläufige Weise. Del hatte Caroline erzählt, daß Henry James, der wenige Meilen entfernt in Rye lebte, das Trio »wahnsinnig romantisch« finde. Del und Caroline waren sich einig gewesen, daß Antikes zwar lehrreich, exotisch und sogar anrührend sein mochte, daß indes ein so altes Paar niemals romantisch sein konnte, von »wahnsinnig romantisch« ganz zu schweigen. Allerdings glich der berühmte Schriftsteller Henry James, der seinem Geburtsland Amerika den Rücken gekehrt hatte, einem hochsensiblen musikalischen Instrument, das auf Schwingungen eingestimmt war, die für gröbere Ohren unhörbar blieben.

Trotz Mrs. Camerons beträchtlichen Alters konnte Caroline nicht umhin, ihre schlanke Taille zu bewundern, die keines Korsetts zu bedürfen schien; darüber hinaus hatte die Hitze ihre Wangen so gerötet, daß sie – jetzt kapitulierte Caroline also doch – wirklich wunderschön aussah, zumindest an diesem Morgen; mit ihrem naturgewellten, altgoldenen Haar, den katzenblauen Augen, der geraden Nase und dem geraden Mund, und dem etwas kantigen Kinn ihres berühmten Onkels. Wäre Mlle. Souvestre's Allenswood School für Caroline nicht allerjüngste – und bei ihrem Abgang recht mühevolle – Erfahrung gewesen, so hätte sie sich versucht fühlen können, Mrs. Cameron zu bitten, bei ihr in die Lehre gehen zu dürfen: »Weil ich nun, da Vater tot ist, für immer in Amerika leben möchte.« Überrascht lauschte Caroline ihren eigenen Worten: So viel hatte sie gar nicht sagen wollen.

»Für immer ist eine lange Zeit. Aber wenn ich für immer an einem bestimmten Ort leben müßte, so ganz gewiß nicht dort, das muß ich Ihnen sagen. Ich würde Paris wählen.«

»Nun, da ich den größten Teil meines bisherigen Lebens in Paris verbracht habe, erscheint die Heimat wohl nur um so grüner.«

»Möglich, daß Sie das so empfinden«, sagte Mrs. Cameron vage und wandte ihre Aufmerksamkeit der ältlichen Köchin zu, die in der Tür erschienen war und darauf wartete, die Details des heutigen Speiseplans zu besprechen. »Oh, Köchin! Was für ein Triumph gestern abend! Senator Cameron war ganz versessen – und schier unersättlich – auf die Kartoffeln.«

»Unmögliches läßt er mich machen.« In ihrem weißen Kleid sah die Köchin aus wie eine Äbtissin aus einem Roman von Scott.

Mrs. Cameron ließ ein eher freudloses Lachen hören. »Wir müssen nun einmal alles daransetzen, gefällig zu sein. Jeder von uns. Mein Mann«, sie wandte sich Caroline zu, just als Don Cameron zum zweitenmal auftauchte, eine Peitsche schwenkend, während seine Traber emsig trabten, »haßt englisches Essen. Deshalb läßt er alles, was wir als Nahrung brauchen, aus Pennsylvania kommen. Heute abend gibt es Mais.«

»Aber wie erkenne ich den, Ma'am?« Die Köchin blickte verzweifelt drein, eine Abtei unter Belagerung.

»Er ist grün und zylindrisch und sollte aus seiner Hülle befreit und gekocht werden, aber nicht zu lange. Zum Obst geben Sie heute auch eine Wassermelone. Was den Rest betrifft, vertraue ich ganz auf Sie, liebe Köchin.«

»Aber . . .«, jammerte die Köchin und entfloh.

Mrs. Cameron setzte sich auf ein Sofa, unter ein Millais-Porträt einer Lady aus einer früheren Generation; und sah, in ihren gelblichweißen Spitzen, so aus, als gehöre auch sie jener früheren Zeit an, jener Zeit vor der neuen Ära laut ratternder Eisenbahnzüge, ominös stummer Telegrafen, greller elektrischer Lichter. Caroline bemerkte auf der Oberlippe ihrer Gastgeberin eine feine Linie aus Schweißtröpfchen und sah auf ihrer Stirn eine Ader pulsieren. Caroline dachte an Göttinnen, als sie Mrs. Cameron so betrachtete; dachte an Demeters lange Suche nach ihrer Tochter Persephone in der Hölle; dachte sich selbst als Persephone und Mrs. Cameron als die Mutter, die es hätte geben können. Andererseits: Befand sie sich denn in irgendeiner Hinsicht in der Hölle? Und falls sie sich dort befand – würde Mrs. Cameron sie erretten?

Caroline war sich vollauf bewußt, daß sie niemals wirklich etwas anderes gekannt hatte als ihr Leben, so wie es nun einmal war; doch wußte sie genug über Metaphysik, um zu begreifen, daß eine der Voraussetzungen der Hölle sehr oft die ist, *nichts* zu ahnen von der Existenz irgendeiner Alternative zum eigenen Leben. Caroline war von den Nonnen zu einer Freidenker-Schule gewechselt. Von einem konzentrischen Ring der Hölle, wie sie jetzt fand, zu einem anderen. Ja, sie befand sich in der Hölle – zumindest jedoch im Hades, und obschon sie über die Toten herrschte, wartete sie doch voller Ungeduld darauf, daß die Erdmutter-Göttin sie aus der Umarmung des Todes befreite und – oh, Glanz des griechischen Mythos! – der ganzen froststarren Oberwelt den Frühling zurückbrachte.

Ein Strahl hellen Morgenlichts ließ Mrs. Camerons Gesicht plötzlich erglühen wie rötlichen parischen Marmor, setzte das Goldhaar in Flammen und lenkte auf Caroline gleichsam den glänzenden Blaublick der Göttin, welche also sprach – jetzt kommt das Orakel, dachte Caroline, das, was sie jetzt sagt, wird mein Leben verändern, mich aus der Unterwelt erretten: »Ich gestehe dem Personal Ungenauigkeiten in Höhe von bis zu acht Prozent zu.

Nicht einen Penny mehr.« Demeter verstrahlte irdisches Licht. »Da man Bedienstete – wie Menschen überhaupt – nicht verbessern kann, bin ich dafür, Fehlbeträge innerhalb vereinbarter, wenn auch niemals offiziell erwähnter Grenzen zu halten. Das ist die Art und Weise, wie mein Mann Pennsylvania beherrscht.« Nun denn, die Botschaft habe ich empfangen, dachte Caroline, jetzt muß ich sie interpretieren.

Und einschlägig antwortete sie: »Mein Vater konnte sich nie damit abfinden, daß sich Bedienstete etwas in die eigene Tasche stecken. Aber er hat sich ja auch niemals an Frankreich gewöhnt.«

Colonel Sanford hatte sich sogar geweigert – und zwar aus moralischen Gründen, wie er behauptete –, jemals französisch zu sprechen. Er hielt die Franzosen für unanständig und ihre Sprache für eine raffinierte Falle voller Gefahren für die amerikanische Unschuld. Während seiner langen Witwerschaft hatte eine Reihe immens moralischer englischer, Schweizer und deutscher Damen für ihn gedolmetscht, blasse Nachfolgerinnen von Emma, Carolines Mutter, die allgemein als ungemein lebensvoll geschildert wurde. Sie war bald nach Carolines Geburt gestorben; sie war dunkel gewesen. Für Caroline war Emma nicht einmal eine Erinnerung, sondern nur ein Porträt im Hauptsalon von Saint-Cloud-le-Duc, ihres Vaters Château.

Mrs. Cameron stand wie in Flammen im Morgenlicht. »Warum ist er denn ins Exil gegangen?« Sie wirkte plötzlich fast persönlich, alles andere als inquisitorisch.

»Das habe ich nie erfahren.« Aber natürlich hatten Caroline und Blaise, ihr Halbbruder, so ihre Vermutungen: nichts für die Ohren selbst einer Erd-Göttin. »Das war, nachdem er meine Mutter geheiratet hatte. Sie war ja eigentlich französisch. Ich meine, sie ist zwar in Italien geboren worden, aber ihr erster Mann war Franzose.«

»Sie war eine geborene Schermerhorn Schuyler.« Mrs. Cameron reagierte prompt. Schließlich kannte jeder jedermanns Verhältnisse in der großen Welt Amerikas, ganz anders als in Paris, wo sich nur ein paar verschrobene Vetteln im Faubourg Saint-Germain mit Genealogie beschäftigten. »Natürlich liegt die Zeit ihrer Mutter schon ein wenig zurück. Doch als ich jung war, sprachen die Leute noch von ihr.«

Caroline wußte, daß Mrs. Cameron den Senator in jenem – offenkundig bemerkenswerten – Jahr geheiratet hatte, in dem sie selbst zur Welt gekommen und Emma gestorben war: 1878. Eine auf einer Konsole stehende Silberdose verriet das Hochzeitsdatum, ein Geschenk von Mrs. Camerons anderem berühmten Onkel, einem langgedienten Senator, der bis zum vergangenen Frühjahr Präsident McKinleys Außenminister gewesen war. Seine glanzvolle Karriere hatte ein ebenso abruptes wie unrühmliches Ende gefunden, als er in der Ausübung seines Amtes eine plötzliche Gedächtnisstörung erlitt, während er sich in Washington mit dem österreichischen Außenminister unterhielt, an sich weiter keine Tragödie, bloß daß er glaubte, *er* sei der österreichische Außenminister, und unbedingt deutsch sprechen wollte, was er gar nicht konnte. Und so sah sich Präsident McKinley zu seinem Bedauern gezwungen, ihn gehen zu lassen. Mrs. Cameron konnte sich noch immer nicht beruhigen. »Schließlich hat Onkel John meinen Paß unterzeichnet«, sagte sie, wenn die Rede auf Sherman kam.

Jetzt wollte Mrs. Cameron wissen, was denn nun mit dem berühmtem Besitz des Colonels bei Saint-Cloud geschehen werde. Caroline erwiderte wahrheitsgemäß, das wisse sie nicht. »Alles ist Blaise und mir hinterlassen worden. Allerdings muß das Testament erst noch – wie sagt man?«

»Rechtswirksam werden«, ergänzte die Göttin. »Hoffentlich erben Sie und Blaise zu gleichen Teilen.«

»Oh, ich bin sicher, das ist wahrscheinlich so.« Doch Caroline hatte ihre Zweifel. Im Laufe der Jahre hatte sich der Colonel vom krassen Exzentriker immer mehr zu einem Paranoiker entwickelt, der seinen Butler bei den Mahlzeiten als Vorkoster fungieren ließ: Der Colonel fürchtete, vergiftet zu werden. Bei warmem Wetter zog er die Tochter dem Sohn vor, begann dann das Laub zu welken, so war es umgekehrt. Während des jeweiligen Äquinoktiums wurden neue Testamente aufgesetzt. Unglücklicherweise war er bei kalter Witterung gestorben, als das Pferd, auf dem er bei Saint-Cloud über die Bahngeleise ritt, plötzlich scheute, um ihn just vor den Blauen Zug zu schleudern. Der Tod kam schnell. Das war inzwischen ein Jahr her; und in New York waren die Rechtsanwälte noch immer damit beschäftigt, die diversen Testamente zu entwirren. Im September würden Caroline und Blaise wissen, wer was geerbt hatte. Zum Glück galt der Sanford-Besitz als groß genug für beide. Das »Haus« bei Saint-Cloud war ein Palast, erbaut von einem der weniger fähigen – dafür jedoch um so reicheren – Finanzminister von Louis XV. In Carolines Jugend hatte es im Château nie weniger als vierzig Bedienstete gegeben, während sich die Gutsarbeiter aus den beiden Dörfern rekrutierten, die sich auf dem Grundbesitz befanden. Aber als sich der Wahnsinn des Colonels zu bemächtigen begann, wurden potentielle Mörder summarisch entlassen, bis am Ende kaum noch jemand übrigblieb, um all die Pracht zu hegen und zu pflegen, die sich finanzierte aus den Profiten der Sanford Encaustic Tiles (produziert in Lowell, Massachusetts) und der Cincinnati-Atlanta Railroad, einer gewinnträchtigen Nachkriegseinrichtung, gebaut als Ersatz für jene Eisenbahn, die Mrs. Camerons Onkel Cump (William Tecumseh Sherman – deshalb: Cump) auf seinem flott-forschen Marsch zum Meer in ihre Einzelteile zerschlagen hatte.

Sechs Kinder bevölkerten jetzt den Raum, als wären es zwölf. Da waren die beiden Nichten von Mrs. Cameron, ihre schwerfällige, zwölfjährige Tochter Martha, ein Curzon-Mädchen, zwei kleine Herbert-Buben sowie Clarence, der unansehnliche junge Bruder von Adelbert Hay und Sohn der Hausberühmtheit John Hay, Botschafter Amerikas am britischen Hof. Mrs. Cameron erteilte ohne Umschweife Anweisungen: »Ihr sollt nach draußen gehen, Mädchen. Zu den Stallungen. Dort ist ein Wagen. Und Mr. Adams – Onkel Dordie – hat euch zwei Ponys besorgt. Jungen, in Pluckley gibt es Lawn-Tennis . . .«

»Wir haben den Krieg gewonnen, Mrs. Cameron«, sagte Clarence, der sich offensichtlich im Stimmbruch befand. »Und zwar zu Vaters Bedingungen. Kuba ist für immer frei«, dröhnte er plötzlich, als seine Stimme, zum allgemeinen Entzücken, um eine Oktave fiel. »Aber wir werden Puerto Rico behalten. Für uns selbst.«

»Die eigentliche Frage«, sagte der würdevoll-ernste Herbert-Junge, ganz Nase und blühender Teint, »betrifft die Philippinen. Die müßt ihr Amerikaner unbedingt behalten, weißt du. In all diesem . . .«

»Über die Philippinen werden wir beim Lunch befinden«, sagte Mrs. Cameron und schickte die Bande hinaus.

Caroline war inzwischen an den großen Tisch zwischen den

Terrassenfenstern getreten. Auf seiner abgewetzten Platte lag Briefpapier mit verschiedenen Köpfen: Cameron; Surrenden Dering; United States Embassy. Sie mußte an Blaise schreiben: Ihre Hand verharrte über dem Tisch. Der Gedanke, Botschafts-Papier zu benutzen, war sehr verlockend, doch konnte so etwas zu Fehlschlüssen verleiten. Und so streckte sie die Hand nach dem hellgrauen Papier mit dem Surrenden-Dering-Kopf, doch gewahrte dann plötzlich einen kleinen Stapel altelfenbeinfarbenes Schreibpapier, das verziert war mit fünf kleinen zinnoberroten Herzen, in eben der gleichen Anordnung wie auf einer Spielkarte.

»Was ist das hier, Mrs. Cameron?« Caroline hielt ein Blatt in die Höhe.

»Was ist was?« Mrs. Cameron schloß hinter dem letzten der Kinder die Tür.

»Schreibpapier mit«, Caroline betrachtete die winzigen zinnoberroten Symbole, »der Herz . . .«

». . . Fünf.« Mrs. Cameron nahm Caroline das Papier aus der Hand. »Ich wüßte nicht, wer das hiergelassen haben könnte. Ich würde es zu schätzen wissen, wenn Sie das für sich behielten.«

»Eine geheime Gesellschaft?« Caroline war fasziniert.

»Eine Art Geheimnis, ja. Und auch eine Art Gesellschaft.«

»Aber was . . . *wer* sind die fünf Herzen?«

Mrs. Cameron lächelte, ohne große Freude zu bekunden.

»Da müssen Sie raten. Im übrigen sind es jetzt nur noch vier. Wie die Hofdamen von Maria, der schottischen Königin.«

»*Die* waren von Anfang an vier.«

»Nun, diese waren fünf. Aber wie in jener alten Ballade, wo einmal fünf waren, waren dann vier, und wo vier, drei . . .« Mrs. Cameron schluckte plötzlich sehr hart. »Und am Ende wird keines mehr da sein.«

»Sind *Sie* eines davon?«

»Oh, nein! So gut bin ich nicht.« Und schon war Mrs. Cameron verschwunden und mit ihr das geheimnisvolle Briefpapier.

Caroline war mitten in ihrem Brief an Blaise, als Del Hay von der Terrasse hereinkam. Er ähnelte sehr seiner Mutter, Clara Hay, einer schweren, derbknochigen, stattlichen Frau, die mit ihm einen gleichermaßen gewichtigen und ziemlich breithüftigen Sohn in die Welt gesetzt hatte, mit einem Gesicht, dessen Schwerpunkt unterhalb der Augen lag, ganz im Gegensatz zu dem von Caroline, das, zur Dreiecksform tendierend, von einer sehr breiten Stirn beherrscht wurde.

»Wir haben den Krieg gewonnen«, sagte Del.

»Als allgemeinen Gruß ziehe ich ein ›Guten Morgen‹ vor.« Caroline gab sich betont kühl. »Bisher hat mir heute jeder erzählt, wir hätten den Krieg gewonnen, und vom Wetter hat noch niemand gesprochen. Im übrigen habe *ich* den Krieg nicht gewonnen, sondern Sie und Ihr Vater.«

»Sie auch. Sie sind Amerikanerin. Oh, es ist ein großer Tag für uns alle.«

»Ein sehr heißer Tag. Ich bin gerade dabei, Ihrem früheren Kommilitonen einen Brief zu schreiben. Soll ich ihm etwas ausrichten?«

»Ja. Schreiben Sie ihm, *er* müßte doch glücklich sein. Zumindest sein Arbeitgeber sollte es sein. Das New York Journal muß Schaum vorm Maul haben wie irgendein tollwütiger . . .«

»Adler. Darf ich ihm auf dem Briefpapier Ihres Vaters schreiben?«

»Warum nicht? Dies ist die Sommerbotschaft.« Ein junger Mann mit akkurat gezogenem Mittelscheitel steckte den Kopf durch die Tür herein. »Haben Sie den Botschafter gesehen?«

»Er ist in der Bibliothek, Mr. Eddy. Sind Sie gerade aus London gekommen?«

»Ich war schon gestern abend zum Dinner hier.« Mr. Eddys Stimme klang vorwurfsvoll. »Natürlich waren so viele Menschen anwesend . . .«

»Tut mir leid«, sagte Del. »Es waren *wirklich* so viele . . . Was ist der Stand der Dinge?«

»Das weiß ich nicht. Das Telegrafenamt im Dorf muß entweder zusammengebrochen sein oder einfach geschlossen haben. Es heißt, man habe dort noch niemals einen solchen Betrieb erlebt. Aber Mr. White ist auf dem Weg von London hierher. Er wird über die neuesten Entwicklungen informiert sein.« Mr. Eddy verschwand, und dann verließen auch die beiden anderen den Salon. Caroline stützte sich auf Dels Arm, während sie hinaustraten auf die Steinterrassen mit ihrem weiten Ausblick auf den *Weald* von Kent. Was ein *Weald* war, wußte Caroline zwar nicht genau, doch nahm sie an, daß grüne Wälder und ferne Hügel dazugehörten – eine Aussicht, wie man sie eben von hier aus hatte. Sie gingen zu dem Teil der Terrasse, der im Schatten einer knorrigen, offenbar absterbenden Rieseneiche lag. Die sanfte, grüne englische Landschaft begann zu flimmern, und die Vormittagssonne brannte ein Loch in einen Himmel, der eigentlich hellblau hätte sein müssen, statt dessen jedoch weiß war vor Hitze.

»Sie sollten mehr Interesse für unseren Krieg zeigen«, scherzte Del, als sie, knirschenden Kies unter den Füßen, im Schatten wandelten. Unterhalb von ihnen, auf einer grasbewachsenen Terrasse, reckte ein würdiger Pfau seinen viel zu farbenprächtigen Schwanz. Überall wuchsen üppige, wenn auch fast verblühte Rosen in auffallend schlecht gepflegten Beeten. Prachthäuser und Prachtgärten waren für Caroline ein altgewohnter Anblick. »Sie wird einmal einem feinen Lord eine großartige Hausherrin sein«, hatte die vorletzte »Dolmetscherin« ihres Vaters gesagt, eine Miss Verlop aus Den Haag. »Oder«, hatte Blaise maliziös hinzugefügt, »einem feinen Kapitalisten ein tüchtiger Fabrikboß.«

Aber Caroline hatte nicht die mindeste Lust, Hausherrin oder Ehefrau zu sein, wohingegen Fabrikboß schon interessanter klang. Natürlich hatte sie auch nie den Wunsch verspürt, eine Tochter oder eine Halbschwester zu sein. Dennoch hatte sie pflichtgemäß ihre Zeit als Tochter abgedient und die entsprechende Ausbildung genossen; und was die Halbschwester betraf, sie fand Blaise unterhaltsam und hatte ihn durchaus gern – solange er ihr nicht ihren Teil des Erbes streitig machte.

»Weshalb sollte er?« Del blieb unter einem mächtigen, ebenfalls überblüht wirkenden Rhododendron stehen.

Del schien so verdutzt, wie sich Caroline fühlte: Offenbar hatte sie laut gesprochen, ohne sich dessen bewußt zu sein. War das beginnender Wahnsinn? fragte sie sich. Die Sanfords waren fast durch die Bank Exzentriker, um es freundlich auszudrücken, wie sie es untereinander taten, wohl wissend, daß einige unter ihnen, und zu denen hatte Carolines Vater gehört, selbst wohlwollend nur als »total meschugge« zu bezeichnen waren.

»Was habe ich denn gerade gesagt?« Caroline war entschlossen, wissenschaftlich vorzugehen. Blieb ihr das Schicksal der übrigen Sanfords schon nicht erspart, so wollte sie zumindest jede Phase ihres Niedergangs bewußt erleben. Sie würde dem berühmten Monsieur Charcot nacheifern – klinisch klar.

»Sie haben gesagt, es sei Ihnen egal, ob sich irgendwer jemals wieder an die *Maine* erinnere . . .«

»Richtig. Und dann?«

»Haben Sie gesagt, Sie glaubten, Mr. Hearst und Blaise hätten sie wahrscheinlich gemeinsam versenkt.«

»Oh, du Gütiger. Aber zumindest spreche ich im Delirium die Wahrheit.«

»Sind Sie krank?«

»Nein. Nein. Jedenfalls noch nicht. Nicht, daß ich wüßte. Wie bin ich von der *Maine* auf das Testament meines Vaters gekommen?«

»Sie haben gesagt . . . Wollen Sie mich auf den Arm nehmen?« Die kleinen, grauen Augen in seinem großen Gesicht wirkten freundlich, und sie schienen das sehr intensive Augustlicht eher zu absorbieren als zu reflektieren.

»Oh, Del!« Es kam selten vor, daß Caroline einen jungen Mann mit seinem Vornamen anredete. Ihre erste Sprache war schließlich das Französische mit der sorgfältigen Unterscheidung zwischen dem vertraulichen *tu* und dem formellen *Vous,* auf der eine ganze Zivilisation errichtet worden war. Zwar hatte Caroline mit der Liebe noch keine Erfahrung gemacht (sah man einmal ab von der Schwärmerei einer Vierzehnjährigen für einen ihrer Lehrer in Allenswood), doch wußte sie durch das Theater sowie aus Büchern und der Konversation alter Damen, wie die Liebe zweifellos war, und sah sich, im günstigsten Fall, als Phaedra, verzehrt von der Lust für einen gleichgültigen Stiefsohn, und schlimmstenfalls als liebendes Weib eines guten Mannes wie Adelbert Hay, dessen Vater, der berühmte John Hay, Privatsekretär von Abraham Lincoln gewesen war und jetzt als amerikanischer Botschafter am britischen Hof fungierte. Nicht nur, daß John Hay kultiviert war in einem Maße, wie das ein geborener Amerikaner überhaupt sein konnte (Caroline war sich nie ganz sicher, wie dick der Firnis bei irgendeinem ihrer Landsleute wohl je sein mochte), durch seine Heirat mit Clara Stone, einer Erbin aus Cleveland, die ihm zwei Söhne und zwei Töchter geschenkt hatte, war er außerdem reich.

Schicksalsfügung, immer und immerfort: Der älteste Sohn hatte zusammen mit Carolines Halbbruder Blaise Delacroix in Yale studiert; und Caroline war dem jungen Mr. Hay zweimal in New Haven und einmal in Paris begegnet; und jetzt waren sie beide Hausgäste in Kent und sannen nach über die Frage, die zu stellen Caroline sich nicht gescheut hatte, ohne sich recht der Tatsache bewußt zu sein, daß sie ihre Gedanken offen aussprach – etwas, das außerhalb der Blaustrumpf-Akademie der grandiosen Mlle. Souvestre nicht gerade gefördert wurde: »Wird Blaise versuchen, mir mein ganzes Geld wegzunehmen, jetzt, nachdem er die *Maine* versenkt hat?«

Caroline gab sich alle Mühe, so zu tun, als habe sie nur gescherzt – über das Geld, wenn schon nicht über die *Maine*; und auf diese Weise brachte sie es fertig, Del davon zu überzeugen, daß sie nicht scherzte. Er schloß für einen Moment die Augen. Zwischen seinen Brauen formten zwei winzige Linien eine Art Spitztürmchen, wie in Nachahmung der tiefen Furchen des Botschafters. »Blaise ist sehr . . . wild«, sagte Del. Von unten kreischte der Pfau rauhe Zustimmung. »Aber er ist auch ein Gentleman.« Del öffnete die Augen: Die Angelegenheit war, für ihn, zufriedenstellend gelöst.

»Sie meinen, weil er in Yale studiert hat?« Caroline empfand einen wahrhaft französischen Widerwillen gegen das anglo-amerikanische Wort »Gentleman«, von seiner romantischen Umwölkung ganz zu schweigen.

»Gewiß, er hat nicht promoviert. Trotzdem . . .«

»Er ist ein halber Gentleman. Und natürlich ist er nur mein Halbbruder. Ich wünschte, ich wäre ein Mann. Ein Mann«, wiederholte Caroline, »*nicht* ein Gentleman.«

»Aber Sie würden doch beides sein. Nur – warum wollen Sie das überhaupt?« Del nahm auf einer Steinbank Platz. Caroline, an seiner Seite, arrangierte sich in einem Winkel zu ihm. Wie sehr, dachte sie, würden sich die Sanfords und die Hays erbauen an diesem Anblick eines jungen Paars, das unausweichlich, Quecksilberfragmenten gleich, zum silbrigen Ganzen einer ehelichen Verbindung zu verschmelzen schien. Del würde eines Tages genauso massig – kein anderes Wort traf es so – sein wie seine Mutter Clara. Allerdings wußte Caroline auch, daß sie selbst später einmal durchaus so massig werden mochte wie der Colonel, der, am Ende, auf Theaterbesuche verzichtet hatte, weil er in keinen Sitz mehr paßte, und der sich geweigert hatte, einen speziellen Sessel in eine Loge stellen zu lassen, wie das sein einstiger Freund, der noch massigere Prinz von Wales, zu tun pflegte.

»Wir können zusammen fett werden«, murmelte Caroline und fragte sich, ob ihr unbewußtes »Beiseite« über Blaise gleichfalls gemurmelt oder mit normaler Stimme gesprochen worden war? Normal, entschied sie, während der verwirrte Del sie bat, ihre letzten Worte zu wiederholen. »Welchen Eindruck haben Sie von seinem Charakter?« fragte sie.

»Darüber kann ich nichts sagen. Ich habe ihn ja nicht mehr gesehen, seit er Yale verlassen hat, um für das Morning Journal zu arbeiten.«

»Trotzdem, Sie und er waren doch Kommilitonen. Sie kennen ihn besser als ich. Ich bin nur die Halbschwester, aus Frankreich zurückgekehrt. Sie sind der – Altersgenosse in Amerika.«

»Ich glaube, Blaise wollte mit seinem Leben früher anfangen, als das die meisten von uns tun. Das ist alles. Er war – er ist – in Eile.«

»Um was zu tun?« Carolines Neugier war echt.

»Um sich voll auszuleben, nehme ich an.«

»Und Sie tun das nicht?«

Del lächelte; seine Zähne glichen ersten Kinderzähnen, kleine, unregelmäßige Perlen; darüber hinaus hatte er Grübchen und eine Stupsnase. »Ich bin träge. So wie's mein Vater von *sich* behauptet, was aber nicht stimmt. Ich weiß nicht, was ich mit mir anfangen soll. Blaise hingegen weiß ganz genau, was er will.«

Caroline zeigte sich verwundert. »Voriges Jahr wollte er Jura studieren. Dann ging er von Yale ab und begann für eine Zeitung zu arbeiten, ausgerechnet. Und für was für eine Zeitung!« Caroline hatte noch nie etwas Gutes gehört über das Journal oder seinen Besitzer, den reichen jungen Kalifornier William Randolph Hearst, dessen Mutter vor kurzem von seinem fast analphabetischen Vater, dem Senator George Hearst, einem ungehobelten Entdecker von Gold- und Silberminen im Westen, ein Vermögen geerbt hatte. Es war der Senator gewesen, der seinen heißgeliebten einzigen Sohn als Zeitungsbesitzer etabliert hatte, zuerst mit dem Daily Examiner in San Francisco und dann mit dem Morning Journal in New York, wo der junge Hearst mit einem Sensationsjournalismus spektakuläre Erfolge feierte, den man als *yellow* bezeichnete (Brände, Alarme,

Skandale), wobei er selbst Mr. Pulitzers New York World hinter sich ließ, die ursprünglich für diese Art Journalismus gestanden hatte. Das Journal war jetzt, in Hearsts eigenen Worten, »die populärste Zeitung auf der *Erde*«.

»Und Blaise ist absolut entzückt von Mr. Hearst«, sagte Caroline. »Und mich entzückt es, über Mr. Hearst zu hören.«

»Aber Sie sind ihm doch noch nie begegnet?«

»Nein. Nein. Ihm begegnet man ja wohl auch nicht. Er geht ins Rector's, mit Schauspielerinnen. *Zwei* sehr jungen Schauspielerinnen, wie ich gehört habe. Schwestern.«

»Er ist ordinär.« Del sprach das Schlußurteil, gegen das es keine Berufung gab.

»Warum ist Blaise dann so darauf erpicht, für ihn zu arbeiten?«

Diesmal zeigte Del ein eher erwachsenes und wissendes Lächeln; glatte Lippen entblößten seine Babyzähne. »Oh, Miss Sanford, hat Ihnen noch niemand etwas über Macht gesagt?«

»In der Schule habe ich Julius Cäsars Handbuch gelesen. Ich weiß alles darüber. Im Morgendämmern bricht man zu Gewaltmärschen auf, überrumpelt die Feinde und tötet sie. Dann schreibt man über das, was man getan hat, ein Buch.«

»Nun, heutzutage sind die Zeitungen das Buch, das man schreibt. Blaise hat nur den Weg abgekürzt und ist gleich zum Endprodukt vorgestoßen.«

»Aber ist es nicht besser – wenn man auf so etwas aus ist –, zuerst einen Krieg zu gewinnen?«

»Aber das ist genau das, was Mr. Hearst getan hat, oder getan zu haben glaubt. All diese Geschichten, die er darüber gebracht hat, daß die Spanier unser Schlachtschiff in die Luft gesprengt hätten.«

»Haben sie's getan?«

»Wahrscheinlich nicht, wie Vater meint. Aber darauf kommt es nicht an. Es kommt darauf an, was man die Leute glauben macht. Jedenfalls steckt Blaise mitten drin. Er will Macht. Das ist uns allen aufgefallen.«

»Und Sie nicht?«

»Ich bin viel zu bequem. Ich würde lieber heiraten und glücklich sein, wie mein Vater.«

»Aber der Botschafter war doch immer im Zentrum von Gewaltmärschen bei Tagesanbruch.«

Del lachte. »Es waren die anderen, die früh aufstanden, um zu marschieren. Vater hat nur das Buch geschrieben.«

»Zehn Bände insgesamt.« Caroline kannte niemanden, der es geschafft hatte, sich durch sämtliche zehn Bände der Lincoln-Biographie hindurchzulesen, die John Hay und J. G. Nicolay, der andere Sekretär des einstigen Präsidenten, gemeinsam verfaßt hatten. Caroline hatte gar nicht erst den Versuch unternommen. Der Bürgerkrieg interessierte sie nicht, und Lincoln erschien ihr so fern wie die Königin Elizabeth und dazu noch weit weniger interessant. Allerdings war sie mit der luziden Prosa-Kost eines Saint-Simon großgeworden, in dessen Memoiren es keine Heiligen mit Zylinder gab, die an den Allmächtigen sentenziöse Appelle richteten, sondern nur einen König, welcher angemessenerweise mit der Sonne verglichen wurde – Herrscher im Bett wie auch außerhalb.

Mrs. Cameron erschien auf der Terrasse. »Del!« rief sie. »Ihr Vater wünscht Sie. Er ist in der Bibliothek.« Und verschwand wieder nach drinnen.

»Was«, fragte Caroline, während sie zum Haus zurückgingen, »hat es mit der Herz-Fünf auf sich?«

»Wo haben Sie davon gehört?«

»Ich sah Briefpapier mit dem Zeichen. Und fragte Mrs. Cameron. Sie tat geheimnisvoll.«

»Nun, erwähnen Sie dieses Thema niemals gegenüber Mr. Adams.«

»Dann ist er wohl ein ›Herz‹?«

»Das ist lange her«, sagte Del nur.

Caroline ging auf ihr Zimmer; und zog sich zum Lunch um. Sie war ohne Zofe gekommen; die alte Marguerite war nach Vichy zur Heilwasserkur gefahren. Früher war Caroline immer mit einer Mademoiselle gereist, die halb Gouvernante und halb Zofe war. Jetzt, in ihrem 21. Jahr, konnte Caroline als Waise tun, was ihr gefiel. Ihr Problem bestand darin, daß sie sich über ihre eigenen Wünsche noch nicht endgültig im klaren war. Bis zur Regelung der Erbschaftsangelegenheit befand sie sich ohnehin in einer Art Schwebezustand. Und so hatte sie beschlossen, den August mit Del und seiner Familie in der »Sommer-Botschaft« zu verbringen, mit den Camerons und dem *Porcupinus angelicus* als Gastgebern. Letzteres war eine Art Spitzname für Henry Adams, der in der Tat so stachlig war wie ein Stachelschwein, wenn auch keineswegs immer allzu engelhaft.

Glücklicherweise befand sich Adams im Moment in einer himmlischen Stimmung, zumindest soweit es Caroline betraf. Sie fand ihn allein im gelben Salon, der diesen Namen trug, weil der uralte, einst grüne Damast eine kränkliche Gelbtönung angenommen hatte, die noch kränklicher wirkte durch den Kontrast mit dem stark vergoldeten – und verstaubten – Mobiliar. Entsprach die Verstaubtheit dem englischen August, oder war sie als Versinnbildlichung ihres Geisteszustandes zu verstehen?

Henry Adams war kleiner als Caroline, und sie war gewiß schon keine Amazone. Mit seinen sechzig Jahren bot Adams nicht unbedingt das Bild strotzender Manneskraft. Er, der Enkel und Urenkel von Präsidenten, an denen er gnadenlos gemessen wurde, hatte einen weißen Spitzbart, eine rosafarbene, glänzende Stirnglatze – Erbteil der Adams', wie er zu sagen pflegte – und einen Spitzbauch, der es ihm erschwerte, die rundliche kleine Gestalt auszubalancieren, die einzig dazu bestimmt schien, den Kopf mit dem enormen Gehirn des großen amerikanischen Historikers zu tragen, eines Mannes von Witz und Intellekt, aber auch immer eines Verbreiters von Schwermut – *und* des Liebhabers von Lizzie Cameron. Aber waren die beiden tatsächlich ein Liebespaar? fragte sich Caroline. Zweifel schienen angezeigt.

»Liebe Miss Sanford.« Henry Adams' alte Augen glänzten, wirkten hellwach; das Lächeln indes war eigentümlich scheu für einen so Verehrungswürdigen. »Sie verklären den Sommer zumindest *eines* Sechzigjährigen.« Er sprach mit britischem Akzent, was sich zweifellos daraus erklärte, daß er in relativ jungen Jahren seinem Vater als Sekretär gedient hatte, als dieser in der Zeit des Bürgerkriegs Präsident Lincolns Gesandter in London gewesen war. Wie so viele völlig anglisierte Amerikaner gab Adams vor, die Briten zu verabscheuen. »Sie sind unübertrefflich stupide«, pflegte er mit stiller Freude zu sagen, wenn er sich mit einem neuen Beispiel britischer Beschränktheit konfrontiert sah.

»Mr. Adams.« Caroline imitierte einen ehrerbietigen Knicks. »Ist der Krieg zu Ihrer Zufriedenheit ausgegangen.«

»Nun, daß er endlich zu Ende ist, das befriedigt mich. Immerhin hat mich die kubanische Angelegenheit zwei Jahre lang in eine solche Raserei versetzt, daß es eine Bewegung gab, um mich in den Washingtoner Zoo zu sperren. Die bloße Erwähnung der Worte ›Cuba libre‹ genügte, um mich aufheulen zu lassen – wie ein Wolf bei Vollmond.« Adams fletschte seine Zähne und sah dabei Caroline an, durchaus ähnlich einem Wolf zur Mittagszeit. »Aber ich verliere ja immer den Kopf, wenn andere ruhig sind. In dem Augenblick jedoch, in dem die anderen den Kopf verlieren, bin *ich* ganz ruhig. Als der Krieg begann, war ich völlig gelassen. Ich wußte, daß wir unseren schicksalentscheidenden Mann sicher in der richtigen Position hatten.«

»Commodore Dewey?«

»Oh, Kind! Commodores sind in Kriegszeiten nur Spielzeug.«

»Aber er hat doch Manila eingenommen und die spanische Flotte besiegt, und jetzt will jeder, daß wir bleiben, zumindest die Engländer.«

Adams zog an seinem Spitzbart, und Caroline bemerkte, daß seine Hand eher die eines Babys als die eines alten Mannes war. Er neigte seinen Kopf zur Seite. »Wir Jünger der Geschichte – mag es auch langweilig scheinen – wissen gern genau, wer es denn war, der einen Admiral, gleich einer Schachfigur, in fernöstliche Gewässer beorderte – die man schon bald fernwestliche nennen wird, da, was für uns Westen ist, der wahre Westen ist.«

»Mein Bruder Blaise sagt, das sei Mr. Roosevelt gewesen, als er Unterstaatssekretär der Marine war. Blaise sagt, er habe es getan, ohne seine Oberen davon zu verständigen.«

Adams nickte zustimmend. »Sie kommen der Sache schon näher. Unser junger, selbstbewußter Freund Theodore – ein Schüler meines jungen, selbstbewußten Bruders Brooks – verdient gewiß mehr Anerkennung als jener Springer – Admiral, meine ich –, ich bediene mich der Schachsprache, der Spanien matt setzte. Doch wessen Hand lenkte unseren ›Turm‹ Theodore?«

Von Martha angeführt, bevölkerte urplötzlich ein Schwarm Kinder den gelben Salon. Die Mädchen umringten Onkel Dordie – ein Name, den Martha erfunden hatte. Wie sich zeigte, waren seine Taschen mit Süßigkeiten gefüllt, doch wurde jegliche Naschsucht von Mrs. Cameron ebenso prompt wie rigoros unterdrückt. »Doch nicht vor den Mahlzeiten, Dor!« schalt sie und konfiszierte alles, was sie den widerspenstigen kleinen Fäusten entreißen konnte.

Jetzt betraten auch andere Hausgäste den Salon, ohne Ankündigung, zum Leidwesen des Butlers. Doch in der Sommer-Botschaft war Mrs. Camerons Wort oberstes Gebot. Gemeldet wurden nur offizielle Gäste. Der Rest kam kunterbunt.

Zu Carolines Überraschung wandte Adams sich ihr wieder zu und führte das Gespräch dort weiter, wo es unterbrochen worden war. »Bei solchen Ereignissen, die das Gleichgewicht der Kräfte in der Welt plötzlich verändern, muß es einen perfekten politischen Schachspieler geben, der seine Züge präzise kalkuliert. Dieser Spieler bringt Theodore bei der Marine in die richtige Position, damit der wiederum den Admiral bei Manila in Position bringen kann; er reagiert sodann auf die Versenkung der *Maine* mit einer Reihe von Zügen, die zu einem fast unblutigen Krieg führen sowie zum Ende Spaniens als ›Welt-Spieler‹ und zum Aufstieg der Vereinigten Staaten zu einer asiatischen Macht . . .«

»Ich bin sehr gespannt, Mr. Adams! Wer ist dieser perfekte Spieler?«

»Unser erster Mann des Schicksals seit Mr. Lincoln – der Präsident, wer sonst? Der Major persönlich. Mr. McKinley. Lachen Sie nicht!« Adams krauste streng die Stirn. »Ich weiß, er gilt als Marionette von Mark Hanna und den übrigen Bossen, doch für mich steht fest, daß sie *seine* Marionetten sind. Sie treiben für ihn Geld auf – eine sehr nützliche Kunst –, so daß er uns ein Empire schaffen kann, was er auch getan hat! Das Timing ist einfach genial. Genau in dem Augenblick, in dem das schwache England seinen Griff um die Welt zu lockern beginnt und Deutschland und Rußland und Japan miteinander rangeln, um Englands Platz einzunehmen, kommt der Major allen zuvor, und der Pazifische Ozean gehört uns! Oder wird uns doch bald gehören, und die neuen Machtpole werden Rußland auf der östlichen Landmasse und die Vereinigten Staaten auf der westlichen sein, mit England dazwischen – endlich von uns überflügelt! Oh, in Ihrem Alter sein, Miss Sanford, und die kommenden Wunder unseres augusteischen Zeitalters erleben!«

»In Paris, Mr. Adams, haben Sie mir einmal gesagt, Sie seien ein lebenslänglicher Pessimist.«

»Damals war ich auf Erden. Jetzt bin ich im Himmel, liebe Miss Sanford, und so endet mein Pessimismus mit meinem irdischen

Leben. Hier oben bin ich nicht einmal ein Stachelschwein.« Sein Schnurrbart zuckte an den Ecken, während er zu ihr emporblickte – wie klein er doch war, ging es ihr durch den Kopf, engelhaft und diabolisch.

Zwei Herren gesellten sich zu ihnen. Don Cameron, der nach Whiskey roch, und der untersetzte, kahlköpfige und bärtige Henry James, der aus Rye gekommen war, wo er ein Haus besaß. Als Caroline noch sehr jung gewesen war, hatten die Paul Bourgets den Romancier einmal nach Saint-Cloud mitgebracht, und sie war beeindruckt gewesen, weil James ein völlig akzentfreies Französisch sprach. Außerdem faszinierte sie, daß dieser Amerikaner zwar zwei Vornamen, jedoch keinen Familiennamen zu haben schien. Henry James Was? hatte sie gefragt. Der Colonel wußte es nicht, und es interessierte ihn auch nicht. Literaten waren ihm ein Greuel, mit Ausnahme von Paul Bourget, dessen aggressiver Snobismus Sanford im stillen Vergnügen bereitete: »Kann seine Bücher nicht lesen. Aber er kennt *le monde de la famille.*« Gebrauchte der Colonel mal eine französische Wendung, so klang seine Aussprachen beklemmend; dabei hatte er ein gutes Ohr; und liebte die Musik, wenn auch nicht die Musiker. Er hatte sogar eine Oper über Marie de'Medici geschrieben, die allerdings niemand aufführen wollte, falls er dafür nicht aus eigener Tasche bezahlte. Aber da er zu den Menschen gehörte, die nicht bereit sind, fürs eigene Vergnügen freiwillig auch nur einen einzigen Penny herauszurücken, hatte es, solange er lebte, keine Aufführung gegeben; und auch kein Leben. Caroline schwor sich, nicht den gleichen Fehler zu machen.

Don Cameron sagte langsam mit rauher, rumpelnder Stimme: »Nun, Sie könnten's doch wenigstens mal ausprobieren.«

»Aber, mein lieber Senator, ich bin doch bereits so wunderschön *maschinisiert.* Bei Lamb House stattet man mich aus wie die allerneueste, allermodernste Fabrik, die auf Höchstproduktion getrimmt wird, mit einem Chefingenieur, der *hoffnungslos* verheiratet ist mit jener komplexen und komplizierten Apparatur, die er wie ein Virtuose zu handhaben versteht . . .« Henry James sprach mit tiefer, tönender Stimme, die aus einem mächtigen Brustkorb klang, in welchem sich eine Sängerlunge verbergen mußte, dachte Caroline, denn nie geriet er außer Atem, mochte die Satzperiode auch noch so lang und verschachtelt sein.

Cameron war hartnäckig. »Sie werden es nie bereuen, sie ausprobiert zu haben. Ich weiß es. Ich habe es getan. Ich bin zwar kein Schriftsteller, doch das könnte Ihr Leben verändern.«

»Ach, *das*!« setzte James an.

Adams warf dazwischen: »Worum geht es denn?«

»Dir hab ich's doch bereits gezeigt.« Die kleinen, roten, mißtrauischen Augen richteten sich jetzt auf Caroline. »Ich verkaufe das Ding – das heißt, die Rechte daran – für Europa. Exklusivrechte.«

»Unser Freund, der Senator«, begann James erneut, nachdem er sehr tief Atem geholt hatte, was Caroline interessiert beobachtete; dank dem Colonel wußte sie eine Menge über Technik und Tricks von Opernsängern und von Oper überhaupt, »hat jetzt in seinem Exil . . . nein, in seiner höchst besinnlichen Abkehr von den lärmerfüllten Gefilden des amerikanischen Senats die volle Reife seiner Aufmerksamkeit einem kommerziellen Objekt zugewandt, von dem er sehr zu Recht vermutet, daß es für mich – vor all den anderen Anwesenden hier – von schwerwiegender Bedeutung und brennendem Interesse sei, wenn auch vorerst dahingestellt bleiben muß, ob der Senator als Versucher – oder Versuchter – auf Miss Sanford die gleiche nachhaltige Wirkung ausüben wird wie auf mich mit seiner Beschreibung – so luzid, ja sogar bezwingend – jenes kommerziellen Objekts, nach dessen Identität du, mein lieber Henry, dich gerade erkundigst. *Mais en tout cas,* Mademoiselle Sanford, kann ich mir nicht vorstellen, daß Sie als die Châtelaine des großen Palastes von Saint-Cloud-le-Duc Senator Camerons Utensil explizit – oder auch implizit – irgendwelches Interesse entgegenbringen könnten, außer . . .«

»Was . . . *was* ist es denn?« schrie Henry Adams, während sich die Sätze – verbale Äquivalente von Laokoons Schlange – wie Schlingen um die Zuhörer wanden.

»Es ist diese Schreibmaschine, für die ich werbe«, sagte Senator Cameron.

»Und ich dachte schon, es handle sich um eine Art Guillotine für zu Hause«, sagte Caroline.

»Für *zu Hause*?« fragte Adams und beantwortete dann seine eigene Frage. »Nun, warum auch nicht? Wir könnten zweifellos eine auf dem Lafayette Square gebrauchen.«

»Wenn Mr. James jetzt die Liebenswürdigkeit hätte, uns seine Unterstützung zu gewähren«, begann Senator Cameron.

»Aber ich bin doch, Senator, mit einer anderen vermählt. Ich bin – lassen Sie mich ein für allemal den ehrenwerten Namen aussprechen – *vereint* mit der Remington Typenschreiber-Maschine, und bin dies bereits seit zwei wundersam zufriedenen und glücklichen Jahren.«

»Sie bedienen sie selbst?« Ein Bild, das Caroline unvorstellbar erschien: der gewichtige Mr. James vor einer metallenen Apparatur mit plump tipp-tappenden Fingern.

»Nein«, sagte Henry Adams. »Er schreitet im Gartenzimmer seines Hauses hin und her und spult seine Satzperioden ins Ohr eines Typenschreiber-Maschinisten, der sie in Remingtonesisch verwandelt.«

»Das, wenn alles gutgeht, dem Englischen erstaunlich ähnelt«, ergänzte Henry James mit funkelnden Augen. Caroline nahm sich fest vor, ihn eines Tages wirklich zu lesen. Bislang hatte sie – einmal abgesehen von *Daisy Miller*, der Pflichtlektüre einer jeden jungen Amerikanerin in Europa – einen weiten Bogen um die Bücher des Mannes gemacht, den viele kundige Amerikaner in Paris den »Meister« nannten.

»Ich werde Ihnen auf jeden Fall eine zur Verfügung stellen.« Cameron zeigte sich stur. »Ihr Mann soll sie mal ausprobieren. Mit diesen modernen Erfindungen läßt sich ein Vermögen verdienen. Wo ist Lizzie?«

Keiner wußte es. Im Salon war sie nicht. Und während sich Cameron durch eine Gruppe von Kindern zum Korridor drängte, vollführte Mr. Eddy eine tiefe Verbeugung vor dem Staatsmann, der ihn gar nicht gewahrte.

»Unser guter Don ist hartnäckig«, sagte Henry Adams, und war sein Ton auch verbindlich, sein Gesichtsausdruck war es nicht. Caroline sah, daß das auch James auffiel.

»Es muß ihn sehr hart ankommen, nicht mehr im Senat zu sein, nachdem er doch so viele Jahre im Mittelpunkt gestanden hat.« James zeigte sich erstaunlich feinfühlig.

»Oh, ich glaube, er kommt auch so auf seine Kosten. Schließlich ist er reich. Da ist dieses Anwesen in South Carolina, um das er sich wohl Sorgen macht . . .«

»Noch schwerer muß es für La Dona sein, wie du, nicht ich, sie nennst.« James studierte Adams' Gesicht mit angespanntem Interesse.

»Es ging ihr gesundheitlich nicht gut.« Adams' Stimme klang ausdruckslos; flach. »Deshalb haben Don und ich unser Syndikat gebildet, um den Sommer über hier zu wohnen, uns alle zu vereinen.«

»Dann fühlt sie sich jetzt also wieder prächtig?«

Die Antwort blieb Henry Adams erspart, durch den Butler, der jetzt – endlich – in seinem ureigenen Licht glänzen durfte. In der Türöffnung stand, sehr gerade und steif, die skelettartige Gestalt von Mr. Beech, indes die Baßstimme des Butlers ekstatisch verkündete: »Seine Exzellenz, der Botschafter der Vereinigten Staaten von Amerika, und Mrs. John Hay.«

»Ich sollte jetzt wohl in ein dreifaches Hurra ausbrechen«, sagte Henry James, »und zwar mit Stentorstimme.«

»Bitte nicht«, sagte Adams.

Die Hays waren ein merkwürdig aussehendes Paar. Er – klein, schlank, bärtig – besaß ein Gesicht, das aus einiger Entfernung jünglingshaft wirkte, aus der Nähe indes einem fein gerunzelten Ziegenfell ähnelte. Wie die übrigen Männer trug Hay einen Spitzbart, sein volles Haar war in der Mitte gescheitelt und im gleichen stumpfen Kastanienbraun gefärbt wie das Haar seiner hochgewachsenen, fleischigen, großgesichtigen Frau, die, neben ihrem Gatten stehend, noch größer und imposanter wirkte als ohnehin schon. Caroline konnte sehen, wie Del gleichsam aus Claras Gesicht herausschaute; andererseits sah sie, bis auf die Stupsnase, keinerlei Ähnlichkeit zwischen Del und Hay, der jetzt zu ihnen trat, um Henry James zu begrüßen. Sie waren alte Freunde.

»Oh, ja«, sagte James mehr zu Caroline als zu irgend jemandem sonst, »als ich auf dieser Seite des Großen Teiches eine Anstellung brauchte, da war es Mr. Hay – das alles liegt ein Vierteljahrhundert zurück, und die Welt war jünger, genau wie wir selbst, um eine dickenssche Note von umfassender Redundanz anzuschlagen – da war es Mr. Hay, der als erster der Editoren der New York Tribune, wer weiß mit was für Tricks, jene ehrenwerte Zeitung dazu überredete, mich als ihren unzulänglichen Pariser Korrespondenten anzunehmen.«

»Zweifellos das Klügste, was ich je getan habe.« Hays Stimme hatte einen tiefen und präzisen sowie – für Carolines kritisches Ohr eine Seltenheit – einen angenehm amerikanischen Klang. »Inzwischen sind Sie so berühmt geworden, daß in meiner Bibliothek Ihre Büste steht, neben der von Cicero. Adams vergleicht euch beide oft miteinander – die Originale, meine ich, nicht die Büsten. Tagtäglich denkt er sich etwas Neues aus, wenn er mich besucht.« Del hatte Caroline eine Menge über die sonderbaren Gepflogenheiten zwischen Hay und Adams in Washington erzählt.

Seit dem Bürgerkrieg waren Hay und Adams Freunde; und auch ihre Frauen schienen einander zu mögen, was Caroline verwunderte, wie sie dem überraschten Del gestand, der darüber nie nachgedacht hatte. Als die Hays von Cleveland, Ohio, fortgezogen waren, wo Hay zuerst für und dann mit Mrs. Hays Vater gearbeitet hatte, waren sie nach Washington gegangen, hauptsächlich, weil Henry Adams dort wohnte; der seinerseits dort lebte, weil – wie er Caroline verraten hatte – es ein Naturgesetz war, daß die Adamses zu Hauptstädten »gravitieren«. Wenn er schon, anders als seine beiden Vorfahren, niemals Präsident werden konnte, so konnte er doch zumindest gegenüber vom Weißen Haus wohnen, wo die beiden Adams jeder für sich, auf so katastrophale Weise »präsidiert« hatten; konnte, solchermaßen dem »Haus der Väter« nah, denken und schreiben und sogar – indem er hinter den Kulissen mancherlei bewegte – Geschichte machen.

Später hatten Hay und Adams dann am Lafayette Square eine Art Doppelhaus erbaut, aus Ziegeln, in einem gleichermaßen romanischen wie romantischen Stil. Doch obwohl die beiden Häuser zu einem einzigen zusammengefügt waren, gab es keine innere Verbindungstür. In diesem Doppelhaus hatte Hay das schier endlose Leben Lincolns beendet, während Adams dort einen großen Teil seines langen Berichts über die Administrationen von Jefferson und Madison geschrieben hatte, in dem er darlegte, wie Del bemerkt hatte, daß die Adamses nahezu niemals Fehler gemacht hatten, ganz im Gegensatz zu ihren Opponenten Jefferson und Madison und jenem schrecklichen Andrew Jackson, dessen Statue, in der Mitte des Lafayette Parks, tagtäglich für Henry Adams sichtbar war, nur daß dieser, ebenfalls tagtäglich, den Blick auf jene abscheuliche Gestalt mied, die ihn an den politischen Ruin seines Großvaters erinnerte, vom politischen Niedergang der Republik ganz zu schweigen. Denn hatte nicht mit Jackson das Zeitalter politischer Korruption begonnen, das jetzt in Blüte stand? Aber trotz der in der Hauptstadt stets gegenwärtigen Korruption hatten die beiden reichen Historiker zufrieden Seite an Seite gewohnt und die Ereignisse zumindest partiell beeinflußt, mit Hilfe ausge-, nein, aus*er*wählter Instrumente, zu denen auch Senator Don Cameron, Erb-Zar aus Pennsylvania, gehörte. Als Lincoln sich gefragt hatte, ob Dons Vater, Simon Cameron, wohl versuchen würde, sich zu bereichern, sobald er Kriegsminister geworden sei, hatte ein Kollege aus Pennsylvania bemerkt, einen rotglühenden Ofen werde er wahrscheinlich *nicht* stehlen. Als Simon davon hörte, verlangte er eine Entschuldigung. Der Kongreßabgeordnete entsprach dem mit den Worten: »Glauben Sie mir, ich habe *nicht* gesagt, daß Sie *keinen* rotglühenden Ofen stehlen würden.«

Hays Karriere schien beendet zu sein, als er die romanisch-romantische Festung gegenüber dem Weißen Haus bezog. Aber als dann die politischen Würfel erneut geworfen wurden und Ohio, abermals, im Begriff stand, einen Präsidenten zu stellen, da war dies kein anderer als der Gouverneur des Staates, William McKinley, bekannt als der »Major«. McKinley, Bürgerkriegsveteran und langjähriges Mitglied des Abgeordnetenhauses, war fest auf Schutzzölle eingeschworen, dem Credo hochrangiger Republikaner, und hatte auf diese Weise die Aufmerksamkeit und das Wohlwollen der Parteiführung, der Händler-Fürsten, errungen. Für sie war McKinley ohne Fehl und Tadel. Er war arm, also ehrlich; beredt und dabei ideenlos, also ungefährlich; loyal gegenüber seiner Frau, einer Epileptikerin, die bei Tisch stets neben ihm saß, damit er ihr, wenn sie einen Anfall bekam, taktvoll eine Serviette über den Kopf werfen und unbeeinträchtigt seine Konversation fortsetzen konnte; war der Anfall vorüber, entfernte er die Serviette, so daß seine Frau weiterspeisen konnte. Mochte Mrs. McKinley als potentielle First Lady auch kein ganz ungeschmälerter Aktivposten sein, so fiel die Tatsache, daß sie eine »Invalidin« war (und ihr Mann ihr so tief ergeben) in den zahlreichen sentimentalen Gefilden der Republik beträchtlich ins Gewicht.

Unglücklicherweise ging McKinley gleich zu Beginn der Wahlkampagne bankrott. Aus Freundschaft hatte er eine Schuldverschreibung in Höhe von 140 000 Dollar unterzeichnet, die der betreffende Freund nicht einlösen konnte. So drohte die McKinley-Kampagne zu scheitern, bevor sie überhaupt begonnen hatte, was William Jennings Bryan, dem Kandidaten der Demokraten, urplötzlich eine Riesenchance gab. Bryan war ein feuerspeiender Populist und ein Feind der Reichen, der, falls er ans Ruder kam, den Mond auf Generationen hin mit Blut verdüstern würde – das behauptete jedenfalls Mark Hanna, ein reicher Krämer und McKinleys Wahlmanager, weshalb er eine Anzahl anderer reicher Leute anging, darunter auch die Hays, und sie aufforderte, die Schuldverschreibung zu tilgen, um den Mond vor seinem blutigen Schicksal zu bewahren. Der Major war dankbar. Hay, der von einem früheren Präsidenten in puncto hoher diplomatischer Posten übergangen worden war, weil es »politisch nicht zwingend war, ihn zu ernennen«, fand sich auf einmal bei dem Nachbarn von »vis-a-vis« in hoher Gunst.

Der Major berief Hay zum Botschafter am britischen Hof, und so war Hay vor einem Jahr in London eingetroffen, begleitet von Henry Adams, dessen Vater, Großvater und Urgroßvater jeweils denselben Posten innegehabt hatten. Der Botschafter und sein Gefolge waren in Southampton von Henry James begrüßt worden, den man sonst nie in der Nähe der Welt der Politik oder ihres Dunstkreises oder selbst einfacher Berühmtheiten fand. Aber dort in Southampton hatte er beim Zollhaus getreulich gewartet, fast erdrückt vom Ansturm der internationalen Presse. Nachdem er beobachtet hatte, wie geschickt Hay die dornige Blume der britischen Presse zu handhaben verstand, hatte James – in einer Lautstärke, die nicht wenige Ohren erreichte – Hay zugeflüstert: »Was für ein Gefühl ist es für Sie, wenn dieses Ungeziefer über einen hinwegkriecht und dumme Fragen stellt?«

»Ich kenne diesen Mann nicht«, hatte Hay in gespieltem Ernst gesagt und war in seine Kutsche gestiegen.

»Jedenfalls«, so hatte Del zusammenfassend Caroline berichtet, »prosperierte die Firma Hay und Adams von dem Tage an, da sie ihr Doppelhaus bezogen.«

Es war Caroline keineswegs entgangen, daß in seinem Bericht ein Zwischenglied fehlte. »Gab es denn ursprünglich nicht *zwei* Paare, die miteinander befreundet waren?«

»Ja. Meinen Vater und meine Mutter. Und Mr. und Mrs. Adams.«

»Was ist aus Mrs. Adams geworden?«

»Sie starb, bevor sie das Haus beziehen konnten. Sie war klein und unscheinbar. Das ist alles, woran ich mich erinnere. Die Leute sagen, sie sei hochintelligent und sogar witzig gewesen, für eine Frau. Sie machte Fotografien und entwickelte sie selbst. Sie war sehr begabt. Eigentlich hieß sie Marian, aber alle nannten sie Clover.«

»Wie ist sie gestorben?«

Del hatte gezögert und Caroline unschlüssig gemustert: als wisse er nicht, ob er ihr ein Geheimnis anvertrauen könne. Aber was für ein Geheimnis? hatte Caroline sich gefragt. Was konnte er schon wissen, was nicht auch andere wußten? »Sie hat sich selbst umgebracht. Sie hat irgendeine Chemikalie getrunken, die man zum Entwickeln von Bildern braucht. Mr. Adams fand sie auf dem Dachboden. Es war ein qualvoller Tod.«

»Warum hat sie es getan?« hatte Caroline gefragt, doch die Antwort war ausgeblieben.

Als sich die Lunch-Gesellschaft in Richtung Speisezimmer zu bewegen begann, eilte Mrs. Cameron auf John Hay zu. »Er ist gekommen! Er sagt, Sie hätten ihn eingeladen . . .«

»Wer?« fragte Hay.

»Mr. Austin. Unser Nachbar. Ihr Bewunderer.«

»Oh, Gott«, murmelte Hay. »Er glaubt, ich sei ein Poet wie er selbst.«

»Nun, Sie *waren's* doch auch, und feierten Triumphe . . .« begann James.

»Sagen Sie Mr. Austin, es handle sich um einen Irrtum . . .«

Doch war es bereits zu spät, denn Mr. Beech verkündete: »Der *Poet Laureate* von ganz England und Mrs. Alfred Austin!«

»Welche Freude!« rief Hay aus, so daß es alle hören und goutieren konnten. Dann eilte er, um den Mann zu begrüßen, den viele für den geistlosesten Poeten von ganz England hielten.

An der Tafel saß Caroline zwischen Del und Henry James. Das Speisezimmer war zweifellos der angenehmste offizielle Raum im alten Haus, und hier präsidierte Mrs. Cameron höchst effektvoll über Kinder, junge Erwachsene, Staatsmänner sowie – jetzt – über einen glanzlosen, mit unsichtbarem Hoflorbeer bekränzten Poeten.

»Mr. Austin ist der Überzeugung, unser Freund Hay sei der amerikanische Poet Laureate«, sagte James, während er einem Stück Steinbutt in Sahne Gerechtigkeit widerfahren ließ.

»Vater hat Mr. Austin wiederholt versichert, er habe keine Zeile mehr geschrieben seit . . .«

Den letzten Bissen Steinbutt noch im Mund, ließ Henry James, orgelgleich anschwellend, seine Stimme erdröhnen:

»Und ich denke, ein kleines Kind zu retten,
Es zu sich zu nehmen wie den eigenen Sohn,
Ist eine verflixt viel bessere Sache,
Als herumzuschlawenzeln um Den Thron.«

Am Ende des Vierzeilers applaudierte die halbe Tafel: Mr. James' Organ klang ausnehmend sonor und bezwingend.

»Ich finde diesen Teil immer besonders bewegend«, sagte der Laureate, »wenn auch theologisch nicht taktvoll.«

»Mir ist das zuwider«, sagte Hay, der sehr verlegen wirkte.

»Das ist Dante gewiß genauso ergangen, wenn jemand aus dem *Inferno* zitierte.« Adams amüsierte sich köstlich.

»Ja, um alles auf der Welt, woraus *ist* es denn?« flüsterte Caroline Del zu, doch Henry James hatte scharfe Ohren.

»Aus ›Little Breeches‹«, dröhnte er, »die ergreifende Geschichte – nein, das Epos – von einem vierjährigen Knaben, welcher gerettet wird aus dem Wrack irgendeines ländlichen Transportmittels, ursprünglich – und zwar in überaus gefährlicher Manier, wie sich durch den Unfall erweist – gezogen von einem Pferdegespann, wobei es sich bei dem nach Art und Zweck nicht näher definierten Transportmittel vermutlich um einen . . .«

«. . . einen Wagen handeln dürfte?« ergänzte Caroline.

»Getroffen.« James war bester Laune. Geröstetes Geflügel wurde serviert, was seine Stimmung noch weiter hob. »Der blutjunge Knabe, das Kindlein oder doch Kind, wie Adams selbst unverheiratete junge Damen, die seine Nichten sein könnten, anzureden pflegt, Little Breeches . . .« Wieder vibrierte dieser Name in der Luft, und Caroline sah, daß Hay zusammenzuckte und Del sich räusperte, offenbar, um gegen James' gnadenloses Organ anzureden. ». . . diese kleine, unbehütete ländliche Person stürzte augenscheinlich von dem fahrenden Transportmittel und wurde gerettet von einem ländlichen Helden, der freiwillig sein Leben opferte für ein Paar Kinderhosen, respektive ihren Inhalt; und der für diese edle Tat, ungeachtet seines ein wenig ungeordneten, ja sogar sündhaften irdischen Lebens, ins Paradies entrückt wurde.«

»Die Kirchen tadeln Vaters Gedicht noch immer.« Del war nur zu bereit, das Thema zu wechseln.

»Aber es verkaufte sich, als Flugschrift, millionenfach«, sagte James, während er mit dem Zeigefinger ein Stückchen Hühnerfleisch zwischen seinen Vorderzähnen hervorpolkte. »Genau wie das später entstandene und vielleicht profundere ›Jim Bludso‹, die wohl berühmteste Ballade Ihres Vaters, deren Held *sein* Leben opfert für die Passsagiere eines – diesmal nautischen – Transportmittels, die *Prairie Belle*. Die Faszination, welche die Gefahren des Reisens nach Amerika auf Mr. Hay ausübten, entsprach sehr stark dem Geist der siebziger Jahre. Jedenfalls explodiert diese dampfgetriebene Barke, sofern mich meine Erinnerung nicht trügt, auf irgendeinem wilden amerikanischen Fluß, was den Helden in die Lage versetzt, sein Leben hinzugeben für zahllose Little Breeches, ganz zu schweigen von anderen Kleidungsstücken, unter anderem auch jungfräulichen, kurz, für alle Passagiere, wodurch er sich eine Direktpassage ins Paradies sichert, und zwar auf – und es ist der höchste von allen – demokratischem Wege, da nämlich ›Christus nicht zu streng sein wird mit einem Mann, der für Menschen starb‹.«

Aber diesmal senkte James seine Stimme dramatisch, so daß nur Caroline die letzten Worte verstand. Links von ihr unterhielt sich Del mit Abigail Adams, einer von Henrys wirklichen Nichten, einem ziemlich beleibten, unansehnlichen Mädchen, das vor kurzem aus einem Pariser Kloster ausgebrochen war.

Dem Geflügel folgte unbarmherzig gekochtes Rindfleisch, und die Konversation im Speisezimmer wurde gleichzeitig lauter und langsamer. Henry James sagte, ja, tatsächlich habe er Carolines Großvater gekannt, sei ihm begegnet. »Das war sechsundsiebzig.« Seine Angaben klangen plötzlich sehr präzise. »Ich hatte mich zur . . . freiwilligen Übersiedlung nach Europa entschlossen, genau wie Charles Schermerhorn Schuyler, der das bereits dreißig Jahre früher getan hatte. Ich war von ihm seit jeher fasziniert gewesen und hatte, für The Nation, sehr wohlwollend sein ›Paris unter den

Kommunarden‹ besprochen. Ich kann ihn noch jetzt vor mir sehen, im hellen Sommerlicht auf einem Rasenstück am Ufer des Hudson, irgendwo nördlich von Rhinecliff, hinter uns ein Livingston-Haus, ganz weiße Säulen und zimtfarbener Stuck, und wir sprachen von der, für manche, unumgänglichen Notwendigkeit, auf dieser Seite des Atlantik zu leben, in einiger Entfernung von unserer zeitungspapierenen Demokratie.«

»War meine Mutter bei ihm?«

James warf ihr einen Seitenblick zu; und gönnte sich reichlich Meerrettich-Sauce. »Oh, ja, sie war dort; und wie sie dort war! Madame la Princesse d'Agrigente. Wer kann sie vergessen? Sie gleichen ihr sehr, das habe ich Ihnen ja bereits in Saint-Cloud gesagt . . .«

»Aber ich bin nicht so dunkel?«

»Nein. Nicht so dunkel.« Dann wurde James von seiner anderen Tischnachbarin in Anspruch genommen, Alice Hay, die ihrem Vater ähnelte – klein, klug, schlagfertig; und hübsch. Caroline fand zwar keine von Dels Schwestern besonders sympathisch, hatte jedoch nicht das mindeste gegen ihre Gesellschaft, besonders nicht gegen die von Helen, welche auf der anderen Seite der Tafel saß, neben Spencer Eddy, der fasziniert zu sein schien von Helens vorzeitig mittelalterlichem Charme. Sie ähnelte ihrer Mutter, mit entsprechenden körperlichen Dimensionen; und hatte tiefglänzende Augen und Unmassen von glänzendem Haar, sämtlich ihr eigenes.

Plötzlich rief Senator Cameron : »Was ist denn das?« Wie es ihm als verheiratetem Mit-Gastgeber zukam, saß er am Kopfende der Tafel. In seiner Hand hielt er einen silbernen Servierlöffel, von dem eine gelatineartige Masse herabhing. Wie eine Qualle, dachte Caroline.

»Eine Überraschung«, sagte Mrs. Cameron von ihrem Ende der Tafel her. Prompt brach das Kind der Curzons in Tränen aus. Das Wort »Überraschung« weckte in ihm augenscheinlich keine glücklichen Assoziationen.

»Was *ist* das?« Senator Cameron heftete einen stechenden Blick auf den Butler.

»Es ist der . . . Mais, Sir. Aus Amerika.«

»Das ist kein Mais. Was ist das für *Zeug*?«

Hinter der Coromandel-Stellwand, welche die Pantry vom Speisezimmer trennte, tauchte die Köchin auf, wie eine Schauspielerin, die in den Kulissen auf ihr Stichwort gewartet hatte. »Es *ist* der Mais, Sir. So zubereitet, wie Sie es gesagt haben. Gekocht, Sir. Hätte ich die Samenkörner drin lassen sollen?«

»Oh, Don!« Mrs. Cameron lachte auf – ein völlig unverfälschter Klang in diesem Haus, wo es vor lauter Dramatik so oft zu knistern schien. »Es ist die Wassermelone. Sie hat die Wassermelone mit dem Mais verwechselt.« Die Köchin entschwand unter allgemeinem Gelächter, in das Cameron nicht einstimmte.

»Vater meint, daß wir die Philippinen behalten sollten«, sagte Del. »Auch der Major hat seine Meinung geändert, sagt er. Aber leicht ist das nicht gewesen. Alle die, die im letzten Sommer schon dagegen waren, Hawaii zu übernehmen, sind wieder aktiv. Ich verstehe das einfach nicht. Wenn nicht wir dort weitermachen, wo England längst schon aufgehört hat – oder gerade jetzt aufhört –, wer denn sonst?«

»Macht es denn einen so großen Unterschied?« Caroline hatte die Aufregung durch den Krieg zwar recht unterhaltsam gefunden, jedoch beim besten Willen keinen vernünftigen Sinn in all dem entdecken können. Warum das arme schwache alte Spanien aus der Karibik und dem Pazifik vertreiben? Warum so weit entfernte Kolonien übernehmen? Warum so ungeheuer prahlen? Es war nicht wie zu Zeiten Napoleons, der ihr irgendwie imponierte, weil er, er selbst, die Welt hatte haben wollen, die Mr. McKinley weniger zu interessieren schien, im Unterschied zu jenem Freund von Carolines Gastgebern, der allgemein nur »Thee-oh-dore« genannt wurde, wobei man den Namen, völlig unabsichtlich, mit leicht gefletschten Zähnen aussprach. Theodore hatte, unter Beschuß, an der Spitze einer Gruppe von Freunden in Kuba einen kleinen Hügel erstürmt, ohne dabei sein Pincenez zu zerbrechen. Das Theater, das in den Zeitungen um Colonel Theodore Roosevelt und seine sogenannten Rough Riders veranstaltet wurde, war genauso groß wie der Wirbel um Admiral Dewey, der allerdings die spanische Pazifikflotte besiegt und Manila besetzt hatte. Aus für Caroline unerfindlichen Gründen sahen die Zeitungen in »Teddy« den größeren der beiden Helden. Deshalb war die Frage: »Macht es denn einen so großen Unterschied?« von ihr nicht so einfach hingeworfen worden.

Del erzählte ihr von all den Gefahren, welche der Welt drohten, falls sich der deutsche Kaiser, dessen Flotte sich derzeit in den philippinischen Gewässern aufhielt, in den Besitz jenes reichen Archipels setzte, um den Traum zu verwirklichen, den gegenwärtig jede europäische Macht hegte, ganz zu schweigen von Japan und der Zerstückelung des zusammenbrechenden chinesischen Kaiserreichs. »Uns ist im Grunde gar keine Wahl geblieben. Und was das Verbleiben von Spanien in unserer Hemisphäre betrifft, also das war ein Anachronismus. Wir müssen die Herren in unserem eigenen Hause sein.«

»Ist denn die gesamte westliche Hemisphäre, sogar Tierra del Fuego, ein Teil *unseres* Hauses?«

»Sie machen sich über mich lustig. Sprechen wir lieber über das Pariser Theater . . .«

»Sprechen wir über Männer und Frauen.« Caroline hatte plötzlich das Gefühl einer Erleuchtung hinsichtlich dieser beiden feindseligen Rassen. Die Unterschiede zwischen den Geschlechtern waren ihr auf eine Weise bekannt, wie das bei einer jungen amerikanischen Dame niemals der Fall sein konnte. Zwar ließ man jungen Amerikanerinnen eine gesellschaftliche Freiheit, wie sie in Frankreich unbekannt war, andererseits jedoch wurden die amerikanischen Mädchen in entscheidenden Punkten von allem abgeschirmt, ihre Naivität und Unwissenheit wurden gefördert von überängstlich besorgten Müttern, die ihrerseits ebenfalls ziemlich naiv waren, was den nach wie vor virulenten Plan der Schlange aus dem Garten Eden betraf. Del musterte Caroline überrascht. »Aber was sollen wir denn sagen über Männer und Frauen?« Seine Röte war nicht ausschließlich der Augusthitze und der schweren Mahlzeit zuzuschreiben.

»Mir ist da ein Unterschied aufgefallen. Zumindest zwischen amerikanischen Männern und Frauen. Mr. James nannte die Vereinigten Staaten eine ›zeitungspapierene Demokratie‹.«

»Mr. Jefferson hat gesagt, falls er sich zu entscheiden hätte zwischen einer Regierung ohne eine Presse und einer Presse ohne eine Regierung, so würde er sich entscheiden für eine Presse ohne eine . . .«

»Wie dumm muß er doch gewesen sein!« Aber als Caroline Dels gekränkten Gesichtsausdruck sah – unverkennbar hatte er sich mit dem Weisen von Monticello identifiziert –, korrigierte sie sich: »Ich meine, *er* war nicht dumm. Er meinte nur, daß die Leute, mit denen er sprach, dumm seien. Schließlich waren *das* ja Journalisten, nicht wahr? Ich meine, falls das nicht irgendwelche Journalisten waren, wie würden wir dann wissen, was er gesagt hat – oder gesagt haben könnte, oder aber nicht sagte? Doch zurück zu Männern und Frauen. Wir Frauen werden – durchaus zu Recht – dafür kritisiert, daß wir uns in unseren Gedanken und Worten meist nur mit Ehe und Kindern beschäftigen und mit den gewöhnlichen Menschen, mit denen wir tagtäglich Umgang haben, und mit all den Alltagsproblemen, die es in jeder Familie gibt. Das bedeutet, daß wir mit zunehmendem Alter immer stumpfer werden, bis wir uns am Ende in Gedanken und Worten praktisch nur noch mit uns selbst beschäftigen, so daß wir – falls wir es nicht schon von Anfang an waren – zu absoluten Langweilern werden«, schloß Caroline triumphierend.

Del musterte sie, tief verwirrt. »Wenn *Sie* so sind . . . äh, die Frauen, meine ich . . . dann sind die Männer . . . was?«

»Anders. Langweilig auf eine andere Art. Wegen der Zeitungen. Begreifen Sie nicht?«

»Sie meinen, Männer lesen welche, Frauen jedoch nicht?«

»Genau. Die meisten Männer – jedenfalls von denen, die wir kennen – lesen sie, und die meisten Frauen, die wir kennen, lesen sie nicht. Zumindest nicht die Nach-richten – was für ein komisches Wort! – über Politik oder Kriege. Wenn sich dann die Männer stundenlang über das unterhalten, was sie den ganzen Morgen studiert haben, über China und Kuba und . . . Tierra el Fuego, über Politik und Geld, dann können wir Frauen nicht mitreden, weil wir die betreffenden Meldungen nicht gelesen haben.«

»Aber es wäre Frauen doch ohne Schwierigkeiten möglich, sie zu lesen . . .«

»Aber das wollen wir ja nicht. Wir haben unsere Langeweile, und ihr habt eure. Aber eure ist wahrhaft unheimlich. Blaise sagt, daß praktisch nichts von dem, was Mr. Hearst druckt, jemals der Wahrheit entspricht – einschließlich der Geschichte, daß die Spanier die *Maine* in die Luft gejagt haben. Doch ihr Männer, die ihr das Journal oder etwas Ähnliches lest, werdet so handeln, als sei, was ihr gelesen habt, wahr oder – schlimmer noch – als ob, wahr oder nicht wahr, es nur auf die Nach-richt ankomme. Und deshalb sind *wir* völlig ausgeschlossen. Weil wir wissen, daß nichts davon wichtig ist – für uns.«

»Nun, ich bin gleichfalls der Meinung, daß Zeitungen nicht immer die Wahrheit bringen, aber falls törichte Leute die Nachrichten für wahr halten – oder für möglicherweise wahr –, dann *ist* das für jedermann wichtig, weil Regierungen nun einmal handeln, indem sie auf Nachrichten reagieren.«

»Um so schlimmer für törichte Männer – und auch Frauen.«

Del lachte kurz. »Was würden Sie denn tun, wenn Sie die Dinge ändern könnten?«

»Das Morning Journal lesen«, erwiderte Caroline prompt. »Wort für Wort.«

»Und der Zeitung glauben?«

»Natürlich nicht. Aber zumindest könnte ich dann mit Männern über Tierra el Fuego und das Gleichgewicht der Kräfte reden.«

»Ich ziehe es vor, über das Pariser Theater . . . und die Ehe zu sprechen.« Dels übergroßer unterer Gesichtsteil rötete sich; die schmale Stirn blieb fahles Elfenbein.

»Werden Sie die Frau sein? Werde ich der Mann sein?« Caroline lächelte. »Nein. Das ist nicht gestattet. Weil wir von Geburt an getrennt sind durch jene schrecklichen Zeitungen, die euch sagen, was ihr zu denken habt, und uns, was wir tragen und wann wir es tragen müssen. Wir könnten niemals wirklich zueinander finden.«

»Aber man kann es durchaus. Schließlich gibt es da noch jenen hochzuachtenden Bereich, der allen zugänglich ist«, sagte Henry James, der zugehört hatte. Vor ihm lagen die kläglichen Reste eines einst üppigen Puddings.

»Wo – *was* meinen Sie?« Caroline richtete ihren Blick voll auf den mächtigen Kopf mit den glänzenden, all-intelligenten Augen. »Nun, *das* ist die Kunst, liebe Miss Sanford. Es ist eine Art Himmel, der uns allen offensteht, nicht nur Jim Bludso und seinem Schöpfer.«

»Aber die Kunst ist doch nicht für jeden, Mr. James«, sagte Del in respektvollem Ton.

»Nun, dann gibt es da noch etwas recht Ähnliches, das noch seltener ist, wenn auch auf höherer Bühne, ein Treffpunkt für alle wahren – Herzen.«

Bei dem Wort »Herzen« empfand Caroline plötzlich eine Art ahnungsdüsteres Frösteln. Meinte James jene mysteriösen »Fünf« – oder meinte er es ganz einfach so, wie er es sagte? Offenbar war dies der Fall, denn als sie ihn fragte, wie er das mit jener höheren Bühne oder Ebene gemeint habe, erwiderte Henry James auf eine für ihn ungewohnt schlichte Weise: »Was wohl, wenn nicht *jene* zwischenmenschliche Beziehung, die sogar die Politik und den Krieg, ja selbst die Liebe transzendiert? Ich meine natürlich die Freundschaft. Da – haben Sie es.«

2

In Korbsesseln, die auf der Steinterrasse nebeneinanderstanden, präsidierten John Hay und Henry Adams über den Weald von Kent, indes das Sommerlicht langsam, ganz langsam der Dunkelheit wich.

»In Schweden scheint die Sonne im Sommer die ganze Nacht hindurch.« Henry Adams entzündete eine Zigarre. »Man denkt nie daran, daß England fast genauso weit nördlich liegt wie Schweden. Aber schau! Das Dinner ist bereits vorüber – und noch immer ist es hell.«

»Wir denken uns England wohl gern näher bei Amerika, als es tatsächlich ist.« Vorsichtig drückte John Hay den unteren Teil seines Rückens gegen das harte Kissen, das Clara dort plaziert hatte. Seit einigen Monaten waren die Schmerzen ziemlich beständig: ein dumpfes Stechen, das vom Kreuz bis ins Becken auszustrahlen schien – nur daß es sich, wie die Ärzte sagten, bedrohlicherweise genau umgekehrt verhielt. Auf irgendeine geheimnisvolle Weise hinderte das Kissen den Schmerz am Ausbruch zur jähen Borealis, wie Hay es für sich nannte, wenn wie unter aufzuckenden Blitzen sein ganzer Körper elektrisiert wurde durch Stöße von Schmerz, die aus der Prostata kamen. Er litt an einer Atrophie dieser Drüse – wenn nicht an noch Üblerem –, und sie war es, die diktatorisch über sein Leben bestimmte, ob er Wasser lassen mußte oder, qualvollerweise, kein Wasser lassen konnte, ein dutzendmal pro Nacht, wobei ein unerträgliches Brennen ihn an seine Jugend erinnerte, als er sich in Washington während des Krieges eine mindere, jedoch weitverbreitete Geschlechtskrankheit zugezogen hatte.

»Geht's dir gut?« Obwohl Adams ihn nicht ansah, wußte Hay, daß sein Freund für sein körperliches Befinden einen hochentwikkelten Instinkt besaß.

»Nein, tut's nicht.«

»Gut. Dann geht's dir besser. Wenn du ganz schlimme Schmerzen hast, rühmst du immer deine robuste Gesundheit. Wie hübsch Dels Mädchen ist.«

Hay blickte über die Terrasse zu der Steinbank, wo sein Sohn und Caroline ein romantisches Bild abgaben, wohl Gibsons Feder wert, während die übrigen Hausgäste – es war Montag – im wäßrigen Halblicht dahintrieben wie Unterwasserwesen. Die Kinder hatte man entfernt, zu Hays Freude, zu Adams Betrübnis. »Erinnerst du dich an ihre Mutter, Enrique?« Hay gebrauchte Henrys Namen gern in einer Anzahl von Abwandlungen, spielerischer Tribut an die absolut unproteushafte Natur seines Freundes.

»Die dunkel schöne Princesse d'Agrigente zu vergessen, wenn man sie einmal gesehen hat, ist so gut wie unmöglich. Ich kannte sie in den siebziger Jahren, in dem schönen Jahrzehnt, nachdem unser unschöner Krieg gewonnen war. Hast du Sanford gekannt?«

Hay nickte. Die Schmerzen, die aus der Lumbalgegend aufgestiegen waren, wichen plötzlich dem Druck des Kissens. »Zu Anfang des Krieges gehörte er zu McDowells Stab. Ich glaube, er wollte Kate Chase heiraten . . .«

»Gewiß war nicht er allein in diesem Wahn befangen?« Hay ahnte das Lächeln des »Stachelschweins« unter dem Bart, fahlblau im geisterhaften Licht.

»Es waren unserer viele, wohl wahr. Kate war die schöne Helena von der E Street. Aber Sprague bekam sie. Und Sanford bekam Emma d'Agrigente.«

»Geld?«

»Was sonst?« Hay dachte an das Glück, das er selbst gehabt hatte. Aus Warsaw, Illinois, stammend, war er als junger Mann nach Osten gegangen, um dort zu studieren. Nach seiner Graduierung von der Brown University standen ihm zwei Karrieren offen: zum einen die Juristerei, die ihn langweilte, zum anderen das Amt eines Geistlichen, das ihn faszinierte, obwohl er so gut wie völlig glaubenslos war. Trotzdem hatte er schließlich dagegen entschieden. Seinem Onkel Milton, einem Rechtsanwalt, schrieb er: »Als Methodistenprediger tauge ich nicht, weil ich ein schlechter Reiter bin. Für die Baptisten tauge ich nicht, weil mir das Wasser zuwider wäre. Und als Episkopaler würde ich versagen, weil ich kein Frauenheld bin.« Dies entsprach zweifellos nicht ganz der Wahrheit. Hay hatte für Frauen immer eine besondere Schwäche gehabt, genau wie sie für ihn. Allerdings wirkte er damals mit seinen zweiundzwanzig Jahren noch allzu kindlich, um in Warsaw, und später in Springfield, als Ladykiller besonders gefragt zu sein.

So hatte er also mit einigem Ingrimm in der Anwaltskanzlei seines Onkels angefangen; hatte den Freund seines Onkels kennengelernt, einen Eisenbahnanwalt namens Abraham Lincoln; hatte Mr. Lincoln bei seiner politischen Kampagne geholfen, die ihn zum Präsidenten machte; und war dann mit dem frisch gewählten Präsidenten für fünf Jahre, einen Monat und zwei Wochen nach Washington gegangen. Hay war gerade in seinem schäbigen Boardinghouse gewesen, als der tödlich verwundete Präsident aufhörte zu atmen, auf einer mit Blut getränkten Matratze.

Hay war dann, als Sekretär der amerikanischen Gesandtschaft, nach Paris gegangen. Später hatte er als Diplomat in Wien und in Madrid gedient. Er schrieb Verse, Reisebücher, war Herausgeber der New York Tribune. Er hielt Vorträge über Lincoln. Er verfaßte volkstümliche Gedichte, und seine Pike-County-Balladen verkauften sich in Millionenauflagen. Wirklich zu Geld kam er jedoch erst, als ihn die vierundzwanzigjährige Clara Stone, reiche Erbin aus Cleveland, sozusagen um seine Hand bat; und dankbar ging er mit dieser Frau, die nahezu einen Kopf größer war als er und von Natur aus dazu neigte, so beleibt zu sein, wie er mager war, die Ehe ein.

So fühlte sich Hay mit sechsunddreißig endlich aus der Armut errettet. Er zog nach Cleveland und arbeitete für seinen Schwiegervater – Eisenbahnen, Minen, Öl, Western Union Telegraph; und entdeckte, daß auch er ein Talent zum Geldmachen besaß, wo er über welches verfügte. Er diente kurze Zeit als stellvertretender Außenminister; und veröffentlichte, anonym, den Roman »The Bread-Winners«, einen Bestseller, in dem er die Auffassung vertrat, daß die Besitzenden am besten geeignet seien, Amerikas Reichtum zu hüten und zu verwalten, während die Gewerkschaftagitatoren für das System eine ständige Bedrohung darstellten. Andererseits allerdings schilderte er die herrschende Klasse einer Stadt in der Western Reserve (der Name Cleveland wurde nie genannt) als hoffnungslos engstirnig, überheblich und vulgär. Henry Adams hatte ihn einen Snob geschimpft, und Hay hatte ihm recht gegeben. Beide waren übereinstimmend der Meinung, es sei eine gute Idee gewesen, das Buch anonym zu veröffentlichen: Sonst hätte ihm der Major vermutlich nicht den so wichtigen Posten als Botschafter in London angeboten; und wäre im Senat der Verdacht aufgekommen, daß Hay nicht alles Amerikanische schrankenlos bewunderte, so hätte man spätestens dort seine Ernennung zu Fall gebracht.

»Geld macht den Unterschied.« Hay sog an seiner Havanna-Zigarre: Was um alles auf der Welt, fragte er sich plötzlich, sollten sie jetzt nur mit Kuba machen? Aber dann wurde er sich der Klischeehaftigkeit seines Satzes bewußt *und* jenes dünnen blauen Lächelns unter dem dichten blauen Bart im benachbarten Sessel, und er fügte hinzu: »Allerdings wissen vergoldete Stachelschweine ja höchstens vom Hörensagen, wie es ist, arm zu sein und sich abzustrampeln.«

»Du zerreißt mir das Herz«, sagte Adams sardonisch. »Im übrigen waren die Steppdecken bei meiner Geburt auch nicht eben schwervergoldet. Und bis heute habe ich gerade genügend Schekel zusammengekratzt, um mich über Wasser halten und einen Freund auch mal zu einem einfachen Frühstück einladen zu können . . .«

»Vielleicht wärst du weniger engelhaft gewesen, hättest du's mal probiert mit . . .«

». . . einer reichen Ehefrau?«

Ein plötzlicher Schmerzanfall brachte Hay zum Husten. Er tat, als sei der Zigarrenrauch daran schuld, und drückte seine Wirbelsäule fester gegen das Kissen. ». . . mit der wirklichen Welt. Business, was im Grunde ziemlich leicht ist. Politik, was, für uns, nicht leicht ist.«

»Nun, du stehst dich ja, dank einer reichen Frau, sehr gut. Das gleiche gilt für Whitelaw Reid. Und für William Whitney. Und es würde auch für Clarence King gelten, hätte er dein Glück und – natürlich – deine Vernunft besessen, reich und gut zu heiraten.«

Drüben im dunklen Wald rief eine Eule eine andere. Wieso, dachte Hay, schweigt die Surrenden-Nachtigall? »Warum hat er eigentlich nie geheiratet?« fragte Hay - eine Dauerfrage, die sie einander wechselseitig stellten. Von den drei Freunden war King der gescheiteste und bestaussehendste gewesen, ein ausgezeichneter Redner, außerdem Athlet, Forscher, Geologe. In den Achtzigern waren sie alle drei in Washington gewesen, und vor allem dank Kings Brillanz war Adams' altes Haus zum, wie die Zeitungen es gern nannten, ersten Salon der Republik geworden.

»Er hat einfach kein Glück«, sagte Hay. »Und wir haben davon zuviel gehabt.«

»So siehst du es?« Adams wandte Hay seinen fahlblauen Kopf zu. Seine Stimme klang plötzlich kalt. Unbedacht hatte sich Hay der verbotenen Tür genähert. Der einzigen, zu der er, trotz ihrer langen Freundschaft, keinen Schlüssel besaß. In den dreizehn Jahren, seit Adams seine tote Frau auf dem Fußboden gefunden hatte, hatte er zu Hay nie von ihr gesprochen – und auch zu niemandem sonst, soweit Hay wußte. Adams hatte das Thema ausgesperrt; ein für allemal, wie es schien.

Doch Hay plagten wilde Schmerzen, und so war er weniger taktvoll als gewöhnlich. »Im Vergleich zu King haben wir im Paradies gelebt, du und ich.«

Draußen erschien eine hochgewachsene Gestalt. Hay war über die Ablenkung erleichtert. »Hier bin ich, White«, rief er dem Ersten Botschaftssekretär zu, der gerade aus London eingetroffen war.

White zog einen Sessel herbei; lehnte eine Zigarre ab. »Ich habe da ein Telegramm«, sagte er. »Es ist ein bißchen verknittert. Das Papier ist so schlecht.« Hay nahm es entgegen und sagte: »Soll ich, als einer der Direktoren von Western Union etwa, die Qualität des Papiers rechtfertigen, das wir verwenden?«

»Oh, nein. Nein!« White runzelte die Stirn, und seine unverkennbare Nervosität machte Hay stutzig: Zu Whites Charme gehörte es, auch über Witzeleien zu lachen, die absolut nicht witzig waren. »Ich kann im Dunkeln nicht lesen«, sagte Hay. »Anders als die Eule . . . und das Stachelschwein.« Adams hatte Hay das Telegramm aus der Hand genommen; hielt es jetzt ganz dicht vor seine Augen, um es im verbleichenden Licht des langen Tages zu entziffern.

»Mein Gott«, sagte Adams leise. Er legte das Telegramm hin. Und starrte Hay an.

»Die deutsche Flotte hat in Cavite Bay das Feuer eröffnet?« Genau das war es, was Hay seit dem Fall von Manila befürchtete.

»Nein, nein.« Adams reichte das Telegramm Hay, der es einsteckte. »Vielleicht solltest du hineingehen und es lesen. Allein.«

»Von wem ist es?« Hay blickte zu White.

»Vom Präsidenten, Sir. Es enthält Ihre Ernennung zum . . . äh . . . das Angebot Ihrer Ernennung zum . . .«

»Außenminister«, ergänzte Adams. »*Das* große Ministerium ist jetzt für dich auf Abruf zu haben.«

»Für mich kommt immer alles zu spät oder zu früh«, sagte Hay. Er war auf seine eigene Reaktion nicht ganz vorbereitet, in der nüchternes Bedauern die Freude überwog. Natürlich konnte er nicht den Überraschten spielen. Er hatte die ganze Zeit gewußt, daß der gegenwärtige Außenminister, Richter Day, nur eine Übergangslösung war. Der Richter wollte einen Richterstuhl und hatte das Außenministerium nur aus Gefälligkeit gegenüber seinem alten Freund, dem Major, übernommen. Hay wußte außerdem, daß der Major große Stücke auf ihn hielt, weil er, Hay, mit einer Reihe heikler Situationen auf eine Weise fertig geworden war, die das Ansehen des Präsidenten gehoben hatte. Jetzt, in John Hays sechzigstem Lebensjahr, wurde ihm wirkliche Macht angeboten, auf einem gelblichen Blatt Papier von jener miserablen Qualität, wie sie für Western Union Telegramme typisch war.

Hay spürte die Blicke der beiden Männer auf sich, wie die nächtlicher Jagdvögel im Wald. »Nun«, sagte Hay, »spät oder früh, das ist ein Blitz aus heiterem Himmel, wie?«

»Natürlich«, sagte Adams, »und in einer solchen Situation mußt du etwas Erinnerungswürdiges von dir geben.«

Ein jäher Schmerzanfall ließ Hay das Wort »Ja« keuchen. Dann: »Ich könnte. Aber ich werde es nicht.« Doch in seinem Kopf hob eine Arie an: Denn wenn ich die Wahrheit sagen sollte, so würde ich gestehen müssen, daß ich's irgendwie geschafft habe, mein Leben zu verwirren. Aus Sorglosigkeit habe ich die Spur der Zeit verloren, und jetzt verliert die Zeit, im Handumdrehen, mich aus den Augen. Deshalb kann ich diese lang ersehnte Ehre nicht akzeptieren, denn, oh, ist euch nicht klar, meine Freunde und Feinde, daß ich ein Sterbender bin?

White sprach gleichsam durch Hays Schmerzen hindurch:

». . . er möchte, daß Sie am ersten September in Washington sind, damit Richter Day dann zu den Friedensverhandlungen mit Spanien nach Paris reisen kann.«

»Verstehe«, sagte Hay abwesend. »Ja. Ja.«

»*Ist* es zu spät?« Adams hatte seine Gedanken gelesen.

»Natürlich ist es zu spät.« Hay zwang sich zu einem Lachen; stand auf. Plötzlich waren die Schmerzen fort – ein Omen. »Nun, White, auf uns wartet Arbeit. Wenn Mr. Lincoln sich über irgend etwas nicht im klaren war, schrieb er zwei Darstellungen, eine pro, eine contra. Dann verglich er die beiden, und die besseren Argumente trugen den Sieg davon; zumindest gefiel uns der Gedanke, daß es so sei. Jetzt werden wir zunächst meine Ablehnung dieser Ehre formulieren. Und dann die Annahme.«

Henry Adams erhob sich. »Vergiß nicht«, sagte er, »falls du ablehnst – und ich meine, das solltest du in Anbetracht deines Alters, unseres Alters, sowie Gesundheitszustandes –, dann mußt du als Botschafter demissionieren.«

»Mit welcher Begründung . . .?« Hay wußte, was Adams sagen würde.

Und Adams sagte es: »Wärst du nur einer, der sich um ein Amt bewirbt, gar ein Postenjäger, so würde es so oder so keinen Unterschied machen. Aber du bist *im* Amt. Du dienst dem Staat, und es ist dir ernst damit. Folglich kannst du dich dem Ruf des Präsidenten nicht verweigern. Man kann nicht eine Gunst annehmen, um sich dann, wenn man wirklich gebraucht wird, zu verweigern.«

So sprach Adams – und aus ihm seine Vorfahren und die alte Republik. Hay nickte und ging ins Haus. Alle Tode sind gleich, dachte er. Aber einige sind römisch; und tugendhaft.

3

Caroline war den anderen Hausgästen entflohen, um auf eigene Faust den nahen Wald zu erkunden. Wie stets war sie beeindruckt von der Stille. Kein Windhauch regte sich, als sie dahinschritt zwischen den großen Rhododendren, deren weiße Blüten längst verwelkt waren – staubige Blumen, dachte sie und fragte sich, warum sie wieder an Staub und also an Verfall denken mußte, gerade jetzt, wo sie endlich im Begriff stand, ihre Schwingen zu breiten, um den Flug durch das so heiß ersehnte und erträumte Leben zu beginnen. Es war wohl ihre europäische Kindheit, die gleichsam staubig endete, damit sie, das älteste Kind auf Erden, jetzt um so strahlender die jüngste Frau werden konnte.

Ein Hirsch erschien wie aus dem Nichts auf einer Lichtung, in deren Mitte ein – zumindest für den Hirsch – verlockender Schlammtümpel lag. Caroline stand ganz still; hoffte, daß das Tier auf sie zukommen werde; doch die dunkelbraunen Augen blinkten plötzlich auf, und wo der Hirsch gestanden hatte, war nur noch Grün.

Das Problem mit Del, ging es ihr durch den Kopf; ein angenehmer Gedanke. Doch sofort schob sich, wie ein Buntglas in einer Laterna magica, etwas anderes an seine Stelle: das Problem mit Blaise. Verdrossen setzte sie sich in der Nähe des Tümpels auf einen umgestürzten Baumstamm; wo war das noch, wo es keine Schlangen gab – England oder Irland?

Als sie Blaise geschrieben hatte, daß sie sich auf Surrenden Dering aufhielt, hatte er geantwortet, er sei ziemlich beeindruckt. Obwohl er Del Hay für »absolut passend« halte, rate er ihr jedoch, zunächst noch ein paar andere Männer kennenzulernen – aus jedem Wort sprach brüderliche Herablassung. Sodann hatte er eine ganze Seite mit Lobeshymnen auf den »Chef« gefüllt, Mr. Hearst also; und Caroline fragte sich unwillkürlich, ob Blaise womöglich Mr. Hearst, den noch unverheirateten Mittdreißiger mit seinem Faible für Schauspielerinnen, als Kandidaten für Carolines wertvolle Hand erkoren hatte. Allerdings hatte Blaise dann vorgeschlagen, daß sie aus England nach Saint-Cloud zurückkehre und sich um den alten Besitz kümmere, bis er sich in New York eingelebt habe. Im Augenblick wohne er im Fifth Avenue Hotel, und das sei kaum das angemessene Heim für eine *jeune fille de la famille*. Der Rest des Briefes war in französisch; ähnlich wie beider Gespräche; oder auch Gedanken. Er wiederholte, daß die Testamentsprozedur nur langsam voranschreite und vor Beginn des kommenden Jahres nichts entschieden werde. Doch hoffe er, daß sie inzwischen in Paris ihren neuen Status als Waise genießen werde, und er empfahl ihr, sich unter den zahllosen alten Jungfern oder Witwen der d'Agrigentes eine als »Duenna« auszusuchen. »Der äußere Schein ist in dieser Welt nun einmal alles«, schrieb er, in sentenziöses Englisch verfallend. Allerdings mußte Blaise es ja wissen. Als Journalist war er jetzt der Schöpfer, der Erfinder von Schein, von Image.

»Caroline!« Es war Dels Stimme, die sie zum Haus zurückrief. Er stand auf der unteren Terrasse und schwenkte ein Stück Papier. »Ein Telegramm!« Plötzlich stand er nicht mehr auf der Terrasse; auf seinem üppigen Hinterteil glitt er die Schräge hinab. »Verdammt!« wiederholte er, als er die Grasflecken auf seinen hübschen Tweed-Hosen sah. »Tut mir leid«, sagte er und lächelte. Eigentlich war er ganz attraktiv, fand sie. Wenn man nur ein wenig von dem reichlichen Fleisch der unteren Gesichtshälfte fortnehmen und über den Augenbrauen anbringen könnte; außerdem sollte man, vielleicht, auch ein bißchen die Augen selbst vergrößern.

Caroline öffnete das Telegramm. Es war von ihrem Cousin, dem Rechtsanwalt John Apgar Sanford. Kurz vor Colonel Sanfords Tod war John nach Saint-Cloud gekommen und hatte ohne irgendeinen besonderen Grund zu Caroline gesagt: »Falls deinem Vater einmal irgend etwas zustoßen sollte, wirst du einen Rechtsanwalt brauchen. Einen amerikanischen Rechtsanwalt.«

»Dich?«

»Wenn du willst.« Damals war der Tod ihres Vaters für Caroline noch eine sehr ferne Möglichkeit gewesen – die Sanfords lebten ewig, strotzend vor Ungesundheit. Aber als der Blaue Zug Colonel Sanford dann vorzeitig in andere Gefilde abgerufen hatte, da hatte Caroline an John Apgar Sanford geschrieben; sehr zu Blaise' Unwillen: »Alles war schon geregelt. Alles arrangiert. Und jetzt kommst du und komplizierst die Dinge.«

Die Mitteilung in Blaise' letztem Brief, daß es mit dem Testament noch bis Anfang des kommenden Jahres brauchen werde, hatte in Caroline ein gewisses Schuldgefühl ausgelöst. Offenbar hatte sie die Dinge tatsächlich kompliziert. Doch in seinem Telegramm drängte John Apgar Sanford jetzt: »Komm schnellstens nach New York – Testamentseröffnung 15. September – mach dir keine Sorgen.«

»Worum geht's denn?«

»Ich soll mir keine Sorgen machen – über irgend etwas. Soll wohl heißen, ich soll mir keine *großen* Sorgen machen.«

»Machen Sie sich denn welche?«

Caroline steckte das Telegramm in ihr Retikül; und zog es vor, nicht zu antworten. »Die arme Frau im Telegrafenamt in Pluckley. Der geben wir alle tüchtig zu tun!«

»Sie hat die Regierung Ihrer Majestät um Hilfe ersucht. Sonst, sagt sie, werde sie schließen.« Del lächelte. »Kommen Sie. Onkel Dors Bruder Brooks ist gerade eingetroffen. Den muß man gesehen haben. Und gehört.«

Caroline nahm Dels Arm. »Kann die Botschaft mir eine Schiffspassage besorgen? Nach New York?«

»Natürlich. Ich werd's Eddy sagen. Für wann?«

»Morgen abend, falls möglich. Oder den Tag danach.«

»Was ist passiert?«

»Nichts. Das heißt . . . noch nichts. Geschäfte«, fügte sie beiläufig hinzu – und zögerte kurz vor dem letzten Wort, weil sie fürchtete, beim »G« ins Stottern zu geraten, was leicht geschehen konnte, wenn sie nervös war.

Auf der oberen Terrasse hielt Brooks Adams hof – nein, die Szene ähnelte eher einem päpstlichen Konklave, dachte Caroline. Bruder Henry hatte sich in einem Sessel so zusammengekrümmt, daß er wie ein wirbel- und wehrloses Stachelschwein aussah. Henry James lehnte an der nahen Balustrade und studierte den »päpstlichen« Adams aus verengten Augen. Mrs. Brooks Adams, eine unansehnliche kleine Frau, saß neben Mrs. Cameron, gerade außerhalb des exzentrischen Orbits ihres Gatten; und es *war* ein Orbit, den er da beschrieb, indem er aufgeregt – ein dem Veitstanz verfallener Papst – um seinen ruhig dasitzenden älteren Bruder herumtanzte; doch schien, mit seinem weißen Haupt- und Barthaar, Brooks der ältere der beiden zu sein. »Und da sind sie«, rief die dünne, kultivierte Stimme unerbittlich, »die Besten Frankreichs, die militärische Elite, vor Gericht gestellt, bedroht, eingeschüchtert, gedemütigt von einer Bande dreckiger Juden.«

»Oh, nein!« Caroline konnte es nicht ertragen, keine erneute Debatte über den Fall des Hauptmanns Dreyfus, der Frankreich so lange gespalten und Caroline in seinem Verlauf zu Tode gelangweilt hatte. Selbst Mlle. Souvestre hatte ihre klassische Gelassenheit verloren, als sie den glücklosen Dreyfus vor ihren Schülerinnen verteidigte.

»Oh, ja«, murmelte Del. »Bei dem Thema wird Mr. Adams zum Fanatiker. Genau wie Onkel Dor, nur ist der weniger monoton.«

Brooks Adams musterte die Neuankömmlinge ohne Interesse. Dann schloß er sie in seinen bewegten Orbit mit ein. Und nahm die verschlungene Navigation um den Sessel seines Bruders wieder auf. »Nun könntest du natürlich sagen: ›Einmal angenommen, Hauptmann Dreyfus ist nicht schuldig, dem Feind Geheimnisse verraten zu haben?‹«

»Niemals würde ich so etwas *sagen*«, murmelte Henry Adams.

Brooks ignorierte seinen Bruder. »Worauf *ich* sage, falls er unschuldig ist, um so schlimmer für Frankreich, für den Westen, dem Juden – dem kommerziellen Interesse zu gestatten – ein große Macht – für nichts – zum Stillstand zu bringen. England und die Vereinigten Staaten, das eine dekadent, das andere ignorant, aber bildungsfähig – unsere Aufgabe ist es doch, uns mit den jüdischen Interessen zu verbünden, was uns gleichzeitig retten könnte im bevorstehenden Kampf zwischen Amerika und Europa, der nach meiner Berechnung nicht später als 1914 beginnen wird, weil es nun zwei mögliche Sieger gibt – die Vereinigten Staaten, jetzt die größte Seemacht der Welt, und Rußland, die größte Landmacht der Welt. Deutschland, als Weltmacht zu klein, wird zermalmt werden, und Frankreich und England werden bedeutungslos sein, so daß wir uns dem riesigen Rußland gegenübersehen, das beherrscht wird von einer Handvoll Deutscher und Juden. Aber kann Rußland uns in seinem jetzigen Entwicklungs- oder Nicht-Entwicklungsstand überhaupt Widerstand leisten? Ich glaube nicht.«

Seine unregelmäßige elliptische Bahn brachte Brooks Adams, Angesicht zu Angesicht, vor seinen Bruder. »Rußland muß entweder drastisch expandieren, nach Asien hinein, oder sich einer inneren Revolution unterziehen. Das eine wie das andere wird für uns von Vorteil sein. Deshalb müssen wir uns *jetzt* einen Krieg wünschen. Nicht den kommenden großen Krieg zwischen den Hemisphären.« Auf seiner unorthodoxen Bahn geriet Brooks in die unmittelbare Nähe von Henry James, der den febrilen kleinen Mann betrachtete wie ein gütiger bärtiger Buddha. »Sondern den Krieg, der uns Asien, und zwar ganz Asien, sichern soll. McKinley hat da einen großartigen Anfang gemacht. Er ist unser Alexander. Unser Cäsar. Unser wiedererstandener Lincoln. Aber er muß verstehen, warum er tut, was er tut; und deshalb müssen du, Henry, ich und Mahan ihm das Wesen der Geschichte erklären, so wie wir es kennen . . .«

»Ich kenne überhaupt nichts«, sagte Henry Adams und setzte sich abrupt auf. »Und ich weiß nur, daß ich jetzt meine gewohnte Ausfahrt möchte.«

»Nach Rye. Mit mir«, sagte Henry James und löste sich von der Balustrade. »Ich fahre heim«, sagte er zu Mrs. Cameron. »Ich habe Ihren Henry – ah, und auch meinen – zum Tee eingeladen. Wir werden ein gemietetes Transportmittel lokaler Provenienz mit elektrischem Motor benutzen.«

Henry Adams rief: »Hitty! Hitty! Wo bist du?«

Aber Hitty, die Nichte Abigail, war nicht zu finden. Und so kam es, daß in der endlosen Verwirrung von Henry James' Aufbruch Henry Adams Carolines Arm nahm. »Ich muß immer irgendeine Art Nichte bei mir haben. So ist das Gesetz. Sie sind erwählt.«

»Ich fühle mich geehrt. Aber . . .«

Es gab kein Wenn und kein Aber, als Henry Adams vor seinem Bruder Brooks flüchtete, mit Caroline im Schlepptau, vermutlich, um – so fürchtete sie jedenfalls – sie den Wölfen zum Fraß vorzuwerfen, falls Brooks sich Henry James' motorisierter Miettroika allzu bedrohlich näherte. Im letzten Augenblick wurde auch noch Del als Mitpassagier aufgenommen. Zum Erstaunen von Mr. Beech setzte Brooks seine rhetorischen Übungen selbst dann noch fort, als der livrierte Chauffeur den beiden Henrys und Caroline und Del in das hohe Automobil half.

»Krieg ist der natürliche Zustand des Menschen. Doch wofür? Für Energie . . .«

»Oh, für Energie!« rief Henry Adams, während das plumpe Fahrzeug mit dem elektrischen Motor, von seinem livrierten Chauffeur gelenkt, durch den Park glitt, zum weiteren Erstaunen von Mr. Beech – und des Hirsches. Im hinteren Teil des Wagens saßen Caroline und Adams Del und Henry James gegenüber.

»Ich habe Brooks noch nie so gut, ja, ich möchte sagen, so *üppig* bei Stimme erlebt.« Henry James lächelte jenes maliziöse kleine Lächeln, das Caroline inzwischen so bezaubernd fand; obwohl ihm nie etwas entging, schien er, soweit sie das sagen konnte, niemals über andere zu Gericht zu sitzen.

»Er erschöpft mich«, seufzte Adams. »Er ist ein Genie, gewiß. Nur bin ich unglücklicherweise der hart arbeitende ältere Bruder dieses Genies. Und so kommt er, um bei mir zu . . . zu *schürfen*, wie in einer Mine voll Gold; oder eher wohl Blei. Ich habe nämlich eine Reihe wolkiger Theorien, aus denen er eiserne Gesetze schmiedet.«

»Gibt es in der Geschichte denn wirklich Gesetze?« fragte Del mit plötzlicher Neugier.

»Wenn es sie nicht gäbe, hätte ich mich nicht mein Leben lang als Historiker versucht.« Adams wirkte gereizt; seufzte dann wieder. »Die Sache ist nur, ich kann sie nicht richtig herausarbeiten. Brooks jedoch kann es – bis zu einem bestimmten Punkt.«

»Nun, und wie lauten sie?« Ja, Del war wirklich wißbegierig, dachte Caroline, und sie fühlte sich davon angenehm berührt. Schließlich war sie genügend Französin, um es zu genießen, wenn das Allgemeine ins Besondere gewendet wurde, wenn die elegant formulierte Formel ihre spezifische Gewandung erhielt, sei diese auch noch so – flüchtig.

»Brooks' Gesetz lautet wie folgt.« Adams blickte in die Halb-Ferne, wo sich – im Moment allerdings unsichtbar – Hever Castle erhob, das er Caroline und einem ganzen Schock von Nichten bereits gezeigt hatte. Sie dachte an Anna Boleyn, einst dort Bewohnerin, und fragte sich, ob Heinrich VIII., als er ihr den Kopf abschlagen ließ, wohl einem Gesetz der Geschichte gehorchte, welches da lautete: Die Energiefrage verlangt, daß du jetzt die Reformation beginnst; oder hatte er, ganz einfach, eine neue Frau und einen Sohn gewollt?

»Alle Zivilisation ist Zentralisierung. Das ist das erste unumstößliche Gesetz. Alle Zentralisierung ist Ökonomie. Das ist das zweite – die Ressourcen müssen dem Bedarf der Zivilisation adäquat sein und genügend Energie verfügbar machen. *Deshalb* besteht der Zivilisationsprozeß im Überleben des ökonomischsten Systems . . .«

»Was bedeutet«, fragte Del, »das Ökonomischste?«

»Das billigste«, erwiderte Adams knapp. »Brooks meint, es finde jetzt zwischen Amerika und Europa ein Wettrennen um die Kontrolle der riesigen Kohlevorkommen in China statt, weil die Macht, welche über die ausgiebigsten und billigsten Energiequellen verfügt, die Welt beherrschen wird.«

»Aber wir haben zu Hause doch so viel Kohle und Öl«, sagte Del verwundert. »So sehr viel mehr, als wir überhaupt brauchen. Was wollen wir also mit China?«

»Die andern davon abhalten, sich dort festzusetzen. Aber Ihr Instinkt sagt Ihnen das Richtige. Falls Brooks' Gesetz zutrifft, dannn werden wir am Ende alles bekommen – und gewonnen – haben.«

»Ist das, wenn man fragen darf, eine *gute* Sache?« erkundigte sich James behutsam.

»Ein Naturgesetz ist weder gut noch schlecht; es *besteht* einfach. Wenn nicht wir, dann Rußland? Das abergläubische, barbarische Rußland? Nein. Wenn nicht wir, dann Deutschland? Eine Rasse mit der Neigung zu Wahnwitz – und Poesie? Nein.«

»Und welche Neigung ist es, die *uns* so unermeßlich überlegen macht?« Caroline sah, daß James Adams direkt ins Gesicht starrte, etwas, das er, mit seinem unendlichen Taktgefühl, höchst selten tat. Er schien in Adams' Gesicht zu lesen wie in einem Buch.

»Wir neigen der angelsächsischen Freiheit und dem gesunden Rechtsempfinden zu . . .« Adams hielt inne.

»Und wir sind . . . außergewöhnlich und einzigartig . . . Wir.« James lächelte; doch ohne Vergnügen, wie es Caroline schien.

»Bei deiner großen Liebe zu England . . .«, Adams zwickte seinen exilierten Freund spielerisch, ». . . mußt du hier doch Qualitäten gefunden haben, die du höher veranschlagst als die irgendeines anderen Landes – sonst könntest du ja auch irgendwo sonst leben, zum Beispiel in unserer turbulenten Republik. Nun, dann denke dir die Vereinigten Staaten einfach als eine Art Erweiterung dieses Landes, das du liebst und dem du vertraust. Und sieh in uns diejenigen, welche die große Aufgabe der Angelsachsen übernehmen und sie diesen Inseln von den Schultern nehmen – diesen Inseln, die im Begriff stehen, ihre . . . ihre Ökonomie zu verlieren.«

James breitete beschwichtigend die Hände. »Du sprichst von den Gesetzen der Geschichte, und ich bin kein Jurist. Doch ist mir alles andere als wohl dabei, das will ich gestehen. Wie können wir, die wir doch nicht einmal wirklich fähig sind, über uns selbst zu herrschen, die Aufgabe übernehmen, die Herrschaft über andere auszuüben? Werden wir die Philippinen von Tammany Hall aus regieren? Werden wir darauf bestehen, daß unsere asiatischen

Kolonien von den Bossen regiert werden? Werden wir darauf bestehen, daß unsere spanischen Besitzungen durch die Parteicliquen verwaltet werden, die unsere Politik so vergiftet haben, daß jeder gute Amerikaner – oder auch schlechte, wie ich eilig hinzufügen möchte – zusammenzuckt, wenn er unser gegenwärtiges System auch nur erwähnt hört?«

Adams krauste die Stirn. »Es steht schlecht bei uns, das ist wahr. Aber das England Walpoles war weitaus korrupter und engstirniger und provinzieller . . .«

»Stimmt. Doch die Erlangung eines Empires hat die Engländer zivilisiert. Das mag zwar kein Gesetz sein, doch es ist eine Tatsache.« Henry James' Blick haftete starr auf Adams. »Aber was die Engländer zivilisiert hat, könnte uns sehr wohl noch mehr demoralisieren.«

Adams gab keine Antwort. Del machte eine besorgte Miene. »Haben Sie so zu Vater gesprochen?«

James gab seiner Stimme einen leichten Klang. »Nein, nein. Armer Mann. Er trägt so schon die Last der ganzen Welt. Ich finde es unbeschreiblich edel von ihm, sich in seinem Alter und bei seinem . . . bedauerlichen Gesundheitszustand auf dem Altar des öffentlichen Dienstes zu opfern.«

Plötzlich begann James zu rezitieren – und wie schwellende Orgelklänge füllte es das Dorf, durch das sie gerade fuhren. »Er sah seine Pflicht, so klar und hell, und kam ihr nach, gleich auf der Stell'.«

»Was«, fragte Caroline beunruhigt, »ist denn das?«

»Aus ›Jim Bludso‹«, erklärte Del. »Vater haßt es, das zu hören.«

»Nun, ›Vater‹ ist nicht hier, und mir gefällt der großartige Schwung. Was hätte er wohl in seinen rhythmischen Chroniken, den lauernden Gefahren des Transportwesens gewidmet, aus *diesem* Material gemacht: ein *durchgehendes* – sagen wir – Elektromotorgefährt, worin ein Historiker und Entdecker von unumstößlichen Gesetzen vor der Vernichtung gerettet wird durch den schnellen, starken Arm eines bloßen Geschichtenerzählers aus Albany im Staate New York, derzeit jedoch wohnhaft in Rye . . .«

Bis James seine verzwickte Spottballade zu Ende gebracht hatte, lachte sogar Henry Adams.

Lamb House entpuppte sich als ein Miniatur-Herrenhaus aus

Stein, mit einem verwilderten Garten, lauter Kraut und, ja, Staub, dachte Caroline ein wenig verbohrt. An der Tür wurden sie von einem Mann und einer Frau begrüßt.

»Die Smiths«, sagte Henry James in für ihn untypischer Kürze.

Dem Meister und seinen Gästen wurde von seiten der Smiths, die wiederholt sein Gepäck fallen ließen, während sie, von Seite zu Seite schwankend, in den kleinen Salon des Hauses eilten, ein freudiger Empfang zuteil.

»Die Smiths sind eine Legende«, flüstere Del, indes Henry James Henry Adams zu einem Lehnstuhl nahe beim leeren Kamin führte.

»Warum?«

Mrs. Smith – als habe man sie aufgefordert, die Legende zu dramatisieren – begann langsam und fast graziös zu Boden zu sinken, auf den Lippen ein sanftes Lächeln.

»Mr. Smith!« Henry James zeigte sich nicht weiter beunruhigt, als Mr. Smith, dem Ruf des Meisters folgend, fast buchstäblich mit der Tür von der Diele her in den Salon fiel. »Sir?« tönte er.

»Es scheint, daß Mrs. Smith' Siesta, zwischenzeitlich unterbrochen durch die Aufregung über unsere Ankunft, auf dem Teppich ihre Fortsetzung gefunden hat.«

»Ach, arme Frau!« Smith schüttelte den Kopf. »Es ist die neue Medizin, die der Dorfarzt ihr gibt; ganz und gar nicht das, woran sie in London, in der Harley Street, gewöhnt war.« Smith zog seine bewußtlos lächelnde Frau hoch und schlafwandelte sie zur Tür. »Sie besitzt nun mal«, verkündete Smith voll Stolz, »einen . . . hochempfindlichen Organismus.« Das Paar entschwand. Henry Adams war es gelungen, sein Lachen zu unterdrücken, doch zuckte die Spitze seines gepflegten Bartes. Henry James wirkte tief melancholisch, ja sogar byronesk, wie Caroline fand. Sie sagte: »Aber, Mr. James, sicher . . .«

Aus dem hinteren Teil des Hauses dröhnte ein furchtbares Krachen: Offenkundig hatten beide Smiths dem strengen Gesetz der Schwerkraft Tribut gezollt. »Ja, sicher«, nahm Henry James den Gesprächsfaden auf und führte ihn wie selbstverständlich fort: ». . . sicher sind die Smiths, wie Sie ganz richtig gemerkt haben, ein in häuslichen Angelegenheiten überaus erfahrenes Paar; unglücklicherweise jedoch weniger vertraut mit gewissen Verlockungen – und vor allem Gefahren – des Landlebens, so daß sie die frühesten

Warnzeichen wohl einfach in den Wind geschlagen und sich . . .«

»Betrunken!« Henry Adams' Gelächter klang so unglaublich laut und hemmungslos, daß auch Caroline nicht länger an sich halten konnte; ebensowenig Del.

Der Meister indes war eine Studie in höflicher Verlegenheit. »Es tut mir leid«, sagte er, »daß der Empfang so beeinträchtigt worden ist durch die dionysische – nein, bacchische – Entrücktheit der guten, treuergebenen Smiths, deren Übersiedlung aus ihrem heimatlichen London in die ihnen unvertraute Provinz beide überstimuliert hat, in jedem Sinn dieses Wortes . . .« Aus dem hinteren Teil des Hauses schallte das Splittern von Geschirr, und James krauste ein wenig unwillig die mächtige Stirn.

Aber dann übernahm Henry Adams den Vorsitz, und die Smiths verschwanden – als Thema – von der Tagesordnung; später bereiteten sie, erstaunlicherweise, einen ausgezeichneten Tee, den Mr. Smith, offenbar wieder so ziemlich sein normales Selbst, tüchtig und geschickt servierte.

Adams wollte gern mehr über James' Leben hier wissen. Ob er denn auch ausreichend Gesellschaft habe? »Da du im allgemeinen die Einsamkeit der Gesellschaft vorziehst, bedeutet dies natürlich, daß du jemanden in der Nähe haben müßtest, dessen Gesellschaft so interessant ist, daß, wenn du ihn *nicht* siehst, dies deine Freude und dein Vergnügen sozusagen im vorhinein steigert.«

»Nun, da ist der Poet Laureate.« James reichte einen Teller mit schwerem Gebäck herum; Caroline lehnte ab; Del nahm zwei Stück. »Für mich ist jeder Tag, an dem ich ihn nicht sehe, ein wahres Vergnügen. Im übrigen sehe ich hier überhaupt niemanden. Ich bin dem Golfclub beigetreten, wegen des Tees, der dort serviert wird, nicht wegen des eigentümlich einsamen Spiels, welches ihm vorausgeht; und obwohl man mich einstimmig zum Vizepräsidenten des Kricketclubs gewählt hat, habe ich die Wahl ausgeschlagen, weil Kricket für mich ein noch unverständlicheres Spiel ist als Golf und man dort nicht einmal Tee serviert. Ich wollte meine Einsamkeit in diesem Sommer eigentlich so richtig genießen und ließ mir nicht träumen, daß die Camerons, die Hays, die Adams sämtlich auf mich niedergehen würden wie ein . . . wie ein . . .«

»Da bin ich aber sehr gespannt, *womit* er uns vergleichen wird«, sagte Adams zu Caroline, die insgeheim wünschte, die Fenster zum

Garten wären geöffnet. Das Zimmer war eng, um das Gebäck schwirrten Fliegen.

»Ich schwanke«, sagte James, »zwischen dem Bild eines Goldregens und den düsteren Details eines Passionsspiels. Jedenfalls wäre ich, gäbe es euch passionierte Besucher nicht, jetzt an meinen Schreibtisch gekettet und würde schreiben . . .«

»Diktieren . . .«

»Das macht keinen Unterschied. Ich bin an Mr. McAlpine gekettet, der an seine Remington gekettet ist, während ich wortreich diktiere – Buchrezensionen für Literature, eine Biographie von William Wetmore Story . . .«

»Diesem gigantischen Langweiler?«

»Da hast du in einem halben Satz ausgedrückt, woraus ich ein ganzes Buch machen muß. Aber da mir die Erben eine nützliche Summe dafür gezahlt haben, daß ich mich um das Andenken unseres alten und – nun ja – langweiligen Freundes verdient mache, muß ich die Arbeit auch erledigen, schon um dieses Haus zu bezahlen, das erste – und letzte –, das ich jemals besitzen werde.«

Del fragte James, ob er Stephen Crane kennengelernt habe, den jungen amerikanischen Journalisten, der hier irgendwo in der Nähe leben sollte. James nickte. »Auf Brede Place. Er hat mich besucht, bevor ich als Kriegsberichterstatter nach Kuba ging. Ist hochbegabt und hat eine Frau, die . . .« James blickte zu Caroline, die sofort begriff, daß sie, das jungfräuliche Mädchen amerikanischer Herkunft, eine weitgehend purgierte Fassung zu hören bekommen würde. » . . . früher einmal ein Etablissement in Jacksonville, Florida, unterhielt, das den recht evokativen Namen ›Hotel de Dream‹ trug. Der arme junge Mr. Crane ist gleichfalls an seinen Schreibtisch gekettet, nur daß sein Schreibtisch jetzt in Havanna steht – wo er für eine Zeitung schreibt . . .«

»Für das Journal«, sagte Caroline. Von Blaise wußte sie, wie Hearst es geschafft hatte, Crane der World auszuspannen, in der er, taktloserweise, über die Feigheit der 71. New Yorker Volunteers berichtet hatte. Mit ganzen Salven von Schlagzeilen hatte Hearst die World dafür beschimpft, daß sie die Tapferkeit amerikanischer Freiwilliger in den Dreck ziehe; und dann hatte er den »Lügenreporter« für sein eigenes Blatt engagiert.

Henry Adams wunderte sich, daß jemand, der nie eine Schlacht erlebt habe, einen so ausgezeichneten Kriegsroman wie »The Red Badge of Courage« habe schreiben können. James erinnerte ihn daran, daß »der titanische Tolstoi« ja auch nicht zur Zeit von Napoleons Invasion in Rußland gelebt habe; und trotzdem habe er sich den Krieg und den Frieden doch sehr genau vorstellen können. Woraufhin Caroline sich nicht die Bemerkung verkneifen konnte: »Obwohl Mr. Crane niemals ein Mädchen gewesen ist – und schon gar keines von der Straße –, hat er dennoch Maggie für uns erschaffen.«

»Meine Liebe, meine Liebe!« Mehr denn je wirkte Henry Adams wie ein Onkel. »Von solchen Dingen dürften Sie eigentlich gar nichts wissen. Mlle. Souvestre ist zu lax mit Ihnen gewesen.«

»Aber, Adams, Miss Sanford ist doch ein Produkt von Paris, wo *jedermann* weiß . . .« Beim Wort »weiß« klang James' Stimme sehr leise, und seine Augen wurden rund und komisch. Caroline und Del lachten. Adam lachte nicht, weil es jetzt Zeit war, von Thee-oh-dore zu sprechen. Caroline fragte sich, ob alle Amerikaner, zumindest aus dieser gesellschaftlichen Gruppe, sich wohl verpflichtet fühlten, mindestens sechsmal pro Tag von Theodore Roosevelt zu sprechen, so ähnlich wie Nonnen, die in ihrem Kloster in regelmäßigen Abständen den Rosenkranz beten. Sie kannte den Colonel, wie er jetzt tituliert wurde, nicht persönlich. John Hay hatte von einem »prächtigen kleinen Krieg« gesprochen, was nicht nur bei den Spaniern Empörung auslöste. Aber mochten Theodore und seine Rough Riders auch die öffentliche Phantasie beflügelt haben, so fand Caroline es doch merkwürdig, daß er für Leute seines eigenen Standes – zumal auch für ältere – so interessant war. Adams bemühte sich um eine Erklärung: »Er ist *ganz* Energie. Darin liegt, glaube ich, seine Anziehungskraft . . .«

»Für solche, die grobe, geistlose Energie anziehend finden.« James tat drei Teelöffel Zucker in seinen Tee.

»Nun, geistlos ist er nicht, jedenfalls nicht ganz.« Adams gab sich objektiv. »Er hat eine ausgezeichnete Geschichte unserer Navy im Krieg von 1812 geschrieben . . .«

»Ein Thema, das selbst aus der Entfernung meinen Puls fast zum Stocken bringt. Denn das war doch wohl der Krieg, in dem man die Teilnehmer dazu antrieb, erst dann zu schießen, wenn sie das Weiße in den Augen des Feindes sehen konnten, nicht wahr?«

»Oh, du Auswanderer! Du willst uns nicht lassen, was wir an Geschichte haben.«

»Aber natürlich tu ich das. Ich möchte nur mehr davon; und stets von dir geschrieben. Aber was wird nun mit dem Helden unserer kubanischen ›Ilias‹ werden?«

»Er bewirbt sich um das Amt des Gouverneurs des Staates New York«, sagte Del. »Die republikanische Parteimaschine mußte ihn nehmen. Er ist nämlich – im Gegensatz zu denen – nicht korrupt. Durch ihn werden sie respektabel.«

»Und er durch sie, falls er gewählt wird, zweifellos korrupt.« Mr. James war an amerikanischen Angelegenheiten offenbar weitaus stärker interessiert, als er zugeben wollte, fand Caroline.

»Ich glaube«, sagte Adams, »er ist viel zu ehrgeizig, um sich korrumpieren zu lassen.«

»Aber dann ist er's ja bereits! Denn *das* ist die wahre Korruption! Lieber Adams, ich kann ihn nicht ins Herz schließen, deinen weißen Ritter Theodore. Ich habe gerade – bitte niemandem verraten – sein jüngstes . . . nun ja, *Buch* besprochen . . . nennen wir sie eben so, diese elende gedruckte und paginierte Nichtigkeit mit dem Titel ›American Ideals‹, worin er uns wieder und wieder – und dann noch ein weiteres Mal – sagt, wie wir leben müssen, jeder einzelne von uns, ›rein als ein Amerikaner‹, als ob das irgend etwas Konkretes wäre. Er warnt uns auch, daß der Gebildete – er selbst, zweifellos – nicht als Gebildeter in die Politik gehen darf, weil er sonst mit Sicherheit von jemandem geschlagen wird, der überhaupt keine Bildung besitzt – dies nimmt er als eine Art amerikanisches Ideal, welches er bewundert, weil es eben amerikanisch ist, wenn er auch einräumt, daß es für einen Gebildeten ein Problem darstellt, dem er deshalb rät, in eine Wahl zu gehen, als sei er völlig ungebildet, um sich dann der Wählerschaft – ja, du hast es begriffen! – *rein als ein Amerikaner* zu präsentieren, in welchem Fall er gewinnen wird, was als einziges zählt. Da ist, lieber Adams, soweit ich das zu sehen vermag, in deinem Freund nicht eine Spur von Geist.«

»Vielleicht ist es nicht so sehr der Geist als vielmehr eine unabdingbare, ungeheuer energievolle Schlauheit. Schließlich hat er sich in Washington im Reformausschuß für den Civil Service bewährt. Auch als Reformer der New Yorker Polizei hat er sich einen Namen gemacht.«

»Mein Vater sagt, er habe noch nie einen Reformer getroffen, der nicht das Herz eines Tyrannen hatte«, steuerte Del zum Gespräch bei.

»Hoffen wir, daß er diese grausame Ansicht vor Theodore geheimhalten kann.« Caroline konnte sehen, daß Adams Roosevelt verteidigen wollte, doch James' Verachtung für seinen berühmten Freund verstörte ihn offensichtlich. »Immerhin hat er«, raffte Adams sich zusammen, »als er Unterstaatssekretär im Marineministerium war, die Flotte in Bereitschaft gebracht, wozu sich weder der Minister noch der Kongreß entschließen konnten. Außerdem beorderte er Admiral Dewey zur chinesischen Küste, für den eventuellen Kriegsfall. Als dann der Krieg kam, bewies er, indem er zurücktrat, um in den Kampf zu ziehen, daß es ihm absolut ernst war.«

»Ernst?« James furchte die Stirn. Das Licht im Garten verwandelte sich von Silber in tiefes Gold. »Als ein Hurrapatriot – ja, das ist er. Und zwar, so meinst du's doch sicher, *rein* als ein Amerikaner . . .?«

»Oh, James, du bist allzu mißtrauisch gegenüber einem Mann, der schließlich den Geist, das innere Feuer unserer Rasse verkörpert, in dem Moment, in dem wir die Weltbühne betreten und unsere Rolle, die Führungsrolle, übernehmen, wie es das Gesetz der Geschichte verlangt.«

»Was für ein Gesetz, wenn ich fragen darf, ist das?« James war maliziös.

»Daß der tüchtigste Wille obsiege.«

»Ah, das Gesetz deines Bruders! Ja, daß die Welt zur . . . äh, billigsten Ökonomie tendiert. Natürlich. Warum auch nicht? Da haben wir doch alle Chancen, auf billigste Weise zu einem Empire zu kommen, vorausgesetzt, die Briten lassen das ihre fahren, was sie nach meiner Überzeugung allerdings niemals tun werden, jedenfalls nicht, solange der deutsche Kaiser und der russische Zar und der japanische Mikado in der einst friedlichen Stille des Orients mit ihren diversen Säbeln rasseln . . .«

»Ein Stille, die wir gebrochen haben. Du weißt ja, daß Brooks ein enges Verhältnis zu Theodore hat. Und auch zu Mahan. Die drei planen unentwegt unsere imperiale Zukunft.«

»Gemäß Brooks' unwandelbaren Gesetzen der Geschichte?«

»Ja. Er liebt es natürlich, Gesetze anzuwenden. Ich nicht. Ich ziehe es vor, sie zu verstehen.«

»Diese Adams . . .!« rief James in komischer Verzweiflung, doch klang seine Stimme sehr freundschaftlich, und in dieser Stimmung endete der Tee. Das Elektromobil brachte sie wieder zurück, ohne Unfall – wenn auch nicht ohne zahllose Warnungen von James, daß sie, während der Fahrt nach Surrenden Dering, nur allzuleicht Opfer und Märtyrer werden könnten – später verewigt in einer von Hays gefürchteten Transportballaden.

Als Caroline zum Dinner herunterkam, fand sie Clara Hay – umhüllt von Pastellfarben, welche ihre beträchtliche Statur noch monumentaler erscheinen ließen – beim Briefeschreiben. »Ich sehe jetzt immer zu, daß ich mit der Korrespondenz auf dem laufenden bleibe«, sagte sie lächelnd. Wird sie meine Schwiegermutter werden? fragte sich Caroline. Bin ich, jetzt endlich, erwachsen? Diese Frage stellte sie sich pro Tag wohl ein dutzendmal. Es war, als habe sich die Gefängnistür ihrer Kindheit ganz von selbst geöffnet und sie, Caroline, sei ohne weiteres Nachdenken und ganz gewiß ohne Plan hinausgetreten in die Außenwelt. Sie hatte schon immer tun wollen, was ihr gefiel, hätte sich jedoch niemals träumen lassen, daß so etwas möglich war. Aber dann war der Colonel entschwunden – so umschrieb sie für sich seinen Tod –, und sie war durch die offene Tür geglitten.

»Haben Sie in diesem Sommer in Paris Clarence King kennengelernt?« fragte Clara, während sie weiterschrieb.

»Nein. Aber einen George King, der gerade ein Mädchen aus Boston geheiratet hatte.«

»Das war Clarence' Bruder. Sie waren alle zusammen. Dann reiste Clarence ab – irgendwohin. Um nach Gold zu suchen, oder was auch immer sonst zu tun. Er ist unser *brillanter* Freund . . .«

Caroline sah, daß es das Briefpapier war, das Elizabeth Cameron konfisziert hatte. »Die Herz-Fünf«, sagte sie.

Clara legte ihren Federhalter aus der Hand und sah Caroline an. »Woher wissen Sie davon?«

»Ich sah das Briefpapier auf dem Schreibtisch. Mrs. Cameron tat sehr geheimnisvoll. Sie sagte, ich sollte das Thema Mr. Adams gegenüber ja niemals erwähnen.«

»Sie hat recht. Das dürfen Sie nicht. Sehen Sie, wir waren einmal fünf, und wir nannten uns die ›Herzen‹. Das war Anfang der achtziger Jahre, in Washington. Da waren Mr. Adams, Mr. King, Mr. Hay. Und da waren Mrs. Adams – inzwischen verstorben – und ich. Es gibt also nur noch vier Herzen, von denen sich, zu meiner Freude, drei hier in diesem Haus befinden, indes ich dem vierten nach British Columbia schreibe.«

»Aber hatten Sie denn eine . . . haben Sie denn eine Geheimgesellschaft? Samt Losungsworten und so sonderbarem Händeschütteln wie die Freimaurer?« Colonel Sanford war der Freimaurerei ergeben gewesen.

Clara lachte. »Nein, nichts dergleichen. Wir waren nur fünf Freunde. Drei brillante Männer und zwei Frauen, von denen die eine brillant war und ich die andere bin.«

»Wie – nett das gewesen sein muß.« Caroline fand das Wörtchen »nett« recht inadäquat, doch inadäquat war auch Claras Erklärung. »Mr. Adams spricht nie von Mrs. Adams?«

»Nein, nie. Aber er mag es, wenn die Leute von dem Memorial für sie sprechen, Saint-Gaudens' Statue auf dem Rock Creek Friedhof. Haben Sie es gesehen?«

»Ich bin noch nie in Washington gewesen.«

»Nun, das werden wir bald ändern, hoffe ich.«

Brooks Adams betrat den Salon; redend. »Eine Nation, die an zwei Ozeane grenzt, muß zu ihrem eigenen Schutz überall Kolonien haben.«

»Ach, du lieber«, murmelte Clara Hay, faltete den Brief an King und steckte ihn in ein Kuvert. »Lieber Brooks«, fügte sie hinzu; und entfloh gemessenen Schritts.

»Das ist nicht nur meine Ansicht«, sagte Brooks, den Blick starr auf Caroline. »Es ist auch die von Admiral Mahan. Wann haben Sie sein Buch ›Der Einfluß der Seemächte auf die Geschichte‹ zum letztenmal gelesen?«

»Ich habe es noch nie gelesen«, sagte Caroline und versuchte, nicht das Gleichgewicht zu verlieren und in jene besessenen, blitzenden Augen zu stürzen. »Ich habe ja«, fügte sie hinzu, als es ihr endlich gelang, ihren Blick von seinem zu lösen, »bis jetzt noch nicht einmal davon gehört.«

»Sie müssen es mindestens einmal pro Jahr lesen.« Brooks hörte niemandem außer sich selbst und Henry zu: »Die Logik ist überwältigend. Unterhalte eine Flotte, um Kolonien zu erwerben. Theodore hat seine Lektion endlich gelernt. Ich habe Jahre gebraucht, um ihn so weit zu bringen. Jetzt begreift er, daß, wenn die angelsächsische Rasse überleben – und herrschen – soll, wir Krieg führen müssen.«

»Gegen wen?«

»Gegen jeden, der uns von der Erwerbung Chinas abhalten will. Wir werden natürlich einen anderen Präsidenten brauchen. McKinley war soweit ganz hervorragend. Aber jetzt brauchen wir einen Militär, irgendeine Art Diktator. Ich instruiere die Demokratische Partei dahingehend, daß sie General Miles unterstützt. Schließlich ist er ein Kriegsheld. Er hat unsere gesamten Streitkräfte befehligt. Und ist grundkonservativ.«

»Wird die Demokratische Partei tun, was Sie sagen?« Caroline war jetzt davon überzeugt, daß Brooks Adams mehr als nur ein bißchen verrückt war.

»Wenn sie gewinnen wollen – natürlich. Würden Sie nicht für General Miles stimmen?«

»Frauen dürfen nicht wählen, Mr. Adams.«

»Gott sei Dank. Aber falls Sie dürften?«

»Ich kenne ihn nicht.«

»Sie kennen wen nicht?« Mrs. Cameron bot im wasserblauen Seidenkleid eine glänzende Erscheinung.

»Mr. Adams' Präsidentschaftskandidaten, General Miles.«

»Nelson?« Mrs. Cameron zog ihre Augenbrauen zusammen.

»Ganz recht. Er ist bereit. Wir sind bereit.«

»Dann wäre das ja geregelt.« Don Cameron und Henry Adams traten zusammen herein, und Brooks tauschte die Damen für die echte Beute ein. »Armer Brooks«, sagte Mrs. Cameron. »Aber auch armer Nelson, falls der solche Rosinen im Kopf hat.«

»Nelson – ist das General Miles?«

»Ja. Er ist außerdem mein Schwager. Als Präsidenten kann ich ihn mir nicht vorstellen. Allerdings kann ich mir niemanden als Präsidenten vorstellen – bis er's dann ist. Del sagt, Sie reisen ab?«

Caroline nickte. »Ich muß mit meinen Anwälten sprechen. In New York.«

»Unser Sommer endet viel zu früh. Sie nach New York, Mr. Hay nach New Hampshire, Mr. Adams nach Paris . . .«

»Mrs. Hay hat mir gerade gesagt, wer die fünf Herzen sind.«

Mrs. Cameron lächelte. »Dann wissen Sie jetzt, *was* sie sind?«

»Was sie sind?« Caroline war verwirrt. »Aber waren sie denn nicht einfach fünf Freunde?«

»Nein. Sie waren nicht bloß Freunde.« Mrs. Cameron gab sich, irritierenderweise, plötzlich wieder sehr geheimnisvoll. »Es ist das *Was*, worauf es am meisten ankommt.« Und Mrs. Cameron schickte sich an, zwei fremde Ladys zu begrüßen, die soeben eingetroffen waren. Könnte es sein, fragte sich Caroline fasziniert, daß diese fünf – jetzt vier – ältlichen Leute die verkleideten Götter des Olymps sind?

Teil II

1

Blaise Delacroix Sanford hatte wenig Appetit auf Speise und noch weniger auf Trank, so daß es für ihn zur Gewohnheit geworden war, die Lunch-Stunde zu einem Spaziergang auf der Fifth Avenue zu nutzen, beginnend am Journal-Büro und endend mit einem Besuch der Bar im Hoffman House am Madison Square. Hier trank er dann einen Krug Bier und speiste vom riesigen Buffet, was ihn de facto ganze 25 Cent kostete, das vom Ober erwartete Trinkgeld, ein wohlverdienter Obolus, welcher den betuchten Gästen in New Yorks üppigster Bar garantierte, daß sie von den Horden hungriger, gefährlicher Menschen, welche unter der nur einen Block entfernten Hochbahn in der Sixth Avenue hausten, unbehelligt blieben. Obwohl es eine Art ungeschriebenes Gesetz war, daß zwischen der reichen Fifth und der elenden Sixth Avenue eine unsichtbare Grenze bestand, war es dennoch bisweilen geschehen, daß ein wildfremder Streuner in einem der Bar-Räume des Fifth Avenue Hotels auftauchte, jener Akropolis von einem Hotel, und eine komplette Mahlzeit vom berühmten »freien Lunch« in sich hineingeschlungen hatte, dargeboten in rund sechzig Silberschüsseln und Wärmepfannen, welche von Dosenschildkröten-Stew bis zu gekochten Eiern alles enthielten.

Blaise, jung und robust, zog rohe Eier jeglicher anderen Nahrung vor. In Frankreich war er von Jugend auf durch die exquisite Küche in einem solchen Maße verwöhnt worden, daß Einfachheit bei Tisch für ihn jetzt eine karge Freude war, die er genoß. Den Bierkrug in der Hand, stand er an der Bar und blickte sich in dem hohen Raum um, der die gesamte Längsseite des Hotels einnahm. Schlanke korinthische Säulen trugen die reichverzierte und kassettierte Decke. An den Wänden gab es keinen noch so winzigen Flecken, der nicht üppig ornamentiert war: Halbpilaster aus Stuck, gemalte arkadische Szenen in vergoldeten Rahmen, Kristall-Lampen, früher für Gas, jetzt auf Elektrizität umgestellt; und am Ehrenplatz, über der Mahagonibar, das berühmte nackte Weib, Meisterwerk von

Adolph William Bouguereau, ein dem Pariser Blaise unbekannter Pariser Maler. Für die New Yorker Männerwelt war das Gemälde noch immer »heißes Zeug«. Auf Blaise wirkte es nur ein wenig sonderbar.

Er ließ seinen Blick über die Gäste gleiten, gesetzte Bürgerlichkeit, die kam und ging und übers Geschäft sprach, und vermerkte mit Erleichterung, daß kein journalistischer Kollege anwesend war. Zwar genoß er die Gesellschaft solcher Leute durchaus, jedenfalls bis zu einem gewissen Punkt; nur war dieser Punkt oft allzu schnell erreicht, wenn eine volle Flasche auftauchte. In Yale hatte er ein paar schwere Trinker gekannt; war sogar selbst betrunken gewesen; doch war er nie zuvor Menschen wie diesen Zeitungsleuten begegnet, wie sie sich selber nannten. Und je talentierter sie waren, desto hoffnungs- und hilfloser schienen sie der Flasche hörig zu sein.

An der Bar entstand eine leichte Unruhe, als der ehemalige demokratische Präsident Grover Cleveland, ein wahrer »Würfel« aus Fleisch, so breit wie lang, würdevoll Einzug hielt, zerstreut ein paar Hände schüttelte, schließlich den Arm des aalglatten Republikaners Chauncey Depew nahm und mit ihm in einem Alkoven entschwand.

»Wer kann sich heute noch vorstellen, daß die beiden einmal Todfeinde waren?« Blaise drehte sich um und sah Payne Whitney, einen früheren Kommilitonen aus Yale, einen jungen Mann mit einem hübschen, wenn auch leicht schlitzäugigen Gesicht. Sie schüttelten sich die Hände. Blaise wußte, daß er bei seinen einstigen Kommilitonen verrufen war, weil er sich nicht die Mühe gemacht hatte, sein Studium ordnungsgemäß abzuschließen; daß er des weiteren – auf eigentümlich verruchte Weise – als äußerst interessant galt, weil er sich entschlossen hatte, für William Randolph Hearst und das Morning Journal zu arbeiten, eine Zeitung, deren Spezialität, wie es in der Branche hieß, »Verbrechen und Unterwäsche« waren, eine unwiderstehliche Kombination, der es gelungen war, innerhalb von zwei Jahren Pulitzers New York World in die Knie zu zwingen. Mit fünfunddreißig war Hearst die faszinierendste Figur der Zeitungswelt, und Blaise, der sich nach Aufregung – amerikanischer Aufregung – sehnte, hatte es geschafft, beim »Chef« vorsprechen zu dürfen. Seine Bemerkung, er habe Yale aus dem gleichen Grund den Rücken gekehrt wie Hearst seinerzeit Harvard, nämlich um das Zeitungsgewerbe kennenzulernen, blieb unkommentiert; allerdings war Hearst auch im Umgang mit dem gesprochenen Wort nicht besonders gewandt. Um so mehr gab er auf gedruckte Wörter und Bilder. Er war süchtig nach Schlagzeilen, Ausrufungszeichen und unbekleideten weiblichen Leichen, zumal wenn sie in delikaten Stücken über die Stadt verstreut aufgefunden wurden. Die Mitteilung, der junge Mr. Sanford sei Erbe eines beträchtlichen Vermögens, hatte dem Chef immerhin ein jungenhaftes Lächeln entlockt, und er hatte Blaise sozusagen im Schoß des Journal willkommengeheißen.

Blaise tummelte sich im Annoncengeschäft; schrieb Berichte um; machte ein bißchen von allem, auch Expeditionen in die dunkelsten Teile der Sixth Avenue und das übelste Verbrecherviertel. Er war bitter enttäuscht gewesen, als ihn der Chef nicht nach Kuba mitgenommen hatte, um Hearsts Sieg über Spanien zu genießen. Theodore Roosevelt mochte eine kleine Schlacht gewonnen haben, doch alle waren sich einig, daß Hearst einen kleinen Krieg angefangen und gewonnen hatte. Ohne seine unaufhörlichen scharfen Angriffe gegen Spanien hätte sich die amerikanische Regierung wohl kaum zum Krieg bereitgefunden. Natürlich war die Versenkung der *Maine* im Hafen von Havanna entscheidend gewesen. Der Anschlag war ebenso brutal wie grauenvoll: Das Schiff einer freundschaftlich gesonnenen Nation, auf Freundschaftsbesuch in einer unruhigen spanischen Kolonie, sinkt nach einer mysteriösen Explosion, und viele Amerikaner verlieren dabei ihr Leben. Wer – oder was – war verantwortlich? Hearst hatte es geschafft, die meisten Amerikaner davon zu überzeugen, der Anschlag gehe auf das Konto der Spanier. Wer sich jedoch näher mit den Dingen befaßte, gelangte fast zwangsläufig zu dem Schluß, daß die Spanier mit der Explosion nichts zu tun hatten. Warum sollten sie sich die Vereinigten Staaten zum Feind machen? Blieben verschiedene Möglichkeiten. Die Explosion konnte die Folge einer zufälligen Entzündung im Kesselraum oder in den Kohlespeichern gewesen sein; eine Treibmine konnte – gleichfalls rein zufällig – gegen den Rumpf des Schiffes geschwemmt worden sein; und drittens – und diese Version wurde in der Gegend des Printing House Square jetzt am meisten kolportiert – mochte Hearst selbst dafür gesorgt haben, daß die *Maine* in die Luft flog, um so die Auflage des Journal mit seinen aufregenden Vor-Ort-Kriegsberichten erhöhen zu können. Wenn auch Blaise eher bezweifelte, daß der Chef so weit gehen würde, ein amerikanisches Kriegsschiff explodieren zu lassen, so hielt er ihn trotz allem durchaus für fähig, jene Art von emotionalem Klima zu erzeugen, in dem ein unglücklicher Zwischenfall einen Krieg auslösen konnte. Gegenwärtig war Hearst in ein noch faszinierenderes Komplott verwickelt. Und Blaise, einer der Hauptmitverschworenen dabei, sollte sich um halb zwei bei Hearst im Worth House melden, wo der Chef in wenig einsamer Junggesellenpracht lebte.

Payne Whitney wollte wissen, was Hearst als nächsten machen werde. Blaise erwiderte, sich darüber auszulassen, stehe ihm nicht frei; was ein befriedigendes Maß an Irritation erzeugte. Aber nun ja, Blaise war jetzt aktiv tätig in der Welt, während Whitney und Del Hay, Blaise' Zimmergenosse in Yale – und beide praktisch noch Knaben –, vorerst davon ausgeschlossen blieben.

»Ich habe von Del gehört. Er sagt, deine Schwester . . .«

»Halbschwester«, korrigierte Blaise gewohnheitsmäßig. Warum, wußte er selbst nicht. Es interessierte niemanden.

». . . weile im selben Haus zu Besuch. Ich glaube, Del mag sie.« Whitney sah aus wie ein rotwangiger Chinesenjunge; ein sehr reicher Chinesenjunge mit einem Vater, William Whitney, der an zahllosen, zum guten Teil sogar ehrlichen Straßen- und Eisenbahnunternehmungen beteiligt gewesen war; und einem ihn verhätschelnden Onkel, Oliver Payne, den Blaise' Vater häufig als einen der wahrhaft »dreckigen Reichen« bezeichnet hatte, was in Blaise als Kind immer das Bild von einem dunklen, schmutzigen Mann mit einer großen diamantenen Krawattennadel hatte entstehen lassen. Whitney bestellte den Hoffmann-House-Spezial-Cocktail, einen Razzle-Dazzle.

»Caroline scheint ihn ihrerseits ebenfalls zu mögen. Allerdings vertraut sie mir nicht unbedingt ihre Herzensgeheimnisse an.« Beim Gedanken an Caroline hatte Blaise unwillkürlich angefangen, französisch zu denken, eine schlechte Angewohnheit, weil das dazu führte, daß er im Kopf aus dem Französischen ins Englische übersetzte – in sein oft gestelztes Englisch, wo ihm doch so sehr daran lag, ein perfektes und völlig unverkennbares amerikanisches Englisch, eben Amerikanisch, zu sprechen.

»Sie werden wohl alle zurückkehren, wo doch Mr. Hay jetzt Außenminister ist. Und ich stand gerade im Begriff, zu meiner Grand Tour durch Europa aufzubrechen.«

»*Dies* ist die Grand Tour!« Blaise, vielleicht zu sehr Gallier, packte mit beiden Händen die Hoffman House Bar – eine Gewohnheit, die er ablegen mußte, wie er sich ins Gedächtnis rief. Amerikanische Männer benutzten niemals ihre Hände; außer um sie zu Fäusten zu ballen und einander Kinnhaken zu versetzen.

Payne Whitney lachte. »Nun, du bist ja sozusagen auf der Grand Tour geboren worden. Ich habe meine noch nicht gemacht.« Er trank seinen Cocktail aus und verabschiedete sich.

Genau um Punkt halb zwei verließ dann auch Blaise das Hoffman House durch den Ausgang zur 25. Straße. Der Himmel war wolkenlos und von intensivem Blau. Der Wind, wie aus Böen kühler Elektrizität, belebte alle und alles, sogar die alten Droschkengäule. Ein vereinzeltes Automobil fuhr geräuschlos die Straße entlang; und der Grund für die Geräuschlosigkeit war evident: Der Motor hatte ausgesetzt. Die Droschkenkutscher waren außer sich vor Freude, und wie immer rief irgendwer: »Holt 'n Pferd!« Währenddessen konnte man zu beiden Seiten Männer – und auch Frauen – sehen, die schnaufend das jüngste Steckenpferd pflegten: das Radfahren.

Direkt gegenüber dem riesigen marmornen Hoffman House befand sich das kleine Worth House. Blaise wurde respektvoll von einem Lakaien gegrüßt, der, ohne irgendeinen besonderen Grund, mit einer prachtvollen madjarischen Offiziersuniform bekleidet war. Ein Lift aus dekorativ durchbrochenem Gitterwerk brachte Blaise gemächlich in den zweiten Stock hinauf, den Hearst komplett gemietet hatte. Hier wurde er von George Thompson empfangen, einem dicklichen blonden Mann in Gehrock und gestreiften Hosen. George war im Hoffman House Hearsts Lieblingsober gewesen. Als sich der Chef dann entschlossen hatte, »ein eigenes Haus zu führen«, hatte er George gebeten, die Leitung und Aufsicht für ihn zu übernehmen, was dieser mit Wonne tat. Und er verstand es, den Verkehr so geschickt zu regulieren, daß Hearsts Mutter, wenn sie aus Washington zu einem ihrer Spontanbesuche kam, niemals irgendeiner jener Damen begegnete, die ihrem Sohn zu unkonventionellen Tageszeiten Gesellschaft zu leisten pflegten.

»Mr. Hearst ist im Speisezimmer, Sir. Er läßt sagen, Sie möchten sich zu ihnen gesellen, zum Kaffee.«

»Wer ist ›ihnen‹?«

»Senator Platt ist bei ihm, Sir. Nur die beiden.«

»Nicht viel Konversation?«

»Selbige ist abgeflaut, Sir, nach dem Fisch. Hauptsächlich herrscht Schweigen, fürchte ich.«

Blaise wußte, daß er als eine Art »Konversationspuffer« gebraucht werden würde. Obwohl Hearst keineswegs besonders schüchtern war, erweckte er diesen Eindruck, wohl weil ihm niemand jemals erklärt hatte, wie Konversation »funktionierte«. In seinem Büro wußte er eine Menge zu sagen; und noch mehr sagte er in der Setzerei. Aber damit hatte es sich. Für Hearst bestand der ideale Abend aus einer Show, am liebsten mit Weber und Fields, über deren Witze er Tränen lachen konnte. Außerdem mochte er Minstrel-Shows, Chorus Girls und lange Nächte. Doch er rauchte und trank nie.

Das Speisezimmer hatte eine dunkle Nußbaumtäfelung. Über dem Sideboard und dem Kaminsims hingen italienische Gemälde; andere lehnten an den Wänden und warteten darauf, aufgehängt zu werden. Hearst kaufte Gegenstände mit der gleichen jungenhaften Habgier, mit der er für seine beiden Zeitungen Schreiber, sprich Journalisten, und Zeichner kaufte.

Hearst war groß und von schwerem Körperbau und dabei nicht allzu proportioniert zusammengefügt, zumindest nicht für Blaise' kritischen Blick. Allerdings besaß Blaise von Natur aus den Körperbau eines Athleten und trug sich, obwohl nur knapp über Normalgröße, wie ein Zirkusakrobat – behauptete jedenfalls Caroline. Oft balancierte er seine Muskelpracht auf den Zehenspitzen, als setze er gerade zu einem Doppelsalto an. Blaise war sich bewußt, daß er mit seinen blauen Augen und dem dunkelblonden Haar blendend aussah, und vielleicht sogar immer aussehen würde; ganz anders als Hearst, dessen blasses Gesicht mit der langen dünnen geraden Nase und dem breiten dünnen geraden Mund absolut uninteressant wirkte, ließ man die dicht beieinanderliegenden Augen außer acht, in die zu blicken ganz und gar nicht leicht war und die eher die Augen eines Adlers als die eines Menschen zu sein schienen – eine Iris vom fahlsten Blau umrandete schwarze Pupillen, die immer in sich einzusaugen schienen, was er betrachtete: das Gehirn innen eine Camera obscura, in der er, hätte er nur genügend Zeit, das Bild der gesamten Welt einfangen und archivieren würde. Hearsts Kleidung war unverkennbar »Broadway«. An diesem Tag trug er einen karierten Anzug, in dem ein wenig zuviel Grün und Gelb war; indes die Krawatte, schlicht, einem Sonnenuntergang glich.

Rechts von Hearst saß der weißhaarige, gütig wirkende Senator Platt, der Boß der Republikaner im Staat New York. Hearst war nominell zwar Demokrat, zeigte sich in seiner Haltung gegenüber den Politikern der verschiedenen Lager jedoch unparteiisch. Sie brauchten ihn, er brauchte sie. Doch durfte man beim Chef nichts als selbstverständlich nehmen. Zur allgemeinen Verblüffung hatte Hearst bei der Wahl von '96 keineswegs den Freund seines Vaters, den Major, unterstützt. Vielmehr hatte er den Major als Marionette des archetypischen Ohio-Bosses Mark Hanna gebrandmarkt; außerdem hatte er versucht, Payne Whitneys Vater zum Kandidaten der Demokraten zu machen. Als jedoch klargeworden war, daß William Whitney nicht nominiert werden konnte, hatte der junge William Jennings Bryan den Parteitag im Sturm erobert. Bryan war ein mitreißender populistischer Redner, der nur eine einzige Rede in seinem Repertoir hatte, jene vom »Kreuz aus Gold«, an das die Reichen das amerikanische Volk genagelt hätten, und die einzige Möglichkeit, es von diesem Kreuz zu befreien, bestehe darin, die »Geldversorgung« durch das Prägen von Silbermünzen zu erhöhen, bei einem Verhältnis von sechzehn Teilen Silber zu einem Teil Gold.

Obwohl die Geschäftsleute im ganzen Land in Bryan nicht nur einen Irren, sondern darüber hinaus einen potentiellen Revolutionär sahen, hatte Hearsts Journal als einzige der großen New Yorker Zeitungen die Demokraten unterstützt. Persönlich hielt Hearst Bryans Silberpolitik für absurd. Aber Hearst war ein Demokrat mit populistischen Tendenzen. Es bereitete ihm Vergnügen, die Partei des Volkes gegen die Reichen zu unterstützen. Außerdem genoß er Bryans großartige Rhetorik. Wer allerdings tat das nicht? Trotz McKinleys Wahl zum Präsidenten stellte Bryan im Land noch immer eine große Macht dar, und Hearst war sein Hoherpriester in Babylon, wie man New York im Süden und Westen nannte, wo Bryans Stärke lag. Als George zu Hearsts Linker einen Stuhl für

Blaise zurechtrückte, sagte Senator Platt: »Ich habe Ihren Vater gekannt.«

»Ich habe ihn oft von Ihnen sprechen hören, Senator«, sagte Blaise, dessen Vater niemals Platt oder irgendeinen anderen Senator erwähnt hatte – ausgenommen Senator Sprague, der zu Sanfords Zorn Kate Chase geheiratet hatte.

Nach diesem interessanten Auftakt aus Floskel und Lüge war es im Zimmer wieder still; bis auf die Geräusche, die George beim Einschenken des Kaffees produzierte. Offensichtlich hatten der Chef und der republikanische Boß ihren »small talk« bereits erschöpft, während sie ihren »big talk« nie und nimmer mit einem Grünschnabel wie Blaise teilen konnten. Der Senator entnahm einer Kiste, die George ihm darbot, eine Zigarre; fragte dann: »Sind Sie Methodist, Mr. Sanford?«

Blaise spürte, wie sich seine Wangen erhitzten, und wußte, daß sie jetzt brennend rot waren: »Nein, Sir. Wir – meine Halbschwester und ich – sind Katholiken.«

»Ah.« Eine Welt aus Bedauern und Verachtung lag in dieser nur gehauchten Interjektion. »Frankreich, vermute ich. All jene Jahre. Erklärt, warum Sie ein Demokrat sind, wie Mr. Hearst.«

»Oh, Blaise und ich sind keineswegs das, was Sie gute Parteileute nennen würden.« Hearsts Stimme war hoch und ein wenig zittrig. »Wären wir das, so würden wir sicher nicht mit dem republikanischen Zaren von New York das Brot brechen.«

»Es gibt Zeiten, wo ernste Männer zusammenstehen müssen. Sie wissen doch, was die Heilige Schrift sagt.« Sie wußten es nicht. Er sagte es ihnen. Es amüsierte Blaise sehr, daß New Yorks großer Lord der Korruption auch ein tief ergebener Christ war, aktiv in der Methodistenkirche tätig und ein Feind aller Laster, die nicht direkt profitabel waren.

»Deshalb habe ich angenommen, Sie würden sich für Theodore erwärmen.« Platt blies den Zigarrenrauch von sich, nicht in Ringen, sondern als gewaltige Kugelwolke.

»Nun, wir haben ihn überhaupt *erfunden*.« Hearst wirkte verkniffen. Wenn der Chef jemals einen Mann beneidet hatte, so zweifellos Roosevelt. Theodore war nur sechs Jahre älter als Hearst; und erstaunlicherweise schrieb man Admiral Deweys Eroberung der Philippinen jetzt *ihm* zugute, während sein tatsächlicher Sieg bei Kettle Hill – inzwischen wieder, im Namen von Wohllaut und Würde, zurückbenannt in San Juan – ausgerechnet von Hearst selbst hochstilisiert worden war zu einer Schlacht gleich jenen von Yorktown oder Gettysburg: und all das, um die Auflage des Journal zu steigern in seinem wirklichen Krieg gegen – nein, nicht gegen Spanien, sondern gegen die World.

»Sie haben ihn erfunden; und ich mußte ihn nehmen.«

»Wollten Sie denn nicht, daß er für das Amt des Gouverneurs kandidiert?« Blaise stellte sich unwissend. Es war allgemein bekannt, daß Platt den »Reformer« nur aus einem einzigen Grund akzeptiert hatte: Wegen einer Reihe von Skandalen im Zusammenhang mit dem Erie-Kanal drohte der Republikanischen Partei eine böse Niederlage.

»Wir sind stets offen für das bessere Element.« Platt gab sich gesetzt. »Wir heißen Reformer willkommen.«

»Besser, sie im eigenen Lager zu haben als draußen«, stimmte Hearst zu.

»Es tut mir nur leid, daß Sie keine Möglichkeit sehen, uns zu unterstützen.«

»Wir fühlen uns diesmal den Demokraten verbunden. Wir stehen bedingungslos zu Richter Van Wyck.« Der Chef versuchte seiner Stimme einen enthusiastischen Klang zu geben. »Ich hasse diese rosa Hemden.«

»Was für rosa Hemden?« fragte Blaise überrascht.

»Die von Roosevelt natürlich. Ich habe sogar einmal gesehen, daß er statt einer richtigen Weste so ein Seiden . . . ding trug.« Der Wortschatz des Chefs war eher karg.

»Er trägt jetzt staatsmännisches Schwarz«, sagte Platt mit mißmutigem Blick auf Hearsts grellkarierten Anzug und seine Sonnenuntergangskrawatte.

»Ich mag auch nicht, wie er spricht.« Hearsts Stimme tremolierte, er hatte einen Westküstenakzent mit Harvard-Einschlag, während Roosevelt mit reinem Harvard-Akzent sprach. Als Redner fiel Theodore unweigerlich in eine Art Falsett. Um das ihm anhaftende Image der Unmännlichkeit abzubauen, hatte sich Roosevelt schon vor Jahren im Boxen und Schießen geübt; hatte überdies populäre Bücher über seine Heldentaten als Rancher in den Badlands geschrieben – jetzt noch übertroffen durch seine Stunde unsterblichen Ruhms in Kuba bei der Erstürmung des Kettle Hill, inmitten umherschwirrender Kugeln – und eifrig schreibender Journalisten.

Nach einem weiteren längeren Schweigen – Platts Verteidigung seines Kandidaten schrak gleichsam vor dessen Stimme zurück – erhob sich der Senator, um zu gehen. Er machte ein paar kryptische Bemerkungen, welche der Chef verstand, Blaise hingegen nicht. Dann fühlte der junge Mann des Senators glatte, papierene Hand in seiner eigenen, leicht verschwitzten. »Nachmittags können Sie mich meistens im Fifth Avenue Hotel finden. Ich liebe es, dort im langen Korridor zu sitzen und die Welt vorüberziehen zu sehen.«

»Sie sitzen dort, und Sie sagen ihr, wo's langgeht!« Der Chef lachte über seine scharfsichtige Witzigkeit. Dann ging der Senator; und Blaise folgte Hearst in dessen Arbeitszimmer, das auf die Marmorfassade des Hoffman House hinausblickte. Hearst setzte sich an einen Empire-Tisch, voller goldener Adler und Honigbienen, unter einem Porträt von Napoleon, einem seiner Helden; die übrigen waren gleichfalls sämtlich *heroische* Helden, Welteroberer. Blaise schwankte immer zwischen der Verwunderung über die »Simplizität« seines Chefs sowie seinen Mangel an Kultur, sei es selbst jene Harvardscher Prägung, und der Bewunderung seiner Energie und seines Einfallsreichtums als erfolgreicher Zeitungsmacher. Hearst war der alleinige Entdecker einer Wahrheit, die so offenkundig war, daß Blaise, faszinierter Neuankömmling in der amerikanischen Welt, kaum begreifen konnte, daß niemand sonst darauf gekommen war: Gibt es keine aufregenden Neuigkeiten zu berichten, so produziere selbst welche. Als der Zeichner Remington dem Chef gekabelt hatte, daß er aus Kuba zurückkehren wolle, weil es für ihn keine Ereignisse zu zeichnen gebe, hatte Hearst erwidert: »Sie liefern die Bilder, ich liefere den Krieg.« Ob Hearst die *Maine* tatsächlich versenkt hatte oder nicht, war irrelevant, weil er, in weitaus stärkerem Maße als Roosevelt, den Krieg nicht nur unvermeidlich, sondern wünschenswert gemacht hatte.

Jetzt beschäftigte sich Hearst mit einem neuen Projekt, bei dem Blaise eine Schlüsselposition einnehmen sollte, unter anderem, weil er französisch sprach.

»Haben Sie die letzten Meldungen aus Paris mitgebracht?«

Blaise reichte dem Chef eine Anzahl von Kabeldepeschen, die am

Morgen aus Frankreich eingetroffen waren; zum Teil waren sie in einem selbsterfundenen Code abgefaßt. Schon seit Januar spielte der Chef mit dem Gedanken an das, was Blaise für sich »das französische Abenteuer« nannte. Doch hatte der Krieg mit Spanien Hearst veranlaßt, alle übrigen Projekte vorerst auf Eis zu legen, indes er die öffentliche Meinung aufrüttelte mit dem magisch widerhallenden Spruch: »Denkt an die *Maine*! Und kauft das Journal!« Als Hearsts Krieg erklärt worden war, hatte er sich erboten, ein Regiment zu finanzieren und zu kommandieren. McKinley hatte abgelehnt, er hatte keineswegs die Karikaturen vergessen, die ihn als Hannas Marionette zeigten. Doch Hearst, der unentwegt glühende Patriot, hatte der Navy sodann seine Yacht, die *Buccaneer*, zum Geschenk gemacht – unter gleichzeitigem Anerbieten seiner guten seemännischen Fähigkeiten. Die Navy hatte die Yacht genommen, seine Dienste jedoch abgelehnt; und so verschaffte sich Hearst dann ein anderes Schiff und zog auf eigene Faust und in eigenem Stil in den Krieg, begleitet von seinen Journalisten und Zeichnern und Fotografen.

Hearsts Meldungen von der Front – darunter auch die Nachricht, er persönlich habe neunundzwanzig spanische Seeleute gefangengenommen – bereiteten Mr. Pulitzer bei der World großen Kummer. Der Chef seinerseits sah sich gehalten, Colonel Roosevelts Tollkühnheit hochzuspielen; was er gewissenhaft, wenn auch recht lustlos tat. Der schneidige Politiker besaß für Publicity einen fast ebenso sicheren Instinkt wie der Chef. Hearsts gelegentlichen Bemerkungen über den Colonel konnte Blaise entnehmen, daß jeder von beiden den Krieg als *seinen* Krieg gesehen hatte; und daß der eine wie der andere darauf bedacht gewesen war, politischen Nutzen zu ziehen aus dem Sieg – und natürlich auch aus den neuen Möglichkeiten des sich entwickelnden Imperiums. Von beiden schien der Colonel, sofern er zum Gouverneur gewählt wurde, in der besseren Position zu sein. Andererseits hatte sich Hearst jetzt dafür ausgesprochen, daß Richter Van Wyck Gouverneur werden sollte; und die Tatsache, daß Senator Platt zum Chef gekommen war, um, wie es die Politiker nannten, einen »Kuhhandel« zu versuchen, war ein klarer Beweis dafür, daß die Demokraten deutlich vorn lagen. Falls der Chef allerdings mit seinem nächsten Coup erfolgreich war, so würde die Verwegenheit des William

Randolph Hearst den Ausgang der Wahl eher bedeutungslos erscheinen lassen.

Der Plan verfolgte kein geringeres Ziel als die Befreiung eines Mannes aus seinem Kerker auf der Teufelsinsel, einer Insel in der Gruppe der Salutinseln vor der Küste von Französisch-Guayana in Südamerika. Bei dem Mann handelte es sich um den berühmtesten Gefangenen der Welt, Hauptmann Alfred Dreyfus, einen Juden, der angeklagt worden war, den Deutschen militärische Geheimnisse verraten zu haben – fälschlich angeklagt, wie Hearst und mit ihm die halbe Welt behauptete. Obwohl das Verfahren in Paris wiederaufgenommen worden war und man inzwischen angeblich den wirklichen Spion kannte, wollte der französische Generalstab, zweifellos unter anderem aus einem starken Antisemitismus heraus, nicht einräumen, daß hier ein Justizirrtum vorlag. Die Militärs sprachen den wirklichen Spion frei und hielten Dreyfus auf der Teufelsinsel weiter in Einzelhaft. Zu diesem Zeitpunkt, im Januar, hatte der Chef zu Blaise gesagt: »Klemmen Sie sich hinter die Sache. Sie sind doch Franzose. Arbeiten Sie für den Wie-heißt-er-Noch ein hieb- und stichfestes Plädoyer aus. Das bringen wir groß raus. Tag um Tag. Sollten ihn die Franzosen trotzdem nicht freilassen, so rüste ich die *Buccaneer* entsprechend aus, und wir schippern nach dort unten, schießen uns den Weg frei und bringen den Juden zurück in die Zivilisation; und falls die Franzosen Appetit auf einen Krieg mit uns haben, so knallen wir diese Frösche in Stücke.«

Vorher war Blaise nie der Gedanke gekommen, daß Hauptmann Dreyfus unschuldig sein mochte. Doch je eingehender er sich mit dem Fall befaßte, desto nachdrücklicher war er davon überzeugt, daß die Anklage gegen Dreyfus in der Tat unbegründet gewesen war. Als »dieser schmutzige französische Schriftsteller«, wie Hearst ihn immer nannte, »Sie wissen schon, der, dessen Name mit Z, wie Zebra, anfängt«, als also Emile Zola die französische Regierung beschuldigte, die Wahrheit zu vertuschen, war er gezwungen, nach England zu fliehen. Daraufhin gab der Chef den Befehl, die *Buccaneer* einsatzbereit zu halten. Er selbst würde den Angriff gegen die Teufelsinsel führen, mit Blaise als seinem eifrigen Stellvertreter. Aber dann war Spanien und nicht Frankreich der Feind von Wahrheit und Zivilisation geworden; und die Aktionen des Frühjahrs und des Sommers galten der Expansion des Journal sowie, beiläufig, des amerikanischen Empire. Während Colonel Roosevelt jetzt im Begriff stand, als Politiker einen weiteren Hügel hinaufzuschnaufen, hielt Hearst sich bereit, um sich – zumindest der Welt – als Held zu präsentieren; und, äußerstenfalls, Weltgeschichte zu schreiben, indem er einen Krieg mit Frankreich auslöste.

Der Chef legte seine Füße auf den Schreibtisch und überließ sich mit halbgeschlossenen Augen seinen Tagträumen. »Wir werden wohl so eintausend Mann brauchen. Vielleicht heuern wir ein paar von Roosevelts Rough Riders an, wie peinlich für ihn.« Der Chef kicherte; und Blaise, den Blick auf Bonaparte, fragte sich, ob jener Held der Weltgeschichte wohl auch zu Tagträumen und Gekicher geneigt hatte. »Fühlen Sie bei den Rough Riders mal vor. Sagen Sie ihnen aber nicht, was wir vorhaben. Sprechen Sie einfach von Freibeuterei. Ein Abenteuer, Sie wissen schon. In Lateinamerika. Suchen Sie sich die härtesten raus, die echten Cowboytypen. New Yorker Stutzer können wir nicht brauchen.«

Blaise fühlte sich gedrängt, die jüngsten Nachrichten aus Paris zur Sprache zu bringen. »Die Regierung hat soeben einen neuen Prozeß für Dreyfus versprochen.«

»Einen militärgerichtlichen, soweit ich weiß.« Dies war typisch für Hearst: Immer wenn Blaise fand, der Chef sei fast bedrohlich ungebildet und seinen eigenen Tagträumereien total verfallen, dann bewies Hearst, daß er mit seinem Instinkt für nackte Realitäten anderen meist ein Stück voraus war. »Die werden das mindestens noch ein weiteres Jahr hinschleppen. Wir brauchen eine gute Story, vor dem Herbst. *Vor* November. Vor der Wahl. So machen wir Roosevelt den Garaus.«

»Wie können Sie und Hauptmann Dreyfus bewirken, daß er eine Wahl im Staat New York verliert?« Für gewöhnlich konnte Blaise Hearsts eigentümlicher Logik folgen. Der Schlüssel zu ihr hieß Entertainment. Was versprach dem durchschnittlichen Ungebildeten die größte Spannung? So daß er bereitwillig seinen Penny investierte, um das Journal zu lesen?

Hearst öffnete seine blaßblauen Augen sehr weit, und die sonst so geraden Brauen wölbten sich zu einem Ausdruck von Kinderwundergläubigkeit: *Er* war bereit, sich von dem Penny zu trennen. »Sehen Sie denn nicht? Es ist doch alles ganz klar. Teddy hat eine Schlacht gewonnen, die bereits gewonnen war, bloß daß der Erfolg ihm zugeschrieben wurde, weil er ist, wer er ist, und weil all die Zeitungsleute dort bei ihm waren, wo ich der Welt den Krieg verkauft habe. Er konnte nicht verlieren, weil ich nicht verlieren konnte. Nun, wenn ich auf der Teufelsinsel lande und den armen, unschuldigen Juden befreie, na, da interessiert sich doch keiner mehr für Teddy, da ist er die Neuigkeit vom vergangenen Sommer, während ich die Neuigkeit von diesem Herbst bin, und so wird also Van Wyck gewählt werden.«

Eine verrückte Logik, doch Blaise begriff: Hearsts Einmischung in innere französische Angelegenheiten, ob nun erfolgreich oder nicht, würde auf jeden Fall eine Sensation sein; und von den Wahlen ablenken. Im übrigen fand Blaise es irgendwie spleenig, daß der Chef sich partout nicht den Namen des französischen Hauptmanns – oder irgendeines anderen Franzosen – merken konnte.

»Sie haben doch die Pläne des Forts, nicht wahr?« Hearst blickte durch das Fenster zum Hoffmann House hinüber, wo aus einer Reihe von Kutschen die Teilnehmer an irgendeinem Meeting der Demokraten ausstiegen. Während für die Republikaner das Fifth Avenue Hotel ein geheiligter Ort war, war es für die Demokraten das Hoffman House.

»Ja, Chef. Sie befinden sich in Ihrem Safe im Büro. Außerdem die – geschätzte – Größe der Garnison sowie die Anzahl der für Dreyfus verantwortlichen Wachen.«

»Ob wir wohl *sämtliche* Gefangenen der Franzmänner befreien könnten?« Hearsts Phantasie hatte jetzt unbedingt etwas vom Sehertum eines Moses: Würde er doch all jene, die da Sklaven gewesen waren, hinführen ins Gelobte Land Manhattan.

»Ich glaube, Sie werden wirklich genug damit zu tun haben, Dreyfus da rauszuholen.«

»Ja, da haben Sie wohl recht. Nun, wir werden all dies zusammen mit Karl Decker durchgehen. Sie beide werden ein Team bilden. Er besitzt wirklich Talent für diese . . . äh, Dinge.«

Karl Decker war ein kenntnisreicher Journalist, dem es gelungen war, aus einem kubanischen Gefängnis eine attraktive junge Frau zu befreien, die eine leidenschaftliche – was sonst? – Feindin Spaniens und seines bestialischen Gouverneurs gewesen war. Hearst hatte aus diesem Abenteuer viel süßen Honig gesaugt; jetzt wollte er mehr. »Ich erwarte von Ihnen, daß Sie dort bei uns sind, an der

Spitze, hinter mir.« Der Chef glich ziemlich einem kleinen Jungen, der Pirat spielen wollte.

»Nichts könnte mir lieber sein.«

»Weil Sie der einzige sind, der mit diesem Wie-ist-sein-Name sprechen kann. Sie wissen? Auf französisch. Habe diese Sprache nie lernen können. Gefällt Ihnen die Zeitungsbranche?« Der kleine Nachwuchspirat hatte sich urplötzlich in einen ausgewachsenen Geschäftsmann verwandelt, die schlimmste Art Pirat.

»Oh, ja!« Blaise war so begeistert, wie er klang. »Ich finde das aufregender als irgendwas sonst, vor allem das Journal.«

»Nun, ich habe meine Kritiker.« Hearst sah aus wie die verkörperte Unschuld. Er wurde zwar tagtäglich wegen seiner skrupellosen Methoden von vielen Seiten angegriffen, doch schien ihn die Meinung anderer absolut nicht zu kümmern. Er mochte Storys, Abenteuer, Spaß. Es gefiel ihm, in puncto Auflagenhöhe – wenn auch noch nicht in puncto Annoncengeschäft – die Nummer eins zu sein. »Im übrigen habe ich viel aufgebraucht vom . . . Geschenk meiner Mutter. Diese Kriege gehen ganz schön ins Geld.«

Blaise war überrascht; nicht nur darüber, daß Hearst die siebeneinhalb Millionen Dollar, Phoebe Hearsts Geschenk von vor drei Jahren, inzwischen ausgegeben hatte; sondern auch darüber, daß er es zugab. Aber es gehörte nun einmal zum rätselhaften Charme des Chefs, daß er wußte, wie er mit jedem dran war und wie er ihn nehmen mußte. Angestellte wurden stets mit ausgesuchter Höflichkeit behandelt; es kam selten vor, daß Hearst seine Stimme erhob. Er war in jeder Hinsicht großzügig; als Gegenleistung erwartete er das jeweils Beste, nein, das Allerbeste. Doch schloß er niemals Freundschaft mit irgendeinem seiner Angestellten, nicht einmal mit den leitenden Redakteuren. Man sah ihn nicht in den Bars am Printing House Square. Und man sah ihn ebensowenig in den Herrenclubs, die seiner Herkunft entsprachen, aus triftigem Grund: Überall hätten sich die Mitglieder gegen seine Aufnahme gesperrt. »Ich habe auch hier den Abstand gewahrt«, pflegte er, mehr zu sich selbst als zu Blaise, zu sagen; und Blaise fand, daß der Chef sehr zufrieden war, dort zu bleiben, wo er sich befand, außen vor, aber die, welche drinnen waren, in Angst und Schrecken versetzend.

Als Blaise ein Jahr vor Abschluß seines Studiums Yale den

Rücken gekehrt hatte, war Colonel Sanford vor Zorn außer sich gewesen. »Was willst du anfangen? Wofür bist du im Leben gerüstet?« Blaise war zu taktvoll, um den Colonel darauf hinzuweisen, daß dieser im Leben auch zu nichts weiter »gerüstet« gewesen war, als das von *seiner* Familie geerbte Geld auszugeben; um der Wahrheit die Ehre zu geben, sei jedoch festgestellt, daß der Colonel – was Blaise das Zusammensein mit seinem Vater schwermachte, da er sich seiner schämte –, eher zufällig oder beiläufig, nach dem Krieg noch einmal ein Vermögen gemacht hatte, indem er in Eisenbahngesellschaften investierte, allerdings nicht sein Geld, sondern das Geld der Delacroix'. Eine Tatsache, die bei den Mitgliedern der Familie von Blaise' Mutter zu ständigen Irritationen führte, da sie nie etwas davon zu sehen bekamen.

»Mein Sohn ist doch ein Delacroix«, pflegte Sanford mit vager Geste zu sagen, »über ihn bekommt ihr alles wieder.« Doch als dieser Sohn dann von Yale wegging und nach New York zog und sagte, daß er in der Zeitungsbranche arbeiten wolle, da war der Colonel entsetzt; und sein Entsetzen steigerte sich noch, als Blaise, den Zeitungen schon immer fasziniert hatten, mit Nachdruck erklärte, es sei sein Ehrgeiz, genauso zu werden wie William Randolph Hearst, dessen Name, in der Sanford-Welt, ein Synonym für Banause war. Dennoch hatte sich der Colonel schließlich dazu breitschlagen lassen, seinen Anwalt Dennis Houghteling damit zu beauftragen, ein Treffen zwischen Blaise und dem dunklen – oder eher schreiendgelben – Fürsten des Journalismus zu arrangieren.

Hearst hatte sich an dem jungen Mann ernsthaft interessiert gezeigt. »Der geschäftliche Teil ist leicht zu erlernen«, sagte er. »Halten Sie sich nur an die Leute in der Annoncenabteilung und an die in der Buchhaltung, und versuchen Sie zu ergründen, wie es kommt, daß ich immer mehr Geld verliere, je mehr Zeitungen ich verkaufe . . . und daß wir immer tiefer in die roten Zahlen rutschen.« Hearsts Lächeln hatte nicht unbedingt gewinnend gewirkt. »Am anderen Ende ist dann die Zeitung selbst . . .«

»Und dort möchte ich sein!« Sie saßen im Büro des Chefs, mit Blick auf Park Row. Hearst hatte die erste und zweite Etage des Tribune Building gemietet, das eine Art Erinnerungsmonument für Horace Greeley, einen der Gründerväter des *guten* modernen Journalismus, war. Von Hearsts Fenster aus konnte man die Kuppel der City Hall sehen, während das prunkvolle neue Pulitzer Building unsichtbar blieb, es sei denn, man steckte den Kopf *sehr* weit zum Fenster hinaus. Dann konnte man die Wolkenkratzer-Zentrale des »Feindes« erspähen – der World.

»Nun, das eigentliche Zeitungs*machen* hängt zum Teil davon ab, wieviel Geld man zur Verfügung hat, und zum Teil davon, wie gut man es versteht, die Leute zu interessieren für . . . für . . .«

»Verbrechen und Unterwäsche?« ergänzte Blaise kühn.

Der Chef krauste unbehaglich die Stirn. »Ich gebrauche solche Wörter nicht«, sagte er ein wenig geziert. »Aber die Leute lieben Skandale. Das ist wahr. Außerdem brauchen sie jemanden, der sich um sie kümmert, denn in einer Stadt wie dieser gibt es niemanden, der sich auf die Seite des Durchschnittsbürgers stellt.«

»Nicht einmal die Politiker?«

»*Die* sind es ja, vor denen man die Leute retten muß, falls man kann. Ich nehme an, daß Sie in eine Zeitung investieren wollen.« Hearst sah auf den Fußboden, auf dem ein Haufen Blätter lag; richtig geordnet, würden sie sich zum Sunday Journal fügen.

»Sobald ich mich entsprechend umgetan habe – falls ich je den richtigen Durchblick bekomme, heißt das. In Yale lernt man nicht viel, fürchte ich.«

»Ich bin in Harvard rausgeflogen; und war froh darüber. Nun, Sie können hier jederzeit anfangen, wir werden ja sehen, wie's läuft.« Nicht lange nach diesem Gespräch hatte Hearst Spanien den Krieg erklärt und ihn gewonnen. Jetzt wollte er Hauptmann Dreyfus befreien. Colonel Roosevelt besiegen. Ein Dutzend neuer Zeitungen gründen. Alles schien möglich, nur – und der Chef blickte Blaise in die Augen, das Gesicht so angespannt wie das von Napoleon hinter ihm: »Ich habe das gesamte Geld verbraucht, das meine Mutter mir gegeben hat, und wir sind noch immer in den roten Zahlen.«

»Bitten Sie sie um mehr.« Blaise gab sich forsch; er sah, was da auf ihn zukam.

»Das möchte ich nicht. Weil . . .« Die hohe Stimme brach ab. Der Chef kratzte sich am Kinn; dann am Ohr. »Ich habe gestern Houghteling gesehen. Im Fifth Avenue Hotel.«

»Er ist ein guter *Republikaner*.« Blaise wappnete sich gegen den Angriff.

»Mag schon sein. Aber er mag rosa Hemden genausowenig wie ich. Er sagte mir, die Entscheidung über das Testament Ihres Vaters solle schon ziemlich bald fallen.«

»Nun, es handelt sich da um eine langwierige Prozedur.« Der Colonel war im Februar umgekommen; jetzt war es September. Den Sommer über hatte die juristische Prozedur geruht. »Kann sein, daß es noch bis Anfang des nächsten Jahres dauert.«

»Houghteling sagte, nächste Woche.« Blaise beschlich ein flaues Gefühl. »Und auf jeden Fall sind wir zwei, meine Schwester – Halbschwester – und ich.«

»Jetzt ist die Zeit, richtig einzusteigen«, sagte Hearst. »Jetzt haben Sie Ihre Chance. Ich habe ein Auge auf Chicago, Washington, Boston. Ich will in jeder großen Stadt eine Zeitung haben. Sie . . .« Hearst hielt inne.

»Bin ich nicht ein bißchen jung als . . . Partner?« Blaise ging plötzlich in die Offensive. Warum sollte er eigentlich nervös sein, wo er bald schon das Geld haben würde, das Hearst brauchte?

»Nun, von Ihnen als Partner hat niemand etwas gesagt.« Vielleicht hätte Hearst laut aufgelacht – wenn er nur daran gedacht hätte. Er tat es nicht; er saß nach wie vor mit in Falten gelegter Stirn da. »Aber sicher könnten Sie so etwas wie einen Anteil erwerben.«

»Nun ja, das wäre wohl möglich.« Doch Blaise wußte inzwischen genug über die rechtliche Situation beim Journal, um ein eigenes Urteil zu haben: Alles war Hearsts persönliches Eigentum, und so gab es bislang auch noch keine »Anteile« im üblichen Sinn zu verkaufen. Aber Blaise zog es vor, die Sache auf sich beruhen zu lassen. Er hatte seinen eigenen Plan, in dem der Chef eine Rolle spielen mochte – oder auch nicht. Präziser zur Sache: »Ich weiß wirklich nicht, wieviel ich haben werde – oder für wie lange«, fügte er kryptisch hinzu.

»Nun, das ist Ihre Angelegenheit.«

George tauchte in der Tür auf. »Miss Anita Willson und Miss Millicent Willson möchten Ihnen ihre Aufwartung machen.« Georges Miene war ausdruckslos.

»Sagen Sie ihnen, sie möchten im Salon warten.« Hearst erhob sich. »Setzen Sie sich mit Decker in Verbindung.«

»Ja, Sir.«

Während Blaise den Korridor entlangging, sah er im Salon die

Willson-Schwestern, die sich in einem Spiegel betrachteten. Sie waren hübsch, blond, ein wenig rundlich. Bei der Zeitung meinten manche, der Chef bevorzuge Millicent, die erst sechzehn war; andere glaubten, er ziehe die ältere Anita vor; einige nahmen an, er genieße beide, entweder getrennt oder aber zusammen, wobei der Grad der Pervertiertheit des jeweils Spekulierenden den Ausschlag gab. Beide Mädchen galten als die herausragenden Mitglieder einer Tanzgruppe, die sich Merry Maidens nannte und derzeit im Herald Square Theater in »The Girls from Paris« auftrat.

Im selben Augenblick, da George für Blaise die Vordertür öffnete, betrat der Chef offenbar den Salon, denn Ausrufe schieren Entzückens wurden laut: »Oh, Mr. Hearst! Mr. Hearst! Wir hätten uns ja niemals träumen lassen, daß es soviel Schokolade auf der Welt gibt!« Der Akzent der Mädchen verriet ihre Herkunft aus einem von Iren bewohnten Slum. Hearsts Antwort war nicht zu verstehen.

Georges Augen rundeten sich ein wenig stärker. Blaise trat in den Fahrstuhl.

Park Row war überfüllt vom Feierabendverkehr. In der Straßenmitte ratterten die Straßenbahnen, während vor City Hall prächtige und weniger prächtige Kutschen hielten. Blaise bewegte sich vorsichtig über die Straße und bemühte sich, nicht in die vielen Haufen aus Pferdeäpfeln zu treten, die, laut Versprechen des Bürgermeisters, mindestens zweimal täglich beseitigt werden sollten. Blaise versuchte, sich eine Stadt ohne Pferde vorzustellen, eine Zukunftsphantasie, der er schon oft nachgegangen war. Im Sunday Journal hatte er eine Welt voll pferdeloser Kutschen geschildert. Immerhin fuhr der Chef ja bereits selbst ein schickes französisches Automobil, dem sogenanntes Gasolin als Brennstoff diente. Bedauerlicherweise bestand der einzige *vitale* Unterschied zwischen einer pferdelosen Zukunft und der Gegenwart in der notwendigen und unbetrauerten *Abwesenheit* von etwas, für das Blaise und ein Sunday-Redakteur, der junge, burschikose Merrill Goddard, einen ganzen Vormittag lang einen Euphemismus zu finden versucht hatten. Bis Goddard schließlich aufgeheult hatte: »Sanford, nenn's Scheiße!«

Blaise lächelte bei der Erinnerung, und unwillkürlich formten seine Lippen dieses Wort, während er im Rathaus die überwölbte Halle durchquerte, in deren Mitte sich eine Anzahl von Tammany-

Typen um Seine Ehren, den Bürgermeister Robert Van Wyck, Bruder des Kandidaten fürs Gouverneursamt, versammelt hatten.

Bevor Blaise erfahren konnte, welche Weisheiten der Bürgermeister von sich gab, winkte ihm von der Marmortreppe her ein hochgewachsener alter Mann mit Silberhaar und rosa getöntem Backenbart zu: Dennis Houghteling, der Anwalt der Sanford-Familie. »Ich bin beim Testamentsbeamten gewesen«, sagte er mit leiser Verschwörerstimme; die einzige Stimme, die er hatte. Da sich der Colonel geweigert hatte, in den Vereinigten Staaten zu leben oder diese auch nur zu besuchen, war Mr. Houghteling de facto so etwas wie der Sanford-Vizekönig in New York gewesen: Einmal pro Monat hatte er dem abwesenden Herrscher einen sorgfältig detaillierten Bericht über die Lage der Sanford-Holdings erstattet. Da Blaise Mr. Houghteling schon von klein auf kannte, war es nur natürlich, daß er das Problem, welches von den diversen Testamenten des Colonels denn nun das letzte und rechtsgültige sei, dem Mann anvertraute, der Seniorpartner von Redpath, Houghteling und Parker, Rechtsanwälte, war.

»Alles in Ordnung«, flüsterte Houghteling. Er nahm Blaise beim Arm und steuerte ihn zu einer leeren Marmorbank unter einer Statue von De Witt Clinton. »Alles in Ordnung, soweit es das *Gesetz* betrifft.« Houghteling begann zu modifizieren; und Blaise wartete mit gespielter Geduld darauf, daß ihm der Anwalt erklärte, wo das Problem lag. Unterhalb der Kuppel hielt der Bürgermeister eine Rede. Blaise verstand nicht ein Wort.

»Wie wir wissen, handelt es sich um ein Interpretationsproblem. Um ein Problem von Ziffern; von einer einzigen Ziffer, genauer gesagt, einer Ziffer und ihrer Mehrdeutigkeit.«

Blaise war hellwach. »Wer sollte je unsere Interpretation anfechten, daß wir es mit einer mehrdeutigen Ziffer zu tun haben?«

»Ihre Schwester wird das mit Sicherheit tun . . .«

»Aber sie ist doch in England, und wenn das Testament als rechtsgültig bestätigt wird, wie Sie gesagt haben . . .«

»Es gibt da eine leichte Verzögerung«, flüsterte Houghteling in gewohnter Verschwörermanier. »Ihr Cousin hat sich im Namen von Caroline gemeldet . . .«

»Welcher Cousin?« Blaise wußte allein von an die dreißig Cousins in und bei New York.

»John Apgar Sanford. Er ist eigentlich ein Spezialist für Patentrecht . . .«

Blaise erinnerte sich an Vetter John, einen langweiligen Mann um die Dreißig, mit einer kränkelnden Frau und vielen Schulden.

»Wie kommt der dazu?«

»Er vertritt Ihre Schwester in dieser Angelegenheit.«

Blaise empfand plötzlich eiskalte Wut. »Er *vertritt* Caroline? Warum? Wir befinden uns doch nicht vor Gericht. Es gibt keine Kontroverse.«

»Er sagt, es wird eine geben, und zwar wegen des genauen Alters, zu dem sie über ihren Anteil des Vermögens verfügen kann . . .«

»Das Testament sagt doch, daß sie ihren Teil des Kapitals erben wird, wenn sie siebenundzwanzig ist. Bis dahin habe ich die Kontrolle über das gesamte Vermögen. Schließlich hat Vater das Testament selbst geschrieben, mit eigener Hand.«

»Bedauerlicherweise hat er – der sich für gewöhnlich weigerte, Französisch zu sprechen – das Testament in ziemlich fehlerhaftem Französisch abgefaßt; und da die französische Ziffer eins genauso aussieht wie eine englische Sieben, obschon anders als eine französische Sieben, vertritt Ihr Cousin den Standpunkt, daß der Colonel dieses Testament in Übereinstimmung mit den früheren abgefaßt hat, er also wollte, daß Caroline mit einundzwanzig und nicht erst mit siebenundzwanzig das halbe Vermögen erbt.«

»Nun, für mich sieht's wie siebenundzwanzig aus. Und was meinte der Testamentsbeamte?«

»Ich habe ihm den Text übersetzt. Und in der englischen Version heißt es *natürlich* siebenundzwanzig . . .«

»Was ist also das Problem?«

»Nun, Ihr Cousin behauptet, wir hätten Ihren Vater absichtlich fehlinterpretiert; und er sagt, er werde unsere . . . Interpretation der Ziffer jetzt anfechten.«

»*Er?* Ja, wie *kann* er denn? Das kann nur Caroline, und sie ist dreitausend Meilen von hier entfernt.«

»Ihre erste Vermutung trifft zu. Selbstverständlich kann er kein Testament anfechten, mit dem er nichts zu tun hat. Ihre zweite Vermutung – die geographische – ist irrig. Ich habe gerade mit Ihrer Schwester gesprochen. Sie ist heute morgen aus Liverpool eingetroffen. Sie wohnt im Waldorf-Astoria.«

Blaise starrte den alten Anwalt an. Im Hintergrund brachte man auf den Bürgermeister ein dreifaches Hoch aus, und die Rundhalle erdröhnte im Jubel wie unter Batteriesalven. Schlachtszenen wirbelten in Blaise' Kopf. Kriegsgetümmel. »Wenn die anfechten, was mein Vater mit eigener Hand geschrieben hat, so werde ich sie durch sämtliche Gerichte schleifen. Verstehen Sie, Mr. Houghteling?«

»Natürlich, natürlich.« Der alte Mann zupfte an seinem rosa Backenbart. »Vielleicht wäre es jedoch ratsamer, zu einer Vereinbarung zu kommen. Sie wissen schon. Ein Kompromiß. Ein Vergleich . . .«

»Sie muß auf ihren Anteil warten.« Blaise stand auf. »So hat es mein Vater gewollt. So will ich es. Und so wird es sein.«

»Ja, Sir.« Und so gelangte die Krone von Colonel Sanford an Blaise, der für die nächsten sechs Jahre alleiniger Verwalter von fünfzehn Millionen Dollar war.

2

John Hay stand am Fenster seines Büros im State War and Navy Building, einer Art gigantesker Hochzeitstorte, entworfen, gebakken und glasiert von einem gewissen Mullett, einem Architekturkunstgewerbler, der ein Dutzend Jahre zuvor den Auftrag erhalten hatte, drei große Ministerien in einem einzigen, den alten Römern nachempfundenen Bauwerk unterzubringen, das nur einen Steinwurf vom Weißen Haus entfernt sein sollte, jenem anmutigen – und leicht verfallen wirkenden – Gebäude im Stil eines Plantagenbesitzerpalastes. Vom Fenster des Außenministerbüros konnte man die unschönen Treib- und Gewächshäuser sehen, die zum Weißen Haus gehörten – lauter dreckverschmierte Kristallpaläste inmitten von Bäumen –, während jenseits des Potomac die vertrauten grünen Hügel von Virginia zu erkennen waren: Feindesland in den vier Jahren, da John Hay für Präsident Lincoln gearbeitet hatte.

Und jetzt bin ich hier, dachte er und versuchte, in sich so etwas wie ein Gefühl von großem Schauspiel zu wecken; oder, andernfalls, von Komödie; beides gelang ihm nicht. Er war alt, hinfällig, einsam. Clara und die Kinder waren in New Hampshire, im Haus am Sunapee-See, geblieben. Hay war am Vormittag um neun im State Department erschienen und hatte die Leitung jenes verworrenen und verwirrenden Ministeriums übernommen, in dem über sechzig Personen angestellt waren, um . . . was zu tun?

»Ich bin neugierig, Mr. Adee. Was *tut* der Außenminister eigentlich?« fragte Hay mit erhobener Stimme seinen alten Freund, seinen *lieben* Freund Alvey A. Adee, den zweiten Unterstaatssekretär. Sie hatten sich kennengelernt, als sie beide in Madrid tätig waren, damals, als der selbsternannte Held von Gettysburg, der einbeinige General Dan Sickles, amerikanischer Gesandter in Spanien gewesen war – in skandalträchtiger »Mission« als demokratischer Liebhaber der spanischen Königin. Adee, sieben Jahre jünger als Hay, war sogar sein Co-Autor bei einer Kurzgeschichte gewesen, die im Putnam's abgedruckt worden war, und glückstrahlend hatten beide das Honorar miteinander geteilt. Madrid war Ende der sechziger Jahre ein ruhiger Posten gewesen.

Mittlerweile zierte Adee ein sorgfältig gepflegter Graubart im Stil von Napoleon III., den er mit einem Schildpattkamm pflegte, jedoch trug er, anders als früher, gottlob keinen Taschenspiegel mehr mit sich herum. Adee war das Ausnahmeexemplar eines Junggesellen. In Augenblicken höchster Anspannung kippte seine ohnehin sehr hohe Stimme über, wurde zu einer Art Entenschreien. Obwohl schwerhörig, erriet er recht genau, was andere ihm sagten. Alles in allem war er der fähigste Mann im Auswärtigen Dienst Amerikas; und im übrigen ein perfekter literarischer Imitator. Er konnte auf Abruf ein Gedicht im Stile Tennysons oder Brownings schreiben; eine Rede im Stil Lincolns oder Clevelands; einen Brief, wie ihn jeder nur denkbare Amtsinhaber hätte geschrieben haben können. »Nun«, erwiderte Adee schließlich, während er seinen Kamm einsteckte. »Hier erscheint jeder neue Minister oder Abteilungsleiter mit seinen eigenen Vorstellungen von Arbeit. Ihr unmittelbarer Vorgänger, Richter Day, verbrachte seine fünfmonatige Amtszeit damit, sich um sein nächstes Richteramt zu sorgen. Allerdings hatte er den Job ja auch nur dem Präsidenten zuliebe übernommen, als der arme Mr. Sherman . . .« Adee seufzte.

Hay nickte. »Der arme Onkel John, wie wir ihn nennen, war zu alt, als er sein Amt antrat. Wäre dies eine gerechte Welt . . .«

»Wie überheblich, Mr. Hay!« Adee ließ ein amüsiertes Quäken hören.

»Ich habe nun einmal eine Schwäche fürs Sentenziöse. Jedenfalls hätte er schon Jahre früher Präsident sein sollen.«

»Nun ja, es stimmt eben nichts auf der Welt, Mr. Hay. Sie jedenfalls haben genug dafür getan, daß der alte Knabe gewählt wurde.« Adee zog ein Fläschchen Kölnisch Wasser aus der Tasche und träufelte ein, zwei Tropfen auf seinen Bart.

Es wäre Hay lieber gewesen, wenn Adee der Welt ein virileres Gesicht präsentiert hätte. De facto sah er ein bißchen aus wie Queen Victoria, mit angeklebtem Bart. »Offenkundig arbeite ich nicht hart genug. Aber meine Frage ist völlig ernst gemeint. Was habe *ich* hier eigentlich zu tun?«

»Was Sie tun *sollten*, ist, mich das meiste tun lassen . . .«

»Nun, gewiß, wir sind ja alte – äh – Kollaborateure . . .«

»Im Ernst, Mr. Hay. Warum wollen Sie sich für nichts und wieder nichts schinden? Depeschen aus aller Welt müssen gelesen – und beantwortet werden. Das meiste davon erledige ohnehin ich. Weiter verfasse ich großartig mitfühlende Ablehnungsschreiben an Pöstchenjäger, von denen nicht wenige die Neffen von Senatoren sind.«

Plötzlich sah Hay vor seinem inneren Auge die hochgewachsene, hagere Gestalt von Präsident Lincoln, dem Äußeren nach ganz »der Alte«, wie ihn seine beiden Sekretäre insgeheim genannt hatten: Im Obergeschoß des Weißen Hauses wurde er belagert von Männern und Frauen, die ihm Bittschriften, Briefe, Zeitungsausschnitte entgegenstreckten. »Whitelaw Reid möchte jetzt die Botschaft in London übernehmen«, begann Hay.

Doch Adee betrachtete gerade seine glänzenden Fingernägel und hörte ihn nicht. Offenbar, dachte Hay, liest er einem die Worte von den Lippen ab. Sind seine Augen nicht auf sein Gegenüber gerichtet, versteht er nichts. »Zu Ihrer Erleichterung kann ich Ihnen versichern, daß Sie praktisch keinen Posten mehr zu vergeben haben. Das hat bereits der Präsident besorgt, um seine Senatoren bei Laune zu halten.«

»Nun, den ersten Unterstaatssekretär kann ich mir immer noch aussuchen . . .«

»Es geht da ein Gerücht . . .«, begann Adee; doch ein leises

Klopfen an der Tür unterbrach ihn. »Herein«, sagte er, und ein lächelnder schwarzer Bote trat ein und reichte Hay eine Fotografie in einem silbernen Rahmen. »Dies ist soeben eingetroffen, Sir. Von der britischen Botschaft.«

Hay stellte die schwungvoll signierte Fotografie auf seinen Schreibtisch, um auch Adee Gelegenheit zu geben, sich daran zu erfreuen – an einer etwas größeren, beleibteren, ordensbehängten Version von Adees eigener Gestalt. »Der Prinz von Wales!« Ohne sich dessen bewußt zu sein, sprach Adee plötzlich mit britischem Akzent. Sein Nachahmungsdrang war zwanghaft, wie bei einem Chamäleon, das sich der Landschaft anpaßt. »Wir haben alle von Ihrem großen Erfolg bei der königlichen Familie gehört. Im Herald fand sich sogar ein – selbstverständlich indirektes – Zitat Ihrer Majestät, die gesagt haben soll, Sie seien der interessanteste Botschafter, dem sie je begegnet sei.«

»Arme Frau«, sagte Hay, der den Artikel gelesen und stillvergnügt genossen hatte. »Ich habe ihr Anekdoten über Lincoln erzählt. Und Geschichten in verschiedenen Dialekten. War fast wie bei einer Vortragsreise. Kein Witz ist zu alt – das Publikum lacht.«

Adees Akzent kehrte über den Atlantik zurück und verweilte irgendwo in der Nähe von Hays Heimatstadt Warsaw in Illinois. »Schätze, Ihr Hauptjob wird darin bestehen, unserem guten Präsidenten zu helfen, der von Außenpolitik nichts versteht und auch keine Zeit mehr zum Lernen hat. Es war ihm gründlich zuwider, zwei Jahre lang sein eigener Außenminister sein zu müssen, während er einen Krieg zu führen hatte und ihn auch gewann. Und jetzt gilt es, unsere Delegation für die Friedenskonferenz in Paris mit dem richtigen Handlungsrahmen zu versehen – wobei er sich längst noch nicht darüber klar ist, welche Ziele sie dort verfolgen soll.« Adee blickte auf Hays Lippen. »Soweit ich das beurteilen kann.«

Hay hatte bereits gerüchteweise davon gehört: Unentschlossenheit im Weißen Haus; folglich Verwirrung in Paris. »Beschaffen Sie mir sämtliche Depeschen aus Paris. Ich muß mich darüber informieren, was bisher verhandelt worden ist.«

Adee runzelte die Stirn. »Ich fürchte, die bekommen wir hier gar nicht zu sehen. Richter Day erstattete dem Präsidenten immer direkt Bericht.«

»Oh.« Hay nickte; scheinbar billigend. Doch in ihm schlug

eine Alarmglocke. Wenn er nicht sofort handelte, würde er, wegen der Nachlässigkeiten seines Vorgängers, von den Friedensverhandlungen ausgeschlossen bleiben.

Mr. Eddy erschien in der Tür. »Das Weiße Haus hat gerade angerufen, Sir. Der Präsident kann Sie jetzt jederzeit empfangen.«

»Haben wir ein *Telefon*?« fragte Hay, dem diese Erfindung mißfiel, nicht nur als Scheußlichkeit an sich, sondern auch als potentielle Gefahr für seine geliebte Western Union.

»Oh, ja«, sagte Adee. »Wir sind hier sehr modern. Wir haben eines in unserem Telegrafenbüro. Ich persönlich höre allerdings nichts, wenn ich es an mein Ohr halte. Andere indes *behaupten*, Stimmen zu vernehmen, wie die Jungfrau von Orleans. Auch im Weißen Haus befindet sich eines, im ehemaligen War-Room des Präsidenten.«

»Aber der Präsident macht doch gewiß keinen persönlichen Gebrauch von dieser . . . dieser abscheulichen Apparatur?«

»Er sagt, sie mache süchtig.« Adee gab sich verständnisvoll. »Und er genieße das Bewußtsein, jederzeit aufhängen zu können, falls es sich um etwas handle, das er nicht hören möge. Er kann ja immer behaupten, die Verbindung sei zufällig unterbrochen worden.«

»Der Major ist ein arglistiger Fuchs geworden.«

»Er war ein erfolgreicher Kriegsführer. Da kommt das ganz zwangsläufig«, sagte Mr. Adee. »Soll ich Sie zum Präsidenten bringen?«

Hay schüttelte den Kopf. »Nein, ich werde allein gehen. Ich muß über einiges nachdenken.«

»Über die Philippinen zum Beispiel?«

»Vor allem darüber.« Hay seufzte. »Wir müssen uns entscheiden, und zwar bald.«

Hay trat hinaus in den hohen, trüben Korridor, wo ein einzelner Polizist Wache hielt. Für gewöhnlich war das Außenministerium eines der ruhigsten, ja verschlafendsten aller Ministerien, genau wie das Innenministerium, wo, von der absoluten Rarität eines Indianerkrieges einmal abgesehen, ein Mann seine Dienstjahre abschlafen – oder aber ein Buch schreiben konnte. Doch seit den Ereignissen des Sommers waren eine ganze Reihe neuer Übersetzer im Außenministerium eingestellt worden, und der früher so träge Strom von Papieren floß jetzt wesentlich schneller.

Hay wurde respektvoll von zahlreichen Beamten gegrüßt, die ihm – nach ihren Funktionen wie auch als Personen – noch völlig unbekannt waren. Doch er tat, als kenne er jeden einzelnen – der bewährte Politikertrick: ein Anheben der Augenbraue, falls einem das Gesicht vage bekannt vorkam, ein Nicken, falls nicht; Jovialität gehörte zum fundamentalen Rüstzeug eines Politikers.

Zu Hays Erleichterung war draußen auf der Pennsylvania Avenue nirgends ein Journalist in Sicht. Er wurde erst für morgen erwartet, wenn er den Amtseid leisten würde. Im Augenblick achtete niemand auf ihn, ausgenommen ein alter Neger mit einem Handwagen, ein Scherenschleifer. Die beiden Männer hatten einander jahrelang nicht auf der Straße gesehen. Nach einer feierlichen Begrüßung sagte der Alte: »Hab' ich gar nicht gewußt, daß Sie auf dieser Seite der Straße wohnen.«

Hay lachte. »Nein. Ich wohne noch immer dort.« Er wies auf die dunkelrote Ziegelfestung mit all ihren Türmchen und Bögen, wo er und Adams wie zwei mittelalterliche Äbte hausten. »Aber hier arbeite ich jetzt.«

»Was für 'ne Art Arbeit tun denn die da drinnen?« Der Alte war wirklich neugierig. »Hab zugesehen, als das Ding gebaut worden ist. Ach, ist man bloß die Regierung, haben die auf meine Frage gesagt.«

»Nun, das ist es noch immer. Erinnern Sie sich an das alte Gebäude des Außenministeriums dort drüben?« Hay deutete vage auf einen Teil des riesigen grauen Klotzes, der jetzt das Finanzministerium beherbergte und die Sicht vom Weißen Haus zum Capitol blockierte.

Der Alte nickte. »Ich kann heute noch Gouverneur Seward vor mir sehen, mit seinem großen Zinken und den ausgebeulten Hosen, wie er dauernd über die Straße hin und her geht, mit der dicken Zigarre im Mund.«

»Nun, ich bin sein Nachfolger, und wir machen jetzt hier drin, was er früher in dem kleinen Gebäude getan hat.«

»Wird alles immer größer«, sagte der Alte ohne Vergnügen. »Das hier war damals eine richtige kleine Kleinstadt.«

»Nun, und jetzt ist es eine richtige kleine Großstadt«, sagte Hay und setzte seinen Weg fort. Zu seiner Erleichterung waren die scharfen Schmerzen vom Kreuz zur linken Schulter gewandert, wo sie ihm nicht mehr so übel zusetzten. Für einen Augenblick, für den Bruchteil eines Augenblicks, erinnerte sich John Hay daran, wie es war, jung zu sein, jetzt, als er die gekrümmte Auffahrt zum Nord-Portikus des Weißen Hauses entlangschritt, wo er dreiunddreißig Jahre zuvor Lincolns »Jung«-Sekretär gewesen war. In der wie verwischten Zeitspanne dazwischen war eine Generation irgendwie gekommen und gegangen, und aus dem flinkfüßigen Jungen war ein sich gemächlich bewegender Mann geworden.

Vor dem Portikus blieb Hay stehen; und sah hinauf zu dem Fenster, hinter dem er sich seinerzeit mit dem Ersten Sekretär, John G. Nicolay, ein Büro geteilt hatte; und hoffte so halb und halb, sein eigenes junges Selbst dort zu sehen, mit flottem Schnurrbart, wie es durch das Fenster herunterblickte auf das zukünftige Selbst – voller Abscheu, wie Hay erbarmungslos fand. Anders als so viele alte Männer hatte er den Jungen, der er einmal gewesen war, keineswegs vergessen. Dieser Junge lebte noch, wenn auch für immer eingekerkert – oder doch bis zum Ende – in einen alternden Kadaver.

Der Chefpförtner Carl Loeffler erwartete Hay bereits. Der Telefondraht zwischen dem Weißen Haus und dem Außenministerium befand sich zweifellos in bestem Zustand. »Mr. Secretary, Sir«, sagte Loeffler, die Anrede gebrauchend, die dem Außenminister so zustand wie dem Präsidenten das »Mr. President«. Der stämmige Deutsche führte ihn in die Eingangshalle, wo vom mosaikartigen Fußboden bis zur reichverzierten Stuckdecke ein gewaltiger, ja verblüffender »Wandschirm« aufragte, ein Fantasiegebilde aus farbigem Glas in komplexen Mustern – ein Geschenk von Chester Alan Arthur, dem elegantesten aller Präsidenten, der zu tun gewagt hatte, was andere Präsidenten sich nicht getraut hatten. Er hatte den Wandschirm aufgestellt, um die Staatsgemächer, den Red Room, Blue Room und den Green Room, den Blicken all derer zu entziehen, die amtlich mit dem Präsidenten verkehrten, dessen Büro und dessen Wohnräume sich noch immer, wie zu Lincolns Zeiten, in der oberen Etage befanden, erreichbar über eine schäbige alte Treppe links vom Eingang. Hay sah, daß das schwere, dunkle Holzgeländer mehr denn je glänzte; vom Schweiß der nervösen Hände von Amtsbewerbern und Pöstchensuchern. Im Augenblick bewegten sich jedoch nur ein Dutzend Politikergestalten treppauf, treppab.

Während der Chefpförtner Hay die Treppe hinaufgeleitete, sagte er: »Mr. McKinley ist in seinem Büro«, als ob man den Präsidenten auch im Heizungskeller vermuten könnte. Plötzlich wurde Hay mit Verwunderung bewußt, daß er diese Treppe seit Lincolns Tagen nicht mehr emporgestiegen war. Obwohl er unter Präsident Hayes bereits als Unterstaatssekretär gedient hatte, war er doch niemals zum Präsidenten gerufen worden. Und so betrat Hay inmitten eines Schwarms von Geistern der Erinnerung, darunter auch sein eigenes jugendliches Selbst, den langen Korridor, der die obere Etage in zwei Hälften teilte, die Büros auf der östlichen von den Wohnräumen auf der westlichen Seite. Die ovale Bibliothek, ein Niemandsland zwischen den Welten, entsprach in ihrer Form jener des Blue Room direkt darunter. Die Lincolns hatten damals den oberen ovalen Raum als Wohnzimmer benutzt; andere Präsidenten hatten dort ihr Büro eingerichtet.

Der Korridor war noch fast so wie früher; doch die Welt war anders. Wo früher einmal neue Gaslampen gewesen waren, befanden sich jetzt elektrische Lichter, mit baumelnden Drähten, welche an den Wänden wirr in alle Richtungen strebten. Zum Glück wuchsen in den so unschön aussehenden Gewächshäusern Unmengen von Blumen und sonstigen Pflanzen, die ihren Weg hierher fanden, in jeden Winkel, auf jeden Tisch, so daß der unvermeidliche Tabak- und Whiskeygeruch der Politiker in diesem nach Rosen duftenden Haus kaum spürbar war, wo sich junge Männer von tüchtigem, hochmodernem Aussehen zumindest dann, wenn sie in die Nähe des Empfangsraums gerieten, wo sich täglich die Bittsteller versammelten, mit energischen Schritten hin und her bewegten. Der Eindruck eines flott funktionierenden modernen Bürobetriebes wurde ein wenig getrübt durch die Tatsache, daß bei jedem Schritt der Fußboden erzitterte, ja sogar beim Vorbeifahren einer Straßenbahn ins Vibrieren geriet. Termiten, dachte Hay; und wußte, daß er heimgekehrt war.

Hay betrat sein altes Büro mit Blick auf, ja, jetzt sein eigenes Haus auf der anderen Seite der Pennsylvania Avenue. Doch statt von seinem eigenen jungen Selbst wurde er, zu seiner leisen Enttäuschung, von George B. Cortelyou, dem Zweiten Sekretär des Präsidenten, begrüßt. »Mr. Hay!« Cortelyou war in den Vierzigern, ein kurzwüchsiger Mann mit kurzem Haar, kurzem Schnurrbart, klaren Zügen. McKinley hatte, was untypisch für ihn war, erst einen Stutzertyp aus Connecticut, einen gewissen Porter, als Sekretär engagiert. Doch Porter hatte sich als katastrophal unfähig erwiesen, so daß, und das wiederum war typisch für ihn, McKinley Porters Pflichten mit großem Taktgefühl Cortelyou übertrug, ohne dabei irgend jemanden zu verletzen. »Kann Ihnen gar nicht sagen, Sir, wie glücklich, wie erleichtert ich bin, daß Sie hier sind und daß, nun ja, *Sie* es sind.«

»Ihr Vorgänger?« Mit einer kreisenden Handbewegung lenkte Hay die Aufmerksamkeit auf sein altes Büro. »Ich habe immer mit dem Rücken zum Fenster gesessen. Der Ofen befand sich dort. Wie ich sehe, haben Sie heute Dampfheizung. Hier wird's im Winter ziemlich kalt.«

»Ich stelle Sie mir oft in diesem Zimmer vor, Sir. Und Mr. Nicolay auf der anderen Seite.«

»Tun Sie das wirklich?« Hay konnte nicht glauben, daß irgend jemand noch an jene beiden jungen Männer aus längst vergangener Zeit dachte – ausgenommen ihr eigenes alterndes, kränkelndes Selbst. Nicolay war jetzt oft krank. Zum Glück bezog er, als ehemaliger Beamter des Obersten Bundesgerichts, eine kleine Pension; auch die diversen Bücher über Lincoln, an denen er, zusammen mit Hay oder allein, gearbeitet hatte, brachten ihm noch etwas Geld ein.

»Zumal während des Krieges in diesem Sommer habe ich an Sie gedacht. Gewiß hatte dieser Krieg andere Dimensionen als Ihr Krieg, und doch . . .«

Hay nickte. »Die Sorgen bleiben sich stets gleich. Man weiß nie, wann man wo anfängt und wo und wie man endet.«

»Sie hatten Glück, Sir. Genau wie wir. Bis jetzt.« Cortelyou führte Hay auf den Korridor. »Wir haben hier viel verändert seit Ihrer Zeit. Selbst im Vergleich zu Mr. Clevelands Tagen ist vieles anders geworden. Der Sekretär – Mr. Porter, meine ich – hat das Eckbüro dort am Ende, und der Präsident das in der Mitte. Dann gibt's noch den Cabinet Room mit Verbindungstür zur Bibliothek. Allerdings kann der Präsident Menschenmengen nicht ertragen, weshalb er von seinem Büro, das wir jetzt für Besucher gebrauchen, übergesiedelt ist in den Cabinet Room, wo er, wie er es nennt, recht behaglich am Ende des Konferenztisches kampiert.«

»Wie geht es Mr. McKinley denn?«

»Er fühlt sich ziemlich mitgenommen, Sir. Der Druck vom Kapitol her ist sehr groß . . .«

»Der Senat?«

»Der Senat. Zu allem hat er auch noch seine Augen überanstrengt; kann keine kleineren Buchstaben mehr lesen, hat Kopfschmerzen. Außerdem leidet er an Bewegungsmangel, doch sage ich ihm immer, das sei seine eigene Schuld. Früher ist er geritten. Jetzt leider nicht mehr.« Cortelyou blieb vor der dunklen Mahagonitür zum Cabinet Room stehen. Ein Türsteher hielt Wache. Auf ein Zeichen von Cortelyou öffnete er die Tür.

Cortelyou stand im Türrahmen und sagte: »Mr. President, Colonel Hay ist hier.« Dann schloß er die Tür hinter Hay, der durch den einstigen Empfangsraum auf das Ende des langen Tisches zutrat, wo unter einer geschwungenen Bronzelampe William McKinley stand, ein mittelgroßer Mann mit einem großen, vollen, glattrasierten Gesicht und einem gleichermaßen großen, hohen, festen Bauch, der von einer eleganten weißen Piqué-Weste umhüllt wurde. Der Gehrock stand offen, wie um den prächtig gewandeten gewölbten Bauch zu umrahmen; im Revers des Präsidenten steckte eine dunkelrote Nelke, die irgendeinem fremdländischen, exotischen Orden glich. Die Gesamtwirkung McKinleys war eindrucksvoll und überaus angenehm. Sein Lächeln galt stets der Person, mit der er sprach, und hatte nichts von einer pflichtgemäßen Maske. Während die beiden Männer einander die Hand schüttelten, blickte Hay kurz in die großen, wundersam ausdrucksvollen Augen – was allerdings drückten sie aus, wenn nicht einen allgemeinen guten Willen? –, und plötzlich fiel Hay ohne jeden besonderen Grund ein, daß, so wie Lincoln der erste bärtige Präsident gewesen war, McKinley jetzt, seit einer Generation, der erste glattrasierte Präsident war. Wieso, fragte sich Hay unwillkürlich, mußte er ausgerechnet *daran* denken. Adams, an seiner Stelle, würde im Stil eines Plutarch historische Vergleiche zwischen zwei großen Persönlichkeiten anstellen, während Hay nur an Bärte denken konnte und an das Färben von Haaren. Wie er sehen konnte, färbte der Präsident sein schütteres, graues Haar nicht – anders als Hay selbst, der seit einiger Zeit Claras Special Gentlelady's Henna benutzte, mit recht brauchbarem Ergebnis. Clara behauptete, er wolle noch immer der

»junge Mann« sein, der er ohnehin länger gewesen war als die meisten Männer; und sie hatte recht.

»Kommen Sie, Colonel. Rücken Sie einen Stuhl zu mir heran. Nehmen Sie den dort, rechts. Das wird auch während der Kabinettssitzungen Ihr Stuhl sein.« Der Major hatte eine tiefe, wohlklingende Stimme. Obschon in dem, *was* er sagte, kein spezieller Stil zu erkennen war, wirkte doch die Art, *wie* er es sagte, inspirierend und beschwichtigend in einem. Mit Adams neigte Hay zu der Ansicht, daß McKinley, ob durch Zufall oder Fügung, seit Lincoln der erste wirklich große Präsident war. Er warf einen Blick auf McKinleys Hand. Der Präsident lächelte und hob seinen rechten Arm; am Mittelfinger trug er einen schmalen Goldring. »Ich trage Ihren Ring fast immer. Als Glücksbringer; denn Glück brauche ich dauernd.«

»Und Sie verdienen es.« Hay meinte es ehrlich; und hoffte ebenso ehrlich, daß McKinley seine Bitte respektiert hatte, niemals zu verraten, wer ihm, unmittelbar vor seiner Inauguration, diesen goldenen Ring geschenkt hatte, der eine Locke von George Washington enthielt. Hay hatte auf der einen Seite die Initialen »G.W.« und auf der anderen »W.M.« eingravieren lassen. Außerdem hatte er dem Major, dem er nie besonders eng verbunden gewesen war, einen allzu überschwenglichen Brief geschrieben, in welchem er der Hoffnung Ausdruck gab, daß »W.M.« in der Tat der neue Washington werden möge. Zyniker – wie etwa die Herz-Fünf – hätten meinen können, es seien der Ring, der Brief und einige Geldspenden gewesen, die Hay zunächst seinen Botschafterposten verschafft hatten – und jetzt das höchste Ministeramt. Und diese Zyniker, Hay wußte es, hätten damit nicht ganz unrecht gehabt, denn tatsächlich hatte er mit neunundfünfzig Jahren noch einmal eine letzte Anstrengung unternommen, um ein Amt zu erlangen, das ihm Macht auf einem Gebiet verschaffte, auf dem er sich kompetenter wußte als jeden möglichen Konkurrenten: die Außenpolitik. Der Major hatte den Köder freundlicherweise geschluckt, und die Welt hatte größtenteils applaudiert. Schließlich war John Hay als einer der Herausgeber der Tribune die kultivierte Stimme der Republikanischen Partei; als Schriftsteller ihr Poet Laureate; als Mensch ihr lebendes Bindeglied zum gemeuchelten Lincoln. Der Präsident holte ein Kästchen mit Zigarren hervor; kappte zwei davon mit geübter Hand. »Aus Havanna«, sagte er, offenkundig zufrieden.

»Siegesbeute?«

»So könnte man's nennen. Ich kann Ihnen gar nicht genug danken.« Der Major nahm einen langen Zug; und Hay begriff, daß er jetzt ein Vertrauter des Präsidenten war, der in der Öffentlichkeit niemals rauchte oder irgend etwas anderes als Eiswasser trank. »Für die Art und Weise, in der Sie in London Whitelaw Reid behandelt haben. Er ist ein sehr . . . nun ja, empfindlicher Mann.«

»Und ein höchst ehrgeiziger dazu. Er giert geradezu nach einem Posten.« Hay wunderte sich über die Spontaneität seiner eigenen Scheinheiligkeit: Er klang, wie er mit leiser Belustigung feststellte, wie Cincinnatus, den man von seinem Pflug fortgezerrt hatte, damit er, wenn auch widerstrebend, dem Staat seine Dienste leistete. Allerdings, um der Wahrheit Genüge zu tun, muß man sagen, daß sich sein eigener Ehrgeiz eher bescheiden ausnahm, verglichen mit dem seines alten Freundes und Kollegen Whitelaw Reid, der als Nachfolger von Horace Greeley Herausgeber der New York Tribune geworden war und diese Aufgabe dann '89 an Hay weitergegeben hatte, als Präsident Harrison Reid zum Gesandten für Frankreich ernannte; später war Reid republikanischer Kandidat für die Vize-Präsidentschaft gewesen; und als solcher erfolglos. Jetzt wollte er Botschafter in England werden. »Aber Senator Platt hat nein gesagt.« McKinley schüttelte traurig den Kopf. »Und ich kann keinen New Yorker ohne Mr. Platts Einwilligung ernennen – und seinen Rat, womit er mich auch so schon reichlich bedenkt.«

»Ich habe Reid empfohlen, sich mit Senator Platt ins Benehmen zu setzen, aber er will es nicht.«

»Oder kann es nicht. Mr. Platt ist ein sehr harter Mann«, sagte der so weich wirkende Präsident, welcher seinen Rauch gemütlich in Richtung Hay blies, der ebenso behaglich in Richtung seines Chefs zurückpaffte. »Ich bin ja so erleichtert, Sie hier zu haben, Colonel. Ich kann mich nicht erinnern, in meinem Leben schon mal so müde und so . . . zerrissen gewesen zu sein wie in den letzten Monaten; und so völlig ohne irgendwelche Hilfe, was die Auswärtigen Angelegenheiten betrifft.«

»Mag sein, daß Sie müde sind, Sir, aber Sie haben doch viel mehr erreicht als irgendein Präsident seit Lincoln, und nicht einmal er hat uns ein Empire erworben, wie Sie das getan haben.« Hay trug dick auf; im Brustton der Überzeugung.

McKinley gefiel es – wem wohl auch nicht? dachte Hay. Allerdings war der Major zu gescheit, um die Launen des Schicksals außer acht zu lassen. »Wir werden in den nächsten Wochen zu entscheiden haben, ob wir uns in diesem Empire-Business etablieren wollen oder nicht.«

»Gibt es da eine Frage?« Hay setzte sich mit einem Ruck gerade; und im selben Augenblick traf, so schien es, ein Hieb mit einem Hackmesser den unteren Teil seiner Wirbelsäule.

»Oh, Mr. Hay, in meinem Kopf rumort die größte Frage von allen.« Für jemanden von seinem im wesentlichen behaglich konvexen Aussehen wirkte McKinley plötzlich eigentümlich bekümmert. »Ich bin hierhergekommen, um das Rückgrat dieses Landes zu stärken, das Business. Das ist das A und O unserer Partei. Wir sind für Schutzzölle. Wir treten ein für Amerikas Industrie, bedingungslos, und es ist ein sehr großes Land, um das wir uns kümmern müssen. Jetzt ist es unsere Entscheidung, ob wir tatsächlich zusätzlich noch über einige Millionen kleiner, brauner Heiden herrschen wollen, die Tausende von Meilen von uns entfernt leben.«

»Ich glaube, Sir . . .«, Hay war zurückhaltend, » . . . daß die Spanier die meisten Filipinos bekehrt haben. Sie sind jetzt wohl so ziemlich alle römisch-katholisch.«

»Ja.« McKinley nickte; er hatte nicht zugehört. »Alle sind sie Heiden und für uns Exoten, und sie sprechen – was?«

»Spanisch, die meisten. Natürlich gibt es zusätzlich noch lokale Dialekte . . .«

»Ich habe alles versucht, Mr. Hay, ich habe gebetet, und doch bin ich mir noch immer nicht schlüssig, ob es in unserem Interesse ist, die Philippinen zu annektieren oder nicht.«

»Jedenfalls müssen wir Manila behalten, Sir. Wir müssen quer über den Atlantik bis zu und entlang der chinesischen Küste überall über Bunkerstationen verfügen.« Es klang, als läse Hay besorgt aus einem Memorandum vor. »Die europäischen Mächte sind im Begriff, China unter sich aufzuteilen. Tun sie das, so verlieren wir wertvolle Märkte. Sind wir auf den Philippinen in Stellung, in relativer Nähe, so können wir die Schiffahrtswege nach China offenhalten und den Deutschen, den Russen und den Japanern verwehren, das Gleichgewicht der Kräfte in der Welt in Unordnung zu bringen; denn . . . «, irritierend wurde Hay bewußt, daß er in diesem Augenblick zu Brooks Adams' Sprachrohr wurde, »... wer die Landmassen Asiens kontrolliert, kontrolliert die Welt.«

»Glauben Sie aufrichtig, daß wir dafür schon wirklich bereit sind?« Plötzlich glich McKinley zum Verwechseln einem italienischen Kardinal aus dem 17. Jahrhundert: gütig, klug, wachsam.

»Ich wage nicht zu spekulieren, Sir. Doch wenn sich die Geschichte unter einem in Bewegung setzt, so überlegt man am besten, wie man sie reitet, bevor man abgeworfen wird. Nun, Sir, die Geschichte *hat* sich gerade in Bewegung gesetzt, und sie führt uns in Richtung Westen, und selbst wenn wir wollten, könnten wir das, was sich bewegt, nicht zum Halten bringen.«

Der italienische Kardinal setzte ein leicht selbstironisches Lächeln auf. »Mr. Hay, *ich* kann noch vom Pferd runter, falls nötig. Ich könnte auf die Philippinen verzichten.«

»Würden Sie sie den Spaniern überlassen?«

»Unter uns gesagt, fühle ich mich versucht, Manila zu behalten. Was die übrigen Inseln betrifft, falls man dort, wie es meist bei solchen Eingeborenen der Fall ist, unfähig zur Selbstregierung ist, so könnten von mir aus die Spanier dort bleiben. Warum auch nicht? Oh, Mr. Hay . . .«, der Kardinal war jetzt ein sorgenzerquälter republikanischer Politiker aus Ohio, » . . . ich habe diesen Krieg eigentlich gar nicht gewollt! Natürlich wollte ich die Spanier aus der Karibik heraushaben, und das ist uns ja auch gelungen. Kuba ist jetzt ein freies Land, und wenn die Puertorikaner sich selbst regieren könnten, so würde ich auch für ihre Freiheit sorgen, denn ich bin aufrichtig davon überzeugt, daß es ein Fehler ist zu versuchen, über so viele farbige Heiden zu herrschen, deren Lebensweise sich doch gänzlich von der unseren unterscheidet.«

Hay legte nun seine eigenen außenpolitischen Vorstellungen dar, die er in seinen in England gehaltenen und dort wohlwollend aufgenommenen Reden bereits mehrfach zur Diskussion gestellt hatte. »Mr. President, ich bin seit jeher davon überzeugt gewesen, daß es die Aufgabe der angelsächsischen Rassen war – zumal Englands, das jetzt jedoch schrumpft, während wir expandieren –, die Zivilisierung und . . .«, Hay holte tief Luft und spielte dann seine beste, wenn auch trügerischste Karte aus, » . . . *Christianisierung* der weniger entwickelten Rassen dieser Welt zu besorgen. Ich weiß, daß England darauf baut, daß wir seine historische Rolle weiterspielen, und man glaubt dort, genau wie ich selbst es glaube, daß unsere beiden Länder die Welt kontrollieren können, bis Asien erwacht, wenn wir einmal längst nicht mehr sind, allerdings ein, wie ich hoffe, anderes Asien, ein christliches Asien, durch uns zivilisiert und deshalb eine Reflexion dessen, was das Beste in unserer Rasse war, sobald die Geschichte es für richtig befindet, uns einmal zu ersetzen.«

McKinley blickte Hay für eine lange Sekunde an. Dann sagte er: »Colonel Bryan war letzte Woche hier.«

Hay fühlte sich leer; all seine Beredsamkeit für die Katz. Aber er hatte Regel Nummer eins der Politik unbeachtet gelassen: Sei niemals beredsam bei den Beredsamen. »Wer ist Colonel Bryan, Sir?«

McKinleys Lächeln wirkte herzlich und maliziös zugleich. »Ein sehr neuer, unerprobter Army-Colonel, stationiert in Florida. Vielleicht kennen Sie ihn besser als William Jennings Bryan.«

»Das goldene Kreuz?«

»Eben dieser. Mein Widersacher. Er kam hierher, um mich um seine Entlassung aus der Army zu bitten, aber da wir noch militärische Probleme auf den Philippinen haben, nahm ich den Standpunkt ein, ich könne nicht jeden Politiker ganz nach seinem Belieben nach Hause gehen lassen.« McKinley amüsierte sich köstlich. »Zumal wenn eine neue Wahl bevorsteht.«

»Andererseits haben Sie Theodore nach Hause gelassen und ihm die Möglichkeit gegeben, fürs Gouverneursamt zu kandidieren.«

»Wie hätte ich zu einem echten Kriegshelden nein sagen können? Colonel Roosevelt ist ein besonderer Fall.«

»Und überdies Republikaner.«

»Genau, Mr. Hay.« McKinley krauste plötzlich die Stirn. »Mr. Platt macht sich Sorgen. Wie er mir sagt, wird es in New York ein ziemlich knappes Rennen für uns geben. Allerdings sind Zwischenwahlen ja immer schlecht für die Regierungspartei.«

»Nicht, wenn der Parteiführer innerhalb von hundert Tagen einen Krieg geführt und gewonnen hat.« Summa summarum wünschte Hay, er hätte nicht so oft die jetzt vielzitierte Formulierung »ein prächtiger kleiner Krieg« gebraucht, ganz als wäre er ein Hurrapatriot, was er keineswegs war. Die Formulierung war ihm eingefallen, als er in aller Nüchternheit den Krieg mit Spanien mit dem Bürgerkrieg verglichen hatte, wobei der Krieg mit Spanien sozusagen »prächtig« abschnitt im Vergleich zu dem blutigen Gemetzel von Lincolns Krieg zur Erhaltung der Union. Hay wußte seit langem, daß es »gute Politik« war, in einem Disput niemals das letzte Wort behalten zu wollen; jetzt begann ihm aufzugehen, daß es ebenso unklug war, das erste Wort haben zu wollen.

»Ich habe den Eindruck«, sagte der Major und drückte seine Zigarre in einem billigen Keramik-Krug aus, einem Souvenirartikel, der seinen eigenen Kopf darstellte, mit einem Napoleonhut als beweglichem Deckel, »daß Bryan uns, was eine eventuelle Annektierung betrifft, große Schwierigkeiten machen wird. Seine Anhänger – im Süden, im Westen, die Farmer, die Bergwerksarbeiter – scheinen ihr Interesse am freien Silber verloren zu haben; anders als er selbst, dem Himmel sei Dank.«

»Seine Standardrede ist so gut, daß er niemals von ihr lassen wird.«

»Zu unserem Glück. Trotzdem herrscht da draußen so ein Gefühl vor, daß wir nicht so sein sollten wie die europäischen Mächte, mit Kolonien voller Heiden und so weiter; und ich verstehe das Gefühl, weil ich es bis zu einem gewissen Punkt teile. Aber Cleveland – für gewöhnlich sehr vernünftig – zeigt sich plötzlich äußerst schwierig, während Andrew Carnegie . . .«

»Hat er Ihnen auch geschrieben?« Der reiche und reizbare Carnegie, schottischer Herkunft, hatte Hay mit Briefen und Botschaften bombardiert, in denen er die Annektierung der Philippinen und alles mögliche sonst als Sünden wider den Heiligen Geist der Republik verdammte.

»Ja, ja.« McKinley hob den Napoleon-Krug hoch, als suche er auf ihm nach einer verborgenen Botschaft. »Ich werde nach Omaha reisen«, sagte der Präsident, der aus seinem Keramik-Selbst tatsächlich eine Botschaft erhalten zu haben schien.

»Omaha? Was wollen Sie in Omaha?«

»Eine Rede halten. Was sonst?« Das knappe Kardinalslächeln wurde wieder sichtbar; die großen Augen glänzten. »Omaha ist Mr. Bryans Stadt. Nun, ich werde meine Tour durch den Westen – den ich seit '96 nicht mehr besucht habe – mit Omaha beginnen. Ich werde ihn sozusagen in seiner eigenen Höhle reizen und die Leute dazu überreden . . .« Der Präsident hielt inne.

». . . die Annektierung der Philippinen gutzuheißen?«

»Ich werde erst einmal die Lage sondieren.«

Hay nickte. Manche hielten den Präsidenten ja tatsächlich für eine Marionette Mark Hannas, aber wer, wie Hay, beide Männer in Ohio erlebt hatte, der wußte, daß McKinley ein absolut instinktsicherer Politiker mit einem geradezu genialen Gespür für Veränderungen in der öffentlichen Meinung und dem jeweils anzuschlagenden Ton war. Hanna, jetzt ein Senator aus Ohio, war ganz einfach McKinleys Geldmann. Zur Zeit »molk« er, wie er es nannte, jeden reichen Republikaner im Land, um im Senat wie im Abgeordnetenhaus für republikanische Mehrheiten zu sorgen.

»Wie stehen die Verhandlungen in Paris?« Hay begriff, daß McKinley von sich aus nichts darüber sagen würde.

»Es gibt Probleme. Das erste ist ganz einfach: Was wollen wir eigentlich? Darüber werde ich bis Ende Oktober mehr wissen. Ich reise auch nach St. Louis. Wenn man im Zweifel ist, soll man nach St. Louis reisen.« Der Major sah kryptisch aus; wieder ganz Kardinal. »Die Spanier werden uns geben, was immer wir verlangen. Doch ich habe da kein gutes Gefühl.«

»Ich würde vorschlagen, für die Inseln zu bezahlen.«

McKinley schien überrascht. »Ich dachte, die Kosten für den Krieg seien die Kosten für die Inseln.«

Hay hatte über die Angelegenheit nachgedacht. Und die Idee im übrigen von seinem alten Freund John Bigelow bezogen. »Falls wir bezahlen, so wie wir für Louisiana und Alaska bezahlt haben, gibt es bezüglich der Besitzrechte keinerlei Zweifel. Der Kaufvertrag ist der Beweis. Andernfalls könnten wir des Raubes oder des brutalen Imperialismus bezichtigt werden, was doch unsere Handlungsweise nicht ist; zumindest sollte man den Anschein vermeiden.«

»Das ist eine sehr gute Idee, Mr. Hay.« McKinley erhob sich. Er berührte einen Knopf auf seinem Schreibtisch. »Erläutern Sie das hier morgen früh während der Kabinettssitzung. Aber ich warne Sie. Auswärtige Angelegenheiten sind ab sofort Ihr Ressort. Ich bin jetzt frei von solchen Verwicklungen.«

»Mit Ausnahme der Friedenskonferenz in Paris.« Hay war hartnäckig. Falls er davon ausgeschlossen blieb, hätte er auch in London bleiben können; oder aber, als Privatmann, in seinem Haus, Nummer 1604 H Street.

»Richter Day liebt es, sich direkt an mich zu wenden. Aber während meiner Abwesenheit wird Cortelyou Sie auf dem laufenden halten. Wann wird Mrs. Hay eintreffen?«

»In etwa zwei Wochen.« Cortelyou stand in der Tür. »Sie wird in New York Zwischenstation machen, um Weihnachtseinkäufe zu tätigen.«

»Weihnachtseinkäufe? Im September?« Der Major war verblüfft.

»An sich ist September für meine Frau schon ein bißchen spät. Für gewöhnlich erledigt sie das alles bereits im August.«

»Wir hätten sie zweifellos gut im Kriegsministerium gebrauchen können.« McKinley hakte sich bei Hay ein, und zusammen gingen sie zur Tür.

»Wie geht es Mrs. McKinley?« Ein heikles Thema.

»Soweit – ganz leidlich, denke ich. Sie werden doch hoffentlich zum Dinner kommen. Wir gehen eigentlich gar nicht aus. Was macht Ihr Sohn Adelbert denn jetzt?«

»Ich wußte gar nicht, daß Sie ihn kennen.« Handelte es sich nur um den alten Politikertrick, einem wichtigen Besucher gegenüber mit überraschenden Kenntnissen aufzuwarten? Oder hatte Del, ohne daß sein Vater davon wußte, den Präsidenten irgendwann persönlich kennengelernt?

»Er war im Juni hier, vor seiner Graduierung. Senator Lodge brachte ihn mit. Ich war sehr beeindruckt. Ich beneide Sie darum, einen Sohn zu haben.« Die Tochter der McKinleys war jung gestorben. Das Schlafzimmer der Eheleute, so hieß es, gleiche einer Gedenkstätte für das tote Kind. »Vielleicht können wir für Ihren Jungen hier irgendeine Tätigkeit finden.«

»Sie sind sehr freundlich, Sir.« Hay hatte bereits selbst mit dem Gedanken gespielt, Del ins Außenministerium zu holen; sich dann jedoch dagegen entschieden. Aus irgendwelchen, ihm unerfindlichen Gründen kamen sie miteinander nicht gut aus. Es gab zwar keine Reibereien; doch fehlte zwischen ihnen einfach die Sympathie. Hay war glücklicher mit Töchtern; so wie Adams am glücklichsten war mit Nichten, ob echten oder ehrenamtlichen.

Die beiden Männer traten in den Korridor, wo eine hohe, hagere Gestalt Hay eingehend anstarrte; Hay starrte verwirrt zurück. McKinley sagte: »Sie erinnern sich sicher noch an Tom Pendel, wie? Er war ja schon zu Ihrer Zeit hier Portier.«

Hay lächelte; erkannte den alten Mann nicht wieder. »Nun ja«, begann er.

»Johnny Hay!« Der alte Mann hatte keine Zähne mehr. Doch sein Händedruck war wie ein Schraubstock. »Ich war neu hier, wissen Sie noch? Hatte Dienst, als Sie und Mr. Robert damals im Salon waren und ich reinkam und Ihnen sagte, daß auf den Präsidenten geschossen worden sei.« Hay überkam ein starkes Schwindelgefühl. War er im Begriff ohnmächtig zu werden? Oder gar, ganz poetisch, zu sterben? Doch die um ihn kreisende Welt kam wieder zum Stillstand.

»Ja«, sagte er vage, »ich erinnere mich.«

»Oh, es war schrecklich! Ich war hier der letzte, der sah, wie Mr. Lincoln in seine Kutsche stieg, und er sagte noch zu mir: ›Gute Nacht, Tom.‹ Einfach so.«

»Nun, unter den Umständen war das wohl eine recht normale Äußerung.« Hay versuchte, der Sache einen Anstrich von Beiläufigkeit zu geben. McKinley, so hatte man ihn gewarnt, liebe es nicht, etwas über seine Vorgänger zu hören.

»Und auch an dem Sommermorgen, an dem General Garfield zum Bahnhof fuhr, war ich der letzte hier, der ihn sah, und er sagte zu mir: ›Auf Wiedersehen, Tom.‹ Einfach so, und dann wurde auf ihn geschossen, und er siechte dahin und . . .«

McKinley begann unruhig zu werden. »Unser Tom hat so viele von uns kommen und gehen sehen.« Cortelyou gab dem Präsidenten ein Zeichen. »Ich muß an die Arbeit. Ich sehe Sie morgen früh. Die Kabinettssitzung beginnt um zehn.« McKinley und Cortelyou verschwanden im Cabinet Room. Ein Dutzend Ladys, auf Besichtigungstour im Weißen Haus, starrte ehrfurchtsvoll auf den Rücken des Präsidenten.

Während sich Hay dem höchst historischen Tom Pendel entwand, erfuhr er, daß auch Colonel Crook, der als Lincolns Leibwächter gedient hatte, noch immer im Dienst war. »Aber die übrigen sind alle fort, Sir, wie Schneeflocken auf dem Fluß. Und Sie waren damals so jung.«

»Nun«, sagte Hay, »jetzt bin ich's nicht mehr.«

Teil III

1

Caroline wurde sich erst der Enormität ihres Mutes bewußt, als sie allein die Peacock Alley entlangschritt, einen Korridor so lang wie jener Abschnitt der 34. Straße zwischen der Fifth und der Sixth Avenue, der umschlossen wurde – exquisit umrahmt, wie es Caroline schien – von der Pracht des neuesten und berühmtesten Hotels von New York, dem Waldorf-Astoria. Sogar in Paris hatte man über dieses Hotel geschrieben, und zwar mit deutlichem, wenn auch etwas scheelem Respekt: eintausend moderne Schlafzimmer, ungezählte Restaurants, Palmenhöfe, ein Herrencafé und – ganz besonders faszinierend – die Peacock Alley, die schnurgerade durch das Doppelgebäude verlief, eine prachtvolle Promenade mit Wänden aus honigfarbenem Marmor, welcher die Reihen gnadenlos strahlender elektrischer Kronleuchter reflektierte. Zwischen Topfpalmen und den Spiegelglaseingängen zu verlockenden Höfen und Restaurants säumten Sofas und Sessel die Alley. Hier saß, wie es den Anschein hatte, ganz New York, um ganz New York vorbeiflanieren zu sehen. Genau wie die Stadt selbst schlief das Waldorf-Astoria nie. Es gab Late-Night-Supper-Rooms wie auch Early-Morning-Cafés, wo man Männer in weißem Frack mit Männern in Straßenanzügen Kaffee trinken sehen konnte, Dronen und Arbeitsbienen, alle im selben summenden, honigsüßen Bienenkorb.

Caroline war gewarnt worden: In der Peacock Alley könne sich eine anständige junge Dame auf gar keinen Fall allein blicken lassen. Aber da sie mit einem Gentleman verabredet war, würde sie ja nicht sehr lange allein sein, und so genoß sie das Interesse, das sie und ihr Paris-Worth-Kleid erregten, während sie von der Lobby in Richtung Palm Court schritt, aller Blicke auf sich vereinend. So, fand sie, beobachten die Tiere im Zoo ihre menschlichen Besucher. Die umgekehrte Vorstellung, daß nämlich sie es sei, die im Affenhaus saß, während die fleischigen Damen und die kompakten Herren auf den Sofas und in den Sesseln das menschliche Publikum darstellten, erschien ihr auf perverse Weise amüsant. Im übrigen fand sie, daß diese New Yorker Bürger in ihrer überwiegenden Beleibtheit eher Bären als Affen glichen: aufgerichtet und neugierig; gefährlich, wenn man sie reizte.

Unmittelbar vor Caroline gingen zwei ganz und gar nicht fleischige Mädchen Arm in Arm, wie Schwestern. Waren das, fragte sie sich, etwa Prostituierte? Weltläufige Ladys hatten ihr erzählt, daß sogar, oder vor allem, in den vornehmsten New Yorker Hotels gewerbetreibende Damen auf die Pirsch gingen. Seit es das Waldorf-Astoria gab, war es allerdings – und zwar nicht nur für achtbare Frauen, sondern auch für hochstehende Ladys – Mode geworden, sich, in schicklicher Begleitung, in Hotellobbys zu zeigen und sogar, dies war allerdings ganz neu, in einem Hotelrestaurant zu speisen, etwas, das für die vorhergehende Generation noch unvorstellbar gewesen war. In einem Anfall von Großmut befand Caroline, daß ihre dunklen Vermutungen über die »Schwestern« vor ihr in der Tat sehr dunkel waren; und daß es sich wahrscheinlich um junge Damen wie sie selbst handelte, begierig zu sehen und gesehen zu werden.

Ein Stück voraus sprang plötzlich John Apgar Sanford auf die Füße; prompt verschwand sein Kopf zwischen den Wedeln der Palme, die seinen Sessel beschattete. »Versteckst du dich etwa vor mir?« fragte Caroline vergnügt.

»Nein, nein.« Sanford tauchte aus den Wedeln hervor, mit zerzaustem, schütterem Haar. Ernst reichte er ihr die Hand. Er hatte den kleinen Mund ihres Vaters – waren sie Cousins zweiten oder dritten Grades? –, doch damit war die Ähnlichkeit auch schon erschöpft, und der Rest war Eigenprägung oder Erbteil von Vorfahren, die er und Caroline nicht miteinander teilten. Er war dreiunddreißig und wohnte mit seiner chronisch kranken Frau in Murray Hill. »Ich habe im Palm Garden etwas reservieren lassen. Wie war deine Reise?«

»Mal entsetzlich und dann wieder langweilig. Ein Mittelding gibt es auf einem Schiff nicht. Wie wunderschön!« Der Palm Garden war wirklich ein herrlicher Dschungel aus Palmenbäumen in grünen chinesischen Cachepots. Obwohl es hellichter Tag war, brannten an der hohen Decke Kristallkronleuchter. Mittag auf einer Tropeninsel, dachte Caroline und erwartete fast, einen Papagei kreischen zu hören; hörte dann etwas, das zwar wie Papageiengeschrei klang, jedoch nichts war als das Gelächter von Harry Lehr, jung, blond, fett und feucht. Er verließ gerade den Palm Garden in Gesellschaft einer dünnen, ältlichen Lady. »Sie werden erwartet«, sagte er, Carolines Hand packend. »Um Punkt fünf.« Er betrachtete Sanford mit taxierendem Blick. »Allein«, fügte er hinzu; und war verschwunden.

»Dieser . . . Banause!« Sanfords Gesicht war knallrot. Vorsorglich nahm Caroline seinen Arm, und gemeinsam folgten sie dem Oberkellner zu einem Tisch mit einer mit Goldsamt bezogenen Banquette für zwei, wo sie nebeneinander sitzen konnten, nahe genug, um sich leise unterhalten zu können, jedoch weit genug auseinander, um an der unschuldigen Schicklichkeit ihrer Beziehung in den Augen jenes nicht unbeträchtlichen Teils der großen Welt, der im Palm Garden seinen Tee nahm, keinen Zweifel zu lassen. Viel opulenter als Paris, registrierte Caroline; aber auch gröber gewirkt. »Wieso ist Mr. Lehr ein Banause?«

»Nun . . . ich meine, sieh ihn dir doch *an*.«

»Ich habe ihn mir angesehen. Und ich habe ihm auch zugehört. Vielleicht ist er ein bißchen bizarr. Aber jedenfalls sehr amüsant. Er ist immer nett zu mir gewesen. Warum, kann ich nicht sagen. Ich bin noch nicht fünfzig. Und auch nicht reich.«

»Und – *wo* wirst du um fünf erwartet? Natürlich, das geht mich nichts an.« Sanford geriet ins Stottern. »Tut mir leid. Aber ich dachte, du wärst erst gerade eben mit dem Schiff angekommen. Ich meine, er schien dich doch zu erwarten.«

»Ich *bin* auch gerade erst angekommen; und ich habe Mr. Lehr seit dem Frühjahr nicht gesehen; und, ja, er scheint einen immer zu erwarten, und, wie es aussieht, werde ich einen Tee mit ihm trinken. Das ist alles.«

»Bei Mrs. Fish?«

»Nein. Bei Mrs. Astor. Wenn er weiter keinen Namen nennt, ist es immer Mrs. Astor. Die ›Mystic Rose‹, wie sie genannt wird. Aber wieso eigentlich eine Rose? Und weshalb mystisch?«

»Ward McAllister nannte sie so. Warum, weiß ich nicht. McAllister war Hofkämmerer von diesem . . . diesem kleinen Bruder der Reichen, wie man seine Sorte nennt.« Der Tee wurde serviert; dann trugen livrierte Kellner Kuchen auf.

»Jedenfalls bringt er mich zum Lachen, was wahrscheinlich sein Lebenszweck ist. Ich meine, genauso wird er wohl Mrs. Astor zum Lachen bringen, auch wenn man sich das kaum vorstellen kann.«

»Vor allem hier drin wäre sie vermutlich nicht zum Lachen aufgelegt.« Sanford legte einen dicken Umschlag auf den Tisch. »Das hier war nämlich einmal Mrs. Astors Ballsaal, von dem McAllister sagte, er könne nur vierhundert Leute aufnehmen, eben die vierhundert Leute, die gesellschaftlich zählten, wie er meinte. Auch so ein ›kleiner Bruder‹.«

»Ich dachte, das Hotel sei ganz neu.«

»Das Hotel ist neu. Aber die eine Hälfte ist auf dem Boden erbaut, wo Mrs. Astors altes Haus stand, und die andere Hälfte auf dem Boden, wo ihr Neffe sein Haus hatte.«

»Ach, natürlich, ich erinnere mich! Sie hassen einander. Oh, die rasenden Leidenschaften der Astors! Ich kann nicht genug davon bekommen. Sie sind wie die Plantagenets. Alles in solchen Riesendimensionen, wie dieses Hotel.«

Caroline wußte alles über die Rivalität zwischen Neffe und Tante. Der Neffe, William Waldorf Astor, war der älteste Sohn des ältesten Sohnes; dies bedeutete, daß er *der* Astor und seine Frau *die* Mrs. Astor war. Aber nach dem Tod seines Vaters erklärte seine Tante, sie sei *die* Mrs. Astor, was ihrer Nichte viel Kummer bereitete, ganz zu schweigen von dem Durcheinander, da ständig Einladungen an die falschen Adressen geschickt wurden. Schließlich erklärte William Waldorf der Mystic Rose den Krieg. Er ließ sein dem ihren unmittelbar benachbartes Haus abreißen und baute ein Hotel. Da für die Mystic Rose die Vorstellung unerträglich war, daß der Schatten eines Hotels auf ihren Garten fiel, überredete sie ihren Mann dazu, das gemeinsame Haus abreißen zu lassen und ein zweites Hotel zu bauen. Obwohl Onkel und Neffe gleichfalls miteinander verfeindet waren, bewahrten sie doch genügend praktischen Sinn, um zu erkennen, wie vorteilhaft es sein würde, die beiden Hotels miteinander zu einem einzigartigen Monument der wilden Leidenschaften ihrer turbulenten Familie zu verbinden, was sie auch taten, und das Produkt nannten sie dann, ein wenig linkisch, das Waldorf-Astoria.

»Jetzt kann jeder in Mrs. Astors Ballsaal sitzen.«

»Und jeder tut's.« Sanford zeigte eine säuerliche Miene. Seine

Mutter war eine Apgar, entstammte also einer alten Familie, die sehr stolz auf sich war – und voller Verachtung gegen die weiße Marmorvulgarität jener reichen Räuber, deren Paläste sich jetzt nicht nur die Fifth Avenue hinauf erstreckten, bis zum Central Park, sondern auch zum Westen hin, wo vor gar nicht langer Zeit ein unternehmungslustiger Millionär zur allgemeinen Überraschung den Hudson River entdeckt hatte; und so war auch der Riverside Drive mittlerweile ein Gebiet, wo die Neureichen ihre Paläste erbauen konnten, um gleichsam in ländlicher Uferpracht zu leben, die Columbus Avenue mit der Hochbahn in bequemer Nähe. In Minutenschnelle konnten sie praktisch jeden Teil Manhattans erreichen. »Die Welt hat sich sehr verändert«, sagte Sanford.

»Davon weiß ich nichts.« Caroline genoß das Waldorf-Astoria in jeder Einzelheit. »Die einzige Welt, die ich kenne, ist die von heute.«

»Du bist jung.«

»Das ist das Problem, nicht wahr?« Caroline deutete auf den Umschlag, der von einer Schokoladentorte und einem blonden, blassen, feuchten Kuchen, der an Harry Lehrs Gesicht erinnerte, flankiert wurde.

Sanford nickte; öffnete den Umschlag; zog ein paar Dokumente hervor. »Ich habe Widerspruch eingelegt. Dies sind die betreffenden Dokumente. Sie sind . . . nun, ich überlasse sie dir. Lies sie sorgfältig durch. Ich habe außerdem Mr. Houghteling aufgefordert, die früheren Testamente des Colonels verfügbar zu machen, damit wir vergleichen können. In jedem Testament, von dem ich weiß, sollte jeder von euch beiden mit einundzwanzig Jahren die Hälfte erben. Doch im letzten Testament . . .«

»Vater scheint eine Sieben statt einer Eins geschrieben zu haben.« Caroline hatte das zuerst für einen Scherz gehalten; bis ihr klar geworden war, daß der Colonel wohl, irrtümlicherweise, eine französische Ziffer geschrieben hatte. Jetzt hielt sie zum erstenmal eine Kopie des Testaments in Händen. »Falls ich erst mit siebenundzwanzig erben darf, dann muß das doch auch unbedingt für Blaise gelten, der erst zweiundzwanzig ist.«

»Schau.« Sanford tippte mit dem Finger auf das Dokument. Sie las: » . . . mein Sohn Blaise, der mündig ist, soll gleich seinen Teil erben; meine Tochter Caroline soll, wenn sie mündig ist, mit siebenundzwanzig, ihren Teil erben . . .« Caroline legte das Dokument auf den Tisch zurück. »Das ergibt doch keinen Sinn. Ich war zwanzig, als er das Testament aufsetzte. Blaise war einundzwanzig, und Vater sagt, er sei mündig. Warum also bin *ich* nicht mit einundzwanzig mündig, wie das doch in den früheren Testamenten stand?«

»Du weißt, ich weiß, Blaise weiß, Mr. Houghteling weiß, daß Colonel Sanford einundzwanzig gemeint hat. Das Gesetz jedoch weiß nichts davon. Das Gesetz weiß nur, was niedergeschrieben und bezeugt und notariell beglaubigt ist.«

»Aber sollte das Gesetz nicht, mitunter, auch sinnvoll sein?«

»Das ist nicht seine Funktion, fürchte ich.«

»Aber du bist doch Jurist. Und es sind die Juristen, die das Gesetz machen . . .«

»Wir *interpretieren* es. In diesem Fall hat bisher ausschließlich Mr. Houghteling die Interpretation geliefert; und er sagt, der Colonel habe entschieden, daß du als junge, unerfahrene Frau warten mußt, bis du siebenundzwanzig bist, bevor du erbst. Blaise, mit seinen einundzwanzig Jahren, habe er dagegen als kompetent und mündig betrachtet.«

Caroline starrte auf das Testament, das ihr viel eher als ein Dschungel erschien als der Palm Garden, wo jetzt ein Trio leise »Die schöne Helena« spielte. »Und was kann ich da tun?« fragte sie schließlich.

»Was willst du denn?«

»Meine Hälfte des Vermögens. *Jetzt.*«

Sanford zerkrümelte mit seiner Gabel einzelne Stückchen des Schokoladenkuchens. »Das bedeutet, vor Gericht zu gehen, eine teure Prozedur. Es bedeutet außerdem, sein Testament für nichtig zu erklären, denn inzwischen akzeptiert jeder hier die eigentümliche Ziffer deines Vaters als eine Sieben.«

»Warum . . .«, Caroline dachte angestrengt nach, » . . . hat er dieses Testament überhaupt aufgesetzt? Ich meine, unterscheidet es sich denn irgendwie von all den früheren?«

»Ja. Offensichtlich hat er sein Testament immer dann geändert, wenn es eine neue . . . äh, Haushälterin gab.« Sanford war verlegen; Caroline war es nicht. »Er pflegte der neuen jeweils ein Legat auszusetzen. Insgesamt gibt es sieben solcher Legate. Aber der

Hauptteil seines Vermögens ist zu gleichen Teilen zwischen seinen beiden Kindern aufgeteilt worden.«

»Falls ich verlieren sollte . . .« Während Caroline über eine solche Katastrophe nachzugrübeln begann, war der Palmendschungel plötzlich voller Drohungen, klang der Walzer aus der »Schönen Helena« auf einmal wie ein Trauermarsch. »Was geschieht dann?«

»Dann erhältst du jährlich dreißigtausend Dollar, bis du siebenundzwanzig bist. Und dann erbst du deine Hälfte.«

»Mal angenommen, Blaise bringt das gesamte Vermögen durch. Was dann?«

»Dann bekommst du die Hälfte von nichts.«

»Also muß ich sehen, daß ich jetzt an meinen Anteil komme.«

»Warum nimmst du an, daß Blaise Geld verliert, statt welches zu machen?« Sanford musterte sie neugierig, und Caroline nutzte prompt den Vorteil, den das Nebeneinandersitzen bot, und mit einer leichten Drehung ihres Kopfes entzog sie Sanford ihr Gesicht, das er ohnehin bestenfalls im Profil sehen konnte. Sie blickte zum benachbarten Tisch hinüber, wo sich eine bekannte Bühnenschauspielerin unauffällig gab, damit jedermann bemerkte, wie jung sie abseits der Bühne aussah, wofür sie – natürlich – den Palm Garden als angemessen große Gegenbühne benutzte.

»Blaise ist ehrgeizig, und ehrgeizige Menschen scheitern doch fast immer, nicht wahr?«

»Das ist eine eigentümliche Ansicht, Caroline. Ich meine, das waren auch Cäsar und Lincoln und, und . . .«

»Zwei treffliche Beispiele. Beide wurden ermordet. Aber ich habe gar nicht an einen derartig überdimensionalen Ehrgeiz gedacht. Ich habe an Menschen gedacht, die es schon in jungen Jahren sehr eilig haben, die Aufmerksamkeit anderer auf sich zu ziehen. Nun, Blaise stürzt in die Welt hinaus wie . . . wie . . .«

»Wie Mr. Hearst?«

»Genau. Er erzählt, und irgendwie scheint ihm das zu imponieren, Mr. Hearst hätte durch seine beiden Zeitungen viele Millionen Dollar verloren.«

»Aber Mr. Hearst – mit Verlaub, ein wahrer Lump – wird weitere Vermögen machen. Er ist für diese verderbten Zeiten wie geschaffen.«

»Mag sein. Doch er hat auch eine Mutter, die reicher ist als unser

Vater es jemals war – und ich habe keine Lust, am Ende mit der Hälfte von nichts dazustehen.«

Sanford betrachtete sie aufmerksam. »Wenn ehrgeizige Männer Vermögen verlieren, was für eine Art Mann gehört dann dazu, ein Vermögen zu machen?«

Die Antwort kam prompt: »So einer wie mein Vater. Er war träge, gleichgültig. Obwohl er sich überhaupt nicht um Geschäfte kümmerte, hat er sein ererbtes Vermögen mehr als verdoppelt.« Caroline wandte ihr Gesicht wieder voll Sanford zu. »Wir müssen Blaise irgendwie dazu zwingen, das aufzugeben, was ihm nicht gehört.«

»Aber Mr. Houghteling hat bereits die ersten Schritte eingeleitet. Ich glaube, ein Prozeß könnte riskant sein.«

Caroline empfand ein Schaudern; ein Gemisch aus Zorn und Furcht. »Zu kapitulieren ist riskanter. Ist dies nicht die Stadt, in der jeder käuflich ist? Also kaufen wir einen Richter; oder ist es die Jury, die man besticht?«

Sanford lächelte, um zu zeigen, daß er nicht schockiert war; sah aber trotz allem tief schockiert aus. »Die städtischen Beamten sind zwar *im allgemeinen* korrupt«, sagte er, »aber ich würde nicht wissen, wie man so etwas macht. Ich gehöre nämlich zu den Reformern. Ich habe Colonel Roosevelt geholfen, als er Polizeichef von New York war. Gewiß, momentan ist die Reform tot, und die alten Kräfte sind wieder an der Macht, die sogenannte Tammany-Truppe mit Van Wyck, deren Boß Crokers Mann ist. Auch Croker selbst ist wieder da.« Wie auf ein Stichwort begann das Streichtrio den Song des Jahres zu spielen, den »Rosenkranz«, eine für Carolines Pariser Ohren widerliche Weise. Sentimentale Religiosität und öffentliche Korruption, das war die neue Welt. Nun, entschied sie, ihr blieb wohl nichts übrig, als die Dinge selbst in die Hand zu nehmen, wollte sie sich ihr Schicksal nicht vorschreiben lassen. Von einem Vater großgezogen worden zu sein, der die Sprache des Landes, in dem er lebte, nicht sprechen konnte, hatte durchaus seinen Vorteil. De facto war Caroline nicht nur für ihr eigenes Leben verantwortlich gewesen, sondern für das Leben auf Saint-Cloud-le-Duc schlechthin. Nie hatte sie auch nur einen Bruchteil ihrer tatsächlichen Autorität an eine der gerade residierenden Ladys abgetreten. Im Umgang mit diesen Damen hatte sie, über eine lange Zeitspanne hinweg, Geduld und diplomatisches Verhalten gelernt. Leider war ihr die Welt der Männer verschlossen geblieben. Blaise, der ein Bindeglied hätte sein können, war immer auf irgendwelchen Schulen in England oder in den Vereinigten Staaten gewesen; und da der Colonel sich von anderen Männern völlig unterschied, war der Umgang mit ihm nicht unbedingt eine Vorbereitung auf den Umgang mit den Bestien des Palm Garden. Die berühmte Schauspielerin – wie war noch ihr Name? – lauschte mit zur Seite geneigtem Kopf und halbgeschlossenen Augen der Musik, und sie schien so etwas wie ein religiöses Erlebnis zu haben, was hinwiederum ihre Gefährten mit heiliger oder unheiliger Scheu erfüllte, derbe, backenbärtige New Yorker mit roten Gesichtern und einem ausgeprägten Sinn für die feineren Dinge, von denen die Schauspielerin – teuer, ach, so teuer – eines war.

»Wirst du deinen Bruder sehen?« Behutsam stellte Sanford diese Frage; er wußte einfach nicht, wie Caroline zu ihrem Halbbruder stand, der sich so unversehens als Räuber entpuppt hatte. Caroline wußte selbst nicht genau, was sie empfand; außer Wut. Sie hatte an Blaise stets seine Energie geschätzt, physisch wie moralisch – sofern moralisch denn das richtige Wort war für den unmoralischen oder amoralischen Willen, unbedingt seinen Weg zu machen. Sie hatte sogar Blaise' Schönheit attraktiv gefunden in dem Sinn, daß sie beide einander ergänzten; er war blond, und sie war dunkel. Er hätte vielleicht ein wenig größer sein sollen, mit langen, weniger gebogenen Beinen. Allerdings hätte sie ihrerseits auch mehr der weiblichen Norm entsprechen können, wäre sie kleiner und fülliger gewesen, wesentlich fülliger, da die Mode jetzt wahre Donnerbusen vorschrieb, womit die Natur sie, Caroline, nun einmal nicht ausgestattet hatte. Ihr Worth-Kleid verbarg dieses Manko auf höchst kunstvolle Weise, doch in wenig angenehmen Tagträumen plagte sie oft der Gedanke an die Enttäuschung ihres künftigen Gatten.

Caroline erhob sich. »Blaise geht mit mir ins Theater. Anschließend werden wir soupieren, und zwar im Rector's, das ich jetzt betreten darf, als Frau von einundzwanzig Jahren – wenn ich auch noch nicht siebenundzwanzig bin und somit eine reiche Erbin.« Caroline sah, daß sie die beabsichtigte Wirkung erzielt hatte. Sanford nickte; blickte grimmig drein; er würde für sie kämpfen.

Während sie die Peacock Alley entlangschritten, sagte Sanford: »Du mußt sehr vorsichtig sein bei allem, was du zu Blaise sagst.«

»Das bin ich immer. Aber er weiß, daß wir bereit sind zu kämpfen, nicht wahr?«

»Ja. Das habe ich Mr. Houghteling klargemacht. Aber vielleicht solltest du Blaise gegenüber die Angelegenheit nicht erwähnen.«

»Vielleicht«, sagte sie.

Sie betraten die hohe, hallende Lobby, die, wie Caroline fand, an einen Bernini-Alptraum erinnerte. Eine Überfülle von Gold und Kristall und rotem Damast, worin sich, nein, nicht das Personal, sondern der Stab des Hotels bewegte, säuberlich unterteilt in solche, die wie Offiziere des Habsburger Hofes gekleidet waren, und jene, welche Mitglieder eines allerhöchsten Parlamentes zu sein schienen, wo Prinz-Albert-Gehröcke perfekt geschnitten und Hosen aufs dezenteste grau gestreift waren. Caroline ging mit Sanford zur Tür. Er schien beunruhigt; dann platzte es aus ihm heraus: »Du mußt unbedingt jemanden bei dir haben, weißt du.«

»Eine Gouvernante?« Caroline lächelte. »Davon habe ich in meinem Leben doch gewiß genug gehabt.«

»Ich meine eine geeignete Dame, eine Verwandte.«

»Die, die geeignet wären, sind nicht verfügbar; und die, die verfügbar sind . . . Mach dir keine Sorgen. Ich habe Marguerite. Sie war bei uns, soweit ich zurückdenken kann. Sie schläft in dem kleinen Zimmer neben meinem Schlafzimmer. Im Hotel war man erleichtert, ihr ehrliches, häßliches Gesicht zu sehen.«

»Nun, dann mag es angehen . . . Aber wenn du ausgehst, begleitet sie dich dann?«

»Wenn wir Luft schöpfen, gewiß. Aber ich werde sie nicht zu Mrs. Astor mitnehmen. Für solche Leute ist sie viel zu intelligent. Sie hat Pascal gelesen.«

Sanford wirkte verblüfft; sagte dann: »Good bye. Sehe ich dich morgen? Nachdem ich mit Mr. Houghteling gesprochen habe und du . . .«

». . . und ich Blaise gegenüber stumm geblieben bin.« Caroline lächelte, während er sich entfernte; und fuhr fort zu lächeln, als sie zum Fahrstuhl ging; und sah dann im Spiegel der Tür ihr Gesicht – bis zur Torheit entstellt. Sie entkrampfte ihre Miene; und gewann ihre Schönheit zurück.

Doch bei Mrs. Astor ging diese dann prompt wieder verloren. Obwohl sie sich geschworen hatte, nicht zu lächeln, wurde sie das Opfer ihrer eigenen Gewohnheit; und sah, sie wußte es, genauso aus, wie man es von ihr erwartete: einfältig, unschuldig, jung. Allerdings, dachte sie mürrisch, traf das ja auch genau auf sie zu, und der absolute Beweis für ihre Dummheit war, daß sie es wußte und es dennoch nicht ändern konnte. Sie hatte bei Mlle. Souvestre eine erstklassige Erziehung genossen. Sie hatte die Klassiker gelesen; sie kannte sich in der Kunst aus. Aber wie man es anstellte, sich *nicht* um sein Vermögen bringen zu lassen, hatte ihr bislang noch niemand erklärt.

Als sie den ersten Salonraum durchquerte, kam Harry Lehr auf sie zugetänzelt. Sonst war niemand zu sehen. »Oh, Miss Sanford! Sie sind ein Trost für wunde Augen.«

»Dann werde ich wohl am besten nach Lourdes gehen, um dort ein Vermögen zu machen.«

»Oh, deshalb müssen Sie nirgendwohin gehen.« Lehr hatte noch nie von Lourdes gehört, und Caroline hatte keine Lust, die Lehrerin zu spielen. »*Sie* schenkt selbst Tee ein, in der Bibliothek. Nur ein paar Leute, die Auserwählten, wie man sie nennen könnte.«

»Aber nicht muß.« Caroline hatte ihren Spaß an Lehrs tiefer Seichtheit. Schoßhündchen wie ihn gab es in Paris *en masse*. Es schien eine Art Universalgesetz zu sein, daß je höher eine Lady stand, sie desto dringender einen Lehr brauchte, der sie zum Lachen brachte, Klatsch und neue Gesichter sammelte und ihr dennoch nie Anlaß gab, eine Kompromittierung zu befürchten. Lehr war Ende zwanzig, aus Baltimore. Sein Mutterwitz war sein Kapital. Er verkaufte Freunden Champagner, und mitunter gefiel es ihm, sich wie eine elegante Dame zu kleiden und die Leute zum Lachen zu bringen.

Zufrieden folgte Caroline dem heute konventionell gekleideten Lehr durch einen zweiten Salonraum in eine Bibliothek, die mit antikem Holz neu getäfelt worden war. Hier saßen ein Dutzend »alte« New Yorker im Halbkreis um die präsidierende Mrs. Astor. Die alte Frau reichte Caroline einen Finger; bedachte sie dann mit einem dünnen Lächeln und einer Tasse Tee. »Liebe Miss Sanford«, sagte die Mystic Rose, »nehmen Sie an meiner Seite Platz.«

Caroline setzte sich neben die alte Lady, eine Auszeichnung, die den anderen Gästen natürlich nicht entging. Die meisten von ihnen kamen ihr zwar bekannt vor, doch wirklich kennen tat sie niemanden. So war New York für sie schon immer gewesen: eine lange Reihe fremder Salons voller vertraut aussehender Fremder und vertraut klingender Namen. Vermutlich würde sie sich, wenn sie erst einmal die richtigen Namen mit den richtigen Gesichtern verband, endlich daheim fühlen; denn sie hatte sich entschieden, das zu sein, was ihr Vater, wenn auch vergeblich, *nicht* hatte sein wollen – ein Kind Amerikas. Im Augenblick allerdings war New York für sie noch eine fremdländische Stadt, anders als Paris, wo sie zu Hause war, oder selbst London, wo sie oft bei Freunden der Familie weilte oder bei Mädchen, die sie von Allenswood her kannte. Vor vier Jahren war sie aus der Kinderwelt mit ihren Kinderpartys gleichsam offiziell in die Welt der Erwachsenen übergewechselt – als sie sich drei Federn ins Haar gesteckt hatte, um dann in Begleitung der Gräfinwitwe Glenellen, der Schwiegermutter einer Schulfreundin, einen tiefen Knicks vor Queen Victoria zu machen. Und jetzt saß sie also neben der, wenn man so wollte, amerikanischen Queen, die ihr, in blaublütiger Steifheit, alle Steifheit zu nehmen versuchte. »Sie möchten keinen Kuchen?«

Caroline hatte das von einer Bediensteten dargebotene Gebäck abgelehnt. »Dies ist mein zweiter Tee, Mrs. Astor. Ich hatte meinen ersten in Ihrem alten Ballsaal.«

»Der Palm Garden.« Mrs. Astor betonte alle Silben gleich stark. »Ich habe den Palm Garden gesehen. Aber nur vom Korridor aus. Wohnen Sie im Hotel?«

»Ja. Es ist höchst komfortabel.« Caroline fand diese Art Konversation im Englischen weitaus ermüdender als im Französischen, wo der rituelle Austausch von Höflichkeitsfloskeln durchaus mit Bedeutung aufgeladen sein konnte. »Ich finde das Hotel einzigartig.« Und jetzt, dachte sie, kann ich mir den Ruf verschaffen, für ein Mädchen viel zu gescheit zu sein – doch warum eigentlich nicht? Sie katapultierte sich voran: »Das Waldorf-Astoria hat den Massen die Exklusivität gebracht.«

Mrs. Astors mimische Ausdrucksskala enthielt keine Nuance für das Überraschtsein, da sie, genau wie ihr britisches Pendant, *per definitionem* nie in einem solch würdelosen Zustand zu beobachten war; höfliche Mißbilligung hingegen gehörte sehr wohl zu ihrem

Repertoire. Die Augen, an den Winkeln leicht gesenkt, öffneten sich weit. Der kurzlippige Mund war jetzt gespitzt, als fühle sie sich – fast – versucht zu pfeifen. »Zweifellos«, sagte sie mit ihrer normalen, monotonen Stimme, »ist das unmöglich. Ich frage mich allerdings, wie eine so junge Person, auch wenn sie in Frankreich aufgewachsen . . .« Caroline zuckte nicht einmal bei diesem Seitenhieb. » . . . von diesen Dingen wissen kann.«

»Oh, Mrs. Astor, exklusiv sind wir doch gewiß . . .«

»Ich meinte«, sagte Mrs. Astor, »die . . . Massen.« Ihre Augenlider flatterten, als sei sie eines Pöbelhaufens ansichtig geworden. Doch es war nur die Bedienstete mit Brot und Butter. Mrs. Astor bediente sich, griff auf Elementares zurück, um sich gegen den Mob zu stärken. »Ihr Großvater«, sagte sie zu Caroline, »hat ein Buch geschrieben, das noch in meiner Bibliothek steht.« Mit vagem Blick glitten ihre Augen über eine Reihe herrlicher alter Lederbände, auf denen der Name Voltaire prangte. »Dort wird geschildert, was in Paris geschah, als die Kommunisten das Regime stürzten. Es ist ein Werk, das mir so manche schlaflose Nacht bereitet hat. Nachdem jene wilden, gewöhnlichen Menschen die arme Marie Antoinette getötet hatten, gingen sie daran, den gesamten Inhalt des Pariser Zoos aufzuessen, einfach grauenvoll, von der Antilope bis zum . . . bis zum Emu.«

Caroline lächelte höflich, um nicht laut herauszulachen. Mrs. Astor hatte es fertiggebracht, 1870 mit 1789 zu vermengen. »Hoffen wir, daß der Mob hier zufriedengehalten werden kann, im Waldorf-Astoria mit seinen eintausend Schlafzimmern.«

Mrs. Astor kraust bei dem liederlichen Wort »Schlafzimmer« kritisch die Stirn; dann jedoch, als riefe sie sich die unglückselige französische Erziehung ihres jungen Gastes zurück, sagte sie: »Ihr Großvater hat immer gesagt, er sei der falsche Schermerhorn und der falsche Schuyler. Ich bin eine geborene Schermerhorn«, fügte sie still hinzu, als habe sie, als Allerhöchstes an Blaublütigkeit, den Namen Sachsen-Coburg-Gotha genannt.

»Ich weiß, Mrs. Astor. Hoffentlich verübeln Sie es mir nicht, aber ich habe mich daran gewöhnt, meinen Großvater für den richtigen Schermerhorn zu halten.«

Wenn Mrs. Astor wirklich lächelte, besaß sie beträchtlichen Charme. »Ich vermute, mein Kind, daß die Entfernung zwischen dem richtigen und dem falschen Schermerhorn nie größer war, als eine Balkenbreite mißt.« Mrs. Astor schien die Piratenflagge zu entrollen, unter deren gekreuzten Knochen ganz Amerika segelte, mehr oder auch weniger gedeihlich. Bevor Caroline eine erinnerungswürdige Entgegnung einfiel – ob nun klug oder auch dumm –, wurde sie von Lehr als Mrs. Astors Sitzgefährtin reibungslos ausgetauscht gegen einen ältlichen Herrn; und Caroline, jetzt auf den Füßen, sah sich einer Frau gegenüber, die nicht viel älter war als sie selbst. »Ich bin Mrs. Jack«, sagte die Frau mit rauchiger Stimme. »Und Sie sind die französische Sanford, nicht wahr?«

»Französisch, nein; Sanford, ja; da ich in Frankreich gelebt habe . . .«

»Das ist es, was ich meinte. Jack und ich haben Ihren Vater auf Saint-Cloud besucht. *So* muß man wohnen, habe ich gesagt, und nicht so wie wir im Hudson Valley, in unseren Holzkästen!« Caroline begriff plötzlich, daß es sich bei Mrs. Jack um Mrs. John Jacob Astor handelte, die Schwiegertochter der Mystic Rose. Der Krieg zwischen diesen beiden Ladys war für New York ein Quell immer neuer Freude. Bei gemeinsamen Auftritten in der Öffentlichkeit behandelten sie einander freundlich, ansonsten zogen sie jedoch gern übereinander her. Mrs. Jack fand das gesellschaftliche Leben ihrer Schwiegermutter langweilig, während Mrs. Astor den Kreis ihrer Schwiegertochter für leichtlebig hielt. Schlimmer noch war in den Augen der Mystic Rose, daß ihr Sohn politische Interessen, wenn nicht gar Ambitionen hatte. Wie so viele junge New Yorker »Granden« fühlte sich Jack Astor dazu inspiriert, die Augiasställe zu säubern, und wenn schon nicht jene der Republik, was ein vergebliches Unterfangen gewesen wäre, so doch die der Stadt. Im jüngsten Krieg war er ein Colonel gewesen; es hieß, er sei Erfinder; er hatte einen Roman über die Zukunft veröffentlicht. All dies zum Mißvergnügen seiner Mutter. Allerdings hatte sie kürzlich den einzigen wirklich wichtigen Familienkrieg gewonnen: nicht nur, daß William Waldorf Astor New York gegen London eingetauscht hatte, er hatte überdies seine amerikanische Staatsbürgerschaft aufgegeben. Caroline Schermerhorn Astor war nun die alleinige Regentin. »Ich frage mich wirklich, wo meine Schwiegermutter solche Leute findet.« Mrs. Jack blickte sich im Raum um. Sie war sehr attraktiv, fand Caroline, und sehr fashionabel, allerdings eher auf englische als amerikanische Weise. »Wenn sie nicht hier sind, mottet man sie wohl zwischendurch ein. Harry ist natürlich recht amüsant. Haben Sie Ward McAllister gekannt?«

»Ich glaube«, sagte Caroline, »eine dunkle Wolke schwebte über ihm, als ich die Bühne zum erstenmal betrat.«

Mrs. Jack musterte sie interessiert. »Ja«, sagte sie, »sie gleicht sehr einer Bühne, unsere Welt. Aber die Wolken gibt's wirklich, wenn man nicht achtgibt.«

»Das Problem scheint doch zu sein«, sagte Caroline und versuchte, zaudernd zu klingen, mit Erfolg, wie sie fand, » – zumindest ist es *mein* Problem –, um was für ein Stück es sich handelt, in dem wir mitspielen sollen.«

»Das Stück, Miss Sanford, bleibt sich immer gleich. Es heißt ›Heirat‹.«

»Wie langweilig!«

»Woher wollen *Sie* das wissen?« Mrs. Jack lachte schallend heraus. »Man muß selbst verheiratet sein, um zu wissen, wie ungeheuer langweilig das Stück *wirklich* ist.«

»Nun, wenn das das Stück ist, dann befinde ich mich bereits mitten im ersten Akt. Denn der *Weg* in die Ehe nimmt doch mindestens ein Drittel des Dramas ein, nicht wahr?«

»Wie ich gehört habe, ist es Del Hay. Nun, Sie könnten schlechter fahren.«

»Wer weiß? Vielleicht werde ich das noch, Mrs. Astor.«

»Nennen Sie mich Ava. Ich werde Sie Caroline nennen. Spielen Sie Bridge?«

»Noch nicht.«

»Ich werde es Ihnen beibringen. Früher habe ich Tennis gespielt. Bis Jack damit anfing. Jetzt spiele ich Bridge. Es wird Ihnen gefallen. Es ist wie das richtige Leben. Voller Gefahren. Und Aufregung. Wir werden einander von Zeit zu Zeit sehen. Werden zusammen in Restaurants lunchen – etwas, das meine Schwiegermutter zum Wahnsinn treibt. Und wir werden uns, zwischen schrecklichen Gähnkrämpfen, austauschen über das ›Stück‹. Ich hasse mein Leben nämlich, wissen Sie.« Und mit dieser vertraulichen Mitteilung, die ebenso ernst wie theatralisch klang, verabschiedete sich Mrs. Jack von ihrer neuen Freundin, küßte die Mystic Rose rituell auf die Wange und entschwand.

»Ava fühlt sich immer gelangweilt«, sagte Mrs. Astor zu Caroline, als hätte sie das Gespräch mitangehört. »Ich fühle mich nie gelangweilt. Ich rate Ihnen, es ebenso zu halten. Es gibt nichts Langweiligeres als Menschen, die sich immer langweilen.«

»Das werde ich mir merken«, sagte Caroline; und fürchtete eben dies.

»Wie ich höre, ist Ihr Bruder Blaise Sanford in der Stadt. Er hat mich noch nicht besucht, anders als Ihre d'Agrigente-Brüder. *Das* sind Franzosen«, betonte sie kryptisch; kam dann wieder auf Blaise: »Er arbeitet bei jenem Mr. Hearst?«

»Ja. Blaise hat gleichfalls nicht die Absicht, sich jemals zu langweilen. Er findet Mr. Hearst sehr aufregend.«

»Es gibt auch Leute, die zu aufregend sind.«

»Soviel Glück habe ich noch nicht gehabt.«

»Ich sehe Mrs. Delacroix jeden Sommer in Newport auf Rhode Island. Sie findet nicht, daß Mr. Hearst auf ihren Enkelsohn einen guten Einfluß ausübt. Sie hat zu mir gesagt, daß der Journalismus Blaise zwangsläufig in die Gesellschaft von Politikern und Juden ziehen wird. Sie ist sehr beunruhigt.«

»Ich habe sie noch nicht getroffen, wissen Sie.«

Mrs. Astors dunkler Blick hatte etwas eigentümlich Verwirrendes. Sie beobachtete ihren jungen Gast, als sei Caroline in der Tat eine Schauspielerin auf einer Bühne, und sie selbst das kritische Publikum; obwohl Caroline doch wußte – aber *wußte* sie's? –, daß es sich andersherum verhielt. »Ja, richtig. Sie hatten ja nicht dieselbe Mutter. Ich kannte beide, die Ihre allerdings nur flüchtig. Sie war dunkel, wie Sie. Sie war die Princesse d'Agrigente. Dann starb Denise Delacroix Sanford, und Ihre Mutter heiratete Ihren Vater.«

»Ja, ich bin mit dem Ablauf gut vertraut.«

»Ja«, sagte Mrs. Astor, »das müssen Sie wohl sein.«

Dann sorgte Harry Lehr für allgemeine Erheiterung; und der Tee war vorüber.

Um Mitternacht war es auf dem Broadway fast wie um die Mittagszeit, nur daß die Millionen weißer elektrischer Lichter, welche die Namen der Theater und der Stücke verkündeten, in ihrer Farblosigkeit auch dem Broadway alle Farbe nahmen. Die Szenerie hatte etwas Arktisches, fand Caroline, als die Kutsche den Longacre Square erreichte, einen rautenförmigen Platz, dessen südliches

Ende von einem eigentümlich dreieckigen Gebäude beherrscht wurde. Um Mitternacht war der Platz fast genauso bevölkert wie am Tag. Straßenbahnen ratterten vorbei; Kutschen hielten, nächtliches Publikum stieg ein oder aus.

Blaise fühlt sich hier offenbar ganz daheim, dachte Caroline mit einem Anflug von Neid. Sie war noch eine Fremde; er war bereits ein New Yorker. Im Theater machte er sie auf alle möglichen »Originale« im Publikum aufmerksam, so auch auf einen Mann, der auf fast alles unweigerlich eine Million Dollar wettete, und einen anderen, der, entsetzlich beleibt und mit Diamanten bedeckt, täglich ein Dutzend Dinner einnahm, jedoch nur Orangensaft trank, allerdings eine Gallone pro Mahlzeit.

»Hier ist Rector's.« Blaise war am hinreißendsten, wenn er aufgeregt war, und New York, ja, New York elektrisierte ihn geradezu, dachte sie – und kam sich ein Dutzend Jahre älter vor als er. Aber trotz ihrer neuen *gravitas* hatte sie das Theaterstück fast genauso genossen wie die Pausen. Das Thema Testament war bis jetzt unberührt geblieben, doch beim Supper würden Blaise und sie vermutlich darüber sprechen – und sie würde die Warnungen ihres Cousins in den Wind schlagen.

Rector's befand sich in einem niedrigen Gebäude aus gelben Ziegelsteinen zwischen der 43. und 44. Straße östlich vom Longacre Square. Über der Eingangstür hing ein elektrischer Greif. »Ein anderes Zeichen gibt es nicht«, sagte Blaise zufrieden. »Jeder weiß, daß dies Rector's ist.«

Als sie eintraten, spielte das Orchester gerade, was für Caroline so etwas wie die New Yorker Hymne zu sein schien: »There'll be a Hot Time in the Old Town Tonight«. War es der Krieg, der diesen Song populär gemacht hatte, oder verhielt es sich eher umgekehrt? Sie wußte es nicht. Auf jeden Fall gefiel ihr die lustige Melodie besser als der tränenvolle »Rosenkranz«. Ein dicker, schwerer Mann – doch alle New Yorker Männer waren dick und schwer –, Mr. Rector persönlich, begrüßte Blaise; und war erfreut, wenn auch ein wenig überrascht, daß Caroline Blaise' Schwester war. »Wir werden Sie nach hinten setzen, Mr. Sanford. An einen ruhigen Tisch.«

»Ist Mr. Hearst schon da?«

»Nein, Sir. Aber der Abend ist ja noch jung.«

Die Geschwister saßen einander an einem Ecktisch gegenüber. Der Raum war zu warm, es roch nach Roastbeef und Zigarren.

»Der Chef wird dir gefallen. Glaube ich jedenfalls.«

»Mrs. Astor . . .«

»Oh, solche Leute hassen ihn. Er macht nämlich alles auf seine Weise. Und das ist ihnen zutiefst verhaßt, verstehst du. Dabei können sie's irgendwie gar nicht glauben. Ebensowenig wie die Brooklyn Bridge . . .« Der Oberkellner erschien, um die Bestellungen fürs Supper entgegenzunehmen. Caroline konnte von den Austern in New York einfach nicht genug bekommen, während sie die – angeblich delikateren – französischen überhaupt nicht mochte. Der Atlantik war hier kälter als »drüben«; was irgend jemand als Erklärung angeführt hatte. Aber wie dem auch sein mochte, sie schlang die Austern geradezu in sich hinein.

»Was ist mit der Brooklyn Bridge?« Gefügig hatte sich Caroline bislang in Blaise' Zögern geschickt, er schien in einer entsprechenden Stimmung zu sein. Sie ihrerseits fragte sich, beiläufig, müßig fast, was für ein Mensch er denn eigentlich sei. Gewiß, ihrem Cousin Apgar Sanford gegenüber hatte sie ihren Bruder, oder Halbbruder, analysiert, hatte nachdrücklich von seinem Ehrgeiz gesprochen, doch jetzt wurde ihr bewußt, wie wenig sie ihn kannte, diesen jungen, hellblonden Mann mit den scharfen Gesichtszügen, der ihr gegenübersaß. Sie waren zu oft voneinander getrennt gewesen. Was wußte sie schon über ihn? War er – beispielsweise – verliebt? Oder war er das, was man in Mrs. Astors Kreis einen Freigeist, wenn nicht gar einen Wüstling nannte? Oder war er einfach nur an sich selbst interessiert, gleichsam im Bann seiner eigenen Energie, so wie sie selbst im Bann der ihren?

Blaise erzählte ihr von der Brooklyn Bridge. »Der Chef befand, daß nach all dem Getöse um die Brücke – du weißt schon, die ›größte‹ und die ›beste‹ und so weiter –, also daß die Brücke kurz vorm Einstürzen war. So brachten wir eine Serie darüber, *wie* sie zusammenstürzen würde. Prächtiges Zeug. Bloß, daß mit der Brücke absolut alles in Ordnung war. Als die Leute das herausfanden, waren sie auf den Chef dermaßen wütend, daß er, auf der Titelseite, die Story ganz groß herausbrachte und sagte, jetzt endlich, dank dem Journal, sei die Brücke sicher! Das war eine großartige Serie!«

»Macht es . . .«, Caroline hatte »dir« sagen wollen, doch taktvollerweise fuhr sie fort: » . . . ihm nichts aus, daß diese Dinge unwahr sind?«

Blaise zuckte die Achseln; und sah, für Sekundenbruchteile, französisch aus. »Ist doch bloß wegen der Auflage. Interessiert keinen weiter. Gibt immer 'ne neue Story, gleich morgen. Auf jeden Fall sorgt er dafür, daß was passiert.«

»Du meinst, daß etwas zu passieren scheint.«

»Das kommt hier ganz aufs selbe raus. Das ist nicht so wie anderswo. Übrigens – wo ist Del?«

»In New Hampshire, glaube ich.«

»Magst du ihn?« Wieder der eindringlich forschende Blick aus blauen Augen.

»Magst du ihn denn?« fragte Caroline neugierig zurück.

»Ja. Er ist sehr . . . altmodisch, glaube ich. Wird er arbeiten, oder wird er bloß so ein Leben als Clubmensch führen?«

»Oh, er wird wohl arbeiten. Er spricht von Jura. Er spricht vom diplomatischen Dienst.«

»Na, da ist er fein heraus. Der alte Hay sitzt ja wieder oben.«

»Dem alten Hay geht's nicht sehr gut, glaube ich. Ich fand sie nett, die alten Leute, in diesem Sommer.«

»Ich kann alte Leute nicht ausstehen.« Blaise runzelte die Stirn. »Die spielen sich immer so auf, als nähmen sie einen unter die Lupe.«

»Ich glaube, die bemerken uns gar nicht weiter.«

»Oh, doch, das tun sie! Zumindest vom Chef nehmen sie sehr wohl Notiz. Der einzige alte Mensch, den er kennt, ist seine Mutter, und die ist ganz patent, für eine alte Lady.«

»Ich wußte gar nicht, daß du eine solche Phobie entwickelt hast gegen . . . alte Leute.«

»Das liegt an New York!« grinste Blaise. »Es ist der einzige Ort, an dem sich's jung sein läßt.«

»Nun, ich werd's an nichts fehlen lassen«, sagte Caroline – und war jetzt bereit, das heikle Thema zur Sprache zu bringen. Doch in diesem Augenblick näherte sich ausgerechnet jener Mensch dem Tisch, der als einziger in ganz New York am besten niemals von privaten Zwistigkeiten der beiden Geschwister erfuhr. Es handelte sich um den berüchtigten Colonel William D'Alton Mann. Rotgesichtig, weißbärtig – und also ältlich und für Blaise gänzlich unakzeptabel –, legte der Colonel, der im Bürgerkrieg tatsächlich Oberst gewesen war, feinste Vorkriegsmanieren an den Tag und wirkte wie die verkörperte Höflichkeit, was nichts daran änderte, daß er in ganz New York als der erfolgreichste Erpresser der Stadt galt. Er gab die unwiderstehliche Wochenzeitschrift Town Topics heraus, in der er als der »Saunterer« – der Bummler oder Müßiggänger – seine Leser mit Insiderinformationen über die dunkle Seite der feinen Gesellschaft versorgte. Der Saunterer gab sich den Anschein, er sei nicht nur darauf erpicht, über die Reichen und die Mächtigen vernichtende Wahrheiten zu veröffentlichen, sondern auch raffinierte Verleumdungen. Das jedoch geschah weitgehend dem Effekt zuliebe. In Wirklichkeit pflegte er allzu vernichtende Wahrheiten und allzu raffinierte Verleumdungen zunächst dem betreffenden Opfer zur Kenntnis zu bringen, welches dann die Möglichkeit hatte, sich den Colonel geneigt zu machen, für gewöhnlich durch ein sogenanntes Darlehen oder dergleichen. Tatsachen oder Verleumdungen kleineren Formats blieben ein Jahr lang in Town Topics unveröffentlicht gegen ein Entgelt von fünfzehnhundert Dollar, dem offiziellen Preis für Colonel Manns luxuriösen Jahresband über die »Fads and Fancies of Representative Americans«. Caroline war entzückt, einen Schurken von solchem Format kennenzulernen. Blaise war alles andere als erbaut.

»Mein lieber Junge«, sagte der Colonel, während er unaufgefordert auf einem Stuhl neben Caroline Platz nahm. »Ich ergötze mich an dem, was der Chef mit dem Kriegsminister macht. Mr. Alger ist in der Tat ein Mörder, genau wie der Chef behauptet, bringt amerikanische Soldaten mit vergiftetem Fleisch um, so wie sie's mit uns getrieben haben, die wir im Krieg zwischen den Staaten kämpften. Richten Sie ihm mein aufrichtiges Kompliment aus. Er ist das Beste, was dem Journalismus passiert ist seit . . .«

»Seit Sie Town Topics wiederbelebt haben«, sagte Caroline, um zu zeigen, daß sie *up-to-date* war. Zu ihrem Vergnügen nahm das rote Gesicht des Colonels am Rand des schneeweißen Backenbartes eine violette Tönung an.

Colonel Mann war ganz Honig. »Welche Seltenheit, eine junge Dame zu finden, die einen Sinn hat für – nun, Courage ist wohl das Wort.«

»*Das* Wort«, sagte Caroline. »Ich kann von Ihrem Blatt gar nicht genug bekommen, und ich verstehe nicht, weshalb sich so viele Menschen beunruhigen wegen Ihrer . . . Bummeleien«, schmeichelte sie.

»Ich bin mitunter . . .«, der Colonel gab sich kritisch und selbstkritisch zugleich, » . . . unfreundlich, ja unfair, das räume ich ein. An Mrs. Astor, beispielsweise, ist irgend etwas, das mich stört, vielleicht weil wir alle gute Demokraten sind, nicht wahr? Nun, allein die Juwelen, die sie an einem Abend trägt, würden genügen, um die tausend Mietskasernen zu renovieren, aus denen die Astors das Kapital für eben diese Juwelen geschlagen haben.«

»Der Colonel ist Sozialist geworden.« Blaise hatte noch nicht gelernt, gesellschaftlich Abscheu in faszinierte Verzückung zu verwandeln. Caroline ihrerseits war bei Mlle. Souvestre in eine wirklich gute Schule gegangen.

»Nein, mein Junge. Ich habe bei der Wahl nur so gestimmt, wie mir's das Journal gesagt hat – für Bryan.« Er entnahm einer Silberdose eine Prise Schnupftabak. »Habe ich Ihre Erlaubnis, Miss Sanford?«

»Natürlich! Wie reizend, sich zu kennen, ohne einander vorgestellt worden zu sein. In Versailles muß es wohl auch so zugegangen sein wie im . . . Rector's.«

»Gott«, sagte Blaise zu den Austern, die gerade eingetroffen waren.

»Sie werden hier leben, hoffe ich?«

Caroline nickte. »Es ist die Stadt der Zukunft – und also perfekt für jemanden wie mich, die ich keine Vergangenheit habe, wie es ja niemand besser weiß als Sie.«

»Oh, der Saunterer ist gar kein solches Ungeheuer. Glauben Sie mir. Aber Sie müssen sich Ihrem Supper widmen.« Er erhob sich, indes der Champagner kam, ein Geschenk von Mr. Rector. »Mr. Houghteling sagt mir, alles gehe jetzt gut und glatt, was natürlich . . .«, er breitete die Hände, wie um das Geschwisterpaar zu umarmen, » . . . sogar für meine Saunterer-Augen sonnenklar ist!« Colonel Mann bewegte sich weiter zur Männer-Bar.

»Er ist ein Ungeheuer. Wie kannst du so zu ihm reden?«

»Ungeheuer faszinieren mich. Wie findet er so Sachen heraus? Du weißt schon, dunkle Geheimnisse?«

Blaise toastete der Luft zu; und trank. Caroline begnügte sich mit einem Schlückchen: Dies war nicht die Zeit, unachtsam zu sein. »Meistens schmiert er Bedienstete und bezahlt Leute wie Harry Lehr dafür, daß sie ihm den letzten Klatsch zutragen. Es heißt, er habe einen ganzen Tresor voller Dreck über sämtliche berühmten Leute der Stadt.«

»Brich dort ein!«

»Was!?« Blaise starrte sie entgeistert an.

»Na, wäre das nicht ein Coup für den Chef? Den Inhalt von Colonel Manns Tresor zu veröffentlichen?«

»Wenn er das täte, würde man ihn wohl tatsächlich aus der Stadt jagen.« Und wie auf ein Stichwort erschien der Chef persönlich, mit zwei jungen Mädchen; alle drei in Abendkleidung. Blaise machte Caroline mit Mr. Hearst und den beiden Misses Willson bekannt. Hearsts Anwesenheit im Rector's verursachte beträchtliche Aufregung. Bewunderer schüttelten ihm die Hand, Verächter kehrten ihm den Rücken. Der Chef musterte Caroline eingehend, und als das Orchester dann, diesmal zu Hearsts Ehren, »There'll be a Hot Time in the Old Town Tonight« zu spielen begann, sagte er mit sonderbar dünner Stimme: »Würden Sie gern sehen, wie ich das Journal zu Bett bringe?«

»Ich dachte, das Journal schläft nie . . .«

»Man nennt das so, wenn man die Titelseite endgültig umbricht, bevor die Zeitung in Druck geht«, erklärte Blaise etwas lehrerhaft.

»Kommen Sie«, sagte der Chef mit Nachdruck. Die beiden Misses Willson fuhren fort, unisono zu lächeln. Hearst nahm überaus höflich Carolines Arm. »Miss Sanford«, sagte er. Sie blickte zu ihm hoch; er war ein sehr hochgewachsener Mensch. Caroline lächelte und verstand jetzt, warum ihr Bruder Hearst so aufregend fand: Er war einer jener seltenen Menschen, die, wie Mlle. Souvestre gesagt haben würde, das Wetter machten.

Ein gefährlicher alter Fahrstuhl, von einem uralten Neger bedient, brachte sie zur ersten Etage des Tribune Building, wo noch mehrere Männer in einem langen, nach Druckerschwärze riechenden Raum bei der Arbeit waren, der etwas von einer Pferdestallung an sich hatte, nur daß man statt Zaumzeug an den Wänden und Sätteln auf Sägeböcken lange Korrekturbögen, Zeichnungen und Fotos sah. Die Glühbirnen, die an dünnen Kabeln von der Decke hingen, begannen im Gleichtakt zu schwanken, wenn ein schwerer Wagen die Park Lane entlangfuhr. Willis Abbott, der Chefredakteur, brütete angestrengt über einem Entwurf der Titelseite, deren Hauptschlagzeile dem Leser verriet, daß Präsident McKinley in St. Louis eine wichtige Rede über die Philippinen halten werde.

»Oh, nein«, sagte Hearst sanft. »Es sei denn, wir können ihnen etwas sagen, das sie noch nicht wissen – etwa, daß er die gesamten Inseln annektieren oder Manila niederbrennen wird . . .«

»A Hot Time in the Old Town Tonight«, erklang es plötzlich, ungerufen, in Carolines Kopf. Belustigt und beeindruckt zugleich beobachtete sie, wie Hearst eine Anzahl von Papierstreifen mit Text sowie Rechtecke mit Illustrationen auf den Fußboden legte, niederkniete und, wie ein Kind, das sich glücklich in ein Puzzle vertieft, die Neuigkeiten des nächsten Tages zu – und dies ist das einzig treffende Wort – kreieren begann. Nur, es waren keine Neuigkeiten oder Nachrichten. Das war Unterhaltung für die Masse. Ein Mord, zuerst ganz unten auf der Seite, rückte unvermeidlich höher und höher. Eine Zeichnung von der Ermordeten, idealisiert zu madonnengleicher Reinheit, fand ihren Weg ins Zentrum, indes der Präsident nach ganz unten sank und ein Statement von Außenminister Hay auf die dritte Seite verbannt wurde. Während dieser Prozedur übten die Willson-Girls einen neuen Tanzschritt am anderen Ende des Raums, wo eine große Zeichnung des Yellow Kid hing: die Erfindung eines Cartoonisten für die World. Hearst hatte Yellow Kid samt seinem Schöpfer der World abspenstig gemacht, sehr zum Kummer von Mr. Pulitzer, der einen neuen Schöpfer von Yellow Kids engagieren mußte, und diese Yellow Kids waren es dann, die der Massenpresse die Bezeichnung Yellow Press eintrugen.

»Der Chef ist phantastisch«, flüsterte Blaise Caroline zu. »Er gleicht einem Maler.«

»Aber kommt Mord denn *immer* an erster Stelle?« fragte Caroline leise; doch Hearst, jetzt auf allen vieren, hatte sie dennoch verstanden. »Vergewaltigung ist besser«, sagte er, »wenn Sie mir das Wort nachsehen wollen.«

Die Willson-Girls kreischten entzückt. Hearst nahm von einem seiner Leute die Vergrößerung der Schlagzeile entgegen: »Ermordete aufgefunden!« Er plazierte sie über dem Madonnengesicht. »Auch gegen ein schönes Feuer haben wir nichts.«

»So wenig wie gegen einen schönen Krieg«, ergänzte Mr. Abbott pflichtbewußt.

»Sieh dort«, sagte Blaise. An der gegenüberliegenden Wand prangte, unter einer amerikanischen Fahne, die Riesenschlagzeile: »Journals Krieg gewonnen!«

»*Ihr* Krieg, Mr. Hearst?«

»Zu einem guten Teil, Miss Sanford. McKinley und Hanna waren nicht bereit zu kämpfen. Also brachten wir den Krieg in Schwung, so daß sie's mußten . . .« Hearst hockte auf seinen Fersen, eine stumpfblonde Haarsträhne hing ihm ins Auge. »Mr. Abbott, ist die Ermordete nicht nackt aufgefunden worden?«

»Eigentlich nicht, Chef. Sie hatte ein Baumwollkleid an . . .«

»Nun, machen Sie daraus einen Unterrock . . . einen *zerrissenen* Unterrock.« Hearst lächelte zu Caroline hinauf. »Hoffentlich schockiert Sie das alles nicht.«

»Nein. Blaise hat mich vorbereitet.«

»Blaise hat eine echte Begabung hierfür.« Jetzt machte sich Hearst an die zweite Seite, wobei er fortwährend mit Abbott sprach, von dem er hauptsächlich Bilder und große Schlagzeilen haben wollte. Schließlich sagte er: »Wir geben diesem Gecken, diesem Roosevelt, viel zuviel Platz. Nicht vergessen. Wir sind für Van Wyck. Und für eine intakte Regierung und all das.«

»Sie meinen Tammany, die korrupte Parteimaschine, Chef?« Abbott lächelte.

»Platt ist allemal besser als Tammany. Aber Van Wyck ist *unser* Halunke. Roosevelt *ihrer.* Doch eines Tages werden wir diese Stadt säubern.«

»Reformen?« fragte Caroline, die der Theorie nach wußte, was das Wort bedeutete; und die auch wußte, was es in Sachen New Yorker Politik bedeutete; die aber überhaupt nicht wußte, was Hearst darunter verstand.

»Ja, Miss Sanford. Und auch das ganze Land. Bryan ist kein Hoffnungsträger. McKinley ist nur das Aushängeschild für den alten Geldsack Hanna.« Hearst stand auf. Auf dem Fußboden – sein Meisterwerk: die Titelseite der nächsten Morgenausgabe des New York Journal. »Wir brauchen also jemanden, der neu ist, sauber.«

»Es *heißt* doch, Roosevelt sei genau das.« Blaise blieb auf der Hut.

»Er ist Platts Kandidat. Und wie könnte man Platt reformieren? Doch er wird sowieso verlieren. Mr. Abbott.« Hearst wandte sich seinem Chefredakteur zu, als dieser, eine müde und erschöpfte Gestalt, das komplexe Mosaik der Titelseite dem Drucker reichte.

»Ja, Chef.«

»Ich habe gerade über unseren nächsten Präsidenten entschieden.« Sogar die Willson-Girls hörten auf zu tanzen, als sie das hörten. Alle sahen sehr ernst aus; selbst Caroline war beeindruckt.

»Ja, Chef?« Mr. Abbott wirkte eher gelassen. »Und wer . . .?«

»Admiral Dewey. Held von Manila. ›Sie dürfen feuern, wenn Sie bereit sind, Gridley.‹ Das ist so gut wie: ›Erst schießen, wenn Sie das Weiße in ihren Augen sehen.‹«

»Aber hat Admiral Dewey sie tatsächlich geäußert – diese inspirierenden Worte?« Caroline war gefangen in die Erregung des Spiels: Geschichte erfinden – von der Schaffung eines Präsidenten ganz zu schweigen.

»Nun, wir haben gesagt, daß er's gesagt hat, und wahrscheinlich hat er irgend etwas Ähnliches gesagt. Zumindest hat er es nicht dementiert, und darauf kommt es an. Im übrigen hat er die Spanier geschlagen und uns Manila verschafft. Kennen Sie ihn?« Obwohl Hearst Caroline anblickte, galt die Frage Abbott.

»Nein, Chef. Aber wir könnten ihm sicher schreiben oder telegrafieren und ihn fragen . . .«

»Nichts Schriftliches!« sagte Hearst. »Schicken Sie jemanden nach Manila, der ihm auf den Zahn fühlt. Ist er einverstanden, werden wir ihn nominieren, damit er gegen McKinley antritt.«

»Ist der Admiral ein Demokrat?«

»Wen interessiert das? Ihn selbst gewiß nicht.«

»Aber«, fragte Caroline, »will er denn überhaupt Präsident werden?«

»Oh, das will hier schließlich jeder. Deshalb nennen wir uns doch eine Demokratie. Tatsache ist, daß es auch fast jeder zum Präsidenten bringen kann, zumal wenn ihn das Journal richtig unterstützt.«

»Auch Sie?« Caroline war kühn; zu Blaise' offenkundigem Mißbehagen.

Doch Hearst blieb freundlich. »Mögen Sie Weber und Fields?«

»Die Schuhmacher?« Caroline hatte die Namen schon irgendwo gehört. »In der Bond Street?«

Die Willson-Girls kicherten in harmonischem Unisono. »Nein. Komiker. Im Vaudeville. Ich kann nicht genug von ihnen bekommen. Wir müssen Ihre Schwester mal mitnehmen«, sagte Hearst zu Blaise; dann, zu Caroline: »Hören Sie zu. Weber und Fields sind in so einem hochfeudalen französischen Restaurant, und nach dem Dinner kommt der Ober, und der Ober fragt Weber, ob er eine *demi-tasse* möchte, und Weber sagt ja. Dann fragt der Ober Fields, ob er auch eine *demi-tasse* möchte, und Fields sagt: ›Ja.‹« An dieser Stelle begann Hearst zu lachen. »Ja, ich möchte auch eine *demi-tasse*, und . . .«, Hearst schüttelte sich jetzt vor Gelächter, indes sich die Willson-Girls kichernd aneinanderklammerten, ». . . und außerdem hätte ich gern eine Tasse Kaffee.« Das Büro hallte vor Gelächter wider; und Caroline begriff, daß ihre Frage in dramatischer Form beantwortet worden war.

Blaise fuhr sie zum Waldorf-Astoria; begleitete sie in ihre Suite, wo ihn die alte Marguerite, im Nachtgewand, mit einem Schwall von Französisch begrüßte. »Sie will kein Englisch lernen«, sagte Caroline und holte dann eine frische Flasche Brandy, die er öffnete. Während er für Caroline und sich selbst einschenkte, pries Marguerite in einer langen Tirade die Schönheiten und Vorzüge von Saint-Cloud-le-Duc im Kontrast zu den Schrecken von New York; dann ging sie zu Bett.

In dem Louis-seize-Salon waren sämtliche Vasen mit Chrysanthemen gefüllt, trotz Marguerites jammervoller Proteste und Bitten, die Blumen fortzuschaffen, da doch, wie die zivilisierte Welt weiß, Chrysanthemen einzig zum Gedenken der Toten taugen. Caroline hatte zu ihr gesagt, sie solle nicht so abergläubisch sein; doch sie fühlte sich selbst ein wenig beunruhigt durch all die *memento mori*. Dennoch ließ sie die gelben und bronzefarbenen Chrysanthemen dort, wo sie waren: als Beweis für ihren neuen, unabergläubischen Amerikanismus.

»Gefällt dir der Chef?« Blaise nippte an seinem Cognac. Caroline schenkte sich ein Vichy-Wasser ein.

»Ich glaube nicht, daß es mir jemals leichtfallen wird, ihn zu mögen. Aber es ist zweifellos faszinierend, ihn zu beobachten – und ihm zuzuhören. Ist er wirklich so mächtig?«

Blaise nickte. »Er kann tatsächlich jemanden zum Präsidenten machen.«

»Er sagte nicht, *jemanden*. Er sagte, *jeden*.«

»Nun, manchmal übertreibt er.«

Caroline lachte. »Manchmal? Mir scheint, daß *da* seine Macht liegt. Er übertreibt immer.«

»Das verkauft Zeitungen.«

»Und das ist das einzige, was ihn interessiert?«

Doch Blaise ließ sich nicht in gefährliches Gewässer locken. »Als Verleger ja. Das ist es, was ich sein möchte.«

»Zusammen mit Mr. Hearst?«

»Nein. Ich möchte mein eigener Mr. Hearst sein.«

»Davon weiß er aber noch nichts, oder?«

»Wer kann das schon sagen?« Blaise setzte sein bestes Jungenlächeln auf; es wirkte tatsächlich noch sehr jungenhaft, auch wenn Caroline natürlich wußte, wieviel Erwachsenenkalkül darin lag. Charme war Blaise' wirksamste Waffe. Charme war Carolines verletzlichster Schutz.

»Nun – die Art, wie er dich behandelt. Allen anderen gegenüber ist er sehr *grand seigneur.* Er ist höflich, so wie wir es zu Bediensteten sind. Dich hingegen behandelt er als einen Ebenbürtigen, was zweifellos bedeutet, daß er von dir erwartet, daß du Geld, vielleicht dein ganzes Geld, in seine Zeitungen investierst.« Caroline hatte gar nicht so direkt auf ihr Ziel, das Testament, zusteuern wollen; doch vertraute sie, was Hearsts Einstellung zu Blaise betraf, ihrem Instinkt.

Blaise verzog mürrisch das Gesicht; gar nicht jungenhaft; eher seinem Vater ähnelnd, wenn dieser sich, am Kartentisch, zu erinnern versuchte, wie hoch eigentlich gereizt worden war. »Ich stehe nicht im Begriff«, sagte er schließlich, »eine solche Investition zu machen.«

»Aber du hast zugelassen, daß er das glaubt.« Caroline verstand Blaise. Nur, fragte sie sich, und gewiß nicht zum erstenmal, verstand er auch sie? »Das könnte gefährlich sein bei einem so – ungewöhnlichen Mann.«

»Vater hat siebenundzwanzig gemeint.« Blaise schlug hart zu. »Mr. Houghteling muß es wissen. Er war sein Anwalt. Er sagt, an der Absicht gebe es keinen Zweifel.«

Caroline saß sehr steif. Hinter Blaise' Kopf befand sich ein Meer bronzefarbener Chrysanthemen, arrangiert wie für ein Begräbnis.

Ein Omen? Und falls ja, für sein Begräbnis oder für ihr eigenes? »Es war für dich ein glücklicher Zufall, daß Vater sozusagen die Feder ausgerutscht ist. Wir wissen aber doch beide, was er wollte. Was mich interessiert, ist: Was willst du eigentlich? Weshalb bist du so versessen auf meinen Anteil am Vermögen? Es ist doch gewiß genug für uns beide da.«

»Nein, ist es nicht. Nicht für das, was ich vorhabe.« Blaise sah sie ausdruckslos an.

»Eine Zeitung auf die Beine stellen?«

Blaise nickte. »Im Moment lerne ich noch, wie's gemacht wird. Aber wenn ich soweit bin, werde ich eine eigene gründen oder eine kaufen. Vielleicht hier . . .«

Caroline konnte ein Lächeln nicht unterdrücken. »In Konkurrenz mit Mr. Hearst?«

»Warum nicht? Er würde es verstehen.«

»Ganz gewiß würde er es verstehen! Er würde verstehen, daß du ihn verraten hast. Er würde auch verstehen, daß er dich als Konkurrenten zerquetschen müßte, so wie er Mr. Pulitzer zerquetscht zu haben scheint.«

»Die World behauptet sich doch. Allerdings ist Mr. Pulitzer nicht mehr die Nummer eins.«

»Dann könnte es also Hearst, Pulitzer und Sanford geben?«

»Ja«, sagte Blaise; und das war alles.

Caroline war beeindruckt; und entsetzt. »Du wirst die gesamte Erbschaft verlieren.«

»Nein«, sagte Blaise; und das war alles.

»Verlieren oder gewinnen, sechs Jahre lang kannst du mein Kapital benutzen. Und was geschieht dann?«

»Laut Mr. Houghteling . . .«, Blaise wog jedes Wort, » . . . wirst du die Summe erben, die zum Zeitpunkt der Testamentsbestätigung die Hälfte des Vermögens darstellte.«

Caroline begann ihren Weg durch das Labyrinth zu sehen; aber nicht als Opfer, sondern als Minotaurus. »Solltest du meinen Anteil am Vermögen verdoppeln, so behältst du die Hälfte?«

»Das wäre wohl nur fair. Ich werde es verdoppelt haben, nicht du.«

»Und falls du verlierst . . .«

»Ich werde nicht verlieren.«

»Nur angenommen, du verlierst, was bekomme ich dann?«

Blaise zeigte ein strahlendes Lächeln: »Die Hälfte von nichts.«

»Ich verliere also alles, wenn du Pech hast, und gewinne nichts, wenn du Glück hast.«

»Während der nächsten sechs Jahre wirst du jährlich dreißigtausend Dollar erhalten. Davon kannst du hier sehr anständig leben. Auf Saint-Cloud allerdings noch viel besser.«

Vor Carolines Augen begann sich ein Weg abzuzeichnen – zum Schatz. Noch war sie nicht in genügendem Maße New Yorker Raubtier, um zum Dinner lebendiges Fleisch zu verlangen. Sie hatte damit angefangen, das zu wollen, was ihr tatsächlich zustand. Doch mittlerweile war sie soweit, auch seinen Anteil vereinnahmen zu wollen. Obwohl die Familiengeschichte sie immer gelangweilt hatte, war sie von gewissen kryptischen Anmerkungen ihres Vaters dennoch fasziniert gewesen: daß nämlich Charles Schermerhorn Schuyler, ihr Großvater, ein unehelicher Sohn Aaron Burrs gewesen sei. An Mlle. Souvestres Schule hatte sie glücklicherweise eine Geschichtslehrerin gehabt, die, anders als die übrigen, amerikanische Geschichte nicht verabscheute. Gemeinsam hatten sie alles Verfügbare – es war wenig genug – über Carolines Urgroßvater gelesen, der mehr ein Künstler als ein Schurke gewesen zu sein schien, mehr Lord Chesterfield als Machiavelli; und natürlich war Burr *ihr* Vorfahre, mütterlicherseits, und nicht der von Blaise, was für sie von Vorteil sein mochte, falls es mit den Erbschaftsgesetzen, die eher als Ungereimtheiten zu bezeichnen waren, irgendwelche Probleme gab. Burr war knapp um die Präsidentschaft betrogen worden; weniger knapp, um es so zu sagen, um die Krone von Mexiko; hatte lange genug gelebt, um zu sehen, wie ein anderer unehelicher Sohn von ihm – sofern die Gerüchte stimmten – Präsident geworden war. Man hatte Burr einen Verräter genannt, doch in Wahrheit war er etwas weit Schlimmeres und für diese Welt weit Gefährlicheres gewesen: ein Träumer. Wegen dieses sublimen subversiven Zuges hatte er Caroline bezaubert. Und als sie entdeckte, daß Aaron Burr sein einziges eheliches Kind, eine Tochter, wie einen Sohn behandelte, hatte Caroline sich geschworen, in Amerika zu Burrs Urenkel*sohn* zu werden und, in möglichst weitgesteckten Dimensionen, das zu erleben und auszuleben, was ihr feinsinniger Vorfahre sich als wahre Zivilisation mit ihm selbst als Zentrum erträumt hatte, ob nun in der provinziellen Hauptstadt Washington oder, noch bizarrer, in Mexiko. Doch hatte auch Burr, der Mann, nach dem höchsten Amt, ja sogar nach einer Krone gestrebt, so war sein selbsternannter Urenkelsohn völlig unverkennbar eine Frau; was es für Caroline in einer Nation, wo ausschließlich männliche Wesen die »sichtbaren« Posten okkupierten, unmöglich machte, eines jener hohen Ämter zu erreichen. Doch gab es weit Besseres als bloße Ämter, und eben davon hatte sie an jenem Abend in der ersten Etage des Tribune Building in der Park Lane einen Blick erhascht; das war, ganz einfach, die wahre Macht. Mochte an diesem primitiven Ort, wo heute noch weniger Zivilisation herrschte als zu Burrs Zeiten, auch letztlich das Geld die Macht begründen, so hatte doch das, was Caroline an diesem Abend von Hearst gesehen und gehört hatte, sie davon überzeugt, daß nicht wirklich der die Geschichte bestimmte, der im Weißen Haus präsidierte oder, auf einem Thron sitzend, ein Parlament eröffnete, sondern daß die wahre Macht darin lag, die Welt wiederzuerschaffen – oder sie zumindest neu zu erfinden – für alle und jeden, um ihnen die Träume zu geben, die man sie träumen lassen wollte. Caroline bezweifelte, daß Blaise als Erbe der prosaischen Delacroix, jedoch nicht des Erz-Träumers Aaron Burr, dies begriff. Er sah nur, daß da ein aufregendes Spiel zu spielen war – mit Geld und der Illusion von Macht als Belohnung. Im Unterschied dazu sah Caroline sich als Schöpferin einer Welt, die ganz und gar ihr gehören würde, da sie, genau wie Hearst, auch sämtliche Darsteller wiedererfinden würde, ihnen ihren Dialog gebend und sie hin und her rückend, in Kriege hinein, aus Kriegen heraus. *Vergeßt nie die Maine! – Cuba Libre – Rough Riders – Yellow Kids* . . . Oh, sie würde all das übertrumpfen können! Sie konnte eine Zeitung dazu benutzen, die Welt zu verändern. Vor lauter möglicher Macht wurde ihr schwindlig. Doch als erstes mußte sie sich ihre Erbschaft sichern. Sie erhob sich. Auch Blaise stand auf.

»Ich nehme an«, sagte sie, »daß wir uns bald vor Gericht wiedersehen werden.«

Blaise zwinkerte heftig. »Du hast keine Handhabe für einen Prozeß.«

»Ich werde dich beschuldigen, das Testament abgeändert zu haben.«

»Habe ich aber nicht.«

»Das weiß ich. Aber die Anschuldigung wird immer an dir haften bleiben, dein Leben lang. Mr. Hearst kann es sich leisten, nicht respektabel zu sein. Du nicht.«

»Du kannst nichts beweisen. Und ich werde trotzdem gewinnen.«

»Ich wäre da nicht so sicher. Und vergiß nie ...« *Vergeßt nie die Maine!* Hatte Aaron Burr je eine so hinreißende Vision gehabt? »... ich werde alles unternehmen, um das zu bekommen, was mir zusteht.«

»Also gut.« Blaise wandte sich zum Gehen. »Dann sehen wir uns vor Gericht.« Er öffnete die Tür. »Hast du eine Vorstellung davon, was Prozesse hier kosten?«

»Ich war so frei, die vier Poussins aus Saint-Cloud mitzunehmen. Sie befinden sich jetzt in London, bei einem Kunsthändler. Er meint, sie müßten phantastische Preise bringen.«

»Du hast meine Bilder *gestohlen*?« Blaise war weiß vor Wut.

»Ich habe meine Bilder *mitgenommen*. Wenn wir das Vermögen zu gleichen Hälften teilen, werde ich dir die Hälfte aus dem Verkaufserlös auszahlen. Inzwischen werde ich Gelegenheit haben, eine Menge wunderbares amerikanisches Gesetz zu kaufen.«

»Comme tu es affreuse!«

»Comme toi-même!«

Blaise knallte die Tür hinter sich zu. Caroline blieb in der Mitte des Zimmers stehen und lächelte höflich und sang, ziemlich laut – und selbst über all das verwundert – Vers nach Vers von: »There'll be a Hot Time in the Old Town Tonight.«

2

Die Bronzebüsten von Henry James und William Dean Howell starrten ins Leere, genau wie das irdische Haupt von Henry Adams, der beim Kamin saß. Diesmal war John Hay der Gastgeber seines Freundes und Nachbarn, und von seinem Lehnstuhl her betrachtete er die drei mit einem Vergnügen, das er selbst als »ältlich« klassifizierte. Jeder der drei Köpfe gehörte einem Freund. Wenn auch möglicherweise wegen nichts anderem, so hatte er doch, was Freundschaften betraf, allen Grund, mit sich zufrieden zu sein. Obschon kein Literat vom Range eines James oder Howell und auch kein Historiker gleich Adams, fühlte er sich durch diese Männer über seine natürlichen Talente hinaus in seinen Möglichkeiten bereichert. Drehte er sich auf seinem Stuhl herum, so konnte er Lincolns Bronzegesicht betrachten, für eine Maske erstaunlich lebensecht. Doch Hay blickte nur selten in dieses Gesicht, das er einmal weit besser gekannt hatte als sein eigenes. Während der Jahre, da er und Nicolay ihre enzyklopädische Biographie des Präsidenten geschrieben hatten, war Hay zu seiner Verblüffung bewußt geworden, daß sich all seine eigenen, unmittelbaren Erinnerungen an Lincoln völlig verloren. Die Million Wörter, die aus ihren Federn geflossen waren, hatten Hays persönliche Erinnerungen ausgelöscht. Wurde er jetzt über den Präsidenten befragt, so konnte er sich nur an das erinnern, was sie über jenen so sonderbaren und erstaunlichen Mann geschrieben hatten – unzulängliche Versuche, der Wahrheit gerecht zu werden. Hay und Adams sprachen oft darüber, ob Memoiren nicht die gleiche Wirkung hatten, nämlich ein allmähliches Sich-selbst-Auslöschen des Memoirenschreibers, Stück für Stück, durch Wörter. Adams hielt das für ideal; Hay nicht. Er mochte seine eigene Vergangenheit, symbolisiert durch die beiden Büsten, die Maske. Er hatte, selbst in melancholischen oder hypochondrischen Stimmungslagen, stets daran geglaubt, daß er seinen letzten Lebensabschnitt komfortabel verbringen würde, mit einer Überfülle von Erinnerungen, in einem Stuhl vor seinem Kamin, an einem Februarabend im letzten Jahr des 19. Jahrhunderts, in der Gesellschaft eines Freundes, der noch von Fleisch und Blut war, nicht Büste oder Maske. Natürlich hatte er nicht damit gerechnet, am Ende seines Weges Außenminister zu sein, doch er stieß sich nicht länger an der langweiligen Routine, die ihm ohnehin Adee abnahm, oder an den Gefechten mit dem Senat, welche Senator Lodge für ihn führen durfte, mit beträchtlicher Hilfe von Henry Adams, Lodges altem Harvard-Professor.

Jetzt warteten die alten Freunde auf Mrs. Hay sowie die Dinnergäste und die »Shrimps«, wie Hay seine Kinder nannte: zwei der vier lebten noch daheim. Alice und Helen engagierten sich stark im gesellschaftlichen Leben der Hauptstadt. Clarence ging, fern von

Washington, zur Schule, Del befand sich in New York und studierte möglicherweise Jura. Hay hatte nie Probleme gehabt, mit seinem Vater zu sprechen; Gespräche mit seinem ältesten Sohn hingegen fielen ihm sehr schwer. Zwischen den beiden hatte sich keine wirkliche Sympathie entwickelt. Hay, genau wie Lincoln, war ein Junge vom Land gewesen, der über nichts weiter verfügt hatte als die eigene Intelligenz – und ein oder zwei Verbindungen; Del hingegen, genau wie Lincolns Sohn Robert, war mit einem goldenen oder doch silbernen Löffel im Mund geboren worden. Und auch Lincoln hatte zu seinem Sohn kein besonders gutes Verhältnis gehabt.

»Wird Del die junge Sanford heiraten?« Wie so oft schien sich Adams direkt in Hays Denkprozeß einzuschalten.

»Ich habe gerade an Del gedacht, aber das hast du ja wohl wieder einmal gewußt mit deinen übersinnlichen Kräften. Doch um auf deine Frage zu antworten: Ich weiß es nicht. Er vertraut sich mir ja nicht an. Ich weiß nur, daß er sich in New York mit ihr trifft, wo sie sich den Winter über aufhalten wird.«

»Sie ist ungewöhnlich klug«, sagte Adams. »Von all den jungen Mädchen, die ich kenne . . .«

»Die Brigade von Mädchen . . .«

»Das klingt, als sei ich ein Tiberius. Jedenfalls ist sie von allen die einzige, aus der *ich* nicht recht klug werde.«

»Nun, sie ist nicht so wie andere junge Amerikanerinnen. Das ist zumindest *ein* Grund.« Hay befand, daß Caroline in nebensächlichen Dingen beunruhigend direkt war, hingegen bei ernsten Angelegenheiten – wie etwa dem Thema Heirat – eigentümlich vage. Außerdem war da noch das Problem, ja Rätsel mit dem Testament ihres Vaters. »Ich finde, es ist ein Fehler von ihr, das Testament anzufechten. Schließlich wird sie doch, wenn sie fünfundzwanzig oder so ist, sowieso erben. Wozu also die Aufregung?«

»Ganz einfach. In ihrem Alter sind fünf Jahre eine Ewigkeit. Jedenfalls hoffe ich, daß Del sie zu einem Mitglied der Familie macht. Sie würde mir als Nichte gut gefallen.«

»Er hat gedroht, sie hierherzubringen, seine Drohung aber noch nicht wahr gemacht.«

Der Butler meldete: »Senator Lodge, Sir.« Hay und Adams erhoben sich, als der patrizische Politiker eintrat, eine Erscheinung, deren Stattlichkeit leider beeinträchtigt wurde durch geradezu kraterartige Nasenlöcher, die Hay aus irgendeinem Grund immer an eine Hummel denken ließen. »Mrs. Hay ist mit Nannie fort. Beide können es nicht mehr ertragen, wenn ich auch nur noch ein Wort über den Friedensvertrag verliere.«

»Nun – und wir wollen gar nichts anderes hören.« Hay gab sich alle Mühe, liebenswürdig zu sein; und hatte wie stets Erfolg. Das Problem mit Henry Cabot Lodge – ganz abgesehen von der irritierenden Tatsache, daß er jung genug aussah, um Hays Sohn zu sein – bestand in seiner festen Überzeugung, er allein wisse, wie die Außenpolitik der Vereinigten Staaten beschaffen zu sein habe; und so trieb er von seinem hohen republikanischen Senatssitz aus gleich einem starrköpfigen Ochsen die Administration dazu an, die – wenn irgend möglich – gesamte Welt zu annektieren.

Besonders schlimm war, daß Lodge sich so unentwegt in die Angelegenheiten des Außenministers einmischte, daß selbst der geduldige Adee sich abgestoßen fühlte von der ständigen Forderung des Senators nach Konsulaten als Belohnung für imperialistische Freunde und Verbündete. Doch der Präsident wünschte um jeden Preis Frieden mit dem Senat, und im Fall von Lodge bestand der Preis in Patronage. Als Gegenleistung hatte Lodge es allerdings übernommen, den Friedensvertrag mit Spanien durch den Senat zu schleusen, eine erstaunlich schwierige Aufgabe angesichts der von der Verfassung unklugerweise verlangten Zweidrittelmehrheit jenes erhabenen Parlamentsorgans voller Männer von maßlosem Dünkel, treffend porträtiert in einem anonymen, höchst satirischen Roman, von dem niemand – außer den noch lebenden »Herzen« – mit Sicherheit wußte, daß Adams ihn geschrieben hatte.

Augenscheinlich wurden die Senatoren, wieder einmal, ihrem Ruf gerecht, wie Lodge berichtete, dessen britischer Akzent Hays Ohren beleidigte. Allerdings liebte Hay, der noch immer sein heimatliches Amerikanisch sprach, das Merry Old England, während Lodge, der wie ein Engländer sprach, England haßte. »La-di-da« Lodge war einer der harmloseren Spitznamen des Junior-Senators aus Massachusetts, der gerade dabei war, den Senior-Senator seines Staates zu denunzieren, den noblen, wenn auch irregeleiteten Anti-Imperialisten George F. Hoar, welcher der Nation gesagt hatte, noch nie sei »eine Nation gut genug gewesen, um eine andere in Besitz zu nehmen«, eine listige Paraphrase eines Lincoln-Wortes. »Theodore schreibt mir fast jeden Tag.« Lodge stand mit dem Rücken zum Kamin und wiegte sich auf seinen kurzen Beinen von einer Seite zur anderen. »Er sagt, Hoar und der Rest seien fast so etwas wie Verräter.«

Adams seufzte. »Ich hätte gedacht, daß Theodore oben in Albany viel zu beschäftigt ist, um sich über den Senat Sorgen zu machen.«

»Nun, er sieht den Krieg eben als seinen Krieg an. Den *prächtigen* kleinen Krieg, wie Sie ihn ja nennen. Jetzt möchte er sichergehen, daß wir die Philippinen auch behalten.«

»Das gilt ja für uns alle«, sagte Hay. Aber das entsprach nicht ganz der Wahrheit. Hay und Adams waren von Anfang an der Meinung gewesen, daß eine Bunkerstation für die amerikanische Flotte für die Pracht und das Elend des kleinen Krieges eine ausreichende Kompensation darstellte. Dieser Auffassung waren auch etliche der amerikanischen Unterhändler bei der Pariser Friedenskonferenz. Einer von ihnen, ein Senator aus Delaware, hatte Hay sogar ein merkwürdig wortreiches Telegramm geschickt, in dem es hieß: Da die Vereinigten Staaten gegen Spanien gekämpft hätten, um Spaniens Kolonien von der Tyrannei zu befreien, dürften sie nun ihrerseits auf gar keinen Fall den Platz des Tyrannen einnehmen, auch nicht in abgeschwächter Form. »Wir müssen, hatte der Senator gesagt, zu unserem Wort stehen.«

Hay hatte den Fall dem Präsidenten vorgelegt, aber es war so, daß St. Louis in McKinley eine Art Sendungsbewußtsein geweckt hatte. Nach zehn Tagen im Westen war der Präsident nach Washington zurückgekehrt, fest davon überzeugt, es sei der Wille des amerikanischen Volkes, und wahrscheinlich auch der Wille Gottes, daß die Vereinigten Staaten den gesamten philippinischen Archipel annektierten. Die Unterhändler wurden entsprechend angewiesen; überdies offerierte er Spanien zwanzig Millionen Dollar; und die Spanier willigten ein. Inzwischen spie die sogenannte anti-imperialistische Liga Feuer, ein wahrhaft sonderbares Gemisch von Leuten, zu denen Grover Cleveland, der letzte demokratische Präsident, und der Millionär Andrew Carnegie, ein Republikaner, ebenso gehörten wie Henry Adams Bruder Charles Francis, ehemaliger Präsident der Union Pacific Railroad, und Mark Twain.

»Ich wünschte, Cabot, ich könnte mir so sicher sein wie Sie . . .«

»In allem?« Lodge gab sich amüsiert und, wie Hay fand, ein wenig gönnerhaft. Hay hatte dieses Phänomen schon früher beobachtet: wenn der Schüler seinen Lehrer überflügelt hat – oder es zumindest glaubt.

»Nein. Nach senatorenhafter Sicherheit hat es mich *nie* verlangt«, erwiderte Adams trocken. »Das übersteigt meine Möglichkeiten. Ich bin mir meiner Sache niemals ganz sicher.«

»Bestimmt hatten Sie keine Zweifel, daß die Spanier aus Kuba vertrieben werden mußten«, begann Lodge; doch fiel ihm Adams sofort mit einer Geste ins Wort – hob seine blasse kleine Hand wie eine Pudelpfote.

»Das war etwas anderes. Das einzig wirklich Wichtige, was meine Familie jemals für die Vereinigten Staaten getan hat, war die Erfindung jener Doktrin, die nach Präsident Monroe benannt worden ist. Die westliche Hemisphäre muß frei sein von europäischem Einfluß, und die Cuba-Libre-Bewegung war der letzte Akt, die Erfüllung der Doktrin meines Großvaters. Jetzt ist, im umfassenden Sinn, Spanien aus unserer Hemisphäre verschwunden, zusammen mit den Franzosen und, praktisch gesehen, den Briten. Die Karibik ist unser, für alle Zeit. Aber daß wir riesige Gebiete im Pazifik übernehmen, darin scheint mir eine Gefahr zu liegen – mehr Aufregung, als die Sache wert ist. Ich bin in der Südsee gereist . . .«

»Altgold«, murmelte Hay – mit diesem Ausdruck hatte Adams den Zauber der Frauen von Polynesien beschrieben.

Adams tat, als habe er nichts gehört. »Jetzt wollen Sie, daß wir eine feindselige Bevölkerung übernehmen, die ebenso aus wertlosen malaiischen Kerlen wie aus Katholiken besteht. Ich dachte, von denen hätten Sie auch so schon genügend in Boston – ohne noch weitere zehn Millionen oder so dazuzunehmen.«

Lodge wirkte arrogant. »Nun, im Unterschied zu denen in Boston werden wir Ihren ›wertlosen‹ Malaien sicher nicht das Stimmrecht geben, zumindest nicht bei den Wahlen in Massachusetts. Im übrigen sind sie gar nicht feindselig, wenigstens nicht die, auf die es ankommt: Die Besitzenden wünschen, daß wir bleiben.«

»Das sind die wenigen zahmen Katzen, die schon mit den Spaniern sympathisierten. Alle anderen hingegen folgen diesem jungen Mann namens Aguinaldo und wollen die Unabhängigkeit.« Adams zog an seinem Bart, der im Unterschied zu dem von Lodge weiß war, während Hays Grauton eine Art Kompromiß zwischen den beiden darstellte. Irgendwie berührte es Hay, daß ein relativ junger Politiker sich an das Erscheinungsbild der Älteren hielt, wo in der heutigen Politik doch glattrasierte Männer wie McKinley oder Hanna – oder der schnurrbärtige Roosevelt dominierten. Was hatten Bärte eigentlich zu besagen? fragte er sich. Die frühen römischen Kaiser, genau wie die frühen amerikanischen Präsidenten, waren glattrasiert gewesen; dann Dekadenz – und Bärte; dann das Christentum und der glattrasierte Konstantin. Würde McKinley womöglich Konsolidator eines Imperiums *und* ein religiöser Führer sein?

Hay berichtete die jüngsten Neuigkeiten über Emilio Aguinaldo, dessen Truppen unter der Bedingung, daß es nach dem Abzug der Spanier eine unabhängige philippinische – oder visayanische – Republik geben würde, auf der Seite Admiral Deweys gekämpft hatten. McKinleys Meinungswechsel hatte diesem Traum ein Ende bereitet. Jetzt hielten Aguinaldos Truppen – in der Mehrzahl Männer vom Stamm der Tagal – die spanischen Forts besetzt. Außerdem hatte Aguinaldo auch Iloilo eingenommen, die Hauptstadt der Provinz Panay. Bislang war keine der beiden Seiten darauf aus gewesen, die Feindseligkeiten zu eröffnen. »Aber sehr viel länger kann dieser Zustand kaum anhalten«, sagte Hay am Schluß seines Überblicks von der Warte des Außenministeriums. Im Kriegsministerium, das sich im selben Gebäude befand, erwog man »Spiele«; das wußte Hay. Was für Spiele das waren, wußte er nicht und wollte er auch nicht wissen.

»Zweifellos würde uns jetzt irgendeine Art Zwischenfall die Zweidrittelmehrheit garantieren.« Lodge nahm, Adams gegenüber, in einem Armstuhl Platz, und zwar in der gleichen nachdenklichen Haltung wie sein alter Professor – und Chefredakteur. Nach Lodges Graduierung von Harvard hatte Adams seinen ehemaligen Studenten als Redakteur für die North American Review engagiert und ihm eine Daueranweisung mit auf den Weg gegeben: Wenn Sie Historiker redigieren, streichen Sie alle überflüssigen Wörter weg, vor allem die Adjektive. Hay hatte Adams stets um sein lakonisches Maß in Sachen Prosa beneidet. Adams schrieb wie ein Römer, der einen akuten Krieg zu vermelden hatte; Hays Prosa plätscherte gleichsam auf geruhsamer Suche nach einem Scherz dahin.

»Wir hatten – Sie hatten – vor zwei Wochen die Zweidrittelmehrheit.« Adams furchte die Stirn. »Und dann verlief die ganze Sache im Sande. Ich wünschte, Don Cameron wäre noch im Senat . . .«

»Und La Dona noch im Haus auf der anderen Seite des Platzes«, fügte Hay hinzu. Ohne Lizzie Cameron war Adams unvollständig. Doch die Camerons verbrachten den Winter in Paris; und Adams wirkte, hier in Washington, besonders reizbar und ruhelos.

Ausnahmsweise flüchtete Lodge sich nicht in Ausreden oder schob, was für ihn noch charakteristischer gewesen wäre, einem anderen die Schuld in die Schuhe für die mangelnde Unterstützung in einem Senat, in dem die Republikaner nicht nur die Mehrheit hatten, sondern er selbst überdies der *spiritus rector* des Auswärtigen Ausschusses war. »Ich habe es noch nie erlebt, daß soviel Druck ausgeübt worden ist. Habe noch nie gehört, daß Senatoren so viele absolut idiotische Gründe dafür anführen, *nicht* das Folgerichtige zu tun. Allerdings haben wir jetzt Hilfe von Mr. Bryan. Oder Colonel Bryan, wie er sich nennt . . .«

»Und wer tut das nicht, wenn er's kann?« sagte Hay, der im Bürgerkrieg Major gewesen war, jedoch als Lincolns Sekretär nie im Kampf gestanden hatte. Nachdem der Krieg ohne seine Teilnahme gewonnen worden war, wurde er – per Brevet, wie sich das offiziell nannte – zum Lieutenant Colonel befördert; und war fortan und für alle Zeit Colonel Hay, genauso wie der Präsident immer Major McKinley sein würde. Allerdings hatte der Präsident tatsächlich im Einsatz gestanden, und zwar unter seinem Mentor Rutherford B. Hayes, Politiker und General aus Ohio, dessen Mentor gleichfalls ein Politiker und Militär gewesen war, nämlich James Garfield, ein guter Freund von Hay. Als General Garfield, der Goldene, zum Präsidenten gewählt worden war, hatte er Colonel Hay die Position seines Privatsekretärs angeboten; Hay jedoch hatte freundlich abgelehnt. In mittleren Jahren konnte er nicht sein, was er bereits in jungen Jahren gewesen war. Jetzt natürlich waren die politischen Generäle von Grant bis Garfield tot; die Colonels standen mehr im Hintergrund; und die Majore hatten das Sagen. Nach ihnen kamen Politiker ohne militärische Rangbezeichnungen. Allerdings hatte jeder Krieg zumindest einen Präsidenten hervorgebracht. Wen, fragte sich Hay, würde der prächtige kleine Krieg – oh, einfältige Formulierung! – wohl hervorbringen? Adams favorisierte

General Miles, den Schwager seiner geliebten Lizzie Cameron. Lodge hatte bereits erklärt, Admiral Deweys Sieg bei Manila sei dem Sieg Nelsons bei Aboukir ebenbürtig. Aber natürlich würde Lodge McKinley unterstützen, und der würde auch wiedergewählt werden; also war es ziemklich klar, daß es in absehbarer Zukunft keinen prächtigen kleinen Kriegshelden als Präsidenten geben würde.

Hay merkte, daß er tagträumte; und nicht zuhörte. In seiner Jugend hatte er beides zugleich tun können. Worüber sprach Lodge eigentlich? »Er hielt hof im Marble Room des Senats. Sie kommen herein, einer nach dem anderen, um seine Weisungen entgegenzunehmen. Er ist wie der Papst.« Bryan. Colonel Bryan war in der Stadt, um die demokratischen Senatoren dazu zu bewegen, den Friedensvertrag zu akzeptieren, aus patriotischen Gründen; später sollten sie dann in einer separaten Resolution die Erklärung unterstützen, daß die Philippinen zu gegebener Zeit ihre Unabhängigkeit erhalten würden. Wahrscheinlich, so fand Hay, verhielt sich Bryan überaus clever. Erwies sich der Imperialismus als so populär, wie McKinley das in St. Louis empfunden hatte, so konnte Bryan im nächsten Präsidentschaftsrennen als einer antreten, der zur Army gegangen war und dann den Friedensvertrag und die zeitweilige Annektierung befürwortet hatte; würde sich der Imperialismus jedoch aus irgendeinem Grund als eher unpopulär erweisen, so konnte Bryan sagen, er habe sich für die Unabhängigkeit der Philippinen ausgesprochen, während der Major jetzt für die Annektierung war. »Er ist auch in *dem* Sinn wie der Papst, daß er kein Gentleman ist.« Lodge konnte der Versuchung zum Doppelhieb nicht widerstehen. Hay, der nach Lodges Wertvorstellungen sein Leben nicht als Gentleman begonnen hatte, war ein Gentleman geworden; und zwar in einem solchen Maße, daß er, anders als Lodge, nie die Notwendigkeit empfand, dieses gefährliche Wort in irgendeinem Zusammenhang zu gebrauchen. Politiker, mochten sie von Geburt her auch noch so sehr Patrizier sein, waren ein vulgärer, infantiler Haufen. »Wir sollten ihm natürlich dankbar sein, dem wilden Mann, der er ist. Denn falls der Friedensvertrag ratifiziert wird . . .«

»Nicht ›falls‹, bitte.« Hay mochte sich ein Scheitern gar nicht erst vorstellen.

»Es wird knapp werden, Mr. Hay, sehr knapp. Aber Bryan stimmt Senatoren um. Ich tue es, denke ich, und . . .«

»Und Mark Hanna kauft ein oder zwei«, sagte Adams. »Das ist der Lauf der Welt.«

»Zum Glück. Korruption für eine gute Sache *ist* eine gute Sache. Wen interessiert es also, ob ein Senator dabei gekauft worden ist oder nicht?« Hay erhob sich, mit einiger Mühe. Sein schlimmes Leiden schien zwar vorübergehend ein wenig abgeklungen zu sein, dafür aber hatte er einige aufregende neue Arten von Schmerzen entwickelt, sowohl arthritische als auch Ischiasschmerzen; die Folge davon war, daß das, was er wie elektrische Stromstöße empfand, nach wie vor seine Nervenenden attackierte, während da und dort ohne ersichtlichen Grund plötzlich eine Sehne zuckte oder sich ein Gelenk versteifte. »Ich bin zur Einsicht gekommen, Cabot. Zuerst habe ich es nicht nur für falsch, sondern auch für lästig gehalten, über so viele katholische Malaien herrschen zu wollen. Doch uns zerrinnt die Zeit zwischen den Händen. Die Europäer teilen China unter sich auf. Die Russen sind in Port Arthur. Die Deutschen sind in Shantung . . .«

»Ich wünsche uns in Shanghai.« Lodges Augen leuchteten beim Gedanken an weitere Siege in Asien.

»Nun, ich hätte uns gern in Sibirien«, sagte Adams. »Im Pazifik haben wir keine Zukunft, aber wenn Rußland auseinanderbricht, was ja kommen muß, so liegt dort unsere Chance. Wer die sibirische Landmasse kontrolliert, ist der Herr von Europa und Asien.«

Das Erscheinen der Damen ersparte Hay eine Adamssche Betrachtung über das ewig wechselnde Gleichgewicht der Kräfte in der Welt. Hay begrüßte Mrs. Lodge, auch bekannt als Sister Anne oder Nannie, an der Tür. Mrs. Lodge warf ihrem Mann einen argwöhnischen Blick zu, sie mochte es nicht, wenn er zu sehr den Senator herauskehrte – doch er begegnete seiner Gattin mit Unschuldsblick. »Henry und ich reden unablässig über den Friedensvertrag, während Cabot, der doch alles weiß, einfach so dasitzt und zuhört, stumm wie ein Fisch«, sagte Hay, den Frieden der Familie Lodge schützend. »Man könnte fast meinen, die Katze hätte ihm die Zunge abgebissen.«

»Es gibt keine Katze«, sagte Nannie Lodge, »die groß genug wäre, um Cabots Silberzunge abzubeißen.«

Inzwischen waren auch Clara Hay und die beiden Töchter eingetreten, der Raum hatte sich gefüllt, und Adams begann zu strahlen wie stets, wenn junge Frauen anwesend waren, indes Lodge sich noch verbindlicher gab und Sister Anne ihren Witz sprühen ließ. Drei der fünf Herzen im selben Raum, Hay war zufrieden. Doch schwand die Zufriedenheit gleichsam inmitten der Bombe-Glacée, Clara Hays immer wiederkehrendem Meisterstück. Wenn auch im Laufe der Jahre die Köchinnen kamen und gingen, so verstand Clara – die, wie man so sagt, nicht mal Wasser kochen konnte – es zumindest, eine Anzahl geheimer Rezepte für die wichtigsten Gerichte »weiterzureichen«, darunter auch das für die Bombe-Glacée, einen cremigen, fein gesüßten, nach Mokka schmeckenden Leckerbissen, der – wie Hay es nannte – unwiderstehlich war.

Hay hob die Gabel, um dieser Vollkommenheit auf den Leib zu rücken, als plötzlich der Butler in der Türöffnung erschien und meldete: »Sir, der Präsident möchte, daß Sie zu ihm ins Weiße Haus kommen.«

Im Speisezimmer war es still. Lodges dunkle Augen glänzten; und seine Hummel-Nase schien Pollen zu wittern. Adams bedachte seinen alten Freund mit einem bedauernden Blick. Clara blieb fest: »Er kann warten, bis wir mit dem Dinner fertig sind.«

Hay hatte eine neue und fast schmerzlose Methode entwickelt, sich von einem Stuhl zu erheben; um auf die Füße zu gelangen, stützte er sich weniger auf seine relativ schlechten Knie als vielmehr auf seinen relativ starken rechten Arm. Jetzt drückte er sich kräftig von der Armlehne hoch und erhob sich. »Henry, sei du der Gastgeber. Ich werde zurück sein – nun, wenn ich zurück bin.«

»Ich möchte nur mal wissen«, sagte Clara, »weshalb der Major um diese Stunde noch auf ist. Dort drüben geht man sonst mit den Hühnern ins Bett.«

Am Fuß von Hays majestätischer Treppe standen Mr. Eddy und ein Bote aus dem Weißen Haus. Vorsichtig stieg Hay die Stufen hinab; der scharlachrote Läufer war eine tückische Gefahr. »Worum handelt es sich, Mr. Eddy?«

»Das weiß ich nicht, Mr. Secretary.«

»Ich auch nicht, Sir«, sagte der Bote.

»Ich weiß nur, daß Sie sofort zu ihm kommen sollen, Sir.«

»Mitten in der Bombe«, murmelte Hay traurig, während der Butler ihm in seinen pelzgefütterten Mantel half.

Trotz der klirrenden Februarkälte hatte es noch nicht geschneit, und die drei Männer konnten quer über die Avenue zum Weißen Haus gehen, wo in den Amtsräumen am östlichen Ende Licht brannte, während das Erdgeschoß im Dunkeln lag.

Der deutsche Pförtner begrüßte Hay im Dämmerlicht der Eingangshalle; und erklärte, überraschenderweise: »Der Präsident wartet in den Gewächshäusern.« Ein Bediensteter erschien, um vorauszugehen. Im schwachen Schein der einzigen Lampe, die brannte, wirkte der Tiffany-Wandschirm eigentümlich bizarr-byzantinisch.

Zur Zeit Lincolns hatten sich die Gewächshäuser bescheiden ausgenommen; mittlerweile erstreckten sie sich über ein ziemliches Stück Land. Eines war ausschließlich Orchideen vorbehalten, ein anderes Rosen, wieder ein anderes exotischen, tropischen Früchten. Bei Abendempfängen spielte die Marine-Band in der Regel im Rosenhaus, und die jungen Pärchen trieb es dann von Treibhaus zu Treibhaus, wo sie unweigerlich verschollen. Seit dem Untergang der *Maine* hatte es solche Abende jedoch nicht mehr gegeben.

Der Präsident befand sich im Nelkenhaus, wo er in einem Lehnstuhl saß und, einen Stapel Papiere auf dem Schoß, eine Zigarre rauchte. Hay fühlte sich völlig überwältigt vom Blumenduft und vor allem von der feuchten Wärme, die einen so scharfen Kontrast bildete zu der eisigen Nacht außerhalb der Glasscheiben, welche jetzt wie schwarze Spiegel die künstlich wirkenden Farben der Nelken auf ihren grünen, strohhalmartigen Stielen reflektierten. Elektrische Lichter verwandelten die Winternacht in einen Sommertag.

»Ich komme hierher, wenn ich Abstand brauche.« Der Major wollte sich erheben, doch Hays Hand, auf seiner Schulter, hielt ihn zurück. Hay nahm auf einem gegenüberstehenden Stuhl Platz. Die beiden Männer befanden sich im Zentrum mehrerer Nelkenkolonnen, die, nach Farben geordnet, verschiedene Beete einnahmen. Jene in Reichweite waren hellrosa, eine Farbe, die Hay verabscheute, der Major hingegen liebte. »Heute abend habe ich an meiner Rede für den Home Market Club in Boston gearbeitet. Das ist am sechzehnten. Ich möchte mich ein für allemal für die

Annektierung aussprechen. Bitte, gehen Sie den Text durch. Streichen und ändern Sie nach Belieben. Geben Sie der Sache den letzten Schliff. Für diese Art von Rede gibt es keinen Besseren als Sie.«

War der Präsident, fragte sich Hay, womöglich nicht ganz bei sich? Ließ ihn von einer Dinnerparty zu sich rufen, um mit ihm in einem stickigen Treibhaus über eine in zwei Wochen zu haltende Rede zu sprechen. »Ist das der Text?«

»Dies?« McKinley hob das oberste Blatt des Papierstapels auf seinem Schoß; der mächtige Präsidentenbauch, auf den mächtigen Präsidentenschenkeln ruhend, hatte den Rand des Blattes zerknickt. »Nein, Mr. Hay. Aber hierüber werden wir uns unterhalten müssen. Es ist vom Korrespondenten der New York Sun in Manila. Es wird morgen in sämtlichen Zeitungen stehen.«

Während Hay das ausführliche Telegramm las, ließ der erregte Präsident seine Augengläser an ihrer seidenen Schnur rotieren; im Uhrzeigersinn, dann andersherum. Auf der Insel Luzon hatten Aguinaldos Schützen das Feuer auf amerikanische Soldaten eröffnet. Hay reichte das Telegramm wieder dem Präsidenten. »Überrascht mich nicht weiter«, sagte er. »Es war nur eine Frage der Zeit – und des Timing.«

»Jetzt haben wir einen zweiten Krieg, so bald nach dem anderen.« Der Major seufzte. »Immer wieder ist es das Unerwartete, das geschieht, zumindest in meinem Fall. Ich habe geglaubt, meine Administration würde eine ruhige Angelegenheit werden, konzentriert auf gesunde Geschäfte, gesundes Geld. Statt dessen schleudern mich die Ereignisse in einen Krieg nach dem anderen . . .«

»Mr. Lincoln sagte: ›Ich agiere nicht. Ich werde agiert. Meine Politik ist es, keine Politik zu haben.‹«

»Darin wären wir uns einig.« McKinley schüttelte das Telegramm wie ein ungezogenes Kind. »Wie töricht sind diese Leute doch! Ist denen nicht klar, daß uns das unseren Friedensvertrag garantiert? Jetzt wird das Volk darauf bestehen.«

Hay nickte; legte seinem wachsenden Argwohn keine Zügel an. »Woher wissen wir, wer zuerst geschossen hat?«

»Alles, was wir wissen, ist das, was Sie gerade gelesen haben. Es klingt, als hätten die zuerst geschossen oder uns zum ersten Schuß provoziert. Ich habe von General Otis telegraphisch einen Bericht angefordert. Er hat erst vor kurzem erklärt, er brauche nicht weniger als dreißigtausend Soldaten, um alles richtig unter Kontrolle halten zu können. Ich widersprach. Unsere Besatzungsarmee zählt immerhin zwanzigtausend Mann, die sämtlich . . .«

». . . nach Hause wollen.«

Der massige Elfenbeinkopf – ein perfektes Ei, von dem Kinngrübchen mal abgesehen – nickte, und die runden, leuchtenden Augen wirkten plötzlich trüb. »Jetzt, nach der spanischen Kapitulation, sind wir verpflichtet, die Soldaten so bald wie möglich nach Hause zu schaffen. Die haben sich ja nicht zur Armee gemeldet, um gegen Filipinos zu kämpfen, wie Colonel Bryan mir in Erinnerung gerufen hat.«

»Dann haben die – ich meine Aguinaldo – uns also in Wirklichkeit einen großen Gefallen getan. Falls es sich um eine Erhebung handelt, können wir die Soldaten nicht nach Hause bringen.« Doch während Hay für die Administration argumentierte, war er sich in keiner Weise sicher, zu welchem Ziel und Zweck sie sich selbst und das Land auf diese Weise verpflichteten. Schließlich traf das Wort »Erhebung« nur zu, wenn die Regierung der Vereinigten Staaten auch die gesetzmäßige Regierung der Philippinen war; doch eben das war sie *nicht*; sie waren, behauptetermaßen, die Befreier, und die sogenannte Erhebung war in Wirklichkeit ein Unabhängigkeitskrieg, um sich von den Befreiern zu befreien, die sich in Eroberer verwandelt hatten, wobei Aguinaldo gleichsam die Rolle Washingtons spielte und McKinley die von George III. Hay begann, eine neue Sprache zu weben. Prompt entstand das Wort »Treuhänder« und zog ebenso prompt das Wort »zeitweilig« nach sich. Aber dann hielt er inne, weil er sah, daß der Präsident ihm gar nicht zuhörte. McKinleys Augen waren geschlossen; er atmete tief. Schlief er? Befand er sich in Trance? War der Präsident womöglich, wie seine Frau, epileptisch? Aber dann räusperte sich McKinley und öffnete die Augen. »Ich habe gebetet«, sagte er schlicht. »Beten Sie oft, Mr. Hay?«

»Vielleicht nicht oft genug.« Hay erinnerte sich an die Jesuitenweisheit, daß der Kluge niemals lügt, da er bereits dafür gesorgt hat, daß er nicht die ganze Wahrheit zu erzählen braucht. Hay war wahrheits-voll und gott-los.

»Ich glaube, daß Gott mir vor kurzem in einer Nacht Antwort gegeben hat.« McKinley griff nach einer Nelke und hielt sie an seine

Nase. »Ich kniete buchstäblich nieder – keine ganz leichte Sache . . .«, mit einem Lächeln wies er auf seinen vorgewölbten Bauch, ». . . und bat um Ratschlag. Ich war in der Bibliothek. Ida war bereits zu Bett gegangen. Ich war allein. Ich versicherte Gott, daß ich den Krieg niemals gewollt hätte – und ganz gewiß auch jene Inseln nicht. Doch der Krieg ist gekommen, und die Philippinen sind unser. Was soll ich tun? Nun, erstens, sagte ich zu Gott, könnte ich die Inseln Spanien zurückgeben. Aber das wäre gefühllos gegenüber den Eingeborenen, welche die Spanier hassen. Zweitens könnte ich die Inseln Frankreich oder Deutschland überlassen, doch das wäre für uns, kommerziell gesehen, ein sehr schlechtes Geschäft . . .«

»Was Gott zweifellos eingesehen hat«, sagte Hay, unfähig, dieser Versuchung zu widerstehen. Zum Glück war McKinley zu sehr auf seinen himmlischen Zuhörer konzentriert, um auf Hays unfrommen Kommentar zu achten.

». . . das uns überdies in Mißkredit bringen würde. Drittens könnten wir einfach nach Hause zurückkehren und sie über sich selbst herrschen lassen, wozu sie jedoch, wie allgemein bekannt, noch nie imstande waren. Aber zumindest wären wir das Problem los. Das wäre natürlich der leichte Weg. Und dann geschah es, daß ich etwas . . . daß ich etwas spürte.« In McKinleys Augen schien jenes Licht zu glänzen, welches die Glasscheiben des Gewächshauses in so viele Onyxspiegel verwandelt hatte. »Ich spürte eine – eine Anwesenheit. Und unwillkürlich kam ich zu einem Resümee, das ich so eigentlich gar nicht geplant hatte. Ich hatte den Fall einfach Gott vorlegen wollen. Und hoffen. Aber Gott antwortete mir. Ich hörte mich selbst laut sagen: Viertens – im Lichte von erstens bis drittens, wie von mir gerade dargelegt, Euer Ehren, Gott, meine ich –, bleibt uns gar keine andere Wahl, als sämtliche Inseln zu annektieren und über die Eingeborenen nach bestem Können zu regieren, um sie zu erziehen und zu zivilisieren und zu christianisieren. Und mit absoluter Gewißheit wußte ich, daß Gott zu mir und durch mich sprach und daß wir alle unser Bestes tun würden für sie wie für alle anderen Mitmenschen, für die Christus ja gleichfalls gestorben ist. Wirklich, Mr. Hay, noch nie habe ich mich so erlöst gefühlt. Zum erstenmal seit einem Jahr konnte ich wieder gut schlafen. Am nächsten Morgen rief ich dann, ohne Ihnen oder einem anderen Kabinettsmitglied etwas davon zu sagen, den technischen Leiter des Kriegsministeriums zu mir und erteilte ihm einen Befehl.« McKinley entfaltete auf seinen Oberschenkeln eine Weltkarte. »Hier können Sie sehen, was er auf meine Weisung getan hat.«

Hay nahm die Karte und hielt sie hoch. Zuerst fiel ihm nichts Außergewöhnliches auf, dann glitten seine Augen zum Pazifischen Ozean, und dort, in derselben gelben Farbe wie die Vereinigten Staaten, doch um ein Weltmeer von ihnen entfernt, befanden sich die Philippinen mit der Zusatzbezeichnung: »U.S. Protektorat«.

»*Sie* haben sie annektiert?«

McKinley nickte. »Mit Gottes Zusicherung, daß ich das tun muß. Sowie natürlich . . .«, er lächelte und nahm die Karte wieder an sich, » . . . mit einiger Hilfe von seiten Admiral Deweys und Colonel Roosevelts. Ich *weiß*, daß ich das Richtige getan habe.«

»Aber falls der Friedensvertrag nicht vom Senat ratifiziert wird, gibt es kein Protektorat . . .«

»Der Vertrag wird ratifiziert werden. Deshalb habe ich Sie ins Vertrauen gezogen; um Ihnen zu zeigen, warum ich meiner Sache so sicher bin und warum ich so . . . so fatalistisch bin. Weil ich . . .«, McKinley erhob sich, » . . . all das ja niemals wollte. Doch jetzt ist es Gottes Plan, und wir sind seine ergebenen Werkzeuge.«

»Ich hoffe nur, daß Gott uns ein paar Tips gibt, wie wir am besten mit Aguinaldo fertig werden.«

Doch inzwischen bewegte sich McKinley bereits in seiner würdevollen Art durch das lange Nelkenspalier in Richtung Tür. Auf seine Aufforderung trat Hay mit ihm in den wackligen, sargartigen Fahrstuhl, der sie nach oben brachte, wo McKinley Hay sofort in die Bibliothek führte, um ihm genau die Stelle zu zeigen, wo das Gespräch mit Gott stattgefunden hatte. Doch nicht Gott, sondern Mrs. McKinley okkupierte jetzt den heiligen Flecken. Sie saß in ihrem Krankenstuhl und strickte Schlafzimmer-Slipper – eine schlanke, blasse, erstaunlich hübsche Frau. Allerdings sprach sie in einem hohen, nasalen Singsang, den Hay genauso unerträglich fand wie Lodges britischen Akzent. Gab es denn kein normales Amerikanisch mehr? »Als ich hörte, Sie seien mit dem Major zusammen, fühlte ich mich erleichtert. Sie belegen ihn nie für so endlose Stunden mit Beschlag wie die meisten anderen.«

Hay verbeugte sich wie vor der Queen Victoria. »Ich habe ihn sobald wie möglich aus dem Nelkenreich zurückgebracht – und so gut wie neu, hoffe ich.«

Cortelyou tauchte in der Tür auf. »Weitere Nachrichten liegen nicht vor, Mr. President. Alger sagt, General Otis' Bericht werde gleich morgen früh fertig sein.«

»Danke, Mr. Cortelyou. Gehen Sie jetzt nur zu Bett.«

Cortelyou verschwand. Während Hay sich zum Gehen anschickte, verkündete Mrs. McKinley ein *ex cathedra*-Urteil über Washingtons weltliche Ladys: »Wahrhaftig, sie prahlen noch damit, wie sie ihre armen, müden Männer ins Bett stecken, um sich danach allein auf Partys zu vergnügen. Man denke nur! Nun, ich sage denen, daß, wenn ich Mr. McKinley ins Bett gesteckt habe, ich es ihm sofort gleichtue, und genau das werden wir auch jetzt machen.«

»Genau wie ich«, sagte Hay und fügte überflüssigerweise noch hinzu: »In mein eigenes Bett natürlich.«

Inzwischen betrachtete Mrs. McKinley aufmerksam seine Schuhe: »Zeichnen Sie mir einen Umriß Ihrer Schuhsohle, damit ich Ihnen ein Paar Slipper machen kann.«

»Mit Vergnügen, Mrs. McKinley.«

Zu Hays Verblüffung streckte ihm Mrs. McKinley plötzlich die Zunge heraus; bedachte ihn mit einem lasziven Zwinkern; saß dann ganz steif, die verdrehten Augäpfel völlig weiß. Mit unbeeilter, geübter Geste zog der Präsident ein riesiges seidenes Taschentuch hervor und bedeckte damit ihren Kopf. »Ich bin beunruhigt über das Teller-Amendment im Senat.« Geistesabwesend starrte der Präsident auf die verhüllte Ida. »Wie soll ich das Amendment interpretieren? Es besagt zwar klar und deutlich, daß wir Kuba nicht behalten können. Aber wird der Senat womöglich versuchen, es auch für die Philippinen gelten zu lassen?«

»Nein, Sir. Ihre Proklamation – die Benevolent Assimilation Proclamation – ist von allen akzeptiert worden, mit Ausnahme von ein paar Querulanten und Schreihälsen wie Bryan. Wenn der Vertrag ratifiziert wird, gehört der Archipel uns. Bei den Spaniern bar bezahlt. Zwanzig Millionen Dollar für zehn Millionen Filipinos.« Hay fand dieses Gespräch über das amerikanische Empire eigentümlich erregend; sogar amüsant. »Zwei Dollar pro Kopf.«

»Colonel Hay.« In der Stimme des Präsidenten schwang sanfter Tadel. Dann wünschte er Hay eine gute Nacht. »Über die Erhebung sprechen wir morgen. Vor der Abstimmung im Senat.«

»Ja, Mr. President.« Doch als Hay dann die Treppe im Ostflügel hinabstieg, nachdem er sich geschworen hatte, nie wieder den Fahrstuhl im Westflügel zu benutzen, der ihn allzusehr an einen Sarg erinnerte, befielen ihn zunehmend Zweifel an McKinleys neuem Protektorat.

3

Doch alle Zweifel wurden zerstreut, als Hay am Montag auf Lodges Drängen, doch entgegen seiner eigenen Überzeugung, den Marble Room des Kapitols betrat, als eine Art informeller Gast des Senats, der sich gerade im benachbarten Raum in den sprichwörtlichen Haaren lag. Die Abstimmung über den Friedensvertrag sollte in einer Stunde beginnen, um drei Uhr. Von den Fenstern des vergoldeten und mit Spiegeln geschmückten Marble Room aus konnte man das Weiße Haus und das Washington Monument erkennen, vor einem Himmel so dunkel wie Stahl. Lediglich Mr. Eddy begleitete Hay; Adams weigerte sich aus Parinzip, das Kapitol zu betreten – ebenso wie das Weiße Haus, das einstige Heim seiner Familie.

Lodge, der sich auf der Senatstoilette frisch über die aktuellen Intrigen informiert hatte, gesellte sich zu Hay, heute mehr Hummel denn je. »Ich glaube, die Republikaner haben wir alle, bis auf Hoar. Außerdem kriegen wir etliche Demokraten. Vielleicht bringe ich einige hierher zu Ihnen.«

»Ich will tun, was ich kann, lieber Cabot. Aber was *kann* ich tun?«

Lodge hörte nicht zu. Allerdings wußte Hay, daß Senatoren, mäßig talentierte Zuhörer ohnehin, selbst die Rudimente dieser Fähigkeit verloren, wenn sie sich auf ihrer Seite des Kapitols in heimischen Gefilden befanden. Lodge zog einen Presseausschnitt aus seinem Gehrock. »Haben Sie dies gesehen? In der gestrigen Sun?«

Hay hatte in der Tat gelesen, was der Kommentar ihres Freundes Rudyard Kipling zum amerikanischen politischen Vorgehen gewesen war. Der erstaunliche Mr. Kipling, an sich Engländer, hatte eine Zeitlang in den Vereinigten Staaten gelebt; 1895 hatte er sich viel in Washington aufgehalten, wo Hay und sein Kreis ihn näher kennen- und bewundern gelernt hatten. Zumal Theodore Roosevelt hatte sich von ihm angezogen gefühlt, und mit ihrer muskulösen Gehirnmasse, wie Hay das treffsicher nannte, stemmten beide dann sozusagen gemeinsam klobige Gedankengewichte. Jetzt hatte Kipling eine veritable Bombe gezündet, in Form eines Gedichts, präzise zu dem Zeitpunkt, wo es sich auf die Abstimmung über den Friedensvertrag auswirken mochte. »Theodore hat mir im vergangenen Monat eine Vorauskopie zugehen lassen. Er meinte, es sei zwar schlechte Poesie, jedoch gut für die expansionistische Sache. Ich finde, es ist ziemlich gut als eine Art Hymne, die sich als Gedicht ausgibt.«

»Eine Hymne an den Gott des Krieges«, sagte Hay, den das Poem in der Tat alarmiert hatte, nicht zuletzt durch seinen provokanten Titel: »Die Bürde des Weißen Mannes«.

»Ich verwende einiges davon in einer Rede«, sagte Lodge und zitierte:

> »›Ergreift die Bürde des Weißen –
> schickt die Besten aus, die ihr erzieht –
> bannt eure Söhne ins Exil,
> den Bedürfnissen eurer Gefangenen zu dienen . . .‹

Mir gefällt auch die Mahnung an uns, daß wir von England die Fackel übernehmen müssen, um sie weiterzutragen; und daß wir . . . Wo ist es? Ach, ja.« Wieder las Lodge:

> »›. . . in schwerem Geschirre aufzuwarten
> verschreckten wilden Leuten –
> euren neugefangenen verdrossenen Völkern,
> halb Teufel und halb Kind.‹

Damit sind jene Malaien doch präzise beschrieben, finden Sie nicht?«

»Nun, im Augenblick sind sie ganz gewiß mürrisch und verdrossen. Und selbst der treffliche Rudyard räumt ein, daß uns allerlei

Ungemach erwartet.« Hay nahm den Zeitungsausschnitt und las den Vierzeiler vor, der ihm besonders aufgefallen war:

»›Ergreift die Bürde des Weißen –
und erntet seinen alten Lohn:
den Tadel derer, die ihr bessert,
den Haß derer, die ihr hütet . . .‹«

»Was ist denn das?« fragte hinter ihnen eine tiefe Stimme.

Hay drehte sich zur Tür, wo ein hochgewachsener, edel aussehender junger Mann stand, in einem Gehrock, der – genau wie der breite Mund und das kantige Kinn – durch wohl tausend Karikaturisten berühmt gemacht worden war. Lodge begrüßte William Jennings Bryan mit einem Freudenschrei. Hay hatte nie aufgehört, sich an der spontanen Heuchelei des wahren Politikers zu erbauen, die dann am umwerfendsten war, wenn er sich *in persona* einem erbitterten Feind gegenübersah. Allerdings waren die Feinde an diesem Tag Verbündete. Als nomineller Führer der Demokratischen Partei hatte Bryan seine Truppen im Senat um sich geschart, um sie für den Friedensvertrag zu mobilisieren. Doch sind Senatoren selten die verläßlichen Truppen, zumal wenn ihr Führer bereits als Präsidentschaftskandidat gescheitert ist. Was Bryans Aufgabe noch erschwerte, war der Ehrgeiz des Senators Gorman, der im Anti-Imperialismus sein Sprungbrett sah, um 1900 als demokratischer Kandidat in die Wahlarena zu steigen. Bryan wirkte ruhig und entspannt. Nein, er hatte Kiplings Gedicht noch nicht gesehen. Während er es las, bewegte er die Lippen, schmeckte gleichsam die Sätze, und Hay fragte sich unwillkürlich, ob für Bryan der Name Kipling überhaupt ein Begriff war.

Bryan gab Lodge den Zeitungsausschnitt zurück. »Nun, man kann es auf zwei verschiedene Arten lesen«, sagte er mit dem breiten Lächeln, das vielleicht ein wenig töricht wirkte; doch seine Augen waren hellwach und nicht ohne Verschlagenheit. »Jedenfalls möchte ich es heute lieber weder so noch so ins Spiel gebracht sehen. Wir haben es ohnedies schon schwer genug. Es gibt niemanden, der anti-imperialistischer wäre als ich . . .«

»Colonel Bryan, wir stimmen doch alle darin überein, daß es keine langfristige Annektierung geben wird. Wir sind doch alle Anti-Imperialisten.« Lodge log mit absoluter Lauterkeit.

»Was wir auch unbedingt sein sollten«, sagte Bryan; und verließ den Raum, um eine Begegnung mit seiner Nemesis zu vermeiden, dem fetten, weißen Hanna.

»Ich kann's nicht ertragen, diesen Anarchisten hier zu sehen«, grollte Hanna. »Wo steckt Hobart?«

Keiner hatte ihn gesehen, den Vizepräsidenten, einen obskuren Wirtschaftsanwalt, der – soweit Hay das beurteilen konnte – von Hanna nur aus einem einzigen Grund zum Vizepräsidenten auserkoren worden war, und zwar wegen seines Reichtums. Würden sich reiche Männer eines Tages die hohen Staatsämter kaufen, so wie sie es während der Zeit des Niedergangs des Römischen Reiches getan hatten? Adams fand, das sei doch bereits gang und gäbe. Schließlich wurden die U.S. Senatoren von den gesetzgebenden Körperschaften in den verschiedenen Staaten gewählt. Und viele der Sitze in diesen Körperschaften waren käuflich. Hatte in New York der sardonische Roscoe Conkling nicht damit geprahlt, daß er für seinen Sitz nur zweihunderttausend Dollar bezahlt hatte – ein Schleuderpreis in den siebziger Jahren? Hay behauptete, mit der Präsidentschaft sei das nach wie vor anders. Ein Parteiführer, wie zum Beispiel McKinley, schälte sich nach und nach und sozusagen vor den Augen der Öffentlichkeit heraus; oder aber er wurde, wie Bryan, von einer plötzlichen Popularitätswoge emporgetragen. Weder im einen noch im anderen Fall hätte die Führungsposition gekauft werden können, selbst wenn der Möchte-gern-Führer das Geld dafür hätte verfügbar machen können. Die Formulierung »verfügbar machen« war für Adams fast so etwas wie ein rotes Tuch gewesen. Hanna hatte McKinley finanziell unterstützt, in einem bisher noch unbekannten Ausmaß. Was konnte einen Carnegie oder einen Jay Gould davon abhalten, geschickt irgendeine Null aufzubauen, eben mit Hilfe ihres unermeßlichen Reichtums, um sich die Machtfülle des Präsidentenamtes zu sichern, all dies im Namen besagter Null? Hay hatte wieder einmal das Gefühl gehabt, daß Adams die Dinge allzu düster sah.

Ein weiterer Vertrauter McKinleys gesellte sich zu ihnen, Charles G. Dawes, ein gutaussehender, rothaariger junger Politiker, der bei der Wahl von McKinley eine wichtige Rolle gespielt hatte. Als Bryan das Land im Sturm zu erobern begann und die Bevölkerung ihn für den größten Redner der amerikanischen Geschichte hielt, geriet Hanna in Panik. Zwar stand das große Geld unverrückbar hinter McKinley, der Süden und der Westen jedoch waren für Bryan, der den armen Farmern eine Erhöhung der sogenannten Geldversorgung versprach. Silbermünzen sollten geprägt werden, sechzehnmal mehr, als es Goldmünzen gab. Amerika, predigte Bryan in zahllosen Reden vor riesigen Menschenmengen, dürfe nicht an ein Kreuz aus Gold geschlagen werden. Währenddessen verließ McKinley nur selten seine Heimatstadt Canton in Ohio, wo er seine eigene, eher gedämpfte Wahlkampagne von seiner komfortablen Vorderveranda aus leitete, einem Geschenk seiner Bewunderer. Nach zwölf Jahren im Repräsentantenhaus und vier Jahren als Gouverneur von Ohio war er ein armer Mann – folglich ein ehrlicher. Hanna meinte, McKinley solle auf Wahlreise gehen und Reden halten. McKinley schien durchaus dazu bereit; aber dann hatte ihn, soweit Hay wußte, der junge Mr. Dawes dazu überredet, zu bleiben, wo er war. In puncto Demagogie könne er mit Bryan keinesfalls mithalten; wozu es also erst versuchen? McKinley selbst hatte Hay später erzählt: »Mietete ich für die Wahlreise einen Zug, so mietete er einen einzigen Wagen. Kaufte ich ein Ticket für einen Schlafwagen, so begnügte er sich mit einem billigen Sitzplatz. Kaufte ich einen billigen Sitz, so fuhr er im Güterwaggon. Also beschloß ich, an Ort und Stelle zu bleiben.« McKinleys Reaktion auf Bryans »Kreuz aus Gold« war ebenso vehement wie vage. Mit allem Nachdruck erklärte er, er sei für Gold- *und* Silbergeld, ein weises Wort, eingängig und nichtssagend genug, um die größtmögliche Stimmenausbeute zu garantieren. Im übrigen – und dies war entscheidend – gab die Mehrheit McKinleys ruhiger Solidität letztlich den Vorzug vor Bryans Hitzköpfigkeit. Für einen Augenblick lag so etwas wie ein Klassenkrieg in der Luft. Aber dann wechselten die sogenannten Border States, denen Lincoln seine Präsidentschaft verdankt hatte, zu McKinley über; und der Major vereinigte bei seiner Wahl die größte Stimmenmehrheit auf sich, die je irgendein Präsident seit Grant erhalten hatte.

Der junge Mr. Dawes war zunächst wenig davon erbaut, nicht ins Kabinett aufgenommen zu werden; doch McKinley hatte ihn damit versöhnt, daß er ihn zum Währungskommissar ernannte, als welcher er sich mit der Doppelwährung die Zeit vertreiben konnte, indes Caro, seine Frau, Mrs. McKinley die Zeit vertrieb.

Dawes begrüßte Hay sehr herzlich, machte ihn mit einem hochgewachsenen jungen Mann namens Day bekannt, einem Demokraten, der so etwas wie sein Stellvertreter als Währungskommissar war. »Reist jetzt nach Hause, um für den Kongreß zu kandidieren, was auch ich tun sollte. Genau wie Sie, Mr. Hay.«

»Oh, nein, nicht ich. Nicht jetzt. Ich bin ja nicht einmal mehr Bürger von Ohio.« Weder Adams noch Hay hatten, da längst fest in Washington, also im District of Columbia ansässig, jemals ihre Stimme bei den Präsidentschaftswahlen abgegeben, die sie doch so völlig in Anspruch nahmen. Daß ihnen die Ironie dieser Situation bewußt wurde, dafür sorgten schon Lodge und eine Reihe anderer, die sie gern damit aufzogen, daß sie sich als Ortsansässige in puncto Wahlrecht gleichsam selbst entmündigt hätten. 1880 war Hay ein Sitz im Kongreß angeboten worden; aber der vom lokalen republikanischen Boß genannte Preis war zu hoch, wie zumindest sein Schwiegervater befand. Dann kam die Übersiedlung nach Washington; und damit eine Art Zwischenreich, das jetzt ganz erfüllt schien von den schillernden Regenbogenfarben der Macht.

»Ich glaube, wir werden mit drei Stimmen Vorsprung gewinnen.« Dawes hatte ein Notizbuch hervorgezogen. Hay sah, daß es eine Liste von Senatorennamen enthielt, mit Plus-, Minus- und Fragezeichen hinter jedem Namen.

»Ich glaube auch, daß wir gewinnen werden«, sagte Mr. Day. »Colonel Bryan hat ein halbes Dutzend Stimmen umgedreht.«

»Ihr Anarchisten werdet heute nichts gewinnen«, sagte Hanna, ohne auch nur den Anflug eines Lächelns in seinen trüben roten Augen. Ein Summer ertönte. Ein Name wurde aufgerufen. »Ich muß jetzt zu den Bestien. Wenn irgendwer Hobart sieht, soll er ihm sagen, daß ich ihn suche.« Mit Watschelschritten bewegte sich Hanna in Richtung Sitzungssaal.

Day blickte hinter Hanna her, mit verdrossener Miene. »Was mich betrifft, so würde ich wünschen, Colonel Bryan hätte die Dinge einfach laufen lassen.«

»Damit Senator Gorman in der Partei das Ruder übernimmt? Nein«, sagte Dawes, »da sagen die Karten etwas anderes. Und Bryan macht sich doch gut als Reiter in zwei Sätteln.«

Hay blickte zu Eddy. »Ich werde offenbar doch nicht gebraucht.«

Dawes griff freundschaftlich nach Hays Arm. »Gehen wir hinauf in die Galerie, um die Abstimmung zu beobachten.« Er sah Day an. »Kommen Sie, Sie Anarchist«, sagte er. »Jetzt kommt Ihre Chance, eine Bombe zu werfen.«

Hay nahm seinen Sitz in der ersten Reihe der Galerie für Ehrengäste ein. In der Nähe füllte die Presse bereits die für sie reservierten Plätze; und Washingtons Ladys glänzten gleichfalls durch ein starkes Aufgebot. Wie stets bei solcherlei Senatstribunalen fühlte sich Hay an die Stierkämpfe in Madrid erinnert. Gewiß wirkten die Washingtoner Damen, jetzt sämtlich in Winterpelzen, nicht so farbenprächtig wie Spanierinnen im Sommer, doch richtete sich die gleiche Erregung auf die Arena – in diesem Fall die Senatskammer – unter ihnen.

Ein älterer Senator führte im Stuhl des Vizepräsidenten oben auf einer Art Tribüne den Vorsitz. Das Ritual der Anwesenheitsprobe war im Begriff ordnungsgemäß abzulaufen. Die Senatoren nahmen ihre Plätze gegenüber der Tribüne ein. Hays Anwesenheit war bemerkt worden. Höflich verbeugte er sich in diese und in jene Richtung, wo dieser oder jener ihn seinerseits mit einer Verbeugung oder einem Winken grüßte; bequemerweise hatte er nicht die leiseste Ahnung, wer eigentlich wer war. Er begann darin dem obersten Bundesrichter zu gleichen, der, gegen Ende seines Lebens fast blind, die Gewohnheit angenommen hatte, jedermann mit derselben würdigen, einstudierten Freude zu begrüßen, weil er niemanden kränken wollte, der in ihm vielleicht noch immer einen potentiellen Präsidenten sah.

Während unten die Anwesenheitsprobe über die Bühne ging, plapperte Dawes: »Da braut sich eine Geschichte zusammen, wonach wir die Eingeborenen provoziert hätten, uns anzugreifen, aber das wird erst morgen in den Zeitungen stehen, und dann macht es keinen Unterschied mehr.«

»Keinen Unterschied?« fragte Mr. Day scharf, und Hay kam zu dem Schluß, daß dieser Mann alles andere als ein Ausbund von Schüchternheit war. Wie nur mochte er, ein Bryan-Demokrat, in einer Administration zu einem Amt gekommen sein, die nachdrücklich die Auffassung vertrat, die Beute gehöre den Siegern? Gewiß, für jeden progressiven Republikaner war die Reform des Civil Service eine Herzensangelegenheit; nur daß Ämter für verdienstvolle Leute dem Herzen eben noch näher waren. »Ist Ihnen denn nicht klar, wie die Öffentlichkeit reagieren wird, wenn sie erfährt, daß wir es gewesen sind, die den Schlamassel auf den Philippinen angefangen haben?«

»Für die heutige Abstimmung macht es keinen Unterschied, und darauf kommt es an. Im übrigen sage ich nicht, daß wir angefangen haben. Ich weiß es nicht. Es ist nur ein Gerücht.« Dawes sah Day an. »Seit man in Klondike all das Gold gefunden hat, könnt ihr Demokraten mit eurem Silber doch keinen Blumentopf mehr gewinnen, also müßt ihr uns mit was Neuem überrumpeln – zum Beispiel damit, daß wir uns ein Empire zulegen sollten.«

»Sind Sie eigentlich mit Richter Day, meinem Vorgänger, verwandt?« Hay fand den jungen Mann, für einen Anarchisten, recht sympathisch. Seinem Akzent nach konnte er aus Indiana stammen; überhaupt, fand Hay, war dieser junge Mann seinem früheren jungen Selbst nicht ganz unähnlich; allerdings war er größer, kräftiger.

»Nein, Sir. Aber ich kenne Ihren Sohn Del.«

Hay war nicht weiter überrascht. Da er Del jetzt so selten sah, wußte er natürlich nichts über den Umgang seines Sohnes. »Dann sagen Sie mir doch, was er im Moment so treibt.«

»Ich glaube, er ist gerade in New York. Ich habe ihn das letzte Mal im vorigen Monat gesehen, da hat er mich mitgenommen ins Weiße Haus, um Billard zu spielen, unten im Keller.«

Hay war verblüfft. »Im Keller des Weißen Hauses?«

»Ja, Sir. Einfach scheußlich dort. Schmutzig wie ein Kerker. Aber es gibt da ein Billardzimmer, wo sich manchmal ein paar Mitarbeiter treffen . . .«

»Und der Präsident?«

»Der schaute rein, während wir spielten.«

Bevor Hay dem geheimen Leben seines Sohnes und des Präsidenten auf den Grund kommen konnte, griff Vizepräsident Hobart, der inzwischen auf seinem Stuhl saß, den Antrag zur Abstimmung über den Friedensvertrag auf. Während die Senatoren namentlich aufgerufen wurden und jeweils mit »aye« oder »nay« antworteten, kritzelte Dawes in seinem Notizbuch herum und murmelte immer wieder »Teufel« oder »Maria«, was offenbar »schlecht« oder »gut« bedeutete. Als der Name Elkins ausgerufen wurde, sagte Dawes:

»Jetzt werden wir sehen, ob Ihr Bryan seine Arbeit getan hat.« In der Kammer wurde es sehr still. Elkins war Demokrat; und Anti-Imperialist. Elkins ließ die Stille, die der Nennung seines Namens folgte, so lange andauern wie möglich; dann rief er: »Aye!« Applaus explodierte auf der Galerie. Hobart, der einem alternden grauen Walroß ähnelte, schlug mit seinem Hämmerchen kräftig auf die Platte seines Pults. Gleichzeitig jubelte eine vertraute La-di-da-Stimme: »Bravo!«

Day blickte zu Dawes. »Nun, Colonel Bryan hat's getan – er hat Ihnen Ihr Empire verschafft.«

»*Sie* folgen Ihrem Führer nicht?« fragte Hay.

»Ich glaube, er hat einen Fehler gemacht. Wir haben zu Hause genug zu tun ohne . . .«

Doch wieder erfüllte Jubel die Kammer: Obwohl noch eine Stimme ausstand, war die notwendige Zweidrittelmehrheit erreicht. Der Senat hatte mit siebenundfünfzig gegen siebenundzwanzig Stimmen den Friedensvertrag ratifiziert, also auch die Annektierung der Philippinen gebilligt, die sich jetzt im Aufstand gegen ihre neuen, und zwar – per Kongreßentscheid – legitimen Herren befanden.

»Teufel und Maria!« rief der entzückte Dawes. »Ich muß das gleich dem Major berichten.«

Eddy half Hay auf die Füße. Mehrere Würdenträger schüttelten ihm die Hand, als sei dies mehr sein Vertrag gewesen als der des Präsidenten. Am Fuß der Treppe hinauf zur Galerie empfing Lodge Hay mit den Worten: »Wir haben's geschafft.« Es entging Hay nicht, wie mitgenommen Lodge wirkte. »Noch nie im Leben habe ich so eine Anspannung durchstehen müssen.«

Hay spendete ihm das Lob, das er begehrte; und verdiente. Insgesamt hatten nur zwei Republikaner gegen den Vertrag gestimmt: Lodges Kollege Hoar, der, ohne daß es jemand erwartet hätte, erklärt hatte, er sei bereit, sich im Senat enthaupten zu lassen, falls dadurch die Annektierung verhindert werden könnte; und Hale, Senator aus Maine, der ebenfalls starrköpfig bei seinem Nein geblieben war. Im übrigen jedoch hatten Hannas Geld und Einfluß, Bryans Beredsamkeit und Lächeln und Lodges Hartnäckigkeit für den, wenn auch recht knappen, »Sieg« gesorgt. »Das Staatsschiff befindet sich endlich auf offener See«, sagte Hay, sich nach links und nach rechts verbeugend, während er zusammen mit Lodge die Rundhalle durchquerte, wo sich jetzt die Washingtoner Damen unter die müden, doch stolzen Senatoren mischten.

»Schiff ist die passende Metapher«, sagte Lodge ein wenig grimmig. »Und ich habe gerade einen Monat im Maschinenraum zugebracht . . .«

» . . . in den Senatstoiletten.«

»Genau. An mir klebt der Dreck.«

Wie um – gleichsam auf ein Stichwort – die Natur des Drecks zu illustrieren, ging ein hünenhafter, jugendlich wirkender Mann vorüber, inmitten einer Schar von Bewunderern, sämtlich einfache Leute aus dem Westen, der laut und unverblümt seine Meinung kundtat: »Nie im Leben hätte ich geglaubt, daß irgendein Mann völlig ungeniert und am hellichten Tage versuchen würde, einen Senator der Vereinigten Staaten zu bestechen, damit dieser seine Stimme ändert.«

»Wer«, fragte Hay, »war denn das?«

»Der ehrenwerte Senator aus Idaho, Mr. Heitfeld, der in einer wohlgeordneteren Welt jetzt in seiner Heimat Weizen säen würde.«

»Nein, lieber Cabot, in Idaho im Februar bestimmt keinen Weizen. *Hat* man versucht, ihn zu bestechen?«

Lodge zuckte die Achseln. »Ich jedenfalls nicht. Aber Hanna hat mit vielen getuschelt. Bryan desgleichen. Also wer weiß? Aber was wirklich zählt, ist doch wohl, daß wir endlich auf hoher See sind, Mr. Hay. Was England einmal war, das sind jetzt wir, vom heutigen Tage an. Asien ist unser.«

»Nun, noch nicht.« Sie befanden sich mittlerweile vor dem Kapitol. Der Himmel war schwarz; ein kalter Wind wehte. Zum Glück stand der Außenminister, dem Rang nach, an dritter Stelle hinter dem Vizepräsidenten und dem Speaker, und so kam im Handumdrehen die quietschende Kutsche des State Department vorgefahren, während eine lange Reihe weiterer Kutschen mit in wärmende Decken gehüllten Pferdegespannen noch warten mußte. Hay vervollständigte die nautische Metapher: »Hoffentlich fällt jetzt nicht das Barometer, wo wir auf hoher See sind.«

»Oh«, sagte der Kutscher, der sich angesprochen fühlte, »da ist ein Blizzard im Anzug, Sir. Der schlimmste der ganzen Saison, heißt es.«

»Das«, sagte Hay zu Lodge, »ist kein gutes Omen.«

»Dann werde ich fortfahren, kapitolinische Gänse zu töten, bis ich eine finde, deren Leber gutes Segelwetter verheißt.« Lodge und Eddy halfen Hay in die Kutsche. »Im Ernst«, sagte Lodge ernst, »das war der knappste, härteste Kampf, den ich je mitgemacht habe. Ich glaube nicht, daß wir so was noch einmal erleben werden, etwas, bei dem derart viel auf dem Spiel steht.«

»Ich mache keine Prophezeiungen, nicht in irdischen Dingen«, sagte Hay. Und spürte, wie im selben Augenblick ein wüster Schmerz unten in seine Wirbelsäule schoß, der alles Irdische prompt in seine reale Perspektive rückte; den unausweichlichen Exitus für alle – für ihn selbst allerdings eher früher als später. »Im Unterschied zu solchen in himmlischen Dingen. Sagen wir also, die Schiffe sind auf großer Fahrt, und die Legionen kämpfen auf asiatischem Boden.«

»Ave, Caesar!« lachte Lodge.

»Heil McKinley.« Hay lächelte in die eisige Dunkelheit. »Pazifistischer Herr des Pazifischen Ozeans.«

Teil IV

1

Am Ende des langen, breiten Ganges, der das Erdgeschoß des Fifth Avenue Hotels durchschnitt, wartete Blaise an der Stelle, die überall in den politischen Kreisen der Stadt als *Amen Corner* bekannt war. Warum die »Ecke« so hieß, wußte Blaise nicht; doch geschah es wohl hier, daß ihr gegenwärtiger Master, Senator Thomas Platt, sein »Amen« hinter so manches inbrünstige Gebet setzte. Auf einem goldfarbenen Sofa sitzend, präsidierte der sogenannte *Easy Boss* gleichsam über Freud und Leid sämtlicher Mitglieder der »Organisation«, jener Maschine, welche die Republikanische Partei im Staat New York kontrollierte und vermutlich auch den neuen republikanischen Gouverneur Theodore Roosevelt, der versprochen hatte, Blaise nach seinem allwöchentlichen Frühstückstermin mit Platt ein Interview zu geben. Während der Sitzungsperiode des Kongresses fuhr der Senator freitags abends aus Washington in Richtung Norden und kehrte am Montagmorgen wieder in die Hauptstadt zurück. Die Tatsache, daß der Gouverneur jeden Samstag von Albany, seinem Regierungssitz, den Fluß herunterkam, um mit dem Easy Boss zu frühstücken, verriet einiges über ihr Verhältnis zueinander – wie zumindest der Chef immer wieder dunkel andeutete.

Blaise war nervös. Eine persönliche Begegnung mit dem Gouverneur hatte er noch nicht gehabt, auch wenn er natürlich inzwischen an ihn gewöhnt war, mit seiner Erscheinung vertraut, »habituiert«, wie er es für sich in Anlehnung ans Französische nannte. Er hatte die energische Gestalt bei einem Dutzend verschiedenster Auftritte erlebt, und sie erschien ihm wie die Inkarnation von, nun eben, Energie. Jetzt wollte der Chef ein Interview mit dem Gouverneur; meinte, es sei für Blaise an der Zeit, sich in dieser tückischen Kunst zu versuchen; wollte, daß bestimmte Fragen gestellt wurden, die Blaise auf einem Schreibblock notiert hatte, dessen Papier inzwischen von seinen schweißfeuchten Fingern verschmiert war.

Er war nervös; und fragte sich weshalb. War er denn nicht

tatsächlich an die Großen *habituiert*? Er war ein Sanford; und ein Delacroix dazu. Er entsann sich der tiefen Verachtung seines Vaters für alle Politiker, ein Ressentiment, das, als Präsident Chester A. Arthur in Newport, Rhode Island, den Fehler begangen hatte, das Casino zu besuchen, wo er von allen amüsiert ignoriert worden war, gründlich und dauerhaft befriedigt worden war. Wirklich arg war es geworden, als die Zeit zum Aufbruch kam. Während die Equipagen der Astors, Belmonts, Delacroixs, Vanderbilts an ihm vorüberrauschten, stand er ganz allein da und rief: »Die Präsidentenkutsche!« Colonel Sanford hatte die Situation genossen. Blaise allerdings verstand das patrizierhafte Desinteresse seines Vaters nicht.

Samstags morgens um halb neun war das Fifth Avenue Hotel ungewöhnlich ruhig. In der fernen Lobby konnte man ein paar Gäste sehen, während eine Anzahl potentieller Friedensrichter aus dem nördlichen Teil des Staates die Amen Corner füllten. Sie erinnerten Blaise an jene suspekten Gestalten, die im Polizeirevier in der Mulberry Street Aufstellung zu nehmen pflegten, wenn es galt, einen Tatverdächtigen zu identifizieren.

Zwei Angehörige der New Yorker Polizei bewachten die Tür zu dem privaten Speisezimmer, in dem ihr ehemaliger Commissioner bei einem wirklich »herzhaften« Frühstück saß, bestehend aus einem Hähnchen-Steak, zwei Spiegeleiern, die wie Riesenaugen oben auf dem Fleisch lagen, und einer guten Portion Bratkartoffeln. Blaise hatte den Oberkellner befragt. Offensichtlich war der Gouverneur ein großer Esser, wie ein Pionier aus dem Westen; er liebte einfaches »Futter«, möglichst gebraten und möglichst reichlich.

Plötzlich schob sich ein großer, runder, von einer dunklen Weste bekleideter Bauch in die Türöffnung; der Fortsatz dieses Bauches, Governor Colonel Theodore Roosevelt, sagte etwas zu den beiden Polizisten, worauf diese die Stirn krausten, was ihren einstigen Commissioner vor Gelächter kreischen ließ, wie einen Waldkauz, der nachts auf einen Neger niederfährt. Begleitet wurde der Gouverneur vom blassen und müder denn je wirkenden Platt. Zu Blaise' Überraschung hatten sie ganz allein gefrühstückt, ohne Assistenten – oder Zeugen, wie er sofort dachte. Hearsts düstere Sicht der Welt als eines Ortes allgegenwärtiger Verschwörung war ansteckend; und vermutlich zutreffend.

Jetzt salutierten die Polizisten vor dem Gouverneur, der, die Schar der Bittsteller ignorierend, sofort auf Blaise zutrat. »Mr. Sanford? Vom Journal? Unsere Lieblingszeitung, nicht wahr, Mr. Platt?«

»Es gibt schlimmere, nehme ich an«, stöhnte Platt leise und bewegte sich auf sein angestammtes Goldsofa zu. »Mr. Sanford«, murmelte er und berührte Blaise im Vorübergehen mit seinen altersdürren Fingern an der Hand. Dann sank er auf seinen Thron in der Amen Corner, bereit zu richten und zu regieren, während es dem nominellen Herrscher des Staates überlassen blieb, einen jungen Journalisten zu umgarnen und zu ergötzen. Als die Bittsteller auf Platt eindrangen, winkte der Easy Boss dem Gouverneur und Blaise ein trauriges Lebewohl zu.

»Nun, Mr. Sanford, wie wär's, wenn Sie mit mir *uptown* führen, zum Haus meiner Schwester. Unterwegs können wir uns ja unterhalten.« Mit diesen Worten faßte Roosevelt Blaise mit seiner rechten Hand am linken Ellbogen, eine sonderbare Geste, die auf einen Beobachter wie ein Ausdruck von Vertrautheit oder zumindest Sympathie wirken mochte; doch für das Opfer, und als solches fühlte Blaise sich jetzt, war es eher eine Geste physischer Kontrolle, da ihn der Gouverneur praktisch zwang, rasch und im gleichen Tritt an seiner Seite zu gehen; wieder fand er sich an das Polizeirevier in der Mulberry Street erinnert. Aber mochte der Gouverneur jetzt auch wie ein Polizist wirken, so war er doch längst nicht von jener robusten Physis, wie das legendärerweise behauptet wurde. Roosevelt war eher noch kleiner als Blaise, der sich so sehr wünschte, zwei, drei Zoll größer zu sein: doch schon mit sechzehn Jahren hatte er aufgehört zu wachsen. Aber während Blaise muskulös war, war Roosevelt einfach fett, mit einem mächtigen Kopf, der fast übergangslos aus einem ebensolchen Hals hervorwuchs, indes man den Bauch getrost einen Wanst nennen konnte. Auch die Glieder waren dick, jedoch nicht muskulös. Dennoch schritt Roosevelt schnell und energisch aus, wie ein Athlet, der einer ihm selbst noch unbekannten Sportstätte zustrebt. Zur Verblüffung von Blaise benutzte der Colonel präzise jene Floskeln, die ihm von der Presse nachgesagt wurden. Als sie die Lobby erreichten und ihm wildfremde Menschen seine Hand schüttelten und ihm Glück wünschen wollten, ließ er lächelnd seine gewaltigen Zähne blitzen und rief, deutlich skandierend: »Hoch-ent-zückt!« Erzählte man ihm etwas, das er guthieß, so sagte er tatsächlich: »Bully!«, wie ein Bühnenengländer. Auf der Straße antwortete er sogar auf den Zuruf »Teddy«, einen Namen, mit dem ihn sonst niemand anzureden wagte, wie Blaise wußte.

Ein leichter Aprilregen ging über der Fifth Avenue nieder, doch schon sprang Gouverneur Roosevelt in seine Kutsche, wobei er sich von Blaise' Ellbogen abdrückte, den er die ganze Zeit über nicht losgelassen hatte. Zufrieden bemerkte Blaise, daß es sich bei der Kutsche um einen geschlossenen Brougham handelte. Für einen kurzen Augenblick sah er den Helden und Rancher Roosevelt, den Exponenten des gelobten »harten Lebens« – einen so betitelten Vortrag hatte er erst kürzlich im Mittleren Westen gehalten – vor sich, wie er während eines Gewitters die Fifth Avenue entlangritt und den Elementen »Bully!« entgegenschrie.

»Sie sollten nach Westen gehen«, sagte der Gouverneur erwartungsgemäß. »Ein junger Kerl wie Sie sollte seinen Körper entwikkeln und seine Moral.«

Blaise spürte, wie ihm das Blut in die Wangen stieg; nicht wegen des Wortes »Moral« – darüber hätte er, der er in Frankreich erzogen worden war, dem Gouverneur einiges sagen können –, sondern wegen des Wortes »Körper«. Er war stolz auf eine Muskulatur, wie sie keiner seiner Kommilitonen in Yale besessen hatte. Ein Geschenk von Mutter Natur, zugegebenermaßen, doch es war nun mal seiner – ganz anders als dieser dicke Mehlpudding da an seiner Seite. Aus der Nähe sah Roosevelt keineswegs jung aus; allerdings war vierzig in Blaise' Augen auch nicht unbedingt mehr das optimale Mannesalter. Hinter dem goldgefaßten Pincenez verästelten sich tiefe Linien. Das kurzgestutzte Haar war grau durchsetzt. Wie eine Parenthese aus Haar umrahmte – oder verbarg? – der im chinesischen Stil geformte Schnurrbart rote, volle, eigentümlich üppige Lippen. Die Augen, hellwach und flink, waren auf ihre Weise von unbestimmter Farbe – einfach hell, glänzend. Die Beleibtheit wirkte ungesund. »Im Armdrücken«, sagte Blaise zu seiner eigenen Verblüffung, »bin ich sicher besser als Sie.«

Der Gouverneur, der aus dem Fenster geblickt hatte, wohl in der Hoffnung, von beschirmten Spaziergängern erkannt zu werden, kehrte Blaise einen verwunderten Blick zu. Er ließ seine Augengläser von der Nase auf die Brust tropfen, wo sie dann pendelgleich an ihrer Kette schwangen. Die Augen, jetzt konnte Blaise es erkennen, waren blau. »Sie? Ein Stadtfrack?« Er brach in ein helles, hohes Gelächter aus. »Auf geht's«, sagte der Gouverneur.

Die beiden Männer setzten sich auf dem Rücksitz so zurecht, daß jeder von ihnen einen Ellbogen auf das Mittelpolster stützen konnte, während sie ihre Unterarme gegeneinander setzten. Blaise war sich seiner Sache absolut sicher; er wußte, daß er stärker war, als er begann den Arm des Älteren tiefer zu zwingen. Doch Roosevelt war schwerer; schließlich, als die Niederlage unausweichlich schien, schummelte er einfach. Unauffällig schob er seine Füße unter den Klappsitz gegenüber, und so konnte er, sich abstützend, den Arm von Blaise prompt herunterdrücken. »Na, bitte!« rief der Gouverneur, hochentzückt.

»Sie hatten Ihre Füße unter dem Sitz.«

»Hatte ich nicht . . .«

»Da, sehen Sie!« Blaise deutete mit der Hand auf den Klappsitz, hastig wurden die Füße fortgezogen.

»Ein Zufall. Sind mir weggerutscht.« Für einen kurzen Augenblick sah Roosevelt wütend aus; wie ein kleines Kind, das erwischt worden ist. Dann brüllte er: »Bully für Sie, mein Junge! Kommen Sie mit rein. Sie sind kein Stadtfrack. Was immer auch sonst Sie sind. Ein Sanford. Welcher Sanford?«

Rasch wurde das Familienspiel einmal durchgespielt. Der Colonel, wie so viele Volkstribune ein vollkommener Snob, fühlte sich durchaus wohl; dem Sanford gegenüber; etwas verunsichert jedoch gegenüber dem Delacroix. Während sie vor 422 Madison Avenue ausstiegen, dem Brownstone von Mrs. Douglas Robinson, der jüngsten Schwester des Gouverneurs (Blaise machte sich akribische Notizen), fragte Roosevelt: »Boxen Sie?«

»Ja«, erwiderte Blaise wahrheitsgemäß.

»Dann werden wir beide uns, wenn das Frühstück erst mal ein bißchen gesackt ist, im Keller ein Paar Handschuhe anziehen.«

Mrs. Robinson, von ihrem Bruder Conie genannt, war eine dunkelhaarige, glanzäugige Frau, die die beiden Männer in einen kleinen Salon führte, der vom Kopf eines Büffels beherrscht wurde, den der Gouverneur geschossen hatte, als er im Westen noch Cowboy gewesen war. Die Ähnlichkeit zwischen der Jagdbeute und dem Jäger war irgendwie unheimlich, fand Blaise. »Ich war selbst mal Tierausstopfer«, sagte Roosevelt. »Hauptsächlich Vögel. Doch eigentlich wollte ich Ornithologe werden, Zoologe. Warum Hearst?«

»Nun, warum nicht, Sir?« Blaise saß in einem William-Morris-Schaukelstuhl, während Roosevelt im Geschwindschritt einen ziellosen Verdauungsmarsch durch den Raum absolvierte. Aus dem hinteren Salon klang von Zeit zu Zeit das Läuten eines Telefons und dann eine tiefe männliche Stimme, die den Anruf beantwortete. Wie es schien, wurden die Regierungsgeschäfte des Staates New York, während sie sich hier unterhielten, nicht vernachlässigt.

»Er ist natürlich gegen Reformen. Er ist ein Demokrat, auch wenn ich in solchen Dingen nicht überpenibel bin. Aber ich glaube, daß Boß Croker selbst nach den Maßstäben der Tammany-Clique nicht gerade das Gelbe vom Ei ist.«

»Das stimmt, Sir. Aber als Sie für den Gouverneursposten kandidiert haben, hat er in Bereitschaft gestanden, und Sie haben mit achtzehntausend Stimmen Vorsprung gewonnen, weil er sich nicht voll für Richter Van Wyck eingesetzt hat.«

Roosevelt zog es vor, die Bemerkung zu überhören. »Letzte Woche war Mr. Hearst beim Tammany Hall Dinner im Grand Central Palace, wo unser Freund Croker präsidierte, wieder daheim aus Irland, oder auch *fort* von daheim, von Irland. *Ich* wäre nicht erpicht darauf, mit einem solchen Mann so eng liiert zu sein.«

»Ich glaube, Sir, der Chef war dort, um Mr. Bryan zu hören.«

»Ich verstehe überhaupt nicht, weshalb ein Zeitungsverleger, der in Harvard studiert hat, sich in die Politik einlassen will, wo er doch, soweit ich das sagen kann, gar keine eigene politische Linie hat.«

Hearsts plötzliche Obsession mit der Politik hatte Blaise eher amüsiert als irritiert; doch konnte er Roosevelt nicht sagen, daß das unvermittelte Interesse des Chefs an der Politik und an hohen Ämtern keineswegs – wie viele glaubten – durch die Karriere seines Vaters, des Senators George Hearst, ausgelöst worden war, sondern . . . nun, eben durch diesen dicklichen, kurzwüchsigen, ruhelosen, fast fistelstimmigen Mann, der wie ein aufgezogener Spielzeugsoldat ziellos im Zimmer umhermarschierte. Inzwischen hatte Blaise den Gedanken an ein Interview mit dem Gouverneur aufgegeben. Wen Roosevelt als gesellschaftlich ebenbürtig ansah, wie offenbar Blaise, den behandelte er nicht als Mitglied jenes feierlichen Konsistoriums aus reformierenden Engeln, die sich mit Eimern und Schaufeln ans Ausmisten der Ställe der Republik machten, eher schon sah er sich behandelt wie ein Junge von einem anderen, der trotz – oder wegen – seiner kleinen Statur und seiner Sehschwäche ein geborener »Klassentyrann« war, vielleicht auch ein geborener Führer, falls irgend jemand dazu bewegt werden konnte, ihm zu folgen. Welcher Gedanke auch immer seinen wendigen Geist kreuzte, er fühlte sich offenbar gedrängt, ihn auszusprechen.

Hearst interessierte den Colonel jetzt nicht mehr. Statt dessen zog das Modell eines Schlachtschiffs seine Aufmerksamkeit auf sich, das, davon war Blaise überzeugt, wohl kaum zu den persönlichen Schätzen von Mrs. Robinson gehörte. »Das hier gab man mir, als ich Unterstaatssekretär für die Marine war. *Baut mehr davon,* sagte ich. Haben Sie Admiral Mahan über das Thema Seemacht gelesen? Vor neun Jahren erschienen. Hat so manchem die Augen geöffnet. Ich hab es seinerzeit im Atlantic Monthly besprochen. Wir sind enge Freunde. Ohne Seemacht kein britisches Empire. Ohne Seemacht kein amerikanisches Empire, wenn wir auch das Wort ›Empire‹ vermeiden, weil die Zartbesaiteten es nicht ertragen können. So wie Andrew Carnegie, der alte Schurke, der behauptet, falls wir unseren kleinen braunen Brüdern auf den Philippinen nicht die Freiheit geben, werden wir verflucht sein. Wodurch? Sein Geld? Er hat zu Mr. Hay gesagt, sollten amerikanische Soldaten – was sie ja doch tun mußten – auf die Filipinos feuern, werden wir unsere Republik daheim verlieren. Unglaublich! Dank Mr. Carnegie und seinen Freunden war unsere Regierung gezwungen zur Zeit der Haymarket-Unruhen auf eine große Zahl amerikanischer Arbeiter zu schießen, und der alte Heuchler war hoch-ent-zückt. Der verlogene Kerl. Ganz anders als Mahan. *Der* ist ein Patriot. Die Torpedoboote. Für seine Theorie muß ich ihm danken. Und die Marine muß mir danken, weil ich für unsere rechtzeitige Aufrüstung gesorgt habe . . .«

». . . und sie muß Ihnen auch für Admiral Dewey danken.« Blaise nutzte die Pause, die entstanden war, weil Roosevelt seine Zähne dreimal gegeneinanderklicken ließ, wie ein Hund; ein beunruhigendes Geräusch, genauso beunruhigend wie sein Gesichtsausdruck. »Nun, ich hab ihm den Job im Pazifik in der Tat verschafft. Hat einige Mühe gekostet. Mußte erst einen *Senator* auftreiben, der ihn protegierte. Stellen Sie sich das vor! Was für ein Land! Hätten wir keinen Senator für ihn gefunden, so hätte ein anderer Offizier den Job bekommen, und wir wären nicht in Manila. Guter Mann, der Dewey. Guter Offizier. Jetzt versucht man natürlich, ihn dazu zu bringen, daß er für die Präsidentschaft kandidiert. Ich hoffe, er ist klug. Und hält sich raus.«

»Mr. Hearst meint, der Admiral wäre besser als Bryan . . .«

»Lieber Junge, *Sie* wären besser als Bryan. Hat meine Schwester Anna vor ein paar Jahren nicht Ihren Vater besucht?«

»War sie in Allenswood?« Blaise erinnerte sich plötzlich an eine charmante, wenn auch äußerst unattraktive und großzahnige Frau, die mit Frankreich sehr vertraut zu sein schien.

»Nein. Aber sie hat bei Mlle. Souvestre studiert, als sie noch ihre Schule in Frankreich hatte. Bevor sie nach England zog . . .«

»Meine Schwester Caroline war gleichfalls dort. In England . . .«

Roosevelt sprach unbeirrt weiter: » . . . hat sie bei Bamies Französisch und Allgemeinwissen wahre Wunder bewirkt, in Sachen Moral bin ich mir da allerdings nicht so sicher. Sie ist jetzt eine Freidenkerin, wie Mlle. Souvestre . . .«

». . . die eigentlich eine Atheistin ist.«

Roosevelt knirschte mit den Zähnen, eindrucksvoll Zorn imitierend. »Um so schlimmer für meine Schwester. Und für Ihre . . .« Wie so viele Politiker, die unaufhörlich sprechen, besaß er die Fähigkeit, durch den Schwall der eigenen Worte hindurch zu hören, was andere sagten. »Wenigstens hat meine perfektes Französisch gelernt. Und Ihre?«

»Sie sprach bereits Französisch. Sie mußte allerdings ihr Englisch perfektionieren. Was sie auch getan hat.«

»In diesem Jahr schicken wir meine Nichte zu ihr. Wir haben Hoffnungen . . .« Doch der Gouverneur blickte grimmig drein.

»Es handelt sich wohl um die Tochter von Mr. Elliott Roosevelt, Sir?«

»Ja. Mein Bruder ist Ihren Lesern ja gut bekannt.« Der Gouverneur schleuderte sich in einen Armstuhl; funkelte Blaise böse an, als sei er dieser Hearst, der Teufel. Vier Jahre zuvor war Elliott Roosevelt gestorben, in der 102. Straße, wo er unter falschem

Namen mit seiner Geliebten und einem Diener wohnte. Obwohl er schon seit Jahren dem Alkohol verfallen gewesen war, hatte Blaise' Vater stets gesagt, daß von allen Roosevelts einzig Elliott wirklichen Charme besäße. Elliott hatte viel Zeit in Paris verbracht, einen großen Teil davon im Château Suresnes, einem Refugium – um nicht zu sagen, einer Anstalt – für reiche Alkoholiker. Vor mehreren Jahren hatte der Gouverneur dann seinen Bruder öffentlich für geistesgestört erklärt, zum Entzücken der Presse. Zumal Hearst konnte kaum je der Versuchung widerstehen, auf diesem wunden Punkt in der Familiengeschichte der Roosevelts herumzuhacken; genau wie er sich nie eine Gelegenheit entgehen ließ, die New Yorker daran zu erinnern, daß Theodore Roosevelt, »aus Gründen der Steuerersparnis«, anzugeben pflegte, er habe seinen Wohnsitz im District of Columbia und nicht im Staate New York. Wegen dieser Konfusion um seinen Wohnsitz hatte Roosevelt ums Haar seine Nominierung als Gouverneurskandidat verloren. Doch der brillante Elihu Root, ein Jurist ohnegleichen, wie das Journal ihn genannt haben würde, hatte es verstanden, die Delegierten für Roosevelt zu gewinnen. Alles in allem war Blaise froh, daß er selbst keine politischen Ambitionen hatte. Zwischen privatem und öffentlichem Leben gab es, für ihn, keinerlei Konkurrenz. Was, fragte er sich manchmal, würden »die« wohl mit dem Privatleben des Chefs machen, wenn er sich entschloß, die Arena zu betreten?

Roosevelt stellte sich dieselbe Frage. »Er wird entdecken, daß sämtliche Zeitungsleute ihn genauso behandeln, wie er jedermann behandelt hat.« Roosevelt nahm seine Brille ab; und starrte kurzsichtig auf den Büffel, der seinerseits in die Ewigkeit starrte, eine Stelle unmittelbar über der Tür zum Flur. »Ich vermute, daß er wieder Bryan unterstützen wird. Das würde es für uns leicht machen. McKinleys Sieg wäre garantiert.«

»Und was ist mit Ihnen, Sir?«

»Ich bin ein guter Parteimann. McKinley ist der Führer der Partei. Man hat mir den Posten des Chefredakteurs von Harper's Weekly angeboten. Das können Sie ruhig schreiben. Sie können auch sagen, daß ich mich versucht fühle zu akzeptieren, wenn meine Amtsperiode im nächsten Jahr vorüber ist.« Vom Flur her näherte sich ein Mann, der dem Gouverneur einen, wie Blaise sehen konnte, Zeitungsausschnitt reichte. Aus welcher Zeitung wohl? Vermutlich aus der Sun. Der Mann verschwand, und Roosevelt war wieder auf den Beinen und marschierte ziellos auf und ab, ein Energiebündel, das einem unwiderstehlichen Bewegungsdrang zu gehorchen schien. »Der Präsident hat General MacArthur auf die Rebellen losgelassen. Ich habe vorgeschlagen, die bedingungslose Kapitulation zu fordern, doch ist der unmaßgebliche Gouverneur von New York bei solchen großen Angelegenheiten natürlich ohne jedwede Autorität.«

»Aber zumindest hört man Sie an, Sir.« Blaise begann, wenn schon keine Story, so doch ein Thema herauszuarbeiten. »Sie sind für Expansion. Überall?«

»Überall, wo wir gebraucht werden. Schließlich bedeutet das, die mannhafte Rolle zu übernehmen. Überdies jede Expansion von Zivilisation – die wir auf der Welt in hervorragender Weise verkörpern, mit unserer Religion, unseren Gesetzen, unseren Sitten, unserer Modernität, unserer Demokratie. Wo immer unsere Zivilisation sich ausbreiten kann, bedeutet das einen Sieg für Gesetz und Ordnung und Rechtschaffenheit. Schauen Sie sich doch jene armen, rückständigen Inseln an. Wie sähe es da ohne uns aus? Blutvergießen, Chaos, Raub . . . Aguinaldo ist nichts weiter als ein Tagal-Bandit.«

»Manche sehen in ihm einen Befreier«, begann Blaise, dem klar war, daß der Gouverneur eine ganze Enzyklopädie von Platitüden herausdonnern konnte.

Aber er war nicht mehr zu bremsen. Roosevelt marschierte in der Zimmermitte mit schnellen Schritten im Kreis. Er hatte eine Art rhetorischen Anfall, hielt, alle Tricks benutzend, eine Rede, als sei Blaise ein zehntausendköpfiges Publikum im Madison Square Garden. Hob und senkte die Arme, schleuderte den Kopf zurück wie ein Mensch gewordenes Ausrufungszeichen, klatschte die rechte Faust in die linke Hand, um das Ende eines perfekten Arguments zu markieren, und den Beginn eines neuen. »Die Degenerierung der malaiischen Rasse ist eine Tatsache. Damit fangen wir an. Wir können denen nur Gutes tun. Wenn Leute vom Schlage Carnegies uns weismachen wollen, daß die für die Unabhängigkeit kämpfen, so sage ich, daß man jedes Argument, das man für den Filipino vorbringt, auch für den Apachen vorbringen könnte. Jedes Wort, das für Aguinaldo gesagt werden könnte,

könnte auch für Sitting Bull gesagt werden. Doch die Indianer konnte man genausowenig zivilisieren, wie man die Filipinos zivilisieren kann. Sie stehen der Zivilisation im Wege. Sie könnten jetzt den Namen Jeffersons anrufen . . .« Roosevelt funkelte Blaise an, der keinerlei Absicht hatte, irgend jemandes Namen »anzurufen«. Statt dessen blickte er geradeaus auf den runden Bauch dort vor sich, wo die goldene Uhrkette im Einklang mit der Stimmung ihres Besitzers vibrierte; militant, imperial. »Nun, lassen Sie mich Ihnen sagen, daß Jefferson, als er die Unabhängigkeitserklärung schrieb, die Indianer nicht mit zu jenen zählte, die *unsere* Rechte besitzen . . .«

» . . . und die Neger auch nicht«, sagte Blaise prompt.

Roosevelt runzelte die Stirn. »Die Sklaverei war etwas anderes – und wurde zu gegebener Zeit in der Feuerglut des Bürgerkrieges als Problem gelöst.«

Blaise fragte sich unwillkürlich, wie es im Kopf eines Politikers aussehen mochte. Gab es da Fächer mit den Aufschriften »Sklaverei«, »Freihandel«, »Indianer«? Oder hingen die bekannten Argumente an Haken nebeneinander, wie Fahnenabzüge? Obwohl Roosevelt ein respektabler Historiker war, der Bücher schrieb und sogar las, konnte er nie irgend etwas sagen, das man nicht schon tausendmal gehört hatte. Vielleicht bestand hierin die Kunst des Politikers: Längstbekanntem einen Anstrich von Neuheit und Leidenschaftlichkeit zu geben. Auf jeden Fall war der Gouverneur von seiner eigenen Rhetorik bezaubert. »Jefferson hat Louisiana gekauft, jedoch kein einziges Mal die Indianerstämme konsultiert, die zusammen mit dem Land erworben wurden.«

»Ebensowenig wie die Delacroix-Familie und etliche zehntausend weitere französische und spanische Einwohner von New Orleans. Wir hassen Jefferson noch immer, wissen Sie.«

»Aber zu gegebener Zeit wurden Sie als freie Bürger der Republik eingegliedert. Ich spreche jetzt nur von den Wilden. Als Mr. Seward Alaska erwarb, haben wir da etwa die Zustimmung der Eskimos erbeten? Kein Gedanke. Als in Florida die Indianerstämme rebellierten, hat ihnen Andrew Johnson da etwa die Staatsbürgerschaft angeboten, für die sie noch längst nicht bereit waren? Nein, er bot ihnen einfache Gerechtigkeit. Und eben die werden wir auch unseren kleinen, braunen Brüdern auf den Philippinen zuteil werden lassen. Gerechtigkeit und Zivilisation werden sie haben, wenn sie nur die Gelegenheit dazu ergreifen. *Wir werden die Inseln behalten!*« Plötzlich begann Roosevelt wie im Stakkato mit seinen Zähnen zu klicken, ein alarmierendes Geräusch; er gleicht einer Maschine, dachte Blaise und fragte sich, wie um alles in der Welt man mit nichts als Worten eine so sonderbare Kreatur beschreiben sollte. Wieder tauchte das innere Bild des aufgezogenen Spielzeugsoldaten auf. »Und wir werden dort eine stabile und ordentliche Regierung einrichten, so daß an einem weiteren hellen Flekken . . .«, er schlug mit der Faust in die geöffnete Hand, » . . . auf der Oberfläche der Welt Befreiung obsiegt . . .«, zwei plumpe Hände packten die unschuldige warme Luft des Salons und retteten sie vor der Winterkälte, » . . . über die Mächte der Dunkelheit!« Ein wenig Schaum haftete auf der vollen Unterlippe des Gouverneurs. Er wischte ihn weg mit dem Rücken der Hand, welche noch den einen hellen, der Dunkelheit entrissenen Flecken hielt. »Sind Sie absolut sicher, daß Mlle. Souvestre eine Atheistin ist?« Abrupt ließ sich der Gouverneur auf einem Stuhl nieder. Die Philippinen hatte er in ihrem Schubfach verschwinden lassen.

»Man hat es mir erzählt. Ich kenne sie nicht wirklich.« Blaise war neutral. »Sie ist sehr aktiv gewesen für Hauptmann Dreyfus.« Dies war keineswegs ein bizarrer Gedankensprung. Freidenker hatten sich in besonderem Maße für Dreyfus eingesetzt. Aber der Gouverneur hörte gar nicht zu.

»Bamie – meine Schwester, meine ich – sagt, daß man sie in religiösen Dingen ignorieren kann. Ist die Chance für meine Nichte Eleanor wert, denke ich.« Dann hielt der Gouverneur Blaise einen einstündigen Vortrag. Er wünsche stärkere Prokonsuln auf Kuba und auf den Philippinen. Er werde über die Angelegenheit mit dem Präsidenten sprechen. Er meine, je eher der Kriegsminister Alger – der Mann, auf dessen Konto das verdorbene Konservenfleisch für die Truppen kam – das Kabinett verlasse, desto besser. Es gelang Blaise, ein oder zwei Fragen nach den Beziehungen zwischen dem Gouverneur und Senator Platt einzuwerfen. Nach außen waren sie *»Bully!«*, obwohl natürlich jeder wußte, daß sich die beiden nicht ausstehen konnten; und daß Platt Roosevelt nur deshalb akzeptiert hatte, weil die Partei, nach den Skandalen des vorherigen republikanischen Gouverneurs, sonst den Staat New York verloren haben würde. Andererseits brauchte Roosevelt, der eifernde Reformer, die Republikanische Parteimaschine für seine Wahl zum Gouverneur. Im übrigen war es kein Geheimnis, daß Roosevelt sehr gern seinem Freund Lodge im Senat in Washington Gesellschaft leisten würde; ebensowenig war es ein Geheimnis, daß Platt nicht daran dachte, seinen eigenen Senatssitz zugunsten eines Gouverneurs aufzugeben, der gegenwärtig darauf beharrte, daß jede Institution oder Gesellschaft mit öffentlichen Privilegien Steuern zahlen müsse. Dies betraf vor allem William Whitney, einen demokratischen Millionär, den Besitzer zahlreicher Straßenbahnlinien und auch, wie manche behaupteten, des goldenen Schlüssels zu Tammany Hall; dem Versammlungsort der New Yorker Demokraten. Whitney hatte in Clevelands Kabinett gedient; hatte Blaise' Studienfreund Payne gezeugt.

Der Gouverneur übte sich, buchstäblich, in Deklamatorik; stellte mit schwächlicher Stimme eine Frage; beantwortete sie als sein eigener gestrenger Jehova; spielte ein Dutzend verschiedener Rollen durch, sämtlich miserabel, doch irgendwie unterhaltsam. Blaise fragte sich, wie er es so oft tat in dieser ihm noch immer fremden Stadt, ob ein solcher Mann wohl eine Geliebte habe, oder ob er Bordelle aufsuche – von denen es allein im Tenderloin District mehr gab als in ganz Paris – oder ob er sich, unter Aufbietung eiserner Willenskraft, wohl mit den Zärtlichkeiten seiner zweiten Frau begnüge.

Der Gedanke an Payne Whitney hatte Blaise an Sex denken lassen. In Yale hatte Blaise den feurigen Payne einmal gefragt, ob es in New Haven ein brauchbares Bordell gebe. Payne war prompt knallrot geworden, und Blaise hatte kapiert, daß sein zwanzigjähriger Kommilitone noch Jungfrau war. Weitere, absolut unauffällige Erkundungen hatten Blaise von zweierlei überzeugt: Zum einen waren die meisten jungen Männer seines Jahrgangs noch Jungfrau, und zum anderen erklärte dieser unnatürliche Zustand, warum sie so unglaublich lange und langweilige Gespräche über die Mädchen führten, die sie gesellschaftlich kannten, wobei sie sich gern auf eine Weise vollaufen ließen, wie er das, von Paris her, eigentlich nur von Arbeitern der alleruntersten Klasse kannte. Klugerweise erzählte er keinem, daß er von seinem sechzehnten Lebensjahr an eine Affäre mit Anne de Bieville, einer Freundin seines Vaters, gehabt hatte, die zwanzig Jahre älter gewesen war als er und glücklich verheiratet, mit einem Bankmanager; ihr ältester Sohn, zwei Jahre älter als Blaise, hatte diesem auf Saint-Cloud das Schießen beigebracht und war eine Zeitlang sein bester Freund gewesen. Die Annahme, daß Blaise der Liebhaber der Mutter war, wurde stillschweigend akzeptiert und kam zwischen den beiden jungen Burschen niemals zur Sprache. Kein Wunder, daß das prüde New Haven für Blaise eine Art Schock gewesen war.

»Vielleicht entwickeln sich die Angelsachsen später als wir«, sagte Anne, über den Anblick von soviel Jungfräulichkeit auf den Sportplätzen von Yale amüsiert; genauer gesagt, anläßlich einer Tanzveranstaltung für die sogenannte Senior-Class. Blaise hatte die veilchenäugige Anne als seine Tante vorgestellt, und sie hatte eine Sensation bewirkt. »Nun, rein physisch sind sie voll da«, sagte Blaise; viele der Seniors, der Studenten in »höheren Semestern«, trugen dicke Schnurr- und dichte Backenbärte. »Aber mit ihren Gehirnen passiert hier irgendwas – oder auch nicht.«

»Vor allem aber mit ihrer Leber, wie mir scheint. Sie trinken zuviel.«

Theodore Roosevelt hatte seinen Marsch durch den Salon wieder aufgenommen. Blaise versuchte, ihn sich in einem Liebesnest in der 102. Straße vorzustellen; schaffte es nicht. Der Bruder, Elliott, hatte, als er starb, eine Geliebte bei sich gehabt, eine Mrs. Evans, der die Roosevelt-Familie eine Art Abfindung bezahlte, weil es einen *Mr.* Evans gab, der gedroht hatte, den Roosevelt-Anwalt zu erschießen, falls sie finanziell leer ausgehen sollte. Elliott hatte auch eine Mrs. Sherman geliebt, die in Paris gelebt, jedoch in der Sanford-Welt keine Aufnahme gefunden hatte.

Blaise kam zu dem Schluß, daß Gouverneur Roosevelt wohl kaum jene Art Mann war, die Frauen ebenso genoß wie, beispielsweise, ein herzhaftes Mahl. Andererseits schien, für Blaise' jugendliches Zynikerauge, Roosevelt jenem Typ Mann zuzugehören, der nach viel Ach und Weh und Seelenknatsch die Frau seines besten Freundes verführen würde, um diesem dann die ganze Schuld an der Tragödie in die Schuhe zu schieben. Das schien durchaus angelsächsisch zu sein. Ein Sekretär erschien und meldete einen Telefonanruf aus Albany. So fand das Interview sein Ende.

»Viel Glück, mein Junge. Hoffentlich können Sie aus meinem

Hang zur Weitschweifigkeit etwas herauskristallisieren. Gibt nun mal soviel zu reden. Soviel zu tun. Nächstes Mal werde ich Ihnen eine Boxstunde geben. Und was Ihren Mr. Hearst betrifft . . .«, die glänzenden Augen hinter den goldgerahmten Gläsern verengten sich, ». . . wir sind in vielen Dingen verschiedener Meinung. Bryan, freies Silber. Karierte Anzüge. Beim Empfang des Bürgermeisters im vergangenen Monat trug er . . .«, Roosevelts Stimme schwang sich eine halbe Oktave höher, voller Verachtung, »einen *chartreuse* Plaid-Anzug mit einer purpurfarbenen Krawatte. Und wundert sich, warum ihn kein Club aufnehmen will.« Der Händedruck war kräftig; Blaise' Abgang flott.

Der Chef zeigte sich über die Garderobenkritik des Gouverneurs amüsiert. »Nun, zumindest haben wir ihn davon abgebracht, pink Shirts und Fantasie-Schärpen zu tragen.« Der Chef lag in seinem Wohnzimmer längelang auf einem Sofa, eine Büste von Alexander dem Großen neben seinem Kopf, eine von Julius Cäsar zu seinen Füßen. Auf dem Fußboden lag ein Banjo. Der Theaterkritiker des Journal, Ashton Stevens, hatte geschworen, er könne Hearst in sechs Stunden das Banjospielen beibringen. Aber nach vierzehn Stunden blieb die ersehnte Virtuosität weiterhin ersehnt. Anscheinend war der Chef trotz seiner Leidenschaft für populäre Musik ohne musikalisches Gehör. Zwei Wochen lang hatte er versucht, den »Maple Leaf Rag« zu lernen, eine Art Vorzeige-Ragtime, doch konnte man das Resultat nur betrüblich nennen. Wieder trug der Chef Plaid; diesmal allerdings ein Muster von gedämpftem Grau in Travertin-Tönung; wie der fashionable Bodenbelag in einem Foyer, dachte Blaise, während er seinen Bericht über Gouverneur Roosevelt beendete.

»Schade mit dem, wie heißt er doch noch, dieser Franzmann«, war alles, was Hearst sagte. Er mußte weiter.

»Wäre ein großer Coup gewesen.« Auch Blaise tat es leid, daß ihr verrücktes, jedoch aufregendes Komplott zur Befreiung des Gefangenen von der Teufelsinsel durch die französische Regierung zunichte gemacht worden war. Dreyfus befand sich wieder daheim, war ein freier Mann. Das Journal mußte sich anderswo nach zu erschlagenden Drachen umsehen.

»Diese ›Der Mann mit der Hacke‹-Sache . . .«, begann der Chef; er brauchte den Satz nicht zu beenden. Vor kurzem hatte er in seinem San Francisco Examiner einige Verse von einer obskuren kalifornischen Lehrerin veröffentlicht. Über Nacht war das Gedicht das populärste geworden, das je in den Vereinigten Staaten gedruckt worden war. » . . . und jetzt sagt man, ich sei ein Sozialist! Nun, vielleicht bin ich ja einer. Trotzdem – *ein Gedicht!*« Hearst schüttelte den Kopf; und hob das Banjo auf. »Wer hätte je gedacht, daß ein Gedicht die Auflage steigern würde?« Hearst vergriff sich wieder am »Maple Leaf Rag«. Blaise spürte, wie seine Haut zu prickeln begann. »Ich glaube, jetzt hab ich's raus«, sagte der Chef, einen bislang auf Erden ungehörten Akkord anschlagend.

George erschien in der Tür. »Da ist wieder ein Häusermakler, Sir.«

»Morgen. Sagen Sie ihm, nichts oberhalb der 42. Straße. Ich möchte kein Farmer werden.«

»Ziehen Sie um?«

Hearst nickte. »Das Worth House wird abgerissen. Noch in diesem Jahr. Gerade jetzt, wo ich's in Ordnung gebracht habe.« Mit der Hand deutete er auf das, was einem Auktionslagerhaus glich. In halboffenen Kisten standen Dutzende von Gemälden mit dem Gesicht zur Wand, während andere, die mit dem Gesicht zur Wand vorteilhafter gewirkt hätten, gleichsam ausgestellt waren wie in einem französischen Provinzmuseum; aufeinandergestapelte Stühle erinnerten an den Louis XV Room im Hoffman House nach einem Dinner. »Es gibt eine Möglichkeit in Chicago«, sagte Hearst und schwang seine langen Beine auf den Fußboden.

»Für ein Haus, Sir?«

»Nein. Zum Kauf einer Zeitung.«

»Die News!«

»Nein. Die verkaufen nicht. Aber eine andere könnte ich übernehmen. Billig.« Hearst warf Blaise einen unschuldsvollen Blick zu. »Das heißt, billig für Sie. Teuer für mich, zur Zeit. Im nächsten Jahr zieht meine Mutter nach Kalifornien zurück.«

»Sie wird nicht . . . helfen?«

»Lieber nicht, sagt sie. Sie steckt schon mit so etwa zehn Millionen drin. Dann ist da noch Washington. Die Tribune wird bald den Laden dichtmachen. Natürlich, Wählerstimmen gibt's da schließlich keine. Aber man kann sich immer damit amüsieren, den Politikern Angst einzujagen.«

Blaise war verwirrt. »Wählerstimmen? Ich dachte, Sie wollen Leser.«

»Nun, ich will beides. Ich habe New York, San Francisco und jetzt Chicago – mit ein bißchen Glück. Die Demokratische Partei ist reif, daß sie jemand an sich reißt.«

»Und dieser Jemand wollen Sie sein?«

»Irgend jemand muß es ja sein. Sehen Sie, die Presse besitzt eine Macht, die niemand begreift, auch ich nicht. Aber ich verstehe sie zu handhaben.«

»Um Leser zu bekommen. Wähler und ihre Stimmen sind etwas anderes.«

»Da bin ich mir nicht sicher.« Der Chef streckte seine Arme. »Meine Mutter hat Ihre Schwester kennengelernt.«

»Oh.« Blaise war auf der Hut. Er wollte nicht, daß irgend jemand – und am allerwenigsten Hearst – etwas über den Krieg zwischen Bruder und Schwester erfuhr. Im Augenblick standen sie nur über ihre Anwälte miteinander in Verbindung. Caroline hatte Berufung eingelegt, und jetzt warteten sie auf den Spruch einer höheren Instanz über das Mysterium der Ziffern Eins und Sieben. Inzwischen hatte Caroline – zur Überraschung von Blaise – ihren Wohnsitz von New York, wo die Gerichte waren, nach Washington verlegt, wo sich vermutlich auch Del Hay aufhielt. Ehe Blaise sie daran hatte hindern können, hatte sie die Poussins für zweihunderttausend Dollar verkauft – und konnte sich somit die teuren amerikanischen Gerichtsverfahren jetzt durchaus leisten. Houghteling allerdings hatte darüber nur gelacht und erklärt, daß sie, bevor der Fall zu ihren Gunsten entschieden werden mochte, auf jeden Fall wohl noch ihren siebenundzwanzigsten Geburtstag feiern könne. Gereizt hatte Blaise ihn darauf hingewiesen, daß *er* es sei, der es eilig habe, nicht sie. Im Augenblick waren seine Beziehungen zum Chef gut, doch hatten Hearsts Stimmungen etwas von der Flüchtigkeit des Äthers. Die Zeit war gerade richtig, er konnte ihm beim Kauf der Chicagoer Zeitung helfen. Später würde vielleicht die alte Mrs. Hearst ihrem Sohn wieder unter die Arme greifen; womöglich würden seine Einnahmen sogar seine Ausgaben übersteigen, war das auch eine mehr als vage Zukunftshoffnung bei einem Mann, der die Gewohnheit hatte, der Konkurrenz ihre Journalisten mit verdoppelten Gehältern wegzuengagieren.

»Ihre Schwester kam, um sich das Haus meiner Mutter anzusehen. Aber es sei zu groß, sagte sie. Ihre Schwester, meine ich. Sie ist intelligent, sagt Mutter. Was mag sie an Washington?«

»Ich glaube, es ist die Hay-Familie, die sie mag.«

»Er ist inzwischen praktisch ein Engländer.« Abrupt brach Hearsts kurze Aufmerksamkeitsphase wieder ab. Mutter, Schwester und John Hay gerieten zusammen mit Hauptmann Dreyfus und dem »Maple Leaf Rag« in ein und denselben Topf. »Reisen Sie nach Washington. Nehmen Sie die Tribune in Augenschein. Lassen Sie niemanden wissen, daß Sie irgend etwas mit mir zu tun haben. Ich werde Chicago auskundschaften.«

Blaise war erfreut über den Auftrag; weniger erfreut über die Vorstellung, daß er Caroline begegnen mochte; und alarmiert, als der Chef sagte: »Machen Sie Mutter einen Besuch. Erzählen Sie ihr, wie hart ich arbeite. Und daß ich nicht rauche und nicht trinke und keine vulgären Ausdrücke mehr gebrauche. Sagen Sie ihr auch, daß Sie Schulen sehr lieben.«

»Aber das tue ich ja gar nicht.«

»Aber sie tut's. Sie hat gerade oben bei der Cathedral eine für Mädchen eröffnet. Vielleicht könnten wir beide uns dort ja mal sehen lassen und den Mädchen Unterricht erteilen – in Journalismus, versteht sich.« Was ungefähr die zweideutigste Bemerkung war, die der Chef Blaise gegenüber jemals gemacht hatte. »Richten Sie Ihrer Schwester Grüße von mir aus.«

»Falls ich sie sehe«, sagte Blaise. »Sie bewegt sich ja in höheren Kreisen.«

2

Im März war Caroline sozusagen mit der Peripherie der republikanischen Kreise in Kontakt gekommen, indem sie ein kleines, rosenrotes Ziegelhaus in der N Street mietete, im ein wenig verfallen wirkenden Georgetown, das sie an Assuan in Ägypten erinnerte, wo sie einmal mit ihrem Vater und seiner Arthritis überwintert hatte. Es gab kaum ein weißes Gesicht, und die Hauseigentümerin, eine Offizierswitwe von besonderer Weißhäutigkeit, meinte, hoffentlich würden Caroline all die »Darkies« nichts ausmachen. Caroline versicherte, sie sei vielmehr entzückt; und hoffe, nachts Tom-Toms zu hören. Die Witwe erwiderte, gottlob gebe es in der Nähe keine Indianer, Trommeln seien also nicht zu hören. Andererseits werde viel Voodoo praktiziert zwischen dem Potomac River und dem Kanal. Sie ihrerseits empfehle es *in praxi* nicht. Die Offizierswitwe ließ eine massige Schwarze als »Aushilfe« zurück. Man einigte sich auf eine Mietdauer von mindestens einem Jahr. Auf dem Gehsteig vor dem Haus standen zwei mächtige Magnolienbäume, welche die vorderen Räume überschatteten; zweifellos, wie Caroline bemerkte, ein Vorteil, wenn man in den Tropen lebte. Marguerite, wie zu erwarten, war maßlos verblüfft, sich in Afrika ausgesetzt zu finden, mit einer Afrikanerin in der Küche.

Von der äußersten Peripherie bewegte sich Caroline zum innersten Kern: dem Speisezimmer von Henry Adams, wo jeweils mittags Frühstück für sechs serviert wurde, obwohl nie jemand eingeladen war. Dennoch blieb die Tafel niemals leer, ausgenommen an diesem speziellen Morgen, als Caroline virginischen Räucherschinken und mit Buttermilch gemachte Biskuits aß, indes der Gastgeber, rundlicher denn je, über seine morgige Abreise nach New York sprach; und über eine spätere Rundreise über Sizilien, gemeinsam mit dem Senator und Mrs. Lodge. »Den Sommer werde ich in Paris verbringen, am Boulevard Bois de Boulogne. Die Camerons sind dort. Zumindest *sie* ist dort. Keinen Kaffee mehr, William«, sagte er zu William Gray, dem Diener, der ihm trotzdem noch einschenkte, und trank die Tasse auch aus. »Kennen Sie einen jungen Poeten, einen Amerikaner namens Trumbull Stickney?«

Caroline erwiderte wahrheitsgemäß, sie kenne in Paris nur wenige Amerikaner. »Während wir überhaupt keine Franzosen zu kennen scheinen«, meinte Adams nachdenklich. »Wir reisen ins Ausland, um einander zu besuchen. Wie ich höre, soll Mrs. Cameron in diesem Frühjahr Mr. Stickneys Muse sein. Wäre ich jung, wäre ich eifersüchtig. Aber so bleibt mir nur, stumm zu leiden.« Falls er wirklich litt, so keinesfalls stumm. »Sie müssen mitkommen – oder aus ihrer Sicht, zurückkehren – und uns Frankreich zeigen.«

»Ich kenne Frankreich überhaupt nicht.« Wieder sagte Caroline die Wahrheit. »Aber ich kenne die Franzosen.«

»Nun, dann zeige ich es Ihnen. Ich werde wieder die Kathedralen besuchen. Ich befasse mich gerade mit den Reliquien aus dem zwölften Jahrhundert.«

»Sind sie . . . wirksam?«

Adams lächelte, fast scheu. »Sie erinnern sich? Ich fühle mich geschmeichelt.«

»Ich hatte auf weitere Erläuterungen gehofft. Aber während ich gerade nach Washington gezogen bin, reisen Sie ab. Ich habe das Gefühl, als hätten Sie mich gleichsam als eine zweite Mrs. Lightfoot Lee erschaffen, um mich dann mitten im Kapitel zu verlassen.« Caroline befand sich auf verbotenem Terrain. Niemand sollte jemals auch nur andeuten, daß Adams wohl der Autor des Romans »Democracy« sei, dessen Heldin, eine Mrs. Lightfoot Lee, in Washington ansässig wird, um die Macht der Demokratie zu verstehen; und prompt desillusioniert wird. Caroline hatte das Buch vergnüglich gefunden, fast so vergnüglich wie seinen Verfasser. Natürlich gab es welche, die glaubten, John Hay habe den Roman geschrieben (er war, ein geheimnisvolles Lächeln auf den Lippen, zusammen mit der französischen Ausgabe des Buches fotografiert worden), andere meinten, der wahre Autor sei der inzwischen verstorbene Clover Adams, ein Mann mit viel Witz. Aber Caroline war davon überzeugt, daß kein anderer als Adams selbst dieses gleichsam fundamentale Buch der »Herzen« geschrieben habe. Ihr gegenüber bestritt – oder bestätigte – er dies nie. »Die Moral jener amoralischen Geschichte ist: Halte dich von Senatoren fern.«

»Das ist nicht schwierig.«

»In Washington? Sie sind wie Kardinäle im Rom der Renaissance. Man kann ihnen nicht ausweichen. Deshalb flüchte ich ja ins zwölfte Jahrhundert, wo es nur drei Klassen gab: den Priester, den Krieger und den Künstler. Dann gewannen die Händlertypen die Oberhand, die Geldverleiher, die Parasiten. Sie haben nichts wirklich geschaffen, dafür aber jedermann versklavt. Sie expropriierten die Priester – möchten Sie beim Frühstück nicht lieber irgend etwas anderes hören?«

»Wenn Honig in der Wabe ist«, sagte Caroline und legte Wachs samt Honig auf ein Stück heißes Maisbrot, »kann ich einen ganzen Haufen expropriierter Priester vertragen. Und die Krieger . . .?«

»Wurden besoldete Polizisten, um die Geldleute zu beschützen, während die Künstler Garderobe anfertigen oder miserable Porträts malen, so wie Sargent . . .«

»Oh, den mag ich. Er macht nie ein Hehl daraus, wie sehr ihn seine ›Modelle‹ langweilen.«

»Das ist unsere letzte Rache gegen das Geld. Sehen Sie? Ich zähle mich selbst zur Klasse der Künstler, dabei bin ich nur ein *Rentier*, ein Parasit. Warum Washington?«

Caroline wußte nicht, wieweit sie sich diesem brillanten alten professionellen Onkel anvertrauen sollte. »Mein Bruder und ich haben Meinungsverschiedenheiten . . .«

»Ja, darüber haben wir alles gehört. Es scheint nichts zu geben, was wir nicht hören, sofern es mit Geld zu tun hat. Wir haben unsere Spiritualität verloren.«

»Nun, ich werde vielleicht etwas viel Wesentlicheres verlieren, meine Erbschaft.« Wo hatte sie nur gelesen, daß es eine Art von Honig gab, die einem den Verstand raubte? Aber zweifellos hatte sie gerade davon gekostet, denn plauderselig sprach sie weiter: »Blaise könnte alles fünf Jahre lang kontrollieren. Und er verehrt Mr. Hearst, der Geld in solchen Quantitäten verliert, daß es mich nervös macht.«

»Dieser furchtbare Mr. Hearst könnte zu allem auch noch das Sanford-Geld durchbringen?«

Caroline naschte weiter vom Honig; entdeckte dabei in der Wabe eine winzige Made; aß sie, perverserweise. »Eben das fürchte ich. Jedenfalls: Während unsere Anwälte das Duell ausfechten, lebt Blaise in New York, und ich bin hierher nach Assuan gekommen, um, wie Mrs. Lee, die Demokratie in Aktion zu erleben.«

»Dann«, sagte Adams, während er sich mit entschuldigender Geste eine Zigarre anzündete, »ist da Del.«

»Del, ja.«

»Er befindet sich sozusagen gleich nebenan. Fühlen Sie sich versucht?«

»Meine Lehrerin . . .«

»Die formidable Mlle. Souvestre, jetzt etabliert in Wimbledon. Sie hat Ihnen geraten?«

»Nein. Sie erteilt keine Ratschläge. Das ist nicht ihr Stil, ich meine, keine praktischen Ratschläge. Aber sie ist brillant, und sie hat nie geheiratet, und sie ist glücklich, als Lehrerin.«

»Wäre das etwas für Sie? Zu lehren?«

»Ich habe nichts zu lehren.«

»Ich genausowenig. Trotzdem betreibe ich eine Schule für Staatsmänner, von Lodge bis Hay. Außerdem bin ich Professor Adams, ehemals Harvard.«

»So ehrgeizig bin ich nicht. Aber ich bin neugierig, wie es wäre, ledig zu bleiben.«

»Bei Ihrem . . . Aussehen?« Adams lachte, ein anerkennendes Bellen. »Es wird Ihnen nicht gestattet sein, ledig zu bleiben. Die Zwänge werden für Sie zu groß sein. Anders als Sie besaß Ihre Grande Mademoiselle weder Schönheit noch Vermögen.«

»Nun, mit ersterem wird es irgendwann vorbei sein – und mit letzterem vielleicht nur allzubald. Im übrigen ist sie sehr stattlich. Sie hatte Verehrer.«

»Vielleicht«, sagte Adams, »gibt sie der Gesellschaft ernster Damen den Vorzug; in der Art einer Äbtissin des 12. Jahrhunderts.«

Caroline wurde rot, ohne recht zu wissen, warum. Als seinerzeit die Schule in Les Ruches begann, hatte Mademoiselle einen Partner gehabt. Es hatte Streitereien gegeben; sie hatten sich getrennt. Danach war Mademoiselle eine Alleinherrscherin gewesen. Nein, das war es nicht, was sie sich in einem Leben als Ledige wünschte. Aber sie besaß nun mal keinerlei Erfahrung, welcher Art auch immer. »Ich fühle keine Berufung zur Äbtissin«, sagte sie, »nicht einmal zu einer weltlichen.«

Sie erhoben sich, und Adams führte sie in die Bibliothek, ihren liebsten amerikanischen Raum. Der Gesamteindruck zielte auf eine mittelalterliche, ja sogar romanische Wirkung ab, mit Fenstern, die so ausgerichtet waren, daß man das Weiße Haus auf der anderen Seite des Platzes ignorieren konnte, indem man leicht aufwärts blickte, zum Himmel. Optischer Mittelpunkt des Raums war der Kamin, aus hellem, jadegrünem mexikanischen Onyx, der scharlachfarben durchädert war. Noch nie hatte sie dergleichen gesehen. Der ungewöhnliche, seidig wirkende Stein faszinierte sie. Zu beiden Seiten des Kamins hingen italienische *Cinquecento*-Gemälde sowie ein Turner, eine vom Höllenfeuer beleuchtete englische Landschaft. Am interessantesten war vielleicht eine skizzenartige Zeichnung von William Blake, die Nebukadnezar, den König von Babylon, darstellte, wie er in seinem Wahnsinn, auf allen vieren kauernd, Gras kaute. »Es ist das Porträt meiner Seele«, hatte Adams gesagt, als er Caroline die Zeichnung zum erstenmal gezeigt hatte. Der Raum roch nach Holzrauch, Narzissen und Hyazinthen. Die Ledersessel waren sehr niedrig, offenbar eigens für Adams gedacht. Bequem fand sie jedoch auch Caroline, die sich jetzt in einem niederließ und sagte: »Sie müssen mir sagen, wann ich gehen soll.«

»Ich habe bereits gepackt.« Adams ächzte. »Ich hasse es zu reisen. Aber nie kann ich an ein und demselben Ort bleiben.« William meldete Mr. Hay, der gleich darauf hereingehumpelt kam. Offenbar litt er Schmerzen; er sah wenigstens zehn Jahre älter aus als noch in Kent, fand Caroline.

»Was tust du denn hier?« Adams zog seine Uhr hervor. »Es ist Donnerstag. Dein Tag für den Empfang des Diplomatischen Korps.«

»Nicht vor drei. Cinderella hält die Festung.«

»Cinderella?« fragte Caroline.

Adams antwortete: »So nennt Mr. Hay seinen Assistenten, Mr. Adee, der die ganze Küchenarbeit erledigen muß, aber nie zum Ball eingeladen wird.«

»Sind Sie inzwischen eingerichtet, Miss Sanford?« Hay nahm Kaffee von William, der mit seinen Wünschen vertraut war. Ja, so ziemlich, versicherte Caroline. Hay nickte vage; blickte dann zu Adams. »Ich sehe in dir, Enricus Porcupinus, einen Deserteur. Jetzt, wo ich dich am meisten brauche, verläßt du, genau wie Lodge, die Stadt.«

»Du hast doch den *Ma-johr.*« Adams war nicht im mindesten sentimental. »Wir haben für dich den ganzen Winter hindurch genug gearbeitet. Wir haben dir deinen Friedensvertrag verschafft. Jetzt verlangt es mich danach, La Dona zu sehen – und natürlich auch den Don.«

»Sag ihr, daß sie ihr Haus vielleicht früher zurückhaben kann, als sie glaubt.«

»Was ist denn mit dem Vizepräsidenten?«

»Herzbeschwerden. Der Arzt hat ihn, auf unbestimmte Zeit, aus der Stadt geschickt.«

»Nun, es ist kaum anzunehmen, daß seine Abwesenheit auffallen wird.«

»Ach, Henry, wie hart bist du doch zu uns armen Droschkengäulen! Als Vizepräsident mag Mr. Hobart ja nicht viel hergeben, doch als Investor ist er einer der besten im ganzen Land. Er investiert Geld für Ma-johr McKinley und für mich, und wir fahren alle gut dabei. Wenn ich auch Immobilien vorziehe. Ich habe wegen eines Grundstücks in der Connecticut Avenue verhandelt. Es ist mein Traum, ein Appartementhaus mit vielen Türmchen zu bauen. Sie sind die kommende Sache in dieser Stadt des Übergangs . . .«

Caroline hatte sich hier, sozusagen im Herzen der Herzen, wohl eine gehobenere Konversation erhofft. Doch an diesem Tag inspirierten die alten Herren einander offensichtlich nicht zu morgendlicher Brillanz, und Carolines Anwesenheit waren sie inzwischen so gewöhnt, daß sie sich nicht mehr zu besonderen Anstrengungen motiviert fühlten. In gewisser Weise war es ihr angenehm, als selbstverständlich genommen zu werden. Das galt gegenüber den Alten: Gegenüber dem jungen Del war ihr weniger nach Selbstverständlichkeit zumute. »Ich habe gehört, daß Sie hier sind«, sagte er, als er jetzt eintrat.

Adams blickte zu Caroline: »Zwischen unseren Küchen besteht ein enger Kontakt. Von Köchin zu Köchin. Von unserer Maggie zu ihrer Flora.«

»Und ich wußte, daß Sie hier sein würden, Mr. Adams, und Mr. Adee sagte, auch Vater sei hier. So bin ich . . .«

»Du warst im Ministerium?« fragte Hay überrascht.

»Oh, ja. Dann war ich im Weißen Haus, wo ich eine Unterredung mit dem Präsidenten hatte. Er bat mich, dich zu überraschen.«

»Ist so etwas möglich? Ist so etwas klug?«

»Das werden wir bald sehen.« Del holte tief Luft. »Ich bin gerade zum amerikanischen Generalkonsul in Pretoria ernannt worden.«

Zu Carolines Verwunderung sah Hay aus, als habe ihm jemand einen Schlag versetzt. Jetzt war er es, der tief Luft holte und doch nicht genug zu bekommen schien. »Der . . .?« Das gleichsam erhabene Hauptwort wollte ihm nicht über die Lippen.

Del nickte. »Der Präsident persönlich hat die Ernennung vorgenommen. Er wollte dich überraschen. Ganz gewiß hat er mich überrascht. Außerdem wollte er nicht, daß man glaubt, ich hätte den Job bekommen, weil ich dein Sohn bin.«

»Wie kann eine Republik überleben«, sagte Adams, »wenn das

Gesetz des Nepotismus, wie etwa der Zweite Hauptsatz der Thermodynamik, plötzlich seine Gültigkeit verliert?«

»Ich bin«, sagte Hay, wieder bei Atem, »vor lauter Freude ganz aus dem Häuschen; wie Helen zu sagen pflegte, wenn wir im Zoo das Affenhaus betraten.« Mit beträchtlichem Interesse beobachtete Caroline Vater und Sohn. Was sie bislang stets für einen angelsächsischen Mangel an Vertraulichkeit zwischen Männern gehalten hatte, erschien ihr jetzt als Antipathie zwischen dem für seine Liebenswürdigkeit und seinen Charme berühmten Vater und dem gleichermaßen liebenswürdigen und später einmal gewiß genauso charmanten Sohn. Der Vater hatte in der Kunst des Geschichtenerzählens schließlich keinen geringeren als den anerkannten Meister persönlich zum Lehrer gehabt, Abraham Lincoln nämlich, von dem man sich erzählte, er habe ein Maultier mit einem gebrochenen Beim zum Lachen bringen können.

»Ich dachte mir, daß du dich freuen würdest.« Del wirkte gelassen; irgendwie erinnerte er an Fotos von Präsident McKinley. Wären sie in Paris gewesen, so hätte Caroline zwei und zwei – oder eher ein paar ungerade Zahlen – zusammengezählt und sich *so* auf die Ernennung ihren eigenen präzisen Vers gemacht. Doch Del hatte seines Vaters Augen und Mund, und es war äußerst unwahrscheinlich, daß Ohio, bekannt als die Mutter von Präsidenten, durch die unkontrollierte Fleischeslust eines für dieses Amt Bestimmten ausgerechnet einen Generalkonsul hervorgebracht hatte, für Pretoria, das – wo lag? In Australien? Sie hatte ihre Geographielehrerin in Allenswood nicht leiden können.

»Südafrika, das könnte ein turbulenter Posten werden«, sagte Adams, der Hays Reaktion auf die plötzliche Erhöhung seines Sohnes gleichfalls aufmerksam beobachtete. »Was *ist* eigentlich unsere Politik zwischen den Engländern und jenen holländischen Verrückten?«

»Absolute, wohlwollende Neutralität«, sagte Del, seinen Vater ansehend. »Das heißt, offiziell.«

»Ja. Ja. Ja.« Hay schüttelte den Kopf und lächelte breit. »Neutral auf Englands Seite. Das wird lustig werden, falls es da unten einen Krieg gibt . . .«

»Einen prächtigen vielleicht?« Adams lächelte. »Einen kleinen?«

»Einen winzigen. Prächtig wohl kaum. Lustig wird sein, wie

unsere irischen katholischen Wähler reagieren. Sie sind für jeden, der gegen England ist, also auch für diese Holländer, diese Buren, die nicht nur Protestanten sind, sondern auch den Katholiken verbieten, ihre aufregenden Rituale zu praktizieren. Ich sage eine gehörige irische Konfusion hierzulande voraus und erweitere meine Weissagung dahingehend, daß wir, obwohl ich nachher würdig und nüchtern das Diplomatische Korps begrüßen muß, jetzt erst einmal ein Gläschen Champagner auf Del trinken werden!«

Adams und Caroline riefen bravo; Dels Stirn blieb, wie immer, eigentümlich fahl, während sich sein übriges Gesicht rosenrot färbte.

Nachdem sie die Champagnergläser feierlich auf den neuen Generalkonsul geleert hatten, rief Caroline: »Möchte bloß wissen, warum *ich* eigentlich feiere. Kaum habe ich's mir in der N Street häuslich gemacht, verläßt mich Mr. Adams in Richtung Sizilien und Del in Richtung Südafrika.«

»Sie haben ja noch meine Frau und mich«, sagte Hay. »Wir sollten doch eigentlich genügen.«

»Und ich reise nicht vor dem Herbst«, sagte Del. »Der Präsident hat für mich noch einige Arbeit im Weißen Haus.« Wieder bemerkte Caroline den perplexen Gesichtsausdruck des Vaters.

»Dann bleiben mir ja noch einige Monate der, wenn schon nicht Onkel-, so doch Vetternschaft.« Caroline war froh, daß Del für sie vorerst verfügbar blieb. Sie mußte, und zwar so schnell wie möglich, Washington auf allen Ebenen kennenlernen. »Mlle. Souvestre sagte immer, man dürfe, wie Napoleon, niemals ohne Plan sein.«

»Selbst eine Frau muß immer einen Plan haben?« hatte Caroline gefragt.

»Vor allem eine Frau. Oft haben wir ja kaum etwas anderes. Schließlich bildet man *uns* nicht als Artilleristen aus.«

Caroline hatte tatsächlich einen Aktionsplan ausgearbeitet. Als sie John Apgar Sanford davon erzählte, schüttelte er zunächst ungläubig den Kopf. Und bat sie, sich die Sache noch einmal gründlich zu überlegen; nichts zu tun; das Gesetz seinen Lauf nehmen zu lassen. Aber sie war davon überzeugt, Blaise auf eine Weise »zur Vernunft« zu bringen, die ungewöhnlicher und befriedigender war; vorausgesetzt allerdings, sie verfügte außer über napoleonische List auch über napoleonische Fortune. Jedenfalls lag der Schlüssel zu ihrer Zukunft hier in dieser fremden, tropischen Stadt, inmitten von Fremden. Sie brauchte Del. Sie brauchte alle Hilfe, die sie bekommen konnte. John Apgar Sanford, ihr Anwalt *und* Cousin, war nur allzu bereit, ihr zu helfen, aber er war auch von Natur aus schüchtern. Im übrigen war er inzwischen Witwer. Eines Abends, in Delmonicos neuem, etwas protzigem Restaurant, mit der witzigen und die Ohren spitzenden Mrs. Fish am Nachbartisch (dankbar pries Caroline Harry Lehrs nie versagendes, wortschlukkendes Gelächter), hatte John seine Schüchternheit abgestreift und ihr einen Antrag gemacht – ihn nach Ablauf seiner Trauerzeit zu heiraten. Carolines Augen hatten sich mit echten Tränen gefüllt. In Paris wie auch in London war Flirten für sie zwar zu einer Gewohnheit geworden, doch mit Ausnahme von Del hatte niemand sie je heiraten wollen, und sie hatte auch niemanden kennengelernt, der in ihr diesen Wunsch ausgelöst hätte. Deshalb die angenehm scheinende Vorstellung vom Ledigsein, ganz Herrin ihrer selbst. Doch Johns Antrag hatte Caroline bewegt. Sie müsse, hatte sie gesagt, sorgfältig darüber nachdenken, denn war die Heirat nicht der wichtigste Schritt im Leben einer jungen Frau? Während sie all jene Sätze herunterzuspulen begann, die sie von Marguerite, dem Theater, aus Romanen gelernt hatte, fing sie plötzlich an zu lachen, während ihr gleichzeitig die Tränen übers Gesicht strömten.

»Worüber lachst du denn?« John wirkte gekränkt, verletzt.

»Nicht über dich, lieber John!« Mrs. Fishs Beinahe-Fischgesicht war ganz gespannte Erwartung. »Über mich selbst, hier so in dieser Welt.«

Adams bestand darauf, daß Caroline noch blieb, während Vater und Sohn gemeinsam aufbrachen, quer über die Straße in Richtung Außenministerium; und dort, oder wo immer sonst, bald schon in ein sehr ernstes Gespräch vertieft, zweifellos. »Das«, sagte Adams, nachdem die Hays verschwunden waren, »war ja wohl wirklich eine gelungene Überraschung.«

»Mr. Hay wirkte nicht gerade enthusiastisch.«

»Das haben Sie gespürt?« Adams war neugierig. »Was haben Sie noch gespürt?«

»Daß der Vater erwartet, daß der Sohn im Leben scheitert, und daß der Sohn . . .« Sie brach ab.

»Der Sohn . . . was?«

»Der Sohn ihn, sozusagen, geprellt hat.«

Adams nickte. »Ich glaube, Sie haben recht. Natürlich verstehe ich nichts von Söhnen. Nur von Töchtern – oder Nichten, sollte ich sagen. Von dem, was zwischen Vätern und Söhnen vorgeht, oder nicht vorgeht, habe ich nicht die leiseste Ahnung. Cabot Lodges Sohn George ist ein Dichter. Ich wäre stolz darauf, glaube ich. Cabot ist es nicht.«

»Es ist traurig, daß Sie keinen Erben haben.«

Adams funkelte sie an, voll Zorn. Ob nun echt oder gespielt, es war beunruhigend. Dann ließ er sein abruptes Lachen hören. »Vor vier Generationen schrieb John Adams, mein Urgroßvater, die Verfassung des Staates Massachusetts, und wir gingen in die Geschichte der Republik ein, indem wir sie de facto in Gang setzten. Es genügt absolut, daß Brooks und ich die Adams-Familie jetzt zum Abschluß bringen. Unser Dasein hat den Zweck gehabt, das Wirken unserer Vorfahren zu resümieren und die Zukunft unserer – wohl eher durchschnittlichen – Nachfahren zu prognostizieren. Womit ich«, fügte er mit maliziösem Lächeln hinzu, »natürlich nicht irgendwelche illegitimen Spößlinge von uns meine, sondern die Söhne unseres Bruders Charles Francis.«

»Durchschnittlichkeit bei den Adams kann ich mir nicht einmal in der fünften Generation vorstellen.« Caroline genoß den alten Mann. Es war, als wäre Paul Bourget weise *und* witzig gewesen.

Adams kam zur Sache. »Wenn ich mich richtig erinnere, erwähnten Sie im vergangenen Sommer, daß Sie irgendwelche Papiere von Aaron Burr hätten.«

»Ja, habe ich. *Glaube* ich zumindest. Wie auch immer, jedenfalls brauche ich sie nicht mit Blaise zu teilen. Sie sind von meiner Mutter, die sie in Lederhüllen aufbewahrte. Ich habe sie mir hier einmal kurz angesehen, mehr nicht. Anscheinend hatte Großvater Schuyler Aaron Burr dazu überredet, einzelne Erinnerungen niederzuschreiben. Großvater arbeitete in Burrs Anwaltskanzlei, als Burr schon sehr alt war. Während der Zeit hat er auch Tagebuch geführt. Außerdem . . .«, sie krauste die Stirn, » . . . ist da noch ein weiteres Tagebuch, das ich mir nie wirklich angesehen habe, weil auf dem Deckel – von Mutter geschrieben, glaube ich – ›Verbrennen‹ steht. Doch es ist noch heil und in seiner Hülle; nicht verbrannt

– und wohl auch niemals gelesen worden! Zumindest nicht von mir und vermutlich auch von meinem Vater nicht.«

»Augenscheinlich ist Ihre Neugier unterdurchschnittlich ausgeprägt. In meiner Familie, wo seit hundert Jahren jeder aber auch alles schriftlich festgehalten hat, wäre das Wort ›Verbrennen‹ ein Befehl, dem wir freudig nachkommen würden.« Adams hob seine Beine, setzte seine Füße in ihren kleinen, auf Hochglanz polierten Schuhen auf den Kaminvorsetzer. »Vor einiger Zeit habe ich ein Buch über Ihren Vorfahren Burr geschrieben ...«

»Meinen *möglichen* Vorfahren. Auch wenn ich persönlich fest davon überzeugt bin, daß er es war. Und ein Romantiker.«

»Ich hielt ihn für einen, verzeihen Sie mir, Schaumschläger.«

Caroline musterte ihn verblüfft. »Verglichen mit *Jefferson*!«

Adams lautes Gelächter klang echt; glich nicht mehr seinem gewohnten stilisierten Bellen, das Billigung ausdrücken sollte. »Oh, da haben Sie mich erwischt! Sie lesen amerikanische Geschichte?«

»Nur um etwas über Burr zu erfahren.«

»Die amerikanische Geschichte ist äußerst enervierend. In diesem Punkt verfüge ich über mehr als reichliche Erfahrungen. Ich habe schließlich mein ganzes Leben mit ihr verbracht, lesend und schreibend. Es gibt keine Frauen in ihr.«

»Vielleicht könnten wir das ändern.« Caroline dachte an Mlle. Souvestres Schlachten für das Frauenstimmrecht.

»Ich hoffe, daß Sie das können. Was unsere Geschichte betrifft, so bin ich damit jedenfalls fertig. Habe keinen Sinn und Zweck, keinerlei Gesetzmäßigkeit in ihr entdecken können, und das war das einzige, was mich je interessierte. *Was* passiert ist, interessiert mich nicht. Ich will wissen, *warum* es passiert ist.«

»Ich glaube, in meiner Unwissenheit bin ich das genaue Gegenteil. Ich habe immer gedacht, daß die einzige Macht darin besteht, alles zu wissen, was jemals geschehen ist.«

Adams musterte sie mit einem versteckten Blick. »Macht? Ist es das, was Sie fasziniert?«

»Ja, schon. Man will doch kein Opfer sein – nur weil man *nicht* über die Dinge Bescheid weiß.« Caroline dachte an Blaise und Mr. Houghteling; dachte an ihren Vater, von dem sie eigentlich zu wenig wußte; dachte an die dunkle Frau, die im Stil von Winterhalter gemalt worden und für Caroline praktisch eine völlig Unbekannte war, die stets, mit einer Art Scheu oder Schauder, als »dunkel« bezeichnet wurde.

»Ich finde, Sie sollten mit nach Paris kommen und Ihrem Onkel Gesellschaft leisten. Ich gebe auch Fortgeschrittenenkurse für Mädchen; Mädchen, wohlgemerkt, nicht Frauen.«

Caroline lächelte. »Ich werde mich anmelden.« Sie erhob sich, um zu gehen. Er stand; er war kleiner als sie. »Außerdem werde ich Sie die Burr-Papiere lesen lassen.«

»Darum wollte ich Sie bitten. Ich vernichte viel von dem, was ich schreibe. Trotzdem wohl nicht annähernd genug. Ich habe mit dem Gedanken gespielt, mein Burr-Manuskript gleichfalls ins Feuer zu werfen.«

»Wieso nennen Sie ihn einen Schaumschläger?« Caroline war neugierig. »Schließlich hat er doch nie theoretisiert, wie die anderen.«

»Er war der Begründer der Tammany-Hall-Politik, und das ist Schaumschlägerei. Aber ich bin unfair. Mir gefällt eine prophetische Bemerkung von ihm, die er machte, als er dem Senat adieu sagte: ›Falls die Verfassung zugrunde gehen sollte, so wird man ihren Todeskampf hier in diesem Raum erleben.‹«

»Wird sie zugrunde gehen?«

»Alles geht zugrunde.« An der Tür gab Adams ihr zwei keusche Wangenküsse. Sie fühlte das Prickeln seines Bartes; roch sein Kölnisch Wasser. »Sie müssen Del heiraten.«

»Und all dies für Pretoria aufgeben?«

Adams lachte. »Abgesehen von meiner einzigartigen, onkelhaften Gegenwart dürften sich Washington und Pretoria kaum unterscheiden.«

Del war nicht unbedingt dieser Meinung. Caroline und Helen Hay speisten zusammen mit ihm im Wormley's, einem kleinen Hotel mit vielen Speiseräumen, kleineren und größeren, sowie dem traditionsgemäß besten Essen in Washington. Wann immer die jungen Hays der mittelalterlichen Pracht des gemeinsamen Hauses mit Adams entkommen wollten, gingen sie über den Lafayette Square zu dem Hotel an der 15., Ecke H Street, wo der Mulatte Mr. Wormley präsidierte. Da die alten Hays diesen Abend pflichtgemäß in der britischen Botschaft verbrachten, hatten Del und Helen Caroline zum Dinner eingeladen, um Dels Ernennung zum

Generalkonsul zu feiern. In einem der kleineren Speiseräume gesellte sich James Burden Day zu ihnen, ein schlanker junger Mann aus dem Westen. »Für die nächsten paar Stunden ist er Hilfskontrolleur der Vereinigten Staaten«, sagte Del, während sie in dem Raum Platz nahmen, durch dessen Fenster man weiter straßabwärts das gewaltige, aus Granit erbaute Finanzministerium sehen konnte.

»Was haben Sie denn mit zu kontrollieren?« fragte Caroline.

»Die Währung, Ma'am.« In seiner Stimme schwang ein leichter Dialekt. »So wie sie nun mal ist.«

»Er ist ein Demokrat«, sagte Del, »und schwört aufs Silber, sechzehn zu eins.«

»Ich«, sagte Helen Hay, gewichtig und gemütlich wie ihre Mutter, doch mit Grübchen wie Del, »schwöre auf den Shad-Rogen, der gleich serviert werden wird, nicht wahr? Nicht wahr?« Helen hatte die Angewohnheit, Wendungen zu wiederholen. Der freundliche schwarze Ober, mehr Familienbutler als Restaurantangestellter, sagte, ja, das sei wahr, *sei wahr*, allerdings empfehle er Diamantschildkröte, eine Spezialität des Hauses, sowie natürlich *canvasback*-Ente, die, wie Caroline wußte, in so blutigem wie abscheulichem Zustand serviert werden würde. Dennoch stimmte sie zu. Del fuhr mit dem Champagner dort fort, wo er bei Mr. Adams aufgehört hatte.

»Eigentlich sollte ich das Dinner geben«, sagte Caroline, »zu Ehren des Generalkonsuls.«

»Ihr müßt anfangen, mehr Dinge gemeinsam zu unternehmen.« Selbst Helens Stimme klang wie die ihrer Mutter, im allerliebenswürdigsten Befehlston. In einer wohlgeordneten Welt, kein Zweifel, würden Clara und Helen Hay vortreffliche Generäle sein. Während alle mit dem Rogen beschäftigt waren, befand Caroline, daß ihr sehr viel Ärgeres widerfahren konnte als eine Heirat mit Del; andererseits konnte sie sich nichts Ärgeres vorstellen als eine Saison, oder gar ein ganzes Jahr, in Pretoria. Unverkennbar war ihr Interesse an Del nicht gerade romantischer Natur. Sie hatte sich oft gefragt, was die anderen Mädchen eigentlich meinten, wenn sie sagten, sie seien verliebt oder fühlten sich von jemandem unwiderstehlich angezogen, oder wie immer sonst eine Lady ihre Gefühle höflich und schicklich umschrieb. Caroline fand bestimmte männliche Typen attraktiv, als Typen und völlig unabhängig von ihrer Persönlichkeit – der junge Mann zu ihrer Rechten, Del nannte ihn Jim, gehörte zu ihnen. Was Del betraf, so entsprach er, physisch gesehen, allzusehr den barocken Formen seiner Mutter. Aber hatte man sie nicht stets gelehrt, daß die Feinheit des Charakters das Beste sei, worauf eine Frau bei einem Gatten hoffen könne? Und diese Qualität besaß Del in einzigartigem Maße.

Mit diesen Gedanken wandte sich Caroline ihrem Nachbarn zur Rechten zu, der nun absolut nichts Barockartiges an sich hatte. Eher schon traf die Bezeichnung »gotisch« auf ihn zu: Er war schlank, fast hager, ziemlich groß. Sie versuchte, sich an Henry Adams weitere Adjektive zum Lobe des Gotischen zu erinnern; kam jedoch nicht darauf. Außerdem waren die Haare des jungen Mannes ziemlich kraus, und ihre Farbe war nicht die von grauem Stein, sondern von hellem Sand; aber die Augen waren Chartres-blau. Wie, wie war noch sein Name? Natürlich waren es drei, um die edle Abstammung aus dem Süden anzuzeigen: James Burden Day – war sein Charakter von einzigartiger Feinheit? Sie war versucht, ihn danach zu fragen; fragte statt dessen jedoch, wie es einem Demokraten denn gefalle, für eine republikanische Administration zu arbeiten. »Mir besser als denen.« Er lächelte; seine Schneidezähne hatten etwas sonderbar Wolfsartiges. Würde er wohl beißen? hoffte sie. »Aber für die ist es einfach irgendein Job, und um mehr geht's bei der Regierung ja auch nicht – jedenfalls nicht in diesem Land. Jobs. Meinen sollte eigentlich ein Republikaner haben, und so wird's auch sein, wenn ich im September nach Hause fahre.«

»Um was zu tun?«

»Um wieder hierherzukommen«, erwiderte Del für seinen Freund. »Er kandidiert für den Kongreß.«

»Versuche die Götter nicht.« Day wirkte plötzlich besorgt; was Caroline anziehend fand.

»Dann werden Sie einen ›gewählten‹ Job haben. Die beste Art«, sagte sie.

»Oh, die schlimmste! Die schlimmste!« Helen verleibte ihrer berninischen Figur, die sich eruptiv in extravagantes Rokoko zu verwandeln drohte, noch mehr Shad-Rogen ein. Die Arme in den Puffärmeln ähnelten schon jetzt Riesenraupen, die sich schon im nächsten Moment als flügelspreizende bunte Schmetterlinge entpuppen mochten. »Alle zwei Jahre wird Mr. Day heimfahren müssen, um die Wähler davon zu überzeugen, daß er noch immer einer der ihren ist und daß er die Regierung dazu bringen wird, etwas für sie zu tun. Das ist eine anstrengende Angelegenheit. Vaters Job ist der beste.«

»Aber der Außenminister ist auf das Wohlwollen des Präsidenten angewiesen, nicht wahr? Wenn er das verliert, muß er gehen.« Caroline richtete die Frage nicht an Helen, sondern an Del.

Trotzdem war es Helen, die antwortete. »Oh, die Sache ist weit komplizierter. Der Major braucht seinerseits die Sympathie des Außenministers. Angenommen, Vater würde seinen Hut nehmen – vor einer Wahl etwa –, so würde das dem Major schaden. Wirklich schaden. Also müssen sie wechselseitig miteinander zufrieden sein.«

»Beide«, sagte Del, »müssen sie den Senat zufriedenstellen. Vater haßt den Senat und jedes seiner Mitglieder, seinen Freund Mr. Lodge nicht ausgeschlossen.«

»Trotzdem . . .«, mirakulöserweise hatte Helen in einer einzigen Minute wohl an die zehntausend Shad-Eier vertilgt, » . . . ist das Amt des Außenministers der beste von allen Jobs an diesem komischen Ort.«

»Natürlich«, sagte Caroline. Sie sah zu Del hinüber. »Immer wieder vergesse ich, Ihren Vater danach zu fragen: Was *tut* ein Außenminister eigentlich?«

Del lachte; Helen nicht. Sie sagte: »Er leitet sämtliche auswärtigen Angelegenheiten . . .«

Und Del gleichzeitig: »Vater sagt, er hat drei Jobs. Der erste besteht darin, ausländische Regierungen abzuwehren, wenn sie Forderungen gegen uns erheben. Der zweite, amerikanische Bürger bei ihren Forderungen gegenüber ausländischen Regierungen zu unterstützen, auch wenn, wie meistens, es dafür eigentlich keine Rechtsgrundlage gibt. Und Job Nummer drei besteht darin, all jenen nicht-existente Jobs zu verschaffen, die als Freunde von Senatoren nur allzu existent sind.«

»Wer hat dir Pretoria verschafft?« fragte Day.

Del sah ihn zufrieden an. »Das war der Präsident. Ab und zu kommt ihm ein Job unter, den er selbst vergeben kann, und so gehört Pretoria nun mir.«

»Wir hassen die Buren.« Helen nahm sich eine Portion Braten, ein Stück von einem solchen Gewicht, daß der Unterarm des Kellners, der es ihr auf einem Serviertablett darbot, deutlich zitterte; ohne Sentimentalität hackte und stieß sie auf das Lammfleisch ein. »Wir sind für die Briten, überall.«

»Vielleicht seid ihr das; dort, wo ich herkomme, ist das ganz anders«, sagte Day.

»An sich sind wir neutral.« Del sah Helen mißbilligend an. »Das ist mein Job in Südafrika. Neutral sein.«

»Ich werde dich nicht verraten.« Day grinste. »Aber Colonel Bryan ist davon überzeugt, daß dein Vater und der Major alle möglichen geheimen Abmachungen mit den Briten getroffen haben.«

»Niemals!« Del wirkte aufrichtig alarmiert. »Wenn wir igendeine Politik verfolgen, so ist es die, die Briten aus der Karibik herauszubekommen, aus dem Pazifik . . .«

»Aus Kanada?« fragte Caroline.

»Nun, warum nicht? Der Major ist im Wahlkampf als Verfechter des Gedankens einer immer engeren Verbindung aufgetreten, wenn nicht einer vollkommenen Vereinigung von Kanada und den Vereinigten Staaten, weil wir ja schließlich alle englisch sprechen, verstehen Sie . . .«

»Ausgenommen«, sagte Caroline, »die paar Millionen, die französisch sprechen.«

»Ganz recht«, sagte Del, ohne wirklich zuzuhören. Aber das, so schien es Caroline, war typisch für Washington, und vielleicht auch die Politik im allgemeinen, daß keiner irgend jemandem zuhörte, der nicht zumindest einen Zugang zur Macht hatte. Aber Day hatte ihr zugehört; und er flüsterte ihr ins Ohr: »Bei uns zu Hause meint man, daß diese komischen Leute hier nicht besser sind als Ausländer.«

»Müßte direkt Spaß machen, mit Ihnen in Ihre Heimat zu fahren. Wo ist das?«

Day schilderte kurz die Vorzüge seines südwestlichen Zuhauses. Dann sprach man über die jüngsten Gerüchte um Admiral Dewey. Würde er der nächste Präsidentschaftskandidat der Demokraten sein? Day meinte, daß Dewey auf dem Parteitag Bryan den Rang ablaufen könnte. Aber würde Dewey dann McKinley bei der

Präsidentenwahl schlagen können? Das glaubte Day nicht. Das Land prosperierte plötzlich in fast wundersamer Weise. Der Krieg hatte dem Business einen ungeheuren Impuls gegeben. Expansion war ein Tonikum; selbst die Farmer – Days künftige Wählerschaft – waren weniger verzweifelt als gewöhnlich. Schließlich brachte Helen das Gespräch auf Newport, Rhode Island, und Day verstummte. Caroline hingegen sprach mit, als es nun darum ging, auf welche Weise der Sommer am vorteilhaftesten genutzt werden sollte. Helen und ihre Schwester Alice planten offenbar, die Newport-Saison unter sich aufzuteilen. Warum, wenn man so wollte, den Markt mit Hays überschwemmen? Hatte Caroline nicht Lust, bei der einen oder der anderen zu Gast zu sein? Nun ja, warum nicht, falls sie eingeladen werde, sagte Caroline und log dann, bis jetzt sei sie noch frei. In Wahrheit hatte Mrs. Jack Astor – nachdem sie Caroline das Versprechen abgenommen hatte, nie mit ihrem Mann Tennis zu spielen – sie für Juli eingeladen; und Caroline hatte erklärt, das hänge alles davon ab, wieweit sie eine noch unerledigte geschäftliche Angelegenheit vorantreiben könne. Mrs. Jack hatte gesagt, sie hoffe doch, daß Caroline gut Bridge spiele. Colonel Jack tue es schon lange nicht mehr: »Es ist drinnen so wunderbar, wenn er draußen ist. Fast so befriedigend wie eine Scheidung.« Mrs. Jack liebte Pikanterien. Als ihr Mann noch Bridge gespielt hatte, war sie auf dem Tennisplatz anzutreffen gewesen. Jetzt, da es ihn zum Tennis zog, hatte sie ihre Liebe für den Kartentisch entdeckt. »Wir können nicht zusammensein«, pflegte sie zu sagen, als zitiere sie eine Bibelstelle.

Draußen, im Lafayette Park, hakte sich Del bei Caroline ein. Helen und Day gingen ein Stück voraus, ohne einander zu berühren; warfen, das Licht trüber Straßenlaternen hinter sich, lange Schatten nach vorn, teils über Bäume und Gesträuch, was den ungepflegten Zustand des Platzes noch betonte; bündelweise strebten Wege auf das Denkmal General Jacksons zu. »Irgendwann«, sagte Del nervös, »muß ich ja wohl mal fragen.«

»Fragen? Was?« Caroline spürte, daß ihr Tränen in die Augen traten. Wer, fragte sie sich plötzlich, war sie eigentlich? Offensichtlich kannte ein Teil von ihr den anderen überhaupt nicht.

»Nun, würdest du mich heiraten? Ich meine – *wirst* du mich heiraten?«

Die zweite Einladung zu einer lebenslangen Verbindung war, sozusagen, mit der Post gekommen. »Oh, nein!« rief sie aus, zu beider Überraschung. »Ich meine, oh, nein, nicht *jetzt.*« Sie dämpfte ihre Stimme, sprach in einem Ton, der dem einer Lady besser entsprach. »Nein, nicht jetzt«, wiederholte sie leise.

»Du möchtest nicht nach Pretoria, das kann ich verstehen«, sagte Del bedrückt. Die St. John's Church auf der rechten Seite ähnelte mehr denn je dem Traum eines übergeschnappten Hellenisten vom alten Griechenland (der Portikus mit seinen Säulen) und von Byzanz (der Turm mit der goldenen Kuppel).

»Nein, nicht nach Pretoria will ich *nicht.*« Caroline hielt inne; die Tränen auf ihrem Gesicht waren getrocknet. »Oh, das waren wohl zu viele Verneinungen für einen Satz.«

»Nun, für mich ist schon eine zuviel.«

»Pretoria ist nicht der Grund. Und auch nicht du. Ich bin's. Und Blaise. Und dieses . . . Business.«

»Wir haben den ganzen Sommer«, sagte Del, »um dein Business zu erledigen. Dann . . .«

»Nun, dann – ist alles möglich. Ich will«, sagte sie zu ihrer eigenen Überraschung, »heiraten. Das heißt«, fügte sie, abermals überrascht, hinzu: » . . . dich.«

So wurde die inoffizielle Verlobung inoffiziell geschlossen, im Schatten jenes Bauwerks romanischer Machart, welches das Hay-Adams-Haus war, einem mittelalterlichen Mönch gleichend, der mißbilligend quer über den Platz äugte, hin zu jenem recht flotten, leicht frivolen Gebilde, dem Weißen Haus.

Unerledigtes Business gab es am nächsten Tag, als vor Carolines Haus Vetter John eintraf, in einer »Herdic-Droschke«, einer örtlichen Erfindung, die, wie eine königliche Kutsche, hauptsächlich aus Glas bestand. »Es entgeht einem nichts«, sagte er, als sie, zwischen der Pennsylvania Avenue und der F Street, die 14. Straße entlangfuhren. »Das hier nannte man früher einmal Newspaper Row.«

Caroline sah eine Reihe unregelmäßiger roter Ziegelhäuser, weitgehend im Stil des restlichen alten Teils der Stadt. Am Ende der Reihe stand das Willard Hotel, mit einem Gerüst: Es sollte vergrößert werden, umgebaut. Das andere Ende der Newspaper Row bildete das Ebbitt House, ein großes Hotel, das sogar die Sommermonate über geöffnet blieb, eine absolute Neuheit. An einem der roten Ziegelgebäude befand sich ein verblichenes Schild: »The New York Herald«.

»Alle Zeitungen haben hier Büros?«

Sanford nickte. »Während des Krieges war Washington zum erstenmal Mittelpunkt der Nachrichten. Und so bezogen die Journalisten in dieser Straße gleichermaßen Stellung.« Mit der Hand wies er zur F Street. »Die Western Union deines Freundes Mr. Hay befindet sich direkt auf der anderen Straßenseite, und natürlich ist da das Willard's, wo sich *alle* Politiker zu treffen pflegten – und noch immer treffen – in den Bars, den Frisörläden und Speiseräumen. Falls ihnen dann danach zumute war, gingen sie einfach über die Straße und sprachen mit den Zeitungsleuten.«

»Aber die Row ist, wenn man so will, gewandert ...«

»Umgruppiert worden.« Die Kutsche hielt vor dem Gebäude des Evening Star, das den Block zwischen der 11. und der 12. Straße in der Pennsylvania Avenue einnahm, ein vierstöckiger, gelb gestrichener Ziegelbau. »Die Farbe«, bemerkte Caroline, »muß wohl ein aktueller Tribut an Mr. Hearst sein.«

»Zweifellos.« Sanford runzelte die Stirn. »Dein Plan ...«, begann er.

»Noch nichts geschehen«, erwiderte sie. Und fuhr fort, sich neugierig in dieser Stadt umzusehen, in der vermutlich ihre Zukunft lag.

Die Kutsche bog in die Pennsylvania Avenue ein. Weiter unten gab es zwei parallel verlaufende Straßenbahngeleise. Elektrifizierte Bahnen glitten, mehr oder minder reibungslos, vom Nordwesten, dem Finanzministerium, zum Südosten, dem Kapitol; und wieder zurück. Anders als in New York gab es in Washington nur wenige Automobile: »Teufelswagen«, wie Carolines gewichtige schwarze Küchenfee sie nannte. Wie stets war Caroline über die große Anzahl von Schwarzen verwundert; *sie* schienen die Stadt zu sein, während alle anderen, wie Caroline selbst, durchziehende Angehörige einer fremden Rasse waren. »Eine Stadt voller Hotels«, sagte sie, während sie an einem riesigen Gebäude im romanischen Stil vorüberkamen.

»Und mittelalterlicher Kathedralen.« Sanford mißfiel das große neue Postamt, hinter dem einmal die Marble Alley mit ihren tausend Bordells floriert hatte, einst bekannt als »Hookers Division«, weil die Mädchen von den Soldaten jenes Generals so eifrig in Anspruch genommen worden waren.

»Der Einfluß von Mr. Adams?«

»Von seinem Architekten, ja. Dank Mr. Richardson ist Washington aus dem Rom des 1. Jahrhunderts in das Avignon des 12. Jahrhunderts gesprungen, und das nahezu übergangslos.«

»Dann können wir uns ja noch auf die Renaissance freuen.« Die Kutsche bog in die E Street ein und hielt vor einem weiteren Adams-geprägten Gebäude mit eher flachen Bögen und hohen Spitzdächern. Ein Schild aus rauhem Stein an der Vorderfront verkündete: »The Washington Post«. Im selben Gebäude befanden sich auch die Büros einiger nicht-Washingtoner Zeitungen, deren Namen oben auf Fenstern zu lesen waren. Caroline sah, daß sich das New York Journal und der San Francisco Examiner offenbar ein Büro teilten. Auch Mr. Hearst hatte seinen Anker in der Hauptstadt ausgeworfen, und zwar in der Gestalt von Ambrose Bierce, einem kalifornischen Zeitungsmann von geradezu skandalöser Brillanz. Die Namen »Pittsburgh Dispatch« und »Cleveland Plain Dealer« prangten gleichfalls an Fenstern im dritten Stock. Noch vor wenigen Monaten waren Caroline die Namen dieser Zeitungen unbekannt gewesen, jetzt lösten sie in ihrem Kopf einen deutlichen Widerhall aus.

Vorm Gebäude der Washington Post gab es einen großen Stand, wo man auswärtige – und sogar ausländische – Zeitungen kaufen konnte. Daneben stand eine hohe Tafel, die mit mysteriösen weißen und gelben Linien bedeckt war.

»Wofür ist das? Eine Lotterie?«

»Baseball-Ergebnisse. Aus dem ganzen Land.«

»Ist das dieses Spiel«, fragte Caroline, »mit einem Holzstock?«

»Ja.« Sanford lächelte. »Und da du im Begriff stehst, tief ins amerikanische Leben einzutauchen, möchte ich dir raten, möglichst alles über Baseball zu lernen.« Sanford führte sie in Gerstenberg's Restaurant, gleich neben der Washington Post. Innen roch es verräuchert und nach Essig – nach Sauerkraut, genauer gesagt; Caroline hatte der deutschen Küche noch nie viel abgewinnen können. Ein deutscher Kellner in Hemdsärmeln führte sie vorbei an der dicht belagerten Bar. »Zeitungsmenschen«, flüsterte Sanford, als wolle er sie vor Leprakranken warnen.

Der Kellner brachte sie zu einem Tisch ganz hinten nahe der Schwingtür zur Küche. Mächtige Humpen segelten gleichsam an ihnen vorbei, und Caroline rechnete damit, jeden Augenblick in einem Katarakt aus Bier ertränkt zu werden; doch die Kellner waren ebenso geschickt wie laut. Und dann erschien der Mann, mit dem sie verabredet waren.

Josiah J. Vardeman war ein Mulatte, und Caroline, auf eine derart exotische Erscheinung nicht gefaßt, betrachtete fasziniert das rote Kraushaar, die Milchkaffeehaut und das unverkennbar negroide Gesicht mit den hellgrauen Augen. Mr. Vardeman war noch keine Vierzig; modisch gekleidet; mit exquisiten Manieren. »Ich habe mich verspätet, Miss Sanford. Verzeihen Sie mir. Ich hatte noch mit Inserenten zu tun. Sie können sich schon denken. Schön, Sie wiederzusehen, Mr. Sanford.«

Caroline sah Sanford an, der ihren Blick unschuldsvoll erwiderte. Er hatte sie überraschen wollen; und das war ihm gelungen. »Wie ich sehe, sind Sie tolerant gegenüber der Opposition«, sagte sie. Vardeman musterte sie verwirrt; sie erklärte: »Ich meine, daß Sie *hierher*kommen . . .«

»Oh, gewiß. Ein deutsches Lokal. Aber die Familie meines Vaters war ja deutsch. Aus dem Rheinland.«

»Ich meine, direkt in die unmittelbare Nachbarschaft Ihrer Konkurrenz, der Washington Post.«

»Oh, das.« Er lachte. »Nun, wir sind soviel älter. Wir können es uns leisten, zu den neuen Leuten nett zu sein. Ich will keineswegs behaupten, daß ich nicht gern ein paar von ihren Inserenten hätte. Sie verstehen sich aufs Business, diese Leute. Wir leider nicht so. Aber wir Vardemans sind eine alte Familie, und mir scheint, alte Familien verlieren einiges von ihrer Vitalität, nicht wahr? Europa ist davon voll, nehme ich an.«

Caroline amüsierte sich insgeheim. »*Alte* Familie? Oh, Mr. Vardeman, wir sind alle – buchstäblich jeder einzelne – so alt wie Adam und Eva und nicht älter.«

»In meinem Glauben an die Heilige Schrift lasse ich mich von niemandem übertreffen, Miss Sanford, doch Familien, die große Männer hervorgebracht haben, trocknen gleichsam an den Wurzeln aus, und die nächsten Ernten bringen dann längst nicht mehr so viel.«

»Dazu kann ich nichts weiter sagen. Denn meine eigene Familie ist nie besonders hervorgetreten, mit Ausnahme eines einzigen Vorfahren vielleicht.« Wie, um alles in der Welt, war sie mit dieser Person nur so tief in die Genealogie geraten?

»Und wer ist das?« fragte er.

»Nun, niemand, der heute sehr geachtet wäre, oder auch nur besonders bekannt: Aaron Burr«, sagte sie und hoffte, daß ihm der Name nichts bedeutete.

Sie sah sich enttäuscht. Vardeman klatschte in die Hände. »Dann sind wir praktisch miteinander verwandt!« Zufrieden vermerkte Caroline, daß sich verwunderte und mißtrauische Blicke auf sie richteten. Vetter John sah plötzlich sehr blaß aus; zweifellos als Kompensation für seinen neuen Verwandten. »Meine Mutter war eine Jefferson. Eine von den Abilene, Maryland, Jeffersons. Dann war Ihr Vorfahr ja der Vizepräsident meines Vorfahren.«

Caroline verlieh ihrem Entzücken und ihrer Verwunderung Ausdruck. Sie hatte oft geäußert, daß Jefferson mit einer Sklavin, einer Mulattin, eine Anzahl Kinder gezeugt hatte; dieser Mann hier war zweifellos ein Nachkömmling jener Nachkömmlinge und galt jetzt, wie wohl die meisten seiner Art, als Weißer. Eines stand jedenfalls mit Sicherheit fest: Mr. Josiah J. (für Jefferson?) Vardeman stammte, genau wie sie, Caroline, selbst, buchstäblich von einem Bastard ab. Eine Gemeinsamkeit. Gab es weitere? Das brachte sie auf ihr eigentliches Thema.

»Wie mein Cousin Ihnen bereits mitgeteilt hat, bin ich daran interessiert, die Washington Tribune zu erwerben. Ich habe eine Passion für Zeitungen entwickelt . . .«

»Teuflisch teure Passion«, murmelte Sanford und steckte sich eine Zigarre an. Caroline fühlte sich wie ein Mann; wie ein *Business*-Mann. Das war das Leben! Wie schade, daß sie nicht rauchen konnte. Eine Zigarette, ungeniert in einem deutschen Restaurant genossen, würde Mrs. Fishs arrogante Kaprizen im feudalen Sherry's infantil erscheinen lassen. Mr. Vardeman, jenseits genealogischer Exkursionen, betrachtete sie aufmerksam. »Es gibt«, sagte sie, »insgesamt fünftausend Aktien, sämtlich in Ihrem Besitz, respektive in dem Ihrer Familie.«

»Ja. Die Zeitung ist stets ein Familienunternehmen gewesen. Erst hat sie Mr. Wallach gehört. Er gründete dann den Evening Star. Ich gehöre zur dritten Generation der Familie, zum Nachwuchs, wenn Sie so wollen.«

Caroline holte tief Luft; und atmete dabei Vetter Johns Zigarrenrauch ein. Nein, von Zigaretten würde sie doch wohl besser die Finger lassen; sie hustete und sagte: »Ich akzeptiere Ihr Angebot von zweiundzwanzig Dollar und fünfzig Cent für jede der fünftausend Aktien.« Jetzt hustete Sanford. Sie hatte ihn überrumpelt. Doch ihre Entscheidung entsprang klaren Überlegungen. In ihrem Haus in der N Street hatte sie lange darüber nachgedacht. Fast alles, was sie besaß, setzte sie gleichsam auf einen einzigen Wurf.

Mr. Vardeman sah sie an, als fürchte er, das Opfer einer besonders hochgetriebenen verbalen Spielerei zu werden. Aber da nichts darauf hindeutete, daß sie es nicht ernst meinte, sagte er: »Was wollen Sie mit einer Zeitung? So etwas ist weder leicht noch billig zu betreiben, wie ich Ihnen aus eigener Erfahrung sagen kann. Die Tribune ist, Ausgabe für Ausgabe, ein Verlustgeschäft. Wir müßten dichtmachen, wäre da nicht unsere Druckerei, die für alle Welt Visitenkarten druckt. Mr. Sanford wird Sie ja über unsere Bücher ins Bild gesetzt haben.« Mr. Vardeman hatte inzwischen seinen Bierkrug geleert. Auf dem Boden des Humpens entdeckte Caroline die ominösen Worte: »Von Gerstenberg's gestohlen.«

»Das habe ich in der Tat«, versicherte Vetter John. »Und es gibt gar keinen Zweifel, daß die Tribune hier in der Stadt einen großen Namen hat. Aber die Post und der Star haben Washington praktisch unter sich aufgeteilt. Was kann wer auch immer dagegen unternehmen?« Er blickte zu Vardeman, der Caroline ansah, die sagte: »Ich bin sicher, daß es viele Dinge gibt, die man tun kann. Wer hätte gedacht, daß Mr. Hearst es schaffen könnte, das New York Journal wieder in Schwung zu bringen?« Eine riskante Taktik; schließlich konnte Caroline nicht wissen, ob Blaise und Hearst nicht bereits mit Vardeman Verbindung aufgenommen hatten. Allerdings tappte Caroline, was die Grundsituation betraf, nicht völlig im dunkeln. Sie war zum Tee bei Phoebe Apperson Hearst gewesen, der so reizend gestrengen Mutter des ehrgeizigsten Mannes im Zeitungsgewerbe, wenn nicht überhaupt in den Vereinigten Staaten, und Mrs. Hearst hatte gesagt: »Ich gedenke nicht, noch mehr Geld in die Zeitungen meines Sohnes zu stecken. Jetzt möchte ich mein Geld für die Bildung junger Amerikaner ausgeben.«

»Damit sie zu gescheit sein werden, um die Zeitungen Ihres Sohnes zu lesen?«

Zuerst hatte die alte Lady verweisend dreingeblickt; dann hatte sie gelacht: »Daran habe ich noch gar nicht gedacht.« Später hatte sie sehnsüchtig von Kalifornien gesprochen; und von einer Universität in einem exotischen Ort namens Palo Alto. Was ihr Sohn für den Journalismus tue, werde sie für die Bildung tun. Augenscheinlich verfolgten Mutter und Sohn ebenso verschiedene wie unvereinbare Ziele.

»Mr. Hearsts Leute waren vor ein paar Monaten in Washington. Sie haben den Betrieb, die Bücher, einfach alles, überprüft. Und sind immer noch sehr interessiert.« Doch Vardemans Aufwertungsversuch klang halbherzig. Er rechnete nicht damit, daß irgend jemand den von ihm geforderten Preis für das zahlen würde, was im Grunde nichts weiter als eine heruntergewirtschaftete Druckerei war.

»Sind wir uns«, fragte Caroline behutsam, »also einig?«

Feierlich streckte ihr Vardeman seine Hand entgegen. Feierlich ergriff Caroline sie und schüttelte sie. »Die Tribune«, sagte der – nunmehr frühere – Verleger, »ist keine Wallach-Jefferson-Vardeman-Zeitung mehr. Nach zweiundvierzig langen, langen Jahren«, fügte er mit einem Hauch von Niedergeschlagenheit hinzu.

»Sie ist jetzt eine Sanford-Zeitung.« Caroline spürte eine Art Läuten in ihren Ohren; vielleicht ein Siegesgefühl; vielleicht Übelkeit durch den allzu starken Zigarrenrauch.

Vardeman selbst führte Caroline durch die Büroräume der Tribune in einem dreistöckigen Ziegelgebäude mit Bogenfenstern, die hinausgingen auf die Nordseite des Market Square, ein offenes, unscharf umrissenes Areal zwischen der 7. und 9. Straße und eigentlich gar kein richtiger Platz. »Eine vorzügliche Lage«, sagte Vardeman ernst. »Dies ist das Herz des Geschäftsviertels, wo all unsere Inserenten sind.«

»Oder sein werden«, sagte Vetter John.

Caroline stand auf der schmutzigen Freitreppe unter dem verblichenen Schild Washington Tribune und blickte über den Platz; ein Gewirr aus Telefondrähten und elektrischen Kabeln; mit Türmchen bestückte rote Ziegelgebäude modernen Ursprungs, doch in jenem mittelalterlichen Stil, den, wie sie begriff, Henry Adams auf seine gelassene rücksichtslose Weise der Hauptstadt aufzwang. Links von Caroline ragte der Center Market auf, eine Mischung aus vielfenstriger Ausstellungshalle und provençalischer Kathedrale mit Ziegelmauern von der Farbe getrockneten Blutes – Washingtons emblematische Farbe. Hierher brachten die Farmer aus Virginia und Maryland ihre Produkte; und hier, im riesigen Innenraum, herrschte Demokratie; jedermann kaufte und verkaufte. Vardeman zeigte auf zwei Banken in der nahen C Street. »Die da links hielt schon einmal unsere Hypothek«, sagte er. »Aber das ist vorbei.«

Sie traten in einen kleinen Warteraum, wo niemand wartete. Staubige Treppen mit knarrenden Stufen führten zu den Büros; und ein langer Gang durch das ganze, nicht sehr große Gebäude hindurch zu den Druckerpressen, die im hinteren Teil in umgebauten Stallungen untergebracht waren. Die Prozedur des eigentlichen Druckens faszinierte Caroline stets aufs neue. Papierrollen hatten auf sie eine ähnliche Wirkung wie Rollen aus Seidenstoff auf Mrs. Jack Astor, während der Geruch der Druckerschwärze nicht nur prompte Kopfschmerzen hervorrief, sondern, genauso prompt, ein helles Entzücken. In einem Zustand angenehmer Benommenheit begrüßte sie ihre neuen Angestellten. Der Chef der Druckerei war der Profitmacher; und gab sich entsprechend gesetzt. Er war Deutscher, sprach mit Akzent, stammte aus der Pfalz. Caroline unterhielt sich mit ihm auf deutsch; sie war sicher, sein Herz gewonnen zu haben. Vetter John verlangte, die Abrechnungen zu sehen; und verlor das soeben gewonnene Herz.

Aus den Redaktionsräumen sah man hinaus auf den Market Place. Der Chefredakteur war ein hochgewachsener Südstaatler mit rotem Haar und Backenbart. »Dies ist Mr. Trimble, der beste Chefredakteur in ganz Washington und im übrigen ein Einheimischer, um nicht zu sagen, ein Eingeborener. Fast so eingeboren wie die Darkies«, fügte Vardeman hinzu; und Caroline fand, daß er auffällig oft diese Bezeichnung gebrauchte, ja strapazierte. »Was«, fragte Caroline, »*ist* ein echter Einheimischer?«

»Oh, es genügt, hier geboren zu sein. Ich meine, es muß nicht so sein wie bei Mr. Sanford Apgars Verwandten, deren Familie von Anfang an hier war.« Die Stimme war hoch, jedoch nicht unangenehm.

»Es gibt in Washington Apgars?«

Vetter John nickte. »Apgars gibt's überall. Sie sind zahlreicher als alle anderen, weil sie so heiratsfreudig sind. Einige von ihnen kamen, glaube ich, 1800 hierher. Sie handelten«, sagte Vetter John traurig, »mit Textilien.«

»Meine Familie kam mit General Jackson«, sagte Mr. Trimble. »Im übrigen verraten die Namen, wann sich jemand hier niedergelassen hat. Die Trimbles wie die Blairs kamen mit Jackson her, und nachdem wir seßhaft geworden waren, kehrten wir nicht wieder in die alte Heimat zurück. Keiner will wieder nach Nashville, wenn er eine andere Möglichkeit hat.«

»Aber der Präsident – Jackson, meine ich –, der ist doch wieder zurückgegangen«, sagte Caroline, vom Charme ihres neuen Chefredakteurs sehr angetan.

»Nun, dem blieb ja keine Wahl«, sagte Mr. Trimble. »Was wollen sie mit der alten Trib eigentlich machen?«

»Na – erfolgreich sein!« In Carolines Ohren war wieder dieses Läuten. Sie würde doch hoffentlich nicht ohnmächtig werden! Wo es in ihrem Leben einmal vier Poussins gegeben hatte, gab es jetzt eine Zeitung und eine Druckerei in einer afrikanischen Stadt, weltenfern von *ihrer* Heimat. War sie übergeschnappt? fragte sie sich. Wichtiger jedoch: Konnte sie gewinnen? Sie war davon überzeugt, daß sie in dem Krieg mit Blaise gerade eine wichtige Schlacht, wenn nicht sogar den Krieg als solchen schon gewonnen hatte; doch sonderbarerweise erschien ihr Blaise jetzt zweitrangig gegenüber der Zeitung, die ihre war – ihre wurde, als sie sich an ein Rollpult setzte, um den zweiten und letzten Scheck auszuschreiben; und dann Vardeman gab, der die diversen Dokumente unterzeichnete, die Vetter John mitgebracht hatte. Der Kauf war perfekt.

»Sie werden mich oft sehen, Mr. Trimble.« Caroline stand jetzt bei der Tür. »Ich werde wenigstens ein Jahr hierbleiben. Vielleicht sogar für immer.«

»Sollen wir so weitermachen wie bisher?«

»Oh, ja. Nichts wird geändert, außer der Auflagenhöhe.«

»Wie wollen Sie das denn machen?« fragte Vardeman etwas direkter, als es sonst seine Art war. Der Scheck in seiner Hand verlieh ihm gleichsam Gewicht.

»Gibt es denn nichts über Morde zu berichten?« fragte Caroline.

»Nun, natürlich. Ich meine, die Polizeinachrichten bringen wir auf der letzten Seite, wie's bei uns Tradition ist. Doch es handelt sich bloß ums Übliche. Eine Leiche, die den Fluß hinuntertreibt . . .«

»Zweifellos wird dann und wann eine schöne Frau aus dem schlammigen, kalten, dunklen Potomac River gezogen. Eine schöne junge Frau, möglicherweise zerstückelt und im Negligé.«

»Caroline«, murmelte Vetter John; so schockiert, daß er sie in aller Öffentlichkeit mit ihrem Vornamen anredete.

»Tut mir leid. Tut mir leid, du hast recht. Kein Negligé würde das Zerstückeln überstehen.«

»Die Tribune ist eine seriöse Zeitung«, sagte Vardeman, die dicken Lippen dünn aufeinanderpressend. »Eingeschworen auf die Republikanische Partei, die Schutzzölle . . .«

»Nun, Mr. Trimble, lassen Sie uns nie unsere Seriosität vergessen. Doch vergessen wir auch nicht, daß eine schöne junge Frau, Mordopfer in einem Verbrechen aus Leidenschaft, als solches eine tragisch-ernste Gestalt ist, indes die Untat, der Mord, das ernsteste aller Verbrechen ist, in Friedenszeiten jedenfalls.«

»Sie wollen . . . äh, *gelben* Journalismus, Miss Sanford? Trimble musterte sie, einen amüsierten Ausdruck in den hellblauen Augen.

»Gelb, ocker, braun . . .« ,taktlos blickte sie zum gelbbraunen Vardeman, ». . . die Farbe interessiert mich nicht. Nein, das ist nicht wahr. Gold, dafür habe ich eine Schwäche.«

»Und was ist mit dem Goldstandard?« fragte Vetter John, angestrengt bemüht, ihren Bemerkungen einen unverfänglichen Anstrich zu geben.

»Als Freundin von Mr. Hay bin ich natürlich dafür – was immer es auch bedeuten mag«, fügte Caroline im Konversationston hinzu. »Wie Sie sehen, Mr. Trimble, bin ich eine seriöse Person.«

»Ja, Miss, das sehe ich sehr wohl, und ich werde auf der Stelle jemanden zur Polizeizentrale schicken, um zu sehen, was die im Leichenschauhaus haben.«

Caroline erinnerte sich daran, wie Hearst auf dem Fußboden gehockt und die Frontseite des Journal zusammengesetzt hatte – gestaltet, so daß die Ermordete wie unter magischer Hand gleichsam zum Leben erweckt wurde. »Tun Sie das«, sagte sie. »Aber denken Sie daran, daß die Illustration auf der Titelseite . . .«

»Titelseite«, stöhnte Vardeman, während er hinausblickte auf den Market Square.

». . . keine große Ähnlichkeit mit dem zu haben braucht, was tatsächlich im Leichenschauhaus ist.«

»Aber wir – Sie – ich meine, die Tribune ist doch eine Zeitung, ein *Nachrichten*blatt«, sagte Vardeman.

»Nein«, sagte Caroline. »Sie ist keine Zeitung in diesem Sinn. Weil es so etwas nämlich gar nicht gibt. Nachrichten, Neuigkeiten sind das, was wir dafür befinden. Oh, wie ich es liebe, ›wir‹ zu sagen. Das ist ein Zeichen absoluter Ignoranz, nicht wahr?« Das Läuten in ihren Ohren hatte aufgehört; noch nie hatte sie das Gefühl gehabt, sich so völlig unter Kontrolle zu haben. »Selbstverständlich sind Erdbeben, Wahlresultate sowie die Ereignisse von . . . *Baseball*spielen . . .«, sie war stolz darauf, sich den Namen des Nationalsports gemerkt zu haben, ». . . Neuigkeiten, die ordnungsgemäß gemeldet werden müssen. Das Übrige jedoch, was wir bringen, ist Literatur, und zwar Literatur von einer Art, unsere Leser so zu unterhalten und abzulenken und in Spannung zu versetzen, daß sie bereit sind, die Dinge zu kaufen, die unsere Inserenten ihnen verkaufen wollen. Folglich müssen wir . . . Phantasie entwickeln, Mr. Trimble.«

»Ich werde mein Bestes tun, Miss Sanford.«

Auf der Straße musterte Vetter John sie mit unverhohlener Verärgerung. »Das kann doch nicht dein Ernst sein . . .«

»Mir ist noch nie etwas so ernst gewesen. Nein.« Sie unterbrach sich. »Das ist nicht wahr. Ich wollte sagen, daß es mir bis jetzt noch nie mit irgend etwas ernst gewesen ist.«

»Caroline, das ist . . . das ist . . .«, wie ein Anathema stieß er das Wort hervor, ». . . Korrumpierung.«

»Korrumpierung? Von was oder wem? Etwa der Zeitungsleser von Washington? Wohl kaum. Die kennen das alles. Oder der Tribune, einer langweiligen, sterbenden Zeitung? Ich sehe keine Korrumpierung in dem, was ich vorhabe. Vielleicht«, sagte sie listig, »werden wir der Welt einen Spiegel vorhalten. Aber einem Spiegel kann man nicht die Schuld geben, was er zeigt.«

»Aber dein Spiegel verzerrt ja mutwillig . . .«

»Eine Zeitung hat keine Wahl. Sie muß Partei ergreifen, auf die eine oder die andere Art. Und wo ist da die Korrumpierung?«

»Ein Appellieren an niedrige Instinkte . . .«

». . . wird die Auflage steigen lassen. Ich habe die niedrigen Instinkte ja nicht erfunden.«

»Eben *das* ist ja das Korrupte, diesem Instinkt noch Vorschub zu leisten.«

»Um Leser zu gewinnen? Das ist zweifellos ein kleiner Preis, der gezahlt werden muß für . . .« Caroline brach ab; eine Herdic-Droschke hatte das Paar erspäht und fuhr vor der Freitreppe vor.

»Gezahlt werden muß für was?«

»Für die Macht, Vetter John. Das einzige, was zu besitzen sich in dieser eurer Demokratie lohnt.« Mehr als eine Generation trennte Caroline von Henry Adams' Mrs. Lightfoot Lee; jetzt, entschied sie, war es einer Frau möglich, das, was sie wollte, aus eigener Kraft zu erreichen; und nicht erst durch eine Ehe oder irgendein ähnliches Surrogat. Bislang war ihr nicht bewußt gewesen, in welchem Maß Mlle. Souvestre ihr Selbstvertrauen gestärkt hatte. Nicht nur, daß sie ein Scheitern nicht fürchtete; sie rechnete nicht damit. »Was wahrscheinlich beweist, daß ich verrückt bin«, sagte sie zu Vetter John, als er ihr vor ihrem rosenroten Ziegelhaus in der N Street aus der Droschke half.

»Dafür brauche ich keinen Beweis«, sagte er, ihre scheinernste Bemerkung quasi beim Wort nehmend: Sie hatten über Blaise und Mr. Houghteling gesprochen und über die immer verwickelteren juristischen Spielchen.

Caroline führte ihren Vetter ins Haus, wo Marguerite sie mit Klagen über die Köchin empfing, die prompt auf der Bildfläche erschien, mit dunkel-dräuendem Gebrabbel, das sich anhörte wie Voodoo-Verwünschungen gegen Marguerite. Pariser Französisch und Afroamerikanisch lagen, wie stets, miteinander quer. Caroline schlichtete die Sprachverwirrung und führte Vetter John in den schmalen, trüben, kühlen Salon, der sich über die geamte Länge des kleinen Hauses erstreckte. Dort setzten sie sich vor den weiß-marmorierten Kamin, in dem Keramiktöpfe mit Frührosen standen – eine Neuerung, die in der Küche tiefkehliges Gelächter ausgelöst hatte: »Blumen sind für den Garten. Holz ist fürs Feuer.«

»Ich wünschte, du wärest enthusiastischer.« Gern hätte Caroline ein stärkeres Wort gebraucht. Aber dafür war ihr Verhältnis zu Vetter John zu disharmonisch. Er schien noch immer zu glauben, daß es zwischen ihnen zum Verlöbnis kommen könne; und sie ließ ihn in dem Glauben; aus dem einfachen Grund, daß, obschon alles möglich, das meiste ohne dies unwahrscheinlich ist. Als weitere

Komplikation erwies sich ihr Verwandtschaftsverhältnis. Er war, in allererster Linie, ein Sanford; und nahm sich selbst ernst, *in loco parentis*.

»Du mußt«, sagte Vetter John überraschenderweise, »*meine* Cousinen, die Apgars, kennenlernen. Sie wohnen in Logan Circle. Das ist natürlich nicht das West End; doch das alte Washington gibt jenem Viertel noch immer den Vorzug. Du solltest hier ein paar solide Freunde haben.«

»Im Unterschied zu den Hays?« fragte sie ironisch.

»Die Hays stehen gesellschaftlich zu hoch, um von praktischem Nutzen zu sein, wenn du sie brauchst; während die Apgars immer hier sind und bereit . . .«

»Nach wie vor in Textilien?«

»Ein Zweig schon, ja. Apgar's Department Store ist das zweitgrößte Kaufhaus nach Woodward and Lothrop. Doch die meisten sind Juristen. Ich habe die Ladys gebeten, sich bei dir zu melden.«

»Ich werde die Kaufhaus-Apgars bitten, in der Tribune zu inserieren.« Caroline meinte es ernst. »Der Frühjahrsausverkauf – nennt man das so? – hat doch bereits angefangen.« Sie war zur passionierten Leserin von Inseraten geworden.

»Nun ja, *bitten* könntest du sie ja wohl.«

»Was Mr. Vardeman betrifft . . .« Sie mußte plötzlich an das sandfarbene Gesicht mit dem rötlichen Kraushaar denken.

»Was ist mit ihm?«

»Mich interessiert nur . . . Ist es allgemein üblich, daß Mulatten gesellschaftlichen Verkehr mit Weißen haben?«

Vetter John zeigte sich amüsiert. »Nein. Aber allerorts hat man ihm den Zugang ermöglicht – das ist hier in bestimmten Kreisen durchaus üblich. Mir wär's jedenfalls lieber, du würdest in New York wohnen, wo du hingehörst.«

Caroline betrachtete die Marine-Erinnerungsstücke an der gegenüberliegenden Wand. Ein primitives Gemälde mit einem brennenden Schiff aus dem Krieg von 1812, über den sie nichts wußte; darüber gekreuzte Säbel, gekrönt vom Hut eines Commodore. Unter Glas eine zerfetzte britische Flagge. »Ich habe das Gefühl, gleichsam ins Römische Imperium versetzt worden zu sein«, sagte sie. »Und zwar in die interessante Epoche, kurz vor dem Ende.«

Vetter John lachte. »Wir meinen, sie haben kaum erst angefangen zu existieren, die Vereinigten Staaten.«

»Sicher hast du recht.« Doch Caroline war sich, was dieses merkwürdige Land betraf, in gar nichts sicher – bis auf die Tatsache, daß ihr seine schiere Überdimensioniertheit gefiel. Alles gab es im Übermaß – außer Geschichte. Aber das würde noch kommen, unausweichlich, und es war ihre Absicht, dabei zu sein, mitten im Strom. Plötzlich sah sie die Historie als eine Art Potomac, schnell fließend, gelbliches Wasser, strudelnd und wirbelnd um graue Felsbrocken, die aussahen, als seien sie herabgeschleudert worden von den dichtbewaldeten Höhen Virginias, wo Pflanzen wuchsen, deren lorbeerähnliche Blätter auf der menschlichen Haut juckende Entzündungen hervorrufen konnten. Die Ähnlichkeit zwischen dem Lorbeer des Siegers und Giftsumach des Opfers war Caroline nicht entgangen, als sie von Helen Hay vor dieser Pflanze gewarnt worden war: während der Ausfahrt zu jenem Bronzedenkmal, das Saint-Gaudens im Auftrag von Henry Adams geschaffen hatte, ein Memorial zum Gedenken an jenes tote »Herz«, Clover Adams. Fast so symbolisch wie der giftige Lorbeer war für diese Stadt die sitzende, trauernde verschleierte Gestalt ohne Inschrift und, sonderbarerweise, ohne klar definierte Geschlechtszugehörigkeit: Es konnte sich ebensogut um einen jungen Mann wie um eine junge Frau handeln. Bezeichnenderweise wollte sich Henrys Adams nicht dazu äußern.

»Ich werde die Apgars bestimmt kennenlernen«, versicherte Caroline plötzlich. »Im übrigen bleibt mir in diesem Sommer gar keine Wahl, wenn alle aus der Stadt fort sind.«

»Du wirst auch nicht hierbleiben«, erklärte Vetter John mit Nachdruck. »Die Hitze ist unerträglich.«

»Ich kann eine ganze Menge vertragen. Doch mitunter werde ich mich wohl sehnen nach der Kühle von . . .« Sie brach ab.

»Newport, Rhode Island?«

»Nein. Saint-Cloud. Gehört das Haus mir oder nicht?«

»Zur Hälfte, bis eine Entscheidung getroffen wird. Was gibt's als nächstes? Mit Blaise?«

»Das weiß ich eben nicht. Ich werde sehen, was er mir jetzt zu bieten hat.«

Während der nächsten Woche verbrachte Caroline ihre Tage zum größten Teil im Tribune-Gebäude. Sie lernte Mr. Trimble so gut kennen, wie man wohl jemanden kennenlernen konnte, der kein Bediensteter war, sondern ein Angestellter und ein Mensch – eine neue Erfahrung für sie. Sie sprach mit dem Drucker deutsch und versuchte ihn zu einer Produktionssteigerung in Sachen Visitenkarten sowie Heirats- und Todesbenachrichtigungen zu bewegen; etc. etc. Doch alle ihre Beschwörungen halfen wenig. Die Saison neigte sich dem Ende zu, und die Ehefrauen von Staatsdienern statteten einander jetzt eher weniger denn mehr Besuche ab, und ähnlich verhielt es sich mit dem Wunsch junger Brautpaare, sich in der protestantischen St. John's oder in der katholischen St. Mary's trauen zu lassen. So verbrachte Caroline ihre Abende meist daheim, im Schutz der Magnolienbäume, und brachte Marguerite und der Afrikanerin Englisch bei. Del wurde von ihr wiederholt vertröstet, während sie die Zeit nutzte, um über den Ehestand und Pretoria nachzudenken – in umgekehrter Reihenfolge eigentlich; aber Del wußte nicht, daß Vetter John inzwischen nach New York zurückgereist war, wo er wieder ganz er selbst sein konnte – Jurist. Mr. Hay versuchte, einen Krieg mit England, um Kanada, zu vermeiden; oder mit Kanada um England. Amüsiert vermerkte Caroline, daß Hay für Kanada nie den eigentlichen Namen benutzte, sondern die Umschreibung *Our Lady of the Snow.* Bisher war keine der Apgar-Damen zu Besuch in die N Street gekommen. Bisher hatten sich keine neuen Inserenten bei der Tribune gemeldet. Doch Trimbles Bemühungen, Hearst nachzueifern, fanden Carolines Beifall. Erstmals hatten ein oder zwei Leichen ihren Platz auf der ersten Seite gefunden. Jede Leiche hatte ihre Folgen gehabt: jeweils ein Dutzend Abbestellungen von Abonnenten; jeweils ein rundes Tausend mehr an verkauften Exemplaren an den Zeitungsständen. Caroline wußte jetzt, was es bedeutete, ein Hearst zu sein; allerdings ein Hearst ohne Hearsts Möglichkeiten und Mittel.

An einem Mittwochnachmittag befand sie sich in der Setzerei und grübelte gemeinsam mit ihrem Drucker über die Titelseite für den nächsten Tag nach. Auf dem Fensterbrett schlief eine Katze, die sich vom Lärm des Market Square nicht stören ließ. Aus dem benachbarten Zimmer klang die Stimme Trimbles, der einem Inserenten um den Bart ging. Rücksichtslos verbannte Caroline eine Nachricht von der ersten auf die dritte Seite. Dabei handelte es sich um eine

Meldung, nach der Hay der Auffassung war, die Vereinigten Staaten sollten die Jungferninseln von Dänemark kaufen, und zwar für fünf Millionen Dollar, bewilligt vom Senat, dank den Bemühungen von Senator Lodge. Den Platz der Jungferninseln nahm nunmehr ein Einbruchdiebstahl im West End ein, genauer, in der Connecticut Avenue; und unversehens rückte eine gewisse Mrs. Benedict Tracy Bingham zur Weltberühmtheit – oder doch Washingtoner Berühmtheit – auf, weil ihr nachts der Schmuck gestohlen worden war. Caroline hatte vor das Wort »Schmuck« noch das Adjektiv »fabulös« gesetzt, ungeachtet der Einwände des ältlichen Reporters, der versichert hatte: »War doch nur Allerweltszeug, Miss Sanford. Eine Nadel. Ein Ring. Ohrringe.«

»Aber die Binghams sind doch reich, oder?« Caroline spielte mit dem Gedanken an einen Verbrecherring: »Terror in der Connecticut Avenue.« Das als Schlagzeile; und darunter (wie meist, geriet ihr die zweite Zeile zu lang): »Wo werden die Verbrecher als nächstes zuschlagen?«

»Den Binghams gehören die Silversmith Dairies. Sind Inserenten bei uns; oder waren's jedenfalls mal. Ja, Ma'am, die sind ganz schön reich. Aber was den Schmuck betrifft . . .«

»Unbezahlbare Erbstücke von einer von Washingtons ältesten und aristokratischsten Familien«, hatte Caroline in die Story eingefügt. »Wenn das den Binghams nicht gefällt, dann gefällt ihnen nichts«, sagte sie zu Trimble, der sich amüsiert und skeptisch zeigte, wie stets bei ihren Einfällen. »Wir werden mit Inseraten für Milch überschwemmt werden«, versprach sie, nachdem nunmehr der Schmuck von Mrs. Benedict Tracy Bingham, Molkereibesitzerin, Schlagzeilen machte und ihre »hohe gesellschaftliche Position in dieser Stadt« zwar nicht in einem Goldenen Buch vermerkt, aber doch mit fetten Zeitungslettern hervorgehoben wurde.

In der Türöffnung tauchte der schwarze Pförtner auf. »Da ist ein Gentleman, Miss, der mit Verlegern sprechen möchte, mit Mr. Vardeman.«

»Worüber?« Caroline griff nach einer Radierung der Bingham-Villa; zeigte mit vorgestrecktem Finger, daß das Bild in die Mitte der Kolumne gehöre.

»Er sagt, er kommt von Mr. Hearst. Sein Name ist genauso wie Ihrer, Miss.«

Caroline erhob sich, stand sehr gerade; wischte sich dann mit einem der herumliegenden Lappen, so gut es irgend ging, die Druckerschwärze von den Fingern. »Haben Sie ihm gesagt, wer der Verleger ist?«

»Nein, Ma'am. Er sagte ja doch, er wolle zu Mr. Vardeman.«

»Ich werde ihn im Büro empfangen.« Caroline hatte für sich ein kleines, trübes Zimmer mit Blick auf den Hof und den Druckereischuppen reserviert. An der Wand hinter dem bescheidenen Schreibtisch hing, in einem Rahmen, eine Kopie ihrer ersten Titelseite (»Leiche einer unbekannten Schönheit nackt im Navy Yard aufgefunden«). Ansonsten gab es im Zimmer nur noch zwei Louis-seize-Stühle verschiedener Herkunft. Die ersten Frühlingsfliegen spielten in der Luft Karussell.

Blaise war auf befriedigende Weise verblüfft. »Was tust du denn hier? Wo ist Vardeman?«

»Mr. Vardeman widmet seine Zeit der Genealogie. Er ist überzeugt, von Thomas Jefferson abzustammen, so daß wir beide reichlich Gesprächsstoff haben . . .«

»Du hast die Trib gekauft?«

»Ich habe die Trib gekauft.«

Sie starrten einander an: unversöhnliche Feinde, wie nur solche vom gleichen Schlag es sein können. »Das hast du mir zum Tort getan.«

»Oder mir zur Wonne. Setz dich, Blaise.«

Mürrisch drehte er den vergoldeten Stuhl herum und saß dann mit gespreizten Beinen, als ritte er ein Pferd. Caroline thronte spröde hinter ihrem Schreibtisch, der mit unbezahlten Rechnungen übersät war. Wie schade, daß sie im Mathematikunterricht bei der guten, doch langweiligen Lehrerin nicht besser aufgepaßt hatte, dachte sie jetzt oft.

»Wieviel«, fragte Blaise, »hat's dich gekostet?«

»Zwei oder drei Poussins.«

»*Meine* Bilder!«

»*Unsere* Bilder. Ich werde dir natürlich deinen Anteil bezahlen, wenn du mir meinen Anteil an . . .«

»Das ist Sache der Anwälte.« Beide blickten sich in dem schäbigen Büro um. Caroline war stolz darauf, daß sie soviel Schäbigkeit ertragen konnte. Sie bedauerte nur, daß sie nicht ihrem ersten

Impuls nachgegeben hatte, nämlich ein Porträt von Admiral Dewey, gräßlich, im Vierfarbendruck, an die Wand zu hängen, mit der Inschrift: *Unser Held*.

»Das alles kann doch nicht dein Ernst sein.«

»Komisch. Wenn es einem wirklich mit etwas ernst ist, gibt es immer einen, der das sagt. Natürlich ist es mir ernst damit. Ich . . .«, Caroline senkte scheu ihre Wimpern, wie Helen Hay das zu tun pflegte, wenn der Ober das Dessert brachte, ». . . arbeite hier als Verlegerin und Herausgeberin, genau wie Mr. Hearst.«

Blaise lachte; ein freudloses Lachen. Er hatte die gerahmte Titelseite gesehen; und erraten, daß sie Carolines Werk war. »Es gehört mehr zu diesem Geschäft als bloß Morde«, sagte er.

»Ja. Da ist noch das Geld von Mrs. Hearst, mit dem er seine Schulden bezahlt. Oder da *war* es. Sie geht nach Kalifornien zurück. Sie wird ihm nicht mehr helfen.«

»Wer wird deine Schulden bezahlen? Bei der alten Trib läuft das Geld wie durch ein Sieb.«

»Das werde ich wohl tun. Aus dem Vermögen.«

Blaise schleuderte den vergoldeten Stuhl zur Seite; und trat dann ans Fenster und blickte durch die mit Fliegendreck übersäte Scheibe zur Druckerei hinunter. »*Das* bringt Geld. Mit der Zeitung verliert man's.« Er drehte sich um. »Wieviel verlangst du?«

»Ich verkaufe nicht.«

»Alles hat seinen Preis.«

Caroline lachte. »Du bist schon zu lange in New York! Das sind so die Weisheiten, die im Rector's die ganz fetten Kerle von sich geben. Aber nicht alles ist verkäuflich. Die Tribune gehört mir.«

»Mr. Hearst wird dir doppelt soviel zahlen, wie du gezahlt hast, und das müssen so um die fünfzigtausend Dollar gewesen sein.«

»Er hat das Geld nicht, das weiß ich. Ich kenne seine Mutter.«

»Einhundertundfünfzigtausend Dollar.« Blaise setzte sich auf das Fensterbrett. Er trug einen hellgrauen Gehrock, der, sichtbar, den Staub des schäbigen Zimmers zu absorbieren schien. »Für alles zusammen. Das ist dreimal mehr, als dieses Wrack von einer Zeitung wert ist.«

Caroline fand Blaise in diesem Augenblick außergewöhnlich attraktiv. Zorn war die Emotion, die ihn belebte. Welche war es bei ihr? Die Zeit würde es zeigen, befand sie; und sie erhöhte Blaise'

Attraktivität zu glorioser Schönheit, indem sie schlichten Zorn zu schierer Raserei werden ließ: »Du willst die Trib gar nicht für Mr. Hearst. Du willst sie für dich selbst. Du legst ihn, wie die fetten Kerle im Rector's sagen, rein.«

»Verdammt sollst du sein!« Blaise sprang vom Fensterbrett herunter. Der Rücken seines grauen Gehrocks war geädert mit Spinnweben und den Mumien von einem Dutzend Fliegen, die im Fensterrahmen des Tribune-Hauses ihr ewiges Ägypten gefunden hatten.

»Falls du aufhörst, mich zu verfluchen, könnte ich dir vielleicht die Hälfte der Zeitung überlassen; falls du mir die Hälfte des Vermögens . . .«

»Erpressung! Du schleichst dich sozusagen hinter meinem Rükken hierher, weil du weißt, daß ich . . . daß der Chef eine Washingtoner Zeitung braucht; und du hast diesen Nigger mit List und Tücke zum Verkauf bewogen . . .«

»Von List und Tücke keine Spur. Und ist er wirklich ein Nigger? Das ist hier ein sehr heikles Thema. Das ist wie mit den Malteser Rittern. Da läßt sich jede Menge Familienwappen produzieren, weißt du? Falls es dich interessieren sollte, es gibt hier eine faszinierende Neger-Zeitung mit dem Namen Washington Bee. Da Nigger und – per Assoziation? – dunkle Geschäfte für dich eine Art Anliegen zu sein scheinen, solltest du mal mit dem Eigentümer, einem Mr. Chase, sprechen. Ich kann dich gern mit ihm bekannt machen. Er dürfte für Mr. Hearst zwar zu moralisch sein, aber vielleicht verkauft er ja, und dann hast du – oder Hearst – eine echte Washingtoner Zeitung, schwarz, genau wie die Stadt.«

Blaise' Attraktivität minderte sich, als seine Raserei wieder normaler Wut Platz machte; und diese dann seiner angeborenen Verschlagenheit. »Wie willst du die Rechnungen auf deinem Schreibtisch bezahlen . . .?«

»Ich wußte gar nicht, daß du verkehrt herum lesen kannst.«

»Rote Zahlen schon.«

»Nun, ich habe ja mein Einkommen, und ich habe . . .«, jetzt improvisierte sie, ». . . hilfsbereite Freunde.«

»Vetter John? Na, der kann dir nicht helfen. John Hay würde sich nicht trauen, weil er sonst das Journal an der Kehle hätte.«

»Ich glaube kaum, daß er Mr. Hearst fürchtet; oder wen immer sonst. Er hat nämlich«, erklärte sie spröde, »einen schlimmen Rücken.« Caroline erhob sich. In der Mitte des Zimmers standen sie einander gegenüber. Da sie gleich groß waren, starrten blaue Augen direkt in braune Augen.

»Ich werde keinen Teil des Vermögens aufgeben«, sagte Blaise.

»Und ich werde die Tribune nicht aufgeben.«

»Es sei denn, du gehst pleite.«

»Oder ich verkaufe an Mr. Hearst und nicht an dich.«

Blaise war blaß; er sah erschöpft aus. Caroline erinnerte sich an ein frühreifes Mädchen in Allenswood, das richtiggehend verführt worden war. Die Geschichte dieser Verführung, die sie Caroline, ihrer besten Freundin, unter dem Siegel der Verschwiegenheit anvertraut hatte, war der erste unmittelbare Erfahrungsbericht gewesen, den Caroline je aus jenem fremden Land erhalten hatte, wo Männer und Frauen die letzte Vereinigung vollzogen. Obwohl Caroline spezifische Einzelheiten hatte wissen wollen (die Statuen im Louvre hatten in manchen Punkten eher Verwirrung gestiftet, *jene Blätter*), hatte sich das Mädchen bei ihrem Bericht strikt auf das Spirituelle beschränkt – zum Rasendwerden. Sie sprach von Liebe, einem Thema, das Caroline stets verwirrte, wenn nicht verärgerte; und war nicht dazu zu bewegen, das Blatt vom Geheimnis zu reißen. Doch sie hatte jene Verwandlung beschrieben, die auf dem Gesicht des jungen Mannes vor sich gegangen war: der Wechsel vom Erzengel, als den sie ihn sah, zum Satyr oder – abmildernde Korrektur – zum wilden Tier; und wie das Gesicht, purpurrot, schon im nächsten Augenblick grauweiß wurde, vor Erschöpfung oder was immer sonst. So ähnelte Blaise' Zustand jetzt dem eines Liebhabers am Ende der Ekstase. Wie aber, fragte sich Caroline, war die Ekstase selbst? Mlle. Souvestre hatte vorgeschlagen, daß ihre Schülerinnen, falls sie denn unbedingt ihre Neugier in puncto Eheleben befriedigen wollten, eingehend Berninis *Santa Teresa* in Rom studierten. »Angeblich befindet sich die Heilige ganz im Banne religiöser Ekstase, die Augen sind geschlossen, der Mund auf eher unangenehme Weise geöffnet. Der Gesichtsausdruck hat etwas Kretinhaftes. Es heißt, Bernini sei nicht von Gott inspiriert worden, sondern von der gewaltigsten aller menschlichen Leidenschaften.« Befragt, ob das Eheleben in seinem Gipfelpunkt einer Begegnung mit dem Heiligen Geist gleiche, hatte Mademoiselle mit Nachdruck erwidert: »Ich bin eine Freidenkerin und eine Jungfrau. Instruktionen in Sachen Ekstase müßt ihr euch schon woanders holen, und zwar *nach* eurem Fortgehen von Wimbledon.«

»Komm«, sagte Caroline höflich, »ich werde dir die Zeitung zeigen.«

Zusammen betraten sie die Räumlichkeiten der Setzerei. Trimble, in Hemdsärmeln, korrigierte am langen Tisch eine Fahne. Auf dem Fensterbrett schlief noch immer die Katze. Der City-Reporter schrieb – oder tippte – auf einer neuen Maschine, die Caroline an ihrem zweiten Tag als Zeitungsverlegerin gekauft hatte. »Ich finde die Tippgeräusche beruhigend«, sagte sie zu dem schweigenden Blaise. »Ich bin für die Remington verantwortlich. Henry James benutzt die gleiche.« Erwartungsvoll sah Caroline ihren blassen Bruder an; doch dessen Schweigen vertiefte sich gleichsam. »Ich habe die Reporter gebeten, nicht *ihm* nachzueifern. Glücklicherweise bewundern sie nur Stephen Crane und Richard Harding Davis. Das ist der Chefredakteur Mr. Trimble.«

Die beiden Männer schüttelten sich die Hand, und Caroline fügte wie als Nachgedanken hinzu: »Mein Halbbruder Blaise Sanford. Er arbeitet für Mr. Hearst, beim Journal.«

»Na, das ist doch eine Zeitung.« Trimble schmeichelte dem Besucher. »Wissen Sie, im letzten Winter hörten wir so ein Gerücht, wonach ihr uns kaufen wolltet.«

»Aber dann hat Mr. Hearst seine Fühler wieder eingezogen«, sagte Caroline. »Er ist im Augenblick an weiteren Erwerbungen nicht interessiert.«

»Wie hoch ist Ihre verkaufte Auflage?« fragte Blaise.

»So um die siebentausend«, erwiderte Trimble.

»Im vergangenen Winter sagte man mir zehntausend.«

»Mr. Vardeman übertrieb gern ein bißchen, glaube ich. Das Annoncengeschäft hat im letzten Monat angezogen«, fügte er hinzu.

»Durch Vetter John haben wir Apgars Department Store bekommen. Die haben mal wieder Schlußverkauf.«

Der politische Reporter, ein Mann mit dünnem Hals, geröteten Wangen und Augen, Symptomen zumindest teilweiser Trunkenheit, kam heran. »Mr. Trimble, ich hab hier 'ne Meldung. Lohnt sich aber wohl nicht. Ist aus 'm Weißen Haus.«

»Guter Gott«, sagte Caroline. Obwohl sie persönlich von Politikern, weniger vielleicht von der Politik, fasziniert war, fand sie die Art und Weise, in der dieses Thema in der Presse behandelt wurde, von geradezu unheimlicher Langeweile. Nur wer sich selbst mit Politik befaßte, konnte die politischen Nachrichten der Tribune aufregend oder gar faszinierend finden. Glücklicherweise hatte fast das gesamte zeitunglesende Washington mit Regierung und Regierungsbehörden zu tun, und so wurde jedwede politische Nachricht gelesen. Doch Caroline wollte, Hearst nacheifernd wie stets, in ihre Leseschaft jene einbeziehen, welche die Politik im allgemeinen genauso langweilig fanden wie sie selbst – zweifellos die Mehrheit. Bis ins kleinste Detail beschriebene Morde, Raubüberfälle, Vergewaltigungen, das war es, was die Leute lesen wollten: ein goldener Faden des Grauens, der durch die Zeitungsseiten führte. Aber sie wollte noch mehr Abwechslung und Unterhaltung für ihre Leser – auch die potentiellen. Und wie vom Himmel gesandt, gab ihr der politische Reporter jetzt genau das, was sie brauchte.

»Ich sprach drüben mit Mr. Cortelyou . . .«

»Der Sekretär des Präsidenten«, sagte Caroline erklärend zu Blaise, dessen Gesichtshaut zunehmend eine gesunde vorekstatische Röte zeigte.

»Er sagte, aus den Philippinen lägen im Augenblick keinerlei neue Nachrichten vor. Als er dann gefragt wurde, was der Präsident denn gerade tue, sagte er: ›Er macht eine Ausfahrt‹, und ich sagte: ›Na, das ist aber keine besondere Story‹, und er sagte: ›Ja, aber er fährt zum erstenmal in einem *Motorwagen*.‹ Ist also wohl doch was, was man bringen könnte. Aber natürlich nur 'ne kleine Meldung, ist ja klar.«

Trimble seufzte. »Eine sehr kleine Meldung. Für die Gesellschaftsseite.«

»Nein«, sagte Caroline. »Für die Titelseite.« Noch nie hatte sie sich so durch und durch heroisch gefühlt wie jetzt, wo sie vor Blaise protzen konnte.

»Was ist der Aufhänger?« fragte Trimble.

»Der erste Präsident, der jemals in einem Automobil gefahren ist«, sagte Caroline prompt.

»Aber ist das auch wahr?« fragte Trimble.

»Mr. Hearst wäre das egal, und ich fürchte, mir geht's genauso.«

»Ich glaube, es ist wahr«, sagte der politische Reporter. »Grover Cleveland hat vor einigen Jahren mal versucht, in ein Automobil zu steigen. Aber er paßte nicht rein, weil er zu fett war. Dem paßt ja sowieso nichts außer diesem einen orangefarbenen Sommeranzug, den seine junge Frau nicht ausstehen konnte, so daß sie ihn schließlich unter Drohungen dazu brachte, das Ding wegzugeben. Sie sagte, sie würde ihn bei den Iren als Ulsterman denunzieren.«

»Wunderbar!« Caroline war hochzufrieden. »Das ist es, was wir in Ihrer Story haben wollen. Schreiben Sie das alles. Jetzt gleich.«

Während der Reporter auf die Remington zuschlurfte, rief Caroline ihm nach: »Was für eine Art Automobil war's denn?«

»Ein Stanley Steamer, Miss Sanford.«

Caroline blickte zu Trimble. »Bringen Sie das im Untertitel. Später werden wir die Stanley Steamer Leute fragen, ob sie nicht bei uns inserieren wollen.«

»Nun ja . . .« Trimble grinste, er hatte begriffen. Dann fuhren beide zusammen, als die Zimmertür zugeknallt wurde. Blaise war geflüchtet.

»Ihr Bruder ist . . . schlechter Laune?«

»Nun, heute ist seine Laune ganz bestimmt miserabel. Er und Mr. Hearst wollten diese Zeitung haben. Tatsächlich hat er mich vorhin aufgefordert, sie an ihn zu verkaufen, und ich habe nein gesagt.«

Trimble krauste die Stirn. »Würden Sie einen Profit dabei machen?«

»Ja.«

»Dann sollten Sie es tun. Wir haben keine Chance. Der Star und die Post haben uns im Sack.«

Carolines Vergnügen an der Stanley-Steamer-Story verblaßte. Plötzlich war da jenes Gefühl von Unheil, das sie oft heimsuchte, wenn sie am frühen Morgen erwachte und sich fragte, was um alles auf der Welt sie in einem kleinen Haus in Georgetown zu suchen hatte – und überhaupt in Washington als Verlegerin einer Zeitung, die sie womöglich ruinieren würde. »Wenn's so hoffnungslos ist, warum will Hearst dann kaufen?«

»Er würde Geld reinbuttern. Er schert sich nicht darum, was er verliert. Und er hätte eine Washingtoner Machtbasis. Er will doch Präsident werden.«

Caroline musterte ihn verblüfft. »Woher wissen Sie das?«

»Ein Freund vom Journal hat's mir gesagt. Hearst glaubt, Bryan kann nicht gewinnen, er dagegen ja.«

»Wie sonderbar! Als ich seinerzeit mit ihm sprach, sagte er mir, er sei für Admiral Dewey.« Doch Caroline hatte aus Trimbles Antwort etwas herausgehört, das ihr im Moment wichtiger war als alle Politik. »Haben Sie mit dem Journal vielleicht wegen eines Jobs gesprochen?«

Trimbles hellblaue Augen mieden ihren, wie sie hoffte, festen Blick. »Unsere Auflage sinkt von Monat zu Monat«, sagte er.

»Nicht an den Zeitungsständen.«

»Das bringt ja nicht wirklich Geld. Die Annoncenpreise richten sich nach den bezahlten Abonnements.«

»Dann werden wir eine Dingsda veranstalten. Sie wissen schon – Geld für nichts: eine Lotterie.«

»Mit welchem Geld?«

»Wenn Sie bleiben, steige ich tiefer ein.«

Trimble musterte sie neugierig. »Warum tun Sie das alles?«

»Weil ich es will.«

»Sonst nichts?«

»Ich würde schon meinen, daß es das ist.«

»Aber keine Frau . . . keine Lady hat jemals eine Zeitung geleitet, soweit ich weiß, und es gibt auch nicht gerade viele Männer, die dafür taugen.«

»Sie werden«, sagte Caroline, keine Frage in ihrer Stimme und keine Bitte, »bleiben.«

Trimble lächelte. Ernst schüttelten sie sich die Hand.

Teil V

1

Quer über die Brooklyn Bridge, vom einen Ende bis zum anderen, formten elektrische Lichter die Worte: »Willkommen, Dewey« – wie in arktisch glitzerndem Glanz vor dem nächtlichen Himmel; und weiter flußabwärts war das Flaggschiff des Admirals, die *Olympic*, gleichermaßen illuminiert. Sirenen tönten. Entlang den Palisades explodierte ab und zu Feuerwerk.

Blaise saß neben dem Chef auf dem Rücksitz seines Automobils, bei herabgelassenem Verdeck; so ließen sich das Schauspiel und der kühle Herbstabend besser genießen. Madame de Bieville saß ihnen gegenüber, zusammen mit Millicent und Anita Willson. Zur Überraschung von Blaise zeigte sich Anne von den Mädchen entzückt, vom Chef jedoch, wie alle Frauen, eher verwirrt als berückt. Eine Woche lang war Anne mit den Mädchen einkaufen gewesen, um mit ihnen und für sie eine angemessen dezente Garderobe für ihre Reise nach Europa zusammenzustellen. Hearst hatte beschlossen, im November nach Europa zu reisen; den Winter würde man an Bord einer Jacht verbringen, auf dem Nil. Blaise sah sich zwar um seine Rückkehr nach Europa betrogen, doch Annes Ankunft war so etwas wie ein Trost. Zusammen waren sie nach Newport, Rhode Island, gefahren, und die temperamentvolle Delacroix-Großmutter war nach außenhin schockiert, insgeheim jedoch fasziniert gewesen von der Liaison zwischen ihrem jungen Enkelsohn und dieser französischen Frau von Welt. Doch wie alle guten Newporters schätzte auch Mrs. Delacroix eine Französin vor allem, wenn sie eine Dame war, zumal eine begüterte. Sie hatte Madame im Ostflügel ihres Grand Trianon untergebracht, Blaise hingegen im Westflügel, und als Mrs. Fish irgendwann die Andeutung machte, zwischen Juni und Oktober würden wohl die Hochzeitsglocken läuten, da hatte, dem Vernehmen nach, Mrs. Delacroix mit Donnerstimme geantwortet: »Mamie, kümmere dich um deine eigenen Angelegenheiten.« Das hatte Mrs. Fish denn auch getan; wozu ein Picknick auf den Felsen am Meer gehörte, wobei Harry Lehr als

Spezialist für künstliche Wasserfälle Champagner statt Wasser über die Felsen kaskadieren ließ; er handelte damit.

Anne hatte zu Blaise gesagt, jetzt begreife sie die Französische Revolution. Blaise hatte zu Anne gesagt, jetzt begreife er, warum es nie eine Amerikanische Revolution geben werde. Die verschwenderische Extravaganz der Reichen gefiel allen; und besonders den Lesern des Journal. Noch immer glaube man, erklärte Blaise ziemlich apodiktisch, daß in den Vereinigten Staaten jeder über Nacht reich werden könne, wie der Vater des Chefs, und bei entsprechendem Reichtum war »jeder« geradezu verpflichtet, all die Träume, die alle jemals geträumt hatten, nunmehr de facto zu *leben*. Tatsächlich, schloß Blaise, könne, wer Glück habe, noch immer zu Reichtum kommen; doch den übrigen blieben nur ihre Tagträume, wobei die Phantasie durch das Journal Nahrung erhalte. Anne hielt es für ausgeschlossen, daß man die Erfolglosen ewig mit Storys über die Erfolgreichen und ihre Extravaganzen abspeisen könne; Blaise hingegen meinte, man könne die Leute, wie der Chef gesagt haben würde, auf unabsehbare Zeit bei Laune halten; zumindest so lange, wie es noch immer Gold- und Silbervorkommen zu entdecken oder neue Erfindungen zu machen gab. Der gebürtige Amerikaner glaube nach wie vor, daß harte Arbeit ihm und seiner Familie den Lebensunterhalt sichere; glaube überdies, daß er, sofern ihm das Glück nur hold sei, über Nacht in einen Palast an der Fifth Avenue übersiedeln werde. Die Einwanderer waren da etwas anders.

Blaise erinnerte sich an ein Gespräch mit einem Fabrikanten an Mrs. Fishs Dinnertafel: »Die Deutschen sind die besten Arbeiter, solange sie nichts von Sozialismus und Gewerkschaften gehört haben. Die Iren sind die schlechtesten und immer betrunken. Ithaker und Nigger sind faul. Der beste Arbeiter ist, alles in allem, immer noch der normale Buckwheat.« *Buckwheat*, Buchweizen, war die Bezeichnung der Unternehmer für kräftige, junge und protestantische Amerikaner vom Land. Ein Buckwheat war gehorsam, an harte Arbeit gewöhnt und trank nicht. Wenn er träumte, so träumte er nur die richtige Art von Träumen, die sogar wahr werden konnten. Anne fand all dies höchst verwirrend. In Frankreich kannte jeder seinen Platz; und versuchte ihn zu wechseln oder, was aufregender war, einem anderen einen schlechteren Platz zu verschaffen. Natürlich, Frankreich war voller Menschen, während die Vereinigten Staaten noch immer relativ leer waren. Zwar lagen die Grenzen seit der Einverleibung Kaliforniens mehr oder minder fest, doch waren die Neuerwerbungen Karibisches Meer und Pazifischer Ozean neuerdings amerikanische Gewässer voller reicher Inseln und üppiger Chancen, und in des edlen Buckwheats Augen fand sich nun wieder jener Blick in die Ferne. Blaise hatte eine Art Lobpreisung des Buckwheat verfaßt und Arthur Brisbane, dem Chefredakteur, gegeben, der prompt alles Originelle – inklusive das Wort »Buckwheat« – strich und den Rest im Sunday Journal brachte: »Keine herabsetzende Bezeichnungen für gebürtige Amerikaner«, hatte Brisbane gesagt.

Der Chef befahl dem Chauffeuer, *downtown* zu fahren. »Ich möchte den erleuchteten Bogen sehen«, sagte er. »Ich möchte Dewey sehen«, fügte er hinzu und sah Blaise wie den Wachhund des Admirals an. »Ich möchte mit ihm sprechen.«

Blaise tat, als sei er bereit, den Admiral notfalls zur morgigen Redaktionskonferenz beim Journal zu apportieren. »Der Kurier nach Manila«, wie der Bote des Chefs intern genannt wurde, hatte absolut nichts herausbekommen aus dem alten Helden, der ausschließlich an seiner neuen Admiralschaft interessiert zu sein schien. Die bloße Erwähnung der Präsidentschaft langweile ihn, hatte der Kurier berichtet.

Während das Automobil durch die kühle, herbstliche Dunkelheit des Central Park glitt, stimmten die Willson-Girls ein Lied an: *»I Met Her by the Fountain in the Park«*, ein besonderer Lieblingssong des Chefs wie auch der Mädchen, deren Vater, Tänzer und Sänger beim Vaudeville, diesen Song berühmt gemacht hatte. Hearst fiel mit so hoher wie tonloser Stimme ein. Anne schlug mit ihrem Handschuh den Takt und lächelte Blaise an, dem das alles peinlich zu sein schien. Es war immer schwer, den Chef der Welt als seriösen Menschen zu präsentieren; und dennoch war er es.

Gleich nördlich vom Madison Square, auf der Fifth Avenue, drängten sich Menschenmengen. Alles strebte dem Bogen entgegen, der bei der 23. Straße die Fahrbahn überspannte. Die Spezialbeleuchtung war mit großem Geschick arrangiert worden, um die weiße Pracht dessen zu illuminieren, was das Journal den gloriosesten jemals von Menschenhand geschaffenen Triumphbogen nannte. Verfasser dieser Hyperbel war Mr. Brisbane, nicht Blaise. Allerdings wirkte die riesige Version von Roms Bogen des Septimius Severus in der Tat eindrucksvoll, ungeachtet der Straßenbahnen, die davor diagonal passierten, in Richtung auf die Stelle, wo Broadway und Fifth Avenue sich miteinander vereinigten. Zu beiden Seiten der Avenue flankierten drei Säulenreihen den Triumphbogen, auf dem, hochoben, eine Statue der Siegesgöttin mit einem Lorbeerkranz in der Hand stand. Militärische Figuren in Lebensgröße, drapiert mit Fahnen, Säbeln, Gewehren, schmückten die Säulenbasen; auf dem Triumphbogen selbst war der Admiral dargestellt, eine Art wiedererstandener Nelson, ruhmreich heimgekehrt inmitten eines Chaos aus Scheinwerfern, Hansom-Droschken, Automobilen sowie roter und weißer und blauer Bewimpelung auf der linken Seite der Avenue, dem vaterländischem Beitrag von Knox, einem Hutgeschäft. Das Automobil hielt direkt vor Knox, und selbst der Chef war beeindruckt von der Masse der Menschen, die, obwohl es bereits nach Mitternacht war, es sich nicht nehmen ließen, Ehrerbietung zu bezeugen gegenüber dem Helden – oder seinem Denkmal.

Als ein Droschkengaul vor dem fremdartigen Automobil scheute, bemerkte der Chef zufrieden: »Roosevelt wird vor lauter Wut mit seinen großen Zähnen in den Teppich beißen.« Doch Anne erwiderte klug, wie Blaise fand: »Warum sollte er? Der Admiral ist alt. Er ist jung.«

»Dewey ist zweiundsechzig. Das ist nicht zu alt, um Präsident zu werden.« Der Chef wirkte plötzlich ungewohnt mürrisch. »Er ist verliebt.«

»Mit zweiundsechzig?« Die Willson-Girls sprachen wie aus einem Mund; und alle lachten. Ein Zeitungsjunge, der das Journal verkaufte, schwenkte ein Exemplar vor Hearsts Gesicht. »'n Abend, Chef.«

»Hallo, Sohn.« Der Chef lächelte wieder; er gab dem Jungen zehn Cents. Eine Gruppe von Sixth-Avenue-Typen grölte mehr als sie sang: *»There'll Be a Hot Time in the Old Town Tonight.«* Auf der anderen Seite sahen sie bei einer Säule eine gutgekleidete weinende Frau. »Er ist entschlossen, John McLeans Schwester zu heiraten. Sie ist die Witwe eines Generals. Er ist Witwer. Sie ist *Katholikin*«, fügte der Chef noch hinzu.

»Ist der Antikatholizismus denn noch immer so stark?« Das harte Licht der Straßenlaterne schmeichelte Madame de Bieville wenig; sie sah fast so alt aus, wie sie war. Unwillkürlich wünschte Blaise, sie würde ihren Kopf eine Winzigkeit nach rechts drehen, um die Schatten ihr Werk tun zu lassen. Wurde in ihrer Gegenwart von Alter gesprochen, fühlte er sich immer irritiert. Die Willson-Girls hatten sich inzwischen eine Meinung gebildet über sein Verhältnis zu dieser in ihren Augen – allem ausländischen Charme zum Trotz – schon recht alten Frau. Falls der Chef ähnliche Vermutungen hegte, so ließ er sich nichts davon anmerken. Aber in sexuellen Dingen hatte er das Taktgefühl einer Jungfrau.

»Nun, es sind hauptsächlich die Iren, die den Katholiken einen so schlechten Ruf verschaffen«, sagte Hearst vage. »Außerdem wohl auch die Deutschen. Er ist ein Energiebündel, ihr Bruder.« Der Chef betrachtete Blaise ohne einen Anflug von Vorwurf, was den schlimmsten Vorwurf bedeutete.

John R. McLean war der Besitzer des Cincinnati Enquirer. Er lebte in Washington, wo seine Mutter und seine Frau gemeinsam in ähnlicher Weise regierten, wie Mrs. Astor das in New York allein tat. McLean war hart, kämpferisch, einflußreich. Blaise' Mißerfolg bei der Erwerbung der Tribune war ein Schlag für Hearst, der in der Hauptstadt keine neue Zeitung gründen wollte. Die Tribune wäre für seine Pläne ideal gewesen, und Blaise fand nie eine adäquate Erklärung, um seinem Partner plausibel zu machen – ja, Partner, nicht mehr Angestellter: Blaise lieh dem Chef Geld zu den üblichen Zinsen –, wieso ihm die Tribune weggeschnappt worden war, von seiner eigenen Schwester, die nach acht Monaten erstaunlicherweise noch immer im Geschäft war, wenn auch unter größten Schwierigkeiten. Alle »Kommunikation« zwischen den Geschwistern lief jetzt über ihre Anwälte. Anne meinte, Blaise solle mit Caroline zu einer Vereinbarung kommen, doch er weigerte sich. Er würde bis zum Ende kämpfen, das, so oder so, in fünf Jahren kommen würde.

»Wer hat den Bogen erbaut?« Anne wechselte das gefährliche Thema.

»Ein Komitee«, sagte Blaise. »Die National Sculpture Society.«

»Der amerikanische Stil.« Sie lächelte ins Licht; und die Linien in ihrem Gesicht machten Blaise nervös und traurig zugleich. »Und woraus ist der Bogen gemacht? Marmor? Stein?«

»Gips und billiges Holz«, sagte der Chef mit unverkennbarem Vergnügen. »Und eine Menge weißer Farbe.«

»Aber wenn der Winter kommt . . .«

»Wird er auseinanderfallen.« Hearsts Stimme klang verträumt.

»Aber es gibt eine Spendensammlung, um alles in Marmor wieder aufzubauen. Das hier ist bloß das Modell.« Als junger Neu-New-Yorker hatte Blaise seinen Beitrag bereits geleistet.

»Eigentlich sieht's überhaupt nicht provisorisch aus«, sagte Anne bewundernd.

»So ist das bei uns in Amerika«, sagte der Chef. Hearst, dachte Blaise, hält sich für das personifizierte Amerika; und vielleicht hatte er damit ja auch recht. Alles hier war gleichermaßen neu, selbsterfunden, provisorisch.

2

Der Außenminister und der neue Kriegsminister sahen einander über Hays Schreibtisch hinweg an. Elihu Root hatte im August Alger abgelöst. Root war ein New Yorker Jurist von ungewöhnlicher Brillanz und listigem Witz, und Hay fand ihn vergnüglicher als das gesamte übrige – zugegebenermaßen ausgesprochen langweilige – Kabinett. Roots Haar war kurzgeschnitten wie das von Julius Cäsar, mit einer dunklen Strähne in der Stirn und einem bescheidenen Schnurrbart. Die schwarzen Augen waren so flink wie sein behender Witz; und sein Lächeln wirkte gleichzeitig offen und auf sympathische Weise ungeheuer direkt. »Wenn Sie die Philippinen wirklich wollen«, sagte Hay, »so können Sie sie gern haben. Ich habe so schon viel zuviel auf dem Hals.«

»Aber ich *will* Sie gar nicht, lieber Freund. Ich habe wahrhaftig schon mit Kuba genug.« Root entzündete eine Zigarre. »Tatsache ist, daß ich dem Präsidenten gesagt habe, all unsere Inselbesitzungen sollten dem Außenministerium unterstehen. Das Kriegsministerium ist nicht dafür geeignet, eine friedensmäßige Kolonialverwaltung zu organisieren. Natürlich, Kuba ist keine richtige Kolonie.« Root krauste die Stirn. »Ich wünschte, wir hätten ein besseres Wort als ›Besitzungen‹ für unsere . . .«

»Besitzungen?« Hay lächelte; seine Rückenschmerzen hatten sich beträchtlich gebessert. Der Sommer in New Hampshire hatte, wenn schon nicht seiner erschöpften Seele, so doch seiner Wirbelsäule überaus gutgetan. »Wir müssen sie als das nehmen, was sie sind.«

»Ich habe Kuba gerade in vier Militärdistrikte aufgeteilt, ungefähr so, wie wir das 1865 mit den Südstaaten gemacht haben. Zu gegebener Zeit werden wir nach Hause zurückkehren – aber was wird dann mit Kuba geschehen?«

»Deutschland?« In letzter Zeit wurde im Kabinett viel über die »Deutsche Gefahr« gesprochen; allgemein war man der Ansicht, daß die deutsche Flotte das Karibische Meer und den Pazifik bereits allzusehr als Heimatgewässer betrachtete; und alle – oder doch fast alle – waren sich darin einig, daß es Krieg geben würde, falls Deutschland in der Karibik auch nur einen einzigen Hafen erwerben sollte.

McKinleys kürzliche Wiederentdeckung der Monroe Doktrin hatte elektrisierend gewirkt. Allerdings verhielt es sich wohl so, wie Henry Adams immer sagte: Alle paar Generationen erwachte dieses Meisterwerk aufreizend zum Leben. Jetzt dräuten Pläne, die Jungferninseln von Dänemark zu kaufen; bedauerlicherweise hatten die Dänen vermutet, die Regierung der Vereinigten Staaten sei so korrupt, daß es sich nicht umgehen lasse, einflußreiche Regierungsleute zu schmieren. Selbst Hay war ein plumpes Angebot gemacht worden. Sehr ernst hatte er zu dem beflissenen Dänen gesagt: »Als erstes müssen Sie Senator Lodge bestechen. Er ist der Schlüssel, und ein sehr teurer dazu, denn er stammt aus Massachusetts, und die Senatoren dieses Staates idolisieren – und imitieren – noch immer Daniel Webster, der für und von jedem zu ›haben‹ war.« Für nichtamerikanische Ohren blieb die Ironie natürlich verborgen; Cabot allerdings war über die nachfolgenden Bestechungsversuche alles andere als amüsiert gewesen. Adams hatte sich einen ganzen langen Tag vor Gelächter ausgeschüttet.

»Ich glaube nicht, daß Deutschland auf dieser Seite des Atlantik viel erreichen wird.« Mit dem Zeigefinger fuhr Root über das silbergerahmte Porträt des Prince of Wales. »Armer Mann. Wird wohl niemals König werden, oder?«

»Queen Victoria kann nicht ewig leben, soweit wir wissen. Sie ist schon Königin, solange ich lebe; und Sie auch. Bei Tisch reichert sie ihren Rotwein mit Whiskey an.«

»Was ihre Langlebigkeit erklärt. Es wird Leonard Wood sein, in Kuba.«

»Als Generalgouverneur?«

Root nickte. »Oder wie immer sonst wir ihn nennen. Er will Kuba, buchstäblich, säubern. Sie wissen, Abfälle aufsammeln. Kinder erziehen. Denen eine Verfassung geben, wonach nur die Besitzenden Stimmrecht haben.«

Hay atmete den Rauch von Roots Zigarrre ein; kubanisch, urteilte er, und zwar von allerbester Qualität. »Keiner kann uns jemals den Vorwurf machen, Demokratie zu exportieren. Der arme Jefferson glaubte tatsächlich, gewonnen zu haben; und jetzt sind wir alle Hamiltonianer.«

»Dank dem Bürgerkrieg.«

Adee öffnete die Tür und steckte seinen eleganten Kopf ins Zimmer. »Sie kommen, Mr. Hay«, quakte er leise.

»Wer«, fragte Hay, »sind *sie*?«

Ein hoher, schriller Falsettruf, »*Bully*!«, verriet prompt, wer einer von *ihnen* war.

»Ich hätte Sie warnen sollen«, sagte Root und entblößte seine Zähne zu einem probeweisen Lächeln.

»Theodore naht . . .« Hay klammerte sich am Rand seines Schreibtischs fest, als habe ihn das Kommando erreicht: »Schotten dicht!«

»Mit seiner Erfindung . . .«

Die Tür flog auf, und in ihrem Rahmen standen der beleibte junge Gouverneur von New York und der beleibte alte Admiral Dewey. »Da seid ihr zwei ja! Wir waren bei Secretary Long. Nee, euch alle drei im selben Haus zu haben. Sie sehen *bully* aus, Hay.«

»Ich fühle mich . . . *bully*, Theodore.« Hay erhob sich; nicht ohne Schmerzen. Roots Lächeln, kurz geprobt, saß jetzt mörderisch präzise. Er wollte dem Admiral die rechte Hand schütteln, doch der reichte ihm die Linke. »Mein rechter Arm ist noch völlig paralysiert von der ganzen Händeschüttelei in New York«, sagte er. Dewey war klein, mit sonnenverbrannter Haut und schneeweißem Haar und Schnurrbart.

»Der Held der Stunde«, sagte Root, ehrerbietig.

»Der Stunde? Des Jahrhunderts!« rief Roosevelt.

»Das in weniger als zwei Monaten zu Ende geht.« Es behagte Hay, Roosevelt den Wind aus den Segeln zu nehmen. »Dann werden wir, wir alle, dahintreiben in der schrecklichen Ungewißheit des zwanzigsten Jahrhunderts.«

»Das nicht in zwei Monaten, sondern erst in einem Jahr und zwei Monaten beginnen wird.« Root war pedantisch. »Am 1. Januar 1901«.

»Gewiß . . .«, begann Hay, doch Roosevelt unterbrach ihn.

»Wieso schrecklich?« Der Gouverneur nahm seine Augengläser ab und säuberte sie mit einem seidenen Taschentuch. »Das zwanzigste Jahrhundert, wann immer es auch beginnt, wird uns in unserem absoluten Zenit sehen. Stimmt das nicht, Admiral?«

Dewey blickte durch das Fenster zum Weißen Haus hinüber. »Ich nehme«, sagte er, »nicht an, daß es sehr schwer ist, Präsident zu sein.«

Die drei Männer waren zu verblüfft, um irgendwie zu reagieren. »Ich meine, es ist genau wie bei der Navy. Die erteilen dir deine Befehle, und du führst sie aus.«

»Wer«, sagte Root, der als erster seine Fassung zurückgewonnen hatte, »glauben Sie denn, wird Ihnen Ihre Befehle erteilen, Präsident Dewey?«

»Oh, der Kongreß.« Der Admiral gluckste. »Natürlich, ich bin ein Seemann und versteh mich nicht auf Politik. Aber ich weiß ein paar Dinge über den Handel. Meine Frau, das heißt, die mir bald schon Angetraute, also der gefällt die Idee. Und ihrem Bruder, John R. McLean, gefällt sie auch. Er ist sehr politisch, wissen Sie. In Ohio.«

Hay beobachtete Roosevelt während dieser erstaunlichen, nein, nicht Deklaration, sondern Meditation. Ausnahmsweise waren Theodores Zähne völlig von Lippen und Schnurrbart bedeckt. In seinen blauen Augen malte sich Verblüffung; das Pincenez war ihm von der Nase gefallen.

»Das da drüben ist sicherlich eine Verlockung.« Mit martialischer Geste wies Dewey auf das Weiße Haus. »Aber natürlich habe ich ja bereits ein Haus, 1747 Rhode Island Avenue. Das Geschenk des Volkes, das ich gerade meiner zukünftigen Frau übereignet habe.«

Hay war sprachlos. Zum erstenmal in der amerikanischen

Geschichte hatte es eine Spendensammlung gegeben, um einen amerikanischen Helden mit einem Haus zu belohnen. Als General Grant in Armut gestorben war, hatte man in Leitartikeln von Blendheim Palace und Apsley House, nationalen Geschenken für Britanniens siegreiche Befehlshaber, geschrieben. Schuldeten die Vereinigten Staaten ihren Helden nicht gleichfalls etwas? Kurz nach Admiral Deweys Rückkehr wurde ihm in der Hauptstadt ein Haus geschenkt, gemäß seinen relativ bescheidenen Spezifikationen: Das Speisezimmer mußte mindestens vierzehn Personen Platz bieten, offenbar so etwas wie die Idealvorstellung des Admirals. Und jetzt also hatte Dewey in aller Gemütsruhe des Volkes Geschenk weiterverschenkt. »Ist das klug?« fragte Hay. »Das Volk hat das Haus doch *Ihnen* gegeben.«

»Genau. Und das heißt, daß es mir gehört und ich damit tun kann, was mir beliebt; und ich möchte, daß Mrs. Hazen es besitzt, jetzt, wo sie Mrs. Dewey werden wird. Alles in allem«, fuhr er ohne Pause fort, »meine ich, daß man warten muß, bis einem das Volk sagt, daß es einen als Präsidenten haben will, bevor man selbst irgend etwas sagt oder tut. Finden Sie nicht auch, Gouverneur?«

Roosevelts Schrei klang in Hays Ohren wie die Reaktion eines Hofhuhns beim ersten Anblick des blitzenden Küchenmessers.

Wieder war es Root, der sich als erster faßte und glattzüngig sagte: »Ich bin sicher, der Gedanke, Präsident zu werden, ist Colonel Roosevelt noch nie gekommen. Ihn interessiert das Amt als solches mit all seiner Repräsentationspracht schon nicht, ganz zu schweigen von der Art des *Residierens*, die dazu gehört. Nein. Für den Gouverneur ist *Dienst* alles. Habe ich nicht recht, Colonel?«

Roosevelts große Zähne wurden wieder sichtbar, jedoch nicht in einem Lächeln; vielmehr klickte er sie gegeneinander wie Kastagnetten, und Hay schauerte bei dem Geräusch. »Da haben Sie ganz gewiß recht. Ich habe mir bestimmte praktische Ziele gesetzt, Admiral. Derzeit, als Gouverneur, möchte ich die Gesellschaften mit öffentlichen Konzessionen besteuern, so daß . . .«

»Aber sagt Ihnen denn Ihre Legislative nicht, was Sie tun sollen?« Das unauffällige Allerweltsgesicht des Admirals war voll dem Gouverneur zugewandt.

»Nein, das tut sie nicht.« Die Zähne schlugen jetzt so hart

aufeinander, daß es Gewehrschüssen gleich knallte. »Ich sage denen, was sie tun sollen. Die meisten sind doch ohnehin käuflich.«

»Darf ich Sie zitieren, Gouverneur?« Roots Killerlächeln bereitete Hay großes Vergnügen.

»Nein, das dürfen Sie nicht. Ich habe schon Ärger genug.«

»Das Gouverneurshaus in Albany ist recht stattlich«, sagte der Admiral nachdenklich. Die Frage eines angemessenen Domizils beschäftigte ihn augenscheinlich sehr.

»Vielleicht möchten Sie Gouverneur von New York werden«, meinte Hay, »wenn Colonel Roosevelts Amtszeit nächstes Jahr endet.«

»Nein. Wissen Sie, ich mag New York nicht. Ich bin aus Vermont.«

Hay wechselte das heikle Thema. Schließlich war der Admiral so etwas wie ein hausgemachter McKinley-Held, und jede Kritik an ihm würde letztlich in eine Kritik an der Administration münden. »Wie lange, glauben Sie, werden wir brauchen, um die Rebellen auf den Philippinen zu pazifizieren?«

Es war schwer zu sagen, ob der Admiral unter dem gewaltigen Schnurrbart, der wie eine Schneewehe auf seinem breiten Gesicht lag, lächelte. »Ewig, nehme ich an. Sehen Sie, die hassen uns. Und wieso auch nicht? Wir haben ihnen versprochen, sie zu befreien, haben es aber nicht getan. Jetzt kämpfen sie gegen uns, um frei zu sein. Es ist im Grunde ganz einfach.«

Roosevelt hielt sich in angestrengter Selbstkontrolle sehr zurück. »Betrachten Sie Aguinaldo und seine Mordgesellen denn nicht als Verbrecher?«

Dewey musterte Roosevelt mit einem Ausdruck kaum verhohlener Verachtung. »Aguinaldo war gegen Spanien unser Verbündeter. *Mein* Verbündeter. Er ist ein ziemlich kluger Bursche, und die Filipinos taugen weit eher zur Selbstregierung als, beispielsweise, die Kubaner.«

»Das«, sagte Root, »wird die Position sein, welche die Demokraten im nächsten Jahr vertreten.«

»Verdammte Verräter!« explodierte Roosevelt.

»Oh, das ist wohl nicht ganz richtig.« Deweys Stimme hatte einen sanften Klang. »Für den gesunden Menschenverstand gibt es eine ganze Menge Argumente, Gouverneur.«

Wieder erschien Adee in der Tür. »Admiral Dewey, im Büro des Ministers warten die Reporter auf Sie.«

»Danke.« Dewey sah Roosevelt an. »Sie sind also mit mir der Meinung, daß wir, was die Präsidentschaft betrifft, abwarten, bis die Nation ruft?«

Roosevelts einzige Antwort war eine Art erstickter Schrei. Mit höflichem Lächeln verabschiedete sich Admiral Dewey von den drei Staatsmännern. Als sich die Tür hinter ihm schloß, brachen Hay und Root in ein wenig würdevolles Gelächter aus; und Roosevelt schlug dreimal mit der flachen rechten Hand auf Hays Schreibtisch. »Der größte Schwachkopf, der je die sieben Meere befahren hat«, verkündete er schließlich.

»Auch Nelson soll ja ein Narr gewesen sein.« Hay gab sich verständnisvoll und genoß es sehr, Roosevelt in dieser für ihn recht peinlichen Situation erlebt zu haben. Schließlich hatte der sich ja Deweys Taten und vor allem den berühmten Sieg quasi voll als eigenes Verdienst angerechnet.

»Hoffen wir«, sagte Root leicht beunruhigt, »daß er sich gegenüber der Presse nicht über die Philippinen ausläßt. Dafür jedoch um so mehr . . .«, er lächelte lieblich, ». . . über sein Interesse an *jenem Haus*.«

»Der Mann ist verrückt.« Roosevelt sprach mit Nachdruck. »Das war mir so nicht bewußt. Natürlich – er ist alt.«

»Er ist in meinem Alter«, sagte Hay freundlich.

»Genau!« rief Roosevelt, ohne hinzuhören.

»Zur Zeit«, sagte Root, »könnte Dewey wahrscheinlich die Nominierung bei den Demokraten haben.«

»Und McKinley würde wieder gewinnen«, sagte Roosevelt. »Übrigens, Gentlemen, bin ich ganz und gar nicht an der Nominierung als Kandidat für die Vizepräsidentschaft im nächsten Jahr interessiert. Sollte man es dennoch tun, so kann ich nur warnen – ich werde ablehnen.

»Lieber Theodore . . .« Roots Lächeln glitzerte wie Sonne auf arktischem Eis. ». . . kein Mensch hat Sie je als Kandidaten in Betracht gezogen, weil Sie – liegt das nicht auf der Hand? – nicht qualifiziert sind.«

Das, dachte Hay, kann schlimme Folgen haben. Theodore wird der Partei den Rücken kehren, und wir werden New York verlieren.

Doch Roosevelt nahm diesen Hieb stoisch hin. »Es ist mir klar«, sagte er mit überraschender Gelassenheit, »daß ich als zu jung gelte – und zu sehr als Reformer, jedenfalls für Leute wie Mark Hanna . . .«

»Gouverneur, niemand fürchtet Sie als Reformer.« Root war unerbittlich. »›Reform‹ ist ein Wort, wie Journalisten es verwenden und an das der Chefredakteur von The Nation glaubt. Es ist jedoch kein Wort, das praktische Politiker ernst zu nehmen brauchen.«

»Mr. Root«, Roosevelts Stimme erklomm das allerhöchste Register, »Sie können doch nicht bestreiten, daß ich im Staat New York die Parteibosse gehörig unter Druck gesetzt habe, daß ich . . .«

»Daß Sie sich nicht mehr mit Senator Platt zum Frühstück treffen. Aber wenn Sie wieder kandidieren, werden Sie auch wieder mit Platt zusammenarbeiten, wie Sie das immer getan haben, weil Sie absolut praktisch denken. Weil Sie voller Energie stecken. Weil Sie bewundernswert sind.« Roots Ruhm als Jurist beruhte auf der Fähigkeit, Indizien – oder schiere Rhetorik – aufzuhäufen, um sodann, zur Verblüffung seines Opponenten, dieses Arsenal *gegen* den Standpunkt zu kehren, den er zu vertreten schien. »Ich sehe es als selbstverständlich an, daß Sie eines Tages Präsident werden *müssen*. Aber das wird nicht heute der Fall sein und auch noch nicht morgen, wegen Ihrer Passion für das Wort ›Reform‹. An dem Tag jedoch, an dem Sie aufhören werden, jenes schreckliche Wort zu gebrauchen, das jedem guten Amerikaner so sehr zuwider ist, werden Sie entdecken, daß das Glitzerding – gleich Manna vom Himmel – in Ihren empfangsbereiten Schoß fallen wird. Vorerst indes leben wir noch in der Ära McKinleys. Er hat uns ein Empire gegeben. Sie . . . Sie . . « Roots Rasiermesserlächeln war von einer Schärfe, daß man fürchten mußte, die Luft werde zu bluten beginnen, um den wie benommenen Roosevelt in eine Art Scharlachvorhang zu hüllen. ». . . Sie haben uns Augenblicke großer Freude bereitet. ›Allein in Kuba‹, wie Mr. Dooley es nannte, indem er sich auf Ihr Buch über den vergangenen Krieg bezog. Überdies haben Sie uns Admiral Dewey gegeben, ein Geschenk an die Nation, für das wir Sie immer ehren – und was wir die Nation niemals vergessen lassen werden. Sie sagen unangenehme Dinge über ›hochmütige‹ Unternehmen, deren Rechtsberater ich zufälligerweise bin. Und mich fasziniert Ihre Wortgewalt. Ihre Bemerkungen über die Schandtaten der Versicherungsgesellschaften waren wahrhaft inspirierend. Oh, Theodore, Sie sind ein Füllhorn lieblicher Dinge! Doch McKinley hat uns die Hälfte der Inseln im Pazifik verschafft und fast sämtliche Inseln der Karibik. Damit kann kein Gouverneur von New York konkurrieren. McKinley hat uns, in enger Zusammenarbeit mit seinem Gott, groß gemacht. Ihre Zeit wird kommen, aber nicht als Vizepräsident eines so großen Mannes. Auch ist es für Sie noch zu früh, sich zurückzuziehen aus dem aktiven Leben tatkräftiger Reformen, ganz zu schweigen von Ihrem munteren Privatvergnügen, dem Hinmetzeln von Tieren. Sie müssen sich selbst Zeit lassen zur Reife, damit Sie auch noch andere Gesichtspunkte begreifen lernen außer jenen simplen, die Sie mit soviel Energie und innerer Überzeugung in der Öffentlichkeit vertreten. Erarbeiten Sie sich ein tieferes Verständnis für unsere großen Gesellschaften und Firmen, deren Tatkraft und Erfindungsreichtum uns einen solchen Wohlstand beschert haben . . .«

Mit einem Schrei fuhr Roosevelt zu Hay herum. »Ich habe ja gesagt, daß es ein Fehler war, einen Anwalt ins Kriegsministerium zu setzen, und zu allem auch noch einen *Firmen*anwalt . . .«

»Was«, fragte Root unschuldsvoll, »ist denn einzuwenden gegen Firmenanwälte. War nicht auch Präsident Lincoln einer?«

»In der Tat!« Hay amüsierte sich köstlich. »Allerdings fing Lincoln gerade erst an, als Eisenbahnanwalt Geld zu machen, als er zum Präsidenten gewählt wurde, während Sie, Mr. Root, der Meisteranwalt dieses Zeitalters sind.«

»Oh, bitte«, flüsterte Root mit einer sublimen Geste der Bescheidenheit, »nur nicht übertreiben.«

»Oh, ihr seid beide . . . gemein!« Roosevelt begann plötzlich zu lachen. Obwohl völlig ohne Humor, besaß er eine Art Gusto, welcher sich entkrampfend auswirkte auf so manche Beziehung, die sonst wohl allzuleicht überstrapaziert worden wäre. »Jedenfalls interessiert sie mich nicht, die Vizepräsidentschaft, die andere, Mr. Root, für mich wollen, angefangen mit Senator Platt . . .«

Root nickte. »Der würde alles tun, um Sie aus dem Staat New York herauszubekommen.«

»*Bully!*« Die kleinen blauen Augen, tief eingebettet hinter rundlichen Wangen, glänzten lebhaft. »Wenn Platt mich weghaben will, muß ich ein ziemlich guter Reformer sein.«

»Oder ganz einfach ermüdend.«

Roosevelt war jetzt auf den Füßen. Als marschiere er stracks in den Krieg, dachte Hay. Er hörte niemals auf zu schauspielern. »Ich bin zu jung, um vier Jahre damit zu vergeuden, den törichten Reden von Senatoren zu lauschen. Im übrigen verfüge ich auch gar nicht über das notwendige Geld. Ich habe Kinder, für die ich aufkommen muß. Mit achttausend Dollar pro Jahr könnte ich es mir niemals leisten, den Gastgeber zu spielen, wie Morton und Hobart das getan haben.« Er drehte sich zu Hay um. »Wie geht es Hobart?«

»Er ist daheim. In Paterson, New Jersey. Er liegt im Sterben.« Der Präsident hatte Hay bereits darauf aufmerksam gemacht, daß laut Verfassung bei Amtsunfähigkeit des gewählten Vizepräsidenten im Falle des Ablebens des Präsidenten der Außenminister erster Anwärter auf das Präsidentenamt sei. Der Gedanke hatte für Hay etwas angenehm Aufregendes. Für den armen Hobart erübrigte er kaum mehr als ein säkulares Gebet; im übrigen hegte er die praktische Hoffnung, daß, falls der Vizepräsident starb, Lizzie Cameron ein Jahr früher als geplant in das Tayloe-Haus am Lafayette Square zurückkehren könne, um den Porcupinus in glücklicher Stimmung zu halten, der sich noch in Paris aufhielt, nach Lizzie schmachtend, die ihrerseits in einen amerikanischen, rund zwei Dekaden jüngeren Poeten verliebt war. So wie sie Adams hatte leiden lassen, ließ der Poet nunmehr sie leiden; dergestalt blieb das allewige Gleichgewicht der Liebe bewahrt. Er liebt sie, sie liebt einen anderen, und der . . . liebt sich selbst. Hay fühlte sich glücklich, weil die Liebe für ihn ein gänzlich abgeschlossenes Kapitel war. Weder besaß er Adams' unerschöpfliche Kapazität; noch seine Gesundheit.

»Ich habe Sie, Mr. Root, als Gouverneur vorgeschlagen, falls ich nicht mehr kandidieren sollte.« Roosevelt machte eine Bewegung, die einem kleinen Luftsprung ähnlich sah.

»Ich habe nie gesagt, Sie seien nicht die Güte selbst.« Root war spröde. »Allerdings hat Senator Platt Ihnen ja bereits versichert, daß ich für die Organisation nicht akzeptabel bin.«

»Woher wissen Sie das?« Mitunter fand Hay den im Grunde so schlitzohrigen Roosevelt bemerkenswert naiv.

»Nun, ich hege ein gewisses Interesse an meinen eigenen Angelegenheiten.« Root sprach im gleichen spröden Tonfall. »Ich höre eben Dinge. Glücklicherweise ist es gar nicht mein Wunsch, Gouverneur von New York zu werden. Ich möchte Platt nicht besser kennenlernen, als ich ihn jetzt kenne. Im übrigen geht's mir wie Admiral Dewey: Ich mag Albany nicht.«

»Immerhin gefällt dem Admiral das Gouverneurshaus«, sagte Hay.

»Er ist ein einfacher Krieger mit einem einfachen Geschmack. Ich hingegen bin ein Sybarit. Auf jeden Fall, Gouverneur, werden Sie mit Befriedigung vernehmen, daß ich vor Ihnen kapituliert habe. Im nächsten Monat wird Ihr Freund Leonard Wood Militärgouverneur von Kuba werden.«

»*Bully!*« Zwei plumpe Hände klatschten Applaus. »Sie werden es nicht bereuen! Er ist der Beste. Wer kommt denn als erster Generalgouverneur der Philippinen in Betracht?«

»Sie?« fragte Root.

»Ich würde die Aufgabe höchst verlockend finden. Aber wird mich der Präsident auch verlocken wollen?«

»Ich glaube schon«, sagte Root. Er wußte genauso wie Hay, daß der ruhige, friedliche McKinley um so glücklicher sein würde, je weiter er Roosevelt fortschicken konnte. Der Colonel konnte die Philippinen jederzeit »haben«, sobald das blutige Werk der Pazifizierung abgeschlossen war. Zehntausende – manche sagten, Hunderttausende – von »Eingeborenen« waren getötet worden. Zwar versprach General Otis unaufhörlich die völlige Unterwerfung von Aguinaldo und seinen Rebellen, doch die waren nach wie vor aktiv. Und die öffentliche Meinung in den Vereinigten Staaten war sehr geteilt; und das angesichts der Tatsache, daß im nächsten Jahr die Präsidentenwahl anstand. Im übrigen war, wie Hay von den Howells erfahren hatte, bald schon Mark Twains Antwort an Rudyard Kipling fällig. Der alte Mississippi-»Lotse«, der jetzt in Hartford, Connecticut, lebte, hatte der Presse gegenüber bereits die Ansicht geäußert, man solle auf der amerikanischen Flagge die Streifen und Sterne durch einen Totenschädel samt gekreuzten Knochen ersetzen, um die neue Rolle der Vereinigten Staaten offiziell zu machen: als internationale Piraten und Plünderer.

»Der Major . . .«, Hay war vorsichtig, ». . . hat gesagt, Sie wären ein idealer Gouverneur, sobald die Kampfhandlungen aufgehört haben.«

»Ich könnte dort vielleicht von Nutzen sein«, sagte Roosevelt sehnsuchtsvoll: Er liebte den Krieg wirklich – eine Neigung vieler Romantiker, die nichts von ihm wußten. Ein eintägiger Ausflug in Kuba mit herumschwirrenden Kugeln war nicht Antietam, dachte Hay grimmig: Dort waren in weniger als einer Stunde fünftausend Männer gefallen. Es war allgemein bekannt, daß Roosevelts Vater im Bürgerkrieg ein Drückeberger gewesen war, und man nahm an, daß Theodore sich ewig getrieben fühlte, diese Schmach wettzumachen. Hay konnte sich nie darüber klar werden, ob er Roosevelt sehr mochte – oder aber zutiefst verabscheute. Adams ging es da nicht viel anders: »Die Roosevelts kommen zur Welt«, hatte er gesagt, »und bleiben unbelehrbar«; im Unterschied zu Cabot Lodge, einem Geschöpf von Adams' – mangelhaften, wie er selbst bekannte – pädagogischen Talenten.

»Schonen Sie sich, Gouverneur.« Root erhob sich; streckte sich. »Wir haben gerade jetzt so viel zu tun. Dort drüben herrscht eine häßliche Stimmung.« Mit lässig-lockerer Geste wies er in Richtung der schmutzverschmierten Glasscheiben der Gewächshäuser beim Weißen Haus. »Und nächstes Jahr ist Wahljahr.«

»Häßliche Stimmung?« Roosevelt sprang auf. Für einen so beleibten Mann bewegte er sich ungeheuer agil, fand Hay, für den jedes Sich-vom-Stuhl-Erheben ein logistisches Problem war; und eine Ursache neuer Schmerzen.

»Ja«, sagte Hay. »Während Sie die Gesellschaft von Platt und Quay genossen haben und den Komfort des Gouverneurshauses in Albany, sind wir – das Kabinett und der Major – im Land umhergeflitzt, sechs Wochen lang. Denn da waren Wahlen in . . .«

»Ohio und South Dakota. Ich bin doch selbst ein Dakotaner. Als ich . . .« Wie stets war Roosevelt im Handumdrehen beim Ich.

Root hob eine Hand. »Wir werden alle Ihr Buch ›The Winning of the West‹ lesen. Man denke nur! Sie sind nicht nur unser Daniel Boone, sondern auch unser Gibbon! Pionier und Historiker in Personalunion!«

Roosevelt blies so heftig gegen seine Oberlippe, daß Lippe samt Schnurrbart gegen seine Grabsteinzähne flatterten. »Ich hasse Ironie«, sagte er mit, ausnahmsweise, absoluter Aufrichtigkeit.

»Das wird Ihnen nicht schaden«, sagte Root. »Tatsache ist, daß uns die Gewerkschaften immer mehr Ärger machen, vor allem in

Chicago. In Ohio haben wir mit knapper Not die Oberhand behalten, obwohl sich der Präsident ganz besonders eingesetzt und Mark Hanna mehr Geld reingesteckt hat als je zuvor. In Cleveland ist John McLean allem zum Trotz ein großer Sieg für die Demokraten gelungen.«

»In zwölf Staaten haben Wahlen stattgefunden, und in acht davon haben wir gewonnen.« Roosevelt gab sich forsch. »Nur Spinner widersetzen sich uns . . .«

»Aber in unserer eigenen Partei«, sagte Hay.

»Jede Partei hat ihr Häuflein Verrückte.« Diese Formulierung, auf die er erst kürzlich gekommen war, gefiel Roosevelt so über alle Maßen, daß er sie bei jeder Gelegenheit gebrauchte. »Zu unserem Glück haben die Demokraten Bryan. Der hat's in seinem Nebraska nur mühselig mit Hilfe einer Koalition geschafft. Auf jeden Fall heißt das, daß er nominiert werden wird, was hinwiederum heißt, daß wir gewinnen werden.«

»Sofern der Admiral nicht den unverkennbaren Ruf des dankbaren Volkes vernimmt«, sagte Hay, sich mit Mühe aus seinem Stuhl erhebend, »um sich sodann als ein Kandidat zu präsentieren, der gegen eben jenes Empire ist, das er, geleitet von Ihnen, Theodore, uns beschert hat. Na, das wäre wirklich eine prächtige *große* Wahl.«

»Ein Alptraum wär's«, sagte Root.

»Es wird nicht geschehen«, sagte Roosevelt.

Abermals tauchte Adee in der Tür auf. »Colonel Roosevelt, Admiral Dewey möchte wissen, ob Sie wohl bereit wären, sich einer Sache zu unterziehen . . .« Aus irgendeinem Grund, dachte Hay, während er ganz auf die Beine zu kommen versuchte, quakte Adee ausgerechnet heute stärker denn je wie eine Ente. ». . . die eine Aktion fotografischer Natur zu sein scheint, es klingt so wie – unser Telefon hat einen ganz besonderen Klang entwickelt, wie eine Art Meeresrauschen, wie wenn man eine Muschel ans Ohr hält . . «

»Mr. Adee ist stocktaub«, sagte Hay zu den anderen, sein Gesicht so wendend, daß Adee weder seine Stimme hören noch seine Lippen lesen konnte.

»Klingt *wie*?« fragte Roosevelt mit glänzenden Augen. Er liebte jede Art von Publicity.

»Wie ›Biograph‹, Gouverneur.«

»Biograph?« fragte Hay verwundert.

»Er meint so einen Filmapparat, eine *Kamera*«, sagte Roosevelt, ebenso prompt wie rasant in Richtung Tür strebend. »Gentlemen, guten Tag.«

»Tun Sie nichts, Gouverneur«, rief Root mit strahlendem Lächeln, »bevor Sie nicht den unmißverständlichen Ruf des Volkes vernehmen.«

»Sie«, sagte Roosevelt, seine Faust gegen Hay schwenkend, »und Henry Adams haben sehr viel zu verantworten wegen Ihres herabsetzenden ironischen Stils, welcher dem . . . dem Gelbfieber gleicht, dieser erbarmungslose Zynismus!« Und Roosevelt war verschwunden.

Hay blickte zu Root und sagte: »Eines muß man Teddy lassen, man kann mit ihm mehr Spaß haben als mit einem närrischen Ziegenbock.«

»Erbarmungsloser Zynismus.« Root lachte. »Er kommt nach Washington als ein Kandidat für die Vizepräsidentschaft, der unterstützt wird von Platt und Quay, zwei der korruptesten politischen Bosse in der gesamten Union.«

»Zweifellos ist er bereit, sie zu verraten, aus höchst tugendhaften Gründen natürlich, im Interesse einer guten Regierung sowie der Reform . . .«

Root nickte nachdenklich. »Ich muß gestehen, daß Verrat ohne Zynismus das Zeichen für einen Meisterpolitiker ist.«

»Gewiß ist es das Zeichen eines Originals.« Hay wandte sich zur Tür. »Ich muß zum Major.«

»Und ich muß arbeiten.« Root öffnete die Tür und trat zur Seite, dem ältesten und ranghöchsten Kabinettsmitglied den Vortritt lassend. Hay blieb in der Türöffnung stehen. Adee saß an seinem Schreibtisch, ihnen den Rücken zukehrend; folglich in undurchdringliche Stille gehüllt. Hay sah Root an und sagte: »Wissen Sie, wen der Major als Vizepräsidenten haben möchte?«

»Sagen Sie mir bloß nicht, Teddy . . .«

»Teddy niemals. Er wünscht sich . . .«, aufmerksam betrachtete Hay Roots Gesicht, ». . . Sie.«

Roots Miene blieb ausdruckslos. »Das Republikanische Nationale Komitee möchte mich dafür haben«, stellte er präzise fest. »Ich wüßte nicht, daß der Präsident sich durch die jemals hätte beeinflussen lassen.«

»Das mag schon sein. Trotzdem.«

»Es ist«, sagte Root, »noch eine lange Zeit bis zum nächsten Sommer und Ihrem, nicht meinem, zwanzigsten Jahrhundert.«

Hinter Adees Rücken wettete Hay mit Root um zehn Dollar, daß das neue Jahrhundert am nächsten ersten Januar – 1900 – beginnen würde; und nicht erst ein Jahr später.

3

Carolines Hochzeit mit Del wurde um ein Jahr verschoben, bis zu seiner Rückkehr aus Pretoria. Ja, natürlich werde sie nach Südafrika kommen und ihn besuchen. Nein, sie wünsche kein formelles Verlöbnis. »So etwas tut eine Frau ihrer Mutter zuliebe, und eine solche Verpflichtung habe ich nicht.« Zu dieser Übereinkunft kamen sie in der großen Viktoria, der Kutsche, die der Außenminister bei Hochzeiten und bei Begräbnissen benutzte.

Bei leichtem Regen fuhren sie über den Farragut Square zur K Street, zum Haus von Mrs. Washington McLean, die, mit ihrer Schwiegertochter Mrs. John R. McLean als Vizekönigin, über die Washingtoner Society in einer Weise präsidierte, wie das eine Präsidentengattin, auch eine Nicht-Epileptikerin, niemals hätte tun können. Hay senior hatte es vorgezogen, nicht zum Nachmittagsempfang für Mrs. Washington McLeans Tochter Millie mitzukommen, jetzt Ehefrau von Admiral Dewey. John McLean, jetzt Schwager des Admirals, war als Führer von Ohios Demokratischer Partei und Besitzer des Cincinnati Enquirer bei der Administration besonders unbeliebt. Del seinerseits sah jedoch keinen Grund, dem Empfang fernzubleiben, und Caroline war darauf erpicht, ihren Verleger-Kollegen Mr. McLean kennenzulernen. Bisher hatten sich ihre Pfade im Washingtoner Dschungel noch nicht gekreuzt. Allerdings hatte sich Caroline während des Sommers, der in der Tat so äquatorial gewesen war, wie Vetter John es prophezeit hatte, weitgehend auf ihr eigenes Revier beschränkt. Glücklicherweise – und zu ihrer eigenen Überraschung – erwies sich Caroline tatsächlich als so widerstandsfähig, wie sie ein wenig prahlerisch behauptet hatte. Es gab keine »hechelnde« Flucht nach Newport, Rhode

Island, oder nach Bar Harbor, Maine. Sie verbrachte die Glutofen-Saison teils in Georgetown, teils am Market Square und registrierte gleichsam pflichtgemäß, daß – so Mitte Juli – die Stadt völlig afrikanisch war. Der Präsident hatte sich an den Lake Champlain zurückgezogen. Der Kongreß war in die Ferien gegangen, und die besitzenden Stände gen Norden geflüchtet, in die jetzt angenehm kühlen Badekurorte. Für Caroline bedeutete das, daß sie Gelegenheit hatte, Washington zu genießen wie noch nie. Zum einen war da die Zeitung, die ausgelotet werden mußte, zum anderen gab es die juristischen Manöver von Houghteling und Vetter John. Houghtelings meisterliches Ziel war es, keine Fortschritte zu erzielen, und bislang waren auch noch keine gemacht worden. Inzwischen gab Trimble Caroline Unterricht in Sachen Zeitungsbusiness, das wenig mit Zeitung, respektive Nachrichten, und noch weniger mit Business zu tun zu haben schien, jedenfalls soweit es irgendwelchen Gewinn betraf. Immerhin stieg, dank Carolines kühner Imitierung von Hearst, weiterhin langsam die Auflage. Sowohl die Post als auch der Star hatten Reporter geschickt, um sie zu interviewen, doch Caroline hatte sie abblitzen lassen.

In dieser Stadt, wo alle Macht letztlich auf Publicity beruhte, hielt man sie für exzentrisch – eine reiche junge Frau mit dem Spleen, eine Zeitungsbesitzerin spielen zu wollen. Caroline war nicht beunruhigt über das, was über sie geschrieben wurde. Schließlich wußte sie ja aus erster Hand, daß nichts, was sich in einer Zeitung gedruckt fand, jemals ernst genommen werden sollte. Auch wenn sie selbst noch kein Patentrezept dafür entwickelt hatte, wie man erfolgreich eine Zeitung aufzog, so hatte sie doch auf jeden Fall gelernt, wie man eine Zeitung las. Zu gleicher Zeit bewies Trimble ein unerwartetes, ganz spezielles Interesse an der Korruption innerhalb der städtischen Beamtenschaft, und wenn Caroline auch bezweifelte, daß das Thema von großem allgemeinen Interesse war, so ermutigte sie Trimble dennoch zu enthüllen, was es an Vergehen und Verbrechen zu enthüllen gab. Und sie jubelte innerlich über das, was der Fluß an wunderbaren Leichen hergab, die oft buchstäblich in rasender Leidenschaft in Stücke gefetzt worden waren. Zur Zeit experimentierte sie mit in Abfalltonnen ausgesetzten lebendigen Babys, nachdem sie mit ausgesetzten Hunden und Katzen bei der Stadtverwaltung keine Seele hatte rühren können.

»Wie lange willst du das noch weitermachen?« fragte Del. Vor ihnen, ganz in Metall, ließ Admiral Farragut ein Fernrohr auf seinem erhobenen linken Knie ruhen. Ein Stück weiter, abseits des Platzes in der K Street, erhob sich die McLean-Villa.

»Oh, für alle Zeit, glaube ich.« Die Kutsche schloß sich jetzt der langen, nur langsam vorankommenden Kutschenschlange vor der McLean-Villa an.

»Aber ist die Zeitung denn nicht ein ziemliches Verlustgeschäft?«

»Eigentlich fällt sogar ein kleiner Gewinn ab.« Sie erklärte nicht, daß der Gewinn noch immer aus dem Geschäft mit den Visitenkarten stammte; da im Dezember der Kongreß wieder zusammentrat, überstieg die Anzahl der Aufträge dafür den Jahresdurchschnitt. »Jedenfalls tu ich's, um mich, und andere, zu amüsieren.«

Del gab sich Mühe, nicht die Stirn zu runzeln, kniff statt dessen die Augen zusammen. Caroline kannte sein Mienenspiel, das nicht allzu viele Varianten besaß, doch die meisten empfand sie als angenehm. Seit seiner Ernennung zum Generalkonsul war er selbstsicherer geworden; und rundlicher. Er war seiner Mutter Kind. »Es gibt eine Menge Verbrechen.« Del gab sich nüchtern-sachlich. »Ich nehme an, daß die Leute so etwas gern lesen.«

»Ja, es gibt hier eine Menge Verbrechen. Doch der springende Punkt ist . . .«, an ihrer Nasenwurzel grub sich eine Furche ein; nicht zum erstenmal bei diesem Gedanken, ». . . macht es irgendeinen Unterschied, ob man den Leuten sagt, was tatsächlich rund um sie herum geschieht? Oder ignoriert man besser das reale Leben in der Stadt und schreibt einfach so über die Regierung, wie sie selbst es am liebsten hätte?«

»Du bist eine Realistin. Wie Balzac. Wie Flaubert . . .«

»Wie Hearst, fürchte ich. Bloß daß Hearsts Realismus darin besteht, alles zu erfinden, weil er alles kontrollieren möchte; und wenn du die Details eines Mordes oder eines Krieges erfindest, dann ist es *dein* Mord, *dein* Krieg, ganz zu schweigen von *deinen* Lesern und *deinem* Land.«

»Erfindest du denn?«

»Wir – *ich* tu nichts, eigentlich. Wie Queen Victoria ermutige, rate und mahne ich – mitunter bringen wir, was andere weglassen . . .«

»Aus Gründen des guten Geschmacks . . .«

Caroline lachte. »Der gute Geschmack ist der Feind der Wahrheit.«

»Und wer ist der Freund der Wahrheit?«

»In Washington niemand – jedenfalls niemand, den ich bisher kennengelernt habe. Hoffentlich ist dir mein eigenartiges *métier* nicht peinlich« Mit der Feststellung, daß Del konventionell war, war alles gesagt.

»Nein, nein. Schließlich gleichst du niemandem sonst.«

»Du wirst dich bewähren in . . .«

». . . der Diplomatie?«

». . . in Pretoria.« Sie lachten beide; und betraten die »hochherrschaftliche Villa«, wie man in der Tribune jedes Haus mit einer Art Ballsaal zu nennen pflegte. Im Zentrum dieses Saales stand die prächtige Mrs. Washington McLean, flankiert von ihrer Tochter Millie, einer hübschen kleinen Frau voll blitzender Brillanten, und dem glücklichen, weißhaarigen, teak-gesichtigen, goldverbrämten Bräutigam. Zwar hatte Caroline nur wenig Erfahrung mit Washingtons *hard-pan-affairs* (so genannt, weil viele der Neureichen ihre Millionen als Goldsucher mit »harter Pfanne« aus irgendeinem Bach im Westen geschöpft hatten), doch halfen ihr die Berichte aus ihrer eigenen Zeitung, zahlreiche Washingtoner Prominente zu identifizieren: die Erbauer und Bewohner neuer Paläste entlang der Connecticut und der Massachusetts Avenue, jener beiden Hauptverkehrsstraßen im fashionablen West End. Und als vornehme Nordstaatlerin oder auch Europäerin, oder was immer sonst, die eine unbedeutende Kleinstadtzeitung erworben und ein schockierend »gelbes Blatt« daraus gemacht hatte, erregte auch sie selbst einiges Aufsehen. Niemand begriff ihre Motive. Schließlich war sie doch eine Sanford und mehr oder minder verlobt mit dem gleichermaßen reichen Del Hay; dennoch verbrachte sie ihre Tage am Market Square, wo sie sich mit Morden sowie, neuerdings, städtischer Korruption beschäftigte; und ihre Abende in ihrem Haus, in das *hard-panners* und andere Neureiche nur selten eingeladen wurden, sofern sie überhaupt bereit waren, der Einladung einer so zweifelhaften jungen Dame zu folgen.

Caroline verkehrte hauptsächlich mit Europäern, zumal mit Cambon, dem französischen Gesandten, und mit dem kürzlich geadelten britischen Botschafter, Lord Pauncefote. Obwohl sie den zweimal geschiedenen russischen Botschafter Graf Arthur (warum nicht Arturo? hatte sie gefragt) Cassini ebenso amüsant wie galant fand, war sie Mrs. Hays Rat gefolgt und hatte einen Bogen um ihn und seine schöne sechzehnjährige »Nichte« gemacht, die in Wahrheit seine Tochter war. Die Mutter, eine ehemalige »Schauspielerin«, fungierte in der russischen Botschaft offiziell als Gouvernante des Mädchens. Die Washingtoner Zeitungen hatten darüber fast genausoviel Gift versprüht wie die Washingtoner Klatschmäuler. Aus höflicher Rücksicht gegenüber Clara Hay hatte Caroline die Cassinis und die McLeans bislang gemieden. Doch als sie jetzt den vergoldeten Saal betrat, war sie gehobener Stimmung. Während die Hays und Adams und die Lodges auf diskrete Weise reich waren und gleichsam in gedämpfter Pracht lebten, Gefangene des guten Geschmacks und Gläubige einer bis ins letzte verfeinerten Zivilisation, stellten die McLeans den unerschöpflichen Inhalt ihrer *hard pan* ungeniert zur Schau. Und Caroline stellte überrascht fest, daß sie die vulgäre Pracht durchaus genoß.

Nach einer Reihe anderer Paare waren schließlich sie und Del an der Reihe. Der Admiral war höchst liebenswürdig. »Sagen Sie Mr. Hay, daß ich seinen Brief sehr zu schätzen weiß.«

»Das werde ich, Sir.«

»Kommt Mr. Hay?« fragte Millie, für ihre neunundvierzig Jahre wirklich eine hübsche Frau, wie Caroline fand.

»Ich glaube, er ist heute abend beim Präsidenten«, log Del behende, und Caroline freute sich, daß er sich so gut in der realen Welt zurechtfand. Zweifellos würde er seinen Weg machen.

»Eigentlich *erwarteten* wir den Präsidenten.« Die neue Mrs. Dewey lächelte immens, mit verfärbten Zähnen. Aber die großen Puppenaugen waren von wunderbarem Blau.

»Es gibt eine Krise«, murmelte Del. »Auf den Philippinen.«

Die kleine, gebieterisch wirkende Mrs. Washington McLean betrachtete das junge Paar mit nachsichtiger Neugier. »Wir sehen Sie nur selten, Mr. Hay«, sagte sie. »Sie sehen wir überhaupt nicht, Miss Sanford.« Eine neutrale Feststellung; doch ganz im Stil *der* Mrs. Astor.

»Ich hoffe«, sagte Caroline, »daß sich das ändern wird.«

»Das hoffe ich auch.« Ein dünnes Lächeln vermochte das Gesicht kaum zu erhellen, das völlig überschattet wurde von einem brillantenbestückten Stirnband einen halben Zoll über den kleinen Augen. »Ich werde nicht für alle Zeit hier sein.«

»Sie gehen zurück nach Cleveland, zur Wiedergeburt?«

»Nein. Hoch zum Himmel, zur Erlösung.«

Dann sah sich Caroline John R. McLean gegenüber, einem hochgewachsenen Mann mit den klar-blauen Augen seiner Schwester und einem sehr gepflegten Schnurrbart. »Ah, Sie sind's«, sagte er und sah Caroline direkt ins Gesicht. »Kommen Sie. Unterhalten wir uns. Es sei denn, Sie wollen Geld von mir. Wer nicht zur Familie gehört, hat da keine Chance.«

»Wie weise.« Und Caroline, aufs exquisiteste prätentiös, begann, auf deutsch, Goethe zu zitieren – über die Pflichten eines Vaters.

Verblüfft vervollständigte McLean das Zitat, ebenfalls auf deutsch: »Woher wußten Sie, daß ich deutsch spreche?«

»Sie haben in Heidelberg studiert. Wie Sie sehen, informiere ich mich über meine Verlegerkollegen.«

McLean wurde plötzlich von einem Schluckauf geplagt, und seine Augen glänzten wäßrig, doch vergnügt, wie es Caroline schien. »Mein Magen«, sagte er, »ist von seinen eigenen Säuren zerfressen worden. Kommen Sie mit in die Bibliothek. Weg von diesen Leuten.«

Sie setzten sich vor einen riesigen Kamin, in dem große Holzscheite brannten. Der Schein des Feuers fiel auf die in dunkelblaues Leder gebundenen Bücher in den Mahagoniregalen: ein wie zur Parade angetretenes Heer von Blauröcken, Unionssoldaten. »Sie werden mit Ihrer Zeitung niemals Erfolg haben.« Er reichte ihr ein Glas Champagner; schenkte sich selbst etwas Sodawasser ein. Die Tür der Bibliothek war fest geschlossen, die anderen Gäste ausgesperrt. Als McLean sah, daß Carolines Blick auf die Tür gerichtet war, lachte er. »Zwei Verleger können einander nicht kompromittieren.«

»Hoffen wir, daß auch Mr. Hay unsere Beziehungen unter diesem praktischen Aspekt sieht.«

»Soweit ich gehört habe, ist er ein sehr verständnisvoller junger Mann. Wir sind alle aus Ohio, wissen Sie. Zumindest Clara Stone ist von dort. John Hay ist von nirgendwo. Eine Art Zigeuner, der sich darauf verlegt hat, Macht zu stehlen statt kleine Kinder.«

»Gibt es«, fragte Caroline spitz, »eine andere Möglichkeit, zu

Macht zu kommen, außer sie einem anderen wegzunehmen? Natürlich weiß ich, daß Macht ererbt werden kann, so wie Sie den Enquirer geerbt haben . . .«

McLean war belustigt. »Ich, ein schlapper Erbe? Na, das ist mal was Neues. Sie können allerdings sagen, daß ich auf einem Erbe aufgebaut habe – wie Ihr Freund Hearst.« Aus einem Holzscheit erblühten plötzlich grellblaue luziferische Blumen.

McLean betrachtete sie einen Augenblick lang. »Ich werde Sie nicht fragen, warum Sie das alles tun«, sagte er schließlich. »Ich kann's nicht ausstehen, wenn andere mir die gleiche Frage stellen. Wenn die nicht von sich aus begreifen, warum Sie . . . warum wir . . . es tun . . .« Jetzt, wo er sich kollegial zeigte, fand sie ihn plötzlich anziehend. ». . . dann gibt es auch keine Möglichkeit, es ihnen zu erklären. Aber da Sie eine attraktive junge und vermögende Frau sind und Del Hay heiraten werden – wie lange können Sie da wohl so . . . ›echt‹ bleiben?«

»So lange wie Sie, denke ich.«

»Ich bin ein Mann. Ein Mann kann Ehe und Business durchaus miteinander verbinden. Aber ich habe noch nie gehört, daß eine ledige und noch derart junge Dame so unternehmungslustig gewesen wäre wie Sie.«

Caroline betrachtete den weißen Rauch, der jetzt anstelle der blauen Flammenblumen zu sehen war. »Warum«, fragte sie, »sind Sie so begierig darauf, Präsident zu werden?«

»Woher wollen Sie wissen, daß ich das bin?«

»Sie weichen aus, Mr. McLean. Sie zieren sich. Sie beantworten meine Frage mit einer Gegenfrage. Also, warum sind Sie so sehr darauf erpicht, daß Sie gegen den Präsidenten sogar in seinem Heimatstaat angetreten sind, obwohl Ihnen doch klar sein mußte, daß Sie die Wahl verlieren würden?«

Wieder wurde McLean von Schluckauf geplagt, lauter als das Zischen und Prasseln des Feuers. »Ich habe mit keiner Niederlage gerechnet. Es war knapp. Der Präsident befindet sich daheim auf schwammigem Boden. Diese Empire-Geschichte ist bei den Leuten nicht gerade populär.«

»Aber der Wohlstand ist es, und der Präsident ist klug. Sein Krieg hat die schlechten Zeiten beendet, und selbst die Farmer klagen weniger als gewöhnlich, was heißt, daß McKinley Bryan wieder schlagen wird.« Wie stolz, ging es Caroline durch den Kopf, würde Mlle. Souvestre jetzt sein. Eines ihrer Mädchen verhandelte mit einem Mann von gleich zu gleich.

McLean musterte Caroline mit aufrichtiger Ver-, wenn nicht gar Bewunderung. »Irgendwie hatte ich den Eindruck, Sie seien nur an den unappetitlichen Schätzen unseres städtischen Leichenschauhauses interessiert.«

Caroline lachte. »So pervers bin ich nun auch wieder nicht. In Wahrheit sind mir solche Schätze sogar sehr zuwider. Doch ich bin neugierig, wie es kommt, daß springlebendige Menschen im Leichenschauhaus enden, und diese Neugier teile ich mit unseren Lesern, so wenige es auch sind.«

»Mr. Hay, sein Vater, wird doch offen mit Ihnen reden.«

»Ich höre jedem, offen, zu.« Caroline erhob sich. »Wir sind zu lange hier drin. Ich bin kompromittiert. Soll ich schreien?«

»Ich würde mich geschmeichelt fühlen, und Mrs. McLean wäre äußerst stolz auf mich.« Auch McLean erhob sich. Sie standen vor dem prasselnden Kamin. Über dem Sims hing ein prächtiger, gefälschter Rubens. In New York hatte Caroline bereits zwei Kopien des gleichen Gemäldes gesehen. Bei Geschäften mit unbewanderten Amerikanern nahmen es die Fälscher der Alten Welt nicht mehr sehr genau. »Sie interessieren sich für unser politisches Leben, und ich bin ehrlich überrascht. Die meisten jungen . . . die meisten Frauen sind uninteressiert. Wie erklärt sich Ihr Interesse?«

»Ich habe eine gute Schule besucht. Wo wir gelernt haben, nichts ungefragt hinzunehmen. Also frage ich. Stelle Fragen, und stelle in Frage. Nun denn, Mr. McLean, welcher von uns beiden, der Enquirer oder die Tribune, soll die kritischen Fragen stellen, was den Krieg betrifft?«

»Krieg?« McLean zwinkerte heftig. »Was für ein Krieg denn?«

»Der philippinische Unabhängigkeitskrieg, welcher sonst? Wir scheinen ihn zu verlieren.«

»Verlieren? Dann ist Ihnen wohl die heutige Meldung von Associated Press nicht zu Augen gekommen. General Otis hat den Präsidenten des sogenannten Philippinischen Kongresses gefangengenommen und in ganz Zentral-Luzon Ruhe und Ordnung wiederhergestellt. Der Krieg, wie Sie es nennen, ist so gut wie zu Ende.«

»Aguinaldo ist nach wie vor ein freier Mann. Aber Sie wissen über all dies weit mehr als ich.« Halbherzig verwandelte sich Caroline in eine höfliche *jeune fille*. »Ich hatte gehofft, daß mir jemand erklären könnte, warum die . . . Leichenschauhäuser auf jenen Inseln so voll geworden sind.«

McLean griff nach ihrem Arm, war plötzlich väterlich und, für sein Naturell, fast schon liebevoll. »Sie wissen mehr als irgendeine andere Frau, die ich kenne. Aber der Schlüssel zum Verständnis für das alles fehlt Ihnen wohl doch noch . . .«

»Schlüssel?«

McLean nickte. Sie waren an der Tür angekommen. »Ich werd's Ihnen nicht verraten. Sie sind auch so schon zu gescheit.«

Die Tür schwang auf, und dort stand Mrs. John R. McLean, blaue Augen, dunkle Haut, kurzes Kinn. »Ist ein Skandal mit euch beiden«, sagte sie sanft.

»Das will ich meinen«, erklärte McLean trocken. »Aber Skandale sind nun mal unser Geschäft. Und nun, junge Dame, eine Frage.«

»Direkt vor meinen Augen«, sagte Mrs. McLean, nicht im mindesten irritiert.

»Und Ohren«, fügte ihr Mann hinzu. Er blickte zu Caroline. »Haben Sie die Absicht, an Hearst zu verkaufen?«

»Nein. Ebensowenig habe ich die Absicht, an meinen Bruder, Halbbruder, Blaise zu verkaufen. Sofern ich es verhindern kann.«

»Sofern Sie es verhindern können?« McLean betrachtete ihr Gesicht so aufmerksam, als studiere er eine Uhr, welche die richtige Zeit anzeigen mochte, oder auch nicht.

»Blaise hat dafür gesorgt, daß mir mein Anteil an der Erbschaft zunächst noch vorenthalten bleibt. Es kann sein, daß ich bis 1905 warten muß, um zu bekommen, was mir heute schon zusteht. Möglicherweise wird mir bis dahin längst das Geld ausgegangen sein . . .« Caroline konnte sehen, daß Mrs. McLean über dieses Finanzgespräch schockiert war, stärker schockiert, als sie es über ein romantisches Verhältnis zwischen ihrem Gatten und dieser jungen Lady gewesen wäre. Aber McLean hatte sehr wohl begriffen, worum es ging.

»Falls Sie für die Tribune jemals Geld brauchen«, sagte er, »kommen Sie zu mir.«

»Pop!« Mrs. McLeans dunkler Teint wirkte im Schein des Feuers urplötzlich aschfarben. Die hellen Augen traten hervor.

»Mummie!« gab McLean im gleichen Tonfall zurück; und schon hatten sich beide einträchtig der hohen Kothurne der Erhabenheit entledigt und waren übergewechselt in die vertrauten heimatlichen Gefilde ganz gewöhnlicher *hard-panners*. McLean wandte sich voll seiner Frau zu und nahm sie beim Arm. »Begreifst du denn nicht, daß ich gar nichts Gescheiteres tun kann, als dieses liebliche Kind die Tribune leiten zu lassen mit meinem Geld, statt daß sie das Blatt verkauft an diesen Bastard . . .«

»Pop!« Die Stimme war wie ein Donnerdröhnen.

»Ich habe das Wort schon gehört«, sagte Caroline. »Auf dem Market Square«, fügte sie altjüngferlich hinzu.

». . . William Randolph Hearst«, beendete McLean seinen Satz; und führte die beiden Damen zurück in den Ballsaal.

Caroline wurde von ihren neuen Freunden vom diplomatischen Korps begrüßt. Jules Cambon war ein recht agiler Mann, der sich stets freute, Caroline zu sehen, die für ihn so etwas wie eine Landedeldame war. Im übrigen betrachtete er sich, wie er gern sagte, als einen »amerikanischen« Junggesellen. Madame Cambon hatte sich geweigert, ihm in die Washingtoner Wildnis zu folgen. Lord Paunceforte, von Haus aus Jurist, war für zehn Jahre nach Washington entsandt worden und kannte sich hinter den politischen Kulissen der Hauptstadt besser aus als der Außenminister, wie Hay zu sagen pflegte. Pauncefotes ohnehin breites Gesicht wirkte noch breiter durch den gleichsam flauschigen Backenbart, dessen Weiß auffällig mit der fast weinroten Haut kontrastierte. Pauncefote war überdies ein Experte in allen juristischen Fragen, welche internationale Kanäle betrafen. Er war an der Schaffung des Suez-Kanals beteiligt gewesen; jetzt arbeitete er, gemeinsam mit Hay, an einem Entwurf für ein Vertragswerk, das für jenen Kanal gelten sollte, den die Vereinigten Staaten durch den zentralamerikanischen Isthmus bauen wollten. Waren Atlantik und Pazifik erst einmal miteinander verbunden, so würde sich die militärische Macht Amerikas verdoppeln, während, wie man sich in der Senatstoilette zuflüsterte, die Macht Englands halbiert werden würde.

»Wir sind voller Hoffnung«, sagte der alte Mann zu der Gruppe von Regierungsbeamten, die ihn umringte. Da die Sitzungsperiode des Kongresses noch nicht begonnen hatte, waren nur wenige Volkstribune anwesend, um den Helden der Bucht von Manila zu feiern. Paunceforte verbeugte sich vor Caroline. »Miss Sanford, ich bin gerade beim Fachsimpeln, werde jedoch sofort damit aufhören.«

»Aber nicht doch! Fahren Sie nur fort. Es ist ja sozusagen auch mein Fach. Die Tribune hat dem Hay-Pauncefote-Vertrag bereits donnernden Applaus gezollt.«

»Es wäre schön, wenn das im nächsten Monat auch der Senat tun würde.« Genaugenommen hatte die Tribune in ihren Leitartikeln, verfaßt von Trimble, den Standpunkt vertreten, daß die Vereinigten Staaten, da sie den Kanal bauten und bezahlten, auch das Recht haben müßten, ihn militärisch zu befestigen – was im Vertrag im Hinblick auf ein 1850 zwischen den Vereinigten Staaten und England geschlossenes Abkommen nicht vorgesehen war. Als Pauncefote jetzt die einschlägigen Ansichten seiner Regierung darzulegen begann, gesellte sich zu der Gruppe Mrs. Admiral Dewey, eine Prachtpuppe, wie Caroline fand, die endlich ein angemessenes Puppenhaus gefunden hatte. Erklärend sagte sie zu Caroline: »Wir konnten unmöglich in jenem schäbigen Haus in der Rhode Island Avenue wohnen. Und so habe ich Beauvoir gekauft, ein hübsches Plätzchen in Woodley Lane. Kennen Sie es?«

Caroline kannte es nicht.

»Man wohnt dort wie auf dem Land und ist trotzdem in der Stadt. Ich kann's gar nicht erwarten, das Haus einzurichten. Seit Jahren besitze ich eine Menge herrlicher blauer und weißer Delfter Kacheln, und jetzt werde ich sie endlich verwenden können.«

»In der Küche?«

Mrs. Deweys große Puppenaugen plinkerten wie – wie eben Puppenaugen. »Nein. Im Salon. Gewiß ist das Haus ziemlich klein, aber wir brauchen ja auch nichts Großes. Kinder sind schließlich keine da. Bloß die Trophäen meines Mannes. Und was für Trophäen! Haben Sie das goldene Schwert gesehen, das ihm der Präsident im Kapitol überreicht hat?«

»Aus großer Entfernung.« Die Zeremonie war eindrucksvoll, wenn auch ein wenig bizarr gewesen. Nie zuvor hatte ein amtierender Präsident vor dem Portikus gesessen und als Inhaber des allerschönsten Amtes nicht selbst den Mittelpunkt der allgemeinen Aufmerksamkeit gebildet, sondern ein Militär. McKinley hatte sich dieser Aufgabe mit seinem gewohnten päpstlichen Charme entledigt. Caroline war geradezu dankbar gewesen für Hays Charakterisierung des Präsidenten als eine Art mittelalterlichen italienischen Abt. Während die Menge den Admiral feierte, lächelte der Präsident ins Leere. Er hatte nur kurz selbst aktiv werden müssen, als er dem Admiral sein güldenes Schwert überreichte; tat es mit ein paar gemurmelten Worten, zweifellos Kirchenlatein.

»Das Schwert ist übrigens nur goldplattiert. Einfach skandalös! Der Kongreß hatte erklärt, es solle massives Gold sein, von allerhöchster Qualität . . .«

»Und aus der härtesten *pan*?« Caroline konnte der Versuchung nicht widerstehen.

Aber Millie Dewey schien den Ausdruck nicht zu kennen. »Ich hätte doch gedacht, massives Gold sei das einzig Angemessene für den Admiral, der uns Asien gegeben hat. Der Admiral ist letztlich ranghöher als jeder andere Militär im Land«, fügte sie stolz hinzu. »Was alle möglichen Probleme verursacht, wie ich Ihnen versichern kann. Sehen Sie, General Miles . . .« Und Caroline konnte diesen Krieger buchstäblich sehen, seine formidable Erscheinung, ebenso wie seine Gattin, Mary Sherman, die ältere Schwester von Lizzie Cameron. ». . . nun, General Miles mag zwar der Stabschef der Army sein, aber er ist nur Generalleutnant, wohingegen mein Mann Admiral der Navy ist, der nicht nur, wie Farragut, während des Sezessionskrieges einen kleinen Sieg in der Mobile Bay errang, sondern *mein* Mann, Admiral Dewey, hat uns ganz Asien gegeben . . .«

»Gewiß nicht *ganz* Asien. Da ist noch China.«

»Das werden wir auch noch kriegen, sagt er, falls uns die Russen und die Japaner nicht zuvorkommen. Da wir gerade von den Russen sprechen, dies ist meine Tante Mamie.« Zu ihnen trat – und ließ China vergesen – eine kleine, fette Frau mit gefärbten roten Haaren; Ohren, Busen, Taille waren geschmückt mit großen, in massives Gold gefaßten Brillanten. Sie sah byzantinisch aus; und war es auch. »Madame Bakhmetoff lebt in St. Petersburg, weit, weit von daheim.«

»Viel weiter geht es nicht«, pflichtete Caroline bei. Die Verzweigungen der *hard-pan*-Familien setzten sie immer wieder in Erstaunen. Eine Schwester war vielleicht eine Farmersfrau in Iowa; eine andere Duchess of Devonshire.

»Die Russen sind nicht zivilisiert«, sagte Madame, fügte dann überraschend hinzu: »Darum fühle ich mich dort auch zu Hause. Wir sind einander ja so ähnlich, Amerikaner und Russen. Hier ist meiner.«

Mamies Russe war so häßlich wie sie selbst. Er trug ein Monokel und präsentierte der Welt ein Gargoyl-Gesicht mit tiefen Pockennarben. Er küßte Caroline die Hand und sprach – Absicht oder nicht? – französisch mit ihr; in Mamies und Millies Ohren vermutlich chinesisch. »Sie sind eine unerwartet glänzende Erscheinung für diese ödeste aller Hauptstädte.« Bakhmetoff sprach in angenehm schmeichelhaftem, jedoch scharfem Ton.

»Wie konnten Sie wissen, daß ich keine Einheimische bin?«

»Nun, ich weiß natürlich, wer Sie sind . . .«

»Sie waren mal zu Besuch auf Saint-Cloud-le-Duc . . . ?«

»Nein. Aber ich war ein Bewunderer Ihrer Mutter, vor einem Jahrhundert. Sie müssen uns irgendwann einmal besuchen, dort am Rande des nördlichen Polarkreises.«

»Ich ziehe im Augenblick den Äquator vor.«

Mrs. Dewey sagte in perfektem, wenn auch stark akzentuiertem Französisch: »Ich verstehe jedes Wort. Schließlich waren mein verstorbener Gatte und ich jahrelang am österreichischen Hof . . .«

Del rettete Caroline vor weiteren Bekundungen internationalen Glamours. »Sie sind Beales und können das nie vergessen.«

»Was ist ein Beale? Und warum kann man so etwas niemals vergessen?«

»Ihr Vater. Er war im Krieg General und wurde später in Kalifornien blitzreich . . .«

»Blitzreich . . .« Caroline schien zu überlegen. »Was für ein komischer Ausdruck. Als ob jemand vom Blitz getroffen würde.«

»Nun, manche Leute erholen sich von solchen Blitzschlägen nie.«

»Mir scheint«, sagte Caroline, »mein Vater war einer von ihnen.«

»Aber er war doch von Anfang an sehr reich.«

»Und vergrößerte sein Vermögen noch, wie Mr. McLean.«

Nahe der Tür zum Ballsaal wurde Del plötzlich von Lord Paunceforte angesprochen. »Wir haben gute Nachrichten aus Südafrika«, sagte er. Caroline hielt sich ein wenig abseits, damit der ältere Mann Del in Ruhe mitteilen konnte, was dieser seinem Vater ausrichten sollte. Während sie ihren Blick durch den Raum gleiten ließ, entdeckte sie die kleine Cassini, ein Geschöpf mit einer exquisiten Figur und so elegant gekleidet wie nur je eine modebewußte Pariser Dame. Das Gesicht war feingezeichnet, mit runden Wangen und den glänzenden Augen eines jungen Fuchses. »Man erzählt sich«, sagte Mrs. Benedict Tracy Bingham, »sie sei weder die Tochter noch die Nichte, sondern . . .«, die leise, erregte Stimme wurde noch leiser und noch erregter, »die Geliebte.«

»Aber nicht doch!« Caroline war mäßig schockiert. Zweifellos wäre sie nachhaltiger schockiert gewesen, hätte sie Mrs. Bingham nicht so gut – *zu* gut – gekannt. Manchmal schien es, als habe Caroline Mrs. Bingham gleichsam zum Leben erweckt, wie Pygmalion die von ihm erschaffene Statue einer Jungfrau oder wie Baron Frankenstein sein Monster. Seit Caroline Mrs. Bingham samt ihrem fabulösen Schmuck, ihrer aristokratischen Herkunft und ihrem Prominentenstatus auf die Titelseite der Tribune geschleudert hatte, war ihr nicht nur eine Anzahl von Inseraten für die Silversmith Dairies zugefallen, sondern auch eine große Anzahl von Einladungen in Mrs. Binghams »Prachtvilla«, wo Caroline endlich ihre gesamte Apgar-Verwandtschaft kennengelernt hatte sowie einen guten Teil der Vor-*hard-pan*-Washingtoner. Die »Höhlen-« oder auch »Klippen-Bewohner«, wie man sie nannte, traf man nur selten in den neuen Palästen im West End und niemals in der Welt des offiziellen Washington. Doch Mrs. Bingham und eine der Apgar-Ladys bildeten die Zwillingspole von Washingtons hoher, wenn auch eher glanzloser gesellschaftlicher Welt, in der Vetter John Caroline ihren Platz zugewiesen hatte. Allerdings machte sie davon möglichst wenig Gebrauch; und wenn, dann nur unter der Bedingung, daß sie als Entgelt für das Vergnügen ihrer Gesellschaft Inserate für die Tribune bekam. Mit Hilfe ihrer eisernen Konsequenz waren die Einkünfte der Zeitung um zwölf Prozent gestiegen, sehr zu Trimbles Verblüffung. »Es ist eine Art Honorar«, hatte Caroline erklärt, »dafür, daß ich bei ihren Gesellschaften erscheine. Da sie mich für reich halten, sind sie bereit, mir Geld zu geben. Wüßten sie, wie arm ich in Wirklichkeit bin, so wäre ich für sie gestorben.«

Sämtliche Mütter mit heiratsfähigen Söhnen waren darauf erpicht, Caroline mit entsprechendem Pomp und Gepränge bei sich zu empfangen. Was die Streitigkeiten um ihre Erbschaft betraf, so wußte man nichts davon, oder begriff es nicht. Natürlich war allen aufgefallen, daß ihr Bruder Blaise niemals zu Besuch kam, doch die Apgars, von Vetter John entsprechend instruiert, sprachen traurig von einer Entfremdung zwischen Geschwistern. Carolines Tätigkeit als Verlegerin dessen, was immerhin der Höhlenbewohner liebste ungelesene Zeitung war, galt als charmante Narretei. Was Wunder bei ihrer europäischen Erziehung.

Gewiß, Mrs. Bingham kostete die Tatsache voll aus. Bis zu Carolines höchst kreativem Bericht von dem Einbruch in der Connecticut Avenue hatte Mrs. Bingham ein unauffällig konventionelles Leben geführt, nahezu absolute Monarchin in einem Reich, zu dem auch der »alte Milchmann«, ihr Gatte, gehörte. Aber nachdem sie durch die Tribune als eine Art Mrs. Astor in der Verkleidung eines Washingtoner Milchmädchens identifiziert worden war, gab es für sie kein Halten mehr. Sie hofierte die Presse. Jeder prominente Washington-Besucher wurde von ihr in ihre Villa eingeladen; und über die wenigen, die ihrer Einladung folgten, wurde dann ausführlich in Star, Post und Tribune berichtet. Alles in allem hatte Caroline an ihrem Monster ihre Freude. Schon weil Mrs. Bingham eine wahre Schatztruhe von Skandalen war. Es gab niemanden, über den sie nicht irgend etwas Schändliches wußte und über den sie gegenüber ihrer Erfinderin nicht mit Wonne klatschte. Caroline starrte der hageren, gelbgesichtigen Frau, die so um die Sechzig war, ins Gesicht, auf den flaumigen Schnurrbart, der ihre Oberlippe zierte.

»Woher wollen Sie das wissen? Ich meine, daß sie seine Geliebte ist?«

Die tiefe Stimme klang wie ein Cello, wie ein trauervoller Baßakkord. »Die Schwester meines Butlers ist in der oberen Etage der russischen Botschaft Zimmermädchen. Und sie sagt, nachts hört man *Schritte* von *seinem* Zimmer zu *ihrem*.«

»Schwere Kosakenschritte?«

»Gestiefelt und gespornt!« röhrte Mrs. Bingham, über ihre eigene Witzigkeit entzückt. Caroline wurde den Verdacht nicht los, daß ihr Monster permanent improvisierte. Erwähnte man, beispielsweise, Queen Victoria, so lieferte Mrs. Bingham prompt ungeheuerliche Details von der geheimen Eheschließung zwischen der

Queen und einem schottischen Bediensteten, in einem Cottage in Balmoral; und beklagte die Tatsache, daß die Queen, einst für die ganze Welt ein Symbol der Fruchtbarkeit, nun schon seit Jahrzehnten jenseits aller Empfängnismöglichkeiten war: »Sonst würde es morganatische Thronprätendenten geben!« Dies mit gedämpfter Stimme, angesichts der Erhabenheit des Themas.

»Oh, Sie müssen mich einweihen in die Society, Mrs. Bingham. Sie wissen doch alles.«

»Aber ich *sage* nichts«, behauptete Mrs. Bingham, die alles sagte, wenn auch nicht zu jedem. »Ein weiterer Beweis dafür, daß sie seine Geliebte ist . . .«, als wahre Künstlerin begann sie, ihre Erfindung nunmehr auszuschmücken, ». . . ist die Tatsache, daß er darauf besteht, daß sie als seine offizielle Dame des Hauses fungiert und Staatsdiners beiwohnt. Das macht man nicht mit einer Tochter . . .«

»In Rußland immer«, warf Caroline ein. »Die Ehefrauen bleiben daheim in ihren, ah, Datschas, und die älteste Tochter begleitet ihren Vater zum Hof.«

»Merkwürdig, davon habe ich nie zuvor gehört.« Mrs. Bingham warf Caroline einen argwöhnischen Blick zu. Anders als die meisten Lügenbolde fiel sie selten auf die Lügen anderer herein. »Ich werde Mamie Bakhmetoff fragen«, sagte sie mit drohendem Unterton.

»Oh, sie lügen. Um das Gesicht zu wahren. Das tun sie doch alle.« Bei diesen Worten ergriff Del nach Carolines Arm; doch bevor beide entkommen konnten, schlug Mrs. Bingham hart zu.

»Mr. Hay kann Ihnen alles über Mlle. Cassini erzählen. Er schickt ihr Blumen.«

Del hustete nervös. Wenn in Washington ein Mann einem unverheirateten Mädchen Blumen schickte, so bedeutete das, daß er ihr den Hof machte. »Das wußte ich nicht«, sagte Caroline.

»Sie tut mir leid, das ist alles. Armes Mädchen!« Als die beiden den Saal durchquerten, verneigte sich Del vor der jungen Cassini und flüsterte Caroline zu: »Vater möchte, daß ich die Russen im Auge behalte.«

In der Kutsche, auf dem Weg zu Carolines Haus, erzählte ihr Del, daß, im Gegensatz zu Pauncefotes Behauptung, die Dinge für die Briten in Afrika keineswegs gut standen. »Die Buren sind auf dem Kriegspfad, was für *uns* gut ist.«

»Ja, sind wir denn nicht, jedenfalls dein Vater, pro-britisch?«

»Natürlich. Aber da sind die Verträge, an die wir denken müssen. Wenn England obenauf ist, dann opponieren die Briten aus Gewohnheit überall gegen uns. Wenn's bei ihnen schlecht läuft, sind sie sehr verständigungsbereit. Das bedeutet, daß sie Vaters Vertrag ohne ein Wimpernzucken akzeptieren werden.«

»Aber wird das auch der Senat tun?«

»Warum nicht? Lodge ist ja dort, und der Präsident ist populär.«

»Aber die Wahlen im nächsten Jahr . . .«

Del blickte durch das Fenster zum Finanzministerium hinüber, das im Regen einem Granitgebirge glich. »In New York spricht man über Blaise und eine ältere Frau, eine Französin.«

»Madame de Bieville? Ja. Ich kenne sie. Sie hat großen Charme. Die beiden sind alte Freunde.«

»Aber ist sie denn nicht verheiratet?«

»Nicht ernsthaft«, sagte Caroline. »Und mittlerweile ist sie sowieso Witwe.« Caroline sah sich, wieder einmal, gezwungen, bei dieser Art von Thematik vorsichtiger zu sein, als es ihrer Art entsprach. Glaubten die Amerikaner wirklich, was sie sagten, oder hatten sie ganz einfach Angst vor jener ominösen Mehrheit, deren Ignoranz und Energie die nationale Tonart bestimmte? Ganz gewiß taten sie in der Öffentlichkeit ausnahmslos so, als sei die Ehe nicht nur heilig, sondern auch hehres Endziel jeglicher Liebesromanze. Obwohl Caroline fortwährend – und durchaus nicht nur aus dem Munde Mrs. Binghams – von dieser oder jener schlechten Verbindung hörte, schien jegliche Art ehelicher Untreue absolut aus den Gefilden der Respektabilität verbannt zu sein.

Del bestätigte Caroline in ihrer gar nicht so naiven Vorsicht. »Blaise sollte sich bewußt bleiben, daß New York nicht Paris ist. Bei uns gelten andere Normen.«

»Und was ist mit Mr. Hearst?«

Del wurde rot. »Erstens befindet er sich außerhalb der Society. Zweitens sorgt er, soweit man weiß, stets für eine Anstandsdame. Schließlich fürchtet er seine Mutter; sie hat das Geld.«

Caroline nickte, ihre Miene düster wie der Novembertag. »Sie ist zu einem weiteren Vermögen gekommen, durch eine Silbermine irgendwo.«

»Kupfer. In Colorado.«

»Und gibt ihm wieder Geld.«

»Um die Tribune zu kaufen?« Del musterte Caroline neugierig. Sie wußte, daß ihm ihr Leben als Verlegerin ein Rätsel war; und überdies wohl ein Graus. Ladys taten so etwas nicht. Ladys taten eigentlich überhaupt nichts, außer daß sie sich um den Haushalt kümmerten und den Schmuck trugen, denen ihnen die Gentlemen, mit denen sie verheiratet waren, schenkten: nicht als sichtbare Symbole von Liebe oder Treue, sondern als Triumphzeichen des Mannes und seiner Solvenz im Lande des Goldes.

»Oh, ich werde sie nicht verkaufen, niemals. Außerdem richtet er sein Augenmerk im Moment auf Chicago. Er braucht den Mittelwesten. Haben will er natürlich alles.«

»So wie du?« Del lächelte.

Aber Caroline nahm die Frage ernst. »Ich möchte«, sagte sie, »meine Interessen befriedigen. Das ist nicht leicht für eine Frau. Nicht hier. «

Teil VI

1

Das 20. Jahrhundert begann, laut Hay, begann jedoch nicht, laut Root, am 1. Januar 1900. Obwohl John Hay in Augenblicken der Muße die »19« bereits übungshalber niedergeschrieben hatte, konnte er sich nicht an den Gedanken des Abschieds von der vertrauten, ja tröstlichen »18« gewöhnen, mit der jenes Jahrhundert begann, in dem er geboren worden war und über sechzig Jahre gelebt hatte – nach denen nun die irgendwie ominöse »19« vor ihm stand, die auf jeden Fall im Datum seines Todes enthalten sein würde. Bestenfalls konnte er noch mit zehn Jahren rechnen; setzten ihm die Schmerzen einmal besonders schlimm zu, betete er um einen prompten Exitus.

Hay und Clara frühstückten allein in einer Fensternische des großen Speisezimmers, mit Blick auf den Lafayette Park und das Weiße Haus. Nachts hatte es geschneit, und der Park lag unter einer weichen Decke. In der Auffahrt zum Weißen Haus streuten schwarze Männer Sägespäne auf den weißen Schnee. Clara, angeregt durch anderer Arbeit, aß herzhaft; Hay nur spärlich. Im Laufe der Jahre war ihr Umfang immer mehr gewachsen, der seine immer mehr geschrumpft. In einem weiteren Jahrhundert würde sie, bei gleichbleibendem Tempo, völlig den Raum ausfüllen, Hay hingegen zu einem Nichts geschrumpft sein. Zwischen ihnen auf dem Frühstückstisch lag ein Telegramm von Henry Adams aus Paris: »Abreise von Cherbourg am 5. Januar.«

»Ich kann's gar nicht erwarten, das alte Stachelschwein wieder in Aktion zu sehen, wie er Cabot und sämtliche Senatoren beim Zügel nimmt.« Mit einiger Beklommenheit sah Hay der Reaktion des Senats auf das entgegen, was man den Hay-Pauncefote-Vertrag nannte, ein Dokument, dessen sorgfältig erstrebter Zweck es war, die Beziehungen zwischen England, emsig im Krieg in Südafrika, und Amerika, emsig im Krieg auf den Philippinen, in eine neue Perspektive zu bringen. Erstmals befanden sich die Vereinigten Staaten in der, wenn schon nicht überlegenen, so doch günstigeren

Position. White berichtete Hay regelmäßig, daß das britische Außenministerium reinen Honig absonderte, wann immer die Beziehungen mit der jetzt imperialen Republik zur Sprache kamen. Grenzprobleme mit Kanada besaßen keinerlei Dringlichkeit mehr. Mochten die Kanadier sich über ihre Dimensionen doch selbst den Kopf zerbrechen, hatte der Premierminister gesagt, die Partnerschaft zwischen London und Washington sei die Hoffnung der Welt und mehr noch, natürlich, der fleißigen, tüchtigen, rechtschaffenen angelsächsischen Rasse.

»Es wird ein Alptraum werden.« Clara legte die Washington Post aus der Hand. Das blasse, sanfte Mondgesicht schien auf Hay. »Die *Züge*«, sagte sie; und stöhnte. »*Schleppen*«, fügte sie rätselhaft hinzu.

»Züge? Schleppen? Züge schleppen? Du scheinst sehr ans Reisen zu denken. Aber wir reisen nirgendwohin. Nicht in nächster Zeit.«

»Der Empfang heute. Dort.« Sie wies aufs Weiße Haus. »Die Ladys. Ihre Aufzüge. Sie haben. Sie alle. *Schleppen*. Dieses Jahr.« Die Pausen zwischen den Sätzen, den Worten, wurden ausgefüllt mit dem sorgfältigen Kauen von Maisbrot, gebacken aus grobem Mehl von Pierce's Mill am Rock Creek.

»Ach, die Schleppen an ihren Kleidern.« Hay verstand. »Aber was ist denn daran so schlimm?«

»In dem Gedränge? Eintausend Ladys, jede mit einer drei Fuß langen Schleppe?«

Hay nickte. »Und das, sozusagen, beim Aufbruch ins zwanzigste Jahrhundert.«

»Mrs. McKinley hat gesagt, auch sie werde anwesend sein.« Clara seufzte. »Mir fällt immer wieder auf, daß es ihr glänzend geht, wenn andere sich unbehaglich fühlen. Vorige Woche war der Green Room völlig überheizt. Zwei Damen wurden ohnmächtig. Mrs. McKinley jedoch schien ganz in ihrem Element zu sein.«

»Eine Treibhausblüte. Was für ein elendes Leben müssen die beiden führen.« Hay war über seine eigene Bemerkung überrascht. Er hatte es sich eigentlich zum Grundsatz gemacht, niemals Spekulationen über das Privatleben anderer Menschen anzustellen, schon gar nicht gegenüber Clara, die fortwährend Urteile fällte, jedes Fragment eines Indizes und jedes Klatschwort auf ihrer perfekten Gerechtigkeitswaage wiegend.

»Ich glaube nicht, daß sie *wissen,* wie elend es ihnen geht.« Clara hob eine Serviette in die Höhe; schien sich, wie Justitia, die Augen verbinden zu wollen, um erst dann ihr Urteil zu fällen. »Sie reden und reden über das Kind, das sie verloren haben. Immerhin gibt ihnen das etwas zu reden. Sie betet ihn an, weißt du. Während er . . .« Clara hielt inne, um Hay Gelegenheit zu geben, im Zeugenstand für seinen Geschlechtsgenossen auszusagen.

»Er scheint ihr ergeben. Da ist niemand sonst.«

Clara krauste die Stirn: Unregelmäßigkeiten in einer Ehe irritierten sie fast genauso stark wie ein schlecht geführter Haushalt. Ruhig fügte Hay hinzu: »Meine Liebe, ich spreche von Freunden, ob nun Männer oder Frauen. Der Major ist sehr allein, wie mir scheint, und dadurch gleicht er dem Präsidenten.«

»Er *ist* der Präsident.«

Hay lächelte, polkte einen Krümel aus seinem Bart. »Wenn ich das Wort Präsident gebrauche, so ernst wie jetzt eben, dann meine ich nur einen . . .«

»Mr. Lincoln. Ich wünschte, ich hätte ihn gekannt.«

»Das wünschte ich auch.« Hay versuchte, sich den Alten bildhaft vorzustellen, sah jedoch nur die tote Lebend-Maske aus seinem Arbeitszimmer vor sich. Lincoln war aus seinem Gehirn gelöscht durch zu viele – oder zu wenige? – Gedanken über diesen Gegenstand. »Aber es hat ihn niemand gekannt, außer Mrs. Lincoln, die oft wütend war, während den Major überhaupt niemand wirklich kennt . . .«

»Nicht einmal der abscheuliche Mr. Hanna?«

»Gerade nicht der abscheuliche Marcus Aurelius Hanna. Nein, Mr. McKinley hat immer alles ganz allein getan.« Hay lachte.

Clara musterte ihn scharf. Sie konnte es nicht ausstehen, wenn ihr irgend etwas verschwiegen wurde. Bemerkte sie, daß er über eine Erinnerung lächelte oder selbst über Formulierungen, die er gedanklich ausprobierte, um sie irgendwann später zu gebrauchen, so drängte sie immer: »Erzähl mir! Erzähl mir, worüber du lächelst. Es muß sehr lustig sein.« Jetzt fügte sie hinzu: »Woran denkst du?«

»Ich dachte an etwas, daß der Major neulich abends sagte. Wir waren im oberen Oval Room, wir beide, und er sagte: ›Vom mexikanischen Krieg, 1848, bis 1898 haben wir als Nation fest geschlafen. International gesehen. Waren in unserer Isolation glücklich. All das hat sich geändert. Heute sind wir überall und werden mit viel mehr Respekt behandelt als zur Zeit meiner Inauguration.‹«

Clara hakte nach: »Das ist wahr. Warum hast du gelacht?«

»Nun, als ich ihn daran erinnerte, daß er ursprünglich geneigt war, den Filipinos die Freiheit zu geben, da sagte er, die Absicht habe er *niemals* gehabt. Von Anfang an sei er entschlossen gewesen, alles zu behalten. Als ich ihn an sein Gespräch mit Gott erinnerte, bedachte er mich mit seinem mysteriösen freundlichen Borgia-Lächeln.«

»Ist er größer als Lincoln.«

»Er ist genauso . . . entscheidend. Und das macht sie in gewisser Weise gleichrangig.« Hay griff zur Washington Tribune. Eine Schlagzeile verkündete, daß in Arlington eine Mietstallung abgebrannt war. »Unsere mutmaßliche Schwiegertochter ist auf Feuer fixiert.«

»Wenn sie sich nur auf *die* Art von Feuer beschränken wollte.« Claras Stimme klang streng.

»Mir gefällt eigentlich, was sie tut«, sagte Hay, der Caroline sehr gern hatte. »Del ist glücklich.«

»Ich mag sie im Grunde auch. Aber sie ist nicht wie wir. Sie ist französisch.«

»Die Franzosen sind gar nicht so ungeheuer verrucht, jedenfalls nicht alle. Nimm doch nur Monsieur Cambon.«

Clara fühlte sich, zeit ihrer Ehe, wie zerrissen von einem widersprüchlichen Wunsch: Einerseits hätte sie gern alles gewußt über Hays lange Jahre in Europa, andererseits huldigte sie dem Prinzip, alles Wissen um Sünde von sich fernzuhalten. Immer wieder schwankte sie zwischen frivoler Neugier und strengem Prinzip. Schwankte auch jetzt. »Es ist wohl ihre Unabhängigkeit, an die ich mich nicht gewöhnen kann. Sie ist wie ein junger Mann . . .«

»Bloß daß sie um einiges hübscher aussieht als alle Männer, die ich kenne.«

»Del wirkt im Vergleich zu ihr noch so jung.« Geschickt verlagerte Clara das Thema. Sie hatte nie die Fähigkeit besessen, sich an das Ungewöhnliche zu gewöhnen. Hay hingegen fiel das nicht nur leicht – oft hielt er es für einen Teil seines Naturells.

»Für alle Fälle wäre da ja . . .« Hay bemerkte, daß es wieder zu schneien begann, wie immer, wenn die Auffahrt zum Weißen Haus gerade mühselig vom Schnee befreit worden war. ». . . die kleine Cassini.«

»Glaubst du denn, daß er sie mag?«

»Ich habe ihm gesagt, er solle ihr den Hof machen, zum Wohl seines Landes.«

»Patriotismus!« Clara seufzte. Hay war sich nie sicher, ob seine Frau seine Scherze verstand. Sie registrierte sie höflich; reagierte höchst selten mit einem Lachen.

»Sie ist außergewöhnlich hübsch . . .«

»Soll aber nicht legitim sein, heißt es.« Clara kannte in solchen Dingen keine Gnade. Im Juli hatte sie sich geweigert, Kate Chases Beerdigung auf dem Glenwood Cemetery beizuwohnen. Das Ehepaar hatte sich gestritten; und Hay war allein hingefahren, um adieu zu sagen – zu sich selbst. Zu Kate hatte er schon Lebewohl gesagt, als er sie das letztemal gesehen hatte, mit aufgedunsenem Gesicht, gefärbten Haaren. Sie hatte ihm Eier von ihrer Farm in Maryland verkaufen wollen.

»Doch. Sie ist legitim. Ich habe unseren Botschafter in Petersburg Nachforschungen anstellen lassen. Aber wegen seiner anderen Ehen und seiner Verluste beim Glücksspiel wagte Cassini es nie, den Zaren um die Erlaubnis zu bitten, ihre Mutter, eine Schauspielerin, zu heiraten, gesellschaftlich tief unter ihm stehend, obschon man sich *das* kaum vorstellen kann.« Der Himmel über dem Weißen Haus glich einer grauen Eisenplatte, und die Schneeschaufler waren offensichtlich der Verzweiflung nah, als sich die weiße Fülle erneut aufzutürmen begann. Der Empfang würde ein einziges Chaos werden. Schnee und Schleppen. Ihn schauderte.

»Wichtig«, sagte Clara, »ist nur Del. Die jungen Leute scheinen zu glauben, er sei in Mlle. Cassini verliebt. Seit er mit ihr auf dem Junggesellenball in der Armory war . . .«

». . . wo du präsidiert hast.«

»An sich habe ich gar nichts gegen . . .« Claras unvollendete Sätze glichen oft Urteilssprüchen.

». . . gegen ausländische Mädchen wie Marguerite Cassini oder Caroline Sanford, die ja praktisch auch eine Ausländerin ist. Doch hättest du für Del lieber etwas original Amerikanisches.«

»Habe ich damit nicht recht?«

»Du hast immer recht, Clara.«

»Es gibt hier doch so viele Mädchen, die Warder-Mädchen zum Beispiel und Bessie Davis und Julia Foraker . . .«

»Bitte hör auf! Wenn ich all die Namen höre, muß ich an die Abstimmung im Senat denken. Was Del und die Cassini betrifft, so habe ich über die beiden eine Menge erfahren. Die Russen und die Franzosen arbeiten heimlich gegen die Briten und uns in China.« Er berichtete Clara, was Del über die Absichten des Heiligen Rußlands in Asien gehört hatte; und Clara lächelte interessiert, hörte jedoch überhaupt nicht zu. Heiraten war wichtig. China nicht. Inzwischen war das Weiße Haus hinter einem Vorhang aus dicht fallendem Schnee verschwunden. Zum Glück würden die Hays nicht gezwungen sein, sich in die lange Schlange der Kutschen einzureihen. Seit dem Tod von Vizepräsident Hobart war John Hay der verfassungsmäßige Nachfolger des Präsidenten; was ihn manchmal mitten in der Nacht hochschrecken ließ – sah sich urplötzlich hinaufkatapultiert in das allerhöchste Amt, nach dem er sich stets so gesehnt hatte, das auszufüllen er jetzt jedoch nicht mehr die Kraft besaß. Glücklicherweise war McKinley kerngesund.

Andererseits fand Hay, zu seiner eigenen Überraschung, auf einmal die Kraft, sich an einer Kissenschlacht zu beteiligen, die im sogenannten Rough Room zwischen Clarence und einigen seiner Freunde im Gange war und nur Claras Warnung: »Wenn du dich jetzt nicht umziehst, kommen wir zu spät«, ließ sie das unterhaltsame Spiel abbrechen. Clarence konnte ausgelassen sein, aber auch nachdenklich rücksichtsvoll, war auf sein Art ganz anders als der ewig-mysteriöse Del, der gesagt hatte, ja, er werde auf dem Empfang im Weißen Haus sein, doch nein, danke, er werde schon allein den Weg dorthin finden.

Als Hay und Clara in ihre Kutsche stiegen, hatte es aufgehört zu schneien. Die Fahrwege, die erst am Morgen geräumt worden waren, ähnelten sibirischen Steppen. Eine endlose Reihe von Kutschen bewegte sich langsam vor dem Portikus des Gebäudes, das Graf Cassini einen »hübschen Landsitz« genannt hatte. Bedienstete streuten Sägespäne auf den Boden nahe der Auffahrt, während sich Fußgänger langsam die Pennsylvania Avenue entlangbewegten, um dann auf das Grundstück vor dem Weißen Haus einzubiegen.

Die Hay-Kutsche fuhr um das Weiße Haus herum zum Südeingang, der für gewöhnlich speziellen Besuchern vorbehalten war. Während die Stadt hinter schneebedeckten Bäumen verschwand, versuchte Hay sich daran zu erinnern, wie die Winter zur Zeit Lincolns gewesen waren. Doch hatte er jene fernen Tage ja als noch recht junger Mensch erlebt, und in seiner Erinnerung gab es überhaupt keinen Winter, sondern einen unaufhörlichen schwülschlaffen Hochsommer, begleitet von Ausbrüchen von Malaria.

Arm in Arm – wobei sie eher ihn als er sie stützte – schritten Hay und Clara durch den unteren Gang und stiegen dann die Treppe hinter der Tiffany-Wand hinauf, welche die Staatsgemächer vor den neugierigen Blicken der Menge schützte, die sich in der Eingangshalle sammelte. Green Room, Red Room und Blue Room waren bereits gefüllt mit erlesenen Gästen. Die Schleppen der Damen – Clara hatte es vorausgesehen – entpuppten sich als ein wahrer Alptraum, verschlimmert noch durch den Schlamm und Matsch an den Schuhen. Die Teppiche glichen nassem Sackleinen, und Hay erinnerte sich, wie das in seiner Jugend gewesen war, als die Männer noch allgemein der Tabakkauerei gefrönt hatten: Am Ende der Sitzungsperiode hatte sich das tiefe Rot des Teppichs im Senat regelmäßig in eine Art Flußschlamm-Braun verwandelt.

Im Blue Room befanden sich die Mitglieder des Kabinetts sowie die in Washington akkreditierten ausländischen Diplomaten. Wie stets fühlte Hay sich zugleich entzückt und amüsiert durch die Uniformen der – oder *seiner*, wie er sie für sich immer nannte – Diplomaten. Pauncefote beispielsweise war gekleidet in etwas, das eine Admiralsuniform zu sein schien, mit genügend Goldbesatz, um selbst einen byzantinischen Kaiser zufriedenzustellen. Lady Pauncefote, im normalen Leben ebenso unauffällig wie zurückhaltend, ließ jetzt aus ihrem mausgrauen Haar – geweihartig – eine Tiara von einer Pracht sprießen, die eher einer Krone zugestanden hätte. In ihrem silberfarbenen Kleid erinnerte sie Hay an eine Ikone; selbst ihr von Haus aus bläßliches Gesicht schien vom Rauch von Votivkerzen eingedunkelt worden zu sein. Sie bildete einen starken Kontrast zu ihrem gewöhnlichen, eher schlampigen Selbst, das sie mit einem höchst unkleidsamen Schal zu drapieren liebte, dem »Geschenk unserer teuren Queen«, wie sie zu murmeln pflegte. Cambon war ganz in Rot und Gold; Cassini mehr in Gold als in irgend etwas sonst, indes seine Tochter, Marguerite, an seiner Seite erstrahlte, im ganzen Raum das einzige Objekt von Jugend und Schönheit. Hay, an Dels Stelle, hätte sie ohne Umschweife fortgeschleppt, um sie zu heiraten.

Die Botschafter begrüßten Hay mit der Ehrerbietung, die seinem Rang entsprach. Clara schmeichelte den Diplomaten-Gattinnen. In der Eingangshalle spielte die Marine-Band.

Mr. Cortelyou nahm Hay beiseite. »Wir haben ein Problem, Sir.«

»Sagen Sie niemals ›wir‹ zu mir. *Sie* haben ein Problem, und ich werd's nicht übernehmen.«

»Nun, Sir, es handelt sich um eine Frage des Protokolls . . .«

»Wenden Sie sich an Mr. Adee. Er liebt das Protokoll.«

»Es dreht sich um die Navy, Sir.«

Jetzt zeigte Hay Interesse. »Beanspruchen die den Vorrang vor der Army?«

»Ja, Sir. Es war eine furchtbare Woche. Das geht alles zurück auf den Krieg und auf das, was die Navy geleistet hat . . .«

Hay kannte das Problem, ganz Washington kannte es. »Admiral Dewey ist ranghöher als General Miles«, sagte Hay prompt, »und deshalb verlangt er, daß die Navy vor der Army vom Präsidenten empfangen wird.«

»Dann wußten Sie also Bescheid, Sir?«

»Nein, wußte ich nicht. Aber ich habe, wenn Sie so wollen, einen Riecher für so etwas. Seit jeher war Stupidität meine Spezialität. Ich schlage vor, daß die Person, mit der Sie es zu tun haben . . .«

». . . nämlich ich.« Elihu Root schob sich zwischen sie. »Ich habe eine sehr harte Entscheidung getroffen. Seit Beginn des Jahrhunderts hat die Army den Vorrang vor der Navy gehabt. Und dabei bleibt's, habe ich zu Dewey gesagt.«

»Und was hat er darauf erwidert, Sir?«

»Er sagte, ich solle mit Mrs. Dewey sprechen.« Das Root-Lächeln blitzte wie ein Messer. »Ich erwiderte, ich sei zu beschäftigt. Auch sei *small talk* meine Sache nicht.«

»Daß mir das noch nie aufgefallen ist«, sagte Hay genüßlich. »Bei Ihnen gibt's also immer nur *big talk*?«

»*Big* bis gigantisch.«

»Bei mir bleibt alles *small talk*. Weshalb ich wohl auch nie so richtig ein Wort von dem verstehe, was Sie sagen.«

Cortelyou eilte von dannen; keineswegs amüsiert über staatsmännische Albernheiten. Root kam sofort zur Sache. »Zehn Dollar, Hay. Her damit. Ich habe gewonnen.«

»Was den Anfang des Jahrhunderts betrifft?«

Root nickte; er zog einen Zeitungsausschnitt aus seinem Gehrock. »Dies ist eine zuverlässige Autorität«, sagte er. »The Review of Reviews.«

»Kaum . . .«, setzte Hay an.

Doch Root war nicht zu bremsen; er las vor: »›Mit dem 31. Dezember‹ – Dr. Shaw bezieht sich auf den gestrigen Tag – ›vervollständigten wir das Jahr 1899 – das heißt, wir komplettierten neunundneunzig von jenen einhundert Jahren, die zu einem ganzen Jahrhundert gehören.‹ Und jetzt, lieber Hay, achten Sie genau auf seine Begründung . . .«

»Sie wissen doch, daß ich ein hoffnungsloser Fall bin, wenn's um Zahlen geht, lieber Root.«

»Wie Ihr riesiges Vermögen unwiderleglich beweist, wie? Jedenfalls dürften Sie keine Mühe haben, das hier zu verstehen. ›Wir müssen dem 19. Jahrhundert die 365 Tage geben, die zu seinem hundertsten und letzten Jahr gehören, bevor wir das Jahr eins des 20. Jahrhunderts beginnen können.‹ Das folgende wird Ihnen gefallen.« Root strahlte zufrieden. Unmittelbar hinter ihm bemerkte Hay plötzlich Mrs. Dewey, die, ganz in Saphirblau, mitten im Blue Room stand, Cortelyou starrte sie tief beunruhigt an.

Root, blind gegen das sich anbahnende Drama, fuhr unbeirrt fort: »›Die mathematische Veranlagung beweist sich in Geldangelegenheiten in stärkerem Maße als irgendwo sonst . . .‹ Man könnte meinen, Dr. Shaw kennt Sie persönlich, Hay.«

»Ich bin ein Jedermann, Root. Das wissen Sie doch. Das typische Exemplar eines gewöhnlichen und bescheidenen Menschen. Ganz wie aus Großmutters Fibel.«

»Wie dem auch sein mag, von all den Leuten, die bereit sind, neunundneunzig Jahre als ein Jahrhundert durchgehen zu lassen, würde keiner akzeptieren, daß ihm jemand für tausendneunhundert verpumpte Dollar bloß eintausendachthundertneunundneunzig zurückgibt. Nun?«

»Sie sind brutal.« Hay gab Root zehn Dollar. »Sie haben

gewonnen. Und damit ist es möglich, wenn nicht gar wahrscheinlich, daß mein Wunsch in Erfüllung geht und ich noch im 19. Jahrhundert sterbe.«

»Was für ein absonderlicher Ehrgeiz. Mein Gott, dort ist ja Mrs. Dewey.«

»Sie hat Mr. Long gefangengenommen. Er ist gefechtsunfähig.«

Mrs. Deweys große Porzellanpuppenaugen hafteten auf dem Marineminister, indes ihre winzige Puppenhand auf seinem Unterarm ruhte, sanft, wie flehend.

»Unheil dräut«, begann Hay, doch im selben Augenblick stimmte die Marine-Band *Hail to the Chief* an, und die Gäste, die im Green, im Red und im Blue Room gewartet hatten, versammelten sich am Fuß der Treppe, während der Präsident und, zur allgemeinen Überraschung, auch Mrs. McKinley langsam und würdevoll die Stufen herunterkamen. Sie hielt sich an ihm fest, er stützte sie. Irgendwie, so empfand es Hay, hatte die absolute Durchschnittlichkeit des Paares etwas Anrührendes. Die übrigen Gäste drängten sich bereits im East Room.

McKinley nickte zuerst Hay zu, der sich verbeugte; um sich dann dem Diplomatischen Korps anzuschließen, hinter sich das Kabinett.

Plötzlich wurde Hay bewußt, daß sich links von ihm Mrs. Dewey in Position manövriert hatte, während sie gleichzeitig den rechten Arm des Marineministers umklammert hielt. »Ein glückliches neues Jahr, Mr. Hay!« Sie schien von unwiderstehlicher Naivität, selbst ihre Wimpern glichen denen einer Puppe, winzige wie gespreizte Büschel, was den porzellanblauen Augen einen künstlichen, sternenartigen Ausdruck verlieh.

»Was für eine Freude«, murmelte Hay, dem nichts mehr Vergnügen bereitete als eine genüßlich ausgekostete kleine Unaufrichtigkeit. ». . . was für eine Freude, Sie hier bei uns zu haben.«

»Es war der liebe Mr. Long, der mich mitnahm. Ich hatte ihm gesagt, daß der Admiral und ich schon zeitig aufbrechen müßten und falls wir zu warten hätten, bis Kabinett, Diplomatisches Korps, Kongreß *und* Army das Defilee absolviert hätten, also, dann müßten wir hier ja länger warten, als der gesamte Krieg meines Admirals gedauert hat, und Mr. Long sagte, er würde sich meiner gern annehmen. So freundlich . . .«

Hay spürte, rechts von sich, Claras Mißbilligung; und sah Roots amüsierten Zorn oder sein zorniges Amüsement über Mrs. Deweys kühnen Sieg über die Army und ihn selbst.

Bei der Tür zum East Room verharrte der Präsident und blickte besorgt auf Mrs. McKinley, die seinen Blick matt erwiderte. Dann trat er in den Raum und ging direkt zum thronartigen blauen Stuhl am anderen Ende. Von ihm geleitet, sank Mrs. McKinley darauf nieder, ein Orchideen-Bouquet gegen ihren Busen pressend.

Als Hay und Clara den Raum betraten, war er, wie stets, darauf bedacht, jene freie Stelle in der Mitte zu meiden, wo Lincoln in seinem Sarg gelegen hatte, eine abergläubische Anwandlung, Hays einzige. Ansonsten hatte der East Room keine spezielle Bedeutung für ihn. Dies war seit jeher eine Art Theater gewesen mit dem jeweiligen Präsidenten als Star, dessen Publikum die Würdenträger waren, die kamen und gingen, meist ohne irgendeine Spur zu hinterlassen; dennoch war Washington eine Stadt, die, obwohl sie nie jemanden vermißte, paradoxerweise aber auch nie jemanden vergaß. Wieder dachte sich Hay das Haus – auch die Stadt und darüber hinaus die Republik – als ein Theater mit einem eher begrenzten Repertoire an Stücken; und Typen. Ein einziges Mal nur hatte wirklich Leben geherrscht im East Room: in jenen Wochen, als ein Freiwilligen-Regiment aus Kentucky, begierig, Präsident Lincoln zu schützen, dort biwakiert und die Kamine zum Kochen benutzt hatte. Später hatte Mrs. Lincoln den East Room dann prächtig herrichten lassen; zu enormen Kosten für die Regierung wie auch für ihren Mann, der darauf bestand, für einige ihrer verrückteren Einfälle zu bezahlen. Jetzt wirkte der East Room wieder eher schäbig und bedrückend, ähnlich einem Ferienhotel außerhalb der Saison. Wo sich einmal Mrs. Lincolns glorioser meergrüner Teppich in seiner ganzen kostbaren und kostspieligen Größe ausgebreitet hatte, lag jetzt ein hellgelbes, fast senffarbenes Etwas, das an diesem Tage eine ideale Unterlage für schmutzige Fußabdrücke war. Zwischen den Fenstern und den Kaminen standen Reihen häßlicher, kürbisförmiger Sitze mit dazwischen aufragenden, kümmerlichen Palmen. Unter dem gleißenden Licht der gewaltigen elektrifizierten Kronleuchter war die Wirkung ganz besonders kläglich.

Mrs. McKinley ertrug eine Stunde lang die Tortur auf dem

Thron, dann geleitete der Präsident selbst sie nach oben, und die Gäste konnten sich unabhängig von ihrer hierarchischen Ordnung bewegen. Mrs. Deweys Präventivschlag war nicht von allen bemerkt worden, doch General Miles blickte ungeheuer grimmig drein. Der Admiral hingegen schien völlig arglos, als er samt triumphierender Gattin aufbrach, während Hay von Lord Pauncefote beiseite genommen wurde. Von der anderen Seite des Raums beobachtete der russische Botschafter die beiden Verschwörer mit mißtrauischem Blick. Hay wußte, daß Cassini ihn nicht nur für anglophil, sondern für einen Gimpel Englands hielt. De facto folgte, in allen Dingen von Belang, England Amerikas Führung; als Gegenleistung reagierte die Administration in Sachen Südafrika mit stillschweigender Ermutigung. Hay war zu einem Gespräch über den Hay-Pauncefote-Vertrag bereit, doch zu seiner Überraschung ging es Pauncefote nicht um Kanäle, sondern um China. »Wie Sie wissen, Mr. Hay . . .« Angenehm und einschmeichelnd klang die routinierte Rechtsanwaltsstimme des älteren Mannes an Hays Ohr. ». . . geht die Zerstückelung Chinas weiter, wobei die Russen die eifrigsten von uns allen sind . . .«

»Uns? *Wir* sind nicht eifrig.«

»Ich spreche natürlich vom bösen Europa, nicht vom unschuldigen Amerika.«

»Danke.«

»Sie konsolidieren die Mandschurei. Bald werden sie Peking und Nordchina russifizieren, ein wichtiger Markt für Ihre, die amerikanische Textilindustrie, den die Russen zu schließen gedenken.«

Cassini, nur wenige Schritt von den beiden entfernt, klemmte sein Monokel in die linke Augenhöhle und starrte, über den Kopf von Cambon hinweg, die beiden Männer an. Cassini schien auf jedes Wort zu lauschen.

»Wir haben unser Augenmerk darauf. Nicht zuletzt auch ich persönlich.« Hays Stimme klang beschwichtigend. »Wissen Sie übrigens, daß Mr. Henry Adams davon überzeugt ist, daß Rußland innerhalb der nächsten fünfundzwanzig Jahre zerfallen wird und daß wir dann genötigt sein werden, Sibirien, das einzige Territorium, dessen Besitz sich in Asien lohnt, zu amerikanisieren?«

Lord Pauncefote musterte Hay scharf, um zu sehen, ob es sich bei dem, was er gerade gesagt hatte, womöglich um einen Yankee-

Scherz handelte, dessen Pointe ihm entgangen war. Als Hay nichts weiter hinzufügte, lächelte Pauncefote. »Mr. Adams hat keinerlei Amt inne, oder?«

»Nein. Bedauerlicherweise – für uns.«

»Ja«, sagte Pauncefote und löschte Adams ein für allemal aus seinem Gedächtnis. Dann manövrierte er Hay zu einem jener deprimierenden Kürbissitze, wo er unter von der Hitze gebräunten Palmenwedeln zur Sache kam. »Im Unterschied zu Rußland ist China bereits dabei, zu zerfallen. Die Frage ist, wer soll die Stücke aufheben? Rußland und Japan haben die meisten bereits an sich gebracht. Der Kaiser fischt, wo immer er kann. Die Franzosen . . .«

»Wie Sie wissen, sind wir die einzigen Nicht-Fischer.« Hay fragte sich, wie weit er Pauncefote ins Vertrauen ziehen sollte. Er hatte bereits eine Formel ausgearbeitet, die, davon war er überzeugt, die Vereinigten Staaten gleichsam ins Zentrum der gesamten China-Gleichung manövrieren würde; und dennoch nichts kostete. Hay verließ sich ganz auf seinen Instinkt, als er weitersprach. »Wir sitzen auf unseren äußerst unbequemen Philippinen und verfolgen von ferne die Beutejagd in China. Natürlich sind wir nervös wegen der Schansi-Provinz. Wird Rußland den Norden Chinas für uns schließen? Und falls das geschieht, wird dann unsere Textilindustrie zusammenbrechen? Ich habe . . .«, Hay entschloß sich, einen vorsichtigen Vorstoß zu wagen, ». . . einen Bogen um Cassini gemacht, mit dem man ja nicht verhandeln kann, wie wir alle wissen. Er ist eitel und ein wenig töricht. Vor allem aber ist er in China Botschafter gewesen, und vielleicht weiß er zuviel . . . zu *unserem* Nachteil. Ich habe deshalb direkt mit Graf Mouravieff in Petersburg verhandelt. Vorige Woche schrieb er mir einen freimütigen Brief – das heißt, freimütig für einen Russen. Ich hatte nur eines angeregt: eine offene Tür nach China für alle Nationen. Er schrieb mir, daß außerhalb jener Territorien, die gegenwärtig von China an Rußland verpachtet worden sind . . .«

»Verpachtet!« Pauncefote schüttelte den Kopf; schloß die Augen, um das Unmaß dieser menschlichen Perfidie gleichsam auszulöschen.

»Ist Kowloon denn nicht von China an England verpachtet worden?«

»Eine klare, unkomplizierte Angelegenheit, die nur einen einzigen Hafen betrifft.« Pauncefotes Antwort kam schnell. »Gar nicht zu vergleichen mit der Übernahme der gesamten Mandschurei und Port Arthurs; eines ganzen Reiches.«

»Jedenfalls garantiert er, daß Rußland die alten chinesischen Verträge mit jedem von uns respektieren wird.«

»Und Sie glauben ihm?«

»Natürlich nicht. Aber ich habe ihn gezwungen, einen Zug zu machen – etwas, was Russen hassen. Sie wollen nie etwas aussprechen, um nicht festgenagelt werden zu können. Jedenfalls hat er mir jetzt eine Handhabe gegeben, um, auf der Basis seiner Worte, eine enorme Konstruktion aufzubauen. In einigen Monaten werde ich *meinen* Zug machen. Ich glaube, daß ich – daß wir, lieber Pauncefote – sie alle ausmanövrieren können.«

»Sie scheinen ein Gefühl für die Sache zu entwickeln«, sagte Pauncefote trocken.

»Im Grunde appelliere ich nur an die anständigen Instinkte der ganzen Menschheit.«

»Warten Sie, bis Sie mit den Japanern verhandeln. Die sind nicht anständig. Die gehören nicht mal zur Menschheit.«

»Extraterrestrische?«

»Verrückte, ja! Mondmenschen.«

Der Präsident war wieder im East Room. Diesmal wurde er jedoch nicht von Mrs. McKinley begleitet, sondern von Del und Caroline. »Sie sehen aus wie Sohn und Tochter«, sagte Pauncefote, nicht eben taktvoll.

»Na, doch wohl wie Sohn und *Schwieger*tochter«, gab Hay zurück. Aber er sah auch, daß Del beim Präsidenten offenbar große Sympathien genoß. Del erzählte ihm nie etwas. Nur durch Zufall erfuhr er dann und wann beispielsweise, daß Del etwa an einem Familien-Dinner der McKinleys teilgenommen oder den Präsidenten bei einer Ausfahrt begleitet hatte. Zweifellos war der Junge der geborene Höfling.

Caroline hatte denselben Gedanken gehabt, war sich da aber nicht mehr so sicher. Sie war zum Supper bei den McKinleys eingeladen gewesen, zum erstenmal, mit Del sowie Mr. und Mrs. Charles G. Dawes als weiteren Gästen. Und jetzt neigte sie zu der Ansicht, daß Del für McKinley der Sohn war, den er sich gewünscht, jedoch nie gehabt hatte. Es war der Präsident, der gleichsam bei Del den Höfling spielte, ihm in allem Ratschläge gab, sogar was das Essen betraf. Speisen hatte es im Familieneßzimmer reichlich gegeben. Die Konversation war weniger üppig gewesen. Mrs. McKinley trank Consommé; und aß Hähnchenflügel. Mr. und Mrs. Dawes schwatzten und lachten genug für vier, ihre Funktion, wie es Caroline schien. Der Präsident aß für zwei; und Del gab sich spröde.

Jetzt standen sie vor dem Marmorkamin am einen Ende des, in Carolines Augen, wirklich abscheulichen East Room, und der Präsident schüttelte Hände und führte mit verschiedenen Leuten förmliche Gespräche. In den kurzen Pausen des Rituals, das Caroline wie ein Handauflegen vorkam, sprach der Präsident mit ihr über Del. »Solange ich hier bin«, sagte er mit seiner selbst für Carolines kritische Ohren einschmeichelnden Stimme, »wird er es bestimmt weit bringen. Er ist ein Mensch von jener Art, wie wir sie brauchen, hier, wo . . .« Irgendwie verstand es McKinley stets, solche Sätze, die interessant zu werden versprachen, unvollendet zu lassen, eine meisterhafte Methode, die ihn unzitierbar machte. Anfangs hatte Caroline sich von ihm gelangweilt gefühlt; dann jedoch faszinierte sie die absolute Umsicht, mit der er sprach, keine Silbe dem Zufall überlassend. Mochte er auch nicht allzu intelligent sein, so bewies er doch feinstes Gespür in der Kunst der praktischen Politik. Allerdings war Caroline inzwischen bewußt geworden, daß ihr Verständnis von Intelligenz sowieso sowohl konventionell als auch europäisch geprägt war. Für sie hatte sich die Intelligenz eines Menschen immer am Grad, bis zu welchem sein »Geist« kultiviert war, bemessen. Und so hatte sie zu ihrer Überraschung entdecken müssen, daß dieser eher »unkultivierte Geist« nichtsdestoweniger über eine Intelligenz verfügte, die zu rascher Analyse ebenso taugte wie zu umsichtiger Aktion. McKinley wußte wenig über Cäsar und Alexander den Großen; dennoch hatte er fast genausoviel Territorium erobert wie die beiden – und das alles von seinem Amtssitz aus, nur unter Zuhilfenahme des hochwichtigen Telegrafen und des nicht weniger mächtigen Telefons.

»Er ist«, sagte McKinley, »wohl in vielem so, wie es sein Vater gewesen sein muß, als er hier noch tätig war.« Von Del wußte Caroline, daß der Präsident nur selten einen seiner Vorgänger namentlich erwähnte, eine Eigenart, die er mit Lincoln teilte.

Das plötzliche Auftauchen von Senator Lodge zauberte ein Lächeln, das ebenso echt wie herzlich wirkte, auf das Gesicht des Präsidenten. Man konnte, fand Caroline, wahrhaftig viel von McKinley lernen; auch in puncto Schauspielkunst. Ganz am anderen Ende des Raumes bemerkte sie Marguerite Cassini, die überaus reizend aussah; wie eine Balletteleving, die in Rolle und Kleider einer Lady geschlüpft war, dachte Caroline mit plötzlichem Sarkasmus. Sie bezauberte eine Anzahl ältlicher Kongreßabgeordneter, hielt ihren Blick jedoch auf Del gerichtet; offenbar hatte er mit Marguerite ernsthafter geflirtet, als er es Caroline gegenüber zugeben mochte. Mit einiger Beunruhigung hatte Caroline festgestellt, daß sie mit Eifersucht reagierte; und war Eifersucht denn nicht ein Zeichen von Liebe? Diese Frage hatte sie ihrer Marguerite gestellt, die ihr ebenso prompt wie mürrisch antwortete: »Wohl eher ein Zeichen von großem Egoismus.«

Der Präsident hatte inzwischen Senator Lodge wegen seiner unvergleichlichen Brillanz Komplimente gemacht; und jetzt blickte Lodge zu Caroline herüber, ein Fuchs-Lächeln um die Lippen. »Genießen Sie dieses barbarische Land noch immer?«

»›Barbarisch‹ ist Ihre Bezeichnung, Mr. Lodge. Ich bin fasziniert von Ihrer, von *unserer* Zivilisation. Sie erleuchtet die Welt, würde ich sagen.«

»Aber Sie *sagen* doch in der Washington Tribune . . .«

»Oh, die Leitartikel lese ich nie. Ich mag nur . . .«

»Die Morde?«

»Vermißte Kinder sind derzeit unsere Leidenschaft. Aber ich hätte nicht gedacht, daß Sie die Tribune lesen.«

»Oh, ich verfolge bei Ihnen alles sehr genau.«

»Unsere Morde?«

»Vermißte Kinder gleichfalls.«

»Wohl auch Staatsverträge?« Graziös, so hoffte sie jedenfalls, schlug Caroline zu. Und bemerkte mit Genugtuung den Ausdruck von Unwillen auf dem gestrengen Senatorengesicht. Lodge wurde verdächtigt, gegen den Kanal-Vertrag zu arbeiten.

»Meine liebe Miss Sanford. Ein Staatsvertrag ist nichts als eine platonische Idee, bevor er im Senat zur Vorlage kommt. Dann erst verleihen wir – zwei Drittel von uns – ihm Existenz.«

»Darf ich Sie zitieren?«

»Lassen Sie mich erst, im Senat, mich selbst zitieren. Danach steht es Ihnen frei. Sie . . . werden weitermachen?«

Diese Frage war Caroline inzwischen gewöhnt. »Warum nicht? Außerdem ist Mr. McLean bereit, mich zu finanzieren.«

»McLean? Warum das?«

»Damit ich auf keinen Fall gezwungen bin, an Mr. Hearst zu verkaufen.«

»Oh!« Lodge zeigte sich erfreut. »Seien Sie überzeugt, daß viele von uns Ihnen jede gewünschte Summe zahlen, damit Sie ihn von Washington fernhalten.« Lodge blickte zu Del hinüber. »Wann geht er nach Pretoria?«

»Nächsten Monat.«

»Allein?«

»Allein.«

2

Henry Adams gab das Abschiedsdinner für Del; und Adams war, wie Hay fand, genauso grimmig wie der Februar, Washingtons unbeliebtester Monat. Hay traf als erster ein, und Adams erschien ihm wie die diabolische Verkörperung seines Spitznamens.

»Ich habe keinen Geschmack mehr an Tabak und Champagner.« Adams stand unter Blakes berühmtem Bild von Nebukadnezars Wahn. William brachte zusätzliches Brennholz für den Kamin.

»Du hast doch noch La Dona.« Hay zündete sich eine Zigarre an, Claras Nicht-vor-dem-Dinner-Gebot zum Trotz.

»Sie ist die Muse eines Poeten, der Himmel steh' uns bei. Eines lachhaft jungen Poeten.« Adams gab sich unverblümt; gereizt; war's wirklich, zweifellos. »Don Cameron hat mir einen Brief geschrieben. Er ist unten in St. Helens und möchte, daß ich ihn besuche. Ich frische in ihm wohl die Erinnerung an seine Frau auf. Wär da nicht noch das 13. Jahrhundert mit seinen Reizen, ich würde mich umbringen.«

»Dann müssen wir Madame Pulard für mehr dankbar sein als nur für ihre Omelettes.«

»Die sind genauso gotisch wie Mont-St.-Michel.« Adams schien zunehmend fasziniert von der *Idee* der Heiligen Jungfrau, und Hay begann zu fürchten, daß sein alter Freund sich doch noch unversehens in einen Katholiken verwandeln könne.

»Vielleicht eine allzu gefällige Vorstellung . . . Übrigens wird Cabot heute abend nicht kommen.«

Hay fühlte ein Ischiaszucken im linken Bein. »Bedeutet das, daß er gegen den Vertrag sein wird?«

»Keine Ahnung. Ich werde aus ihm nicht mehr schlau. Er ist genauso schlimm wie Brooks.«

Hay hatte gerade Brooks Adams' jüngstes Werk, »Natural Selection in Literature«, gelesen. Mit der Beharrlichkeit eines Karl Marx verfolgte Brooks Englands Niedergang anhand seiner Literatur, angefangen beim vitalen Walter Scott, einer Kriegernatur vom Land, bis hin zum verstädterten, verweichlichten, feigen und furchtsamen Charles Dickens. »Brooks schreibt mir regelmäßig«, sagte Hay ein wenig zaghaft, wohl wissend, wie sehr der jüngere Bruder den älteren Bruder irritierte. »Er ist zu dem Schluß gelangt, daß Rußland entweder im Inneren eine soziale Revolution durchmachen oder aber nach außen expandieren muß.«

»Warum nicht beides?« Adams wirkte stachliger denn je.

»Er zieht offenbar das Entweder-Oder vor. Im übrigen meint er, daß wir, falls es den Russen und den Deutschen gelingt, Schansi zu bekommen, ihrer Gnade ausgeliefert sind . . .«

»Dann müssen wir uns bis an die Zähne bewaffnen. Das würde bedeuten: noch mehr Schiffe, noch mehr Mahan, noch mehr Getöse von Teddy! Oh, ich habe das Ganze so satt!« Hinter Adams rülpste das Feuer solidarisch. Die beiden Männer fuhren leicht zusammen. Dann setzte sich Adams auf seinen geliebten kleinen Lederstuhl gegenüber Hays geliebtem kleinen Lederstuhl. Das »Kinder-Studio« hatte die gewichtige Clara diesen Raum getauft, der völlig für den Komfort großer kleiner Männer und charmanter Nichten gedacht war. »Ich bewundere Brooks' Theorie, soweit ich sie begreife: Nationen als Organismen. Nationen als Reservoirs von Energie, die sich langsam leeren, sofern sie nicht wieder aufgefüllt werden. All das begreife ich. Aber ich möchte die Theorie wirklich verstehen, und das tue ich nicht, jedenfalls nicht richtig, und die versteht auch Brooks nicht, bloß daß er das verdammte Ding *anwenden* will. Er ist verrückt. Und mit seiner Aufgeregtheit steckt er alle möglichen, an sich vernünftigen Leute an – wie zum Beispiel dich.«

»Ich bin nur aufgeregt, wenn du aufgeregt bist, Henry.«

»Nun, wenn ich an ihn denke, dann *bin* ich aufgeregt. Brooks glaubt, daß England bald zusammenbrechen wird. Das glaube ich auch. Und er ist davon überzeugt, daß wir ihr Empire erben werden. Das sehe ich anders. Falls es aber doch so ist, dann nicht für lange. Ich möchte, daß wir rings um uns so eine Art chinesischer Mauer errichten und uns möglichst lange dahinter verbergen. Im kommenden Vierteljahrhundert wird die Welt zu Bruch gehen, und ich bin dafür, daß wir uns da solange wie möglich heraushalten. Ich bin nämlich anti-imperialistisch. Sag das bloß nicht Teddy oder Lodge oder Mahan. Ich bin durchaus dafür, daß alles zu Bruch geht; vielleicht finden wir dann später ein paar Stücke, die aufzuheben sich lohnt. Bis dahin wäre es besser, die Philippinen zu vergessen. China zu vergessen. England seinem Niedergang zu überlassen. Mögen doch Rußland und Deutschland versuchen, die Maschine in Gang zu halten, während wir von den Reichtümern unseres Landes leben, die soviel größer sind als ihre. Am Ende werden sie bankrott gehen. Weshalb sollten wir ihnen dabei Gesellschaft leisten?«

»Vielleicht«, sagte Hay, von der Heftigkeit dieser Worte ebenso überrascht wie vom unverkennbaren Wandel in Adams' Weltbild, »vielleicht wird es uns aber unmöglich sein, uns aus der Sache herauszuhalten, bis wir . . . bis wir deine Beutemacher-Politik verfolgen und die Überbleibsel auflesen können.«

»Beutemacher verdienen an den Kämpfen der anderen. Wie auch immer, wir sind viel zu tief in Asien engagiert.«

»Ich dachte, du wolltest, daß wir Sibirien bekommen . . .«

»Aber doch als Beutegut, nachdem der Zar und sein idiotischer Hof, jene fünfunddreißig Großfürsten, ihr wackliges Empire endgültig ruiniert haben. Ich würde bestimmt weder Admiral Dewey noch General Miles nach Port Arthur schicken.«

»Wie wär's mit Teddy? Den könnten wir doch jederzeit als Ein-Mann-Trupp mit Schießgewehr über Petersburg hinwegschicken – in einem Ballon natürlich.«

»Gefüllt mit Luft aus seiner eigenen strapazierfähigen Lunge. Ich habe ihn getroffen, als er vergangene Woche hier war. Er schwor, wieder einmal, Vizepräsident wolle er nicht werden.«

Hay seufzte. »Der Major will ihn nicht. Und Mark Hanna hat bereits einen Herzanfall erlitten, der zu Theodores Lasten geht. Er saß an seinem Schreibtisch im Senat und las gerade einen Zeitungsbericht über Theodores wilde Entschlossenheit, *nicht* Vizepräsident zu werden, als er mit einem furchtbaren Schrei zu Boden stürzte, ein Fast-Opfer Rooseveltscher Dementi-Manie.«

»Inzwischen ist er völlig wiederhergestellt.« Adams starrte mit finsterem Blick ins Feuer. »Jemand brachte ihn hierher zum Frühstück mit.«

»Mark Hanna!?« Hay war entsetzt; noch nie war ein Mensch von solcher Niedrigkeit an Adams' Frühstückstafel zu Gast gewesen. »Wer hat es gewagt, ihn herzubringen?«

»Cabot. Wer sonst? Es sei, sagte er, zur Bereicherung meiner . . . Bildung.«

Clara und Helen traten gemeinsam ein. Adams und Hay erhoben sich, um sie zu begrüßen – als hätten sie sich nicht gerade unter ihrem gemeinsamen Dach beim Tee getroffen. Um »Perspektive zu bewahren«, womit er seine geistige Gesundheit meinte, unternahm Hay an jedem Nachmittag, mochte es auch noch so kalt sein, einen Spaziergang mit Adams; anschließend trafen sie sich dann bei Clara zum Tee. Während dieser meist ausgedehnten Spaziergänge konnte Hay präzise ausführen, was ihm durch den Kopf ging, während Adams Gelegenheit hatte, mit beträchtlichem Charme klarzulegen, was dem Außenminister möglicherweise nicht durch den Kopf ging, es jedoch sollte.

Helen war dünner geworden; und für das liebevolle Auge ihres Vaters absolut reizend. Es galt als ausgemacht, daß sie in einem Jahr Payne Whitney heiraten würde, den stattlichen Sohn eines stattlichen Vaters, der ein korrupter Politiker und einer der Macher von Tammany war. Überdies war William C. Whitney zudem ein Macher von Geld und, wie ja auch Hay, »ein Gemahl des Mammon«: Er hatte seinerzeit Flora Payne geheiratet (korpulent wie Clara, mit solchen Pfunden wucherten reiche Erbinnen nicht), die inzwischen verstorben war, weniger betrauert von ihrem Gatten als von ihrem unverheirateten Bruder, Oliver Payne, dem reichsten von allen. Als Whitney sich wiederverheiratete, hatte Oliver Payne seinem einstigen Schwager den Krieg erklärt und es mit Hilfe gewaltiger Geldsummen verstanden, zwei der vier Whitney-Kinder ihrem Vater abspenstig zu machen: eine Tochter und einen Sohn. Glücklicherweise hatten die verfeindeten Ex-Schwäger Helen beide voll akzeptiert, und sie verkehrte zwischen den kriegführenden Häusern in der Art eines Parlamentärs. William Whitney, der einmal als Präsidentschaftskandidat im Gespräch gewesen war, wurde derzeit von Gouverneur Roosevelt kritisch unter die Lupe genommen, weil ihm in New York mehrere Straßenbahnlinien gehörten. Whitney, einst Mitglied von Clevelands Kabinett, war ein Verbündeter von Bryan und, wie Hay glaubte, Roosevelt mühelos gewachsen; Teddys Reformbestrebungen waren bislang mehr rhetorisch als real.

»Colonel Payne kommt doch auch, nicht wahr?« fragte Helen mit mehr Eifer, als ihr Vater für angemessen hielt.

»Er erweist mir die Ehre, teuerstes Kind. Aber ich habe ja immer ein offenes Haus für ganz Ohio. Das Los der Adams, nun schon in der vierten Generation.«

Clara lachte. »Ein Stone und ein Payne sind wohl kaum ganz Ohio.«

»Aber ein Mark Hanna und ein McKinley sind eine Nation«, sagte Hay.

»Eine Republikanische Partei, zumindest. Es scheint«, sagte Adams, und seine Miene erhellte sich, »daß jetzt alle Präsidenten aus Ohio kommen. Garfield, Hayes, der Major. Mit ihrem jungen Western-Reserve-Ruhm überstrahlen sie die alten Gründerväter ganz gehörig.«

»Lieber Henry«, murmelte Hay, »du übertreibst.«

Der Raum füllte sich. Adams hatte zwanzig Gäste geladen, die, wie er fand, Höchstzahl für eine Dinner-Party. Auf diese Weise blieb die Möglichkeit einer generellen Konversation, falls es, außer dem Gastgeber, irgend jemanden von besonderer Brillanz gab. Fehlte ein solcher Paladin, so konnten sich die Gäste, wenn sie wollten, über die Tafel hinweg miteinander unterhalten, eine Unmöglichkeit bei einem wirklich großen formellen Dinner, wo die Konversation auf »Arche-Noah-Paare« beschränkt blieb, wenn auch bei jedem Gang wechselnd, mal nach links, mal nach rechts.

Hay fielen unter den Anwesenden eine Anzahl von Senatoren auf, die Adams niemals eingeladen hätte, könnten sie nicht von Nutzen sein für Hays Vertrag: Er wußte das Opfer des Stachelschweins zu schätzen. Ein Paar von eher schlampiger Eleganz traf ein: Lord und Lady Pauncefote, eine gleichermaßen schlampige Tochter im Schlepptau.

Adams, als Gast ein Graus und in der Tat auch bei niemandem mehr zu Gast außer bei den Hays, war der beste aller Gastgeber. Geschickt manövrierte er seine Menagerie im Raum umher, in der Art eines Schäferhundes. Dennoch gelang es Del, an ihm vorbei zu seinem Vater vorzudringen. Während sie miteinander sprachen, studierte Hay seine Nase in Dels Gesicht. Solchermaßen also sorgte die Natur dafür, daß etwas von ihm erhalten bleiben würde, in und durch Del; und auch nach Del würde ihre offenbar unverlierbare Nase in zukünftigen Generationen weiterleben, ein Andenken an einen gewissen Johnny Hay aus Warsaw, Illinois, »in allen Sätteln gerecht und niemandes Knecht«, wie er einmal Adams gegenüber geprahlt hatte.

»Der Präsident hat gesagt, ich solle mir von Ihnen meine Instruktionen holen, Mr. Secretary.«

»Ich habe keinerlei Instruktionen für Sie, Generalkonsul, bis auf den allgemeinen Ratschlag, den ich immer gebe: Was man nie gesagt hat, kann auch nicht gegen einen verwendet werden.«

»Also werde ich gegenüber den Buren ebenso schweigen wie gegenüber den Engländern . . .«

»Jedoch ausführliche Berichte schreiben, an mich und . . . an den Präsidenten?« Hay war neugierig, wollte gern wissen, was der Präsident eigentlich von Del erwartete.

»Ich soll ihn auf dem laufenden halten, hat er gesagt. Weiter nichts. Du weißt ja, wie er ist.«

»Nicht so gut wie du.« Del wurde unwillkürlich rot. »Du besitzt sein Vertrauen.« Hay bemerkte den sentenziösen Klang seiner eigenen Stimme. »Mißbrauche es nicht.«

Warum nur, fragte sich Hay, schlug er Del gegenüber stets den falschen Ton an, während er gegenüber allen anderen – und dieser Tatsache verdankte er letztlich seine Karriere – ausnahmslos richtig lag?

»Warum sollte ich?« Der sanfte Del war zornig, und Hay wußte nicht, wie er ihn besänftigen sollte. Verlegen schaute er sich um und entdeckte, daß gerade der letzte Gast eingetroffen war, Caroline in einem prachtvollen, dunkelgoldenen Kleid. Sie wurde von Adams mit einem Handkuß begrüßt, was er bei Nichten nur selten zu tun pflegte, aber sie war ja auch weit eher eine elegante Pariser Lady als eine unscheinbare amerikanische Nichte. Hay fand, daß sie eine ausgezeichnete Partie war, während Clara sich weit weniger enthusiastisch zeigte, jedoch keinen Grund nennen konnte, warum Del ein so außergewöhnliches und seltenes Geschöpf *nicht* heiraten sollte. Dennoch fuhr Clara unverdrossen fort, sich über Fremdartigkeit und Ausländertum auszulassen, als habe sie Amasa Stones Haus in Cincinnati nie verlassen. Hay befürchtete, daß Caroline während Dels einjähriger Abwesenheit jemanden von höherem gesellschaftlichen Rang finden könnte. Hay teilte keineswegs die Überzeugung des typischen amerikanischen *nouveau riche*, daß einen das Neu- und das Reichsein zu einem Gesalbten des Herrn machte und man also Vorrang habe vor allem Adel samt seinen Wappen und jenem Geld, das als Landbesitz alt geworden war. Hay war aus dem Nichts gekommen, genau wie sein Schwiegervater, und er konnte, und diese Angst verließ ihn nie, im Handumdrehen wieder im Nichts verschwinden. Um diese Jahrhundertwende war es eher an der Tagesordnung, ein Vermögen zu verlieren, als eines zu gewinnen.

Caroline trat zu den Hays.

»Du bist spät dran«, sagte Del.

»Ich war . . .«, plötzlich geriet Caroline ins Stottern, » . . . im Büro. Ist es nicht schrecklich, wenn eine Frau so etwas sagen muß?«

»Sagt oder tut?« fragte Hay entzückt.

»Beides. Anfangs war die Tatsache, daß ich ein Büro habe, hier eine Neuheit. Jetzt ist das eine Quelle von . . . *chagrin.*« Sie benutzte das französische Wort.

»Die anderen Mädchen sind nur neidisch«, sagte Del.

»Oh, ›die anderen Mädchen‹ haben ganz und gar nichts dagegen. Ich bin ihnen nicht im Weg und also keinerlei Konkurrenz für sie. Es sind die Männer, denen die Sache immer weniger gefällt.«

»Wir sind das überflüssige Geschlecht.« Del betrachtete sie mit einem sehr zärtlichen Blick. Falls er wirklich so verliebt war, wie Hay vermutete, so war er zu beneiden, zumindest von seinem Vater, dessen zärtliche Gefühle für Clara nie bis zur Liebe gediehen waren. Allerdings hatten er und Clara sich in ziemlich jungen Jahren kennengelernt, und eine Ehe war seinerzeit mehr eine

Angelegenheit gewesen, bei der es darum ging, alles auf angemessene Weise miteinander zu teilen, Aussteuer und Verwandte ebenso wie, nun ja, Geld.

»Was hat Sie denn so lange in Ihrem sinistren Büro festgehalten?« fragte Hay, dem die Vorstellung behagte, daß eine junge Frau am schmutzig-scheußlichen Market Place eine Zeitung »machte«.

»Sie«, erwiderte Caroline. Ihr Haselnußaugen blickten direkt in seine, und mit wilder Phantasie malte er sich aus, er selbst, und nicht sein Sohn, sei mit diesem prachtvollen Geschöpf verlobt, das auf der Wange, wie ein Schönheitsmal, einen ebenso winzigen wie reizvollen Flecken Druckerschwärze hatte. Nur zu gut erinnerte Hay sich an die Druckerpressen aus seiner Jugendzeit.

»Wegen Vater? Wie das denn?« fragte Del eifrig.

»Hat das nicht Zeit bis nach dem Dinner?« Caroline machte einen Schritt rückwärts und stieß gegen Root, der sich gerade näherte.

»Keinen Bissen bekomme ich herunter, bevor ich nicht weiß, welche Schrecken die Presse über meinem Haupt herniederregnen lassen will.« Hay war sich nicht sicher, was er mehr verabscheute, den lauten, ignoranten, korrupten Senat oder die gleichermaßen laute, ignorante, korrupte Presse. Da er sowohl Journalist als auch Chefredakteur gewesen war, verachtete er, summa summarum, die Presse wohl noch mehr. Er verstand einen Journalisten auf eine Weise, wie ihm das bei einem egomanischen Senator, der sich als die Verkörperung der Nation sah, unmöglich war; eine Inkarnation in der Tat, total geistlos und laut, laut, laut.

»Miss Sanford, erlösen Sie uns von der Spannung. Was ist über den Draht gekommen?« Root blickte zu Hay hinüber. »Das Kriegsministerium ist seit dem letzten Frost von der Welt abgeschnitten. Falls es eine Invasion gäbe, würden wir nichts davon erfahren.«

»Wahrscheinlich würde die New York Sun Sie auf dem laufenden halten«, sagte Caroline, während sie einen Zeitungsausschnitt aus ihrer Handtasche zog. »Das ist ihre morgige Ausgabe. Gouverneur Roosevelt hat Ihren Vertrag attackiert.«

Hay nahm den Zeitungsausschnitt und gab vor, ihn zu lesen, obwohl er ohne das Pincenez, das an seiner Brust hing, nichts sehen konnte. »Vermutlich«, bemerkte er ruhig, »ist das auch der Grund dafür, daß Cabot heute abend nicht gekommen ist.«

»Teddy fängt an, mich zu langweilen«, sagte Root und schien für einen kurzen Augenblick die Zähne zu fletschen. »Er will, daß wir den Kanal militärisch befestigen.«

»Falls der Senat den Vertrag nicht billigt . . .«, Hay hatte das Gefühl, daß seine Worte wie aus großer Entfernung an sein Ohr drangen, » . . . bleibt mir gar keine andere Wahl als zurückzutreten.«

»Wenn Sie das tun«, sagte Root grübelnd, »nehmen Sie auch Teddy nach unten mit. Der Präsident wird ihm niemals verzeihen.«

»Dann werde ich gleich zwei vortreffliche Dinge getan haben.« Hays Lächeln wirkte gezwungen. »Vermeiden wir es, mit den anderen hierüber zu sprechen. Sie können von meiner Schmach ja morgen in der Zeitung lesen.«

Er sah Caroline an. »Sie bringen Teddys Statement?«

»Auf Seite drei . . .«

»Wo es hingehört«, sagte Root.

»Auf Seite eins wird bei mir eine ganze Familie ermordet, mit ein und derselben Axt«, sagte Caroline.

»Braves Mädchen!« Hay zeigte sich amüsiert. »Das Wichtigste an erster Stelle, immer. Sieht Dels Nase so aus wie meine?«

»Ja. Eine perfekte Kopie. Es fasziniert mich immer wieder, wie sich physische Merkmale in Familien von Generation zu Generation erhalten.« Sie sagte auf ihre Weise, was seinen Beobachtungen entsprach.

»Ihre Mutter . . .«

»Ich weiß.«

Aber Hay war überzeugt, daß Caroline die Gerüchte über die berühmte Princesse d'Agrigente nicht kannte.

Nach dem Dinner stiegen Caroline und Del und Helen Hay in den hinteren Teil eines Schlittens, der sie in einer langen Mondscheinfahrt nach Chevy Chase, einem Weiler, bringen sollte.

»In Rußland muß es genauso sein. Genau so!« rief Helen, als sie, die Stadt hinter sich lassend, in die offene, verschneite Landschaft gelangten, eine Welt ohne Farbe, nur schwarz, weiß und Schattierungen von Grau; dazu das plötzliche Aufblitzen und Glitzern wie von Brillanten, wenn Mondlicht auf Eis traf. Clara Hay hatte, ohne alle Umschweife, darauf bestanden, daß Helen bei dieser letzten gemeinsamen Ausfahrt des jungen Paares »mit von der Partie« sei, sehr zu Carolines Erleichterung, unverkennbar zu Dels Mißfallen. Sie empfand wenig Wonne, wenn, unter der Zobeldecke, ihre Hand gedrückt wurde, und ein geraubter Kuß, wo auch immer, deprimierte sie sogar eher. Sie war nicht wie andere Menschen, und ihre Andersartigkeit hatte sie als gegeben akzeptiert. Sie war bereit, fühlte sich bereit für alles, auch das, was sich zwischen zwei ineinander verschlungenen Anatomien ereignete, samt dem Prikkeln von Feigenblättern oder was auch immer; unerträglich war für sie indes die amerikanische Methode der zaghaften Schrittchen-für-Schrittchen-Gunstgewinnung. In Paris waren Heiraten wenigstens geschäftliche Angelegenheiten, wie die Fusion zweier Firmen.

Helen plapperte unaufhörlich über Payne. Wie er und seine Schwester Pauline ihrem ledigen Onkel Oliver den Vorzug gegeben hätten vor ihrem stattlichen – *stattlichen*, wiederholte sie – Vater. Sie wolle kein Urteil fällen, zumal ja doch der andere Bruder, Harry, und die andere Schwester, Dorothy, sich dafür entschieden hätten, bei ihrem Vater zu bleiben. »Du kannst nicht wissen, Caroline, wie es ist, in einer Familie zu leben mit solchen, solchen shakespeareschen Emotionen, Emotionen!«

»Aber ich kann es mir *vorstellen*, Helen.« Irgendwie wurde Caroline den Verdacht nicht los, daß bei ihren eigenen Eltern gleichsam etwas »Elizabethanisches« mit im Spiel gewesen war. Weshalb hatte ihr Vater niemals die, wie es hieß, »dunkle« Emma erwähnt? Warum hatte Blaise ihr erzählt, daß Mrs. Delacroix' Augen bei der bloßen Erwähnung Emmas ausdruckslos wurden? Und dann war da, hinter all dem, Aaron Burr: wert ein Dutzend Whitneys und das Gros der Paynes. Doch wie dem auch immer sein mochte, der alte Oliver Payne war für Caroline so etwas wie der Inbegriff der Gemeinheit, weil er sich zwischen den Vater und seine Kinder gestellt und ihm zwei davon quasi abgekauft hatte, als der sich wiederverheiratet hatte – drei Jahre nach dem Tod von Olivers Schwester, Flora, die der Bruder vergöttert hatte, genauso, wie er einmal seinen – »stattlichen, stattlichen«, wie Helen sagen würde – Schwager vergöttert oder zumindest verehrt haben sollte. Aber jeder hält ja seine eigene für die einzig wahre Familie, für besser als alle anderen, dachte Caroline in dem Gefühl, eine Erkenntnis gewonnen zu haben, indes der Kutscher den Schlitten dahinjagen ließ über ein dunkles, spurenloses Feld dicht bei einem Farmhaus, wo ein einziges erleuchtetes Fenster Raum und Zeit mit einem Rechteck aus gelbem Licht füllte, der einzigen Farbe in dieser nächtlichen Welt.

»Oh, *wir* sind nichts Besonderes«, sagte Helen, Carolines Gedanken aufgreifend. »Wir sind ziemlich langweilig, Del, nicht wahr?«

»Einige von uns mehr als andere«, erwiderte Del diplomatisch. Unter der Decke hielt er, mit leicht feuchten Fingern, Carolines Hand.

»Aber das Leben eures Vaters ist doch so interessant verlaufen.« Caroline stimmte sich gleichsam ein für jene Abschiedsumarmung, die an diesem letzten gemeinsamen Abend fällig sein würde. Manchmal hatte sie das Gefühl, teilzunehmen an einem ziemlich komplizierten Bauerntanz, der ihr nur unvollkommen erklärt worden war. Jetzt hält man Händchen; jetzt wird mit dem Absatz aufgestampft; jetzt der Kopf gedreht; und dann der Kuß.

»Ich glaube nicht, daß Vater das Gefühl hat, er habe ein solches Leben wirklich gelebt«, sagte Helen plötzlich.

»Ja, wer denn sonst?« Caroline betrachtete Helens Profil, das jetzt deutlich vor der mondhellen Schneefläche zu erkennen war.

»Darüber denkt er wohl nicht weiter nach. Er befindet sich in der Gegenwart; und in der Gegenwart gibt's immer etwas, das nicht in Ordnung ist und ihn beunruhigt. Ich habe ihm eine Kopie des berühmten Bildes gezeigt, auf dem er mit John Nicolay und Präsident Lincoln zu sehen ist. Du weißt schon, vor dem Kamin im Büro des Präsidenten sitzend, und er sagte, er könne sich nicht erinnern, wann es gemacht wurde, und sei sicher, noch nie einen Blick auf jenen dürren jungen Mann, der sich John Hay nannte, geworfen zu haben.«

»Nun ja, immerhin erinnerte er sich daran, daß das Bild in einem Atelier gemacht worden und der Hintergrund erst nachträglich eingefügt worden war.« Mit festem Druck umspannten Dels Finger Carolines Hand. Sollte sie den Druck erwidern?

»Hoffentlich werde ich niemals so alt.« Es klang, als ob Helen meinte, was sie sagte. »Ich glaube, er wird zurücktreten, falls der Senat seinen Vertrag ablehnt.«

»Das glaube ich nicht«, sagte Del; und Caroline zog ihre Hand zurück und machte eine Faust. »Der Präsident braucht ihn. Und was würde er tun, wenn er zurückträte? Der Haß gegen den Senat erhält ihn am Leben.«

In Chevy Chase hielten sie vor einer Schenke aus dem 18. Jahrhundert, tranken dann vor einem großen Feuer heißen Butterrum. Am benachbarten Tisch spielten vier Männer schweigend Karten, ortsansässige Farmer offenbar. Helen entschuldigte sich taktvoll.

»Ich wünschte, du würdest nach Pretoria mitkommen.«

»Das wünschte ich auch.« Caroline meinte es fast ernst. Schließlich, gab es einen netteren Menschen als Del? »Aber ich muß mich um die Zeitung kümmern und außerdem mit Blaise fertig werden.«

»Warum ist er dir gegenüber nur so unnachgiebig? Schließlich wirst du in ein paar Jahren sowieso erben.«

»Weil mein Plan ein Fehlschlag war. Er ist mir viel ähnlicher, als ich glaubte. Ich dachte, wenn ich etwas hätte, das auch er wollte, würde er nachgeben. Aber jetzt wird er das natürlich niemals tun.«

»Bist du auch so?«

»Ich glaube schon – wenn's hart auf hart geht. Jedenfalls bin ich ihm gegenüber so. Mr. Hearst ist gleichfalls sehr wütend auf mich«, sagte sie zufrieden.

»Wenn wir verheiratet sind . . .«

Wieder war der Tanz im Gange; ein kurzer Augenblick der Panik. Welches war ihr nächster Schritt? »Ja, Del?«

»Dann wirst du doch nicht weitermachen, nicht wahr?«

»Du würdest das nicht wollen?«

»Meinst du denn, daß eine verheiratete Frau so etwas tun sollte?«

»Es gibt«, erwiderte Caroline klug, »unter Ehefrauen solche und solche. Wäre ich denn für deinen Vater und den Präsidenten nicht von größerem Nutzen mit einer Zeitung statt ohne?«

»Wärst du auch für mich von größerem Nutzen?«

»Das weiß ich nicht.« Caroline hatte darüber noch nicht nachgedacht. Ihr wurde bewußt, daß sie beim Paarungstanz mit mehreren Schritten im Rückstand war. »Falls du dich der Diplomatenlaufbahn verschreibst und dann im Ausland lebst, wäre die Antwort wohl nein. Aber du hast ja gesagt, nach Pretoria würdest du lieber wieder hier sein, in der Politik!«

»Oder im Business. Ich weiß es nicht. Pretoria – das ist für den Präsidenten. Er möchte dort jemanden haben, bei dem er sich darauf verlassen kann, daß der ihm berichtet, was wirklich vorgeht zwischen den Engländern und den Buren. Er glaubt, Vater sei zu . . .«

»Pro-britisch?«

Del lächelte. »Das kann ich doch nicht zu einer Zeitungsverlegerin sagen, oder?«

»Glücklicherweise ist das gar nicht nötig. Die Tribune hat sich bereits geäußert. Erinnerst du dich?«

»Als sich einige Senatoren beim Präsidenten darüber beklagten, der Außenminister sei ein Produkt der englischen Schule . . .«

» . . . sagte der Präsident: ›Ich dachte, er sei ein Produkt der Schule Abraham Lincolns.‹ Ja, diese Story haben wir als erste gebracht. Und alle anderen haben dann nachgezogen.«

»Stimmte sie denn?«

Caroline lachte. »Im Kern schon. Jedenfalls bin ich zur Zeit zu tief drin bei der Tribune.«

»Aber wenn *ich* sie nun kaufen würde . . . ?«

»Oh, davor würde ich dich entschieden warnen! Das bin ich dir schuldig.«

»Du verlierst viel dabei?«

»Wir machen einen kleinen Gewinn.« In Wirklichkeit sah es so aus: Durch den erhöhten Absatz an den Zeitungsständen sowie jene zusätzlichen Inserate, die Caroline erbarmungslos von Mrs. Binghams Freunden und der gesamten Apgar-Sippschaft erpreßte, war die Tribune, wenn auch nur mit Ach und Krach, aus den roten in die schwarzen Zahlen gekommen. Mr. Trimble zeigte sich angemessen beeindruckt; und Caroline platzte fast vor Stolz.

»Ich habe etwas für dich«, sagte sie jetzt plötzlich, entschlossen, ihren eigenen Takt vorzulegen. Sie zog ein winziges Päckchen aus ihrer Handtasche und bemerkte sehr wohl, wie erstaunt Del über den plötzlichen Wechsel im herkömmlichen Muster war: Aus dem Ländler war unversehens ein Walzer geworden. Del öffnete das Päckchen; und nahm einen schweren goldenen Ring mit einem Opal von dunklem Feuerrot heraus. »Er hat meinem Vater gehört«, sagte Caroline, plötzlich befangen. War sie zu weit gegangen? »Opale bringen Unglück, aber ihm hat er Glück gebracht, und wenn es dein Geburtsstein ist . . .«

»Was es ja tatsächlich ist«, sagte er, streifte sich den Ring auf den

Finger und küßte sie, ohne auf die Kartenspieler zu achten, die ihrerseits auf das junge, jetzt verlobte Paar nicht zu achten schienen. Caroline trug ihren Saphir bereits seit einem Monat, in aller Offenheit, ohne weitere Erklärung. Marguerite hatte sie dafür kritisiert, genau wie die alte Miss Faith Apgar, die mit unter dem Dach des Hauses in der N Street wohnte, eine offizielle Duenna, dorthin beordert von den Apgars. Ohne offizielle Verlobung konnte man doch unmöglich den Ring eines Mannes tragen. Und nun also steckte der Ring einer Frau am Finger eines Mannes: Sollte dies jemals ruchbar werden, so würde die Kunde von dem Skandal sich blitzschnell vom Lafayette Square bis zum Scott Circle verbreiten. Denn wohl noch nie zuvor hatte ein Mädchen einem Mann einen Ring geschenkt.

Del schien das jedoch nichts auszumachen. »Schau!« Er zeigte Helen den Ring, als sie sich setzte.

»Guter Himmel! Wie schön! Wie gewagt! Wie . . . unglücklich!«

»Nicht für mich, der Opal«, sagte Del.

»Mein Vater hat ihn getragen; und lange gelebt. Und glücklich, glaube ich.«

»Er ist bei einem Unfall umgekommen«, begann Helen.

»Ein besseres Ende, als es die meisten seiner Zeitgenossen gefunden haben«, sagte Caroline. »Er war alt«, fügte sie hinzu.

»Als Poetin bin ich fasziniert. Fasziniert!« Helen hatte einen Band mit Gedichten veröffentlicht, nicht weniger gut, wenn auch längst nicht so populär wie die Jugendwerke ihres Vaters. »Ich, als die Schwester, finde, wir sollten ein Schweigegelübde ablegen, bis ihr beiden wirklich verheiratet seid.«

Darauf tranken sie alle drei, und Caroline fühlte sich plötzlich als Teil einer harmonischen Familie, etwas, das sie von daheim nicht kannte und bei Besuchen in den Häusern von Schulfreundinnen nur sporadisch hatte beobachten können. War es möglich, fragte sie sich, als sie zu dritt im Schlitten zur Stadt zurückfuhren, daß sie nicht immer allein sein würde?

Teil VII

1

Blaise stand vor dem vierstöckigen Brownstone in der 28. Straße nahe der Lexington Avenue. Die frischgepflanzten Bäume zu beiden Seiten der schokoladenfarbenen Stufen wirkten ein wenig zerrupft. Das alte Worth House war mittlerweile nur noch ein Schlammloch im Boden. Und Hearst mit seinem gewohnten Instinkt – oder ganz einfach Glück? – war es gelungen, statt dessen dieses Stadthaus des anspruchsvollsten und stilbewußtesten aller Präsidenten, vielleicht des einzigen seiner Art, Chester Arthur, zu kaufen.

George öffnete die Tür. »Nun, das ist jetzt unser Zuhause, Mr. Blaise«, sagte er. »Praktisch ein Palast, wenn ich an die Unzahl der Zimmer denke, um die ich mich kümmern muß.«

Blaise folgte George eine Mahagonitreppe hinauf in einen prachtvoll getäfelten Salon, der angefüllt war mit zumeist noch ungeöffneten Kisten voller Kunst oder dem, was man dafür hielt, während die Wände bedeckt waren mit Gemälden und Wandteppichen. Manche der Bilder hingen an Nägeln, die in Eile und Ungeduld durch kostbare Aubussons und Gobelins getrieben worden waren. Im Raum verstreut, fanden sich ägyptische Mumiensärge sowie Statuen, und zusammengenommen glich das alles einem frisch geöffneten Pharaonengrab: Beute vom Winteraufenthalt des Chefs auf dem Nil.

Der Chef selbst stand vor einer riesigen Karte der Vereinigten Staaten, in der zahlreiche rote Nadeln steckten. Genau wie George war er in Hemdsärmeln. Und beide, George wie der Chef, wirkten hier irgendwie größer und gewichtiger als zuvor im Worth House. Im übrigen war Hearst unverändert. Nach wie vor zeigte er sich gegenüber den Willson-Girls loyal, war jedoch nicht bereit, zu heiraten. Um Gesellschaft zu haben, ließ er zur Zeit seinen Chefredakteur, den höflichen Arthur Brisbane, mit im Haus wohnen. Brisbane erinnerte Blaise an den leicht servilen Privatlehrer eines leicht beschränkten reichen Sprößling.

»National Association of Democrat Clubs. Wo sie sind. Jede rote Nadel ist ein Club.« Der Chef erklärte entweder zu viel oder zu wenig.

»Und Sie sind der Vorsitzende.«

»Ich bin der Vorsitzende. Ich weiß nicht.« Hearst ließ sich auf ein Sofa plumpsen und streifte seine Schuhe ab; die Socken lila und gelb gestreift. »Sieht nach Chicago aus«, sagte er schließlich.

»Für den Parteitag der Demokraten?«

»Und die Zeitungen. Ich habe zugestimmt. Der Chicago Evening American. Gefällt mir, das Wort American. Für eine Zeitung.«

»Und was ist mit der Evening? Der Abend – paßt das?« Blaise setzte sich in den Armlehnstuhl neben einer Sphinx in Lebensgröße – ging man davon aus, daß die Größe einer Revuetänzerin auch die einer Sphinx war.

»Na, man fängt eben mit dem Abend an und arbeitet sich dann klammheimlich zum Morgen vor. Braucht seine Zeit. Ich glaube, ich hab da einen Witz gemacht. Reiner Zufall. Wie geht's denn Ihrer französischen Lady?« Hearst konnte sich französische Namen nie merken.

»Die ist in Frankreich. Wo französische Ladys zu leben pflegen.«

»Sehr gut gekleidet«, sagte der Chef nachdenklich. »Den Mädchen gefallen ihre Kleider sehr. Und sie auch«, fügte er hinzu, den Sarg der Mumie betrachtend, die den Chef, wie Blaise hoffte, nicht allzusehr an seine Geliebte erinnerte.

»Sie haben gesagt, Sie hätten zugestimmt? Wem denn?«

»Wem? Wobei? Brisbane sagt, der Mumiensarg sei eine Fälschung. Aber wie will er das wissen?«

Blaise überging Brisbane. »Wegen der Zeitung in Chicago.«

»Dem Democratic National Committee. Die meinen, sie hätten in diesem Jahr keine Chance ohne eine Chicagoer Zeitung, und so, nachdem sie mich zum Vorsitzenden gemacht haben von allen Clubs, im ganzen Land, verstehen Sie? Drei Millionen Mitglieder.« Er schwenkte seine Hand gegen die Landkarte: Dies sollte seine Machtbasis in der Partei sein. »Und so habe ich gesagt, ich würde eine Zeitung gründen. Erste Nummer am zweiten Juli, zwei Tage vor dem Parteitag der Demokraten. Bryan wird die Druckerpressen in Gang setzen.«

»Bryan ist der Kandidat?«

Der Chef ließ einen Grunzlaut hören. »*Ich* bin's nicht«, sagte er ausweichend. »Das wird einen Haufen kosten.« Er zog das verstaubte Banjo unter dem Sofa hervor, ließ seinen Daumen über die Saiten gleiten, die sämtlich verstimmt waren. Zum Glück machte Hearst gar nicht erst den Versuch, irgend etwas zu spielen.

Blaise wappnete sich gegen den zu erwartenden nächsten Zug des Chefs. Doch der machte ihn nicht. »Meine Mutter hat mehr Glück, als es mein Vater jemals hatte«, sagte er. »Sie ist an der Homestead Mine beteiligt. South Dakota Gold. Die machen im Moment sechs Millionen Dollar pro Jahr, und sie ist *die* Großaktionärin.«

»Damit wäre also die Geldfrage gelöst.« Blaise fühlte sich, für den Augenblick, erleichtert.

»Möglicherweise. Croker ist auf dem Weg hierher. Er hat Tammany für Bryan auf Vordermann gebracht. Die City. Ich werde den Rest des Staates auf seine Seite bringen.«

»Wollen Sie denn Bryan?«

»Ich kann ihn nicht stoppen. Aber er hat versprochen, in Sachen Silber langsam zu treten. Schuldet mir 'ne Menge. Wollen Sie in Chicago mit einsteigen?« Auf diese Weise gelang es Hearst, Blaise dazu zu bewegen, sich finanziell zu beteiligen. Obwohl Hearst unumschränkter Alleineigentümer all seiner Zeitungen blieb, war er gezwungen, persönliche Darlehen aufzunehmen. Die Idee, eine Zeitung – respektive die Macht – mit irgend jemandem zu teilen, war für ihn jedoch undenkbar. Jenes Detail über die Homestead Mine sollte Blaise nur daran erinnern, daß Mrs. Hearst ihrem Sohn jederzeit aus der Klemme helfen würde. Hearsts Mann für das Business, Solomon Carvalho, zufolge war Mrs. Hearsts Vermögen jetzt größer als jenes, das ihr Mann hinterlassen hatte. Das Glück war ein Familienfreund der Hearsts.

»Ich glaube schon. Ich werde mit Carvalho sprechen.« Blaise zog es vor, Business mit Businessleuten zu machen und nicht mit – aber was war der Chef denn eigentlich? Ein Visionär? Kaum. Eher ein Neuerer, ein Unternehmer, ein Stück Naturgewalt.

»Tun Sie das. Was ist mit diesem Washingtoner Blatt?«

»Meine Schwester hält durch.«

»Wird nicht ewig so gehen.«

»John McLean hat versprochen, ihr, falls nötig, finanziell unter die Arme zu greifen, um Sie von Washington fernzuhalten.«

Hearsts dünnlippiger Mund hörte auf, ein Mund zu sein; ein dünner Riß zerspaltete jetzt das weiße Gesicht. »Eines Tages werde ich die Post kaufen. Um McLean von Washington fernzuhalten. Er will sie. Aber der alte Wilkins wird sie ihm nicht verkaufen. Mir dagegen ja.«

Blaise bewunderte und bemitleidete den Chef wegen seiner unerschütterlichen Überzeugung, daß ihm eines Tages alles gehören würde, was er sich wünschte. »Ich habe den Baltimore Examiner im Auge.«

»Nicht schlecht«, sagte Hearst. »Billig. Sehr ausbaufähig.« Ohne sich dessen bewußt zu sein, sagte er dasselbe wie Carvalho. »Die brauchen's, oder könnten's jedenfalls brauchen, in Washington.«

George meldete Mr. Richard Croker, den Herrscher von Tammany und das demokratische Äquivalent zu Senator Platt, mit dem zu »kungeln« er sich nicht zu fein war. Im Grunde betrachtete sich Croker als einen ganz normalen Geschäftsmann, der, gleichsam gegen Provision, mit einem anderen Geschäftsmann Geschäfte machte. Er kontrollierte die Politik der City. Er genoß die Gesellschaft und sogar die Freundschaft der Magnaten der Demokratischen Partei, zumal die von William C. Whitney. Allerdings besaßen sie beide Rennställe und schickten ihre Pferde gegeneinander ins Rennen. Croker unterhielt Gestüte nicht nur im Staat New York, sondern auch in England. Er war eine eindrucksvolle Gestalt, ganz in Grau, von Haar und Bart bis zur Kleidung aus teurem englischen Tweed.

Croker schüttelte Hearst schlaff die Hand, der den Händedruck ebenso schlaff erwiderte; bei Blaise dagegen griff er sehr heftig zu. Blaise fühlte sich beeindruckt von diesem »Straßenjungen«, der es so weit gebracht hatte. Angefangen hatte er als Gefolgsmann des berüchtigten Bosses Tweed, und es konnte durchaus sein, daß er bei einer lang zurückliegenden Wahl einen Mann ermordet hatte. Die Geschworenen – zwölf üble Typen – waren zu keinem einhelligen Spruch gekommen, und so hatte man ihn wieder auf freien Fuß gesetzt; und sein Aufstieg hatte begonnen. »Ich habe meine Chancen gesehen«, pflegte er über seine lange Karriere zu sagen, »und ich hab sie wahrgenommen.« Er nahm »sauberes Schmiergeld« für Verträge mit der Stadt. »Schmutziges Schmiergeld«, das war das, worauf die Polizei aus war, Schutzgeld von Saloon-Besitzern und von Prostituierten. Obwohl Croker schmutziges Schmiergeld absolut mißbilligte und selbst niemals anrührte, hatte er einmal, in fast klagendem Ton, zu Blaise gesagt: »Mit einem gewissen Maß davon müssen wir uns abfinden. Schließlich sehen die Polizisten, wie wir all diese guten Geschäfte machen, und sie sehen auch, wie die Astors aus all den Mietskasernen all das Geld rausholen und dabei sämtliche Gesetze brechen, was, der Himmel vergebe uns, wir sie tun lassen, weil wir mit den Vierhundert genauso Geschäfte machen wie mit jedem, der respektabel ist. Wie kann ich da also hart gegen einen überarbeiteten Polizei-Sergeanten mit zehn Kindern vorgehen, der von einem Saloon-Besitzer pro Woche zehn Dollar Schutzgeld verlangt.« Blaise hatte mit Croker mehrere faszinierende Gespräche geführt, und in gewisser Weise bewunderte er ihn. Zumal beim Thema Reformer konnte er in Rage geraten. Wie auch jetzt.

»Das ist der übelste Haufen von Heuchlern, der mir in meinem ganzen Leben untergekommen ist.« Er entzündete eine Zigarre, blies Rauch in Richtung Hearst; der Chef hustete, was der Gast jedoch nicht bemerkte. »Der Allerschlimmste ist Roosevelt, weil er das Spiel kennt. Weil er das Spiel *spielt* . . .«

»Er nimmt Geld?« Blaise bereute seine Frage, kaum daß er sie gestellt hatte, als sich, ganz kurz, zwei mitleidige Augenpaare auf ihn richteten.

Naive Fragen blieben unbeantwortet. »Tag für Tag tut er so, als hätte er gerade die Sündhaftigkeit entdeckt, wo doch seine Familie wie jede andere Familie von Rang und Namen in dieser Stadt ihr angenehmes Leben nicht zuletzt der Tatsache verdankt, daß wir, daß die Stadtverwaltung es ermöglichen, etwa durch die Art und Weise, wie wir eben die Gesetze umgehen, die er und andere Leute seines Schlages gemacht haben – die wir ignorieren, damit man hier trotzdem sein Business betreiben kann, und zwar ein möglichst profitables. Wer ist Platt?« Die tiefe Stimme mit dem dicken irischen Akzent rollte und grollte bühnenreif. »Platt ist Croker, und Croker ist Platt, bloß ohne piekfeines Englisch und piekfeine Bildung. Aber unser Business betreiben wir auf die gleiche Weise. Wir holen uns die Wählerstimmen von den Lebenden und den Toten und den Einwanderern, selbst solchen, die glauben, sie leben in Australien. Der Himmel steh uns bei! Und wer bin ich, ihnen ihre

Illusionen zu nehmen? Also wirklich nicht.« In dieser Weise fuhr Croker noch eine Weile behaglich fort, bis der Chef schließlich die Hand hob.

»Wissen Sie, Mr. Croker, wenn ich wissen möchte, was die Republikaner im Schilde führen, dann frage ich Sie, und wenn ich erfahren möchte, wie das bei den Demokraten ist, dann frage ich Platt.«

Croker nickte; und lächelte beinahe. »Ja, so kann man der Wahrheit ziemlich nahe kommen, hinten herum, könnte man sagen.«

Der Chef nickte; und legte seine Füße auf den Rücken der Sphinx, eine für Croker augenscheinlich rätselhafte Kreatur. »Was tut Platt in Sachen Roosevelt?«

»Er will ihn so schnell wie möglich aus dem Staat hinaushaben. Wie wir alle. Es ist ja nicht so, daß Roosevelt irgend etwas *tut*. Mißverstehen Sie mich nicht. Aber er redet soviel. Und mit seinem Gerede schafft er es, gerade die Reichen gegen uns aufzubringen, denen sein Geschwätz doch wahrhaftig egal sein könnte.«

»Er ist ein Demagoge.« Blaise versuchte, zu dem Gespräch etwas Entscheidendes beizutragen.

Croker nickte. »So könnte man ihn nennen. Der arme, alte Platt hat Pech gehabt und sich eine Menge Rippen gebrochen. Er steckt bis hierher in Gips.« Croker deutete auf die Stelle, wo sich vermutlich sein Hals befand, sofern er, unter grauem Bart und grauem Tweed, über einen solchen Körperteil verfügte. »Geht ihm ziemlich schlecht heute. Hat Fieber. Doch er ist fest entschlossen, Teddy nicht wieder für das Amt des Gouverneurs kandidieren zu lassen.«

»Wie will er ihn daran hindern?« fragte Blaise.

»Eine Möglichkeit wäre, uns den Wahlerfolg zuzuschanzen. So glänzend hat Teddy beim erstenmal keineswegs abgeschnitten. Und es ist ja nicht so, als ob Platt und ich den Ausgang einer Wahl nicht schon früher gemeinsam arrangiert hätten. Aber Platt hat für dieses Jahr andere Pläne. Er möchte, daß McKinley Teddy als Vizepräsidenten akzeptiert.«

Hearst kratzte sich träge am Bauch; blickte zu einer kuhköpfigen ägyptischen Göttin, die zurückstarrte. »Dewey ist erledigt«, sagte er zu der Göttin.

Croker lachte; ein unangenehmes Geräusch. »Das Interview in der World hat das besorgt. «

»Ich hätte ihn managen können.« Hearst schloß die Augen. »Ich hätte ihn zum Präsidenten machen können.«

»Aber mit Mrs. Dewey wären auch Sie nicht fertig geworden, und das ist die Wahrheit.«

Wie jedermann hatte Blaise das Interview mit dem Admiral voller Verblüffung gelesen. Nach kurzer Überlegung hatte der Admiral sich bereit erklärt, Präsident zu werden, ein leichter Job seinen Äußerungen zufolge: Man tue ganz einfach das, was einem der Kongreß sage. Für diese Farce wurde allgemein Mrs. Dewey verantwortlich gemacht.

»Niemand«, sagte der Chef, »will Teddy.«

»Seit wann käme es denn darauf an? Platt will ihn von New York weghaben. Und die einzige Möglichkeit besteht darin, ihn zum Vizepräsidenten zu machen. Boss Quay aus Pennsylvania . . .«

». . . wurde aus dem Senat hinausgeworfen.«

»Eine Ba-ga-tel-le«, sagte Croker, jede Silbe genießend. »Wer braucht schon den Senat? Pennsylvania dagegen braucht jeder, und dort hat Matt Quay das Sagen. New York und Pennsylvania werden Teddy zum Vizepräsidenten machen.«

»Bosse.« Hearsts Stimme klang neutral; und seine Augen waren so rund, als wolle er die Kuhgöttin imitieren.

»Was ist denn Mark Hanna? Er ist der Boß der gesamten Republikanischen Partei.«

»Nein.« Hearsts Antwort kam unerwartet. »Die Zügel hat McKinley in der Hand, und Hanna ist der Mann, der das Geld auftreibt und den Buckel hinhält. Vorige Woche war Teddy in Washington und bettelte um den Job. Hanna sagte, nein, niemals, während McKinley meinte, möge der Beste gewinnen. McKinley möchte Allison.«

Blaise' »innere Liste« der wichtigen Leute in der amerikanischen Politik war noch unvollständig. Vage erinnerte er sich an einen ältlichen Senator namens Allison aus Iowa, der, ein Musterbild an Zuverlässigkeit und Treue, im Senat die Interessen, nein, nicht die seiner Wähler, sondern die hochbedeutender Firmen vertrat. »McKinley wird Allison nicht bekommen«, sagte Croker. »Was bedeutet, daß er ihn nicht wirklich will.«

»Vielleicht ist das der Grund dafür, daß er *sagt*, daß er ihn will.« Mit jedem Tag klang der Chef mehr wie ein Politiker als ein Zeitungsherausgeber. Blaise bezweifelte die Klugheit dieser Metamorphose. Bunte Schmetterlinge sollten sich nicht in unansehnliche Raupen verwandeln. »Dolliver ist der Mann, den die Burschen im Weißen Haus mögen. Dawes ist für ihn.«

»Dolliver.« Croker ließ den Namen gleichsam in jenem ewigen Zwischenreich schweben, aus dem sich viele, welche als Figuren höchsten Ranges ins gleißende Rampenlicht der Republik hätten treten können, nie mehr lösten; schillerndem Abfall gleich, schrieb Blaise in seinem Kopf. So nach und nach kam er hinter die »Tricks« der Zeitungsschreiberei. Der erste, und sei es auch ein noch so schandhafter, »Einfall«, der dem Zeitungsschreiber kam, der seinen Geist praktisch nur durch Zeitunglesen nährte, das war in der Regel genau der, den man in all seiner vertrauten Verschwommenheit ausschlachten mußte.

»Lodge unterstützt Long. New England unterstützt Long.« Hearst zupfte an einer Saite seines Banjos, und bei dem Geräusch zuckte selbst der abgehärtete Croker zusammen.

»Lodge arbeitet Tag und Nacht, für Teddy.« Croker betrachtete argwöhnisch das Banjo. »Er muß für Long sein. Das ist die Tarnung. Der New-England-Kandidat, ich meine Dolliver – nicht Allison –, ist eigentlich aus dem Mittelwesten. Was nun Root betrifft . . .«

»Ja, Root . . .« Hearst krauste die Stirn. Angestrengt versuchte Blaise, jedes der folgenden Worte zu verstehen, fühlte sich jedoch bald verloren wie in einem Labyrinth – wie stets, wenn Politiker in *ihre* Art von Rotwelsch verfielen, das irgendwie verwandt zu sein schien mit dem Argot der Pariser Ganoven. Soviel wurde immerhin klar: Root beeindruckte beide Männer; doch keiner schien bereit, ihn ins Rennen zu schicken.

»Wen also wollen *wir*, Mr. Hearst?« Endlich stellte Croker die direkte Frage.

»Jeden außer Teddy.« Hearsts Antwort war ebenso direkt.

»Ich verstehe schon. Was mich betrifft, ich bin da wie Platt. Ich möchte ihn aus New York raushaben. Er ist ganz einfach zu anstrengend.«

Hearst blickte zu Blaise hinüber. »Ich hab's arrangiert. Er sagt,

Sie sind der einzige Gentleman, den wir hier haben. Also, Sie können mit ihm in seinem Wagen mitfahren. Machen Sie sich jeden Tag über alles Notizen, die Sie uns anschließend telefonisch durchgeben. Wir verarbeiten das Material dann.«

»Mit ›er‹ meinen Sie Colonel Roosevelt?«

Hearst betrachtete das prachtvolle Bild eines Tintoretto-Schülers, der nach Ansicht von Blaise mit diesem Schinken vermutlich durch die Meisterprüfung gerasselt war. Was Kunstgegenstände betraf, so konnte dem Chef jeder jedes andrehen. »Sie haben eine Reservierung im Walton Hotel, auf derselben Etage wie Teddy. Sie fahren am Freitag ab. Um die Mittagszeit. Was Sie an speziellen Utensilien brauchen, befindet sich alles im Büro. Der Parteitag fängt erst am Dienstag an, so daß Teddy einen Vorsprung hat. Er wird überall rumschwirren und jedem erzählen, daß er *kein* Kandidat ist, zu jung, um schon so ins Rampenlicht zu treten, zu arm für ein solches Amt. Über diesen Unsinn brauchen Sie sich keine Notizen zu machen. Mr. Brisbane schreibt das übliche Teddy-Interview im Schlaf – in *ihrem* Schlaf.« Dem Chef war wieder einmal fast so etwas wie ein Scherz gelungen. Die dünne Stimme erstickte beinahe in asthmatischem Gelächter.

»So gut wie Weber und Fields«, strahlte Croker, der sich urplötzlich in einen fröhlichen Kobold zu verwandeln schien.

Blaise war weniger nachsichtig. »Und was ist mit Hanna in dieser Sache?«

»Der hält sich bei reichen Freunden in Haverford auf. Er wird am Samstag im Walton sein. Doch Charlie Dawes ist der Mann, den Sie im Auge behalten müssen. Er ist es, der mit McKinley im Weißen Haus telefonieren wird. Wenn Ihnen Teddy langweilig wird, kümmern Sie sich um Dawes.« Vage erinnerte sich Blaise an einen jungen Mann mit rötlichem Haar, von dem es hieß, er gehöre zu den wenigen Vertrauten des Präsidenten. »Er wird bei der Delegation aus Illinois sein.« Hearst gab noch einige weitere Instruktionen; dann verabschiedete sich Blaise von Chef und Boß.

Als er den Raum verließ, hörte er noch einmal die listige Singsang-Stimme des Kobolds: »Und dann werden wir, wenn Teddy nach Washington gegangen ist, einen Gouverneur nach unserem Geschmack brauchen, einen feinen, berühmten Mann, Mr. Hearst, mit dem wir vernünftig verhandeln können.«

»Ich bin für Reformen, Croker.«

»Wer ist das nicht? Wenn das Herbstlaub fällt und der erste Dienstag im November kommt, jene kostbare Gabe unserer tapferen Vorfahren, die bei Bunker Hill fielen, und wir den neuen Gouverneur dieses Staates wählen – einen reformerischen Gouverneur –, warum dann nicht William Randolph Hearst?«

Leider, leider schloß George die Tür, bevor Blaise die Antwort des Chefs auf diesen Sirenengesang vernehmen konnte.

2

Herzlich hieß Theodore Roosevelt Blaise in seinem Eisenbahnwagen willkommen, einem etwas schäbigen Exemplar für den Gouverneur eines so großen Staates, mit einer Unmasse schmutziger grüner Sitzgelegenheiten sowie nicht weniger schmutziger Sofa- und Sitzschoner, die weitgehend okkupiert wurden von Helfern, befreundeten Journalisten sowie den vertikalen Überresten von Senator Platt, der eine Zeitlang tot gewesen zu sein schien. Sein Gesicht war bläßlich blau, in hübschem Kontrast zu seinem weißen Backenbart, indes der Oberkörper unter dem Gehrock in Gips steckte, was ihn auf frappierende Weise einer Leiche im Zustand fortgeschrittener Leichenstarre gleichen ließ.

»Entzückt, daß Sie kommen konnten!« Ausnahmsweise gebrauchte Roosevelt nicht das für ihn so typische »Hoch-entzückt« mit den drei deutlich voneinander getrennten Silben. Er wirkte – untypischerweise – irgendwie gehemmt, ja nervös. Plötzlich ruckte der Zug an. Blaise und Roosevelt fielen gegen Senator Platts Stuhl. Ein leiser Aufschrei folgte. Blaise sah den Senator an, sah, im bleich bläulichen Gesicht, ein anklagendes Augenpaar, das die beiden Sünder böse anfunkelte.

»Senator. Verzeihen Sie mir, uns. Der Zug . . .« Stotternd entschuldigte sich Roosevelt.

»Meine Tabletten.« Die Stimme war die Stimme eines Sterbenden. Ein Bediensteter brachte die Tabletten. Der Senator nahm sie ein, und Schlaf – nicht der des Todes, sondern der der Opiate – überwältigte den Boß der Republikaner.

»Er hat schlimme Schmerzen«, sagte Roosevelt, nicht ohne Genugtuung. Furchte dann die Stirn. »Genau wie ich.« Er tippte mit dem Zeigefinger gegen einen seiner riesigen Kaninchenzähne. »Höllenschmerzen. Doch keine Zeit, ihn mir ziehen zu lassen, wo ich so viele Reden halten muß. Geht einfach nicht. Muß eben leiden. Bin nur ein einfacher Delegierter. Bin *kein* Kandidat für die Vizepräsidentschaft. Warum glaubt man mir das nur nicht?«

Blaise unterdrückte, was ihm auf der Zunge lag: Weil Sie lügen.

Roosevelt verstand es, sein Schweigen zu lesen. »Nein, ich ziere mich nicht«, sagte er. »Es ist eine komplizierte Angelegenheit. Wenn man als potentieller Kandidat die Leute wirklich hinter sich hat, so ist das eine Sache. Eine ganz andere Sache ist es, dem Parteitag aufgezwungen zu werden von . . .«, aus alter Gewohnheit hieb er mit der rechten Faust gegen die linke Handfläche, ». . . von den Bossen.«

Der Boß von New York hörte dies; öffnete seine wie umschleierten Augen; verzog unter dem weißen Schnurrbart spöttisch die Lippen; glitt zurück in seinen betäubten Schlaf.

»Nun, Sie haben Platt und Quay hinter sich«, begann Blaise.

»Was im Grunde ist ein Boß anderes als jemand, der von den Leuten geführt wird?« Das war eine neue Variante. »Schön, sie machen Richter und Bürgermeister und Friedensrichter und . . . so allerlei Geschäfte, ja. Das weiß ich alles. Aber er . . .«, Roosevelt senkte seine Stimme und deutete auf Platt, dessen Rücken ihnen jetzt zugekehrt war, ». . . wollte mich nicht als Gouverneur haben und will mich auch nicht als Vizepräsidenten, doch die Leute drängen und drängen, und so stellen sich die Bosse an die Spitze wie . . . wie?«

»Mirabeau.«

»Ja! Das ist der Mann! Als der Mob auf den Straßen los war, sagte er: ›Ich weiß zwar nicht, wohin die wollen, aber als ihr Führer muß ich sie führen, wohin auch immer‹, sagte er.«

»Oder so etwas Ähnliches«, murmelte Blaise. Aber Roosevelt hörte nie, was er nicht hören wollte. Blaise zwang ihn jedoch zu einer Erklärung, warum er, wenn er kein Kandidat sei, denn so frühzeitig in Philadelphia zu sein wünsche, drei Tage vor Beginn des Parteitags; und Mark Hanna war nicht in der Stadt.

»Senator Lodge sagt, ich beginge einen großen Fehler. Das sagt er natürlich immer. Ganz egal, was irgend jemand tut.« Roosevelt schwenkte seinen massigen Oberschenkel über die Armlehne seines Stuhls. Ein Kellner brachte ihm Tee. Blaise bestellte Kaffee. Verstohlen wurde Blaise von den anderen Journalisten beobachtet, die darauf lauerten, daß er endlich den Stuhl neben dem Gouverneur freigab. Doch Roosevelt schien in diesem so schwierigen Augenblick seiner Karriere dringend der Gesellschaft eines Gentleman zu bedürfen. Blaise gewann den Eindruck, daß der Gouverneur nicht nur nervös war, sondern auch unentschlossen. Er fuhr zu einem Parteitag, der, wenn auch in McKinleys Namen, de facto von Roosevelts Feind Hanna kontrolliert wurde. Zwar war der Colonel ein Nationalheld, doch Parteitage – zumal es dabei ja um die Nominierung hochwichtiger Kandidaten ging – zeigten wenig Respekt vor jener Art von Popularität, die ein Produkt der so leicht manipulierbaren Presse und ihres so leichtgläubigen Publikums war.

Roosevelt räumte das ein: »Gouverneur bin ich, nach Kuba, auf einer Hurra-Welle geworden. Aber wie lange kann ein Hurra in der Politik schon anhalten?«

»Bei Admiral Dewey nur ein paar Monate.«

»All das verschleudert zu haben.« Roosevelt schüttelte verwundert den Kopf. »Ich erobere einen Hügel. Er erobert die Welt. Jetzt lacht man über ihn und über jenen ewigen Siegesbogen, der auf der Fifth Avenue in Stücke fällt. Ich habe dem Bürgermeister gerade gesagt, er solle ihn abreißen. Aber er, der Bürgermeister, hört nicht auf mich. Weil ich kein Kriegsheld mehr bin. Ich bin nichts weiter als der hart arbeitende Gouverneur, der sich um alles kümmern muß, die Trusts, die Whitneys, die Versicherungsgesellschaften . . .« Mit seiner hohen Stimme setzte Roosevelt die inzwischen auch Blaise altvertraute Leier fort. Als bei der Litanei eine hochwillkommene Pause eintrat, überließ Blaise seinen Stuhl der New York Sun, dem Roosevelt-Blatt.

Gegen Ende der Fahrt öffnete Platt seine noch immer leicht umschleierten Augen; sah Blaise; winkte ihn zu sich. »Mr. Sanford von den römisch-katholischen Sanfords.« Der Schatten eines Lächelns entstellte das leichenartige Gesicht. »Was macht Mr. Hearst?«

»Er expandiert, Senator. «

»Womit? Auflagenhöhe? Leibesumfang? Als Politiker? Als Vorsitzender all jener Clubs?«

»In andere Großstädte. Noch mehr Zeitungen.«

»Na, *damit* kennt er sich aus.« Platt setzte sich noch steifer auf, verzog schmerzvoll das Gesicht.

»Ich wüßte gern, Sir, wie Sie darüber denken, daß Senator Hanna für Cornelius Bliss als Vizepräsidenten eintritt.«

»Nach meiner Meinung beweist das, was für ein verdammter Narr Hanna ist und schon immer war.« Auf seinen aschfarbenen Wangen erschien, einem Daumenabdruck ähnlich, ein roter Flekken. »Was ist Hanna denn schon anderes als ein dummer Händler, ein Krämer? Nein, zitieren Sie mich nicht. Lassen Sie mich das im Senat sagen, zuerst – oder zuletzt. Hanna versteht sich nur auf eins: für McKinley Geld aufzutreiben. Von Politik hat er keine Ahnung. Bliss, verdammt noch mal, ist mein Mann!« Zweimal hatte der religiöse Platt in Blaise' Gegenwart geflucht. Die Opiate taten ihre Wirkung; außerdem fieberte er.

»Ihr Mann, Sir?«

»Bliss ist aus New York. Ich *bin* New York. Hanna ist Ohio. Wie kann er für jemanden aus *meinem* Staat arbeiten?« Platt schloß die Augen; und schien ohnmächtig geworden zu sein. Die rötlichen Daumenabdrücke verblichen zu Asche.

Roosevelt bestand darauf, daß Blaise zusammen mit ihm und seinem Sekretär zum Walton fuhr. »Sie werden Mr. Hearst aus erster Hand berichten können, daß ich mich nicht um die Nominierung bemüht habe.« Während er sprach, steckte Roosevelt immer wieder seinen Kopf durch das offene Fenster der Kutsche und lächelte auf gut Glück in die Menge auf der Broad Street. Aber da niemand einen Nicht-Kandidaten so frühzeitig erwartete, blieb er zu seinem Verdruß unbeachtet. Der Sekretär saß zwischen Blaise und dem Gouverneur, auf den Knien ein rundes, schwarzes Behältnis.

Blaise war noch nie in Philadelphia gewesen. Bisher war die Stadt für ihn nur eine Zwischenstation auf der Eisenbahnfahrt zwischen Washington und New York gewesen. Neugierig blickte er aus dem Fenster und hatte das Gefühl, in einer holländischen oder rheinländischen Stadt zu sein, überall Ziegelbauten und Sauberkeit; doch die Menschen waren unverkennbar Amerikaner. Es gab zahllose

Neger, zumeist arm; zahllose Weiße, zumeist wohlhabend, in leichter Sommerkleidung. Blaise, selbst ohne Hut, bemerkte, daß fast jeder Mann einen runden, steifen Strohhut zum Schutz vor der nahezu tropischen Hitze trug.

Als die Kutsche vor dem Walton hielt, hatte sich dort bereits eine beträchtliche Menge versammelt, um den Auftritt der großen Männer zu beobachten. Es gab alle möglichen Plakate, darunter auch solche mit Slogans auf den »Rough Rider Roosevelt«. Allerdings dominierte eindeutig das runde, lächelnde Gesicht von McKinley, wie das eines gütigen amerikanischen Buddha.

»Schnell!« Roosevelt pochte gegen die Schachtel auf dem Schoß des Sekretärs. Dieser öffnete sie just in dem Augenblick, da der Portier die Tür der Kutsche öffnete und die Menge vorwärtsdrängte, um zu sehen, wer sich darin befand. Roosevelt nahm seinen Bowler ab, gab ihn dem Sekretär; entnahm der schwarzen Schachtel seinen berühmten Rough-Rider-Sombrero, den er sich schräg aufs Haupt drückte. Dann schob er mit lässiger Geste die Krempe ein Stückchen in die Höhe, und, die Höllenschmerzen des Zahns wundersam vergessend, knipste er sein berühmtes Lächeln an wie ein elektrisches Licht; sprang aus der Kutsche auf den Gehsteig.

Prompt brauste Jubel auf, höchst befriedigend für den Gouverneur, der jede Hand in Reichweite schüttelte, während er sich in Richtung Hoteleingang bewegte.

»Ich habe den Eindruck«, sagte Blaise zum Sekretär, »daß der Gouverneur für die Nominierung zur Verfügung steht.«

»Was immer die Leute wollen, will auch er.« Der Sekretär war glattzüngig. »Aber er drängt sich nicht nach dem Amt, und ganz gewiß wird er von den Bossen nichts akzeptieren.«

Zwar befand sich der Boß von Pennsylvania, Senator Quay, nicht in Roosevelts Suite, um den Gouverneur zu begrüßen; doch sein Stellvertreter, Boies Penrose, der andere Senator aus Pennsylvania, war verfügbar; und die beiden Männer unterhielten sich im Schlafzimmer, während sich der Salon mit Anhängern Roosevelts füllte.

Blaise ging in sein eigenes Zimmer, das ein Stück entfernt lag, doch auf demselben, trübwirkenden Gang, der bereits erfüllt war von Zigarrenrauch und Whiskeygeruch. Blaise ordnete seine Notizen und suchte dann den Telefonraum neben der Lobby auf, von wo er Brisbane in New York anläutete. »Die Story ist im Sack«, sagte Blaise, mit sich selbst sehr zufrieden. Endlich einmal hatte er den direkten Einstieg in eine Story geschafft. Brisbane zeigte sich hocherfreut. »Würden Sie sagen, er ist bereit zu akzeptieren«

»Wenn ich's nicht sage, werden Sie's sagen, Mr. Brisbane.«

»Gute Arbeit, Mr. Sanford. Halten Sie uns auf dem laufenden. Morgen ist der Tag.«

»Aber . . . morgen ist doch Sonntag. «

»Politiker – und Moslems halten sich nicht an den Sabbat. Also: die Augen offen! Roosevelt will den Parteitag überrennen, bevor der überhaupt begonnen hat.«

Der Gouverneur von New York ließ den Sonntag in der Tat ziemlich unbeachtet. Soweit Blaise das verfolgen konnte, drückte er nirgends eine Kirchenbank, auch hielt er sich kaum an das Gebot des Herrn, diesen Tag der Ruhe zu widmen. Vielmehr erinnerte er in seiner Hotelsuite an eine holländische Windmühle, unaufhörlich seine Arme schwenkend, um seiner Rhetorik noch mehr Ausdruck zu verleihen; oder, in regelmäßigen Abständen, seine Hände vorstreckend, um vorgestreckte Hände heftigst zu schüttteln.

Blaise saß unbeobachtet in einer Ecke, zusammen mit einem ältlichen politischen Reporter von der Baltimore Sun, der Blaise riet, Hearst vor dem Ankauf des Baltimore Examiner zu warnen. »Mit der Zeitung ist es eine regelrechte Pleite«, sagte der alte Reporter und zog einen leicht verbeulten silbernen Flachmann hervor, aus dem er sich einen Schluck genehmigte, Mais-Whiskey offenbar. »Philadelphia ist sonntags trocken«, sagte er wie zur Erklärung. Auf der anderen Seite des Raums, mit dem Rücken zum Fenster, das auf die überraschend schmale Broad Street hinausging, produzierte sich Roosevelt zum Entzücken von Delegierten, in deren Augen sich nicht nur Erregung – eine fast wollüstige Erregung – widerspiegelte, sondern auch eine starke Spannung und Anspannung. Noch war das Drama nicht geschrieben, und bis dahin befand sich dieser notgedrungen gehemmte Herrenchor in jenem Zustand der Ungewißheit, in dem sich eine eindeutig zielgerichtete Lobeshymne von selbst verbot. Falls Dolliver, der gegenwärtige Favorit, am Mittwoch nominiert wurde, würde in der Roosevelt-Suite kein Jubelchor erschallen und die jetzt so überaktive Windmühle vor dem Fenster würde mangels treibender kollektiver Luftströmungen ihre Flügel wohl kaum noch drehen.

»Was ist eigentlich los?« fragte Blaise. »Wenn du im Zweifel bist, frag jemanden, der vermutlich was weiß«, war Brisbanes konkreter, jedoch oft ignorierter Ratschlag für Journalisten.

»Alles. Nichts. Der Geck dort ...«, der Mann deutete auf Roosevelt, »... kann sich zu keinem Entschluß durchringen. Falls er Vizepräsident würde, fürchtet er, politisch auf einem toten Glais zu landen. Irgendwie scheint man da so nach und nach von der Bildfläche zu verschwinden. Am liebsten wäre ihm seine Wiederwahl als Gouverneur. Aber da hat er Platt gegen sich. Soll er's mit Platt aufnehmen? Den Kampf austragen? Traut sich nicht. Und so steht er nun da.«

»Er ist noch jung.« Blaise war es inzwischen gewöhnt, den dicken, kleinen Gouverneur, der fast zwanzig Jahre älter war als er, »jung« zu nennen.

»Sein Ziel ist es, bei der Wahl danach als Präsidentschaftskandidat ins Rennen zu gehen. Aber er weiß, daß seit Van Buren alle Vizepräsidenten übergangen worden sind. Dagegen haben Gouverneure von New York immer gute Chancen. Jetzt schmeißt Platt ihn raus, oder die Treppe hinauf. Deshalb dreht er sich im Augenblick total im Kreis.«

Präziser konnte eine Beschreibung kaum sein. Der Gouverneur marschierte buchstäblich im Kreis im Raum herum und redete, redete, redete. Senator Penrose hatte sich zurückgezogen, mit der Versicherung, die Delegation aus Pennsylvania sei für Roosevelt. »Schon komisch bei einem Reformer, wenn er die erste Wahl der Bosse ist.«

Aber die nächste Delegation war das boß-lose Kalifornien. Großer Jubel bei den Roosevelt-Anhängern und ein strahlendes Lächeln des Gouverneurs, als er eine Reihe von Kaliforniern mit Namen begrüßte. »Wir stehen voll hinter Roosevelt!« rief der Delegationsführer.

»Der Westen für Roosevelt!« rief ein anderer.

»Was sagte er? Der ›Rest‹?« fragte der alte Reporter und begann, sich auf seiner großen, schmutzigen Manschette Notizen zu machen.

»Der Westen«, sagte Blaise.

»Ich bin ein bißchen schwerhörig.« Der alte Reporter lächelte. In seiner Mundhöhle verschob sich sein künstliches Gebiß. »Da haben

Sie den Schlüssel. Das ist es, worauf Teddy aus ist. Er will nicht, daß die Leute ihn für Platts und Quays Marionette halten. Aber als Kandidat des Westens ...«

»Ein Cowboy ...?«

»Ein Cowboy. Ein Rough Rider. Jetzt kriegt er's zusammen, wie er's braucht.«

»Kann Hanna ihn stoppen?«

»Wird McKinley ihn stoppen? Das ist die Frage.«

»McKinley kann verhindern, daß er nominiert wird?«

»McKinley kann ihn endgültig auf die Weide schicken – in die Badlands. Aber wird er das auch tun?«

Am Montag morgen war Blaise in der überfüllten Hotellobby, als Mark Hanna dort nicht gerade triumphal Einzug hielt. Der einst beleibte, ziemlich aufgeschwemmte politische Manager, berühmt geworden durch tausend Karikaturen, die bösesten davon in den Hearst-Blättern, war mittlerweile eine gebeugte, hagere Gestalt, die sich mit einem unverkennbaren Hinken voranbewegte. Hinter ihm kam, zu Blaise' Überraschung, Senator Lodge, Roosevelts engster Freund, dessen Unterstützung für den Marineminister Lodge nur als Hinhaltemanöver galt, damit der Gouverneur noch in der elften Stunde zuschlagen konnte. Und die elfte Stunde schlug jetzt. Blaise versuchte, vergeblich, in Hannas Nähe zu gelangen. Doch fing er Lodges Blick ab; und erhielt ein kurzes Nicken, mehr nicht. Allerdings hatte Lodge stets mit allem Nachdruck den Standpunkt vertreten, daß ein Gentleman, der für Hearst arbeitete, entweder kein Gentleman war – oder dieses Wort einer Neudefinierung bedürfe.

Blaise zog sich über die Marmortreppe ins Zwischengeschoß zurück, wo, soweit er wußte, Hanna sein Quartier haben würde. Es war ein drückendheißer Tag, und der Geruch der Delegierten hatte etwas Überwältigendes. Blaise kam sich vor wie Coriolan, als er mit angehaltenem Atem zum Mezzanin emporstieg, das überschwemmt war mit rot, weiß und blau »bewimpelten« Riesenporträts von McKinley. Über einem Notausgang zu einer Feuertreppe verkündete ein großes Plakat nicht ohne Humor: »Republican National Committee«.

James Thorne, ein Reporter vom San Francisco Examiner, nahm Blaise gleichsam bei der Hand. Thorne war ein junger, dünner, harter Mann, der für das Washingtoner Büro die eigentliche Arbeit leistete, die dann von Ambrose Bierce, einem Mann von wahrhaft sardonischem Witz, aufbereitet wurde. In Prosa wie in Versform flocht er verbale Kränze von erlesener Giftigkeit. »Hanna benutzt diesen Raum«, sagte Thorne. »Kennt er Sie? Vom Sehen?«

»Glaube ich kaum.«

»Er kennt mich, deshalb ziehe ich mir die Hutkrempe ins Gesicht. Falls ich rausgeworfen werde, machen Sie sich doch Notizen, nicht wahr, Mr. Sanford?«

»Denke schon, daß ich das tun kann«, sagte Blaise. Er war inzwischen daran gewöhnt, als schwachsinniger reicher Sproß behandelt zu werden.

Thorne und Blaise setzten sich auf zwei Stühle vor einem Fenster. »Damit er gegen das Licht blicken muß«, sagte Thorne. »Dann kann er uns kaum sehen. Hoffe ich. Eines müssen Sie über so einen Parteitag wissen. Die meisten Leute hier haben sich noch nie gesehen. Also kommt man ganz gut durch, wenn man einfach so tut, als ob man dort hingehört, wo man gerade ist. «

Blaise gab sich Mühe, so zu tun, als ob er just hierhergehörte: auf einen Stuhl vor einem offenen Fenster in einem großen Raum voller vergoldeter Sofas und sonstiger Sitzgelegenheiten. In einer Ecke befand sich – wichtigste Errungenschaft – eine Art Telefonzelle. »Ist mit dem Weißen Haus verbunden«, sagte Thorne.

Plötzlich war der Raum voller Politiker, und Hanna wurde sorgsam in einen Lehnstuhl plaziert. Lange, dachte Blaise, wird er es auf dieser Welt wohl nicht mehr machen. Lodge war nirgends zu sehen.

Einer nach dem anderen traten die Führer aus den verschiedenen Staaten zu Hanna, der jeden einzelnen mit großer Sorgfalt befragte; sie ihrerseits stellten Fragen an Hanna. Entsprach es der Wahrheit, daß McKinley keine Position bezog?

Hannas Antwort war immer die gleiche. Er stehe mit dem Präsidenten in engem Kontakt. Der Parteitag sei »offen«. Jeder hoffe, der beste Mann werde gewinnen. Wurde auch nur angedeutet, womöglich sei Roosevelt »der beste Mann«, so verfinsterte sich Hannas Miene. Er sprach dann von Dolliver, Allison, Long, Bliss, erfahrenen Männern, guten Republikanern, zuverlässig. Die Delegationen kamen und gingen, und von Mal zu Mal wirkte Hanna erschöpfter. Er schwitzte; und die stumpfen, geröteten Augen hatten etwas Glasiges.

Einer von Hannas Helfern kam aus der Telefonzelle. »Kein Wort, Senator. «

»In dem Fall«, sagte ein Roosevelt-Anhänger aus dem Westen, dessen Namen weder Thorne noch Blaise gehört hatten, »ist der Parteitag unter Ihrer Kontrolle, Senator.«

Hanna funkelte den Mann an. »Unter meiner Kontrolle? Nein, ist er nicht. Jeder tut, was ihm verdammt noch mal paßt.«

Einer von Hannas Helfern versuchte ihn zu bremsen; doch es ging mit ihm durch. »Ich habe nicht die Kontrolle. Ich sollte sie haben, aber ich habe sie nicht. McKinley gibt mir nicht die Möglichkeit, die Macht des Präsidentenamtes zu gebrauchen, um Roosevelt zu besiegen. Er ist blind oder hat Angst oder sonstwas. Ich bin erledigt. Ich bin raus. Ich leite diese Kampagne nicht. Ich trete als nationaler Vorsitzender zurück.« Die Tirade ging weiter. Thorne und Blaise machten sich eilig Notizen.

Ein kalifornischer Delegierter betrat den Raum, ohne zu ahnen, daß er Hanna bei seiner Darbietung als König Lear störte. »Also, Senator, der ganze Westen ist jetzt für Roosevelt . . .«

»Idiot!« heulte Hanna auf. Der Kalifornier zuckte zurück wie nach einem Schlag. Mit der Hilfe von drei Männern kam Hanna schwankend auf die Füße. »Ist euch Narren denn nicht klar, daß dann zwischen jenem Irren und der Präsidentschaft nur noch das Leben eines einzigen Mannes stehen würde?«

Wie aufs Stichwort erschein der »Irre« und klickte hörbar die Zähne gegeneinander, ein Ausdruck der Freude vielleicht, aber eher wohl, wie es Blaise schien, ein Zeichen für raubtierhaften Hunger. »Senator Hanna, hoch-ent-zückt.«

Roosevelt packte die Hand des schwankenden Hanna. Der Raum war mit Roosevelt-Anhängern gefüllt. »Tut mir leid, soviel Aufsehen zu erregen.« Roosevelt rückte an seinem Rough-Rider-Hut. »Dabei war es meine Absicht, als einfacher, bescheidener Delegierter in der Stadt zu erscheinen . . .«

Hanna schrie, unhörbar fast. Doch keiner schenkte ihm die geringste Beachtung. In der elften Stunde beherrschte der Irre das Zentrum der Bühne. »Mir war gar nicht bewußt, wie unentschlossen alle sind . . .«

Hanna fand seine Stimme wieder. »Unentschlossen? Wir sind alle entschlossen. Sie werden nicht der Kandidat sein. Sie kommen hier rein, rausgeputzt als Cowboy, und versuchen, den Parteitag zu überrennen, wo doch Long und Dolliver die wahren Kandidaten sind.«

»Senator Lodge sagte mir, Mr. Long sei es damit gar nicht so ernst, und . . .«

»Wenn ich sage, er meint es ernst, Gouverneur, dann meint er es ernst.«

»Was sagt denn der Präsident?« Blaise bewunderte Roosevelts instinktive Reaktion: den prompten Griff an die Kehle.

»Möge der beste Mann gewinnen. Das, was wir alle sagen. Das, was geschehen wird. Alles, was Sie haben, Gouverneur, sind Platt und Quay. Nun, in eine Wahl mit Bryan als Gegenspieler können wir niemanden schicken, der ein Produkt der Großstadtparteimaschine ist. McKinley spricht für das Herz des Landes, nicht Boß Platt, nicht Boß Quay . . .«

»Nicht Boß Hanna?« fragte eine Stimme von der Tür her.

»Ein Boß? Ich, ein Boß! Ich tue, was mir gesagt wird. Glauben Sie doch nicht, was Sie bei Hearst lesen. Ich befolge Anweisungen, und ich habe eine vom Präsidenten, die ich bis zum Letzten befolgen werde. Kein Handel mit den Big-City-Bossen. *Die* mögen ja für Sie sein, Gouverneur. Aber *wir* wollen mit denen nichts zu tun haben. Ist das klar?«

Roosevelt war jetzt sehr rot im Gesicht, und er atmete schwer. »Ich habe Anhänger, weil ich für Reformen bin. Ich habe Anhänger aus dem Westen . . .«

»Platt und Quay. Platt und Quay!« Hanna übertönte ihn, und zur Überraschung von Blaise schien Roosevelt im Moment tatsächlich zurückzuweichen.

»Natürlich stehe ich, wo ich immer gestanden habe.« Vorsichtig betastete Roosevelt seinen schlimmen Zahn. »Ich würde gern wieder für das Amt des Gouverneurs von New York kandidieren . . .«

»Dann machen Sie ein entsprechendes Statement. Bis vier Uhr nachmittags, wir brauchen das für die Nachrichtenagenturen.« Hanna hatte sich wieder unter Kontrolle. »Ich werde Platt und die New Yorker Delegation davon verständigen. Sie mögen ja glauben,

Sie haben den Westen, aber wir haben den Süden – und Ohio.« Hanna, umringt von seiner wiedererstarkten Truppe, befand sich jetzt in der Türöffnung. »Möge der beste Mann gewinnen!« rief er Roosevelt zu, der Blaise anstarrte, jedoch ohne ihn oder irgendwen sonst zu sehen. Die Zähne, die so ominös geklickt hatten, waren fest zusammengepreßt. Und die kleinen, eher trübblauen Augen hinter dem Pincenez blickten ins Leere. Was wird als nächstes folgen? fragte sich Blaise.

Nun, der nächste Tag gehörte Hanna. Er bekam wahre Ovationen, als er auf der Bühne des Versammlungssaals in einem riesigen – und ziemlich heißen – Gebäude in West Philadelphia erschien. Blaise saß auf der Pressetribüne und hatte gute Sicht auf die Delegationen der verschiedenen Staaten unter ihm. Die New Yorker Fahne befand sich nahe der Bühne; doch der Rough Rider mit seinem Rough-Rider-Hut war nirgends in Sicht. Der Gouverneur hatte tatsächlich getan, was ihm Hanna gesagt hatte; er hatte der Presse gegenüber ein Statement abgegeben, wonach er es vorziehen würde, Gouverneur zu bleiben. Senator Platt, um einen Kommentar gebeten, hatte erklärt, er werde von so furchtbaren Schmerzen geplagt, daß es ihm gleichgültig sei, wer wozu gewählt werde. Roosevelts Sekretär betonte, der Gouverneur habe nichts unternommen, um Hanna die Delegierten aus dem Süden abspenstig zu machen; er suche vielmehr verzweifelt nach einem Zahnarzt, der ihn von seinen Zahnschmerzen befreien könne, ohne den betreffenden Zahn zu entfernen. Der Gedanke an eine Riesenlücke inmitten jener Grabsteinzähne war für alle Roosevelt-Anhänger ein Alptraum.

Als die Reden begannen, saß Blaise neben Thorne. Am Abend zuvor war Thorne einige Zeit mit Dawes zusammengewesen, der auf dem Parteitag des Präsidenten Augen und Ohren war. »Zwischen McKinley und Hanna muß irgend etwas vorgefallen sein«, sagte Thorne verwirrt. Aber Blaise, der nichts über Politik, doch eine Menge über menschliche Eitelkeiten wußte, hatte die Antwort. »Er ist es leid, in unseren Karikaturen als Boß Hannas Marionette dargestellt zu werden.«

Doch Thorne vermutete alle möglichen dunklen Intrigen. Inzwischen versuchte sich die Delegation aus New York darüber klarzuwerden, wen sie unterstützen sollte. Aus irgendeinem mysteriösen

Grund wurde Theodore Roosevelt nicht einmal in Betracht gezogen; am darauffolgenden Tag machte in der Halle dann die Neuigkeit die Runde, die New Yorker Delegation habe sich überraschend für den Vizegouverneur Timothy L. Woodruff entschieden, eine von Platts weniger glanzvollen »Kreationen«. Gleichzeitig wurde bekannt, daß Roosevelt sich Platt widersetzt hatte. »Das reimt sich doch nicht zusammen«, sagte Blaise zu Thorne, während sie sich in der stickigen Halle beide mit Palmfächern Kühlung zuzuwedeln versuchten.

Diesmal war es der politische Reporter, der den Mann von Welt über die Wirklichkeit ins Bild setzen konnte. »Teddy hat das Ding gedeichselt, genau wie Platt. Es darf auf gar keinen Fall so aussehen, als ob Teddy Platts Kandidat wäre, und so haben sie das alles ausgeheckt, um den Westen und den Süden und das Land in dem Glauben zu wiegen, Roosevelt habe sich mit dem Boß seines eigenen Staates zerstritten.«

»Dann ist das alles von Platt manipuliert.«

Thorne nickte; und lächelte. »Erstklassige Arbeit. Ohne Fehl und Tadel, könnte man sagen.«

Am Nachmittag sprachen sich dann der Westen und Wisconsin für Roosevelt aus. Dann erschien der Vorsitzende des Komitees, Senator Lodge, auf der Bühne, und zwar in Begleitung seines alten Freundes, des Rough Rider, höchstpersönlich. Als Roosevelt und Lodge gemeinsam auf der Bühne auftauchten, brach ein ungeheurer Jubel los. »Ist alles gelaufen!« rief Thorne Blaise ins Ohr.

Roosevelt stand seitlich vom Rednerpult, wo sich Lodge befand. Die Ovationen schien Roosevelt ehrlich zu überraschen. Zuerst blickte er zu Lodge; dann bedeutete er Lodge mit einer Geste, sich zu verbeugen; doch der elegante Lodge lächelte nur leise und verschränkte die Arme und verbeugte sich vor Roosevelt.

In diesem Augenblick begann die Band zu spielen »There'll Be a Hot Time in the Old Town Tonight«. Roosevelt nahm seinen Hut ab und schwenkte ihn wie einen Federbusch. Senator Hanna sackte unter der Fahne von Ohio auf seinem Stuhl zurück und schloß die Augen.

Am Dienstag wurde die Angelegenheit geregelt. Blaise hatte mit Dawes gesprochen, den er ebenso intelligent wie charmant fand, eine seltene Kombination bei einem professionellen Höfling. »Es ist kein Geheimnis, daß der Präsident Roosevelt anfangs nicht wollte. Jetzt scheint er es so für das Beste zu halten.«

Von der Pressetribüne sah es aus, als verwandle sich der ganze Saal in ein wogendes Meer aus roten Federbüscheln, aus weißem und blauem Pampasgras; was immer sonst. Die Kansas-Delegation, ausgestattet mit »Sonnenblumen« aus gelber Seide, demonstrierte für Roosevelt. Dann forderte Lodge, als Vorsitzender, mit ein paar Schlägen seines Hammers zur Ruhe auf; und stellte Senator Foraker aus Ohio vor, der mit adäquatem Pomp und Pathos die Wiedernominierung William McKinleys als Präsidentschaftskandidat vorschlug. Eine Demonstration folgte. Die Band spielte »Rally 'round the Flag« zum Gedenken an den Bürgerkrieg, an die Ursprünge der Partei und an Major McKinley. Als Lodge ans Rednerpult trat und seine elegante Stimme durch den riesigen Raum hallte, trat Stille ein. »Zur Unterstützung der Nominierung von Präsident McKinley hat der Gouverneur von New York . . .«

Der Lärm glich einem Vulkanausbruch. Selbst Blaise spürte, wie ihn Erregung packte. Wer auch immer für Roosevelt Regie geführt haben mochte, er war ein Meister. Wieder spielte die Band »There'll Be a Hot Time«, inzwischen so etwas wie die Hymne des Spanisch-Amerikanischen Krieges. Den Rough-Rider-Hut in die Höhe gestreckt, rannte der beleibte kleine und kurzsichtige Mann von seinem Platz unter der New Yorker Fahne die Stufen zur Bühne hinauf. Wieder gab es eine Fortissimo-Ovation, und Roosevelt schien buchstäblich immer mehr zu wachsen, als ihn der Jubel wie heiße Luft einen Ballon erfüllte. Die Zähne leuchteten (irgendwas mußte die Schmerzen gestoppt haben), der Hut wurde hoch über den Kopf gehalten, wie der Lorbeer eines Siegers.

Lodge schüttelte dem Gouverneur tiefbewegt die Hand und führte ihn zum Rednerpult. Roosevelts schrille Stimme durchtönte die Halle. Er sagte nichts Erinnerungswürdiges; doch er selbst war so erinnerungswürdig wie . . . Blaise fiel kein passender Vergleich ein. Als ein Konglomerat von Details war er eine so absurde Erscheinung, wie sie sich Blaise kaum absurder vorstellen konnte; nahm man Roosevelt jedoch als Ganzheit, als welche er jetzt der Nation präsentiert wurde, so wirkte er wie die Verkörperung ideellster Rechtschaffenheit, angetrieben von allerreinster Energie; er war, buchstäblich, phänomenal. Indem Roosevelt die Nominierung McKinleys unterstützte, griff er selbst nach der Krone. Es war ihm endlich gelungen, ins Zentrum der Bühne der Republik zu gelangen; und niemals wieder wird er sie verlassen, dachte Blaise; und wurde sich plötzlich der eigentümlichen Unerbittlichkeit der Geschichte bewußt. Die Rede war von schonungsloser Kürze. Die Geschichte liebt keine allzu nahe Besichtigung ihrer Prozesse.

Man begann, die einzelnen Staaten aufzurufen. Doch das Verlangen nach einstimmiger Wiedernominierung McKinleys war so allgemein und so laut, daß Lodge in der generellen Wirbelsturmkonfusion von Parlamentarismus genau dieses tat; und Iowa überschlug sich gleichsam und nominierte Roosevelt als Kandidaten für die Vizepräsidentschaft. Das Durcheinander steigerte sich noch. Schließlich erklärte Lodge, Gouverneur Roosevelt sei tatsächlich einstimmig als Vizepräsidentschaftskandidat nominiert, da er alle Stimmen auf sich vereinigt habe – mit Ausnahme einer einzigen, seiner eigenen. In einem Anfall von Bescheidenheit hatte der Gouverneur sich geweigert, für sich selbst zu stimmen. In diesem gloriosen Augenblick erschien in der Halle ein riesiger, ausgestopfter Elefant, rings umwogt von rotem, weißem und blauem Pampasgras. Man hatte Geschichte geschrieben.

Als Blaise das Walton betrat, war Senator Platt, von Presseleuten umgeben, gerade dabei, es zu verlassen. Der Easy Boss wirkte gelöster denn je; und die Aschfarbe seines Gesichts war wieder seiner normalen Blässe gewichen; doch er bewegte sich steif und so vorsichtig, als fürchte er zu zerbrechen. »Sind Sie zufrieden mit Gouverneur Roosevelts Nominierung?«

»Oh, ja. Ja«, murmelte Platt.

»Aber, Senator, waren Sie denn nicht für Woodruff?«

»Wir alle sind für die Republikanische Partei«, sagte Platt sanft. »Und für einen vollen Eßnapf.«

»Einen vollen was?«

»Eßnapf«, erwiderte ein anderer Reporter.

Dies, so schien es Blaise, mußte wohl ein Wahlslogan sein: um den neuen Wohlstand im Land zu betonen, den man McKinleys Politik der Expansion und der hohen Schutzzölle verdankte.

»Sonst noch irgendwelche Gedanken, Senator?«

»Natürlich freue ich mich«, sagte Platt, schon an der Tür, »daß wir uns durchgesetzt haben.«

»Wie bitte?« fragte einer der Journalisten, den Überraschten spielend. »Ich meine, wer ist ›wir‹?«

Platt wich routiniert aus. »Die Leute haben sich durchgesetzt.« Der Senator entschwand durch die Tür.

Blaise fand Thorne in der Bar, die noch nicht mit Delegierten überfüllt war. Der Parteitag dauerte an. Die beiden Männer setzten sich an einen kleinen, runden Tisch mit einer Marmorplatte, der eher in eine Eisdiele gepaßt hätte als in eine seriöse Hotelbar. Blaise folgte Thornes Beispiel und bestellte sich einen Whiskey, nicht gerade sein Lieblingsdrink. »Ich habe bereits alles durchgegeben«, sagte Thorne zufrieden. »Und zwar schon heute morgen, bevor der Parteitag wieder zusammentrat. Die ganze Story.«

»Sie haben gewußt, was passieren würde?«

Thorne nickte. »War alles leicht vorauszusehen. Jetzt habe ich noch die Details folgen lassen. Der Examiner wird es als erste Zeitung bringen. Das heißt, im Westen.«

»Ich habe gerade mit Mr. Brisbane telefoniert. Der bereitet das dann alles richtig auf.«

»Dieselbe Sache. Jetzt wird Bryan im Juli wiedernominiert werden, und wir werden die '96er Wahlen noch einmal haben. Das Ding kann ich im Schlaf schreiben. Sechzehn Teile Silber gegen wirkliches Geld . . .«

»Und was ist mit dem Imperialismus?«

»Die Partei Lincolns«, sagte Thorne hastig, »hat zehn Millionen Filipinos aus dem Joch der spanischen Herrschaft befreit.«

3

John Hay saß mit dem Präsidenten im Cabinet Room. Dawes hatte seinen Bericht über den Parteitag beendet. McKinley, am Ende des langen Tisches, saß so, wie man es von ihm gewohnt war: den linken Ellbogen auf die Tischplatte gestützt und die Beine in einem bestimmten Winkel nach rechts gedreht, niemals unter dem Tisch. Auch wenn er schrieb, stützte er sein Gewicht auf den linken Ellbogen, während der rechte Arm über den deutlich vorgewölbten Leib hinweglangen mußte. Irgendwie schien er das gesamte Sitzarrangement als etwas Provisorisches zu betrachten. Hay saß auf demselben Stuhl wie sonst, und Dawes hatte auf der gegenüberliegenden Seite Platz genommen. Über ihren Köpfen bewegte ein elektrischer Ventilator träge die schwüle Luft. Der große Globus links von Dawes hätte unbedingt mal abgestaubt werden müssen. Und überhaupt, dachte Hay mürrisch, könnte das gesamte Weiße Haus ein gründliches Großreinemachen vertragen. Es war schon sonderbar, wie rasch das Gebäude, in Abwesenheit einer energischen Präsidentengattin, das Aussehen eines eher ungepflegten Politiker-Clubhauses annahm.

»Alles in allem, so will mir scheinen«, sagte McKinley schließlich, »war es wohl der Hut, der den Ausschlag gegeben hat.«

Hay mußte unwillkürlich lachen. Der Präsident konnte zwar manchmal leicht spaßig wirken, jedoch selten humorvoll. »Den Akzeptanz-Hut, hat man ihn genannt.« Hay bezog sich auf einen Zeitungsartikel.

»Wie nennt man die Hüte der Rough Riders eigentlich ursprünglich?« McKinley schien wirklich interessiert.

»Ich glaube, Sombreros«, sagte Dawes. »Teddy hat ihn überhaupt nicht abgenommen. Außer um ihn herumzuschwenken natürlich.«

»Ein sonderbarer Typ«, sagte McKinley und streckte seine Beine, so daß der mächtige Bauch, so groß und rund wie der Globus, bequem auf seinen massigen Schenkeln ruhen konnte. »Ich glaube, wir können mit ihm leben. Allerdings werden wir von Bryan eine Menge über die Bosse zu hören bekommen.« McKinley krauste die Stirn; nahm seine Brille ab; rieb sich die Augen.

»Mark Hanna hat sich mit der ganzen Sache sehr gut abgefunden«, sagte Dawes, prompt das Stichwort »Bosse« – inclusive Platt und Quay – aufgreifend; etwas allzu hastig, wie Hay fand.

»Er kränkelt doch wohl. Es geht ihm nicht gut. Ich mache mir um ihn Sorgen. Was hat er gesagt?« Über seine linke Schulter hinweg blickte McKinley zu Dawes hinüber, dessen Spiegelbild im Glas eines Mahagoni-Bücherschrankes zu sehen war. Der Schrank enthielt Dokumente, die, soweit Hay wußte, noch nie von irgend jemandem in näheren Augenschein genommen worden waren.

Dawes gluckste leise. »Er sagte, er würde natürlich wie stets zur Partei stehen. Doch mit Roosevelt als Vizepräsident sei es Ihre verfassungsmäßige Pflicht, die nächsten vier Jahre zu überleben, um uns vor dem wilden Mann zu bewahren.«

McKinley lächelte. »Nun, das ist wohl die verfassungsmäßige Mindestpflicht. Wer war eigentlich der letzte Vizepräsident, der schließlich selbst zum Präsidenten gewählt wurde?«

»Martin Van Buren«, sagte Hay. »Vor über sechzig Jahren. Der arme Teddy steht auf dem Abstellgleis, fürchte ich.«

Dawes lachte. »Wissen Sie, was Platt gesagt hat, als man ihn fragte, ob er der Inauguration beiwohnen werde? Er sagte: ›Ja. Ich empfinde es als meine Pflicht, dabei zu sein, wenn Teddy den Schleier nimmt.‹«

Hays eigene Gefühle Roosevelt gegenüber, ohnehin nie voller Sympathie, waren mittlerweile eher feindselig geworden. Im März hatte sich Lodge im Senat gegen den Hay-Pauncefote-Vertrag ausgesprochen, wobei er eine ähnliche Sprache benutzte wie Roosevelt und überdies die unerträgliche Behauptung aufstellte, das Abschließen von Verträgen sei schlechthin ein Vorrecht des Senats. Hay hatte sofort sein Rücktrittsgesuch aufgesetzt und es am Ende der Kabinettssitzung dem Präsidenten gegeben. McKinley reagierte mit einer Mischung aus Charme und Entschiedenheit. Hay sollte auch weiterhin im Amt bleiben. Seite an Seite würden sie für die Vernunft streiten. Hay blieb tatsächlich – was er allerdings schon vorher gewußt hatte. Bei seinem schlechten Gesundheitszustand würde ihm ohne Amt praktisch kaum noch etwas bleiben, was das Leben lohnte. Im übrigen hatte er mit seiner phantasievollen Taktik, womöglich im kollabierenden China Fuß zu fassen, bereits einen beträchtlichen Erfolg zu verzeichnen. Hay hatte, gleichsam für die ganze Welt und in vollem Ernst, die Politik der »offenen Tür« nach China verkündet. Er hatte den maßgeblichen potentiellen Beutemachern gegenüber erklärt, dies sei der einzig vernünftige Weg, dem sie folgen könnten, und obwohl die Russen und die Deutschen vor Wut außer sich gewesen waren, so hatten sie doch, und sei es auch nur durch Schweigen, die Sache der internationalen Tugend und Zurückhaltung gutheißen müssen. Über Nacht war Hay zu einem Staatsmann von Weltmaßstab geworden, dem man überall applaudierte. Sogar Henry Adams hatte seinen Freund wegen seiner List gelobt. Natürlich sei die Formulierung bedeutungslos, hatte das Stachelschwein angemerkt, doch nehme ihr der

Mangel an Gehalt nichts von ihrer Wirkung. Hay betrachtete die Formel von der »offenen Tür« als eine taktische Möglichkeit, Zeit zu gewinnen, bis sich die Vereinigten Staaten in einer stärkeren Position befanden, um ihren Willen auf dem asiatischen Festland durchzusetzen. In den Augen der amerikanischen Presse hatte der populäre Autor von »Jim Bludso« auf offene, anständige, amerikanische Art gehandelt; er würde, wie es in einem Leitartikel hieß, »das Boot mit dem Bug ans Ufer bannen, bis auch der letzte Tölpel gerettet ist«. McKinley hatte diesen Leitartikel dem Kabinett vorgelesen, mit sonorer Stimme »Jim Bludso« zitierend. Und Hay hatte den gewohnten Haß empfunden gegen dieses Poem, durch das er berühmt geworden war.

Dawes fragte nach neuen Nachrichten über die Unruhen in China. McKinley seufzte; und blickte zu Hay, der sagte: »Die Faustkämpfer für Recht und Einigkeit – besser bekannt als die ›Boxer‹ – prügeln weiter. Wir haben aus Peking nicht ein einziges Wort erhalten. Die meisten ausländischen Diplomaten befinden sich auf dem Gelände der britischen Gesandtschaft.«

»Sind sie tot?« fragte Dawes.

»Das nehme ich nicht an.« Nach Hays Überzeugung würden die chinesischen Fanatiker, die sich erhoben hatten, um die Ausländer aus China zu vertreiben, die ersten sein, die – sollte es ihnen gelingen – der Welt verkünden würden, daß sie den in Pekings sogenannte Tartarenstadt geflüchteten fremden Gesandten den Garaus gemacht hatten. Schließlich war das ja das Ziel ihres verzeifelten Unternehmens.

»Eine sehr heikle Angelegenheit.« McKinley rückte seinen Stuhl weiter vom Tisch fort, saß jetzt mit dem Rücken zu Dawes und bot Hay sein linkes päpstliches Profil, während er den Blick auf die elektrische Beleuchtung an der Decke richtete; ein Gewirr schlangenartiger Kabel, die genügt hätten, gleich mehrere Laokoons samt ihren Söhnen zu umschlingen. »Bryan wird für den Rest des Jahres über Imperialismus reden, so wie er es schon die ganze Zeit getan hat . . .«

»Um ja vom Thema Silber wegzukommen.« Dawes war in der Administration der Bryan-Spezialist.

»Wie dem auch sei.« McKinley zeigte für keinen seiner Gegner irgendein persönliches Interesse, wodurch er sich von allen anderen

Politikern unterschied, die Hay je gekannt hatte. Selbst Lincoln hatte es genossen, McClellans Charakter zu analysieren. Aber McKinley war tatsächlich päpstlich. Ihm erschien es so absolut selbstverständlich, daß er sich dort befand, wo er seiner Meinung nach auch hingehörte, daß er kaum jene zu bemerken schien, die versuchten, ihn aus dem Sattel zu heben. Auf jeden Fall gestattete er dem ergebenen, leidenschaftlich loyalen und – warum es nicht so nennen? – närrisch-vernarrten Mark Hanna, sich bissig-verbissen einzusetzen, um den McKinley-Thron zu sichern.

»Ich glaube, was die philippinische Frage betrifft, so gibt es für uns . . . keinerlei Probleme.« Der Blick des Präsidenten haftete noch immer ausdruckslos an dem Kabelgewirr.

»Ich meine das natürlich ausschließlich im Hinblick auf die Wahl«, fügte er hinzu. Er sah Hay an. Die dunklen Ringe unter den großen Augen verliehen ihm das Aussehen einer Eule im Tageslicht – täuschender Augenglanz, angestrengt starrend, blind. »Richter Taft, denke ich, war eine populäre Entscheidung.«

McKinley hatte William Howard Taft, ursprünglich eine Art Bezirksrichter aus Cincinnati – immer und immer wieder Leute aus Ohio, dachte Hay –, zum Leiter einer Kommission ernannt, deren Aufgabe es sein würde, auf den Philippinen ein Mindestmaß an ziviler Ordnung wiederherzustellen. Noch immer gab es dort heftige Kämpfe, und Aguinaldo erhielt nach wie vor seinen Anspruch aufrecht, der erste Präsident der philippinischen Republik zu werden: Erst vor kurzem hatte er behauptet, dabei die Unterstützung der Demokratischen Partei und ihres anti-imperialistischen Führers Bryan zu haben. Bryans direkte oder indirekte Mitarbeit am Vertrag im Februar 1899 war Aguinaldo offenbar unbekannt. Was Richter Taft betraf, so hatte McKinley ihm sozusagen gut zureden müssen, weil der Richter nicht ohne Nervosität erklärte, er sei, wie er es selbst nannte, »kein Imperialist«.

»Was können wir machen, damit die Presse nichts von Richter Tafts Problemen mit General MacArthur erfährt?« Dawes durfte eigentlich offiziell nichts von dem wissen, was sich am 3. Juni bei Richter Tafts Empfang in Manila ereignet hatte, als sich der General, selbstherrlich wie ein Prokonsul, geweigert hatte, die Kommission persönlich zu begrüßen. Am folgenden Tag hatte er sich indes dazu herabgelassen, der Kommission zu erklären, daß er in ihrer bloßen Existenz eine unzumutbare Kritik an seiner Regierungspraxis sehe: Im übrigen mißbilligte er den Versuch, eine Art Zivilverwaltung zu etablieren, solange auf den Inseln noch ein Krieg im Gange war.

Hay hatte sich für die sofortige Ablösung MacArthurs ausgesprochen, der ein unangenehmer, wenn auch nicht gänzlich erfolgloser Militärbefehlshaber war. McKinley hatte, halb zu sich selbst, ein paar Worte gemurmelt, von denen Hay nur eines, nämlich »Wahl«, deutlich verstand, während Root mit Nachdruck erklärt hatte, er sei mit Vergnügen bereit, seinen aufsässigen Untergebenen die Bedeutung des Begriffs »Zivilverwaltung« unmißverständlich zu erläutern. Hay hatte sich an Lincolns Klage über Generäle im Feld erinnert gefühlt, die mit der Autorität Cäsars sprachen und mit der Unfähigkeit eines Crassus handelten.

»Wir werden etwas in China machen müssen.« Mehr denn je sah der Major aus wie ein Buddha.

»Gewiß ist eine ›offene Tür‹ mehr als genug.«

»Unglücklicherweise haben die ›Boxer‹ die Tür geschlossen. Wir müssen sie wieder öffnen, Colonel Hay; zumindest muß es so aussehen. Zuerst die Boxer.« Der Buddha lächelte; und zwar aus keinem anderen Grund als dem schieren Entzücken über die Vollkommenheit seiner Erleuchtung. »Dann die Buren . . .«

»Ja, die Buren«, sagte Dawes stirnrunzelnd. Er war direkt mit der Wiederwahl des Kandidaten befaßt. China lag am anderen Ende der Welt; und die ›Boxer‹ waren zwar aufregend, doch exotisch. Solange sie keine Amerikaner töteten, würden sie die Wahl nicht beeinflussen, weder in die eine noch in die andere Richtung. Selbst ihr böser Geist, die sinistre Kaiserin-Witwe, hatte in der populären Presse ihre Bewunderer. Die Buren hingegen waren ein Grund zu unmittelbarer Besorgnis. Wähler deutscher und irischer Abstammung haßten England. Für sie waren die Buren ehrliche, aufrechte Holländer, die einen Unabhängigkeitskrieg gegen England führten. Folglich mußten alle rechtschaffenen Amerikaner gegen England sein – mit Ausnahme der intelligenten wie Hay, der die Buren als primitive christliche Fundamentalisten sah, die mit der Zivilisation in all ihren Formen im Krieg standen.

McKinley neigte zu Hays Auffassung. Doch er brauchte die Stimmen der irischen und deutschen Wähler. Bereits im Frühjahr war in Washington eine Delegation von Buren aufgetaucht. Hay hatte die Leute mit einem beträchtlichen Aufwand an simuliertem Charme empfangen. Von Del waren aus Pretoria beunruhigende Berichte gekommen. Offenbar ließ sich nicht ausschließen, daß England den Krieg verlieren würde. Hays früheres Angebot, zwischen den beiden Seiten zu vermitteln, war praktisch gegenstandslos geworden. Unter den gegebenen Umständen mußte jeder Vermittlungsversuch für England sehr nachteilige Folgen haben. McKinley war bereit gewesen, den ehrlichen Makler zu spielen, doch Hay hatte ihn davon überzeugt, daß sich die Vereinigten Staaten, vor die Wahl zwischen Buren oder Engländer gestellt, auf jeden Fall für die Engländer entscheiden müßten, weil sie England brauchten. Er erinnerte den Präsidenten an Englands Unterstützung während des Krieges mit Spanien, als Deutschland mit Aktionen gegen die amerikanischen Streitkräfte im Fernen Osten gedroht hatte.

»Ich glaube, Mr. Dawes . . .«, Hay sah den kleinen Mann über den Tisch hinweg sehr direkt an, ». . . daß es ganz und gar auf *mein* Konto geht, ein Gimpel der Engländer zu sein, während der Präsident über allem Hader steht und hart für die amerikanischen Interessen arbeitet.« Das Lächeln des Buddha wurde während dieser Worte noch sublimer, als es ohnehin schon gewesen war. »Sowie für die deutschen und die irischen Interessen«, fügte Hay hinzu; und das Lächeln minderte sich nicht.

»Wir müssen vorsichtig sein«, sagte McKinley. »Haben Sie gewußt, daß Richter Taft dreihundert Pfund wiegt?« Er sah nachdenklich aus. »Und laut Sun sollen die übrigen Kommissionsmitglieder alle über zweihundert Pfund wiegen.«

»Macht das einen guten Eindruck, Major?« Dawes, klein und dürr, runzelte die Stirn.

McKinley strich sich zerstreut über seinen westenumhüllten Wanst. »In Asien gelte ich, wie es scheint, gleichsam automatisch als politisches Genie. Dicke Männer genießen dort die allerhöchste Achtung, und die Filipinos haben nie zuvor so viele wahrhaft *gewichtige* weiße Amerikaner gesehen, wie ich sie ihnen jetzt geschickt habe. Ich bin sicher, daß es nur noch wenige Wochen dauern wird, bis Aguinaldo kapituliert vor . . . vor . . .«

». . . amerikanischem Gewicht?« Hay nutzte die Metapher.

»Ich muß . . . «, sagte Kinley traurig; metapherntaub, ». . . mir mehr Bewegung verschaffen.«

Dawes gab einen Bericht über Bryans Stimmungslage. Voraussichtlich würde er das republikanische *Management* des neuen Empires angreifen, nicht das Empire selbst. Das Thema Silber würde er möglichst unter den Tisch fallen lassen, da der amerikanische Kongreß im März den Goldstandard für die amerikanische Währung akzeptiert hatte.

Mr. Cortelyou meldete General Sternberg, den obersten Arzt der Army. Hay und Dawes erhoben sich, um zu gehen. McKinley seufzte. »Die ganze Frage des Imperialismus mag sich von selbst erledigen«, sagte er, »falls es uns nicht gelingt, das Gelbfieber in Kuba zu stoppen.«

»Das kommt doch wohl ganz einfach von dem Schmutz, nicht wahr?« fragte Dawes.

General Sternberg hörte Dawes' Worte, während er den Cabinet Room betrat. »Wir glauben, daß es andere Ursachen hat.«

»Aber welche?« fragte der Präsident, während er den kleinen General mit seinem herzlichsten Handschlag bedachte.

»Ich entsende eine vierköpfige Medizinerkommission zwecks Untersuchung, Sir. Mit Ihrer Erlaubnis natürlich.«

»Natürlich. Nach meiner Erfahrung gibt es nichts Wirksameres als eine Kommission.« Es war dies einer von McKinleys seltenen Ausflügen in die Sphären jenes aktuellen Humors, dessen Zielscheibe das in der Administration waltende immanente Trägheitsgesetz war; eine Art von verdrehtem Energiegesetz, dachte Hay. Wenn schon nichts getan werden konnte, so konnte doch wenigstens so getan werden.

Hay kehrte allein ins Außenministerium zurück. Überall gab es bereits Anzeichen dafür, daß die Regierung im Begriff stand, während der heißen Sommermonate »den Laden dicht« zu machen. Mit Ausnahme einiger wichtig wirkender Marineoffiziere war auf den Stufen zu dem imposanten Gebäude niemand zu sehen.

Adee zischte ein herzliches Willkommen. »Ich *erschreibe* Ihnen noch ein paar weitere offene Türen, Mr. Hay. Ich liebe es, mit Briefen Türen zu öffnen.«

»Lassen Sie sich durch mich nicht daran hindern. Irgendeine Nachricht aus Peking?«

»Die Diplomaten sind verschwunden, soweit wir das sagen können. Wahrscheinlich sind sie . . .«, Adee ließ ein glucksendes Lachen hören; eine nervöse Reaktion, wie Hay hoffte, ». . . alle tot.«

Als Hay sein Büro betrat, warf er einen Blick auf einen Stapel von Zeitungen, um zu sehen, welche von ihnen Artikel über ihn enthielten – von Adee rot markiert, mit einer gelegentlichen Randbemerkung. Bis auf das Journal, das ihn bezichtigte, Englands Geheimagent im Kabinett und überdies ein geschworener Feind der freiheitsliebenden Buren zu sein, interessierte sich die Presse nicht für ihn. Die Schlagzeilen beherrschte der Kandidat für die Vizepräsidentschaft.

Hay griff mit einem leichten Gefühl von Überdruß zu seinem »taktvollen« silbernen Federhalter, einem Geschenk Helens. Aus irgendeinem Grund war dieses Schreibwerkzeug, sobald er die Feder auf das Papier setzte, wie ein Instrument, mit dem er auf quasi buchstäblich silbrige Weise jedem, an den er schrieb, ein Loblied singen konnte, ein makelloses Loblied, ohne einen falschen Ton. Dieser Brief trug – natürlich – die Anrede: »Lieber Theodore«.

Ohne eine Pause zu machen oder auch nur nachdenken zu müssen, ließ Hay die Feder über das amtliche Briefpapier gleiten: »21. Juni 1900. Da nun, bis auf den Nachhall des Jubels, alles vorüber ist, nutze ich einen Augenblick an diesem kühlen Morgen des längsten Tages im ganzen Jahr, um Ihnen meine herzlichsten Glückwünsche auszusprechen.« Mit einer anderen Feder hätte Hay vielleicht hinzugefügt: ». . . Glückwünsche auch an Platt und Quay, die uns *Sie* geschenkt haben, eine kostbare Gabe«, doch die Silberfeder litt an einem Mangel an Eisen und Ironie. »Sie haben das größte Kompliment empfangen, welches das Land Ihnen zollen konnte . . .« Der Satz ließ eine Träne in Hays Auge treten, er mußte seinen Blutdruck messen lassen; solche Tränen waren oft ein Anzeichen für erhöhten Blutdruck. ». . . und wenn es auch nicht genau das war, was Sie und Ihre Freunde ersehnten . . .« Vor Hays innerem Auge entstand das Bild des schwitzenden Roosevelt, der als Generalgouverneur der Philippinen nach Moskitos klatschte, während aus dem Hinterhalt eines Dschungeldickichts Filipinos auf ihn schossen. »Ich habe keinen Zweifel, daß das alles zum besten ist.« An dieser Stelle waren Hay und seine Silberfeder gleichsam eins. Welchen Unfug konnte ein Vizepräsident unter einem so mächtigen Präsidenten wie McKinley schon anstellen? Weitere wohlklingende Sätze füllten die Seite. Das Quentchen Sympathie, das Hay einmal für Roosevelt empfunden hatte, war dank Teddys Säbelrasseln wegen des Kanalvertrags, wobei ihm der Verräter Lodge noch assistiert hatte, zur Zeit neutralisiert. Henry war bei dem Versuch gescheitert, Lodge, wie versprochen, in Hays Lager zu ziehen. Hays Silberfeder unterschrieb den Brief voll warmherzigem Schwung. Dann versiegelte er den Umschlag. Währenddessen trat Adee herein. »Ich habe eine Kopie von Dels Brief an Miss Sanford geschickt. Aber sie ist fort.«

»Wohin?«

Doch Adee blickte zum Fenster hinaus; und hörte nichts. Hay rief: »Wo ist sie hin?«

»Keine Antwort auf Ihren Brief an den Mikado.« Adee tat gern so, als ob ihm akustisch nie etwas entginge. »Sie wissen ja, wieviel Zeit sich Tokio immer läßt, um Briefe oder sonst irgend etwas zu beantworten.«

»Wo ist Miss Sanford hin?«

»Auch aus Port Arthur gibt es keine Nachrichten. Wir sollten froh sein, daß Cassini im Ausland ist. Der Zar soll bereit sein, seine Tochter anzuerkennen.«

»Als Tochter des Zaren?« Adees übliches Verwirrspiel lenkte Hay für einen Augenblick ab.

Adee öffnete ein Kistchen mit Havanna-Zigarren; und bot Hay eine an, der sie auch, resignierend, nahm. Während Adee ihm Feuer gab, sagte er, als seien ihm Hays Fragen keineswegs entgangen: »Miss Sanford ist nach Newport, Rhode Island. Sie hat uns ihre Adresse hinterlassen. Sie wohnt bei Mrs. Delacroix. Der Großmutter ihres Halbbruders.«

»Woher wissen Sie diese Details?« Hay war neugierig; und beeindruckt.

»Da es hier keinen Hof und keinen Saint-Simon gibt, muß sich doch irgend jemand bemühen, auf dem laufenden zu bleiben.«

»In diesem Land gibt es viele Höfe.«

»Es gibt nur ein Newport, Rhode Island.« Ohne weitere Formalität steckte sich Adee auch selbst eine Zigarre an. Und dann gingen die beiden alten Freunde methodisch daran, das Büro mit Rauch-

und Geruchsschwaden zu füllen, wobei sie erfolgreich den in der Luft schwebenden Duft der Sommerrosen zunichte machten, mit denen sämtliche Vasen gefüllt waren. »Sie hat mir einen Zettel hinterlassen, auf dem steht, falls sie etwas von Del höre, werde sie es Sie wissen lassen; und sie hofft, daß Sie es ganz genauso halten.«

»Ja.« Die Schmerzen im unteren Teil des Rückens waren, ominöserweise, verschwunden. Aus irgendeinem Grund hatte Hay immer das Gefühl, daß ein gewisses Maß an Schmerz nicht nur vernünftig, sondern auch ein Zeichen dafür war, daß der Körper Unregelmäßigkeiten regulierte, mancherlei Defekte reparierte. Jetzt indes war in jedem Glied seines Körpers nichts als eine allgemeine Schwäche zu spüren; und eine Überempfindlichkeit gegenüber der Hitze, so daß er sich ständig schläfrig fühlte – ein Zustand, der sich auch durch ausgiebigen Schlaf keineswegs besserte. Er mußte sich bald nach New Hampshire zurückziehen, oder sterben; oder auch beides, dachte er, ohne Angst, vielmehr froh darüber, daß er fähig war, den Augenblick zu genießen – nicht zuletzt auch das lustige Verwirrspiel Adees mit der »vom Zaren anerkannten Tochter«.

Das plötzliche, unangemeldete Auftauchen des Kriegsministers in der Tür veranlaßte Adee, sich – wie ein wiedererstandener Saint-Simon – ebenso prompt wie unauffällig zurückzuziehen, wobei er allerdings, den Großen den Rücken zukehrend, nicht aufhörte, seine Havanna zu schmauchen.

Root setzte sich auf den Rand von Hays Schreibtisch. »Der Major will sämtliche Amerikaner aus China heraushaben.«

»Wie sollen wir das machen, wo sie doch in Peking von den Boxern umzingelt sind?«

»Ich habe ihm gesagt, ich hielte es für eine schlechte Idee, falls nicht auch die Russen rauswollen, was nicht der Fall ist. Er ist besorgt wegen der Wirkung auf die Wahl.«

Hay seufzte. »Ich lasse Asien in Ihren Händen. Ich lasse das Außenministerium in Ihren Händen. Ich überlasse Ihnen . . .«

». . . zuviel.«

»Nun, immerhin überlasse ich Ihnen Teddy nicht.« Hay blickte auf den versiegelten Brief an den Gouverneur von New York. »Er wird in jedem Staat sprechen«, sagt er.

»Es wird interessant sein zu sehen, ob er den Präsidenten in seinen Reden erwähnt.« Roots Verachtung für Roosevelt war völlig unpersönlich und spontan. Politisch kamen beide dennoch gut miteinander zurecht: zwei praktische Männer, die einander brauchten. Teddy hatte Root bereits seine Version vom Parteitag geschrieben, und Root hatte sie Hay gezeigt: »Es waren schwere vier Tage in Philadelphia.« In Roosevelts Darstellung nahm sich seine Nominierung aus wie ein von ihm gewonnener Krieg. »Was wird der Major tun?«

»Er wird nach Hause reisen, nach Canton«, sagte Hay. »Bis zum Wahltag wird er vorn auf seiner Veranda sitzen und mit den Leuten schwatzen . . .«

». . . und auf das Läuten des Telefons warten.«

»Wir sind auf den Philippinen ziemlich schwach.« Abrupt wechselte Root das Thema. »Taft ist zu weich. Und MacArthur ist zu sehr der militärische Prokonsul.«

»Mit dem General werden Sie doch allemal fertig.«

Root lachte leise. »Oh, den degradiere ich zum Sergeanten, wenn er mir nicht gehorcht. Aber ich kann Taft kein Rückgrat einziehen. Falls es zwischen jetzt und November Ärger gibt . . .«

»Bryan würde nicht wissen, wie er das für sich ausschlachten sollte. Wir werden wiedergewählt werden, und ich werde dann nicht mehr potentieller Präsidentennachfolger sein. Sind Sie sicher, daß Sie nicht lieber an meiner Stelle wären?«

Hay war, im Augenblick zumindest, ehrlich amtsmüde. Root zeigte allerdings keinerlei Interesse. »Wir bilden ein gutes Team, so wie wir sind.« Er nahm ein Exemplar der Washington Tribune von einem Seitentisch, auf dem die nationale Presse täglich auf ähnliche Weise arrangiert wurde, wie Hay das vor Zeiten für Präsident Lincoln getan hatte. Anders als Lincoln indes, der selbst niemals Journalist gewesen war, hätte Hay vernünftig genug sein sollen, die Presse ernst zu nehmen. Allerdings wußte er, daß gerade Fabulierer dazu neigen, die wildesten Geschichten zu glauben.

»Dels Verlobte scheint mit ihrem Blatt Erfolg zu haben.«

»Sie sagt, daß sie keine finanziellen Verluste hat«, sagte Hay, »und daß es ihr Spaß macht.«

4

Tatsache war allerdings, daß Caroline seit dem Frühjahr finanzielle Verluste erlitten hatte; was sie weniger spaßig fand. Sie hatte für die Berichterstattung über die nationalen Parteitage bei weitem zuviel Geld ausgegeben. Da Hearst jedem Journalisten im Land eine übertriebene Vorstellung von seinem Eigenwert vermittelt hatte, war sie gezwungen gewesen, einen ehemaligen Journalisten vom New York Herald höher zu bezahlen, als sie es sich eigentlich hatte leisten können. Was er ihr dafür lieferte, entpuppte sich allerdings – zu ihrer Überraschung – als eine ganz hervorragende Berichterstattung über den Parteitag in Philadelphia. Konnte es sein, daß Hearst recht hatte? Daß man bekam, wofür man bezahlte? Jetzt saß Caroline auf dem Rasen beim Delacroix-»Cottage« und las den Tribune-Bericht über die Nominierung von William Jennings Bryan am 5. Juli in Kansas City. Als sogenannten *running mate* hatte Bryan sich Grover Clevelands alten Vizepräsidenten erkoren, Adlai Stevenson aus Illinois. Sorgfältig verglich Caroline den Bericht ihrer eigenen Zeitung mit denen der Konkurrenz. Obwohl Hearst Bryan mit Nachdruck unterstützte, wurde das Thema Silber kaum berührt, und Bryans anti-imperialistische Ansichten ignorierte der Imperialist Hearst fast völlig. Immerhin waren Hearst und Bryan ein Herz und eine Seele in puncto »kriminelle Trusts«, was auch immer damit präzise gemeint sein mag, dachte Caroline und griff nach Hearsts neuester Zeitung, dem Chicago American, offiziell am 4. Juli gestartet und getragen von all jener Energie und blütentreibenden Ungenauigkeit, wie sie für den Chef charakteristisch waren.

»Es ist in der Tat sonderbar«, sagte eine tiefe weibliche Stimme, »wenn man sieht, wie eine junge Lady die vulgäre Presse liest und sich dabei auch noch ihre Handschuhe mit Druckerschwärze besudelt.«

»Dann werde ich sie eben ausziehen.« Caroline legte den Zeitungsstapel ins Gras und zog sich ihre weißen Handschuhe aus. »Aber ich muß das hier lesen, um zu sehen, was die Konkurrenz schreibt; damit ich meine eigene vulgäre Kunst vervollkommnen kann.«

Neugier war es, welche die beiden Frauen zusammengeführt

hatte. Als Caroline, schließlich doch vor Washingtons Hitze kapitulierend, sich bereit erklärt hatte, den Juli mit Mrs. Jack Astor zu verbringen, hatte Mrs. Delacroix ihr geschrieben, natürlich müsse sie unbedingt bei ihr, ihrer Quasi-Großmutter, wohnen. Und so war Caroline dann von Mrs. Jacks Anwesen übergewechselt in die Pracht des Grand Trianon, hochoben bei der Ochre Avenue über der strahlenden Kühle des Atlantik; und in dieser meeresmilden Höhe war die dampfende Hitze Washingtons bald vergessen.

Mrs. Delacroix war klein und dünn, mit einem Gesicht voller Runzeln, die einem feinen Spinnweb glichen, umrahmt von Silberhaar von solch gepflegter Lockenfülle und -dichte, daß halb Newport davon überzeugt war, sie trüge, wie ihre Altersgenossin Mrs. Astor, eine Perücke. Doch ihr Haar war genauso echt wie das Spinnweb. Wenn die alte Lady sprach, so tat sie das sehr schnell und mit eigentümlich abgehackten Silben, eine Art Überbleibsel ihrer Herkunft aus New Orleans.

Mrs. Delacroix hielt einen Schirm zwischen ihre fahle Haut und die helle Sonne; auf Caroline wirkte sie wie ein höchst zielstrebiger Geist, mit wahrhaft schlechten Nachrichten aus dem Jenseits. »Mr. Lispinard, unser Nachbar, ist gekommen, um uns seine Aufwartung zu machen. Ich sagte ihm, soweit ich wüßte, seien Sie indisponiert. Sollten Sie indes disponiert sein . . .«

»Ich stehe völlig zu *Ihrer* Disposition.«

»Also das Reden bringen sie euch Mädchen drüben in Europa bei.« Hinter einer Fliederhecke tauchte ein livrierter Lakai auf und stellte einen Stuhl hinter Mrs. Delacroix, die sofort darauf Platz nahm, ohne sich erst davon zu überzeugen, ob er auch richtig stand. »Mr. Lispinard gehört das White Lodge weiter unten bei der Straße. Er ist sehr snobistisch.«

»Wie alle hier. Zumindest hat man mir das erzählt«, fügte Caroline hinzu; sie hatte sich geschworen, keine Kritik zu üben; nicht im Gespräch.

»Manche von uns haben mehr Gelegenheit, snobistisch zu sein, als andere. Mr. Stewart ist ein Junggeselle, den alle gern heiraten würden. Allerdings vermute ich, daß er in seinem gegenwärtigen Zustand immakulater Keuschheit, wie die Nonnen das in meiner Jugend zu nennen pflegten, verharren wird, bis man ihn eines Tages abberuft in höhere Gefilde, als Bräutigam Christi.«

Caroline war sich nie sicher, ob die alte Lady absichtlich spaßig war. Für alle Fälle lachte sie. »Ich hatte eigentlich den Eindruck, daß Jesus sich nur mit Bräuten zufriedengibt.«

»Wir dürfen«, sagte Mrs. Delacroix mit heiterer Gelassenheit, »die mysteriösen Wege des Allmächtigen nicht in Frage stellen.« Mit der Spitze ihres Sonnenschirms drehte sie den Zeitungsstapel auf dem Rasen herum. »Sie sind in meinem Leben die erste junge Lady, die den vorderen Teil der Zeitung liest.«

»Ich bin auch die erste junge Lady in Ihrem Leben, die eine Zeitung *herausgibt*.«

»Ich würde nicht«, sagte Mrs. Delacroix, »prahlen.«

»Prahlen? Ich hatte gehofft, Ihr Mitgefühl zu erregen.«

»Ich habe keines.« Mrs. Delacroix machte einen recht selbstzufriedenen Eindruck.

»Überhaupt keines? Für wen auch immer?«

»Nicht einmal für mich selbst. Wir bekommen, was wir verdienen, Caroline.« Vom ersten Tag an hatte die alte Frau die junge Frau gleichermaßen als Kind und als Verwandte behandelt, fortwährend wechselnd zwischen Vertraulichkeit und Distanziertheit. »Aber was ich ganz besonders verdiene, ist hier nicht dabei.« Sie zog ihren Schirm von den Zeitungen zurück. »Ist nicht dabei.«

»Was suchen Sie denn?«

»Die Gesellschaftsseite. Ich lese nichts sonst. Es ist immer klug zu wissen, was die Dienerschaft von uns denkt. Die Sachen, die dieses Blatt druckt!«

»Es ist das, was sie *nicht* drucken – die Auslassungen –, weshalb ich die Gesellschaftsnachrichten studiere.«

Sorgfältig rückte Mrs. Delacroix ihren großen, pastellgelben Hut mit dem nach hinten gerafften Spitzenschleier zurecht. An ihrem Busen hing, wie aufs Geratewohl, allerlei Goldornament. »Zweifellos sind jene, die *un*erwähnt bleiben, tugendhaft und somit ohne Interesse für unsere Bediensteten.«

»Oder aber sie zahlen Colonel Mann große Geldsummen, damit ihre Namen aus seinem ›Geplauder‹ herausgehalten werden.«

»Zynisch!« Mrs. Delacroix' Stimme schallte wie die Seeglocke auf den scharfen Felsen hinter dem Haus. »Das kommt davon, wenn man Zeitungen liest! Sie besudeln einem die Seele, genau wie sie weiße Handschuhe besudeln.«

Caroline hielt ihre Handschuhe in die Höhe. Sie waren in der Tat voller Druckerschwärze. »Ich muß mich umziehen«, sagte sie.

»Warten Sie, bis wir uns zum Lunch kleiden.«

Caroline hatte mit einer gewissen Erleichterung entdeckt, daß man sich in Newport nur fünfmal pro Tag umkleiden mußte, vorausgesetzt allerdings, daß man nicht Tennis spielen oder reiten oder auf einer Yacht fahren wollte. In Paris galt siebenmaliges Umkleiden als modisches Minimum. Marguerite, mit ihrem Asthma, fühlte sich bei all dem ungewohnten Müßiggang wie im Paradies; natürlich auch wegen der so wohltuend frischen Seeluft, vor allem aber wegen der allenthalben und stets verfügbaren dienstbaren Geister in den »Cottages« von Newport, die getrennt standen von den Häusern der Ortsansässigen, die hier das ganze Jahr wohnten und die Harry Lehr in Rekurs auf Ludwig XIV. »Unsere Fußschemel« nannte. Und obwohl die »Fußschemel« die modischen »Füße« verabscheuten, dienten sie ihnen während der achtwöchigen Saison im Juli und August mit grimmiger Miene; nach dem letzten Fest, Mrs. Fishs Ernte-Ball, wurden die riesigen Paläste für die nächsten zehn Monate geschlossen, und Newport gehörte wieder den »Schemeln«.

»Warum mußt du dich mit Blaise herumstreiten?« Plötzlich glich Mrs. Delacroix auf beunruhigende Weise einer schrumpligen Version ihres Enkelsohns.

»Wir streiten uns nur wegen Geld. Das ist doch gewiß nichts Besonderes – und entschuldbar.«

»Man kann sich wegen Geld *uneinig* sein, aber man streitet sich nicht. Du könntest einen so guten Einfluß auf ihn ausüben.«

»Braucht er denn einen guten Einfluß? Ich dachte«, sagte Caroline maliziös, »daß Madame de Bieville *in loco parentis* stünde.«

Mrs. Delacroix unterdrückte ein Lächeln, wenn auch nicht ohne Mühe. »*Ich* wirke *in loco parentis*. Des armen Buben letzte Blutsverwandte – du natürlich ausgenommen.«

»Und ich bin so jung, so unerfahren, noch eine *jeune fille*, während Blaise ein Mann von Welt ist, mit Madame als Führerin; wenn Sie nicht da sind, natürlich.«

»Jetzt machst du dich über mich lustig.« Die Witwe wirkte beinahe mädchenhaft. »Aber du wirkst hier ungezwungener als Blaise. Du suchst dir deine Freunde mit Sorgfalt aus . . .«

»Mädchen suchen niemals aus, wir werden ausgesucht.«

»Nun, irgendwie hast du dir die Hays *erworben*. Helen betet dich an. Sie wird heute eintreffen, zusammen mit Payne Whitney. Natürlich wohnen sie in verschiedenen Häusern. Wir sind schließlich – noch – keine Franzosen. Aber Blaise kommt und geht, und außer der entzückenden Madame de Bieville hat er in Newport keine Freunde . . .«

»Keine Freunde? Ja, wieso, da ist doch Payne, und Del Hay, wenn er hier ist, und all seine Kommilitonen aus Yale.«

»Er denkt nur an Mr. Hearst und an Zeitungen . . .«

»Genau wie ich. Manchmal will mir scheinen, daß uns unsere Amme Druckerschwärze statt Milch gegeben haben muß.«

Mrs. Delacroix preßte die Hände gegen ihre Ohren. »Das habe ich nicht gehört!« Ein Lakai erschien und brachte auf einem Silbertablett zwei fast durchsichtige Tassen mit Bouillon. »Trink nur«, sagte die alte Frau. »Du wirst deine Kräfte brauchen. Wir haben eine formidable Saison vorbereitet.«

»Reizend von Ihnen, mich einzuladen.« Caroline betrachtete ihre Gastgeberin; und fing an sie sympathisch zu finden. An sich hatte sie einen Drachen erwartet, einen feuerspeienden; doch die Einladung (Vorladung?) hatte sich als ein Zeichen verspäteter, wenn auch nicht unbedingt Zuneigung, so doch tiefer Neugier erwiesen: und Caroline fand das zweite Motiv sowieso weitaus interessanter. Auch sie selbst war ja neugierig, was Mrs. Delacroix betraf, und das aus vielerlei Gründen.

Über die Vergangenheit war bis jetzt noch nicht gesprochen worden. Im Salon hing ein Porträt von Denise Sanford, die sehr jung und in einer Weise erstaunt aussah; von diesem Gesichtsausdruck abgesehen, war ihre Ähnlichkeit mit Blaise absolut unverkennbar. Von William Sanford, ihrem Vater, gab es kein Porträt. »Ich muß es weggetan haben«, sagte Mrs. Delacroix. »Möchten Sie es haben?«

»Ja, sehr gern.«

»Er ist in Uniform. Im Krieg hat er auf der Seite der Yankees gekämpft.«

»Gekämpft wohl kaum.« Caroline konnte der Versuchung nicht widerstehen.

»Es ist das Beste, was man mir über ihn erzählt hat. Wenn wir miteinander in Verbindung blieben, so nur wegen Blaise, der mein letztes lebendes Enkelkind ist, ja sogar mein letzter Verwandter, das heißt, außerhalb von New Orleans, wo ich mit jedem verwandt bin.«

»Was für eine Bürde!«

Mrs. Delacroix nahm Carolines Arm, und behutsam schritten die beiden die Rasenfläche hinauf zur rosafarbenen Marmorterrasse. »Mamie Fish hat uns zum Lunch eingeladen. Sie ist sehr neugierig auf dich.«

»Ich«, sagte Caroline, »bin nicht neugierig auf sie.«

»Sag ihr das nur! Das wird sie überwältigen. Sie hält sich nämlich für die interessanteste Frau auf der Welt, und da die alte Mrs. Astor jetzt nicht mehr so bei Kräften ist, möchte Mamie ihren Platz einnehmen, oder es ist wohl eher so, daß Harry Lehr Mamie als unsere ungekrönte Königin etablieren möchte.«

»Soviel Aufregung«, murmelte Caroline; und fragte sich, ob da nicht eine – anonym verfaßte – Story für die Tribune abfallen mochte.

Sie betraten einen kühlen, getäfelten Raum, in dem eine Marmorbüste von Marie Antoinette durch das Fenster auf den Rasen hinausspähte, wie ein königliches Schaf, das sich danach sehnte, auf die Weide geführt zu werden. »Als Mrs. Leiter hier war, fragte sie mich, ob Meister Rodin diese Büste geschaffen habe.«

Gleichsam aus Prinzip lachte Caroline bei jeder Erwähnung der reichen Chicagoer Lady, die auf dem Heiratsmarkt der großen Welt höchst erfolgreich drei prächtige Mädchen an den Mann gebracht hatte; die attraktivste von ihnen hatte Lord Curzon geheiratet, den jetzigen Vizekönig von Indien, wo man die Vizekönigin die »Leiter von Indien« nannte. »Natürlich habe ich Mrs. Leiter erzählt, Rodin habe die gesamte französische Königsfamilie bildhauerisch verewigt, angefangen mit Karl dem Großen. Sie erwiderte, das überrasche sie nicht weiter, da ihm die Besten für sein Werk gerade gut genug seien. Und dann . . .«, Mrs. Delacroix atmete plötzlich ein und produzierte ein Geräusch, das man nur als ein Schnauben bezeichnen konnte, ». . . sagte Mrs. Leiter zu mir, ich müsse unbedingt die *Büste* sehen, die Rodin gerade von der Hand ihrer Tochter gemacht habe.«

Mrs. Delacroix schlug vor, zum Casino zu fahren, einem rustikalen Holzschindelgebäude, das für das marmorne Newport so etwas wie ein Dorfzentrum war, ein Petit Trianon für die Möchte-gern-einfachen-Leute. Hier wurde auf Grasplätzen Tennis gespielt, während auf der Horse Shoe Piazza den ganzen Tag lang Mullalays Orchester zu hören war, indes energielose Ladys frische Luft schöpften und energievolle Männer auf dem Meer segelten, während die Gentlemen mit mäßigen Energiereserven sich in den Leseraum des Casinos zurückzogen, wo sie in Sicherheit vor Ladys, Athleten und Büchern waren.

Aber Caroline erwiderte, sie habe – ums Haar hätte sie das unaussprechliche Wort »Arbeit« gebraucht, doch erinnerte sie sich gerade noch rechtzeitig an die geläufige Floskel – »Briefe zu schreiben« und müsse sich überdies umkleiden. Mrs. Delacroix ließ sie gehen; und stieg allein in ihre Kutsche, oder doch fast allein. In ihrer Begleitung befand sich eine arme Verwandte, Miss Aspinall genannt, die während der Hochsaison als Gesellschafterin fungierte. Den Rest des Jahres lebte Miss Aspinall sehr zurückgezogen in Monroe, Louisiana, wo sie die stillen Freuden pastoraler Altjüngferlichkeit genießen konnte.

Marguerite hatte ein prächtiges Kleid von Worth bereitgelegt, ein Stück textiler Vollkommenheit, nur daß es bereits drei Jahre alt war, eine Tatsache, die den scharfen Augen der Ladys von Newport natürlich nicht entgehen würde. Doch hatte Carolines Ruf, exzentrisch zu sein, gesellschaftlich natürlich seine Vorteile. Und war sie im übrigen nicht eine Sanford? Aufgenommen – und angenommen – von Mrs. Delacroix, der angeblichen Todfeindin ihrer Mutter, Emma?

Angeblich? Caroline setzte sich in einen Lehnstuhl und blickte hinaus auf die See, wo Segelboote mit geblähten weißen Spinnakern in verschiedene Richtungen strebten; unwillkürlich und blasphemisch mußte sie an schwangere Nonnen denken; zweifellos der Einfluß ihrer Gastgeberin. Was für Empfindungen hegte die alte Frau wirklich gegenüber ihrer, Carolines, Mutter? Und wie stand es mit den Empfindungen gegenüber der Tochter dieser Mutter? Weshalb diese plötzliche, geradezu gebieterische Einladung ungeachtet der augenscheinlichen Verärgerung von Mrs. Jack? Immerhin hatte es sich so entwickelt, daß beide – die alte Mrs. Delacroix und Caroline – ihre Gesellschaft wechselseitig genossen; außerdem waren da, trotz der Hochsaison, keine weiteren Hausgäste. Was irgendwie merkwürdig schien. Vage Hinweise auf Verwandte aus Louisiana, die angeblich zu krank waren, um zu reisen, ließen Caroline ahnen, daß sie eine Lückenbüßerin war, eine Improvisation in allerletzter Minute. Was die Leere des großen, marmornen Hauses betraf, so empfand Caroline sie eher als angenehm. Das Personal war ausgezeichnet, also unsichtbar, wenn es nicht gebraucht wurde; darüber hinaus befanden sich zu Marguerites übergroßer Freude unter den Bediensteten eine Anzahl von Franzosen. Die Räume, groß und sonnenhell, rochen nach Rosen, nach zitronenduftendem Möbelwachs und nach jodhaltiger Seeluft.

Ein Leben in Luxus und Müßiggang hatte schon eine Menge für sich, dachte Caroline, während sie auf dem Parkettfußboden sorgfältig die Titelseiten der neun Zeitungen nebeneinanderlegte, die ihre tägliche Lektüre bildeten. Inzwischen war jede dieser Zeitungen so etwas wie ein alter Bekannter. Sie wußte, beispielsweise, warum die eine jeden Burensieg in Südafrika aufbauschte, falls ihn die Redakteure nicht buchstäblich erfunden hatten: weil Verlegergattin und Verlegertochter *nicht* am englischen Königshof empfangen worden waren; während eine andere Zeitung ausschließlich von britischen Siegen sprach, eine Folge der Tatsache, daß der betreffende Chefredakteur seit langem eine Affäre mit einer britischen Lady hatte, deren Mann ein Auktionshaus in New York City besaß. Inzwischen konnte Caroline mit großer Sicherheit voraussagen, wie die allermeisten amerikanischen Zeitungen auf bedeutende Ereignisse reagieren würden. Hearst war praktisch der einzige, der sie mitunter verblüffte – weil er auf seine Weise so etwas wie ein Künstler war: unbeständig, unberechenbar und empfänglich für phantasievolle Einfälle.

Über Newport wurde in zwei New Yorker Zeitungen berichtet; anderswo fand sich nicht sehr viel. Im Augenblick war Newport nachrichtenwürdig, weil William K. Vanderbilt jr., in einem französischen Automobil die Strecke nach Newport und zurück, gut einhundertundsechzig Meilen, in drei Stunden und siebenundfünfzig Minuten zurückgelegt hatte. Caroline prägte sich die Meldung ein. Ein prächtiges Konversationsthema für den Lunch bei Mrs. Fish, wo Harry Lehr jetzt so etwas wie ein hauptamtlicher Majordomus war. Die alte Mrs. Astor lud längst nicht mehr so viele

Gäste zu sich wie früher; sie zog es vor, nur noch wenige Getreue in ihrem Cottage zu empfangen. Die Macht, so sagten alle, wechsle mehr und mehr über zu Mrs. Fish; obwohl ja Mrs. Ogden Mills, geborene Livingston, die anerkannte amerikanische Erzherzogin in Newport war; und wenn Mrs. Astor das Zepter fallenließ, so mußte auf Grund der Hochkarätigkeit ihres demokratisch-aristokratischen Geblüts eigentlich sie die Nachfolgerin sein. Nach ihrer Ansicht über die »Vierhundert« befragt, hatte Mrs. Mills kalt geantwortet: »Eigentlich gibt es nur zwanzig Familien in New York.« Mrs. Mills verfügte über eine grandiose, ja einzigartige Fähigkeit: Sie verstand es, jedem, der in ihrer Nähe war, ein Gefühl fast lähmender Beklommenheit zu vermitteln. »Eine unschätzbare Begabung«, hatte Mrs. Delacroix fast ein wenig neidisch bemerkt, ohne sich jemals des permanent verschüchterten Gesichtsausdrucks der allgegenwärtigen Altjungfer Aspinall bewußt zu werden.

Zu den weiteren – geringeren – Kandidatinnen für die Thronnachfolge gehörte die lebhafte, kluge Mrs. Oliver Belmont, »die erste *Lady*, die je einen Vanderbilt geheiratet hat«, wie sie mit unverkennbarer Genugtuung über sich selbst zu sagen pflegte, »und die erste Lady, die jemals eine Scheidung zu ihren Bedingungen erreicht hat. Und ich war auch die erste Lady, die erste amerikanische Lady, die ihre Tochter mit einem Herzog von Marlborough verheiratet hat, wofür ich zweifellos im Jenseits werde leiden müssen. Aber meine Absichten waren die allerbesten. Und natürlich bin ich die erste Lady, die jemals einen Juden geheiratet hat, meinen Darling Oliver Belmont. Und jetzt«, sagte sie dann mit einem beeindruckenden Funkeln in ihren dunklen, klugen Augen, die Caroline faszinierten, »werde ich die erste Frau – *nicht* Lady – sein, die mit dafür sorgt, daß eines Tages jede amerikanische Frau das Stimmrecht haben wird. Denn die Frauen sind die Hoffnung dieses Landes. Sollten Sie daran zweifeln, so beten Sie zu Gott«, hatte sie gesagt, als sie Caroline zum erstenmal begegnet war – und sofort versucht hatte, sie für das Frauenwahlrecht zu gewinnen, »und *SIE* wird Ihnen helfen.« Caroline genoß Alva Vanderbilt Belmont, doch da war sie wohl die einzige auf der weiten Welt. Alva war zu *shocking* und zu fortschrittlich, um beliebt zu sein; andererseits war sie zu reich und zu mächtig, um ignoriert zu werden. Zweifellos kam sie als Nachfolgerin von Mrs. Astor nicht wirklich in Betracht; und wollte es auch nicht, zumindest nicht mehr. Es hatte eine Zeit gegeben, da Alva damit gedroht hatte, die Astor-Plantagenets durch die Vanderbilt-Tudors abzulösen. Doch hatte sich die Scheidung negativ ausgewirkt und, noch bedrückender, gute Werke.

Mrs. Stuyvesant Fish, die mutmaßliche Thronerbin, begrüßte ihre Gäste in der großen Halle von Crossways, einem Herrenhaus im Kolonialstil, mit einem Speisesaal, in dem bequem zweihundert Gäste Platz fanden, wie Harry Lehr sagte, als er Caroline herzlich begrüßte.

»Das bedeutet, daß Sie die Hälfte der Vierhundert eliminieren müssen«, sagte Caroline. »Wen wird es also treffen? Die Gentlemen oder die Ladys?«

»Wir werden niemals experimentieren, weil Morton uns nicht läßt. Seine derzeitige Höchstgrenze zum Lunch sind sechzehn.«

Morton war der englische Butler, der bei etlichen Herzögen gedient hatte – allzu vielen, dachte Caroline, die sich fragte, warum die große Zahl seiner hohen Dienstherren Mrs. Fish so sehr imponierte, während sie die Kürze seiner jeweiligen Dienstzeit völlig ignorierte. Morton war ein hochgewachsener, rotgesichtiger Mann, der Mrs. Fish und ihre Gäste mit einer Verachtung behandelte, die sie zwar verdienen mochten, sich jedoch nicht hätten bieten lassen dürfen. Caroline war alles andere als entzückt.

Die anwesenden Damen gehörten zum Besten, was die Saison zu bieten hatte, die anwesenden Herren nicht. Die jungen und unternehmungslustigen segelten draußen vor Hazard's Beach; oder fuhren in Automobilen herum. Allerdings befand sich Lispinard Stewart unter den Gästen; er schien direkt den Seiten eines altmodischen Romans vom Beginn des 19. Jahrhunderts entstiegen zu sein; er war elegant, effeminiert und wundersam langweilig. Er umflatterte Caroline; die, so gut es irgend ging, in die generelle Richtung von Mrs. Fish flatterte; welche wie gebannt stand, ein Auge auf der Tür zum Speisesaal, um sicherzugehen, daß der grandiose Morton keinesfalls würde warten müssen, sobald er verkündete, daß das Mahl bereit sei.

Mrs. Fish empfing Caroline mit einem Interesse, das Caroline für Herzlichkeit hätte halten können, wäre sie weniger erfahren gewesen in gesellschaftlichen Fehden. Mamie Fish war eine weniger hübsche, allerdings interessante – und interessant aussehende – Frau mit tiefliegenden Augen unter gewölbten Brauen; doch der Rest ihres Gesichtes war gleichsam ohne besondere Sorgfalt gearbeitet. Das Kinn, ausnehmend kräftig, wirkte dennoch keineswegs charaktervoll, und der Mund war kaum mehr als ein häßlicher Strich; so als habe die Göttliche Künstlerin – offenkundig eine Frau, Mrs. Belmont blieb dabei – sich entschlossen, einen Stilbruch in Kauf zu nehmen, um einen Stilbruch zu meiden, Mamie folglich jene Schönheit vorzuenthalten, die ihren anderen Vorzügen eher abträglich gewesen wäre: dem flexiblen Verstand und dem mühelosen Witz. Auf jeden Fall hatte sie sich schon in jungen Jahren einen Gatten gesichert, der nicht nur ein Nachfahre der puritanischen, sondern auch der holländischen Gründer der Nation war, ein gewisser Stuyvesant Fish, von Mamie liebevoll, wenn auch ein wenig puritanisch-predigerhaft, »der gute Mann« genannt. Wie die Dinge lagen, zog der gute Mann sein altes Haus in Garrison am Hudson sowohl Newport als auch New York vor, ein Arrangement ganz nach dem Geschmack von Mrs. Fish sowie dem sprühenden Harry Lehr, der allerdings eher behäbig wirkte.

»Ich fürchtete schon, es würde uns niemals gelingen, Sie bei uns zu haben.« Mrs. Fish musterte Caroline interessiert. »An Blaise in New York sind wir ja gewöhnt. Aber Sie sind das Rätsel von Washington, einer Stadt, die nie irgend jemand besucht. Die alte Mrs. Astor – es geht ihr nicht gut, wissen Sie, gar nicht gut – hält Sie für einen großen Gewinn. ›Gewinn für wen?‹ habe ich gefragt.«

»Für Washington, vielleicht.« Caroline war auf der Hut. »Wo mich, falls Sie recht haben, niemals irgendwer besuchen wird.«

»Washington, das ist doch einfach nichts, liebes Kind. Falls Sie einen solchen Ort mögen, so versuchen Sie doch lieber Charleston, während der Azaleensaison, oder New Orleans, wo Mrs. Delacroix noch immer Sklaven hält. Oh, sie wird es leugnen! Doch in jenem Teil der Welt ist der Krieg nie akzeptiert worden. Genau wie wir Washington nicht akzeptieren. Sind Sie ganz sicher, daß Sie nicht einen der Unseren heiraten wollen?« Mamie Fish stellte die Frage in jenem gedehnten Tonfall, für den sie berühmt war.

Zu ihrer eigenen Überraschung wurde Caroline rot. »Die Auswahl ist so überaus groß.« Caroline deutete auf einen ganz in der Nähe stehenden Mann, James Van Alen, einen reichen Witwer, der sich zum englischen Gentleman stilisiert hatte, allerdings von jener Art, die man weniger in der Londoner Society als vielmehr auf Broadway-Bühnen sah. Als Van Alen Caroline das erste Mal bei Mrs. Belmont gesehen hatte, hatte er laut »Sapperlot!« gesagt – ein Wort, das Caroline nie zuvor wirklich *gesprochen* gehört hatte; als er sich dann, ohne den Blick von ihr zu lösen, zurückzog, verkündete er: »Eine höchst schmucke Maid, traun fürwahr«, und klemmte sich ein Monokel in ein Auge.

»Ich glaube«, sagte Mrs. Fish, »nichts könnte für Sie einfacher sein, als die Braut von Mr. Van Alen zu werden.«

»Ich bin ziemlich kurzsichtig.« Caroline zwinkerte heftig. »Ich habe nicht gesehen, wer es war.«

»Aber Sie werden Del Hay heiraten. Sehen Sie? Wir sind gut informiert. Nur, wann wird er aus Südamerika zurückkommen?«

»Südafrika.«

»Ist doch alles das gleiche, Kindchen. Wie auch immer, da ist Helen. Und Payne.«

Caroline und Helen umarmten einander. Paynes Handgelenk war bandagiert, eine Tennisverletzung. »Sonst wäre ich heute beim Rennen dabei.« Ärgerlich ließ er seine jungen Augen durch den Raum gleiten, der gefüllt war mit ältlichen Beaus, die in jedem Sinn des Wortes bestens betucht waren.

»Vater ist in New Hampshire. New Hampshire!« Helen wirkte überschwenglicher als sonst. »Er soll mindestens zwei Monate dort bleiben, selbst wenn all seine offenen Türen zugeschlagen werden.«

»Hat er von Del gehört?«

»Nichts seit du letzte Woche Nachricht bekommen hast. Alles unterliegt jetzt quasi dem Diplomatensiegel. Also kann er nicht sagen, was er sagen möchte. Aber die Engländer verlieren. Verlieren! Es ist furchtbar!«

In diesem Augenblick verkündete Morton in eigentümlich unheilvollem Ton, das Essen sei bereit, und ebenso prompt wie pflichtgemäß nahm Mrs. Fish den Arm des höchstrangigen Gentleman und eilte zu ihrem Platz an der Sheraton-Mahagoni-Tafel, die, obschon für Mortons gerade noch zulässige sechzehn gedeckt, dennoch jedem Gast genügend Raum gewährte, ein wichtiger Punkt; denn die Röcke der Damen waren in dieser Saison wahrhaft enorm. In der Mitte der Tafel befanden sich, kunstvoll aus massivem Gold gefertigt, eine Anzahl von Pagoden und Brücken – Chinoiserien zur Komplettierung des etwas chinoisen Aufzugs der Gastgeberin.

Caroline wurde, genau wie sie es erwartet hatte, zwischen Lispinard Stewart und James Van Alen plaziert. Sehnsüchtig dachte sie an ihr kleines Büro am Market Square und an die Fliegen, die lebenden wie die toten, an Altvertrautes.

»Das wahre Können einer guten Köchin«, verkündete James Van Alen, »zeigt sich bei *codfish cakes*.«

»Macht Mrs. Fishs Köchin welche für uns?«

»Gott im Himmel, Miss! Das hier ist *kein* Frühstück.«

Lispinard Stewart erläuterte Caroline ausführlich seine Verwandtschaft mit den Stuarts; und weshalb seine Familie bescheiden das »u« durch »ew« ersetzt habe, nämlich zur Beruhigung des gegenwärtigen englischen Herrscherhauses, dessen allergrößte Sorge es sei, ein Mitglied seiner Familie könne Anspruch auf den Thron erheben, »der rechtmäßig uns gehört, wie man dort sehr wohl weiß«.

»Und von welchem Königreich«, fragte Caroline, die sich endlich darauf besann, wie man Konversation machte, »ist Lispinard das Herrscherhaus?«

Am Abend sollte es, von den Burke-Roches veranstaltet, bei The Elms ein Tanzvergnügen geben. Als Mrs. Delacroix erklärte, sie wolle frühzeitig nach Hause, schloß Caroline sich ihr an. »Morgen«, sagte sie, »muß ich den Vormittag am Telefon verbringen . . . und mit Washington sprechen.«

»Als ich jung war, tanzte ich die ganze Nacht. Ich war immer verliebt.«

»Ich bin nicht verliebt, Mrs. Delacroix. Also schlafe ich . . . und telefoniere danach.«

»Wir haben uns mehr amüsiert. Telefone gab es natürlich nicht.« Sie saßen in dem kleinen Arbeitszimmer beim Salon. Obwohl es erst Ende Juli war, war die Nacht kühl, und im Kamin brannte ein Feuer. Mrs. Delacroix schenkte sich einen Brandy ein, während Caroline ein Apollinaris nahm. Die alte Frau lachte. »Mamie tanzt völlig nach der Pfeife ihres Butlers. Er hat ihr erzählt, daß in allen großen englischen Häusern Apollinaris-Wasser abgekocht werden müsse.«

»An ihrer Stelle würde ich ihn kochen.«

Mrs. Delacroix hielt ein kleines Bild hoch, auf Elfenbein gemalt. »Das ist dein Vater, mit meiner Tochter.«

»Ich dachte, Sie hätten kein Bild von ihm, außer in Uniform?«

»Das kommt wohl daher, daß ich ihn nie sehe, wenn ich mir das Bild anschaue. Ich sehe nur Denise. Sie war so glücklich. Kannst du es nicht fühlen?«

Doch genau wie die alte Frau sah Caroline nur das, was sie sehen wollte, nicht das hübsche, ziemlich banale Mädchen, sondern den rundgesichtigen, schmallippigen jungen Mann, den sie nie gekannt hatte und nicht identifizieren konnte mit dem rotgesichtigen, lauten Menschen in ihrer eigenen Jugend. »Sie waren beide glücklich«, sagte Caroline ausweichend; und gab das Bild zurück.

»Im Sommer sechsundsiebzig kam deine Mutter einmal hierher. Sie war schön.«

»Und auch glücklich, nicht wahr?«

»Meine Tochter starb bei Blaise' Geburt.« Das Spinnweb auf dem Gesicht der alten Frau straffte sich plötzlich: hatte sich eine Fliege darin verfangen? War die Spinne, stets auf der Lauer, ganz in der Nähe? »Deine Mutter war ihre beste Freundin, damals.«

»Das war alles, bevor ich geboren wurde.« Caroline mißfiel die Richtung, die das Gespräch nahm. »Mein Vater hat nie – zumindest mir gegenüber – von seiner ersten Frau gesprochen. Auch von meiner Mutter sprach er nur selten. So sind Blaise und ich beide im Grunde mutterlos.«

»Ja.« Mrs. Delacroix kreuzte ihre Füße, deren Fesseln unterhalb des wäßrig blassen Blaus ihres seidenen Hausmantels gerade noch sichtbar waren. »Es ist sonderbar, daß Emma auf eine ganz ähnliche Weise gestorben ist wie Denise, in Folge einer Niederkunft.«

»Emma. Endlich. Sie haben ihren Namen gesagt. Erzählen Sie mir, war sie wirklich so dunkel? Und *warum*?« Caroline schleuderte die Frage der alten Dame entgegen, die deutlich zusammenzuckte, sich aber sofort wieder unter Kontrolle hatte. »Deine Mutter«, sagte sie mit völlig beherrschter Stimme, »hat meine Tochter getötet, und genau *das* ist die Natur – und das Besondere – ihrer Dunkelheit.«

Caroline hatte es oft genug erlebt, daß Frauen in Ohnmacht fielen, entweder weil sie ihr Korsett zu eng geschnürt hatten oder weil sie eine bestimmte Taktik damit verfolgten. Sie überlegte kurz, ob jetzt nicht der Augenblick war, aus rein taktischen Erwägungen damit zu experimentieren und urplötzlich in tiefe Bewußtlosigkeit zu sinken. Aber dann nahm sie sich zusammen. Sie würde jeden Schlag einzeln erwidern. »Wie wurde dieser . . . Mord, auch wenn Sie ihn nicht ganz so bezeichnen, denn bewerkstelligt?«

»Man hatte Denise gesagt, daß sie niemals ein Kind bekommen könne. Deine Mutter aber hat sie dazu überredet, es dennoch zu versuchen, und zwar mit dem Mann, den sie, deine Mutter, heiraten wollte, schon damals, deinen späteren Vater, Colonel Sanford.«

Caroline entblößte ihre Zähne, fletschte sie fast; und hoffte, daß sich das, im flackernden Kaminfeuer, möglichst so ausnahm wie das liebliche Lächeln eines jungen Mädchens. »Ich kann da keine Dunkelheit entdecken. Nur Ihre Vermutungen. Wie kann eine Frau eine andere dazu überreden, ein Kind zu bekommen, wenn beide die Konsequenzen kennen?«

»Es gab da eine Lady – ich gebrauche das Wort ironisch –, die auf solche Dinge spezialisiert war. Emma ließ sie holen. Emma brachte sie dazu zu sagen – bezahlte sie dafür –, daß Denise eine Niederkunft überleben werde. Da meine Tochter sich so sehr ein Kind wünschte, bekam sie auch eines. Dann starb sie, und ihr Mann heiratete die . . . .«

»Dunkelheit?«

»Ja. Schließlich wurdest du geboren, und nun war sie an der Reihe und starb – eine angemessene Vergeltung, wie ich immer gefunden habe.«

»Ich glaube Ihnen diese Geschichte nicht, Mrs. Delacroix. Auch könnte ich, einmal angenommen, Sie selbst glauben, was Sie mir da erzählt haben, nicht verstehen, warum Sie sich entschlossen haben, mir etwas so Schreckliches zu erzählen, wo ich doch - für sehr kurze Zeit, wie ich sagen möchte – Gast in Ihrem Hause bin.«

»Hoffentlich nicht nur für kurze Zeit.« Die alte Frau schenkte sich einen Brandy nach. »Ich habe es dir erzählt, weil ich es meinem Enkel nicht erzählen kann.«

»Haben Sie Angst . . . vor Blaise?«

Der Kopf mit dem brillant glitzernden Silberhaar nickte. »Ich habe Angst. Ich weiß nicht, was Blaise tun würde, wenn ich es ihm erzählte.«

»Da er keine Spur von Gewissen zu haben scheint, würde er gar nichts tun. Es würde ihn nicht interessieren.«

»Jetzt sprichst du sehr unfreundlich von ihm. Versteh doch, er ist so sehr wie sie.« Völlig überraschend begannen Tränen aus den glänzenden schwarzen Augen zu quellen. »Ich schaue ihn an, und es ist Denise, die zu mir zurückgekommen ist. Versteh doch, ich hatte sie aufgegeben. So wie wir die Toten immer irgendwann aufgeben müssen . . . Und nachdem ich mein Kind aufgegeben hatte, es vergessen hatte, nur noch ein, zwei ihr wenig ähnliche Bilder besaß, da kommt sie auf einmal zu mir zurück, lebendig und jung, und ich schaue sie – ihn – an und kann nicht glauben, was ich sehe. Ich denke, ich träume. Die gleichen Augen. Das Haar, die Haut, die Stimme . . .«

»Blaise ist aber ganz unverkennbar ein Mann.«

»Ein geliebtes Kind ist für seine Schöpferin geschlechtslos, wie du vielleicht einmal zu deinem Glück, oder Unglück, entdecken wirst.« Mrs. Delacroix zog den Spitzenhandschuh von ihrer linken Hand; trocknete sich damit die Augen. »Er ist mein Erbe, wenn ich auch nicht so reich bin, wie die Leute glauben.«

»Gut. Vielleicht können Sie ihn dann dazu überreden, mir meinen Anteil am Vermögen unseres Vaters zu überlassen.«

Die alte Frau war damit beschäftigt, ihre großen, altmodischen Brillantringe von den Fingern zu ziehen, einen nach dem anderen, eine langwierige und komplizierte Prozedur, da die Finger vor Arthritis krumm waren. »Ich werde auch dich in meinem Testament berücksichtigen.«

»Ich vertraue darauf, daß Sie bei der Niederschrift eine Eins nicht mit einer Sieben verwechseln werden, wie mein Vater.« Aber Caroline wußte, daß es keinen größeren Egoismus gab als den eines alten Menschen, der sich mit kritischen Plänen trägt, die mit Geld zu tun haben.

»Blaise hat dich schlecht behandelt. Warum, weiß ich nicht. Aber ich habe so eine Vermutung. Ich glaube, irgendwie weiß er, was damals geschehen ist.«

Caroline schüttelte den Kopf. »Wenn er's wüßte, hätte er es mir schon vor langer Zeit gesagt. Im übrigen, fürchte ich, würde es ihn nicht im mindesten kümmern. Er lebt nur für sich.«

»Dein Vater wußte es.« Mrs. Delacroix hörte jetzt nur das, was sie hören wollte. »Er hat es nie gewagt, mich zu besuchen, allerdings würde ich sowieso nicht mit ihm gesprochen haben. Er ließ sich in Frankreich nieder, um mich zu meiden – und damit auch das, was er getan, was *sie* getan hatte.«

Caroline erhob sich. »Ich bin müde, Mrs. Delacroix. Außerdem bin ich miß-vergnügt.« Wenn Caroline zornig war, sprach sie oft in gestelzten, altmodischen Wendungen. Liebend gern hätte sie jetzt mit einer Tirade losgelegt – auf französisch.

»Gewiß doch nicht meinetwegen, meine Liebe.« Die alte Lady war plötzlich wieder ganz ihr reizend-aufreizendes, jedenfalls formidables Selbst. Mit einer kurzen Handbewegung beförderte sie die Ringe in ihr Retikül; und erhob sich. »Ich habe dich in mein Vertrauen gezogen, weil ich will, daß du nach meinem Tode Blaise die wahre Geschichte erzählst.«

»Ich schlage vor«, sagte Caroline, »all das als Teil Ihres Letzten Willens schriftlich festzuhalten. Lassen Sie es ihn doch zum selben Zeitpunkt erfahren, zu dem er das Geld bekommt. Wenn Sie wollen, helfe ich Ihnen, alles in französischen Alexandrinern auszudrücken. Sie eignen sich ganz vorzüglich für diese Art von . . . Theater.«

»Das ist kein Theater, mein Kind. Ich möchte nur, daß du . . .«

»Warum möchtest du *mich* überhaupt für irgendwas, da ich doch, in deinen Augen, die Tochter von soviel . . . Dunkelheit bin?«

Zu Carolines Verblüffung bekreuzigte sich Mrs. Delacroix und flüsterte irgend etwas Lateinisches. Dann: »Ich glaube an die Buße.«

»Ich soll für meine Mutter Buße leisten?« Unwillkürlich bekreuzigte sich auch Caroline.

»Ich glaube, das mußt du. Außerdem seid ihr beiden, du und Blaise, die einzigen Sanfords, die es noch gibt, das heißt, die einzig wirklichen. Also mußt du dein Teil auf dich nehmen. Und dies ist eine Möglichkeit dazu.«

»Ich kann mir weniger unangenehme Möglichkeiten vorstellen.«

»Davon bin ich überzeugt.« Das nur noch niedrig brennende Feuer tauchte das kleine Zimmer in eine rosige Tönung, und Mrs. Delacroix, jetzt ohne jegliche Spur von Spinnweb, sah fast mädchenhaft aus. »Blaise ist in Newport«, sagte die plötzlich junggesichtige alte Frau und nahm Carolines Arm. »Er ist in Jamie

Bennetts Stone Villa. Der arme Jamie befindet sich noch immer im Exil in Paris. Aber all das weißt du natürlich. Jedenfalls vermietet er alljährlich sein Cottage. Blaise hat es für den August genommen.«

»Tut mir leid, daß er durch mich davon abgehalten worden ist, hier bei Ihnen zu wohnen.«

»Nein, nein. Ich möchte dich hier haben. Er ist nah genug.«

»Zu nah vielleicht, für mich.« Doch Mrs. Delacroix hatte das Zimmer bereits verlassen.

Am nächsten Morgen traf Caroline allein bei Bailey's Beach ein, wo sie, stramm salutierend, jener goldbetreßte Feldmarschall begrüßte, dessen Aufgabe es war, nicht nur die Mitglieder, sondern auch deren Freunde auf den ersten Blick zu erkennen. Wie er legitime von nicht-legitimen Besuchern unterscheiden konnte, war für ganz Newport ein Rätsel. Doch immer wieder bewies er seine Unfehlbarkeit, und das kurze Strandstück, zum Teil bedeckt mit schleimigem dunkelgrünen Tang und irgendwelchem stumpfroten Seekraut, schien das exklusivste Fleckchen Sand auf der Welt und, wie Caroline schnell entdeckte, auch eines der übelriechendsten. In der Nacht hatte eine Armada von Portugiesischen Galeeren – Röhrenquallen – den Strand attackiert, und jetzt lagen ihre schillernden, gelatineartigen Körper über den hellen Sand verstreut. Obwohl die Gehilfen des Feldmarschalls – bubihafte Fußschemel, wie Harry Lehr sagen würde – wahrlich schufteten, um die toten Krieger zu beseitigen, waren diese gegenüber den Clubmitgliedern unter dem strahlenden Himmel doch immer noch erdrückend in der Überzahl.

Caroline strebte auf den zeltförmigen Pavillon zu, den Mrs. Delacroix unterhielt; in der Nähe fand bereits Mrs. Fishs Haus-Party statt, Ladys in Morgenröcken. Für die stand heute Baden auf dem Programm; Harry Lehr hingegen, einem Meeresgott vergleichbar, war für sein ureigenes Element kostümiert. Das Oberteil seines smaragdgrünen Badeanzugs besaß ein höchst gewaltiges Dekolleté, das Hals und Brust, beides alabasterweiß, sehen ließ, indes das rötliche Gesicht fast völlig unter einem sonderbaren burgunderroten Sunbonnet verborgen blieb, das sein Gesicht ebenso sicher vor der Sonne schützte wie Caroline ihr Sonnenschirm. Seine Beine indes waren für den Strand das reine Vergnügen. Der Badeanzug endete unmittelbar über den großen Grübchenknien, welche ihrerseits bedeckt wurden von reinseidenen pfirsichfarbenen Strümpfen, die Harry Lehrs überaus wohlgeformte Waden, welche er selbstzufrieden mit jenen von Louis XIV. verglich, erst wahrhaft zur Geltung brachten. Caroline fühlte sich eher an die Beine gewisser Pariser Zirkusreiterinnen erinnert. Auf jeden Fall war Harry ein Wunder an androgynem Charme; und völlig gleichgültig gegenüber dem spöttischen Gekicher jener bubihaften Fußschemel, die noch immer die gummiartigen Quallen zusammenharkten. Um so stolzer war er auf die echte Bewunderung, mit der *sein* Kreis ihn betrachtete. Harry Lehr war ein Original, wie er es Caroline zur Verärgerung der ein Stück weiter entfernt lagernden Fish-Party demonstrierte. »Diese Schönheit!« rief er aus. »Ganz allein bei Bailey's!«

»Ihre, Mr. Lehr? Oder meine?«

»Sie machen sich über mich lustig. Ich liebe das, wissen Sie.« Sein Lachen klang ebenso herzlich wie ehrlich. Dann ließ er sich, im Schneidersitz, neben Caroline auf dem Sand nieder. Er hat *tatsächlich* schöne Beine, dachte Caroline; aber die Natur pflegte nun mal die Dinge durcheinanderzumengen, wie es ihr gerade gefiel. Blaise, der für sein Leben gern einen Schnurrbart gehabt hätte, bekam keinen, während Mrs. Bingham, die sich wahrhaftig keinen wünschte, tagtäglich gezwungen war, die drohende Oberlippenzierde mit Hilfe von Wachs zu entfernen. Caroline hätte nicht das mindeste dagegen gehabt, Harrys Beine gegen ihre eigenen einzutauschen, die für den zeitgenössischen Geschmack zu schlank waren. Wie oft hatten ihre Mitschülerinnen sie doch »Diana, die gertenschlanke Göttin der Jagd« genannt. »Sie könnten hier *so* ein Erfolg sein. Das wissen Sie, nicht wahr?«

»Aber bin ich das denn nicht? Ein Erfolg, meine ich. Gemessen an meinen Möglichkeiten.«

»Gewiß, das sind Sie, schon durch Ihre Herkunft und Ihr Aussehen. Allerdings würde ich Sie besser kleiden. Mehr Doucet, weniger Worth.«

»Weniger Worth, mehr Geld?«

»Wozu ist Geld da? Ich bin wie Ludwig von Bayern. Ich hasse die Kahlheit des Alltagslebens. Sie läßt meine Seele verdorren. Aber ich habe kein Geld, wie Sie, wie jedermann hier.« Die blauen Augen, unter dem schützenden Bonnet, verengten sich. »Und so schlage ich mich durchs Leben, indem ich andere amüsiere. Was zweifellos besser ist, als in einem Büro zu schwitzen.«

»Aber härtere Arbeit, will mir scheinen.« Zu ihrer eigenen Überraschung entdeckte Caroline, daß sie sich für Harry Lehr, als Menschen, zu interessieren begann. War sie im Begriff, seinem berühmten – oder berüchtigten – Charme zum Opfer zu fallen?

»Oh, leichter als Sie meinen. Die meisten Menschen sind Narren, wissen Sie, und die beste Art, mit ihnen harmonisch zu leben und ihre Sympathie zu gewinnen, besteht darin, sie in ihrer Torheit zu bestärken. Sie wollen unterhalten werden. Sie wollen lachen. Sie verzeihen einem alles, solange man für ihr Amüsement sorgt.«

»Aber wenn Sie alt werden . . .«

»Ich werde bald heiraten. Damit wäre das Problem dann gelöst.«

»Haben Sie Ihre . . . Wahl bereits getroffen?«

Lehr nickte. »Sie kennen die Lady sogar. Aber Sie werden wahrscheinlich denken . . .« Er brach mitten im Satz ab, als er bemerkte, daß sich ihnen zwei junge Männer näherten; der eine sehr schlank, geradezu hager, der andere kleiner und kompakter, muskulöser. Es war der zweite junge Mann, bei dessen Anblick Lehr unwillkürlich die Stirn krauste. »Würden Sie sagen, daß seine Beine besser sind als meine?«

»Oh, nein!«. Caroline war voller Takt. »Er hat zu viele Muskeln, wie ein Jockey. Und wie bei einem Jockey, sehen Sie, sind seine Beine leicht gekrümmt, während Ihre absolut gerade sind.«

»Sie müssen sehr weitsichtig sein, um all diese Details zu erkennen.« Lehr bedachte sie mit einem maliziösen weiblichen Lächeln.

»Oh, ich kenne nahezu all seine Details. Er ist nämlich mein Bruder.«

»Blaise Sanford! Natürlich.« Lehr war aufgeregt. »Ich hätte ihn erkennen müssen. So attraktiv, so elegant.«

»Falls Sie Stallburschen aus der Bretagne mögen, ist er attraktiv. Elegant würde ich ihn nicht nennen.«

»Nun, der andere ist es aber. Zwar gleicht er einem Storch, doch sein Gesicht ist interessant.«

»Ich fürchte, lieber Mr. Lehr, daß auch er einer meiner Brüder ist. Der Strand scheint heute von ihnen so übersät zu sein wie von Portugiesischen Galeeren.«

Die beiden jungen Männer traten zu ihnen, und Lehr begrüßte den verblüfften Blaise mit kokettem Charme; und verbeugte sich tief, als er nach der Hand von Carolines ältestem Halbbruder griff: Prince d'Agrigente, bekannt als Plon, der aussah wie fünfundzwanzig, jedoch siebenunddreißig war; und getrennt von seiner Frau lebte, mit der er fünf Kinder hatte, von denen jedes – wie man sich im Jockey-Club erzählte, wo man alles von Interesse wußte – mirakulöserweise von ihm war.

»Plon wollte aus Paris flüchten. Ich wollte aus New York flüchten. Und so haben wir uns Jamies Villa genommen. Riecht ziemlich modrig«, fügte Blaise noch hinzu und starrte Lehr dabei an, als sei der irgendwie dafür verantwortlich.

»Das Personal lüftet die Stone Villa nicht ordentlich. Weil der Besitzer niemals kommt. Ich muß Sie prachtvolle Geschöpfe unbedingt mit Mrs. Fish bekannt machen . . .«

»Ich kenne sie bereits.« Blaise' Antwort war knapp und bündig.

»Fish wie *poisson?*« murmelte Plon mit seiner tiefen Stimme.

»Wir haben prächtige Namen in Amerika . . .«, begann Caroline.

»Lehr und nicht Liar wie *menteur*«, sagte Lehr und nahm die Sache in die Hand; und hatte sie im Griff. Plötzlich lachten die beiden jungen Männer; und Lehr konnte sich im Triumph nach Fishland zurückziehen.

»Wir haben so einen in Paris.« Plon wirkte nachdenklich. »Ich wußte nicht, daß ihr hier auch so einen habt.«

»Du mußt mehr reisen, *chérie.*« Caroline gab ihm den schwesterlichen Kuß, den sie Blaise vorenthielt. »Wir haben hier alles. Inklusive den exklusivsten Strand der Welt.«

»Ist der immer so mit Abfall bedeckt?« Plon rieb sich die Nase, als könnte er den Geruch buchstäblich fortschieben.

»Nur mit menschlichem«, sagte Blaise.

In diesem Augenblick erschien Mrs. Jack auf dem Brettersteg beim Clubhaus. Sie hatte an, was sie ihr »Tenniskostüm« nannte: weiße Tennisschuhe, schwarze Strümpfe, eine weiße Seidenbluse und einen weißen Seidenrock, worunter – höchst gewagt – sogenannte Pumphosen zu sehen waren. Auf ihrem Kopf hielt eine Art Seemannsmütze zwei Schleier an Ort und Stelle, die Moskitonetzen glichen. Als Mrs. Jack die Gruppe sah, schob sie die Schleier zur

Seite, so daß man ihre Gesicht erkennen konnte. »Caroline«, rief sie, »kommen Sie doch herüber und bringen Sie Ihre jungen Männer mit.« Caroline tat, wie ihr geheißen. Die jungen Männer gefielen Mrs. Jack, die sich ihrerseits entzückt zeigten, als sie ihren Namen hörten und dem gestelzten Unsinn lauschten, den sie in einer Art von rauchigem Comédie-Française-Ton von sich gab. »Sie sind genau das, was ich brauche. Sie spielen beide Tennis?«

»Ja, aber . . .«, begann Blaise.

»Fabelhaft«, sagte Mrs. Jack. »Ich hab das Tennisspielen aufgegeben und mit Bridge begonnen, als mein Mann mit Tennis anfing. Jetzt hat er wieder mit Bridge angefangen und gibt eine Bridge-Party. Also werde ich mit euch beiden prächtigen jungen Männern auf den Platz gehen. Wie klug von Ihnen, Caroline, so viele Brüder zu haben.«

»Halbbrüder . . .«

»Besser und besser. Dann tut's auch die halbe schwesterliche Liebe.« Und Mrs. Jack war verschwunden.

»So eine haben wir in Paris auch«, sagte Plon. »Aber sie ist sehr alt.«

»Das ist die *wirkliche* Mrs. Astor. Das hier ist ihre Schwiegertochter. La Dauphine. Sie wird dich zum Lachen bringen. Sie haßt einfach alles.«

»Sie sieht ziemlich gut aus«, sagte Plon. »Ist sie . . . temperamentvoll?«

»Wir sind hier in Amerika. Hier sind die Ladys alle rein.« Es war eine Warnung, die Caroline da aussprach.

»Ich weiß«, sagte Plon mürrisch. »Hätte nicht herkommen sollen.«

Was die Haus-Party der Astors betraf, so spielte die eine Hälfte von ihnen Tennis und die andere Hälfte Bridge. Mrs. Jack nahm sich Blaise als Partner und ließ Caroline bei Plon, der so vage und so freundlich war wie stets. Und auch so mittellos. »Als Blaise hörte, daß meine Börse *vide* war . . . wie sagt man?«

»Blank. Daß du blank warst.«

»Blank, ja. Da bot er mir an, für meine Reise hierher zu bezahlen. Und so bin ich hier.«

»Suchst du eine neue Frau?«

»Wir sind noch immer katholisch. Oder etwa nicht, Caroline?«

»Ja. Aber es gibt immer auch Arrangements.«

Plon schüttelte den Kopf, die Augen auf Mrs. Jacks elegante Figur – und den risikoreichen Ballwechseln. »Vielleicht könnte ich Tennisunterricht geben«, sagte er. »Die Leute hier spielen sehr schlecht.«

Müßig plauschten sie unter der riesigen Blutbuche. Ab und zu erschien Colonel Astor auf der Veranda und beobachtete, ziemlich verwirrt, seine Frau. Er war ein exzentrischer Mann mit dichtem Schnurrbart und einer kahlen Stirn, die – wie aus Sympathie zu seinem Kinn – etwas Fliehendes hatte. Am glücklichsten, hieß es, fühle er sich auf seiner Yacht, der *Nourmahal*, weit weg von Mrs. Jack. Da Mrs. Belmont auf so unwiderstehlich-ungestüme Weise einen aufregend neuen Pfad durch die Wildnis der Society gebahnt hatte, nicht das Schwert Excalibur in der Hand, sondern die Waffe Scheidung, schien es jetzt, zum allerersten Mal, denkbar, daß sogar ein Astor sich scheiden lassen konnte. Zwar befanden sich die Vanderbilts auf der vergoldeten Leiter nach wie vor etliche Sprossen unter den Astors, aber was Alva Vanderbilt Belmont getan hatte, würde womöglich auch Ava Willard Astor tun. »Scheidungen werden alltäglich werden.« Caroline sprach sentenziös, was ihr mehr und mehr zur Gewohnheit wurde, da sie als Zeitungsverlegerin und allgemeine Autorität ernst genommen wurde.

»Nicht in Frankreich. Nicht bei uns«, sagte Plon. »Ich mag deine Mrs. Astor.«

»Aber nur, um sie zu verführen. Du bist so französisch, Plon.«

»Und *du* bist so amerikanisch«, sagte ihr Halbbruder ein wenig spitz. »Ich habe gehört, daß dieser sonderbare Mensch, mit dem du am Strand zusammen warst . . .«

»Der hübsche Mann?«

»Der liebliche Mann . . . daß er diesen reichen Amerikanern Champagner verkauft. Vielleicht könnte ich das auch. Ich verstehe eine Menge von Wein.« Er zwinkerte, und Caroline blickte in seine dunklen Augen, denen jede Tiefe zu fehlen schien: Ihr wurde bewußt, daß sie in die Augen ihrer toten Mutter blickte. Mrs. Delacroix hatte in ihr so etwas wie einen Instinkt für Ähnlichkeiten, Anhaltspunkte geweckt.

»Du hast die Augen unserer Mutter«, sagte sie.

»Ja, das sagt man.« Angestrengt versuchte Plon einen gelegentlichen Blick auf Mrs. Jacks Fesseln zu erhaschen, während sie sich wild auf dem grasbedeckten Platz tummelte.

»Wie war sie?«

»Wie war wer?« Plon war mit seinen Gedanken auf dem Platz.

»Emma. Deine Mutter. Unsere Mutter.«

»Oh, das ist so lange her. Sie war amerikanisch, so wie du.«

»Plon, bist du wirklich so dumm; oder bildest du dir ein, daß dies die richtige Art ist, Amerikanerinnen gegenüber charmant zu sein?« Das attraktive, adlerartige Gesicht war ihr zugewandt; er lächelte, und zeigte gute Zähne. »Nun, einer *Halb*schwester gegenüber brauche ich doch wohl keinen Charme zu versprühen. Oder hat dieses Newport vielleicht ein bißchen etwas Ägyptisches?«

Caroline ignorierte seine geschmacklosen Galanterien. »Glaubst du, Emma könnte womöglich . . .«

». . . die erste Mrs. Sanford getötet haben?« Plon blickte noch immer zum Tennisplatz hinüber, wo Mrs. Jack gerade zum erstenmal – in ihrem ganzen Leben? – einen Matchball für sich entschieden hatte. »Bravo!« rief Plon. Mrs. Jack drehte sich herum, ihre gewohnte verärgerte Miene in Bereitschaft; doch als sie den überschlanken, sie bewundernden Franzosen sah, vollführte sie einen kleinen Knicks.

»Du solltest zumindest ein Zigarettenetui bekommen«, sagte Caroline säuerlich, »als Anerkennung für deine Aufmerksamkeit.«

»Ich fürchte, ich werde mehr brauchen als ein Zigarettenetui.«

»Du hast die Gerüchte gehört?«

»Nur was jedermann so hört. Der langweilige Colonel Astor zieht seine Yacht seiner Frau vor. Sie haben einen Sohn, womit sie ihre Pflicht getan hat . . .«

»Ich spreche von Emma!«

»Irgendwie hast du's wohl mit der Vergangenheit, wie? Also gut. Für mich war sie anbetungswürdig. Wenn ich mit ihr ausfuhr, hoffte ich immer, daß die Leute sie für meine Geliebte halten würden. Ja, ja, ich weiß. Ich bin sehr französisch. Außerdem war ich vierzehn, als sie starb, und für mein Alter schon ziemlich erwachsen.«

Caroline versuchte, sich den Knaben Plon und die dunkle Lady von den Porträts zusammen in einer offenen Kutsche vorzustellen, wie sie durch den Bois de Boulogne fuhren; es gelang ihr nicht.

»Natürlich war ich voreingenommen gegen deinen Vater. Ich fand ihn sehr . . sehr . . .«

»Amerikanisch?«

»Präzise das Wort, das ich suchte. Er war sehr amerikanisch, besaß allerdings überhaupt keine Energie, eine unmögliche Kombination, wie wir meinten. Aber *maman* gab sich immer die allergrößte Mühe, uns zusammenzubringen. Sie war sehr schwach in jenen letzten Monaten, zumal nach . . .«

». . . meiner Geburt.«

»Ja. Sie schwand einfach dahin. Es tat uns leid, meinem Bruder und mir, sie so gehen zu sehen.«

»Es hat euch leid getan, mehr nicht?«

»Jungen sind nun mal so. Herz entwickelt man erst später.«

»Falls überhaupt.«

»*Maman* würde niemals irgend jemanden umgebracht haben.«

»Warum dann das Gerücht, das ich ja – soeben und hier – wieder gehört habe.«

Plon zuckte nichtssagend mit den Schultern und schlug seine langen Beine übereinander. »Gerüchte wird es auf unserer Welt immer und ewig geben. Nein, *chérie*, falls irgendwer die erste Mrs. Sanford getötet hat, was ich nachdrücklich bezweifle, so war es dein abscheulicher Vater, der zu allem fähig war, um sein Ziel zu erreichen.«

Caroline hatte das Gefühl, einen elektrischen Schlag zu erhalten. »Ich glaube dir nicht«, war das einzige, was sie hervorbringen konnte.

»Mir doch egal, was du glaubst.« Die dunklen Augen starrten sie mit einem Ausdruck an, den sie nie zuvor in ihnen wahrgenommen hatte. Konnte dies, fragte sie sich, Emma sein, die so direkt in die Augen ihrer Tochter blickte?«

»Jetzt auf einmal attestierst du ihm Energie.« Caroline wandte sich ab. Plons Blick wirkte plötzlich weder menschlich noch animalisch; er war von gänzlich anderer Art – ein Mineral, das nichts, absolut nichts reflektierte.

»Dafür würde er die Energie gehabt haben.« Plon gähnte. »Im übrigen ist das alles vergangen. Und es ist sehr amerikanisch . . .«, er grinste mit einemmal, ». . . dauernd an die Vergangenheit zu denken.«

Zu ihrem Schrecken entdeckte Caroline, daß sie sich plötzlich – und ganz eindeutig – vom Prince d'Agrigente angezogen fühlte, und zwar auf eine Art, die sich von der perversen Attraktivität des goldenen Feindes, Blaise, grundlegend unterschied. »Ich muß«, sagte sie, »hineingehen.«

Mrs. Jack befand sich bereits im Haus und entfernte gerade ihren Tennisschleier; ihr blasses Gesicht war höchst attraktiv gerötet; ein kleiner, unansehnlicher Junge, an der Hand einer Nurse, starrte sie von unten herauf an.

»Caroline! Dies ist mein Sohn. Er ist neun. Sag guten Tag zu Miss Sanford.«

Der Knabe machte eine ebenso höfliche wie tiefe Verbeugung. »Guten Tag.« Caroline erwiderte den Gruß so höflich, wie sie es gegenüber dem Vater getan hätte, von dem man jetzt nur den Rücken sehen konnte, an einem der dutzend Bridgetische des Salons, die sämtlich besetzt waren.

»Wird er John Jacob der Fünfte oder der Sechste sein?« fragte Caroline. »Bei Ihrer Familie ist das so ähnlich wie bei den Hannoveranern mit all ihren Georges.«

»Ich habe die Linie durchbrochen. Er heißt William Vincent. Schrecklich unansehnlich, nicht wahr?« sagte Mrs. Jack, während der Knabe an der Hand der Nurse entschwand. »Es ist einer jener seltenen Fälle, wo die Vaterschaft mit absoluter Sicherheit feststeht. Er besitzt Jacks deprimierende Züge und seinen Hundeblick. Die Mutterschaft hingegen ist überaus zweifelhaft. Er ähnelt mir nicht im geringsten. Erzählen Sie mir von jenem so stattlichen Menschen, Ihrem Halbbruder.«

Während Caroline über Plon sprach, wirkte Mrs. Jack sehr interessiert. »Wir müssen ihn zum Dinner bei uns haben; und auch Blaise«, fügte sie hinzu. »Ich werde die ganze Stone Villa einladen und natürlich Sie wie auch Mrs. Delacroix, sofern sie in diesem Jahr nichts an mir auszusetzen hat.«

»Rauchen Sie nur nicht vor ihren Augen.«

»Wie kleinlich die Alten doch sind! Er sieht sehr jung aus für siebenunddreißig«, fügte sie hinzu. Armer Plon. Caroline war voller Mitgefühl. Was Zigarettenetuis betraf, so war Plons Bedarf bereits mehr als gedeckt. Jetzt konnte er seiner Sammlung womöglich ein weiteres einverleiben. Am Ende würde er wohl doch zu seiner Frau zurückkehren müssen, die zumindest die Zigaretten bezahlte, die seine Etuis füllten.

Während Caroline sich vorstellen konnte – oder sich einbildete –, in Plon etwas von ihrer gemeinsamen Mutter zu sehen, so fand sie in Blaise überhaupt nichts vom Colonel, ihrem toten Vater. Augenscheinlich hatte Mrs. Delacroix nicht übertrieben, als sie Blaise' bemerkenswerte Ähnlichkeit mit Denise betonte. Als Caroline sich zum Dinner umkleidete, stellte sie sich vor, daß sie Emmas Augen aus Plons Gesicht anblickten; und daß sie bei Blaise Denises Gesicht sah. Wie würden wohl die beiden jungen Männer darüber denken? Und falls Mrs. Delacroix' verrückte Geschichte sich als wahr erweisen sollte, befand sich Blaise dann in Gefahr? Wohl eher im Gegenteil, überlegte sie, während Marguerite sie in ein Ballkleid einschnürte, eines von unfashionablen Worth. »Wir sollten öfter hierherkommen«, sagte Marguerite und legte an Carolines elfenbeinfarbigem Kleid letzte Hand an. »Es ist fast wie Zivilisation.«

»Du brauchst den ganzen Tag kein Englisch zu sprechen, das meinst du doch.«

»Und Ihre beiden Brüder sind hier. Es ist sehr gut, wissen Sie. Eine Familie zu haben.« Marguerite, unverheiratet und ohne familiäre Verpflichtungen, liebte es, Sinnsprüche über familiäre Bindungen und Verpflichtungen und Wonnen von sich zu geben. Sie konnte es gar nicht erwarten, daß Caroline heiratete; und dann wahrhaft unglücklich war wie all die anderen Ladys ihres Standes. Glücksgefühl bei anderen hatte irgendwie etwas Frostiges für Marguerite, die nichts mehr liebte, als verzweifelten Ladys ihr Mitgefühl zu offerieren sowie ein fleckenloses Taschentuch mit herbem Zitronenduft, womit sie ihre Tränen auffangen konnten.

Plon wartete in der Marmorhalle auf Caroline. Mrs. Delacroix hatte sich zu Bett begeben, und Plon würde Caroline zum Casino begleiten, wo es einen Tanz geben sollte zur Feier von . . . irgendwas. Weder Plon noch Caroline konnten sich daran erinnern, was dieses Irgendwas war. Plon meinte, es könnte etwas mit Mr. Vanderbilts Automobil zu tun haben. Er selbst hatte eine offene Kutsche gemietet, und durch die warme, helle Nacht fuhren sie zum Casino, das von japanischen Lampions erleuchtet und von Mullalays Musik erfüllt wurde. Plon setzte Caroline ins Bild: Mrs. Jack hatte sich als unglaublich kalt erwiesen, selbst für eine Angelsächsin; mit einem Zigarettenetui war nicht zu rechnen; schlimmer, so vertraute er Caroline an, sei für ihn aber im allgemeinen, daß ihn, obwohl er stets nachdrücklich sein »totales Verheiratetsein« betone, die Gastgeberinnen ihm regelmäßig an der Tafel neben ledige junge Frauen plazierten oder gar, noch weitaus bedrohlicher, an der Seite unternehmungslustiger Witwen, die auf eine zweite Chance brannten. »Ich kann denen doch nicht sagen, daß ich nur verheiratete Frauen mag.«

»Nein«, sagte Caroline, »das kannst du nicht.«

Ganz Haltung, betraten sie das Casino. Plon entschwand bald, mit Beschlag belegt von Lady Pauncefote und einer ihrer zahlreichen unverheirateten Töchter. Lord Pauncefote wirkte in normaler Abendkleidung eigentümlich unscheinbar. Caroline fand ihn jedenfalls weitaus eindrucksvoller in goldbetreßter Diplomatenuniform mit an den Bauch gehefteten Orden. Er hatte sich Helen Hay als Konversationsopfer erkoren, und Caroline gesellte sich zu den beiden, um Helen aus der Klemme zu helfen, denn die Ärmste mußte einen detaillierten und völlig falschen Bericht über den britischen Krieg gegen die Buren über sich ergehen lassen. Helen umarmte Caroline. »Aber du hast sicher das Allerneueste von Del gehört. Von Del.«

»Den letzten Brief, den er mir geschrieben hat, habe ich sofort an deinen Vater in New Hampshire geschickt.«

»Der junge Mann hat in Pretoria einen hervorragenden Eindruck gemacht.« Lord Pauncefote fällte ein Urteil.

»Wünschst du nicht, du wärest mitgegangen?« fragte Helen nicht ohne Arglist.

»Oh, ich wäre wohl kaum sehr nützlich im . . . *Veld*? Ist das das Wort?«

»Ja, so oder so ähnlich«, sagte Blaise, der plötzlich hinter Caroline auftauchte. »Payne sucht Sie«, sagte er zu Helen und befreite sie von Pauncefote, der jetzt seinerseits von James Van Alen zum Gefangenen gemacht wurde.

»Sapperlot, mein Lord!« dröhnte er; und führte den Botschafter ab zur Bar. »Mich dünkt, Ihr seht ein wenig trocken aus.«

»Hier in Newport«, sagte Caroline, »gibt es eine Menge schlimmer Langweiler.«

»Zählst du auch Halbbrüder dazu?«

»Nur als Halblangweiler, würde ich sagen. Ich dachte, wir sprechen dieses Jahr nicht miteinander.«

Blaise nahm ihren Arm; und führte sie, ein wenig gegen ihren Willen, zu einem blumengeschmückten Alkoven am Rande der Tanzfläche, möglichst weit weg von Mullalays Orchester. Dort setzten sie sich, fast wie Schulkinder, nebeneinander auf zwei Holzstühle. »Ich habe Großmutter zum Lunch getroffen. Bei Mrs. Astor. Sie ist von dir entzückt.«

»Mrs. Astor?«

»Mrs. Delacroix, eine Lady, die so leicht niemand mit seinem Charme . . . für sich einnehmen kann.«

»Das klingt, als ob du glaubtest, ich wollte bei deiner Großmutter irgend etwas bezwecken.«

»Etwa nicht?«

Caroline sah ihn an; und dachte an seine Mutter, Denise. »Ich will bei niemandem und nichts was bezwecken, außer was mein Vermögen betrifft.«

»Die Gerichte . . .«

»Nein, Blaise. Die Uhr. Der Kalender. Jeder Atemzug bringt mich dem näher, was mir gehört.«

»Versuche das Schicksal nicht.« Blaise machte das Zeichen zur Abwehr des bösen Blicks. »Meine Mutter war tot, bevor sie siebenundzwanzig werden konnte.«

»Ich werde keine Kinder haben. Das ist eine Schutzmaßnahme.«

»Du wirst niemals heiraten?«

»Das habe ich nicht gesagt. Aber ich will keine Kinder.«

»Solche Dinge lassen sich nicht so leicht regeln.«

»Wie geht es Madame de Bieville?«

Blaise blieb gelassen: »Sie ist in Deauville. Was gibt's von Del?«

»Er ist in Pretoria.«

»Der Chef zieht gegen Mr. Hay schwer vom Leder. «

»Aber das ist doch seine Spezialität, oder?«

»Zumindest in diesem Sommer. Er steht voll zu Bryan.«

»Voll?« Caroline lächelte. »Er nimmt Bryans Unsinn über das Silber nicht ernst, und er liebt das Empire, das Bryan unaufhörlich attackiert.«

Blaise mußte unwillkürlich lachen. »Nun, beide mögen die Trusts nicht, und beide mögen sie auch Mark Hanna nicht.«

»Sehr staatsmännisch. Der Chicago American macht Verlust, wie ich höre.«

»Nicht zu knapp.«

»*Mein* Geld?« fragte Caroline.

»Ein Teil davon ist mein Geld, ja. Aber das meiste ist von der alten Mrs. Hearst. Die hören nicht auf, in Süd-Dakota Gold zu finden.« Harry Lehr strich vorüber, eine unattraktive junge Frau am Arm. »Elizabeth Drexel.« Harry sprach den Namen aus, als könne es für Halbbruder und Halbschwester nichts Interessanteres geben. »Ich«, fügte er mit einem flinken Eidechsenblick auf Blaise hinzu, »bin der Spaßmacher.«

»Dann sollten Sie für meine zahlreichen Halbbrüder Spaß machen.« Caroline spürte Blaise' wütende Gereiztheit – und fand Lehr um so sympathischer.

»Als erstes müssen Sie Ihre Anzüge bei Wetzel machen lassen, und Ihre Pyjamas und Ihre Unterwäsche bei Kaskel . . .«

Lehrs ungenierte Erwähnung von Pyjamas in Verbindung mit Blaise, ganz zu schweigen von der Unverfrorenheit, das Wort Unterwäsche auch nur auszusprechen, verursachte bei Blaise einen wilden Hustenanfall. In seiner Erregung hatte er sich verschluckt und bekam nun kaum noch Luft – erstickte fast vor Zorn, wie Caroline mit Befriedigung dachte. Lehr seinerseits war entzückt, soviel Wirbel verursacht zu haben, während Elizabeth Drexel – die zukünftige Mrs. Lehr? – die Szene offenbar als genauso peinlich empfand wie Blaise. Gerettet wurden sie durch die Tatsache, daß in diesem Moment, majestätisch, Mrs. Astor herannahte, zusammen mit ihrer Schwiegertochter, Mrs. Jack. Caroline hatte das Gefühl, eine Art Hofknicks vollführen zu müssen, während sogar Blaise – der Hustenanfall wie weggeblasen – sich tief verbeugte vor den beiden erhabenen Damen. Lehr sprang wie eine Art großer blonder Hund um die alte Souveränin herum. Die beiden Mrs. Astor betrachteten ihn mit Blicken, die jenen der beiden Bronzeeulen am Eingang zum Casino nachempfunden schienen. Lehr würde zweifellos für seine Desertation zu Mamie Fish büßen müssen.

»Sie müssen mich unbedingt besuchen, Miss Sanford.« Die gewaltige dunkle Perücke war übersät mit funkelnden Rubinen. »Und auch Sie, Mr. Sanford, obschon es heißt, daß Sie für alte Ladys keine Zeit haben.«

Blaise errötete recht attraktiv. »Wir sind gerade erst eingetroffen, Mrs. Astor, mein Stiefbruder und ich . . .«

»Der Prince«, sagte Mrs. Jack in ihrer gedehnten Sprechweise, »hat sehr viel Zeit für Ladys – jeglichen Alters.«

»Wie du mich doch zu trösten verstehst.« Giftig lächelte die Schwiegermutter ihrer Schwiegertochter zu, die Blaise einer spekulativen Betrachtung unterzog.

» Heiraten Sie nicht«, sagte Mrs. Jack.

»Ich habe nicht die Absicht zu heiraten.« Blaise gewann seine Haltung zurück. Mrs. Jack fühlte er sich gewachsen; ihrer Schwiegermutter allerdings weniger.

»Wie der liebe Harry?« fragte Mrs. Astor und geruhte nunmehr, die servile Kreatur an ihrer Seite zur Kenntnis zu nehmen.

»Davon weiß ich nichts.« Mit kühnem Blick starrte Blaise Mrs. Jack an, die plötzlich wegschaute. War sie kalt? fragte sich Caroline; und, was war Kälte denn eigentlich, wenn nicht eine Strategie in der gefährlichen amerikanischen Welt, wo der Sturz einer Lady aus den hohen Regionen der Tugend – und mochte ihr Name noch so klangvoll und ihr Reichtum noch so gewaltig sein – die Verstoßung aus der einzigen Welt, die wirklich zählte, zur Folge hatte? Oder doch haben konnte? In Paris gab es sie *en masse,* jene verstoßenen amerikanischen Ladys, die teuer für Seitensprünge jener Art büßen mußten, für die man einer französischen Lady eher Applaus gezollt hätte.

»Ich werde nicht ewig Junggeselle bleiben«, trillerte Lehr. Die Drexel spitzte die Lippen, als wollte sie die Luft vor sich küssen. Sie ist diejenige, welche, armes Geschöpf, dachte Caroline. Aber vielleicht passen die beiden ja auch gut zueinander. Womöglich war die Drexel so etwas wie eine zweite Mlle. Souvestre.

»Man hat uns erzählt«, sagte Mrs. Astor, »daß Sie und Mamie – was für ein Original sie doch ist, nicht wahr?« Mrs. Astors Boshaftigkeit wirkte absolut selbstsicher; und also herrscherlich-souverän. »Daß sie den Plan haben, ein Dinner für Hunde zu geben.«

»Hunde?« Mrs. Jacks ohnehin tiefe Stimme klang noch tiefer, fast wie ein Knurren.

»Hunde, ja.« Lehr schien zu jaulen. »Jeder mit seinem Besitzer natürlich.«

»Wie amüsant.« Mrs. Astor machte aus »amüsant« ein Wort mit drei gleich stark betonten Silben.

»Alle am selben Tisch?« fragte Caroline.

»An verschiedenen Tischen natürlich.«

»Damit man Herr und Hund voneinander unterscheiden kann?« Sie hatte den Satz noch nicht beendet, als Caroline bereits wußte, daß sie, wieder einmal, zu weit gegangen war. In Newport war Witz seit jeher verpönt und gefürchtet, indes er in der übrigen Republik sogar als ausreichender Grund dafür angesehen wurde, eine Frau als Hexe zu verbrennen.

Die Astor-Ladys zogen es vor, Carolines Entgleisung zu ignorieren. Aber sie wußte, daß die beiden vernichtende Aussagen über sie machen würden, sollte ihr irgendwann einmal wegen »Hexenkünsten« der Prozeß gemacht werden.

Lehr nahm sich der Ladys an und geleitete sie davon, mitten hinein in die Party. »Er ist abscheulich«, sagte Blaise.

»Denk doch nur, wieviel langweiliger es hier ohne jemanden wie ihn wäre.«

»Plon braucht eine reiche Witwe.« Blaise wechselte das Thema.

»Sieh nicht mich an. Ich kann da nicht helfen. Ich gehöre nicht in diese Welt. In Washington . . .«

»Warum nimmst du ihn nicht mit dorthin, im Herbst?«

»Ich würde Plon überallhin mitnehmen, natürlich. Ich bete ihn an, wie du weißt . . .«

»Wie ich weiß.« Sie starrten einander an. Das Orchester spielte jetzt »Hoffmanns Erzählungen«. »Ich habe gehört, daß Vetter Johns Frau gestorben ist.«

Caroline nickte nur; und fragte: »Wie geht's Mr. Houghteling?«

»Anwälte!« Dabei ließ Blaise es bewenden. Beide hatten kaum noch die Energie, um das anzusteuern, was sie voneinander trennte, das Thema Geld. »Ich habe zu Plon gesagt, daß Mrs. Astor – die junge – nur flirtet.«

»Ich glaube, das hat er inzwischen kapiert. Allerdings bildet er sich ein, Amerikanerinnen besser zu verstehen, als er es in Wirklichkeit tut, weil er so viele davon in Paris verführt hat.«

»Erzählt er *dir* denn solche Dinge?«

»Ja, aber ich bin ein Mann.«

»Nun, ich bin zwar eine Frau, aber keine *amerikanische*. Jedenfalls ist das, was jene Ladys in Paris tun, nur *eine* Sache . . .« Caroline dachte an die schöne Mrs. Cameron mit ihrem schönen jungen Dichter; und an das majestätische Geweih, das wieder einmal auf Don Camerons Schädel sproß; ganz zu schweigen von der zierlichen Einhorn-Zierde, die sich aus der marmorartigen Kahlheit von Henry Adams hoher Stirn erhob.

Lord Pauncefote gesellte sich zu ihnen, nachdem er Helen Hay mit seinen ebenso berüchtigten wie langwierigen Antworten auf Fragen, die ihm gar nicht gestellt worden waren, in einen Zustand völliger Erschöpfung getrieben hatte. »Ihr Freund Mr. Hearst ist in prächtiger Form.« Dies war so etwas wie seine offizielle Anerkennung von Blaise' Identität. »Er beschuldigt den armen Mr. Hay, eine Kreatur Englands zu sein.«

»Oh, das ist nur . . . Füllmaterial«, sagte Blaise.

»Zwischen Mordmeldungen«, ergänzte Caroline.

»Bald schon wird er wieder Roosevelt aufs Korn nehmen!«

Für eine lange Sekunde schloß Pauncefote die Augen, ein untrügliches Zeichen dafür, daß er interessiert war; daß bald eine chiffrierte Depesche ans Foreign Office geschickt werden würde. »Ja?« Pauncefote öffnete seine Augen wieder.

»Der Chef hat zu einigen der führenden Goo-Goos Kontakt aufgenommen . . .«

»Der führenden was?«

»Goo-Goos«, sagte Caroline, »werden von den Reformern des amerikanischen Systems alle die genannt, die das System befürworten. Goo-Goo ist eine – Abkürzung? – des Begriffs ›good government‹, etwas, was Governor Roosevelt, wie alle guten Amerikaner, zutiefst verachtet. Stimmt es nicht, Blaise?«

»Nicht übel.« Widerstrebend raffte ihr Bruder sich zu einem halben Lob auf.

»Goo-Goo«, murmelte Pauncefote, dem dieses Wort irgendwie nicht zu behagen schien.

»Die Goo-Goos attackieren Roosevelt, weil er angeblich eine Kreatur der Bosse ist, jedoch mit Vorliebe von Reformen spricht, gegen die er indes in Wirklichkeit genausosehr ist wie Senator Platt. Der Chef wird all dies aufs Korn nehmen, wenn der Wahlkampf beginnt.«

»Vermutlich«, meinte Pauncefote, »ist Gouverneur Roosevelt

viel zu sehr Soldat für dieses ... für dieses hitzige politische Leben.«

»Soldat!« Blaise lachte belustigt. »Er ist nichts weiter als ein Politiker, der in Kuba so etwas wie einen Glückstreffer gelandet hat.«

»Aber es war ein berühmter Sieg über Spanien, und er war ein Teil davon.«

»Als Architekt des Erfolges, ja«, sagte Blaise, und Caroline war überrascht, weil ihr Bruder von der Ränkeschmiederei zu wissen schien, die sich zwischen Roosevelt, Lodge, den Adams und Mahan abgespielt hatte. »Als Soldat hingegen nicht. Die wahre Geschichte in Kuba – die der Chef niemals drucken wird – ist nicht, wie tapfer wir die Spanier bezwungen haben, sondern vielmehr, wie siebenhundert tapfere Spanier beinahe sechstausend unfähige Yanks besiegten.«

Pauncefote starrte Blaise aus weitgeöffneten Augen an. »Das habe ich noch in keiner Zeitung gelesen.«

»Und das werden Sie auch nicht«, sagte Blaise. »Jedenfalls nicht in diesem Land. «

»Bis ich es publiziere.« Caroline fühlte sich wahrhaftig versucht, hineinzustechen in jenen sich unablässig weiter aufblähenden Ballon von amerikanischem Maulheldentum und Hurrapatriotismus.

»Das wirst du nicht tun.« Blaise sprach nüchtern-sachlich. »Weil du sonst die wenigen Leser verlieren würdest, die du hast. Wir kreieren Nachrichten, Lord Pauncefote.«

»Auch Empires?« Der Botschafter hatte seine gewohnte diplomatische Contenance wiedergewonnen.

»Das eine folgt aus dem anderen, wenn das Timing stimmt.« Blaise wirkte indifferent; und sehr wie ein Zögling von Hearst, wie Caroline fand.

»Ich werde unter diesem Gesichtspunkt die Karrieren von Clive und Rhodes studieren – unter Berücksichtigung dessen, was die Times seinerzeit zu sagen wußte.«

»Die Karriere von Lord North wäre ein treffendes Beispiel.« Blaise' Stimme klang hart. Woher, fragte sich Caroline unwillkürlich, hatte er das? Von Hearst? Nein, wohl kaum. Plon trat zu ihnen; und Pauncefote entfernte sich.

»Hast du eine reiche Lady gefunden?« fragte Caroline.

»Oh, es – wie sagen die Engländer doch? – wimmelt von ihnen auf der Erde. Aber sie können nicht reden.«

»Ich bring ihn nach Washington.« Caroline sah zu Plon hin. »Bei uns wimmelt es von Ladys, deren Gatten *unter* der Erde sind. Und *die* verstehen es zu reden – die Ladys, meine ich.«

»Vielleicht werden wir beide kommen, nach der Wahl.« Wie versonnen betrachtete Blaise das blasse, blonde Mädchen, das sich ihnen am Arm eines schwarzhaarigen jungen Mannes näherte. Welche Farbe, dachte Caroline, würden die Kinder eines so stark kontrastierenden Paars wohl einmal haben? »Allerdings ist New York bestimmt mehr Plons Art von Auster.«

»Auster?« Plon verstand den Ausdruck nicht. »*Huître*?« übersetzte er zögernd.

Zu Carolines Überraschung begrüßte das blonde Mädchen sie sehr herzlich. »Frederika, Miss Sanford.« Ihre Stimme hatte einen Südstaatenklang, ihr Auftreten etwas Scheues; ihr Profil wirkte edel. »Ich bin Mrs. Binghams Tochter. Aus Washington. Erinnern Sie sich?«

»Sie sind erwachsen geworden.« Caroline hatte das Kind in Washington kaum bemerkt; ein Kind, buchstäblich, bis zu diesem Sommer.

»Das macht wohl eher das Kleid. Daheim hat Mutter etwas dagegen, daß ich mich fein mache.«

»Mrs. Bingham *ist* Washington«, verkündete Caroline.

»Ist sie Witwe?« fragte Plon, auf französisch.

»Noch nicht«, murmelte Caroline. Der schwarzhaarige junge Mann entpuppte sich als ein Angehöriger der argentinischen Botschaft, war also ein Vertreter dessen, was John Hay geringschätzig den »Ithaker-Kontinent« genannt hatte, bis Caroline sich energisch mit der gesamten »lateinischen Rasse« solidarisierte und das Wort »Ithaker« nicht mehr gebraucht wurde, zumindest nicht in ihrer Gegenwart.

Frederika zeigte sich von den beiden Halbbrüdern fasziniert, die sich ihr gegenüber, bezeichnenderweise, gleichgültig verhielten. Was Plon betraf, für ihn war sie zu jung und zu rein; und Blaise' Gedanken – nie fiel es Caroline ein, mit einer so blonden und wilden Bestie das Wort »Herz« zu verknüpfen – weilten anderswo.

»Ist Ihre Mutter hier?« Caroline wußte sehr wohl, daß es für Mrs.

Benedict Tracy Bingham, Ehefrau des Washingtoner Milchkönigs, bislang noch keinerlei Zugang gab zu Newports Casino.

»Oh, nein. Ich bin bei Freunden zu Besuch. Wissen Sie, Mutter mag Washington im Sommer.« Ein eigentümlich maliziöser, ja verschwörerischer Ausdruck stahl sich in Frederikas Augen. Während Caroline noch befand, daß das Mädchen Möglichkeiten hatte, wurde Frederika von ihrem Argentinier entführt.

»Ihr Vater«, sagte Caroline zu Plon, »macht Washingtons gesamte Milch.«

»Wie komisch!« Plon lachte belustigt.

»Wieso komisch?«

»Es liegt wohl an meinem schlechten Englisch, aber für einen Augenblick glaubte ich, du hättest gesagt, er mache ›Milch‹.« Caroline ließ das Thema fallen. Plon paßte besser nach Paris. Blaise hingegen – und sie selbst – eigneten sich für diese neue Welt energievoller und geistleerer Pracht, einer Welt der Verschwendung, der absoluten Vergeudung von allem und, diese Frage stellte sie sich und empfand plötzlich eine eigentümliche Schwäche, und . . . und . . . *allen*?

Teil VIII

1

Vier der Fünf Herzen waren in Henry Adams' Arbeitszimmer versammelt; zu John Hays Entzücken. Obwohl das bläßliche Licht der Aprilsonne den Raum erfüllte, brannte, wie gewöhnlich, im Kamin ein Feuer, und der Geruch des Holzrauchs vermischte sich auf angenehme Weise mit dem Duft jener Unmengen von Narzissen und Maiglöckchen, welche Maggie, die unvergleichliche Bedienstete, überall plaziert hatte. Clarence King, das vierte Herz, stand mit dem Rücken zum Feuer, rechts von sich Adams, der wie ein Schulmädchen ganz Bewunderung war, und zu seiner Linken Clara, ganz liebevolle Schwester, während King schnell und brillant redete; und hustete und über sein eigenes Husten lachte und wieder hustete. »Ich habe einen Schatten von der Größe eines Dollars auf meiner Lunge – warum eigentlich immer ein Dollar, möchte ich mal wissen? Aber lieber die Größe einer Dollarmünze als eines Geldscheins. Ich dachte, die Sonne würde mich gesund machen, wie sie es sonst immer getan hat; doch Florida hat mich enttäuscht, wie schon so oft zuvor viele von Florida enttäuscht worden sind – zum Beispiel du, John. Wolltest du nicht 1864 von dort in den Kongreß gewählt werden?«

»*Von* dort, oh, ja«, sagte Hay. »Ich tue zwar gern so, als sei es Präsident Lincolns Idee gewesen, Freunde in den Kongreß zu bekommen. In Wahrheit ging die Kampagne in Florida aber ganz auf mein eigenes Konto . . .« Und dann, fuhr Hay in Gedanken fort, als ich gerade als Sekretär des Präsidenten aufhören wollte, wurde er erschossen. Und wie so oft erschien es Hay sonderbar, daß er, der mittlerweile nachts soviel träumte, in seinen Träumen nie mehr dem Alten begegnete.

Clarence King, sterbenskrank, war fest entschlossen, Witz und Energie zu demonstrieren. Er war bärtig wie Hay und Adams. Die drei hatten ihre Bärte mehr oder weniger synchronisiert – die Schnurrbärte der einst jungen Männer waren zur Grundlage der stattlichen Bärte der Herren im reiferen Alter geworden.

Hay war entsetzt gewesen über Kings verändertes Aussehen, als dieser vor ein paar Tagen eingetroffen war, abgezehrt und ungepflegt. Doch William und Maggie hatten sich seiner angenommen; ihn ins Bett gesteckt; ihn prachtvoll gefüttert. »Tuberkulose macht ungeheuer Appetit«, hatte King während der ersten Mahlzeit – Hohe Kommunion, laut Adams – der Herzen erklärt; und es entging Hay nicht, daß an der Tafel ein fünfter Platz für das fünfte, unerwähnt bleibende Herz, für Clover Adams, freigeblieben war. Zwar wiederholte King im Lauf des Gesprächs irgend etwas, das Clover einmal gesagt hatte, doch Adams schien nicht im mindesten irritiert; allerdings *konnte* King auch in den Augen von Henry Adams überhaupt nichts Falsches tun, der ja verkündet hatte, sein Freund sei der größte Mann ihrer Generation, was bei Hay ein kurzes, doch deutliches Gefühl von Eifersucht geweckt hatte.

Henry Adams war seit jeher in den Geologen, Naturforscher, Philosophen, Weltreisenden, Minenunternehmer, den Renaissance-Menschen verliebt gewesen – ein treffenderes Wort gab es nicht –, der nun, da sich sein Leben dem Ende näherte, als im allergrößten Maßstab Gescheiterter gelten mußte. Die Depression von '93 hatte ihn praktisch vernichtet, und obwohl er noch immer als Forscher bis ins Yukon-Gebiet oder andere Teile der Welt vordrang, so war er doch nicht mehr als ein brillanter Geologe in den Diensten anderer. Es würde keine King-Mine geben, kein King-Vermögen, keine King-Witwe, keine King-Kinder; nur die Erinnerung, die den anderen Herzen blieb, die Erinnerung an einen gloriosen Gefährten, der bis zum Morgengrauen mit ihnen zusammensitzen und über die Ursprünge des Lebens sprechen konnte, und, vermutlich, konnten sie eine Reise unternehmen und sich einen Berg namens Clarence King ansehen, eine prachtvolle Höhe in der Sierra Nevada.

Ein Berg und eine Erinnerung waren nicht viel, dachte Hay; allerdings, was für ein Leben hatte King geführt. Während Adams und Hay an ihren Schreibtischen gesessen und gelesen und geschrieben hatten – oder eigentlich an der Peripherie der Macht verweilten –, hatte King den Westen erforscht, auf die Landkarte gesetzt und faszinierend von der neuen Welt geschrieben, die er entdeckt hatte, ganz zu schweigen von den geologischen Reichtümern, die andere Männer erst noch ausbeuten würden. Adams hatte die Idee, die sich in King verkörperte, so unwiderstehlich gefunden, daß er von Harvard in den Fernen Westen geflüchtet war, um mit ihm zu reisen, keinerlei Strapazen scheuend. In späteren Jahren waren sie oft zusammen unterwegs gewesen, zuletzt in Kuba. Beide hatten sie eine Leidenschaft für polynesische Frauen entwickelt, »Altgold-Girls«, wie ihre kryptische Bezeichnung lautete für diese Visionen, wie sie bis dahin für Hay kaum vorstellbar gewesen waren. 1879 war King dann Leiter des U.S. Geological Survey geworden, ein fast eigens für ihn geschaffenes Amt, unter wirksamer Mithilfe von Senator James G. Blaine, der allerdings alles andere als amüsiert war, als der Roman »Democracy« erschien. Der Autor war vermutlich eines der »Herzen«, und Blaine fand sich als der korrupte Senator Ratcliff verunglimpft. Hay hatte sich oft gefragt, ob Henry Adams, irgendeinem Instinkt folgend, gerade dem Mann hatte schaden wollen, den er mehr als jeden anderen liebte – und beneidete. 1880 war King dann aus dem einzigen Amt geschieden, das er sich je gewünscht hatte; im selben Jahr war er in das – in die – Leben von John und Clara Hay getreten; und so hatten, auf Grund ganz besonderer Affinitäten, Fünf Herzen wie im Rhythmus eines einzigen geschlagen, bis Clover Adams Zyankali schluckte; da waren es noch vier. Bald, dachte Hay trostlos, während das Aprillicht Kings fiebrige Augen glänzen ließ, würden es nur noch drei sein; dann zwei, eines, keines. Warum?

King antwortete, als hätte er Hays Gedanken gelesen. »Als ich an jenem Tag im Löwenhaus im Central Park völlig durchdrehte, war ich davon überzeugt, Gott gesehen zu haben, und er war einfach ein riesiges Maul, mit Zähnen, scharf, scharf, ein Rachen, ein Schlund – und hungrig, oh, hungrig genug, um uns zu fressen. Darum, dachte ich, existieren wir, als Futter für *ihn*. Dann brachte mich ein Neger – irgendein Butler aus irgendeinem Haus in der Madison Avenue – in Rage, und ich schlug ihn. Im Löwenhaus neigt man zur Gewalttätigkeit, zumal in Gegenwart des Schöpfers, der gleichzeitig dein Verschlinger ist, und ich befand mich in einem Zustand reinster Ekstase, als mich die Polizei abführte, und ich dann ins Bloomingdale Asylum, die Heilanstalt, eingewiesen wurde . . .«

»Und zwar an Halloween«, sagte Adams, der die alte, gleichsam geheiligte Geschichte sichtlich genoß. »Und im Februar fuhren wir nach Kuba. Dort gab es keine Löwen.«

»Ah, aber das Maul, der Rachen war ständig in Bereitschaft. Ewig hungrig. Ist Theodore noch immer so grauenvoll, jetzt wo er Vizepräsident ist?«

»Ich hatte gehofft, daß dieser Name nicht fallen würde an diesem Tag der Tage«, sagte Adams. »Theodores Glück ist so rücksichtslos und unausweichlich wie der Chicago Express.«

»Er war«, sagte Clara fairerweise, »weniger geräuschvoll als sonst. Das muß man ihm lassen, Henry.«

»Es gab auch nicht viele Gelegenheiten, um Geräusche zu machen.« Immerhin war Hay überrascht gewesen, als Teddy im Senat eine wirklich würdevolle Antrittsrede gehalten hatte – während einer Pause, die sich während eines jener parlamentarischen Obstruktionsmanöver ergab, die man »Filibuster« nannte. In dem Saal, wo es nach Zigarrenrauch roch und erschöpfte Senatoren vor sich hindösten, hatte Teddy den Amtseid als Vizepräsident geleistet; und dann, kryptisch, von jenen großen Dingen gesprochen, welche gerade auf diese Generation von Amerikanern warteten. »Je nachdem, ob wir gut oder schlecht handeln, wird die Menschheit in der Zukunft einen Aufstieg oder einen Niedergang erleben.« In diesem Augenblick war über dem Kapitol ein Gewitter losgebrochen, und das Trommeln des Regens auf den oberen Fenstern des Senats versetzte Hay, adäquaterweise, in eine Art Kriegsstimmung. Sollte er je die Chance dazu erhalten, so würde Teddy alles an eine Expansion des amerikanischen Empires setzen; doch Vizepräsidenten erhalten solche Chancen nicht, wie Roosevelt sehr wohl wußte. »Dieses Amt ist das endgültige Grab für meine politische Karriere«, hatte er vorwurfsvoll zu Lodge gesagt; nur zu gern beschuldigte er Lodge, ihn zur Annahme einer Kandidatur gedrängt zu haben, die ihm der Präsident oder die Parteiführer niemals angeboten hatten. Teddy hatte sich den Preis – die Persimone, sprich »Pflaume«, als welche Hay die Vizepräsidentschaft betrachtete – einfach gegriffen. Im Herbst hatte er in vierundzwanzig Staaten Reden gehalten, was ihn derart fasziniert hatte, daß er sich inspiriert fühlte, von William Jennings Bryan als von »meinem Gegner« zu sprechen. Der Major *sagte* zwar, diese Ausrutscher hätten ihn amüsiert; aber Hay hegte den Verdacht, daß sich das Verständnis des Majors für den Colonel in eng bemessenen Grenzen hielt. Und der überwältigende Sieg, den die Republikaner im November errangen, wurde McKinley zweifellos von jenen vermiest, die durchblicken ließen, nicht er, sondern sein spektakulärer Vizepräsident sei es gewesen, der für die Republikaner Millionen von Stimmen gewonnen habe.

»Teddy war nicht sehr lange in der Stadt«, sagte Adams. Am 4. März führte er im Senat den Vorsitz. Dann vertagte sich der Kongreß bis zum Dezember, und er fuhr zurück in sein häßliches Haus auf Long Island.«

»Ich frage mich«, sagte die praktische Clara, »wo sie wohnen werden. Und wie. Edith sagt, Geld sei nicht vorhanden; und dann all die Kinder. Bamie – seine Schwester – hat hier ein Haus gefunden, aber nur für sich selbst.«

»Unsere Madame Maintenon?« fragte King und trat vom Kamin zu einem Lehnstuhl, der zu niedrig und zu eng war für das zweitgrößte der Herzen. Clara, das größte, saß in ihrem speziellen Stuhl von Nicht-Adams-Proportionen. »Ich werde wohl einfach stehen, wenn ich mich in deinem Arbeitszimmer befinde.«

»Es könnte schlimmer sein.« Adams steckte seine Alabasterhände in Richtung der rötlichgelben Flammen. »Sie ist vernünftiger als Teddy. Aber er wird aus dem öffentlichen Leben verschwinden. Er war verblüfft, als er entdeckte, daß der Vizepräsident zwischen dem 4. März und dem kommenden Dezember keinerlei Pflichten hat. Wahrscheinlich wird er ein weiteres Halbdutzend Bücher schreiben.«

»Nein«, sagte Hay, darüber entzückt, daß er seine Mit-Herzen mit Klatsch von höherem Niveau entzücken konnte. »Teddy hat plötzlich einen bestimmten Ehrgeiz entwickelt. Er hat die Absicht zu . . . was für ein Wort soll ich verwenden? Er will etwas tun, was von uns nur Clarence jemals getan hat.«

»Wollust in der Südsee?« Adams' Augen glänzten.

»Nein. Etwas, das ungewöhnlicher ist – und beunruhigender.«

»Was denn?« Clara schrie fast.

»Arbeit!« rief Hay.

»Oh, der Herr rette uns! Rette *ihn*!« Clarence sank von seinem Stuhl zu Boden, auf die Knie – eine kurze Entfernung nur –, die Hände zum Gebet verschränkt. »Theodore Roosevelt will tatsächlich *arbeiten* für seinen Lebensunterhalt?«

»Etwas, woran Henry und ich nicht mal im Traum denken würden . . .«

»Nein, nein. Du bist nicht mehr unberührt, John.« Adams' Stimme klang streng. »Du hast als Redakteur und Journalist und Geschäftsmann gearbeitet. *Ich* habe niemals gearbeitet . . .«

»Und der Professor in Harvard? Der Herausgeber der North American Review?«

»Weder das eine noch das andere war richtige Arbeit. Und ganz gewiß habe ich mir nie meinen Lebensunterhalt mit solchem Zeug verdient . . .«

»Was – bitte, verrate es mir . . .«, King lag noch immer auf den Knien, ». . . wird die Arbeit des Vizepräsidenten sein?«

»Jura! Er wird Jura studieren.« Zufrieden registrierte Hay die allgemeine Aufregung.

»Ein amtierender amerikanischer Vizepräsident als Jurastudent?« Adams' Entsetzen war nicht gespielt.

»Ich kann mir deinen Urgroßvater nicht vorstellen, wie er an der Columbia Vorlesungen hört, während er gleichzeitig auf General Washingtons Tod wartet; doch Teddy . . .«

». . . ist völlig unvorstellbar«, sagte King. Dann nahm er sich, wenn auch mit einiger Mühe, zusammen – was Hay, hinten in seinem winzigen Armstuhl, nicht entging. »Woher weißt du das alles?«

»Im Weißen Haus hat er sich den Obersten Bundesrichter vorgeknöpft und ihm gesagt, da er noch ziemlich jung sei und eine Menge Zeit zur Verfügung habe, wolle er studieren, um als Anwalt zugelassen zu werden. Natürlich war der Oberste Bundesrichter ganz schön beunruhigt. Aber als er dann sah, wie ernst es Teddy damit war, versprach er ihm eine fachgerechte Liste für den Sommer, und sobald sich der Kongreß vertagt, wird er Teddy als eine Art Lehrer zur Verfügung stehen, wird ihn – so wörtlich – ›abfragen‹, und zwar jeweils samtags abends.«

»Theodore ist nicht wie andere Menschen«, sagte Clara in möglichst neutralem Tonfall.

»Wenn Clarence unser Renaissance-Mensch ist . . .«, begann Adams.

». . . dann ist Teddy unser Barock-Mensch«, ergänzte King. »Wir leben in einer wunderlichen Zeit. Und wie denkt denn der Major darüber?«

»Wenn ich es nicht wüßte, würde ich es dir sagen.« Hay benutzte

Sewards Lieblingsfloskel. »Auf jeden Fall ist der Präsident in diesen Tagen mehr denn je der Buddha. Ende des Monats bricht er zu einer sechswöchigen Reise durch das Land auf, wobei er, unter anderem, von mir begleitet wird. Endlich«, sagte Hay und blickte zu King, »werde ich dein Kalifornien sehen. In San Francisco läßt der Präsident ein Schlachtschiff vom Stapel laufen, und ich werde dabeisein und von offenen Türen und vom Frieden plaudern, während General MacArthur fortfährt, Filipinos niederzumetzeln.« Hay fragte sich, was für ein gedanklicher Irrläufer ihn dazu gebracht hatte, ausgerechnet auf das eine Thema anzuspielen, das für ihn – und die Administration – offiziell nicht existent war. Zumal jetzt, da der Krieg – das treffendste Wort war inoffiziell – zu Ende war. Aguinaldo war im März gefangengenommen worden, schon bald nach der Inauguration. Noch vor seiner sechswöchigen Reise würde der Präsident eine offizielle Erklärung abgeben, derzufolge die »Erhebung« beendet war.

Hay gab den anderen keine Gelegenheit, die unerwartete Vokabel »Niedermetzeln« als Stichwort aufzugreifen. »Bis Ende des Monats ist die Geschichte natürlich erledigt.« Er sprach hastig, mit dem Gefühl wachsender Atemnot. Das Herz? Ein plötzlicher Tod, sozusagen im Herzen der Herzen, würde poetisch sein. »Ich werde sie übrigens bekommen.«

»Bekommen – was?« fragte King zwischen trockenen Hustenstößen. Vielleicht alle Herzen gleichzeitig anhalten, wie vier Uhren, die man vergessen hatte aufzuziehen.

»Die Philippinen. Der Major meint, das Außenministerium sollte sie verwalten, nicht das Kriegsministerium. Root vertritt zum Glück die gleiche Auffassung. Im Oktober werde ich Herr über all jene Inseln sein.«

»Und was ist mit dem Kanal?« King hustete. »Wirst du auch der Herr des Isthmus sein?«

»Wir müssen erst den Vertrag durch den Senat schleusen.« Wieder litt Hay unter Atemnot: nur nicht in Panik geraten. »Bisher hat man zwei Versionen zurückgewiesen, trotz Englands erstaunlichem Entgegenkommen. Pauncefote und ich haben jetzt eine dritte Version fertiggestellt, die wir unseren Herrn und Meistern im Senat im Dezember vorlegen werden.« Hay machte einen tiefen Atemzug; fühlte sich besser; bemerkte, daß Clara ihn mit einiger Unruhe beobachtete, was hinwiederum ihn beunruhigte. Wirkte er so . . . krank? Er sah zu Adams hinüber, um zu sehen, ob dem Stachelschwein an ihm irgend etwas aufgefallen war, doch das Stachelschwein betrachtete Clarence King, der seine untere Gesichtshälfte mit einem Taschentuch bedeckt hielt, obwohl der Hustenanfall aufgehört hatte. Wie hinfällig wir doch geworden sind, dachte Hay; nahm sich dann energisch zusammen. »Von all unseren Freunden hasse ich Cabot Lodge am meisten.«

»John.« Claras stimme klang vorwurfsvoll.

»Oh, Cabot ist hassenswert.« Adams blickte vom todkranken King zum lodernden Feuer. »Ich habe ihn stets verabscheut, auch wenn ich seine Freundschaft genoß. Ich glaube, Cabots Problem ist die Schüchternheit.«

»Einen schüchternen Senator hat es noch nie gegeben.« King meißelte den Satz wie aus Marmor.

»Schüchternheit?« Unter diesem Aspekt hatte Hay Cabot noch nie gesehen. Aber vielleicht war er tatsächlich schüchtern und versuchte, es zu tarnen, indem er endlos Kommentare von sich gab und gelegentlich Freunden gegenüber Treubruch übte.

»Ja, Schüchternheit«, wiederholte Adams. »Er ist von Natur aus eine Art Jago, stets im Schatten lauernd, lieber Böses tuend als nichts . . .«

». . . und lieber nichts als Gutes.« Hay hatte das Urteil präzisiert. »Aber wenn Cabot Jago ist, so muß McKinley sein Othello sein.«

»Oh, nein, nein.« Adams widersprach energisch. »Schließlich vertraute Othello doch Jago. Ich halte es für höchst unwahrscheinlich, daß unser Augustus aus Ohio Cabot vertraut – oder auch nur wahrnimmt. Nein. Ich sehe Theodore in der Rolle des Othello. Sie ergänzen einander. Theodore ist ganz Tat und Getue, Cabot dagegen ganz List und Berechnung. Cabot ist der Fels, der Theodore zum Sinken bringen wird.«

»Ich mag Cabot.« Clara bereitete dem Gespräch ein Ende.

»Außerdem ist er Brooks' Schwager. Er ist praktisch mit dir verwandt, Henry.«

»Das, Clara, ist keine Empfehlung für einen Angehörigen des Hauses von Atreus . . .«

»Aus Quincy, Massachusetts.« King liebte es, den Adams ein wenig die Flügel zu stutzen. Ihr ganz spezielles Selbstgefühl hatte sein Gegengewicht in ihrer gleich starken Empfindung allgemeiner Wertlosigkeit. Alles in allem war Hay froh darüber, nicht zur vierten Generation einer großen Familie zu gehören. Viel besser, sein eigener Vorfahr zu sein; sein eigener Gründervater. Was, fragte er sich, würde aus Del im 20. Jahrhundert werden, das nach Roots Behauptung am 1. Januar 1901 begonnen hatte? Vier Monate lebte Hay nun bereits in diesem neuen Jahrhundert (Queen Victoria in ihrer Weisheit war nur drei Wochen nach Beginn der neuen Epoche gestorben), und mehr denn je war er davon überzeugt, daß er nichts verpaßte, wenn er es so gut wie ganz versäumte. Del allerdings würde womöglich noch mehr als die Hälfte davon erleben. Der Vater wünschte dem Sohn Glück.

2

Caroline begrüße Del an der Tür zu ihrem Büro, in dem die ersten – ihr stets hochwillkommenen – Frühjahrsfliegen summten. Del hatte seit seiner Abreise zugelegt; mehr Brust, mehr Bauch, aber er schien auch größer geworden zu sein. Linkisch schüttelten sie einander die Hand. Mr. Trimble beobachtete sie mit gütigem Blick, das Paar hatte seinen, unerbetenen, Segen. »Eine Frau darf nicht zu lange allein sein«, hatte er gesagt, »zumal in einer südlichen Stadt wie Washington.«

Caroline war gerade aus New York zurückgekehrt, wo sie sich von Plon verabschiedet hatte. Dieser, um zwei Zigarettenetuis reicher, hatte Kurs auf Richtung Heimat genommen.

Del war gekommen, um sie zum Lunch abzuholen. Über ihr Rollpult hinweg sahen sie einander an. »Warst du wirklich proburisch?« fragte Del.

»Warst du wirklich insgeheim pro-britisch?« Bryans Attacken gegen McKinley hatten zum großen Teil des Präsidenten probritischer Politik gegolten, eine Folge der Machenschaften jenes anglophilen Außenministers namens John Hay und seines gleichermaßen sinistren Sohnes, der amerikanischer Generalkonsul – auch noch Vetternwirtschaft! – in Pretoria war.

»Ja«, sagte Del zu Carolines Überraschung. »Aber nur heimlich.

Über meine diplomatisch versiegelten Lippen ist nie ein einziges Wort gedrungen. Ich war die verkörperte Vorsicht, wie Vater.«

»Nun, wir waren pro-burisch, weil unsere Leser – und Inserenten – es ebenfalls sind oder waren. Jedenfalls ist das jetzt zu Ende. Deine Mannschaft hat gewonnen. Unsere hat verloren.«

»Und der irische und der deutsche Pöbel sind alle zur Demokratischen Partei gestoßen, wo sie auch hingehören.«

»Was kommt als nächstes?«

John Hay hatte ihr gesagt, er bezweifle, daß Del im diplomatischen Dienst bleiben wolle; allerdings sagte Hay ja meistens, was andere hören wollten. Er wußte, daß es für Caroline eine unerträgliche Vorstellung war, als Frau eines Diplomaten um die Welt zu ziehen, von einem Posten zum nächsten.

Aber Del wich einer direkten Antwort aus. »Wirst du schon sehen.«

»Wann?«

»Heute. Beim Lunch.«

Ein wenig irritiert stieg Caroline in die Haysche Familienkutsche, die vom Market Square zur Pennsylvania Avenue fuhr und von dort weiter in nördlicher Richtung. »Es gibt mehr elektrische Wagen«, bemerkte Del. »Und Telefondrähte.« Wie Spaghettis spannten sich die Drähte im hellen Mittagslicht zwischen hohen Stangen kreuz und quer, und die Schatten, die sie auf die Avenue warfen, bildeten ein höchst komplexes Muster. Die Bäume entlang der Bürgersteige standen bereits in Blüte. Der Washingtoner April ähnelte so sehr dem Pariser Juni, daß Caroline plötzlich Heimweh empfand, wahrhaftig nicht die angemessene Stimmung für eine junge Lady, die ihren Verlobten ein Jahr lang nicht gesehen hatte. Ihr Blick fiel auf ihren Opalring an seinem Finger; versuchte, sich an ihrem eigenen Finger einen Trauring vorzustellen; dachte statt dessen an Saint-Cloud-le-Duc. Sie und Blaise hatten eine Art Abkommen getroffen, daß sie beide nicht hinreisen würden, bevor die Testamentsangelegenheit endgültig geregelt war. Marguerite machte das schier verrückt. Caroline nahm es eher stoisch.

»Ich bin stoisch«, sagte sie zu Del, einfach so. Aber er sprach gerade mit dem Kutscher. »Wir werden uns von der Südseite her nähern.« Sie befanden sich jetzt gegenüber der makellos restaurierten Fassade von Willard's. Auf dem Gehsteig standen schwarze

Kinder, in den Händen Bündel von Osterblumen und Zweige voller Blüten, hellrosa, weiß. Weiß.

»Das Weiße Haus?« fragte Caroline.

»Ja. Wir sind zum Lunch beim Präsidenten.« Dels kleine Augen leuchteten; eines Tages, dachte Caroline, würde er genauso massig sein wie seine Mutter; und sie fragte sich, ob sie mit so gewaltigen maskulinen Dimensionen würde glücklich sein können.

Ursprünglich war der südliche Eingang des Weißen Hauses als repräsentativer Haupteingang gedacht gewesen, aber in Washington lief ja nie etwas wie geplant. Das Kapitol auf seinem Hügel, beispielsweise, blickte mit seiner Prachtfassade auf eine schäbige Vorstadt, während seine marmorne Rückseite der Pennsylvania Avenue und dem ehedem dort nicht geplanten Stadtzentrum zugewandt war. Man hatte erwartet, daß sich die Stadt in westlicher und südlicher Richtung ausdehnen würde; statt dessen war sie nach Osten und nach Norden gewachsen. Der Präsidentensitz – das Weiße Haus – war so geplant gewesen, daß man sich ihm vom Fluß her durch den Park näherte, nicht ohne einen herrlichen Blick auf Virginias Hügel auf der anderen Flußseite; aber dann hatte, unerwarteterweise, die Pennsylvania Avenue eine solche Bedeutung erlangt, daß man gezwungen gewesen war, den nördlichen Portikus zum Haupteingang zu machen, und nun durften nur heimliche oder private Besucher durch den zur Zeit schlammigen Park zum etwas verloren wirkenden Prachteingang fahren, wo die geschwungene Treppe so aussah, als sei sie für eine republikanische Al-fresco-Krönung von jener Art entworfen worden, wie sie der venezianische Doge auf einer Treppe von adäquatem Pomp zu ertragen pflegte.

Der Korridor im Parterre war leer. Wie stets fühlte sich Caroline fasziniert von der eigentümlichen Nachlässigkeit im Weißen Haus. Die einzige Person, die sie sahen, war ein zeitunglesender Polizist bei der Tür. »Wie leicht wäre es doch«, flüsterte Caroline, als hätten die Wände Ohren, obschon gerade diese hier garantiert keine hatten, »einen Staatsstreich durchzuführen.«

»Wer sollte so etwas tun?« Der Gedanke schien Del ehrlich zu verwundern. »Dafür ist es einfach zu groß.«

»Dieses Haus ist sehr klein.«

»Das Haus ist nichts«, sagte Del, als sie die knarrenden Stufen hinaufzusteigen begannen. »Ich meine das Land. Das Land ist viel zu groß für so etwas.«

Die Haupteingangshalle in der Hauptetage war wie gewöhnlich von Besuchern überfüllt. Mr. Cortelyou begrüßte die beiden vor der Tiffany-Wand. »Der Präsident wird Sie im Speisezimmer der Familie treffen. *Sie* wird gleichfalls kommen.«

»Geht es ihr besser?« fragte Del.

Doch Cortelyou war bereits dabei, sie in den kleinen Präsidenten-Fahrstuhl zu verfrachten; dann schloß er die Tür und blieb zurück. Mit beunruhigendem Rattern bewegte sich der Fahrstuhl aufwärts. Caroline griff nach Dels Arm: Würde dieses Ding etwa steckenbleiben? Würden Sie ersticken, bevor Hilfe kam? Nach einer kleinen Ewigkeit hatten sie es dann geschafft. Der Fahrstuhl hielt, und Del führte Caroline in den privaten Teil des Weißen Hauses. Einer der Deutschen öffnete die Tür zum Speisezimmer, in dem ein Tisch für vier gedeckt war. Zu Carolines Verwunderung befand sich Mrs. McKinley bereits auf ihrem Platz. Hatte man sie hereingetragen und dann aufrecht hingesetzt, wie eine Puppe? Das Gesicht war unwirklich in seiner Hübschheit. Wie so viele Frauen, deren ganzes Leben eine einzige Krankheit zu sein schien, sah sie jünger aus, als sie war. »Miss Sanford . . .«, die nasale Stimme hatte etwas vom Krächzen einer Krähe, ». . . ich freue mich, Sie wiederzusehen. Setzen Sie sich hierher, neben mich. Der Major sitzt zu meiner anderen Seite. Ich weiß nicht, warum Mr. Hays Ministerium immer ein solches Gewese macht, wenn ein Ehepaar beim Essen zusammensitzen möchte. Schließlich ist das doch der Grund dafür, daß man heiratet, nicht wahr?«

»Ich bin mir da nicht sicher, Mrs. McKinley. Allerdings bin ich ja auch nicht verheiratet . . .«

»Ja«, sagte die First Lady und lächelte. Ihr Lächeln war ausnehmend lieblich; wie das eines jungen Mädchens. »Nun, Sie beide werden ein prächtiges Paar sein, und mit Geld dazu. Haben Sie gewußt, daß der Major der einzige ehrliche Mann ist, den wir je zum Präsidenten hatten? Mr. Cleveland kam bettelarm hierher, doch als er wieder ging, konnte er sich sein Herrenhaus in Princeton kaufen. Nun, der Major und ich waren endlich, nach all den Jahren der Knauserei, in der Lage, unser Haus in Canton, Ohio, zu kaufen, und raten Sie mal, wieviel wir bezahlt haben?«

»Das weiß ich nicht«, sagte Caroline, die es sehr wohl wußte. Die Tribune hatte die Story bereits gebracht.

»Vierzehntausendfünfhundert Dollar, und der Major wird weitere dreitausend ausgeben – den Rest unseres Ersparten –, damit alles so eingerichtet wird, daß wir uns, wenn ich mich elend fühle wie im vorigen Sommer, dorthin zurückziehen können, aber er trotzdem sein Amt ausüben kann, mit dem Telefon und allem. Spielen Sie Cribbage, Liebes?«

»Nein. Aber ich könnte es sicher lernen.«

»Das sollten Sie auch. Euchre ist gleichfalls ein schönes Kartenspiel. Ich gewinne immer, wissen Sie. Es ist wichtig, daß man als Ehefrau etwas zu tun hat.«

»Miss Sanford hat ihre Zeitung.« Del versuchte, diplomatisch zu sein; und patzte.

Mrs. McKinleys liebliches Lächeln erlosch, und sie verbarg ihre unwillige Miene, indem sie ausgiebig an dem Treibhaus-Rosenbouquet neben ihrem Teller roch. »Ich lese nie solche . . . Dinger.«

»Ich auch nicht«, sagte Caroline hastig. »Ich verlege nur, was wohl ganz ähnlich ist wie . . . wie Cribbage«, fügte sie aufs Geratewohl hinzu. Aus welchem Grund, fragte sie sich, war sie überhaupt hier? Offenkundig, um vom Major und seiner Lady als Dels Zukünftige anerkannt zu werden; aber warum war das so wichtig?

In der Türöffnung stand der Major, massig und ernst, mit glänzenden Augen – hieß es nicht, daß er Opium nahm? Im linken Seidenrevers trug er eine rosa Nelke, gleichsam als Pendant zu Idas rosa Rosen. Caroline erhob sich und machte einen Knicks. Der Präsident trat zu ihr, nahm ihre Hand und ließ sie, mit sanfter Geste, wieder Platz nehmen. Seine tiefe und schöne Stimme klang ähnlich ländlich wie Idas Stimme, doch ohne ihren so nasalen Tonfall. »Ich freue mich, daß Sie kommten konnten, Miss Sanford. Setzen Sie sich doch, Mr. Hay. Ida . . .« Zärtlich berührte er das Gesicht seiner Frau; zärtlich küßte sie seine Hand. Caroline fiel auf, wie blaß beide waren. Aber er war ja nach dem Neujahrsempfang auch beinahe an Lungenentzündung gestorben, und sie hatte im vorigen Sommer einen Nervenzusammenbruch erlitten. Caroline versuchte, sich vorzustellen, wie es sein mochte, an der Spitze einer ungemein aktiven und lauten Nation zu stehen; es gelang ihr nicht.

Das Lunch war so einfach und so enorm wie der von einer

taubengrauen Weste bedeckte Präsidentenbauch, der etwa in Brusthöhe begann und sich dann so mächtig vorwölbte, daß es McKinley unmöglich war, nahe am Tisch zu sitzen – zweifellos die Erklärung für den kleeblattförmigen Saucenfleck auf dem schwarzen Gehrock, der links und rechts von dem gewaltigen, autonomen Bauch herunterhing wie ein Theatervorhang, den man aufgezogen hatte, um ein Spektakulum zu enthüllen. Das Mahl begann mit Wachtel, gefolgt von Porterhouse-Steak, gefolgt von gebratenem Huhn; und zu jedem Gang gab es irgendwelches Brot oder Gebäck, Weizen-Muffins, Toast, Mais. Alles war überflutet von Butter, und der Major aß von allem, während Ida nur von diesem oder jenem eine Kostprobe nahm. Nicht ohne Beunruhigung beobachtete Caroline, daß Del mit dem Präsidenten absolut Schritt hielt, gleichsam ein Herz und ein Bauch. Würde Del auch so . . . so fett werden? Über Carolines Zukunft fiel ein Schatten, genauso groß und so schicksalhaft wie McKinleys Wanst.

Der Präsident sprach von der bevorstehenden Reise durchs Land. »Mrs. McKinley wird die Mühe auf sich nehmen.« Er betrachtete sie zärtlich. Sie schmatzte an einem Wachtelbein. »Ihr Arzt kommt auch mit. Sowie, natürlich, Ihr Vater, Mr. Hay. Ich möchte das gesamte Kabinett bei mir haben. Nicht jeder kann nach Washington kommen, um uns hier zu sehen . . .«

»*Scheint* aber so«, murmelte Mrs. McKinley mit gekrauster Stirn.

»Ist aber nicht so. Und da die meisten Leute nicht zu uns kommen können, kommen wir zu ihnen. Ich finde es sehr frustrierend, bei Wahlkämpfen daheim in Canton bleiben zu müssen, und die Kampagne sozusagen von der Vorderveranda aus zu führen. Weil ich's nämlich mag . . . ich meine, ich mag die Begegnung mit den Menschen . . .«

»*Ich* nicht.« Ida strich Butter über ein Stück Maisbrot. »Hab's nie gemocht. Wollen immer alle irgendwas, die Leute, von meinem Liebsten.«

Der Präsident ignorierte ihre Bemerkung. »Man bekommt ein Gefühl für das, was sie denken, und das ist einem hier unmöglich. Außerdem erhält man die Gelegenheit, direkt zu ihnen zu sprechen, ohne daß die Zeitungen dazwischenstehen«.

»Du weißt, daß Miss Sanford eine solche Zeitung besitzt. Ich habe zu ihr gesagt, sie solle Euchre spielen lernen. Ein viel besserer

Zeitvertreib. Man kann sogar Geld gewinnen, wenn man mit Einsatz spielt, aber Glücksspiel ist natürlich eine Sünde.« Ida wirkte plötzlich schelmisch-listig.

»Mir gefällt Ihre Zeitung, Miss Sanford. Meistens jedenfalls«, fügte der Major mit einem drolligen Zwinkern seiner großen Augen hinzu.

»Uns gefällt Ihre Administration, Mr. President. Meistens jedenfalls.«

McKinley lachte. »Vielleicht werden wir Ihnen nach dieser Reise noch öfter gefallen als bisher.«

»Der Präsident ...«, Del gab seinen Kommentar, »... wird sich gegen die Trusts aussprechen ...«

»Wie Colonel Bryan?« Caroline konnte der Versuchung nicht widerstehen.«

»Vielleicht eher wie Colonel Roosevelt.« Die Stimme des Majors klang sanft.

»Aber *hauptsächlich* wie Präsident McKinley.« Del, fand Caroline, war vom Major gewaltig fasziniert.

»Der Präsident wird das Problem direkt angehen. Auch über Zölle wird er sprechen. Er wünscht wirtschaftliche Ausgewogenheit.«

Ida zischte Del an. Der Gesichtsausdruck des Präsidenten blieb unverändert. Und Del sprach weiter. »Er wird auch den Senat herausfordern ...«

Ida zischte Del noch lauter an. Während Caroline den Kopf drehte, um zu ihrer Gastgeberin zu blicken, stülpte McKinley seiner Frau mit geübter Handbewegung eine butterfleckige Serviette über den Kopf; doch Caroline sah noch ganz kurz die völlig verdrehten Augen und den grauenvoll verzerrten Mund. Unter der Serviette war noch immer das Zischen zu hören.

»Ich hoffe, daß Sie nichts hierüber in Ihrer Zeitung schreiben werden.« McKinley begann, ein spanisches Omelett zu genießen, das just in dem Augenblick serviert wurde, da Caroline darum betete, von weiteren Speisen verschont zu werden.

»Gewiß nicht, Mr. President. Mir ist klar ...« Ida gab jetzt ein Gurgeln von sich. »... daß all dies vertraulich bleiben muß.«

»Caroline ist diskret, Sir.« Doch Del war nervös.

»Davon bin ich überzeugt. Anders als bei Mr. Hearst.« McKinley schüttelte den Kopf; sprach mit vollem Mund. »Haben Sie das New York Journal gelesen? Ich bin die am meisten gehaßte Kreatur auf dem amerikanischen Kontinent, genauso stand es dort, trotz meiner Wiederwahl . . .«

»Sie haben Bryan ja sogar in seinem Heimatstaat geschlagen . . .«

»Aber ich habe New York City verloren, um dreißigtausend Stimmen. Jedenfalls haben die in dem Blatt jetzt geschrieben, wenn man böse Menschen nur loswerden könne, indem man sie tötet, so müsse man eben töten.«

»Das ist . . . ungeheuerlich!« Caroline war entsetzt; und bestürzt, daß sie den Artikel nicht zu Gesicht bekommen hatte. Del nannte ihr den Grund. »Es stand nur in der ersten Ausgabe. Dann warf Mr. Hearst die Story raus, so daß später nichts mehr davon zu finden war. Ausnahmsweise kapierte Yellow Kid, daß er zu weit gegangen war, sogar für seine Verhältnisse. Und für Blaise«, fügte Del hinzu. Mrs. McKinley war unter ihrer Serviette verstummt.

»All das ist um so sonderbarer«, sagte der Präsident gleichmütig, »als Mr. Hearst gerade einen seiner Redakteure zu mir geschickt hatte, um sich für die Dinge zu entschuldigen, die sie während der Wahl über mich geschrieben haben.«

Als der Gouverneur von Kentucky einer Kugel zum Opfer gefallen war, hatte Ambrose Bierce, Hearsts Angestellter und berüchtigter, wilder Mann, einen Vierzeiler verfaßt, der die Nation schockierte:

»Die Kugel blieb in Goebels Brust nicht stecken,
Im ganzen Westen sucht man sie vergeblich;
Mit gutem Grund, fliegt sie doch östlich,
McKinley selbst aufs Totenbett zu strecken.«

»Hearst möchte 1904 der demokratische Präsidentschaftskandidat werden«, sagte Del. »Er geht davon aus, daß Bryan seine letzte Chance gehabt hat, und will sich jetzt selbst aufbauen.«

»Ich wünsche ihm Glück.« McKinleys Stimme klang sanft. Unwillkürlich fragte sich Caroline, ob er wirklich so gelassen war, wie er wirkte, oder ob er ganz einfach ein perfekter Schauspieler war? »Ich werde jedenfalls nicht mehr dabeisein. Ich werde nicht wieder kandidieren.«

»Da wird Vater tief enttäuscht sein«, sagte Del. »Er spricht ja jetzt schon davon, daß Sie unbedingt eine dritte Amtsperiode absolvieren sollten.«

»Dem sollten wir rechtzeitig einen Riegel vorschieben.« McKinley blickte zu seiner Frau. Da ihr Hals und ihre Schultern nicht mehr wie erstarrt wirkten, entfernte er die Serviette.

»Es gibt nichts Langweiligeres, sage ich, als über Zölle zu sprechen.« Ida setzte genau dort wieder ein, wo sie aufgehört hatte.

»Dann laß uns nicht mehr davon reden.« Der Major lächelte sie an; und bedeutete dem Bediensteten, die erste einer ganzen Anzahl von Pasteten zu bringen. »Ich möchte in meiner zweiten Amtszeit unbeeinflußt bleiben von äußeren Interessen. Ich möchte das tun, was getan werden sollte, was man jedoch nicht tun kann, wenn man sich Sorgen macht wegen seiner Wiederwahl.«

»Armer Mark Hanna«, murmelte Caroline.

McKinley warf ihr einen amüsierten, anerkennenden Blick zu. »Er wird sicher Probleme haben – mein Entschluß steht fest.«

»Er ist krank.« Aus Idas Stimme klang Befriedigung. Sie nahm von der Apfelpastete; der Anfall hatte, wenn schon sonst nichts so doch zumindest ihren Appetit geschürt. Wußte sie überhaupt, was geschehen war? überlegte Caroline. Oder merkte sie nicht einmal, daß jetzt – für sie doch zweifellos recht abrupt – ein Nachtisch serviert wurde?

»Glauben Sie«, fragte Caroline, »daß Mr. Hearst auch nur die *leiseste* Chance hat, nominiert zu werden?«

McKinley schüttelte den Kopf. »Er ist viel zu skrupellos . . . zu unmoralisch . . . zu reich. Sollte es ihm jedoch, nur einmal angenommen, irgendwie gelingen, die Nominierung zu *kaufen*, gewählt würde er niemals werden. Sonderbar, daß er mich die meistgehaßte Kreatur in Amerika nennt, obwohl ich doch verhältnismäßig populär bin, während er eher derjenige ist, der gehaßt wird.«

»Verhältnismäßig gehaßt«, sagte Caroline.

»Verhältnismäßig gehaßt«, wiederholte McKinley; und sah dann zu Del hinüber. »Haben Sie es ihr gesagt?«

»Nein, Sir.«

»Haben Sie es Ihrem Vater gesagt?«

»Ich habe es noch keinem gesagt.«

»Es war«, erklärte Ida, den Blick fast starr auf Caroline gerichtet, »meine Idee.«

»Was ist *es*, Mr. President?«

»Ich ernenne Del zum Zweiten Privatsekretär des Präsidenten, unter der Voraussetzung, daß er, wenn Mr. Cortelyou seinen Posten aufgibt – und aufsteigt –, selbstverständlich Erster Sekretär werden wird.«

Del wurde rot vor Freude.

Caroline erkannte sofort die geradezu unheimliche Kongruenz. »Es ist die gleiche Position, die John Hay innehatte, als er mit Präsident Lincoln nach Washington kam.«

»Ich halte das für angemessen.« Der Präsident lächelte; trocknete sich die Lippen; verfehlte auf dem napoleonischen Kinn knapp einen glänzenden Butterfleck.

»Oh, das ist so lange her.« Ida war immer voll in der Gegenwart, falls sie sich nicht völlig außerhalb der Zeit befand.

»Aber wenn man jetzt ganz weit in die Zukunft schaut«, sagte Caroline zu Del, »dann wirst du in achtunddreißig Jahren, wenn es so geht wie bei deinem Vater, Außenminister sein.«

»Und zwar im Jahr . . .«, McKinley hielt inne; weniger um nachzurechnen als zu staunen, ». . . 1939. Was um alles in der Welt wird dann aus uns geworden sein?«

»Dahingeschieden, Liebster. Im Himmel, bei der kleinen Katie. Und befreit von allen anderen.« Mrs. McKinley legte ihre Serviette aus der Hand. »Wir werden den Kaffee im ovalen Salon nehmen.« Der Präsident half ihr beim Aufstehen, während Caroline und Del das souveräne Paar flankierten. »Ich freue mich, daß Del Sie heiratet.« Auf diese Weise gab Ida der Ernennung wie der Ehe gleichermaßen ihren Segen. Caroline war erleichtert, um Dels willen. Ob sie ihn nun heiraten würde oder nicht, auf jeden Fall wünschte sie ihm alles Gute und begriff, daß dies der größte Tag in seinem bisherigen Leben war. So wie Lincoln den jungen John Hay herausgehoben hatte aus der quasi namenlosen Masse, um ihm seinen Platz zu geben in der Geschichte, so hob McKinley nun den Sohn heraus.

Sie begaben sich in den ovalen Salon, wo das Kaffeeservice bereitstand.

»Wann fängst du mit der Arbeit an?« Caroline half dem Präsidenten dabei, die schwache First Lady auf einen grünsamtenen Stuhl zu setzen.

»Im Herbst«, sagte Del.

»Nach der Reise.« In seinem von Schondeckchen geschützten Schaukelstuhl schaukelte McKinley langsam vor und zurück, gleichsam vorsichtig die Lage des enormen Inhalts seines enormen Magens regulierend. »Soll ich es Ihrem Vater sagen? Oder wollen Sie es tun?«

»Sie sollten es tun, Sir.«

»Nein.« Caroline sprach mit Nachdruck. »Del muß seinen Vater selbst ins Vertrauen ziehen, zumindest dieses eine Mal.«

»Die junge Lady ist eine geborene Politikerin.« Der Major sprach ihr damit seine allerhöchste Anerkennung aus. Er lächelte Caroline an; und wieder war sie fast bestürzt über die Schönheit seines an sich so durchschnittlichen Gesichts. Über die Jahre hinweg hatten die guten Qualitäten seines Charakters das verändert, was sonst wohl kaum mehr als eine dumpfe, stumpfe Alltagserscheinung gewesen wäre, hatten es verwandelt in eine fast gottgleiche Ausstrahlung – einfach deshalb, weil es, anders als bei den meisten Göttern, keinen Zorn, keine Arglist, keinen Neid auf das Glück der Sterblichen in William McKinley gab, nur eine stete strahlende Güte, beinahe so etwas wie einen tröstlichen Strahlenkranz um das mächtige Haupt, dessen rundliches Kinn im nachmittäglichen Sonnenlicht glänzte, dank der Butter, mit der es wie mit einem geheiligten Balsam gesalbt war.

3

Nicolay saß in einem Lehnstuhl beim Feuer. Eine Wolldecke mit einem verblichenen Schottenmuster umhüllte die untere Hälfte eines Körpers, der jetzt schon so aussah wie das, was er bald sein würde, ein Skelett. Der Bart war wild, lang, weiß. Die Augen – nahezu blind und übermäßig lichtempfindlich – wurden durch einen grünen Schirm geschützt. In diesem alten Mann erkannte Hay nichts wieder von jenem jungen Sekretär, der Präsident Lincoln dazu überredet hatte, Johnny Hay als Zweiten Sekretär nach Washington zu holen. »Wir können doch nicht *ganz* Illinois herholen«, hatte Lincoln zunächst protestiert. Aber schließlich hatte Hay doch zum Personal des Weißen Hauses gehört; hatte sich Bett und Büro geteilt mit Nicolay, der fünf Jahre älter war als er. Später dann, nach der heroischen Ära – der amerikanischen »Ilias«, wie Hay immer dachte –, hatten die beiden Männer ein ganzes Jahrzehnt damit verbracht, gemeinsam die Geschichte Lincolns zu schreiben. Nicolay hatte schließlich einen einträglichen Ehrenposten als Marshal am Obersten Gerichtshof erhalten, war dann krank geworden und hatte sich ins Privatleben zurückgezogen. Jetzt wohnte er, mit seiner Tochter, in einem kleinen Haus auf Capitol Hill; am Rande der amerikanischen Gegenwart, jedoch im Zentrum der amerikanischen Vergangenheit.

Mochte Nicolay auch keinerlei Ähnlichkeit mehr mit dem Mann haben, der er einmal gewesen war, Hay seinerseits fühlte sich trotz seiner zahlreichen Gebrechen noch immer sehr als ein Johnny Hay, der sich einfach einen Bart angeklebt und mit einem Stift Runzeln ins Gesicht gezeichnet hatte, um einen alten Mann zu verkörpern – einen alten Staatsmann; und dem es auf diese Weise gelungen war, alle zu narren, außer sich selbst. Er wußte, daß er gleichsam in alle Ewigkeit dazu verdammt war, so zu sein, wie er früher gewesen war, jung und anziehend und – ein Wort, das ihm inzwischen verhaßt war – charmant, charmant, charmant. Wen die Götter desillusionieren wollen, dem schenken sie zunächst die Gabe des Charms.

»Du kommst voran, hoffe ich.« Hay deutete auf den Schreibtisch, der übersät war mit Papieren und aufgeschlagenen Büchern. Nicolay arbeitete an einem weiteren Lincoln-Buch, eine Tätigkeit, die kürzlich durch eine Reise an den Nil unterbrochen worden war.

»Oh, ich versuche zu arbeiten. Aber mein Kopf ist nicht mehr, was er einmal war. Verwundert stellte Hay fest, daß der aus Bayern stammende Nicolay noch immer mit deutschem Akzent sprach.

»Wessen Kopf ist das schon?«

»Deiner, Johnny.« Hinter dem wilden weißen King-Lear-Bart lächelte der junge Nicolay. »Du bist mit der Zeit einem Fuchs immer ähnlicher geworden . . .«

»Der Fuchs wird schwächer, Nico. Die Hunde haben Witterung genommen. Ich höre das Horn des Jägers.« Hay war ein Meister der elegischen Note.

»Dann wirst du rechtzeitig in ein Erdloch schlüpfen.« Mit

zitternden Händen hüllte Nicolay sich fester in die karierte Decke. Die Hände wirkten weiß, blutleer, tot. »Das sind gute Neuigkeiten über deinen Jungen.«

Hay nickte und fragte sich, warum sich seine Freude derartig in Grenzen hielt. In den zurückliegenden Jahren, seit Pretoria, hatte er zwar gleichermaßen Bewunderung wie Zuneigung zu seinem Sohn entwickelt, aber es gefiel ihm nicht, in Del einen ebenso prompten wie präzisen Ersatz für sich selbst zu sehen. Jetzt, da der Sohn angefangen hatte, die Leiter des Ruhms emporzuklimmen, mußte sich der Vater darauf vorbereiten, seine eigene, höhere Position aufzugeben; vielleicht die Leiter überhaupt. »Del wird es weit bringen«, sagte er. »Ich hätte nie gedacht, daß er das Zeug dazu haben würde. Aber der Präsident hat an ihn geglaubt – und tut's noch immer. Del ist für ihn wie ein Sohn.«

»Und für dich nicht?« Nico blickte zu Hay, der eine Kopie jener inzwischen verblichenen Lithographie betrachtete, die Lincoln mit seinen beiden Sekretären zeigte, Nicolay und Hay. War er, waren sie alle wirklich jemals so jung gewesen?

»Nun ja, auch für mich. Aber er gleicht eher seiner Mutter . . . Außerdem steht er am Anfang und wir am Ende.«

»Du nicht.« Nico sprach tonlos. »Aber ich. Ich werde in diesem Jahr sterben.«

»Nico . . .«, begann Hay.

Nico sprach weiter: »Ich denke nicht, daß danach noch etwas kommt. Was glaubst du?«

»Ich . . . ich denke nicht. Es ist ja auch jetzt nicht viel da. Das kann ich sagen.«

»Die Religion«, begann Nicolay, brach jedoch sofort wieder ab. Beide starrten in das gleichmütig brennende Feuer.

»Ich werde, endlich, nach Kalifornien kommen.« Die bloße Vorstellung wirkte auf Hay belebend. »Wir reisen morgen ab. Der Präsident und der Postminister und ich und vierzig andere. Wir werden, wieder einmal, die Wunden des Südens verbinden. Dann geht's weiter nach Los Angeles und zu einer Fiesta und nach San Francisco, wo der Rest des Kabinetts zu uns stößt, mit Ausnahme des cleveren Root, der erklärt, er müsse in der Nähe des Kriegsministeriums bleiben, von wo er unser weitreichendes Empire kontrolliert. Hältst du es für einen weisen Entschluß?«

»Weise? Was?« Nico war nicht recht bei der Sache.

»Daß wir ein Empire aufbauen. Meinst du ...«, Hay war auf Nicos Antwort gespannt, »... daß der Alte das gutgeheißen hätte?«

Nicos Antwort kam wie aus der Pistole geschossen. »Der Alte – nein. Der Machtpolitiker – ja. Ich meine, Lincoln bestand gleichsam aus zwei Persönlichkeiten mit zwei Gehirnen.«

»Aber er *handelte* immer als einer mit einer Überzeugung.«

»Ja, aber er dachte sehr lange nach, *bevor* er handelte. Der vorsichtige Alte und der wagemutige Machtpolitiker hatten lange Debatten miteinander, und am Ende schlichtete dann Mr. President, Mr. Lincoln, und tat seine Entscheidung kund.«

»Der Major hat sehr lange gebraucht, um seinerseits zu einem Entschluß zu kommen.«

»Der Major ist nicht Mr. Lincoln.«

»Nein. Aber auf seine Weise ist er für uns genauso wichtig. Ich glaube, wir haben das Richtige getan. Diese Überzeugung habe ich gewonnen, als ich in England war und sah, welches Maß an Wohlstand – und Zivilisation – das Empire den Briten gegeben hat. Jetzt beginnen ihnen die Kräfte zu schwinden. Also müssen wir die Bürde auf uns nehmen.«

Nico sah Hay direkt an. »Mr. Lincoln hätte niemals gewollt, daß wir uns über irgend jemanden zum Herrn aufschwingen.«

»Vielleicht nicht.« Hay versuchte schon lange nicht mehr sich vorzustellen, wie Lincoln auf die moderne Welt reagiert hätte. »Jedenfalls ist es geschehen. Wir sind gebunden.«

»Wann wird Del ins Weiße Haus einziehen?«

»Im Herbst. Jetzt wird er erst mal, während der Zeit meiner Abwesenheit, mit Mr. Adee im Außenministerium arbeiten ... Er will die junge Sanford heiraten.«

»Die Hays haben eine Wünschelrute für Geld.«

»Del ist auch ein Stone ...«

»Ein goldener Stone. Nun, bist du zufrieden?«

Hay nickte. »Die Heirat findet im Herbst statt. Und auch Helen wird wohl heiraten, den jungen Whitney ...«

»Wir haben Illinois weit hinter uns gelassen.«

»Vielleicht. Vielleicht auch nicht.« Mit zunehmendem Alter dachte Hay immer häufiger an das, was hätte sein können; und konnte sich dennoch keine Leiter vorstellen, die besser gewesen wäre als jene, die er, fast mühelos, bis fast zur Spitze erklommen hatte. »Ich glaube nicht, daß ich jemals Präsident werden wollte.« Hay blickte ins Feuer.

»Natürlich wolltest du's. Oder hast du . . . dich vergessen?«

»Vermutlich.«

»Nun, *ich* erinnere mich. Du warst ehrgeizig. Du hast zweimal versucht, in den Kongreß zu kommen. Doch gewiß nicht wegen der Gesellschaft, die du dort finden würdest.«

»Vielleicht hast du recht.« Hay beantwortete Nicos nicht gar so rhetorische Frage. »Jedenfalls habe ich mich weitgehend vergessen – wie ich war, meine ich. Irgendwie ist es schon sonderbar, daß ich ein Jahr lang die Nummer eins in der Nachfolge des Präsidenten gewesen bin. Damit bin ich ziemlich hoch gekommen – ob ich nun bis nach ganz oben wollte oder nicht.«

»McKinley erfreut sich bester Gesundheit.« Nico lachte; und hustete.

»Im Gegensatz zu mir. Nach dieser Reise werde ich für den Rest des Sommers nach New Hampshire gehen. Wir werden alle dort sein. Auch Del und Caroline.« Hay wies auf die Lithographie an der Wand. »Träumst du je von ihm?«

Nico nickte. »Dauernd. Ich träume auch von dir. So wie du damals warst.«

»Was für Träume sind es?«

»Das Übliche für die von uns, die dem Ende nah sind.«

Nicos dürre Finger zerrten an seinem strähnigen Bart. »Alles läuft verkehrt. Ich kann wichtige Papiere nicht finden. Ich gehe durch die Fächer in seinem Schreibtisch. Ich kann keinerlei Handschrift mehr lesen, und der Präsident ist ungeduldig, und die Schwierigkeit . . .«

»›Diese große Schwierigkeit.‹« Hay nickte. »Er sagte niemals ›Bürgerkrieg‹, nicht einmal ›Krieg‹, nur ›diese große Schwierigkeit‹, ›diese Rebellion‹. In deinen Träumen, wie wirkt er da?«

»Traurig. Ich möchte ihm helfen, kann es aber nicht. Es ist sehr frustrierend.«

»Ich träume überhaupt nicht mehr von ihm.«

»Du bist dem Ende nicht so nah wie ich.«

»Sag das nicht! Aber was hat das Ende mit Träumen zu tun? Ich träume fast die ganze Nacht, und beinahe jeder, dem ich in meinen

Träumen begegne, ist tot. Doch ich träume niemals von *ihm*. Was das zu bedeuten hat, weiß ich nicht.«

Nico zuckte die Achseln. »Wenn er dich besuchen will, wird er das sicher auch tun.«

Hay lachte. »Wenn du ihn das nächste Mal siehst, sage ihm, daß ich mich über einen Besuch freuen würde.«

»Werd's ihm ausrichten«, sagte Nico mit deutschem Galgenhumor, »von Angesicht zu Angesicht. Im Himmel – oder wo immer sonst wir Politiker am Ende landen.«

4

Blaise und Payne Whitney überquerten den Platz, der aus Anlaß diverser Jahrgangstreffen mit Fahnen geschmückt war. Es war ihr drittes Klassentreffen, und Blaise kam eigentlich nur, weil Caroline gesagt hatte, daß auch Del Hay dort sein würde, das erste Mitglied ihrer Klasse, das sich in der Welt einen Namen gemacht hatte. »Du wirst neidisch sein«, waren Carolines genaue Worte gewesen. Sie würden sich alle in New Haven treffen, hatte sie zufrieden erklärt, dann würden Del und sie und Payne auf Oliver Paynes gewaltiger Yacht eine Seereise machen; und anschließend würden Del und sie zusammen nach Sunapee in New Hampshire reisen, wo Mr. Hay im Schoß seiner Familie seine Kränklichkeit genoß. Als Blaise dem Chef von dem Klassentreffen erzählte, hatte der Chef gesagt: »Halten Sie sich den jungen Mr. Hay warm.«

Der Hochsommer von Connecticut hatte mit seiner Hitze etwas Tropisches, und die Luft war schwer vom Geruch der Rosen und Päonien und des Whiskeys, den die Graduierten aus kleinen Flaschen tranken, während sie von Party zu Party eilten. Blaise fragte sich, warum er seinerzeit Yale nicht mehr hatte abgewinnen können. »Du hattest es zu eilig, vom Start zu gehen«, sagte Payne, gleichsam in seine Gedanken einbrechend. »Du hättest lieber lange genug bleiben sollen, um deinen Abschluß . . .« Payne unterbrach sich, weniger aus Taktgefühl als aus einem Mangel an ausreichend höflichem Vokabular, um Hearst zu bezeichnen, für Payne und seine Klasse, den Leibhaftigen in Person.

»Abschluß oder nicht, es hat nicht den geringsten Unterschied gemacht.« Blaise sprach die Wahrheit. Sie befanden sich jetzt am Rande des pseudo-gotischen Campus. Hinter einer Baumreihe war die Chapel Street und ihr Hotel, das New Haven House. Eine Straßenbahn hielt. Leute stiegen aus – Männer mit Strohhüten und Frauen mit Riesenhüten und geblümten Kleidern – und strebten in Richtung Campus. Del und eine Gruppe von Klassenkameraden befanden sich noch im Hotel, wo es, wie er Blaise versichert hatte, Champagner geben würde, »um meinen Sieg über die Buren und die Engländer zu feiern«.

»Bist du Mr. Hearsts Partner?« fragte Payne, als sie die Straße überquerten, die voller Fahrzeuge, Kutschen und elektrischer Wagen, war, die sämtlich in Richtung College fuhren.

»Ich weiß es nicht. Aber ich glaub's nicht.« Blaise war sich nie völlig sicher, in welchem Verhältnis er zum Chef stand. Im Grunde war er so etwas wie ein Kreditgeber, ein Geldverleiher. Viel lieber wäre er ein Investor gewesen, doch Hearst ließ nicht zu, daß irgend jemand auch nur einen Teil einer Hearst-Zeitung kaufte. Überdies, so lässig Hearsts Umgang mit Geld auch zu sein schien, stets beglich er seine Schulden bei Blaise und zahlte auch die vereinbarten Zinsen. Inzwischen erlernte Blaise das Gewerbe; erlernte es, in gewissem Sinn, besser als Hearst selbst, weil Blaise Business als Business sah, während Hearst seine Zeitungen mehr und mehr als reine Mittel zum einzig wichtigen Endzweck betrachtete – seiner eigenen Präsidentschaft im Jahr 1904, gefolgt, zweifellos, von einer napoleonischen Diktatur und Selbstkrönung.

Obschon Blaise keine politischen Ambitionen hatte, gefiel ihm die Macht, die zum Besitz einer Zeitung gehörte. Ein Verleger konnte lokale – wenn nicht gar nationale – Größen aufbauen oder vernichten. Außerdem hatte Blaise, mit nicht zu knappem Zorn, verfolgt, wie Caroline erreichte, was er inzwischen erreicht haben sollte. Man nahm sie in Washington sehr ernst, weil ihre Zeitung gelesen wurde und sie nicht mehr in den roten Zahlen steckte. Unabsichtlich hatte er sie genau dorthin getrieben, wo er selbst sein wollte. Diese Ironie machte die Situation besonders unerträglich. Mehr als nur einmal hatte er mit dem Gedanken gespielt, ihr ihren Anteil an der Erbschaft zu überlassen, sofern sie ihm, als Gegenleistung, die Tribune überließ. Aber das hätte eine Anerkennung ihres totalen Sieges bedeutet. Überdies war er sich keineswegs sicher, daß sie einer solchen Vereinbarung zustimmen würde. In wenigen Jahren würde sie ihre Erbschaft und ihre Zeitung haben – außerdem den Sekretär des Präsidenten als Ehemann –, während Blaise noch immer in Hearsts Schatten stand, mit einem Vermögen, das immer weniger gebraucht wurde, da Phoebe Hearsts Konto bis zum Überfließen aufgefüllt wurde durch das Gold aus Dakota.

Als sie die Ecke des Hotels erreichten, gelobte sich Blaise, die Zeitung von Baltimore zu kaufen, obwohl es hieß, daß den Leuten dort das Pech an den Fingern klebte. Er mußte endlich sein eigenes Leben beginnen.

»Ich glaube, hier in Yale, das war die beste Zeit meines Lebens.« Payne, mit seinen vierundzwanzig, gab sich nostalgisch. »Was kann es Schöneres geben, als Yale bei der Henley-Regatta vertreten zu haben, und sei es auch nur, wie bei mir, als Ersatzruderer?«

»Oh, ich bin sicher, daß dir im Laufe der nächsten fünfzig Jahre schon noch irgend etwas Derartiges widerfahren wird.«

»Davon bin auch ich überzeugt. Aber begreifst du nicht? Dann werde ich alt sein. Hier war ich jung.« Jäh wurde dieser Klagegesang unterbrochen, als sich aus der Hotellobby eine wahre Flut junger Männer und Frauen auf die Straße ergoß. Blaise und Payne wurden gegen eine Mauer gedrängt. Zu Blaise' Verwunderung befand sich unter den jungen Leuten auch Caroline; in der emporgestreckten rechten Hand hielt sie ein leeres Champagnerglas, als wolle sie einen Toast ausbringen.

»Caroline!« rief Blaise. Hörte sie ihn, hörte sie ihn nicht? Auf jeden Fall eilte sie weiter, um sich den anderen anzuschließen, die jetzt auf dem Bürgersteig einen Kreis um einen Eiscremeverkäufer bildeten. Für einen müßigen Beobachter mußte es so aussehen, als sei ein Dutzend junger Leute besessen wie mittelalterliche Eiferer – wenn auch nicht von einer überwältigenden Passion für Gott, so doch für Eiscreme. Während sich Blaise und Payne zu der Gruppe gesellten, schloß sich überraschend auch der Eisverkäufer dem Kreis an, aus dessen Mitte jetzt ein so gellender Schrei erklang, daß er in Blaise' Adern das Blut gefrieren ließ. Noch nie hatte er Caroline auch nur weinen hören – und jetzt dieser Schrei wie bei einem waidwunden Tier?

Blaise drängte sich durch die Menge und fand Caroline auf den

Knien, das leere Champagnerglas noch immer so sorgsam in der Hand haltend, als fürchte sie, seinen längst vergossenen Inhalt zu vergießen. Vor ihr lag Del mit dem Rücken auf dem Boden, Arme und Beine gespreizt, einer komischen Marionette ähnlich.

Caroline berührte Dels Gesicht mit ihrer freien Hand; Dels Mund stand offen, und Blut strömte über sein Kinn, während die klugen, grauen Augen in die Höhe blickten zu seinen ehemaligen Kommilitonen.

»Zurücktreten! Zurücktreten!« Die Stimme einer Amtsperson erklang. Doch niemand hörte darauf. »Caroline«, murmelte Blaise dicht bei ihrem Ohr; sie sah ihn zwar nicht an, gab ihm jedoch ihr Glas. »Er ist gefallen, aus der zweiten Etage«, sagte sie. »Er saß im offenen Fenster und sprach mit uns, lehnte sich zurück und fiel. Einfach so.« Blaise half ihr hoch. Die anderen hatten inzwischen den Weg freigegeben für zwei Polizisten, die ungläubig auf die Gestalt auf dem Bürgersteig starrten. Dann hockte sich einer der beiden nieder und griff nach dem rechten Handgelenk, um den Puls zu fühlen. Dabei klappte die Hand gleichsam herum, und man sah an einem Finger einen goldenen Ring, doch mit leerer Fassung, ohne Juwel.

»Mein Ring«, sagte Caroline. Noch nie hatte Blaise sie so unglaublich gefaßt gesehen; oder so unglaublich außer sich, vor Schock. »Der Opal ist weg.« Während der Polizist bei Del nach Anzeichen von Leben forschte, ließ Caroline sich auf dem Gehsteig aus roten Ziegeln auf Händen und Knien nieder und suchte nach dem verlorenen Stein. Verwundert – und verlegen – machten ihr die Zuschauer Platz, als sie immer und immer wieder höflich sagte: »Tut mir leid. Könnten sie wohl zurücktreten? Sein Ring ist kaputt, verstehen Sie. Der Stein ist herausgefallen.«

»Er ist tot«, sagte der Polizist, der am Hals nach dem Puls fühlte; dann die starrenden Augen schloß.

»Oh, gut!« rief Caroline aus. »Ich habe ihn gefunden!« Triumphierend erhob sie sich. »Schau«, sagte sie zu Blaise, während die Polizisten Dels Leiche davontrugen und die Menge sich zerstreute. »Hier ist der Feueropal – bringt manchem Glück, heißt es.« Mit finsterem Blick sah sie auf den Stein in ihrer Hand. »Aber er ist zerbrochen.« Sonnenstrahlen trafen auf den Opal, so daß sich Blaise für einen Augenblick wie von grellem Feuer geblendet fühlte. »Ob sich das wohl wieder in Ordnung bringen läßt?« Carolines Finger schlossen sich um den Stein. Blaise nahm einen Arm, Payne den anderen.

»Ich glaube schon«, sagte Blaise. »Gehen wir hinein.«

Nach der hellen Hitze auf der Straße wirkte die Lobby kühl und trübe. Übergangslos schien Caroline plötzlich wieder ganz sie selbst zu sein. Sie sah Payne an. »Wie sagen wir es Mr. Hay?«

»Das weiß ich nicht.« Plötzlich stand Payne unter Schock. »Gott sei Dank ist Helen nicht hier.«

»Am besten lassen wir es Mr. Hay selbst herausfinden.« Blaise dachte praktisch. »Es gibt nichts, was wir tun können . . .«

» . . und was wir nicht getan haben.« Caroline legte den gespaltenen Stein in ihre Handtasche. »Ich hätte die Warnung ernst nehmen sollen, daß Opale Unglück bringen.« Es fügte sich gut, daß Marguerite auftauchte, laut jammernd; und als Caroline ihre Dienerin tröstete, wußte Blaise, daß er sich um sie keine Sorgen zu machen brauchte. Doch tauchte in ihm, wenn auch nur sehr kurz, eine ganz andere Frage auf, das Universum betreffend. Besaß die Welt eine Ordnung? Oder war das Ganze ebenso sinnlos wie zufällig und überdies ungeheuer grausam?

Teil IX

1

Warum«, fragte Lizzie, »sind Herbstblumen dunkler als Sommerblumen, die wiederum dunkler sind als Frühlingsblumen?«

»Ist das eine Frage?« Caroline saß auf dem Rasen, einen Schal zwischen sich und dem feuchten Gras. »Wie dem auch sei, ich kann sie nicht beantworten. Im übrigen hat man mir von Kindesbeinen an beigebracht, daß, was im Freien wächst, auch im Freien bleiben soll, sich selbst überlassen.«

»Die Franzosen lieben Blumen.« Lizzie arrangierte ein paar Bouquets mit Zinnien und frühen Chrysanthemen; auch sie saß auf dem Rasen, unter sich eine Wolldecke und auf dem Kopf, ins Genick geschoben, einen breitkrempigen Strohhut, mit dem sie aussah wie ein stattlicher Landbursche.

»Und doch lieben wir es, sie drinnen in Vasen vor Augen zu haben. Fürchten Sie Chrysanthemen eigentlich nicht?«

»Nein. Aber ich fürchte ja nichts«, sagte die Nichte von General Sherman; und Caroline glaubte ihr.

»Ich bin froh, daß Marguerite nicht hier ist. Sie würde eine Szene machen. Chrysanthemen sind nur für die Toten, glauben wir. Glaubt *sie*, meine ich.«

»Wird sie zurückkommen?«

Caroline nickte. »Ende des Monats, wenn ich nach Washington zurückkehre. Ich danke Ihnen für die schöne Zeit hier.«

»Ich danke *Ihnen*. Ohne Sie wäre ich verrückt geworden in diesem Haus, mit der geliebten Familie als einziger Gesellschaft.«

»Der Senator wirkt weniger ruhelos als früher.« Caroline war unparteiisch. Don Cameron alterte unheimlich; und trank heimlich. Wenn auch in Gegenwart anderer nie wirklich betrunken, war er doch nie völlig nüchtern. Tochter Martha befand sich in einer kritischen Lebensphase, die bei ihr sehr wohl bis ans Lebensende dauern mochte. Sie wirkte plump, unansehnlich, unglücklich; das genaue Gegenteil ihrer schönen und galanten Mutter. Lizzie, die für das Mädchen das Beste wollte, erreichte nur das Schlimmste. Die beiden hatten nichts miteinander gemeinsam, außer der Blutsverwandtschaft, der schwächsten aller Bindungen. Es war Henry Adams gewesen, der die Camerons dazu bewogen hatte, dieses Haus zu nehmen. Es stand in Beverly an der Nordküste von Massachusetts, nicht weit von Nahant, wo die Cabot Lodges den Sommer zu verbringen pflegten. Allerdings waren gerade in diesem Sommer die Lodges und die Adams nach Europa gereist, die Camerons sich also praktisch selbst überlassend. Als einzige Gesellschaft blieben die Brooks Adams im nicht gar so nahen Quincy.

Bereits im Frühjahr hatte Don seine Zuwendungen an Lizzie gekürzt. Von achthundert Dollar monatlich hatte sie in Paris kaum leben können. Als sie Don dann um tausend bat, reduzierte er auch noch die achthundert; und befand dann, einer plötzlichen Laune folgend, daß sie alle miteinander sparsamer leben sollten, und zwar in den Vereinigten Staaten, wo Martha ohnehin bald ihren Platz einnehmen müsse in der Gesellschaft, ganz zu schweigen von der Schule. So lebten Vater, Mutter und Tochter jetzt auf dem Pride's Hill, rings umgeben von gemieteter ländlicher Schönheit und mit Caroline als einziger Gesellschaft.

Nach Dels Tod war Caroline, nicht ohne ein gewisses Unbehagen, zu den Hays nach New Hampshire gereist. Sie hätte es vorgezogen, den Sommer in der Washingtoner Hitze zu verbringen, mit einem Haufen Arbeit bei der Tribune; selbst ein erneuter Aufenthalt in Newport, Rhode Island, bei Mrs. Delacroix wäre ihr lieber gewesen. Doch Clara Hay hatte darauf bestanden, und so war Caroline nach Sunapee gereist, um die Rolle der Witwe zu spielen, die sie hätte sein können.

Hay nahm Dels Tod sehr schwer. »Ich sehe immerzu sein Gesicht, stets vor mir und stets lächelnd.« Er hatte Caroline einen Brief von Henry Adams an Clara vorgelesen, einen für Adams uncharakteristischen Brief von eigentümlicher Intimität. Laut Clara spielte Adams zum erstenmal auf den Selbstmord seiner Frau an: »Ich habe mich davon niemals wieder erholt und bis auf den heutigen Tag nicht die Energie oder das Interesse zurückgewonnen, ins aktive Leben zurückzukehren.« Er hatte Clara davor gewarnt, Hay so zusammenbrechen zu lassen, wie er seinerzeit zusammengebrochen war, mit der Folge, wie er getreulich in verheerender

Selbsterkenntnis anmerkte, daß »ich die Gewohnheit angenommen habe, zu denken, daß nichts irgendwelche Mühe wert ist! Eine solche Gewohnheit wirkt ansteckend, und ich würde das Wagnis scheuen, in einem kritischen Augenblick in allzu naher Verbindung zu jemandem zu stehen, dessen Gemüt davon befallen ist.« Hay war gleichermaßen angerührt und amüsiert gewesen von den freundschaftlich-besorgten Ratschlägen des Stachelschweins.

Als dann die Camerons Caroline nach Beverly einluden, hatte Clara darauf bestanden, daß sie akzeptierte. »Die sind so sehr mit sich selbst beschäftigt, daß du keine Zeit haben wirst für eigene Gedanken.« Caroline hatte die Einladung angenommen; hatte dann Marguerite nach Frankreich geschickt, damit sie ihre kränkelnde Mutter besuchen konnte – jenes unvermeidliche Wesen, das für das »Mädchen« einer Lady offensichtlich obligatorisch war, bis zu ihrem hundertsten Geburtstag, als ein unablässiges *memento non mori.*

Die Camerons waren in der Tat sehr mit sich selbst beschäftigt, aber da Caroline von Lizzie nie genug bekommen konnte, war sie's zufrieden, zusammen mit den anderen dem Sommerende entgegenzutreiben. Der Seewind war scharf mit herbstlicher Kühle. Bald würde das – stets See-klamme – Haus verschlossen werden, und die Camarons würden – wohin gehen? Sie waren so etwas wie lauter Fliegende Holländer, jeder auf seiner eigenen Bahn, und nur kurz, so wie jetzt, kreuzten sich ihre Wege.

Kiki kam, Lizzies kleiner, übergewichtiger Pudel; sprang auf Lizzies Schoß und begann, methodisch Lizzies festes Kinn zu lecken.

»Marthas Problem besteht darin, daß sie sowohl träge als auch eitel ist. Was davon ist schlimmer?« Lizzie schien zu Kiki zu sprechen.

»Ich finde beide Eigenschaften anziehend, zumindest bei Freunden. Träge Menschen belästigen einen nie, und eitle mischen sich nicht in anderer Leute Leben ein. Ich wünschte, ich hätte eine solche Tochter«, fügte Caroline hinzu; zu ihrer eigenen wie auch zu Lizzies Überraschung.

»Sie hätten *wirklich* gern Kinder?«

»Da ich es gerade gesagt habe, wird es wohl so sein.« Sonderbarerweise erschien es Caroline jedoch unvorstellbar, daß sie irgendwann einmal ein Kind von Del zur Welt gebracht hätte. Noch merkwürdiger war vielleicht, daß sie sich niemals in ihrer Phantasie auch nur hatte ausmalen können, mit ihm intim zu sein.

»Sie trägt meine Kleider vom letzten Jahr.« Lizzies Stimme klang gleichmütig. »Don ist in sie vernarrt. Sie ist mehr eine Cameron als eine Sherman. Wir sind nicht so massig. Ich glaube, sie würde gern diesen Juden heiraten. Aber ich habe noch rechtzeitig eingegriffen.«

Vor Monaten, in Palermo, hatte sich Lionel Rothschild, ein neunzehnjähriger Junge, der in Cambridge studierte, um Martha bemüht. »Das Sonderbare ist«, sagte Lizzie, »daß er absolut bezaubernd ist, nur . . .«

»Ein Jude.« Caroline hatte die Jahre der Dreyfus-Affäre in einer Weise erlebt, die für einen Nicht-Franzosen unverständlich sein mußte; und Caroline war de facto eine Französin in der Rolle einer amerikanischen Lady. Während des Bürgerkriegs, der seinerzeit in den Pariser Salons ausgebrochen war, hatte sie sich in so manches rhetorische Scharmützel gestürzt, hatte die drohend hervorgezischten feindlichen Sprüche vernommen, hatte donnernden Tiraden standgehalten; dabei kannte sie persönlich gar keine Juden. »Zumindest sind die Rothschilds sehr reich.«

»Schlimmer!« Lizzie schob ihren Strohhut noch weiter in den Nacken. »Der Junge ist charmant. Aber die Rasse ist verflucht.«

»Sie reden wie Onkel Henry.«

»Nun, so geht's nun mal zu auf unserer Welt, nicht wahr? Jedenfalls ist sie zum Heiraten zu jung . . .«

»Und ich bin zu alt.« Caroline brachte das Gespräch wieder auf sich selbst. Seit Dels Tod hatte sie begonnen, sich mehr denn je für ihre eigene Person zu interessieren; und war sich unschlüssiger denn je, was sie mit dieser sonderbaren Person eigentlich anfangen sollte. Möglicherweise würde sie ein ziemlich hohes Alter erreichen. Aber sie hatte nicht die leiseste Vorstellung davon, was sie mit der ihr verfügbaren Zeit tun sollte. Der Gedanke an ein halbes Jahrhundert, das gelebt werden mußte, war für sie erschreckender als der Gedanke an eine Ewigkeit, in der sie tot sein würde.

»Nein, Sie sind nicht zu alt.« Lizzie war direkt. »Aber Sie sollten bald etwas unternehmen. Sie wollen doch nicht die erste – und letzte – Verlegerin in der Welt oder in Washington oder wo immer sonst sein, oder?«

»Ich . . . ich weiß nicht recht. Del fehlt mir.«

»Das ist nur natürlich. Sie haben einen Schock erlitten. Aber manche Schocks haben auch etwas Gutes – wenn der Schmerz vorbei ist natürlich. Haben Sie jemals einen Baum betrachtet, der von einem Blitzschlag getroffen wurde? Der Teil, der noch lebt, ist zweimal so lebendig wie vorher und hat mehr Äste, Zweige, Blätter . . .«

»Während eine Frau, die vom Blitz getroffen wurde, ein anständiges Begräbnis erhält.«

»Wie *morbide!* Dabei sind Sie doch noch glücklich dran. Sie sind reich, werden es zumindest sein. Es geht Ihnen nicht wie mir, die ich von einem Mann abhängig bin, der sich am glücklichsten fühlt, wenn er allein ist.«

Der Mann, der angeblich allein am glücklichsten war, kam, offenkundig beglückt, Arm in Arm mit Martha heran, einem hochgewachsenen, schwergewichtigen Mädchen. Sie kamen vom Haus her, dessen altmodische Veranda erfüllt war von der Pracht eingetopfter und von Lizzie säuberlich ausgerichteter Hortensien. Kiki hüpfte von Lizzies Schoß und sprang in Marthas Arme, indes der rotgesichtige Patriarch die idyllische Szene lächelnd betrachtete.

Don Cameron war jetzt fast siebzig; fast fett; fast sehr reich. Allerdings hatten ihn im vorigen Monat plötzliche Kursstürze an der Börse etliche Tage lang für zwei trinken lassen. Jetzt kamen aus der Außenwelt Nachrichten, die alle erschütterten. Die Geschichte machte, so Lizzies Ausdruck, »Überstunden«.

»Noch immer keine Zeitungen«, sagte Don, während er sich langsam und vorsichtig auf Lizzies Decke niederließ. Martha blieb stehen, Kiki in den Armen. Jungfrau mit Hundegott, dachte Caroline.

»Jedenfalls wissen wir jetzt, wie der Name ausgesprochen wird«, sagte Martha. »Leon Czolgosz, mit zwei Sch-Lauten. Scheint sich um einen Polen zu handeln.«

»Ein Anarchist!« grollte Don. »Sie sind überall. Sie sind darauf aus, jeden Herrscher auf der Welt zu töten – so wie den König von Italien im letzten Sommer, und vor ihm, wie war noch ihr Name?«

»Elisabeth«, sagte Caroline, »Kaiserin von Österreich. Sie – wer immer sie auch sein mögen – haben den Ministerpräsidenten von Spanien getötet und den Präsidenten von Frankreich . . . Sie war so schön.« Oft hatte man Caroline erzählt, ihre Mutter habe große Ähnlichkeit gehabt mit der Kaiserin, deren Tod – durch einen Messerstich ins Herz, als sie gerade an Bord eines Schiffes ging – die ganze Welt entsetzt hatte. Irgendwie erschien es unnatürlich, daß eine Frau, so schön wie die Kaiserin, so willkürlich ermordet wurde.

»Komische Sache«, sagte Cameron. »Seit über einem Jahr macht sich Hanna große Sorgen. ›Ich will mehr Wächter haben‹, hat er dem Geheimdienst immer wieder gesagt. Dann finden die in New Jersey eine Liste dieser Anarchisten, mit den Namen sämtlicher Regierungsmänner, die sie umbringen wollen, und Hanna drehte fast durch. Denn dort stand auch der Name des Majors, doch der Major war nicht interessiert; sehr fatalistisch, der Major.«

»Sehr glücklich, der Major«, sagte Lizzie und verlangte die ungetreue Kiki aus Marthas Armen zurück. Martha nahm in einer Art Schneidersitz auf Carolines Schal Platz. Zu viert ergab man sich weiterhin geschichtlichen Betrachtungen.

Wenige Minuten nach vier Uhr, am Nachmittag des 6. September 1901, stand, im sogenannten Musiktempel der pan-amerikanischen Ausstellung in Buffalo, New York, Präsident McKinley vor einer riesigen amerikanischen Fahne, links und rechts von sich eingetopfte Pflanzen. Eine Orgel spielte Bach. Es war ein heißer Tag. Der Präsident hatte zweimal seinen Kragen gewechselt. Mrs. McKinley war wie gewöhnlich krank; und lag im International Hotel im Bett. Der Präsident wurde lediglich von Cortelyou und drei Agenten des Geheimdienstes begleitet. Zwar waren überdies noch Ordnungshüter verfügbar, aber als der Präsident den Befehl gab, die Türen zu öffnen, so daß die Menschen zu ihm kommen und ihm die Hand schütteln konnten, entstand eine Verwirrung über das übliche Maß hinaus. So war die Reihe nicht so geordnet und bewegte sich nicht so schnell, wie es der Präsident gern hatte – Bürgerhand gefolgt von Bürgerhand, Augenpaare tief gebannt, wenn auch nur kurz, vom leuchtenden Präsidentenblick. Statt dessen bewegten sich die Bürger der Republik nur langsam und zögernd voran, teils einzeln, teils in Paaren, teils sogar in Gruppen. Normale Ordnung schien unmöglich.

Ein junger, leichtgewichtiger Mann mit verbundener rechter Hand näherte sich dem Präsidenten. Als er McKinley gegenüberstand, gab es eine kurze Verwirrung. Der Präsident, mit automatisch vorgestrecktem Arm, sah sich mit einem Problem konfrontiert. Sollte er die bandagierte Hand schütteln? Oder würde ihm der junge Mann die andere reichen? Dieser löste das Problem von sich aus. Er drängte vorwärts, schob den Arm des Präsidenten zur Seite, während er gleichzeitig zwei Schüsse aus der Pistole abgab, die er in der bandagierten Hand gehalten hatte. Der Präsident stand erstarrt, während die Wächter den Mann zu Boden schleuderten. Als man ihn dann aus der Halle schleppte, brachte irgendwer einen Stuhl für den Präsidenten. McKinley setzte sich und tastete benommen nach seiner Weste, aus der Blut hervorquoll. Er schien sich jedoch mehr für den Attentäter als für seine Verwundung zu interessieren; und er sagte, ziemlich ruhig, zu Cortelyou: »Die sollen ihm nicht weh tun.« Als er dann das Blut an seinen Fingern sah, sagte er: »Seien Sie behutsam, Cortelyou, wenn Sie es meiner Frau sagen.«

Elf Minuten später lag der Präsident auf dem Operationstisch des Notkrankenhauses auf dem Ausstellungsgelände. Eine Kugel hatte seine Brust gestreift, die andere war in den mächtigen Bauch gedrungen und hatte den Magen durchbohrt. Die Chirurgen waren zwar in der Lage, den Einschuß- und Ausschußkanal zu behandeln, die Kugel wurde jedoch nicht gefunden. Schließlich nähte man den Präsidenten wieder zu. Lebenswichtige Organe schienen nicht geschädigt zu sein; andererseits wurde die Wunde nicht drainiert, so daß die Möglichkeit einer Infektion blieb, ganz zu schweigen von dem Schock für einen Organismus, der womöglich nicht so stark war, wie es den Anschein hatte.

Im Laufe der nächsten Tage kamen der Vizepräsident, das Kabinett und Mark Hanna nach Buffalo; außerdem McKinleys Geschwister. Aber nach einem fiebrigen Wochenende hatte der Präsident wieder Normaltemperatur und wurde für »außer Gefahr« befunden. Der Vizepräsident entschwand in die Adirondacks, und das Kabinett zerstreute sich. Inzwischen wurde Leon Czolgosz strengen Verhören unterzogen. Als er seine Bewunderung für eine führende Anarchistin namens Emma Goldman bekannte, wurde sie prompt in Chicago festgenommen; und zur Urheberin des Anschlags auf den Präsidenten erklärt.

Doch solche Neuigkeiten gelangten nur langsam nach Beverly Farms. Don Cameron war darauf angewiesen, daß Besucher tagealte Zeitungen mitbrachten. Da es in der Nähe weder ein Telefon- noch ein Telegrafenamt gab, fragte sich Caroline, ob sie nicht nach Washington zurückkehren sollte, auf ihren Kommandoposten bei der Tribune. Aber Lizzie sagte: »In ganz Washington ist im Moment niemand von der Regierung. Die neuesten Nachrichten gibt's in Buffalo, und wer will schon dorthin?«

Kiki begann zu bellen; auf der altmodischen Veranda waren Besucher aufgetaucht. Brooks Adams und seine Frau Daisy winkten der Gruppe auf dem Rasen zu. Dann rief Brooks: »Teddy!«

»Teddy was?« rief Cameron zurück, während er sich zunächst auf seine Knie und dann, mühselig, auf seine Füße erhob.

»Teddy Roosevelt«, brüllte Brooks, während seine Frau sich mit gekrauster Stirn die Ohren zuhielt, »ist Präsident der Vereinigten Staaten.«

»Oh, Gott«, murmelte Cameron.

Caroline bekreuzigte sich. Der arme, gute McKinley war jetzt genauso von der Bühne verschwunden wie Del. Plötzlich rannten, zu Kikis Freude, alle auf das Haus zu.

»Wann? Wie?« fragte Lizzie.

»Gestern abend, Freitag, den dreizehnten, setzte Wundbrand ein. Um zwei Uhr fünfzehn heute früh starb er. Teddy war irgendwo tief in den Wäldern. Aber inzwischen müßte er in Buffalo sein, um den Amtseid zu leisten. Das Kabinett befindet sich vollzählig dort, mit Ausnahme von Hay, der in Washington ist und die Regierungsgeschäfte versieht. Niemand kenne das Ausmaß der Verschwörung. Man vermutet, daß die Spanisch-Kubaner dahinterstecken, aus Rache für das, was McKinley in Kuba getan hat oder auch nicht getan hat.« Brooks sprach rasant, ohne auch nur einmal Atem zu holen. Dann begann er, wie ein Kind auf der Veranda auf und ab zu hüpfen; und Kiki hüpfte mit ihm. »Teddy hat jetzt alles! Ist euch klar, daß er einen höheren Platz einnimmt als Trajan zu der Zeit, als das Römische Imperium seinen Zenit erreicht hatte?« Brooks, genau wie sein Bruder, ließ keine Gelegenheit ungenutzt, um einen Vortrag zu halten. »Noch nie hat ein Mann in einer so günstigen Phase der Geschichte soviel Macht erhalten! Er wird die Gelegenheit – und die Mittel – haben, um ganz Asien zu unterwerfen und auf diese Weise Amerika die Hegemonie über die Erde zu verschaffen, worin unsere Bestimmung liegt, wie es in den Sternen geschrieben steht. Außerdem . . .«, Brooks plumpste gleichsam auf die Erde zurück, ». . . ist dieser Tag von großer Bedeutung für Daisy und mich. Es ist nämlich unser Hochzeitstag.«

»Die Geschichte scheint uns bei der Gurgel zu haben«, sagte Lizzie freundlich. »Gehen wir ins Haus.«

»Champagner«, rief Cameron, während sich seine Miene aufhellte. »Zur Feier eures Hochzeitstags . . .«

»Und für Theodore den Großen, dessen Regierungszeit endlich begonnen hat.«

»Keine Zeit der Trauer für Mr. McKinley?« fragte Caroline, die plötzlich ein intensives Gefühl der Trauer empfand, für Del, für den Major und, nicht zuletzt, für sich selbst, die Hinterbliebene.

»Der König ist tot.« Brooks Stimme klang kalt. »Lang lebe der König.«

2

Im hell erleuchteten Empfangsraum der Pennsylvania Station saß John Hay in einem vergoldeten Lehnstuhl. Neben ihm stand Adee, während sich ein halbes Dutzend Geheimdienstleute in dem kleinen, dekorativen, irgendwie muffigen Raum umherbewegten, der Würdenträgern vorbehalten blieb. Der Zug aus Buffalo sollte um halb neun eintreffen; mit dem neuen Präsidenten und der Leiche seines Vorgängers. Hay hatte Anweisung erteilt, daß Bedienstete des Weißen Hauses Mrs. McKinley und Cortelyou zum Amtssitz begleiten sollten, wo McKinley feierlich aufgebahrt liegen würde, während seine Familie Mrs. McKinley beim Packen half, eine melancholische Aufgabe, die Hay bereits zweimal miterlebt hatte, als die Witwe von Lincoln und später dann die Witwe von Garfield gezwungen gewesen waren, mit dem Tod ihrer Männer in öffentlicher und erniedrigender Prozedur fertig zu werden.

Da es für die nächsten vier Jahre keinen Vizepräsidenten geben würde, war Hay zu seiner Verwunderung wieder die verfassungsmäßige Nummer eins in der Nachfolge des Präsidenten. Schon aus diesem Grund glaubte er, daß Roosevelt ihn als Außenminister durch einen anderen ersetzen würde. Der Präsident – mit seinen zweiundvierzig Jahren der jüngste in der amerikanischen Geschichte – durfte als potentiellen Nachfolger kein zweiundsechzigjähriges Wrack haben. Hay sah sich selbst buchstäblich als körperliches wie seelisches Wrack. Dels Tod hatte ihn erschüttert; McKinleys Tod hatte ihn in einen ihm bislang unbekannten Zustand tiefer Melancholie gestürzt. »Ich bin ein Vorbote des Todes«, sagte er manchmal dramatisch, wenn er allein war, doch gab es wohl niemanden, der bereit gewesen wäre, dieser trostlosen Selbstbezichtigung beizupflichten. In der amerikanischen Geschichte waren nur drei amtierende Präsidenten ermordet worden, und mit jedem von ihnen war John Hay eng befreundet gewesen. Merkwürdig war auch, daß es sich bei den drei Ermordeten um eher gütige Menschen gehandelt hatte und nicht um Tyrannen, welche die Götter herausforderten. Allerdings – Hay gestand sich ein, daß seine Definition des Begriffs »Tyrann« nicht für alle gelten mußte – sahen viele Filipinos und Spanisch-Kubaner in McKinley eben genau das: einen Tyrannen. Bislang hatte der Geheimdienst jedoch keinerlei Verbindung aufdecken können zwischen Czolgosz' Anarchisten und jenen Spanisch-Kubanern, die angeblich darauf erpicht waren, Vergeltung zu üben.

Obwohl Roosevelt in Buffalo erklärt hatte, er werde ganz einfach die McKinley-Administration weiterführen und das Kabinett in seiner jetzigen Zusammensetzung belassen, erwartete Hay, daß der neue Präsident ihn, nach einer Art Anstandsfrist, auswechseln würde. Sonntags morgens hatte Hay Roosevelt einen Brief geschrieben, eine Art Mischung aus Kondolation und Gratulation, abgefaßt im Stil einer wahrhaft siechen Gemütsverfassung: »Mein offizielles Leben ist am Ende, mein natürliches Leben wird nicht mehr lange währen, und so gebe ich Ihnen in der Morgendämmerung dessen, was zweifellos eine großartige und glanzvolle Zukunft sein wird, den von Herzen kommenden Segen der Vergangenheit mit auf den Weg.« Hay hatte geweint, als er dies schrieb; jetzt, in der Erinnerung, füllten sich seine Augen wieder mit Tränen: für all jene Ichs, die er gewesen war; und nie wieder sein würde.

Plötzlich kamen von draußen Geräusche, wie von einer Menschenmenge. Während Hay sich erhob und ein, zwei Schritte machte, ließ der Bahnhofsvorsteher die Tür aufschwingen, sagte: »Der Präsident!« Und verschwand.

Theodore Roosevelt, klein, dick, stämmig, eilte auf Hay zu und schüttelte ihm die Hand. Er sprach schnell, mit gebleckten Zähnen, jedoch ohne ein Lächeln. »Ich habe Ihren Brief gelesen. Natürlich werden Sie im Amt bleiben, bis zum Ende, oder solange Sie wollen. Ihre Äußerungen über das Alter – also das ist Koketterie. Sie sind nicht alt. Alt-Sein gehört zu ihrer wahren Natur genausowenig wie zu meiner.«

»Mr. President . . .«, begann Hay.

»Theodore, bitte. Da ich Sie immer, despektierlich, John genannt habe, müssen Sie mich Theodore nennen, wie Sie es immer getan haben; außer, natürlich, es sind Leute zugegen, und wir müssen beide der Würde unserer Ämter Tribut zollen . . .«

»Sie sind zu gütig . . . Theodore.« Roosevelts vehemente Energie amüsierte Hay. Augenscheinlich hatte er sich während der langen Bahnfahrt überlegt, was für Auswirkungen das Protokoll auf seine mannigfachen persönlichen Beziehungen haben mochte.

»Ich möchte mich gesellschaftlich nicht von meinen alten Freunden isolieren, wie das bei anderen Präsidenten die Tendenz gewesen sein mag. Ich möchte wie jeder andere Gast empfangen werden können in Ihrem Haus oder in Cabots; aber natürlich . . .«, er wurde sehr ernst; fast feierlich vor Würde, ». . . muß ich mir das Vorrecht der Initiative vorbehalten.« Bevor Hay sich eine Antwort ausdenken konnte, war Roosevelt bereits bei einem anderen Thema. »Root hat mich vereidigt. Es war sehr bewegend, für uns alle dort im Salon. Root brauchte rund zehn Minuten, ehe er mir den Amtseid vorsprechen konnte. Sonderbar. Ich habe ihn nie für einen emotionalen Menschen gehalten. Ich möchte, daß für die Philippinen vorerst sein Ministerium zuständig bleibt. Hätten Sie etwas dagegen?«

»Nein, nein. Ich habe schon so genug zu tun. Ihre Frau und der junge Ted sind hier. Sie sind heute nachmittag eingetroffen.«

»Gut! Ich möchte sie gern sehen.«

Theodore griff nach Hays Arm und marschierte mit ihm – ein wenig zu schnell für Hays Wohlbefinden – in den Hauptwartesaal des Bahnhofs, wo eine kleine Menschenmenge dem neuen Präsidenten zujubelte, der würdevoll seinen Hut lüftete und, zu Hays Erleichterung, genügend Instinkt bewies, den Augenblick nicht durch jenes enorme, zahnige Roosevelt-Lächeln zu verderben.

Sodann formierten sich ein Dutzend Polizisten um sie zu einem Ring und eskortierten sie nach draußen.

In der Ferne sah man die helle Kuppel des Kapitols, die, wie Hay fand, Ähnlichkeit hatte mit einem Zucker-, nein, nicht -hut, sondern -schädel. Da Hay das Weiße Haus angewiesen hatte, keine besonderen Presseinformationen herauszugeben, wartete vor dem Bahnhof keine Menschenmenge; die Öffentlichkeit erwartete die Ankunft des neuen Präsidenten erst für den nächsten Tag. Den schwarzen Leichenwagen mit den sechs Rappen davor, der bereitstand, um McKinleys Leichnam zum Weißen Haus zu befördern, ignorierten sowohl Roosevelt als auch Hay. Der neue Präsident blieb kurz auf dem Bürgersteig stehen; setzte zum Sprechen an; blieb jedoch stumm.

»Sie brauchen nicht zu warten«, sagte Hay.

Roosevelt schien erleichtert; und sprang in die Präsidentenkutsche, gefolgt von seinem Außenminister. »Siebzehn-dreiunddreißig N Street«, sagte Roosevelt, als säße er in einer Droschke.

»Die wissen Bescheid«, sagte Hay amüsiert. »Das gehört zu ihrem Job.«

»Natürlich. Muß mich erst daran gewöhnen. Muß mich jetzt an eine Menge Dinge gewöhnen. An das Weiße Haus zum Beispiel. Ich möchte anderes Briefpapier haben. Kann es nicht ausstehen, dieses ›Amtssitz des Präsidenten‹. Von jetzt an nennen wir es einfach ›Das Weiße Haus‹. Ist weniger pompös. Wie viele Schlafzimmer gibt's dort eigentlich?«

»Fünf in den Wohngemächern; und drei davon sind ziemlich klein.«

»Was ist im zweiten Stock?«

»Ich bin nicht mehr oben gewesen, seit Tad Lincoln sämtliche Glocken im Haus durcheinanderbrachte und ich sie wieder entwirren mußte.«

»Ich nehme doch an, daß sich dort oben ein paar zusätzliche Zimmer herrichten lassen. Alice muß mit ihren bald achtzehn Jahren schließlich ein eigenes Zimmer haben.« Roosevelt blickte zum Postamt, wo eine Fahne auf halbmast hing.

»Sämtliche Fahnen sollten bei Sonnenuntergang eingeholt werden. Es ist bedrückend«, fügte er überraschenderweise hinzu, »als Präsident hierherzukommen und alles in Trauer zu finden.«

»Mord ist immer bedrückend – und beunruhigend.«

»Wissen wir, wer hinter jenem Anarchisten steckt?«

»Der Geheimdienst möchte am liebsten jeden in Reichweite verhaften. Die erinnern mich an Stanton, nachdem Lincoln erschossen worden war.«

»Nun, hoffentlich leisten sie bessere Arbeit. Erschossen zu werden, ist für mich gar kein so schlimmer Gedanke. Wenn's so wäre wie bei Lincoln, nicht wie beim armen McKinley. Lincoln hat ja von allem gar nichts gemerkt.«

Hay schauderte unwillkürlich. »Da bin ich mir nicht so sicher. Als wir seine Biographie schrieben, hab ich den Obduktionsbefund gelesen. Offenbar war die Kugel nicht von hinten in seinen Kopf eingedrungen, sondern durch die linke Schläfe, was nichts anderes bedeutet, als daß er Booth an der Logentür gehört hatte und den Kopf drehte, um zu sehen, wer dort war . . .!

»Und sah, für einen Augenblick, die Pistole.«

»Wie grausig!« Offenkundig genoß Roosevelt dieses makabre Detail.

In der N Street, vor dem Haus von Anna Roosevelt Cowles, hielten zwei Polizisten Wache. Aus einem Fenster im ersten Stock hing eine riesige amerikanische Fahne auf halbmast. »*Warum* nur holt man diese Fahne nicht ein?« fragte Roosevelt mürrisch; der Tribut, der seinem Vorgänger gezollt wurde, schien ihn tatsächlich zu verdrießen.

Im unteren Salon begrüßte Roosevelt seine Frau Edith, seine Schwester Anna, die er Bamie nannte, und seinen Sohn Ted. Die Ladys trugen Trauer; sie waren in vortrefflicher Stimmung. Und sie bemühten sich sehr um Hay, dem es gefiel, wie ein seltenes Stück Porzellan aus einer früheren Zeit behandelt zu werden. Man half ihm in einen Lehnstuhl und drängte ihn, eine Zigarre zu rauchen, was er jedoch ausschlug. Währenddessen befand sich der neue Präsident in unaufhörlicher Bewegung und stellte jedem Fragen, auf die allein er selbst die Antwort wußte. Während dieser Darbietung bewahrte die bewundernswerte Edith ihre würdevolle Ruhe. Hay hatte sie seit jeher lieber gemocht als den – treffendes Adjektiv – tönenden Theodore.

Edith Kermit Carow stammte von Hugenotten ab, die sich, durch Heirat, mit der Familie von Jonathan Edwards verbunden hatten. Die Carows hatten in New York am Union Square gewohnt, gleich neben dem Haus von Theodores Großvater. Edith war als Mädchen ein Bücherwurm gewesen, nicht unbedingt eine Empfehlung in ihrer Welt, doch damit ein Bindeglied zum hochnervösen, asthmatischen Theodore, der nicht nur ein Bücherwurm war, sondern – um seine konstitutionelle physische Schwäche zu kompensieren – auch von verbissen antrainierter Sportlichkeit.

Hay hatte schon immer gefunden, daß Theodore seine vollkommene Frau als viel zu selbstverständlich nahm. Zweifellos hatte er Edith als so selbstverständlich genommen, daß er, vielleicht zu ihrer Überraschung – wer wollte das je wissen, da sie ganz Takt und Zurückhaltung war – an seinem zweiundzwanzigsten Geburtstag ein schönes Mädchen namens Alice Lee geheiratet hatte, und Edith Carow war, so wurde erzählt, bei der Hochzeit zugegen gewesen, ein gelassener Gast. Später brachte Alice Lee dann eine Tochter zur Welt, Alice; und war wenig später gestorben, einen Tag nach Theodores Mutter. Die beiden plötzlichen Todesfälle trieben Theodore aus der Politik – er war ein Mitglied des Parlaments des Staates New York gewesen –, vertrieben ihn auch aus New York City. Er kaufte sich eine Ranch in den sogenannten Badlands in Dakota, verlor beim Viehzüchten Geld und schrieb mit ebenso erstaunlicher wie bewundernswerter Selbstliebe über seine eigene Tapferkeit. »Vier Augen«, wie der Brillenträger Theodore von den Rauhbeinen im Westen genannt wurde, war in seinen eigenen Augen ein ziemlich großer Held, indes er seinen Freunden, den »Herzen«, beträchtliches Vergnügen bereitete, wenn auch nicht in jener Weise, wie ihm das gefallen hätte. Aber schließlich war er, verglichen mit Clarence King, kaum mehr als ein eitler Geck.

Während Hay diesem »unwahrscheinlichsten« aller amerikanischen Präsidenten zuhörte, erinnerte er sich an Henry Adams' Brief aus Stockholm, eingetroffen just am Tag des Attentats auf McKinley. In gleichsam tröstlicher Voraussicht war das Thema des Briefes »Teddys Glück« gewesen; sein Fatum, wie es sich erwies. Theodore war, so hatte Adams befunden, »schiere Tat«, wie Gott: endlose Energie ohne Ziel und Zweck.

Schließlich war Roosevelt aus dem Westen zurückgekehrt, ärmer als je zuvor, jedoch besser bekannt bei Zeitschriftenlesern. Nach einer verlorenen Wahl für den Bürgermeisterposten von New York im Herbst 1886 waren er und Edith Kermit Carow höchst fashionable in der St. George's Church am Hanover Square in London getraut worden; der Brautführer war Cecil Spring-Rice gewesen, der britische Lieblingsdiplomat der »Herzen«. Anschließend kehrten die Roosevelts in jenes häßlich-behagliche Haus zurück, das Theodore auf Sagamore Hill bei Oyster-Bay, Long Island, erbaut hatte. Hier schrieb er das sechsbändige Werk »Winning the West«; füllte das Haus mit Kindern; und plante, gemeinsam mit Henry Cabot Lodge, eine politische Karriere, die nicht nur durch persönliche Tragödien unterbrochen wurde, sondern auch durch das Mißtrauen von seiten des Führers der Republikanischen Partei, James G. Blaine; zum Glück hatte dieses Mißfallen nicht zu jener Art von Abspaltung geführt, welche die wahrhaft Tugendhaften zum Austritt aus der Partei veranlaßt hätte und zur Aufrichtung des Banners der Unabhängigkeit und des Einzelgängertums. Für diese Art von idealistischer Geste waren Roosevelt und Lodge viel zu praktisch veranlagt. Sie blieben bei Blaine, der 1884 gegen den demokratischen Präsidentschaftskandidaten Cleveland verlor.

Während Theodore Biographien von Thomas Hart Benton und Gouverneur Morris verfaßte sowie Essays zur Lobpreisung jener Art von Amerikanismus, der Henry James solch ungemeine Qual verursacht hatte, befaßte er sich gleichzeitig emsig mit Präsidentenmacherei. Zu jenen solchermaßen »gemachten« Präsidenten gehörte Benjamin Harrison; und als Lohn für seine politischen Aktivitäten erhielt Theodore einen Platz in der Civil Service Commission.

Sowohl der Präsident als auch Theodore selbst waren darauf bedacht gewesen, ihn zum Unterstaatssekretär zu machen, doch der Außenminister, James G. Blaine persönlich, besaß das lange Gedächtnis des Politikers, und Theodore sah sich gezwungen, sich mit der Reform des Civil Service zufriedenzugeben: ein Augiasstall, den auszumisten nicht einmal Herkules selbst gewagt haben würde. Aber mochte Theodore auch kein Herkules sein, so war er doch, von Natur aus, ganz einfach aktiv. 1889, mit dreißig Jahren, schwang er sich zum Leiter der besagten Commission auf. Er kritisierte und attackierte das sogenannte »Futterkrippensystem«, bei dem die in Wahlen siegreiche Partei ihren Anhängern Ämter zuschanzte; und die Presse genoß ihn. Als der republikanische

Präsident Harrison durch den demokratischen Präsidenten Cleveland abgelöst wurde, blieb Roosevelt auf dem Posten. Während der sechs Jahre, in denen er der Commission angehörte, gewann er auch Zugang zu den »Herzen«. 1895 ernannte ein Reform-Bürgermeister Roosevelt zum Präsidenten des Board of Police Commissioners. Roosevelt zeigte sich als gnadenloser Verfolger des Lasters; und die Presse schwelgte in seinen Eskapaden. Obwohl der Ausschank von Alkohol in den Saloons am Sonntag verboten war, wurde häufig dagegen verstoßen; und so ließ Roosevelt die Saloons schließen, was zur Folge hatte, daß ihre Besitzer nun nicht länger Schutzgelder zu zahlen brauchten – an Mr. Croker von Tammany Hall. Doch Mr. Croker überlistete Roosevelt, indem er ein richterliches Urteil erwirkte: Da es nicht verboten war, zu einer Mahlzeit Alkohol zu servieren, genügte der Verzehr einer einzigen Brezel, um den Konsum einer ganzen Flasche Whiskey »legal« zu machen.

Roosevelt kam nun überdies mit einer Welt in Berührung, die er bis dahin nur vom Hörensagen kannte: die Welt der Armen, in die er eingeführt wurde durch den aus Dänemark stammenden Journalisten Jacob Riis, Autor eines polemischen Buches mit dem Titel »Wie die andere Hälfte lebt«. Roosevelt erfuhr nicht nur vom ungeheuren Ausmaß der Armut in der Riesenstadt New York, sondern auch von der beispiellosen Selbstzufriedenheit der herrschenden Klasse, zu der auch seine eigene Familie gehörte.

Theodores gelegentliche enragierte Ausfälle gegen die »Übeltäter von großem Reichtum« hatten Hay nie sonderlich beeindruckt; schließlich, wie Henry Adams zu sagen pflegte, billigten sie ja alle den Status quo. Als Police Commissioner erwarb sich Roosevelt den Ruf, mit aller Härte gegen korrupte und pflichtvergessene Polizisten vorzugehen; aber als der Journalist Stephen Crane – dessen Bewunderer Roosevelt zuvor gewesen war – vor Gericht gegen zwei Polizisten aussagte, die ohne jeden Grund eine Frau als angebliche Straßendirne verhaftet hatten, war Roosevelt den Polizisten mit scharfen Ausfällen gegen Crane, der die Festnahme als Augenzeuge miterlebt hatte, zu Hilfe geeilt. Da die »Herzen« Crane sehr bewunderten, war Roosevelt hart ins Gebet genommen worden; doch er hatte zu seinen Leuten gehalten, wie ein guter Kommandeur im Kriege.

Im März 1897 begegnete der 38jährige Roosevelt gleichermaßen

Fortuna. Der neue Präsident, McKinley, ernannte ihn zum Unterstaatssekretär der Navy – ein an sich bescheidener Posten, aber da der Minister ein schwacher, nachgiebiger Mann war, befand sich Roosevelt, ganz im Bann der imperialen Visionen von Captain Mahan und Brooks Adams, jetzt in der Position, jene Flotte aufzubauen, ohne die es keine zukünftigen Kriege, keine Glorie, kein Empire geben konnte. Im Laufe der folgenden vier Jahre umkränzte immer mehr Lorbeer den stämmigen kleinen Mann, der sich zwar nicht wie ein Koloß über die Welt erhob, aber der doch einem aufgezogenen Kinderspielzeug glich, das über alle anderen Spielzeuge im Spielzimmer der Macht dominierte, mit ständig schrill erhobener Stimme.

»Deutschland, John. Das ist das Problem. Das kommende. Nein, nicht das kommende. Denn es ist bereits da. Der Kaiser dringt überall vor. Er hat eine Flotte als Gegengewicht zu unserer aufgebaut, oder zur britischen, aber *noch* nicht ausreichend gegen beide. Und bevor er irgend etwas Entscheidendes wagt, wird er einen Blick hinter sich werfen müssen, denn dort lauert das wilde Rußland, riesig und eisig, nur darauf, daß ihm die Welt wie eine reife Frucht in die Pranken fällt.« Theodore klatschte seine eigenen Pranken gegeneinander. »Rußland ist der Gigant der Zukunft«, verkündete Theodore.

Hay sah sich zu einem Kommentar veranlaßt. »Über die Zukunft kann ich nichts sagen – doch gegenwärtig gleicht der ›Gigant‹ Rußland noch eher einem gigantischen Zwerg.«

Theodore lachte; und schlug die Zähne gegeneinander. Bamie schenkte Kaffee ein, wobei Edith ihr half. Weder die eine noch die andere achtete besonders auf Theodore; doch war diese Nicht-Beachtung eher ein Zeichen von Toleranz. »Diese Formulierung werde ich gebrauchen, John, mit Ihrer Erlaubnis.«

»Unterstehen Sie sich. *Ich* kann solche Dinge privatim sagen. Sie können das nicht, niemals. Wir haben schon genug Ärger mit Cassini, mit Rußland. Sie können solche Dinge *denken*«, räumte Hay ein, »was der Präsident stets vermeiden muß, ist Witz . . .«

»Und Wahrheit?«

»Wahrheit muß der Staatsmann vor allem meiden. Erhabene Gefühle und wolkige Tautologien müssen von nun an Ihren Stil prägen . . .«

»Oh, Sie entmutigen mich! Ich hatte gehofft, eine brillante Rede an die Nation halten zu können. Voller Epigramme und gigantischer Zwerge. Nun denn. Keine Zwerge.«

»Wir müssen die Hand der Freundschaft ausstrecken«, erklärte Hay, »durch jede offene Tür, die wir finden können.«

Roosevelt lachte; oder vielmehr bellte; und begann, im Zimmer umherzumarschieren. »Was man sich bei Deutschland klarmachen muß, ist, daß das Land für seine Bevölkerung ganz einfach nicht groß genug ist. Im Westen haben die Deutschen Frankreich und England – und dahinter uns. Im Osten haben sie Ihren gigantischen Zwerg und dahinter China. Für ein deutsches Empire ist wirklich nirgendwo Platz . . .«

»Afrika«, warf Hay ein.

»Afrika, ja. Aber Afrika *was*? Land in Hülle und Fülle, bloß daß keine Deutschen dort hinwollen. In den letzten zehn Jahren sind eine Million Deutsche, die besten und wagemutigsten, aus Deutschland ausgewandert. Und wohin? Zu uns – jedenfalls die meisten. Kein Wunder, daß der Kaiser darauf erpicht ist, in China sein eigenes Empire zu etablieren. Doch wird er es, wenn er nach Asien vordringt, mit uns zu tun bekommen . . .«

»Und falls er sein Ziel in Europa zu erreichen versucht?« Hays Rückenschmerzen waren wieder da; überdies hatte Bamie Cowles' Kaffee in seinem überempfindlichen Verdauungssystem Turbulenzen verursacht.

»Spring-Rice meint, das könne eines Tages der Fall sein. Ich mag Deutsche. Ich mag den Kaiser, in gewisser Weise. Ich meine, in seiner Lage würde ich gleichfalls etwas zu unternehmen versuchen.«

»Nun, wir waren nicht sehr von ihnen angetan, als sie '98 versuchten, England zu einer gemeinsamen Aktion zu bewegen, um Spanien gegen uns zu helfen.«

»Gewiß. Gewiß. Gewiß. Aber können Sie denn nicht verstehen, wie groß die Verlockung für den Kaiser gewesen sein muß. Er wollte die Philippinen haben. Wer denn nicht? Jedenfalls hielten die Briten zu uns.« Roosevelt furchte plötzlich seine Stirn.

»Kanada beansprucht . . .«, begann Hay.

»Nicht jetzt! Nicht jetzt, lieber John. Das Thema langweilt mich.«

»Langweilt Sie? Ja, was soll ich dann sagen, der ich tagtäglich, ja fast stündlich in engem Kontakt stehe mit unserer nördlichen Nachbarin, der Schnee-Lady . . .«

»Langweilige Lady, wenn Sie mich fragen.«

»Na, Theo.« Ediths warnende Stimme klang ein wenig tiefer als normal; blieb jedoch genauso wirkungsvoll.

»Ich denke«, sagte der junge Ted, »daß ich Groton vorerst noch ertragen kann.«

»Ist dies«, fragte sein Vater mit jenem unheilvollen Klicken seiner Zähne, »ein Versuch, unsere Aufmerksamkeit auf dich zu lenken?«

»Nein, nein. Nur so eine Bemerkung . . .«

»Wo ist eigentlich Alice?« fragte der Präsident und sah seine Frau an.

»In Farmington, nicht wahr?« Edith richtete die Frage an ihre Schwägerin.

»In meinem Haus, ja. Jedenfalls war sie dort. Sie liebt es, gesellschaftlichen Umgang zu pflegen.«

»Möchte nur mal wissen, woher sie das hat.« Theodore warf Hay einen Verständnis heischenden Blick zu. »Wir sind nicht das, was man fashionable nennt – sind es nie gewesen.«

»Vielleicht handelt es sich ganz einfach um Unternehmungslust, eine Art Risikoeinsatz für ein altes Vermögen . . .«

»Von Vermögen keine Spur!« seufzte Edith. »Ich weiß nicht, wie wir jetzt leben werden. Dieses schwarze Kleid . . .«, sie drehte sich langsam herum, damit ihr Mann ihr Opfer würdigen konnte, ». . . habe ich heute morgen für einhundertfünfunddreißig Dollar bei Hollander's gekauft. Es ist natürlich Konfektionsware, und dazu mußte ich noch einen wahrhaft abscheulichen Hut mit einem schwarzen Kreppschleier nehmen.«

»Man kann nur hoffen, daß Sie genügend Gelegenheit haben werden, ähnlichen Bestattungen beizuwohnen«, sagte Hay, »von ältlichen Diplomaten, natürlich, sowie Senatoren jedweden Alters.«

Theodore betrachtete sich in einem runden Spiegel; schien von sich genauso fasziniert, wie andere es waren. Dann verkündete er: »Nach den Trauerfeierlichkeiten muß ich nach Canton fahren.« Er vollführte eine jähe Kehrtwendung, setzte sich auf einen Stuhl und wirkte plötzlich völlig bewegungslos. Es war, als sei der Spielzeugmechanismus abgelaufen. Er saß sogar wie eine Puppe, fand Hay;

mit ausgestreckten Beinen und zu beiden Seiten herabhängenden Armen.

»Soll ich mitkommen?« fragte Hay.

»Nein. Nein. Wir können niemals wieder zusammen reisen, Sie und ich. Sollte mir irgend etwas zustoßen, so sind Sie der einzige Präsident, den wir haben.«

»Armes Land«, sagte Hay und erhob sich. »Armer John Hay.«

»Spielen Sie nicht den alten Mann.« Die – wieder aufgezogene – Puppe stand auf stämmigen Beinen. »Ich treffe das Kabinett am Freitag, nach Canton; zur gewohnten Zeit.«

»Wir werden zur Stelle sein. Was Alice betrifft, falls sie Washington besuchen möchte, so kann sie, sagte Helen, gern bei uns wohnen.«

»Alice bewundert Ihre Damen«, erklärte Edith mit eher freudloser Miene. »Sie kleiden sich so wunderschön, sagt sie immer wieder zu mir.«

»Es gefällt Alice nicht, arme Eltern zu haben«, meinte der Präsident, als er Hay zur Tür begleitete.

»Schicken Sie sie zu uns. Wir haben soviel Platz.«

»Ja, vielleicht. Beten Sie für mich, John.«

»Das habe ich bereits getan, Theodore. Und ich werde es wieder tun.«

3

Blaise fand den Chef überraschenderweise in seinem Büro beim Journal. Für gewöhnlich zog Hearst es vor, zu Hause zu arbeiten, wenn er sich in New York befand, was in diesen Tagen allerdings selten der Fall war. In seiner Eigenschaft als eine Art Supervorsitzender der Demokratischen Clubs reiste er durch das Land, trommelte die Getreuen zusammen und bereitete den Boden vor für seine eigene Wahl in vier Jahren. Als McKinley erschossen wurde, hatte er sich in Chicago befunden.

Brisbane saß auf dem Sofa, während der Chef seine Füße auf den Schreibtisch gelegt hatte und seinen Blick auf das Fenster gerichtet hielt, durch das nichts weiter zu sehen war als fallender, schmelzender Schnee. Keiner der beiden Männer bedachte Blaise mit einem Gruß; er gehörte zur Familie. Doch als Blaise fragte: »Wie schlimm ist es?« erwiderte Hearst: »Schlimm und wird immer schlimmer.« Der Chef reichte Blaise ein Exemplar der World. Ambrose Bierces Vierzeiler sprang einem in großen Buchstaben sofort ins Auge. Hearsts bewußte Aufreizung zum Mord war das Thema der dazugehörigen Story. Während Blaise las, hörte er, wie Hearsts Finger unablässig auf den Schreibtisch trommelten, ein sicheres Zeichen von Nervosität bei dem für gewöhnlich so phlegmatischen Mann. »Die versuchen das so hinzustellen, als hätte der Mörder von Buffalo ein Exemplar des Journal bei sich gehabt. Was natürlich nicht stimmt.«

»Die erfinden doch, was ihnen paßt«, sagte Brisbane traurig. Die beiden Gründerväter erfundener Nachrichten schienen darüber empört, von anderen kopiert zu werden, die ebenso skrupellos waren wie sie selbst; eine Ironie, die Blaise nicht entging.

»Der Chicago American hat eine Auflage von nahezu dreihunderttausend.« Hearsts Verstand besaß eine starke Ähnlichkeit mit der Titelseite einer Zeitung, ein Konglomerat nicht zusammengehörender Themen, die einen fetter gedruckt als die anderen. »Ich werde das Journal in Zukunft American Journal nennen. Gerade jetzt. Croker scheidet aus Tammany Hall aus. Murphy wird sein Nachfolger. Der Saloon-Besitzer, der außerdem Dock-Commissioner war. Der, dem wir nachweisen konnten, daß er Anteile an dieser Eisgesellschaft besaß.«

»Trotzdem . . .«, Brisbane gab sich überzeugt, ». . . möchte ich wetten, daß er im kommenden Herbst Ihre Nominierung als Kandidat für den Gouverneursposten unterstützen wird.«

»Da bin ich mir nicht so sicher.« Jetzt schwenkte Hearst seinen rechten Fuß hin und her, indes die trommelnden Finger still verharrten, da die Energie gleichsam vom einen Ende des langen Körpers zum anderen gewandert war. »Vielleicht sollten Sie ihm auf den Zahn fühlen. Sehen, ob er Sie im elften Bezirk für den Kongreß nominiert. Sie brauchen in Washington nur das erste Jahr durchzuhalten. Danach läßt man Sie in Ruhe, außer bei Abstimmungen, welche die City betreffen, worum sich sonst keiner kümmert.« Der Chef sah Blaise an.

»Ich will nicht in den Kongreß«, begann Blaise.

»Ich habe mit Brisbane gesprochen.« Der Chef wirkte sehr gelassen.

»Wir haben das ja bereits erörtert.« Brisbanes Gesicht, sehr urban, ohne Backenbart, bekam plötzlich die Züge eines Staatsmannes. Er habe, so wurde kolportiert, sozialistische Tendenzen. »Eine Art Versuchsballon. Der Chef muß vor 1904 ein hohes Amt erringen, und das des Gouverneurs von New York wird ihn ins Weiße Haus bringen.«

»Was ist mit Colonel Roosevelt? Der wird doch sicher wieder kandidieren.« Mochte der Chef auch ein mit allen Wassern gewaschener Zeitungsmann sein, als ebenbürtiger Gegner des dynamischen, charismatischen Roosevelt konnte Blaise ihn sich nicht vorstellen. Überdies haßte der Chef öffentliche Reden; haßte Menschenmengen; haßte Händeschütteln – sein schlaffer, feuchter Händedruck wurde unter Journalisten oft ironisch imitiert.

Ein Redakteur kam herein, ein Stück Papier in der Hand. »Die Botschaft des Präsidenten an den Kongreß. Haben wir soeben über Draht empfangen.« Hearst nahm das Papier, ein ganzes Bündel, wie sich erwies, und las rasch; fand, was er suchte; und las laut vor, wobei er Roosevelts Falsett imitierte, der sich von seinem eigenen nicht sehr unterschied: »Leon Soundso – wie auch immer sich sein Nachname aussprechen mag – wurde nach Ansicht unseres neuen Präsidenten ›angestiftet durch die Lehren erklärter Anarchisten . . .‹«

»Arme Emma Goldman«, sagte Brisbane.

». . . ›und wahrscheinlich auch durch die leichtfertigen Äußerungen auf Rednertribünen sowie in der öffentlichen Presse . . .‹ – womit ich gemeint bin, hoffentlich liest Mutter das nicht – ›die Äußerungen derer, die an die dunklen und üblen Geister der Bosheit und der Gier, des Neids und des dumpfen Hasses appellieren. Gesät wird der Wind von Männern, die solche Doktrinen predigen, und sie können sich nicht der Mitverantwortung entziehen für den Wirbelsturm, der die Ernte ist.‹«

Hearst knüllte die Papierblätter zusammen und schleuderte das Knäuel zielsicher in einen Papierkorb bei Brisbane. Dann nahm er seine Füße vom Schreibtisch, zog eine Schublade auf und holte einen Revolver heraus, den er in seine Rocktasche steckte. »Ich habe Morddrohungen erhalten«, sagte er zu Blaise. »Und Mr. Roosevelts

Rede dürfte wohl kaum sehr hilfreich sein. Nun ja, auch ihn kriegen wir noch, eines Tages.«

»Mit einer weiteren Kugel, die ihn niederstreckt auf sein Totenbett?« Hearsts melodramatische Weltsicht verlockte Blaise zu einer Art von dunklem, wenn nicht schwarzem Humor.

»Das verhüte der Himmel.« Hearsts Gesicht wurde bleich. »Ich hasse Gewalttätigkeit. Mir wurde buchstäblich übel, als ich vom Attentat auf McKinley hörte. Schrecklich. Schrecklich.« Blaise begriff plötzlich, daß Hearst auf irgendeine merkwürdige Weise in einer Art Traum lebte, in dem wirkliche Menschen durch seine »gelbe Kunst« in fiktive Personen verwandelt wurden, die er ganz nach Gefallen manipulieren konnte. In jenen seltenen Fällen, in denen seine Fiktionen und die Realität sich deckten, zeigte er sich ehrlich entsetzt.

Brisbane ging hinaus. Die Botschaft des Präsidenten mußte gedruckt und kommentiert werden. Dann erkundigte sich Hearst nach der Zeitung in Baltimore, und Blaise sagte ihm die Wahrheit: »Das ist nur ein Sprungbrett.«

»Wohin?«

»Ich will Washington. Schließlich haben Sie alles, was zu haben es sich ansonsten lohnt.«

»Sie könnten eine meiner Zeitungen leiten.« Hearst starrte auf den Schnee, der jetzt an der Fensterscheibe haftete. Der Raum war erfüllt von gebrochenem, eigentümlich bläulichem Licht.

»Die werden doch alle von *Ihnen* geleitet. Ich will meine eigene.«

»In Baltimore?«

»Der Examiner ist ein Anfang bis . . .« Doch Blaise wußte selbst nicht, was dem »bis« wohl folgen mochte.

»Wenn der junge Hay nicht umgekommen wäre, hätte sie wahrscheinlich verkauft.« Hearst liebte es, Caroline zu analysieren. Als Menschen interessierten ihn Frauen nicht weiter. Aber Caroline war ja nicht einfach eine Frau, sie war eine Verlegerin.

»Da bin ich mir nicht so sicher. Es macht ihr Spaß, eine Zeitung zu besitzen.«

»Ich kenne das Gefühl.« Hearst machte einen seiner seltenen leisen Scherze über sich selbst. »Nun, Sie werden mir fehlen.« Damit war Blaise entlassen. Von finanziellem Nutzen war er nicht mehr, da Hearsts Mutter jetzt über ein noch größeres Vermögen verfügte als zu dem Zeitpunkt, als ihr Sohn daran gegangen war, ihr erstes durchzubringen. Da Blaise nun selbst zur Zunft der Verleger gehörte, gab es keinen Grund, das Meister-Jünger-Verhältnis fortzuführen. »Werden Sie in Baltimore leben?« Der Chef schien ehrlich interessiert.

»Nein. Das Management dort ist auch so gut genug, ohne mich.« Das entsprach zwar nicht der Wahrheit, aber Blaise dachte natürlich nicht daran, Hearst anzuvertrauen, daß er die Absicht hatte, einen wichtigen Mann abzuwerben, der beim Chicago American für Hearst arbeitete. Es handelte sich um einen leitenden Redakteur von höchster Qualifikation, und Blaise würde ihm noch mehr zahlen müssen, als Hearst ihm zahlte, was die Norm ohnehin schon weit überstieg; doch wenn es irgend jemanden gab, der den Baltimore Examiner sanieren konnte, so war es dieser Mann. Charles Hapgood stammte aus Maryland, von der Ostküste, und war sehr geneigt, Chicagos arktische Winter und tropische Sommer gegen das gemäßigte Klima Baltimores einzutauschen.

»Sie werden Ihren Weg schon machen.« Allzu überzeugt klang das nicht aus Hearsts Mund. »Ich meine, Sie haben das Geld, und darauf kommt's an. Kaufen Sie sich die besten Leute, dann liegen Sie richtig.« Die hellgrauen Augen blickten kurz in Blaise' Richtung; und Blaise hatte plötzlich das Gefühl, daß der Chef etwas von der Sache mit Hapgood ahnte. »Haben Sie mal über die Magazine nachgedacht?« Hier lag seit neuestem das Interesse des Chefs. Die Menge der Inserate in so manchen Damenmagazinen hatte ihn stark beeindruckt. Aber als er eines zu kaufen versucht hatte, war er vor den Kosten zurückgeschreckt. Jetzt würde er selbst ein Magazin ins Leben rufen müssen – wenn nicht gar zwei, oder tausend.

»Ich weiß nicht genug darüber, wie so etwas läuft.« Blaise' Antwort war sehr direkt. »Und Sie doch auch nicht. Wozu also die Mühe?«

»Nun, so was läßt sich sicher lernen. Ich habe an ein Magazin gedacht, das den Titel ›Electrical Machine‹ oder so ähnlich haben könnte . . .«

»Für Ladys?«

»Nun, auch Ladys sitzen am Lenkrad. Aber nein, es ist für Männer gedacht. Nur so eine Idee. Ich werde in Bälde Miss Willson heiraten.«

Blaise war überrascht. »*Vor* der Wahl?«

»Nun, das hängt noch in der Luft. Vielleicht werde ich . . .« Die dünne Stimme verstummte. Offenkundig fürchtete Hearst, daß seine lange Liaison mit einem Showgirl als Skandal ausgeschlachtet werden könnte; eine Heirat würde die strengeren Moralisten zwar vermutlich zum Schweigen bringen – womöglich jedoch die allgemeine Aufmerksamkeit auf die vorangegangene Liaison lenken.

Blaise erhob sich, um zu gehen. Der Chef reichte ihm seine schlaffen, weichen Finger.

»Welche eigentlich?« fragte Blaise, während er zur Tür ging.

»Welche was?«

»Welche Miss Willson heiraten Sie?«

»Welche . . .?« Für einen Augenblick schien Hearst völlig geistesabwesend zu sein – eine Wirkung, die eine Ehe oft auf Männer hatte, wie Blaise fand. »Anita«, sagte Hearst. Und korrigierte sich dann. »Ich meine natürlich Millicent. Das wissen Sie doch«, fügte er in leicht vorwurfsvollem Ton hinzu. Hearst gehörte einer raren Spezies an, obwohl an sich völlig humorlos, konnte er Humor bei anderen erkennen, auch wenn er selbst die Zielscheibe war. »Ihre französische Lady . . .«, begann Hearst eine Konterattacke.

»Sie hat sich aufs Land zurückgezogen. Ich werde sie nicht wiedersehen.«

»So wird das also in Frankreich gemacht.«

Als Blaise in einem Salonwagen von der Pennsylvania Station abfuhr, war es seine feste Absicht, in Baltimore Zwischenstation zu machen, doch der Anblick, der sich ihm durch das Zugfenster bot – endlose Reihen gleichförmiger Ziegelhäuser mit geschrubbten Steinstufen – deprimierte ihn, und er fuhr weiter nach Washington.

Während der Bahnreise dachte Blaise intensiver, als es sonst seine Art war, über sich selbst nach. Er war jetzt sechsundzwanzig; er war reich; er wirkte auf Frauen, obschon er seinerseits sich nicht ernsthaft zu ihnen hingezogen fühlte. Anne de Bieville hatte ihn *gâté* genannt – verwöhnt. Aber es war mehr als nur das, dachte er, während Havre de Grace, eine Kleinstadt unter bleicher Schneehülle, draußen vor dem Zugfenster vorbeiglitt. Er hatte sich daran gewöhnt, derjenige zu sein, der umworben wurde; und verführt. Außer gelegentlichen Abstechern in die exklusiveren Bordelle hatte Blaise wenig für sein Liebesleben getan; zumindest hatte er sich nicht die Mühe gemacht, eine Geliebte zu finden, von einer Ehefrau ganz zu schweigen. Plon war verblüfft gewesen und hatte sich besorgt gefragt, ob Blaise womöglich bei schlechter Gesundheit sei, ob er an einer jener schwächenden Krankheiten leide, die – wie alles dieser Art bei den Franzosen – von der Leber ihren Ausgang nahm, um dann, ebenso unausweichlich wie vernichtend, südwärts zu wandern. Aber da Blaise so robust war wie ein junges Pferd, war Plon schließlich zu dem traurigen Schluß gelangt, daß es sich nicht um eine Krankheit des Fleisches, sondern des Geistes handeln mußte. Angelsachsenismus, ein Gemütszustand, welcher bekanntlicherweise den ganzen Menschen schwächte. Plon hatte zu körperlicher Ertüchtigung – etwa in Form von Tennis – geraten.

Blaise zeigte sich angemessen beeindruckt von der renovierten Lobby des Willard's, die sich nach wie vor von Straße zu Straße erstreckte. Unmittelbar hinter dem monumentalen Zigarrenstand, dem politischen Zentrum der Stadt, befand sich ein neueingerichtetes Telefonzimmer. Blaise gab der Telefonistin die Nummer der Washington Tribune. Sie stöpselte irgendwelche Kabel ein.

»Ihre Verbindung ist hergestellt.« Sie deutete auf eine Kabine.

Als Blaise den Hörer abnahm und nach Caroline fragte, erwiderte eine tiefe Negerstimme: »Hier gibt es keine Miss Sanford. Hier ist das Haus der Bells.«

»Aber ist das nicht die Nummer . . .«

»Nein, Sir, ist es nicht. Wir haben schon die ganze Woche falsche Anrufe bekommen.« Der Mann hängte auf. Nach zwei weiteren Versuchen kam Blaise zur Tribune durch.

Caroline zeigte sich über Blaise' telefonische Odyssee hocherfreut. »Jetzt können wir die Story schreiben. Jedermann in Washington weiß, daß das einzige Telefon, das niemals richtig funktioniert, das von Alexander Graham Bell ist. ›Erfinder ohne Ehre‹, wie macht sich das als Titel? Andererseits hat er natürlich viel Ehre für seine Erfindung eingeheimst. Wie wär's mit: ›Erfinder – wer repariert?‹« Caroline willigte ein, sich mit Blaise zu treffen, und zwar: »In Mrs. Benedict Tracy Binghams ›palastartigem Domizil‹. Der gesellschaftliche Anlaß ist eher bescheiden. Sie gibt einen Tee für die neuen Mitglieder des Kongresses. Ich muß natürlich dabeisein. Du allerdings nicht. Das heißt – aber ja, doch. Schließlich bist du jetzt auch Verleger, endlich!« fügte sie hinzu.

Mrs. Bingham stand vor einem höchst repräsentativen Kamin, einem Originalstück aus einem Waliser Schloß, wie sie erzählte, das einmal Beowulf gehört hatte, einem Vorfahren Mr. Binghams mütterlicherseits. Wie gewöhnlich war der Milch-Lord des District of Columbia nirgends zu sehen. »Wir sind umgeben von Apgars«, sagte Caroline, die Blaise an der Tür getroffen hatte. Doch Blaise konnte einen Apgar nicht von einem Nicht-Apgar unterscheiden. Der Raum war überfüllt, und die neuen Kongreßmitglieder und ihre Damen blickten trotz Mrs. Binghams tiefkehligem Willkommen recht beklommen drein. Obschon unbewandert in Dingen der Geschichte, von Mythen ganz zu schweigen, besaß Mrs. Bingham jene besondere Gabe der Politiker, sich nicht nur Namen, sondern auch Wahlbezirke merken zu können. Nach vielen Gesprächen mit Caroline war man zu dem Schluß gelangt, daß Mrs. Binghams schicksalhafte Bestimmung darin lag, die Leere im Zentrum des Washingtoner Gesellschaftslebens zu füllen und so etwas wie eine politische Gastgeberin zu werden. Seit Jahren gab es keinen richtigen Salon mehr. Der bei den Hays oder Adams war schon für normale Sterbliche kaum zugänglich, für streunende Politiker noch weniger; Botschaften kamen natürlich nicht in Frage, und das Weiße Haus ähnelte jetzt, nachdem sämtliche Roosevelts eingetroffen waren, weitgehend einem Familien-, wenn nicht gar einem Stammesrevier. Und so hatte Caroline Mrs. Bingham dazu ermutigt, gleichsam das Hochplateau zu erklimmen – und sich dort zu etablieren.

»Blaise Sanford!« rief sie, als Caroline sich näherte, ihren Halbbruder am Arm. Blaise fand sich gebannt durch einen Blick aus stumpfen Onyxaugen und einen kraftvollen Händedruck. »Baltimore ist näher als New York, *und Blut*«, fügte sie bedeutungsvoll hinzu, *»dicker als Wasser.«*

»Ja.« Blaise hatte seit jeher Mühe gehabt, mit amerikanischen Ladys zu sprechen – im Gegensatz zu amerikanischen Girls. Allerdings verfügten Ladys wie Mrs. Bingham genügend Konversationsstoff für zwei. Ein gelegentliches »Ja« oder »Nein« reichte bei weitem aus, um solche Gespräche zu bestreiten. »Sie werden natürlich hier wohnen. Baltimore kommt gar nicht in Frage. Washington ist bequemer, in jeglicher Hinsicht. Caroline, haben Sie gehört? Alice Roosevelt hat all ihre Zähne verloren, dabei ist sie erst achtzehn. Ich finde das so romantisch, Sie nicht auch? So ein schreckliches Unheil, in so zartem Alter.«

»Wodurch«, fragte Caroline, »hat sie ihre Zähne verloren?«

»Ein Pferdehuf hat sie getroffen.« Mrs. Bingham wirkte geradezu verjüngt, als sie, wieder einmal, traurige Kunde weitergab. »Dann bekam sie im Unterkiefer einen Abszeß, und sämtliche Zähne *plumpsten* geradezu heraus . . .«

»Armes Mädchen«, sagte Blaise. Er kannte Miss Roosevelt zwar nicht persönlich, wußte jedoch, daß sie als klug galt und darauf bedacht war, ein möglichst intensives gesellschaftliches Leben zu führen, wo auch immer auf Erden – mit Ausnahme des glanzlosen Washington. Verübeln konnte man ihr das kaum. Unwillkürlich fragte er sich, ob es sich nicht lohnen würde, sie zu heiraten. Sie sollte ausgesprochen attraktiv sein. Doch der Gedanke an das künstliche Gebiß, das sie bald würde tragen müssen, bereitete seinem Tagtraum von einer Hochzeit im Weißen Haus ein jähes Ende.

Caroline half Mrs. Bingham bei der Begrüßung weiterer Gäste, während Blaise von einer Apgar-Lady entführt wurde, »deine Cousine fünften Grades«, wie sie sagte. Über die genauen Verhältnisse ihrer expansiven Verwandtschaft schienen sie sorgsam Buch zu führen, die Apgars. Blaise versuchte Konversation zu machen, sah sich im Raum um, lauter Kristall und Vergoldungen und Altmodisches mehr, und gab sich Mühe, unter den Politikern irgendwelche Prominente zu erkennen; vergeblich. Immerhin konnte er sagen, wer von den Anwesenden Politiker war – der einheitlich schwarze Prinz-Albert-Gehrock war ihr unverwechselbares Kennzeichen, ganz abgesehen von dem auffällig großen Mund und dem mächtigen Brustkorb, so recht geeignet zum Redenhalten vor riesigen Menschenmengen. So mancher Operntenor, fand er, verkleidete sich als Prediger. Im übrigen bemerkte er, daß Caroline ganz in ihrem Element zu sein schien; sie zeigte eine geradezu erhabene Haltung, während Mrs. Bingham sie mit den neuen Volksvertretern bekannt machte; und sobald diese – jeder einzelne von Ihnen – begriffen, daß die junge Lady Besitzerin der Tribune war, nahmen sie ihre Hand nicht in eine Hand, sondern in zwei, in ein glück- und leutseliges Händepaar; und ihr Arm wurde bewegt wie ein Pumpenschwengel, als könnte auf diese Weise genügend

Druckerschwärze heraufbefördert werden, um – wieder und wieder und wieder – den Namen des Politikers in Berichte zu bringen, welche seine Wähler erfreuen und seinen Gönnern Profit eintragen würden.

Entmutigend wurde Blaise bewußt, daß der Baltimore Examiner auf diese übererregten Männer niemals eine ähnliche Wirkung haben würde, mit der unvermeidlichen Ausnahme der Maryland-Delegation, die es, Mann für Mann, zu meiden galt. Zum Glück hatte Hapgood versprochen, als Puffer zu agieren; und Hapgood kannte sie alle.

Ein drahtiger junger Mann mit einem dichten, kupferfarbenen Haarschopf – aus irgendeinem Grund war volles Haar im politischen Leben der Republik eine Seltenheit – wandte sich Blaise zu und sagte: »Sie sind Mr. Sanford. Carolines Bruder.« Der Handschlag des jungen Mannes war höchst professionell. Ein Politiker griff prompt und prophylaktisch nach den Fingern des anderen Mannes und mied auf diese Weise den womöglich unwiderstehlichen Druck eines an Kräften weit überlegenen einfachen Arbeiters, der, wenn er nur wollte, selbst den kräftigsten Politiker mühelos auf die Knie zwingen konnte. McKinleys berühmter Trick, einem ehrlichen Mann die Hand zu schütteln, während er gleichzeitig dessen Ellbogen zu streicheln schien, war nur eine Vorbeugemaßnahme. Sollte der andere die Präsidentenfinger zu zerquetschen versuchen, würde der liebevolle Griff am Ellbogen sich unversehens in einen harten Schlag verwandeln, darauf berechnet, so unerwartet Schmerzen zu verursachen, daß der unerträgliche Handschlag sich lockerte. Blaise hatte, im Dienst beim Chef, alle Tricks kennengelernt.

»Sie sind einer der neuen . . . Kongreßabgeordneten?« Trotz seines Politiker-Handschlags wirkte der junge Mann viel zu athletisch und zu stattlich, um ein Volkstribun zu sein; doch genau das war er. »James Burden Day«, sagte er; und nannte seinen Staat und Bezirk; auch den Verwandtschaftsgrad. »Wir sind alle Apgars«, sagte er.

»Ja.« Blaise klang vage. An einen James Burden Day konnte er sich nicht erinnern, doch war es gar kein so unangenehmer Gedanke, einen entfernten Cousin im Kongreß zu haben, zumal der hier wie ein Gentleman aussah, auch wenn er einen barbarischen

Staat repräsentierte, dessen barbarisch akzentuiertes Amerikanisch er sprach – falls nicht, scheußlicher Gedanke, besagter Akzent sein ganz persönlicher war.

»Ich bin in Washington kein Neuling, war früher beim Rechnungshof. Damals habe ich Del Hay kennengelernt, und natürlich Miss Sanford.« Beide bekundeten ihr Bedauern über Dels Tod. »Nach seiner Abreise nach Pretoria habe ich ihn nicht wiedergesehen. Er wollte Miss Sanford heiraten . . . ?« Day wendete den Satz zur Frage.

»Ja. In diesem Monat, glaube ich. Außerdem sollte er zum engsten Mitarbeiterkreis des Präsidenten gehören.«

»Armer . . . Mr. Hay«, sagte der junge Mann plötzlich; und seine hellblauen Augen blickten Blaise sehr direkt, fast zudringlich an. Unwillkürlich hob Blaise eine Hand zur Stirn, als könne er mit dieser bedeutungslosen Geste den scharfen, beunruhigenden Blick von sich ablenken; gleichzeitig fragte er sich, warum er Mr. Day so beunruhigend fand. Die versteckte Anspielung, daß Caroline Del Hay wohl kaum besonders ergeben gewesen war, konnte Blaise wahrhaftig kalt lassen. Day hatte in ihm ein Unbehagen ausgelöst, und das gefiel ihm nicht. Überdies fühlte er sich ein weiteres Mal daran erinnert, daß, obgleich er *der* Sanford war, Washington gleichsam Carolines Revier darstellte. Sie hatte sich eine bedeutende Position aufgebaut; er hingegen noch gar keine.

Day sagte die zu erwartenden Dinge. Del so jung gestorben; der Präsident so tragisch gestorben; Mr. Hay zweifach Leidtragender. »Jetzt sogar noch mehr«, sagte Blaise, während er insgeheim wünschte, so groß zu sein wie Day, der, während er mit Wärme und Anteilnahme sprach, jederzeit über Blaise' Kopf hinwegblicken konnte, um zu sehen, ob nicht gerade ein weiterer Prominenter den Raum betrat. Doch Blaise fuhr fort: »Mr. Hays ältester Freund ist gerade gestorben. Clarence King, der Geologe.«

»Das wußte ich nicht . . .«

»Meine Schwester hat mir erzählt, er sei vor einigen Wochen in Arizona gestorben. So hat der arme Mr. Hay im Laufe eines halben Jahres seinen Sohn, seinen Freund und den Präsidenten verloren.«

»Nun«, sagte Day mit plötzlicher Gefühlskälte, »sein Amt hat er jedenfalls nicht verloren, nicht wahr? Komisch, daß Roosevelt ihn nicht ersetzt hat. Allerdings . . .«, Days Lächeln wirkte ebenso jungenhaft wie anziehend, » . . . bin ich Demokrat und jederzeit bereit, für Bryan eine Lanze zu brechen, im Namen des Volkes.«

»Und uns ist es ein Vergnügen«, sagte Blaise, genauso tief temperiert wie sein Gegenüber, »gewisse Leute an ein Kreuz aus Silber zu schlagen.« Beide Männer lachten.

»Ich bin Frederika Bingham.« Eine ebenso blasse wie blonde junge Dame mit eigentümlich trägem Gehabe stellte sich selbst vor. »Ich weiß natürlich, wer Sie sind, aber Mama meint, daß auch Sie wissen sollten, wer ich bin.« Sie lächelte Blaise mit einem leicht schiefen Lächeln an, bei dem sie sonderbar scharfe Schneidezähne entblößte. Sie roch nach Fliederwasser. Day roch nach feinem, jedoch nicht ganz sauberem Tuch. Von allen Sinnen war bei Blaise der Geruchssinn der stärkste und, in sexuellen Dingen, der entscheidenste.

»Ich habe Sie im Casino in Newport gesehen«, sagte er.

»Sie werden es in der Politik weit bringen«, sagte die junge Frau, die Stimme senkend und den Blick jetzt nicht auf Blaise, sondern auf James Burden Day gerichtet.

»Nur, daß Mr. Sanford gar nicht in die Politik gehen wird«, sagte Day. »Er hat es nicht nötig, der Glückliche.«

»Ich bringe alle Leute durcheinander«, erklärte Frederika zufrieden. Blaise konnte sehen, daß Day sie anzog, er hingegen nicht. Und plötzlich wurde in ihm jener spezielle Instinkt männlicher Selbstbestätigung lebendig, ausgelöst durch . . . nun was? Die Konstellation der Gestirne vielleicht? Oder durch den Geruch des Flieders? Oder jenen anderen . . . jenen anderen . . .

Caroline gesellte sich zu ihnen. Auch sie fühlte sich von Day angezogen, wie Blaise feststellte. Und jetzt brach gleichsam ein Sturm männlicher Entschlossenheit in ihm los – hinter seinen Augen, oder wo immer sonst solche Stürme loszubrechen pflegen. Ein Mann – zugegebenermaßen größer als er selbst – wirkte auf zwei Frauen sehr anziehend. Irgendwie mußte er sich behaupten.

»Sie sind zurückgekehrt, wie versprochen«, begrüßte Caroline Day in herzlichem Ton. »Und sogar als Kongreßabgeordneter.«

»Vater möchte, daß Sie etwas für die Milch tun«, sagte Frederika, den Blick jetzt nachdenklich auf Blaise. Endlich war es ihm gelungen, ihre Aufmerksamkeit von dem anderen fort auf sich selbst zu lenken.

»Aber ich komme doch aus keinem Rinder-Staat«, sagte Day, für Blaise antwortend.

»Sie sind naiv!« Caroline schien ihm ein hohes Kompliment zu zollen; und prompt tat Day ihr den Gefallen und wurde rot. »Die Tatsache, daß es in Ihrem Staat keine einzige Kuh gibt, bedeutet doch nur, daß Sie, wenn Sie schließlich etwas für alle Kühe der Nation tun – ich weiß nicht, was das sein könnte, aber Mr. Bingham wird's Ihnen schon sagen –, den Ruf haben werden, selbstlos und altruistisch zu sein und ein Freund der . . .«

» . . . Milchproduzenten«, ergänzte Day, während die Bronzetönung seiner Haut sich noch zu vertiefen schien.

»Nein. Nein. Der Kühe.« Caroline sagte es emphatisch.

»Vater mag sie wirklich.« Nachdenklich und mit immer noch schiefem Lächeln betrachtete Frederika Blaise. »Kühe, meine ich. Manchmal wandelt er einen ganzen Tag lang wie verträumt in dieser Molkerei von ihm – der in Chevy Chase – herum.«

»Ich weiß, wie ihm zumute ist.« Blaise sah, daß Caroline im Begriff stand, eine Arie zu improvisieren. Mühelos und mit verblüffender Spontaneität konnte sie sagen, was andere hören wollten. »Auf Saint-Cloud-le-Duc ging es mir ganz genauso. Erinnerst du dich, Blaise? Die Kühe, das Melken, jene Butterfässer, wo die Butter noch immer auf dieselbe Weise gemacht wird wie zu der Zeit, da Louis XV dort weilte? Es war das Paradies mit – nein, nicht Gott – sondern den Kühen im Zentrum . . .« Während Caroline noch bei ihrer Hymne auf Ihre Majestät, die Kuh, war, zog Day eine kleine, pummelige, hübsche Frau näher zu sich und sagte: »Das ist Kitty, meine Frau.«

»Die Kuh . . .«, wiederholte Caroline wie geistesabwesend; und verstummte, während sie der Frau höflich die Hand reichte. »Was für eine Überraschung«, sagte sie.

Blaise verstand ihre Enttäuschung. James Burden Day war ein außergewöhnlich attraktiver Mann und mochte auf Carolines Liste möglicher Kandidaten gestanden haben. Die Eile, mit der Caroline sich jetzt daran machte, Kitty zu bezaubern, überzeugte Blaise davon, daß er recht hatte. »Mr. Day hat niemals davon gesprochen, daß er womöglich . . . und mit *Ihnen!*« rief sie mit Augen, die zu strahlen schienen vor lauter Bewunderung für Kitty. »Oh, was für ein *Glückspilz* ist er doch! Und wie schön für *uns*, Sie in Washington zu haben. Nicht wahr, Blaise? Allerdings lebst du ja jetzt in Baltimore . . .«

»Oh, nein, tu ich nicht«, knurrte Blaise.

Doch Caroline war nicht zu bremsen. »War wohl sehr plötzlich, wie? Wir hier haben nichts davon gehört, und uns – das heißt, Frederikas Mutter und der ›Society Lady‹ der Tribune – entgeht so leicht nichts.«

»Nun ja, es kam alles ganz plötzlich«, sagte Kitty. Sie hatte eine dunkle, nasale Stimme von jener Art, wie Blaise sie am wenigsten mochte in einem Land, wo es kaum jemanden gab, dessen Stimme ihm nicht auf die Nerven ging.

»Wir haben«, sagte Day, »am Wahltag geheiratet. So hatten wir es von jeher geplant«, fügte er hinzu.

»Nur, falls du gewählt werden würdest.« Kittys Bemerkung hatte eine humorvoll nüchterne Note. »Ich dachte nicht daran, jemanden zu heiraten, der sein Leben lang in American City bleiben würde, um dort als Dutzendanwalt zu praktizieren. Nein, Sir«, sagte sie zu Caroline, die das »Sir« mit leicht gequältem Lächeln aufnahm. »Ich wollte raus aus unserem Staat; war darauf fast genauso erpicht wie Jim Day – der Kongreßabgeordnete Day, wie ich ihn jetzt ja wohl nennen muß.«

»Doch sicherlich nicht beim Frühstück.« Caroline war die verkörperte Liebenswürdigkeit.

Mrs. Bingham, einen Zwist witternd, wenn nicht gar ein Drama, näherte sich, während Frederika entfloh. »Ist das nicht eine Überraschung?« Ihre Stimme hatte einen anklagenden Klang. »Niemals hat Mr. Day durchblicken lassen, daß er in seine Heimat zurückkehrte, um dort gewählt zu werden und zu heiraten, und zwar Richter Hallidays Tochter. Richter Halliday«, erläuterte Mrs. Bingham, »ist in jenem Staat das, was Mark Hanna in Ohio ist; und wohl noch einiges mehr.«

Blaise registrierte Days verlegenes Lächeln. Kitty ihrerseits ähnelte jener Katze aus der Fabel, die den Kanarienvogel verschluckt hat. Während Caroline sich bereitmachte, weitere Gipfel der Heuchelei zu erklimmen, wurde Blaise sich unvermittelt der Sexualität seiner Schwester bewußt, die in keiner Weise geschwächt wurde durch ihre Unschuld – oder wohl eher Unwissenheit. Unwillkürlich fragte er sich, wie es wohl wäre, die Rolle mit ihr zu tauschen; doch als er dann Day und Kitty betrachtete, besann er sich eines Besseren. Denn da war so etwas wie eine Mauer, die ein Mann vielleicht durchbrechen konnte, jedoch keine Frau; zumindest nicht in dieser Welt. Hier waren die Karten so gemischt, daß eine Frau von vornherein keine Chance hatte; ein Mann hingegen hatte relativ freies Spiel.

Kitty sprach von Häusern und Bediensteten, während Caroline sich jeglicher hilfreicher Äußerung strikt enthielt. Day sah Blaise an. »Ich hoffe, wir sehen uns ab und zu, da Sie nunmehr in der Nähe sind.«

»Das hoffe ich auch.« Und kühn, wenn auch nicht tollkühn, fügte Blaise hinzu: »Allerdings werde ich ›nicht in der Nähe‹ sein. Sondern direkt hier.«

»In Washington?« Die sandfarbenen Augenbrauen wölbten sich zu Bögen.

»Ja, in Washington. New York ist zu weit entfernt, und Baltimore befindet sich eigentlich nirgendwo. Ich suche ein Haus«, improvisierte er, durch Caroline inspiriert. Schließlich war sie nicht die einzige, die in Gesellschaft anderer ein glanzvolles Garn spinnen konnte.

»Dann werden wir also mehr von Ihnen sehen.« Day war vollkommen locker; charmant. »Es wird nicht so sein, wie es einmal war – ohne Del.«

»Ich glaube, ich werde ein Haus bauen«, sagte Blaise, Sentimentalitäten vorbeugend. »In der Connecticut Avenue. Das beste nur denkbare Landleben, das beste nur denkbare Dorfleben. Ich bin sicher, sie hätte niemals . . .«, Blaise senkte seine Stimme, obschon Caroline und Kitty im allgemeinen Stimmengewirr auch so kein Wort verstanden hätten, » . . . nein, niemals hätte sie Del geheiratet.«

»Wieso sind Sie sich da so sicher?«

»Ich kenne sie«, log Blaise. »Besser als mich selbst.« Er sagte die Wahrheit.

4

John Hay stand am Fenster von Henry Adams' Arbeitszimmer und blickte hinab auf die Passanten. Das Stachelschwein war stets aufs neue verwundert, wie viele Menschen Hay wiedererkennen konnte, zumal jetzt, da alle durch das Alter auf dramatische Weise verändert wurden. »General Dan Sickles, an Krücken«, verkündete Hay, als der alte, trübäugige Krieger, Mörder und Liebhaber der Königin unterhalb des Fensters die eisige H Street entlanghumpelte.

»Der ist doch sicher längst tot.« Seit einiger Zeit tat Adams so, als müsse man davon ausgehen, daß alle aus ihrer Bekanntschaft tot seien – sofern es keine Beweise für das Gegenteil gab.

»Er könnte zweifellos tot sein.« Hay gab sich gleichmütig. »Aber er hat die Gewohnheit angenommen, sich umherzubewegen, ähnlich wie Lazarus. Übrigens, wo hat er sein Bein gelassen?«

»Ist ihm in der Schlacht von Gettysburg abgeschossen worden – der Schlacht, die er ums Haar für uns Prahlhänse verloren hätte.«

»Nein. Nein.« Hay lehnte seinen Rücken so behaglich, wie es irgend ging, gegen die Kissen. »Als das Bein durch eine Kanonenkugel abgetrennt wurde, schickte er jemanden aus, um es zu finden. Dann ließ er ein hübsches Behältnis dafür anfertigen, damit er es mitnehmen konnte. Soweit ich weiß, sagte er, er wolle es einem seiner Clubs in New York zum Geschenk machen.«

»Ein weiterer Punkt gegen New York. Ich würde Sickles in *keinen* Club aufnehmen, von seinem Bein ganz zu schweigen.« Adams setzte sich an den Kamin; er trug eine Samtjacke von dunkler Purpurtönung. Wie stets am Sonntag war die Frühstückstafel reichlicher gedeckt als sonst. Um die Mittagsstunde würden Gäste eintreffen. Hay war nie sicher, wie viele davon wirklich eingeladen worden waren und wie viele sich ganz einfach einstellten. Bei entsprechenden Fragen gab sich Adams mysteriös. »Alles ist Zufall«, pflegte er zu murmeln. »Wie das Universum.«

Doch an diesem Morgen war bei den beiden Männern keineswegs alles Zufall. Ende Dezember war Adams aus Europa zurückgekehrt, gerade rechtzeitig, um am Neujahrstag in New York City der Bestattung von Clarence Kind beizuwohnen. Er hatte sich länger als gewöhnlich in der Stadt aufgehalten. Er sei, so schrieb er Hay, über Kings Testament überrascht; mehr sagte er nicht.

Am Abend zuvor, beim Dinner bei den Hays, hatte Adams Hay ins Ohr geflüstert, daß er ihn gern unter vier Augen sprechen würde, noch vor dem Frühstück am folgenden Tag. Als Hay an diesem Morgen gekommen war, hatte Adams sich aufreizend geheimnisvoll gegeben, indes er langsam die Schubladen seines Schreibtischs durchforschte und irgendwelche Papiere zusammenlas, so daß Hay sich schließlich ans Fenster zurückzog, um sich durch den Anblick der Passanten abzulenken, von denen viele auf dem überfrorenen Pflaster unterhaltsamerweise ausrutschten, ja hinpurzelten. Allein der einbeinige Sickles bewegte sich auf sicherem Fuß.

»Das Testament«, sagte Adams schließlich.

»Das Vermögen . . . ?« Hay kam sofort zur Sache.

»Nun, es wird Gelf verfügbar sein. Die Gemälde- und Antiquitätenkollektion unseres Freundes lagert in der 10. Straße in New York City, und der Erlös daraus, nach einer Auktion, sollte genügend Geld für einen vernünftigen Zweck erbringen.«

»Was, lieber Henry, verstehst du unter vernünftig' und was unter Zweck'?«

Doch Adams starrte ins Feuer, als blicke er, sie anbetend, in die Sonne. »Du weißt doch, John, daß für King, auf seine robuste Art, und für mich, auf meine nervöse Art, die Frau – das Weibliche – alles ist im Himmel wie auf Erden . . .«

»Deine Heilige Jungfrau aus dem 12. Jahrhundert . . .«

»*Unsere* Heilige Jungfrau; die man noch wirklich anbetete in jenem letzten intakten Jahrhundert; und derer man heute gedenkt in Mont-St.-Michel und in Chartres.«

Obwohl Hay viel Verständnis aufbrachte für Adams' nimmermüden Enthusiasmus, der völlig auf die ideelle Vorstellung von der Frau als Jungfrau und Muttergottes gerichtet schien, fühlte er sich außerstande, irgendeine Verbindung zwischen der gleichsam literarischen Feierlichkeit des Stachelschweins und Clarence King herzustellen, der als Junggeselle gestorben war. Doch Adams ließ sich nicht zur Eile treiben, und Hay lehnte sich wieder zurück auf den Fenstersitz und betrachtete, wenn auch fast blicklos, Blakes Bild von Nebukadnezar, jenem vom Wahn geschlagenen babylonischen Monarchen, der, auf allen vieren kauernd oder kriegend, Gras zu kauen schien. »King sah den Mann, das Männliche, eher als eine Art

Hülle oder Krebsgehäuse an, dessen der Krebs – nein, die Frau – sich entledigen kann, wenn sie es, gleich so manchem Muschelwesen, nicht mehr benötigt. *Sie* ist die eigentliche Energie, die eine Hülle oder ein Gehäuse benutzt, solange sie es braucht. King war offensichtlich ein primitiverer, fundamentalerer Mann, als ich es bin. Obwohl das Weibliche – als die *Idee* der Frau – von uns beiden hoch verhert wurde, sah und sehe ich sie als die jungfräuliche Königin einer geordneten, perfekten Welt, während er sie verherrlichte als erdhaftere, primitivere Göttin und Urmutter, die erfüllt war vom Erbe jedweder belebter Energie bis hin zu den Polypen und den Kristallen.«

Selbst für Adams, fand Hay, war dies schon mehr als hochgestochen. Zweifellos hatten beide Männer – Adams wie King – auf den Inseln im Südpazifik eine Art Amoklauf veranstaltet, um altgoldenen Frauen den Hof zu machen, doch aus dem Glück zweier gehemmter amerikanischer Gentlemen des 19. Jahrhunderts ein Glücks*system* machen zu wollen, hieß denn wohl doch, den Bogen zu überspannen.

»Jedenfalls war es unserem Freund vergönnt, sein Ideal, seine Inspiration zu finden, und 1883 heiratete er sie.«

Hay fiel fast von seinem Fenstersitz. »Clarence King war verheiratet?«

Adams senkte aufreizend knapp sein rosig kahles Haupt. »In der 24. Straße von New York heiratete er Ada Todd, mit der er fünf Kinder hatte.«

»Eine *heimliche* Heirat?« Hay hatte das Gefühl, dem Wahnsinn nahe zu sein.

»Ja. *So* geheim, daß er Ada bis zum Ende niemals seinen wahren Namen verriet. Er nannte sich James Todd, und die Familie, Ada und die Kinder, brachte er in jenen lieblich-ländlichen New Yorker Gefilden namens Flushing unter.«

»Henry, falls du wieder Romanautor geworden sein solltest . . .«

»Nein, nein. Die Wahrheit ist für einen reinen Historiker bizarr genug. King war noch immer in der Lage, genügend Geld zu machen, damit seine Familie komfortabel leben konnte; in ihrer ländlichen Einfachheit à la Horaz, wo wild die Ginkgo-Bäume wuchern und der lokale Service genügt, um ihnen arkadischen, wenn auch anonymen Komfort zu garantieren.«

Während Hay immer ungeduldiger wurde, wurde Adams immer lyrischer. »Vermutlich ahnst du's bereits – ich habe sie wahrgenommen, die leichte Veränderung deines Gesichtsausdrucks, als ich das Wort ›anonym‹ gebrauchte. Es gab treffliche Gründe dafür, daß King nicht wollte, daß die Welt – oder selbst die ›Herzen‹, bedauerlicherweise – das Geheimnis seines Lebens kannte. Ada war sein Ideal, natürlich, eine Erdgöttin, urhaft, eine Bewahrerin kosmischer Energie . . .«

»Henry, in Gottes Namen . . .«

»John.« Adams hob, sanft verweisend, eine Hand. »Ich bin noch nicht fertig mit dem Geheimnis des – nein, mit dem geheimen Leben. Unmittelbar bevor er wieder in Richtung Westen zog, gelangte er zu dem Schluß, daß es für seine Familie, die noch immer den Namen Todd trug, das Beste sein würde, in jenen Teil der Welt zu übersiedeln, der euch gegenwärtig soviel Sorge bereitet – jenseits der berüchtigten Alaska-Grenze . . .«

»Also Kanada?«

»Du sagst es. Er zog mit der ganzen Familie nach Toronto, wo sich die Söhne immatrikuliert haben in . . .«, Adams warf einen Blick auf das Papier auf seinem Schoß, » . . . etwas, das sich Logan School nennt . . .«

»Warum Kanada?«

»Weil es dort eine Art von Toleranz gibt, die nicht vergleichbar ist mit dem, was bei uns unter dieser Bezeichnung verstanden wird – oh, man könnte von der *Gnadenlosigkeit* der Identität bei uns sprechen. Von unserer nationalen Mißbilligung jeglicher und jedweder Mesalliance.«

Hay nickte. »Das kann ich verstehen, zumal er seiner Frau und seiner Familie jetzt seinen Namen gegeben hat. Denn das ist doch wohl der Fall, oder?«

Adams nickte. »Sofern Ada den Namen überhaupt gebrauchen will, natürlich. Das hat er klargestellt in seinem Testament, von dem du selbstverständlich zu gegebener Zeit eine Kopie erhalten wirst . . .«

»Warum hast du bereits eine Kopie davon und ich nicht?«

»Ein Freund – *unser* Freund Gardiner – gab mir eine Art vorläufiges Vorausexemplar. Sobald das Testament rechtskräftig und Kings Nachlaß veräußert ist, wird Kings Witwe in der Lage sein, in gemäßigtem Komfort zu leben, als Mrs. Todd oder als Mrs. King, in Toronto oder in Flushing oder in . . .«

»Das hört sich an wie eine der Geschichten des armen Stephen Crane. Der Gentleman und die – gefallene – Lady, die illegitime Familie, die falschen Namen . . .«

»Oh, es ist eine weitaus kühnere Geschichte, als Mr. Crane sie je geschrieben hat. Denn, lieber John, Kings vollkommene Frau, wenn auch nicht Ehefrau, die Mutter seiner fünf Kinder, die Verkörperung der ursprünglichen, universalen Göttin, für welche der Mann – das Männliche – ohne Nutzen ist, sobald er seiner biologischen Funktion genügt hat, dieses glorreiche Wesen aus prähistorischer Zeit, diese Ada Todd, ist eine Negerin.«

Scharf entwich Hays Atem aus seinem Mund; entwich alles Blut aus seinem Kopf. Für eine winzige Sekunde hatte er das Gefühl, ohnmächtig zu werden. Dann versuchte er, sich zu fassen. »Clarence King heiratete eine Negerin! Aber . . . das ist doch unmöglich.«

»Du bist nie auf Tahiti gewesen.« Geruhsam behaglich blickte Adams ins Feuer.

»Aber du warst dort, und dennoch habe ich hier nie eine dunkelhäutige Mrs. Henry Adams gesehen . . .«

»Weil es mich weiterzog – und sozusagen hinauf. Zur Jungfrau von Chartres, einer weiteren, noch vollkommeneren Avatara der Urgöttin, welche . . .«

»Ich will verdammt sein«, sagte John Hay, als William langsam die Tür des Arbeitszimmers öffnete, um zu melden: »Die jungen Ladys würden gern ihre Aufwartung machen . . .«

Adams erhob sich; und setzte seine Onkelmaske auf, auch wenn ein plötzliches Glitzern in seinen Augen ahnen ließ, daß etwas latent Dämonisches noch immer zu seiner Natur gehörte.

Drei junge Damen füllten den Raum. Hay hatte sich noch nie erklären können, wie es kam, daß seine beiden Töchter und ihre Freundin Alice Roosevelt soviel Raum einnehmen, soviel Luft einatmen und soviel Atmosphäre – eine treffendere Bezeichnung fiel ihm nicht ein – hereintragen konnten; doch genau das taten sie.

Die drei schwärmten gleichsam um Onkel Henry herum; empfingen keusche Berührungen seiner Hände, erhoben zu päpstlichem Segen. Helen glich immer mehr Clara, während Alice eher ihrem

Vater nachzuschlagen schien. Die Präsidententochter hingegen hatte, glücklicherweise, recht wenig von ihrem Vater. Alice Roosevelt wirkte eher stattlich als hübsch; mit einer schlanken Figur und marmorgrauen Augen; sie hielt sich sehr gerade und »trug« sich wie eine königliche Prinzessin – als welche sie sich auch betrachtete. Überdies neigte sie zu Demonstrationen manischer Energie, darüber hinaus gab es bei ihr bereits Anzeichen für behenden, höchst undemokratischen – und dennoch kaum königlichen – Witz. Henry Adams gab vor, sich von ihr eingeschüchtert zu fühlen. Rollengerecht unternahm sie es, Onkel Henry einzuschüchtern. »Sie müssen ganz einfach zu der Party kommen. Es geschieht doch nicht alle Tage, daß ich, wie man das so nennt, im Weißen Haus mein Debüt gebe . . .«

»Ich bin zu alt, liebes Kind . . .«

»Natürlich sind Sie das. Aber wir werden sie so zurechtmachen, wie den – wer war das noch bei dem Fest?«

»Themistokles . . .«

»Mr. Hay, bewegen Sie ihn dazu, daß er kommt!« Alice Roosevelt wandte sich herum zu Hay, einen Arm hocherhoben wie die Siegesgöttin.

»Ich werde tun, was ich kann.«

Helen ließ sich, mit etwas zuviel Wucht, in den Stuhl gegenüber von Adams plumpsen, jenen großen, gleichsam ihrer Mutter geweihten Stuhl, deren Dimensionen – wie Hay erleichtert registrierte – die Tochter denn doch noch nicht erreichte. Überdies empfand er Erleichterung bei dem Gedanken, daß Helen im nächsten Monat Payne Whitney heiraten würde. Denn falls Helen weiter so zulegte – er wagte gar nicht, sich vorzustellen, wie es sein würde, zwischen Scylla und Charybdis zu leben, zwischen seiner großformatigen Frau und einer altjüngferlichen Tochter von, wohl bald schon, ähnlichen Ausmaßen.

»Alle *anderen* kommen doch.« Alice Roosevelt saß kerzengerade. »Natürlich wird es langweilig sein. Vater und Mutter wollen für mich kein Geld ausgeben. Andere junge Mädchen bekommen einen Kotillon. Und ich? Kein Gedanke! Alice, die einfache Republikanerin, kriegt nur einen Tanz. Und Punsch. Nicht einmal Champagner. Punsch!« rief sie, so wie ihr Vater wohl »Bully!« gerufen hätte.

»Punsch ist für junge Leute doch sicher ganz passend«, sagte Hay in freundlichem, großväterlichem Tonfall, während er an nichts anderes denken konnte als an üppige schwarze Frauen mit schweren Brüsten und strammen Leibern – Krebsen in *seinem* Gehäuse oder *seiner* Hülle, um Henrys häßliche Metapher zu gebrauchen. Was für ein Glück hatte King doch gehabt. Als er starb, hatte er »eine Frau« gehabt – und überdies eine Frau, wie der abenteuerarme Hay keine mehr gekannt hatte seit seiner Zeit als ein sehr junger Mann, der in Europa ein Junggesellenleben führte. War es jetzt zu spät? Natürlich, da doch der Tod auf ihn lauerte; aber das war auch bei King so gewesen. Wo ein Wille war, war auch ein Eros. Außerdem war da noch Thanatos, ergänzte er grimmig diesen Traumgedanken. Nie, niemals mehr würde er sich wärmen können an warmer, seidener Haut.

»Im East Room werden wir einen Hartholzfußboden haben anstelle des abscheulichen senffarbenen Teppichs samt jener runden Sitze, aus denen die Palmen hervorsprießen. Es ist ein schreckliches Haus, Onkel Henry, nicht wahr?«

»Nun ja«, begann Adams, »es ist noch nie ein *fashionables* Haus gewesen.«

»Vater wird alles umgestalten, sobald er den Kongreß dazu bewegen kann, das Geld dafür auszuspucken. Es ist unerträglich – wir alle im oberen Stockwerk und dazu auch noch Vaters Amtszimmer, auf so engem Raum. Wir werden uns die gesamte Etage vornehmen, von West bis Ost . . .«

»Und wo wird der Präsident sein Amtszimmer haben?« Soweit Hay sich erinnern konnte, hatte jede Administration versucht, das Weiße Haus umzugestalten; trotzdem war seit Lincolns Zeit wenig verändert worden, von dem merkwürdigen Tiffany-Wandschirm einmal abgesehen.

»Vater wird die Gewächshäuser abreißen lassen und dort sein Büro einrichten. Also wird er sich praktisch in unmittelbarer Nachbarschaft zu Ihnen und zum Außenministerium befinden.«

»Ist das klug?« Selbst der Ikonoklast Adams – der Bilderstürmer, für den das Weiße Haus gleichsam *per se* ein rotes Tuch war – zeigte sich entsetzt.

»Entweder unsere Familie wird kleiner, oder das Haus wird größer«, deklarierte die republikanische Prinzessin.

»Alice weiß, was sie will, was sie will!« applaudierte Helen.

Wieder erschien William in der Tür; diesmal stand er besonders steif, während er meldete: »Der Präsident.«

Alle, auch die republikanische Prinzessin, erhoben sich, als Roosevelt im Morgenanzug hereingehüpft kam, ganz so, als jage er, zwei Stufen auf einmal nehmend, die Treppe empor, seine übliche Praxis, welche, wie Hay mit wahrer Wonne überlegte, den kurzen, dicken Körper früher oder später zusammenbrechen lassen würde. »Ich bin in der Kirche gewesen!« Seit einiger Zeit hatte er es sich zur Gewohnheit gemacht, nach dem Kirchgang bei Hay hereinzuschauen, so daß der Souverän und sein Außenminister dann und wann einige oft wichtige Minuten miteinander verbringen konnten, abseits von Sekretären und Besuchern. Der Präsident, Hay hatte es längst entdeckt, konnte einfach nicht allein sein. Selbst wenn er sich, eine Familienleidenschaft, irgendwelcher Lektüre widmete, tat er das gern im Kreis von anderen Lesebeflissenen. »Ich hörte, daß Sie hier waren, zum Frühstück . . .«

»Gesellen Sie sich doch zu uns, Mr. President.« Adams war sanft wie Samt.

»Oh, nein! Ihre Speisen sind viel zu gut für jemanden wie mich.«

»Geschnetzeltes Rind sagt dem Präsidenten zu.« Alice schnitt eine Grimasse. »Und so hübsches Haschee mit Ei darauf. Und Ketchup.«

»Perfektes Frühstück! Würde Alice sich körperlich ertüchtigen, so würde auch sie Haschee essen. Prinz Heinrich von Preußen.« Roosevelt schleuderte Hay diesen Namen zu; nahm dann vor dem Kamin eine imperiale Pose ein; und klickte seine Zähne dreimal gegeneinander.

»Vater!« Alice schauderte. »Laß das bitte. Du weißt doch, daß schon der leiseste Windhauch meine unteren Zähne *schwanken* läßt . . .«

»Ich verursache doch keinen Windhauch!«

»Aber du klickst mit den Zähnen, was mich daran erinnert . . . Schau!« Alice öffnete weit ihren Mund. »Das Entsetzliche!«

Doch das einzige, was Hay sehen konnte, war die untere Reihe von Zähnen, die etwas kleiner waren als die oberen Grabsteine. *»Sie sind sämtlich locker«*, sagte sie triumphierend mit noch immer offenem Mund – und entsprechend undeutlicher Diktion.

»Mach ihn doch zu, bitte!« Roosevelt preßte, wie um seiner Tochter ein väterliches Beispiel zu geben, seine Lippen fest aufeinander.

»Ich hätte sie mir sämtlich ziehen lassen sollen. Aber dann würden mir natürlich alle jungen Damen der Gesellschaft in Amerika nacheifern. Eine Nation zahnloser Mädchen – ähnlich wie die chinesischen Frauen mit ihren künstlich verkrüppelten Füßen . . .«

»Alice, deine Zähne sind als Thema für uns erschöpft.«

»Ich«, sagte Adams, »fing gerade an, Geschmack zu gewinnen an dieser dentalen Metamorphose bezüglich des amerikanischen Mädchens, geschildert so in etwa von Henry James . . .«

»Verweichlichter Snob!« Roosevelts Augen blitzten.

»Prinz Heinrich von Preußen«, nahm Hay das Stichwort wieder auf.

»Ach ja. Er will im Februar kommen, um die Yacht in Empfang zu nehmen, die wir für den Kaiser bauen – so oder so ähnlich hat's mir in der Kirche der alte Holleben gesagt, der sich zum Presbyterianer gemausert hat, zumindest für diesen einen Tag. Was werden wir tun?«

»Dem Prinzen ein Staatsbankett geben. Ihn jedoch nach Möglichkeit davon abhalten, im Land herumzureisen.«

»Da ich eine junge Dame der Gesellschaft bin«, sagte Alice, »werde ich sicher gebeten werden, ihn zu – charmieren. Ist er verheiratet?« Alice bewegte sich jetzt, ihren Vater imitierend, im Raum umher, nur daß sie beim Schreiten ihr langes Kleid bald in diese, bald in jene Richtung schwenkte, ganz als handle es sich um eine königliche Schleppe. »Wenn ich ihn heiraten würde, so wäre ich Prinzessin Alice von Preußen, nicht wahr? Ein angenehmeres Schicksal als, nun ja, Oyster Bay . . .«

»Prinzessin Heinrich, würde ich denken.« Adams sonnte sich in onkelhafter Glorie. »Sie werden den Teutonen zivilisieren. Sofern das überhaupt möglich ist.«

»Die Teutonen vielmehr noch mehr barbarisieren.« Roosevelt gab sich forsch. »Aber er ist bereits verheiratet, und niemals würde eine Roosevelt einen Preußen heiraten.«

»Es sei denn, die nächste Wahl stünde unmittelbar bevor«, ergänzte Hay.

»Außergewöhnlich!« Aus Roosevelts Mund klang das Wort, als habe es mindestens eine Silbe zuviel. »Die Loyalität, welche gewöhnliche Amerikaner Deutschland gegenüber empfinden. Man stelle sich nur vor, unsere Gefühle gegenüber Holland wären die gleichen.«

»Wir sind länger fort gewesen«, sagte Alice. »Kommt, Mädchen.« Sie rauschte hinaus, Hays Töchter im Schlepptau.

»Es ist nett von Ihnen, Alice bei sich aufzunehmen.« Roosevelt ließ sich auf dem Stuhl nieder, den Helen frei gemacht hatte. »Sie ist so strapaziös.«

»Genau wie ihr Vater.« Hay dachte an schwarze Frauen; und sprach von Prinz Heinrich. »Er kommt zu einem bestimmten Zweck. Um die Deutsch-Amerikaner aufzuputschen.«

»Das werden wir nicht zulassen. Er gilt als Gentleman. Im Gegensatz zu seinem Bruder. Der Kaiser ist, alles in allem, ein Geck. Nun, eines Tages wird er zu weit gehen. Er wird seinen Kopf zu weit vorstrecken, direkt auf den Henkerklotz.« Roosevelt klatschte die linke in die rechte Hand; das Geräusch knallte wie ein Pistolenschuß. »Kein Kopf. Kein Kaiser.«

»Dann werden wir der König der Burg sein?« Adams' Stimme klang mild; ein, wie Hay wußte, ausnahmslos gefährliches Zeichen. Adams verlor zunehmend die Geduld; nicht nur gegenüber dem kriegslustigen Präsidenten, sondern auch gegenüber seinem eigenen Bruder Brooks, der niemals aufhörte, den amerikanischen Adler zum Kreischen zu bringen.

»Schon möglich.« Roosevelt zeigte sich genauso mild; und auf der Hut.

»Brooks glaubt, wir befänden uns jetzt in dem schicksalshaften Augenblick.« Adams lächelte Nebukadnezar zu. »Die Beherrschung der Welt, sie liegt zwischen uns und Europa. Also, wem fällt sie zu?«

»Oh, Sie müssen am Donnerstag kommen und uns aufklären.« Roosevelt ließ sich nicht manipulieren. Er war, wie Hay zu seiner Überraschung entdeckt hatte, äußerst gerissen. Allem Lärm ringsum zum Trotz war und blieb er eine Art Rechenmaschine, die immerfort arbeitete. »Wir treffen uns um neun Uhr und lauschen dann . . .«

». . . meinem Bruder. Was ich nicht ertragen könnte, Mr. President. Schließlich bin ich gezwungen, ihm zuzuhören, wann immer es mir, wann immer es *ihm* gefällt.«

»Wir werden uns einen Donnerstag aussuchen, an dem er nicht da ist.« Roosevelt hatte sich erhoben. »Ihre Frühstücksgäste werden bald kommen. Gentlemen.«

Adams und Hay erhoben sich; ihr Souverän strahlte auf sie hernieder; und entschwand.

»Er wird uns einen Krieg bescheren.« Adams gab sich düster.

»Da bin ich mir nicht so sicher.« Hay näherte sich dem plötzlich irgendwie kalten Kamin. »Doch erstrebt er die Herrschaft über diese Erde, für uns . . .«

»Für sich selbst. Sonderbarer kleiner Mann«, sagte Adams, selbst so klein wie Theodore, so klein wie Hay; *drei* sonderbare kleine Männer, dachte Hay. »Jetzt gibt es drei von uns.« Adams blickte zu Hay, eigentümlich verloren.

»Drei sonderbare kleine Männer?«

»Nein. Drei Herzen, wo es einmal fünf Herzen gab.«

Hay empfand eine plötzliche Erregung, wie er sie seit Jahren nicht mehr empfunden hatte; gewiß nicht mehr, seit er angefangen hatte zu sterben. »Gibt es eine Fotografie?« fragte er mit einer Stimme, deren Zittern er selbst deutlich vernahm. »Von ihr?«

»Von wem?« Adams schien durch das Flackern des Kaminfeuers irritiert.

»Von der schwarzen Frau.« Die Wendung hallte gleichsam in Hays Kopf wider, und plötzlich war seine Phantasie, wie die eines Jungen, erfüllt von Bildern weiblichen Fleisches.

»Als sein Testamentsverwalter meine ich, daß du eine Fotografie von ihr verlangen könntest. *Droit de l'avocat,* wie sich das wohl bezeichnen ließe. King hat uns alle ausgestochen. Wir sind sämtlich vor langer Zeit gestorben; und haben dann weitergelebt. Er hat weitergelebt, längst nachdem er hätte tot sein sollen.«

Zwei Herzen dahingegangen, dachte Hay; blieben noch drei. Wer wohl war als nächster an der Reihe? fragte er sich selbst; als wüßte er die Antwort nicht.

Teil X

1

Der Apostel der Pünktlichkeit verspätete sich, wie gewöhnlich. John Hay stand im Eingang zur Kirche – der Presbyterian Church of the Covenant – und hielt in der hocherhobenen Hand eine Uhr, um der Verspätung des Präsidenten und seiner Familie dramatischen Ausdruck zu verleihen. Das Mittelschiff der Kirche war überfüllt von Würdenträgern. Zum Verdruß der Gemeindemitglieder war der Eintritt ins Haus Gottes – im Gegensatz zu jenem ins Paradies – nur mit einer Karte möglich. Der Senat, das Kabinett, der Oberste Gerichtshof und das Diplomatische Korps waren sämtlich vertreten, auch wenn so manches ihrer Mitglieder durch Abwesenheit glänzte und damit für den Rest der Saison für gesellschaftliche Spannungen sorgte. Clara hatte den Einfall – um nicht zu sagen, die Inspiration – gehabt, Henry Adams zwischen den chinesischen Botschafter Wu und den japanischen Botschafter Takahira zu plazieren. Und so kam es, daß das cherubinische Stachelschwein jetzt einem uralten und nicht sonderlich gütigen Mandarin ähnelte, umschlungen vom Orient.

Was die Whitneys betraf, so hatten sie Hay mehr Kopfschmerzen bereitet als der Kanal-Vertrag. Völlig unheilbar schien der Riß zwischen William C. Whitney, zu dem zwei seiner Kinder hielten, und seinem früheren Schwager, dem Junggesellen Oliver Payne, dem die beiden anderen ergeben waren, darunter auch der Bräutigam des heutigen Tages, Payne. Hay hatte die Payne-Faktion zur einen Seite des Mittelganges plaziert und die Whitney-Faktion zur anderen. Große Verwirrung war entstanden, als sich zeigte, daß William Whitney ohne seine Karte zur Kirche gekommen war, so daß ihn die Polizei zunächst nicht hereinlassen wollte – zur kaum verhohlenen Freude von Oliver Payne, der bereits froh und fromm auf seinem Sitz saß. Als Hay Whitney dann durch die Polizeiabsperrung lotste, war er wie stets darüber bestürzt, wie unglaublich schnell selbst die berühmtesten Männer der Vergessenheit anheimfielen, wenn sie kein Amt mehr bekleideten. Whitney, Königsmacher und sogar selbst einmal eine Art Thronanwärter, war nur einer von vielen Gästen bei der Trauung zwischen seinem Sohn und Helen Hay.

Wie eine Postkutsche auf der Flucht vor Wegelagerern kam die Präsidenten-Equipage die Massachusetts Avenue herabgejagt, mit einem schnaubenden Gespann, dessen Leiber in der Kälte dampften. Bevor die Wachen vor der Kirche die Türen der Kutsche öffnen konnten, sprang der Präsident bereits heraus, der einen seidenen Zylinder trug. Weitaus majestätischer entstieg Edith Roosevelt dem Gefährt, ihrerseits gefolgt von Alice, die – in dunkelblauem Samt und mit hochelegantem schwarzen Hut – wie ein Geschöpf aus einem Gainsborough-Gemälde wirkte. Hay stand da, die Uhr noch immer in der inzwischen allerdings gesenkten Hand.

»Wir sind *absolut* pünktlich«, log der Präsident.

»Natürlich. Natürlich.«

In der Tür erschienen Bedienstete, deren Aufgabe es war, die eintreffenden Gäste zu ihren Plätzen zu geleiten. Rasch formierten sich Ihre republikanischen Majestäten, um sich sodann mit altpriesterlichen Schritten – die in Hays Augen allerdings einer Art Watscheln glichen – durch den Mittelgang zu ihren Plätzen in der vordersten Reihe zu begeben.

Kaum hatten die Roosevelts Platz genommen, erscholl auch schon der Hochzeitsmarsch, und Hay, frei von Schmerzen zwar, jedoch mit einem sonderbaren Schwächegefühl, trat zur wie angststarren Helen, prachtvoll gehüllt in weißen Satin und Tüll – oh, ein kunstvolles Werk aus Spitzen, sie hatte darauf bestanden; unter den Augen des offiziellen Washington übergab Hay, als es soweit war, seine Tochter dem hochgewachsenen, stattlichen Payne Whitney, während Clara auf ihrem Platz leise weinte und Henry Adams, umrahmt von Asien, unglaublich alt und klein wirkte.

Das Hochzeitsfrühstück war für Hay mit seinem stets wachen Sinn für Dramatik von großem Reiz. Er hatte fünfundsiebzig Gäste geladen, mit der Folge, daß ein Teil dieser Flut vom Speisezimmer unvermeidlich in sein Arbeitszimmer schwappte, wo er im Erkerfenster William C. Whitney und Oliver Payne nebeneinander an einen Tisch gesetzt hatte. Da der Präsident und Mrs. Roosevelt gleichfalls an diesem runden Tisch saßen, war tadelloses Benehmen garantiert. Ergänzt hatte Hay die Runde noch durch die Whitelaw

Reids, deren ewig reger Ehrgeiz nach gesellschaftlicher Auszeichnung zumindest vorübergehend befriedigt werden würde. Der Präsident saß Clara zur Rechten; und Mrs. Roosevelt Hay zur Rechten.

Verlegenheitspausen waren nicht zu befürchten. Theodore, sich der Feindseligkeit zwischen den beiden Männern sehr wohl bewußt, begann einen Vortrag über die Trusts zu halten; ein gelegentlicher Blick auf die beiden Geldfürsten bewies zur Genüge, daß sie zumindest heute – und das in mehr als einer Beziehung – im selben Boot saßen. Der stattliche Whitney verhielt sich wie stets sehr ruhig; Payne hingegen, ein Choleriker, konnte vor lauter Zorn kaum sprechen.

Die Situation ist zu absonderlich für Worte, dachte Hay, heilfroh, daß Theodore sich dadurch in seinem Redefluß nicht beirren ließ. Ausnahmsweise bedachte Edith ihren Mann nicht mit mahnenden Blicken, denen gewöhnlich ein leises Hüsteln folgte und – falls der Redefluß noch immer nicht gebremst war – ein gestrenges »Oh, Theo!«. Auch sie fühlte sich offenbar gehemmt durch den Haß zwischen den beiden Männern, die, wenn der Präsident einmal Pause machte, um Atem zu holen, höflich, wenn auch kurz miteinander sprachen. Die Whitelaw Reids, endlich einmal voll zugehörig zum Kreis der absoluten gesellschaftlichen Elite, strahlten heiter-vergnügt, während Gang um Gang aufgetragen wurde und der Rundtisch beim Erkerfenster im hellen Wintersonnenlicht erstrahlte – eine Art König-Artus-Tafelrunde in der Arktik, dachte Hay.

»Helen hat sich über ihre Geschenke ja so gefreut«, sagte Clara mit mütterlichem Vibrato. »Sie sind ja auch so großartig, die Ringe, die Brosche.«

»Da bin ich aber froh.« Whitney war von ausgesuchter Höflichkeit. In letzter Zeit sah er sich einer Menge Probleme gegenüber. Er hatte seine politische Karriere aufgegeben und befand sich wegen seiner diversen Geschäftsverbindungen unter Beschuß. Zum Junggesellen-Dinner seines Sohnes, im Arlington Hotel von Colonel Payne, dem Usurpator, veranstaltet, war Whitney nicht eingeladen worden. Dennoch tat er so, als sei in seiner Welt alles in bester Ordnung. In Payne hingegen brodelte unverkennbar ein rätselhafter Zorn. Hay versuchte, den Grund dafür auszumachen. Die

Tatsache, daß sich Whitney nach dem Tod von Oliver Paynes Schwester wiederverheiratet hatte, konnte unmöglich Anlaß genug für eine so lang andauernde Vendetta sein – lang andauernd und voll endloser Finessen. Es war etwas durch und durch Luziferisches an der erbarmungslosen Art, in der Payne es fertiggebracht hatte, zwei der Whitney-Kinder zu kaufen, von denen eines jetzt Hays Schwiegersohn war. War etwa Kinderlosigkeit das eigentliche Motiv? Schon möglich.

Edith Roosevelt beging den Fehler, Oliver Payne zu fragen, was denn er dem jungen Paar geschenkt habe. »Nicht viel«, sagte er, den Blick auf seinen Teller, wo eine Wachtel in Aspik irgendwie obszön wirkte. »Diamanten, das Übliche«, murmelte er. Whitney trank Champagner und lächelte Mrs. Whitelaw Reid zu. »Das Haus in Thomasville, Georgia«, sagte Payne. »Dort werden sie ihre Flitterwochen verbringen. Gute Jagdmöglichkeiten, in Georgia.«

Der Präsident, mit vollem Munde kauend, konnte das Thema Jagd nicht unkommentiert lassen. »*Wilder* Truthahn!« würgte er hervor.

»Theo!«

Doch Waffen und wilde Truthähne erfüllten jetzt plötzlich unverkennbar sein so rastloses wie kraftvolles Jungenhirn. »Außerdem leihe ich ihnen meine Yacht«, sagte Oliver Payne zu jenen an der Tafel, die ihre Aufmerksamkeit nicht völlig auf die Hymne des Präsidenten auf waidmännisches Gemetzel richteten. »Die *Amphritite*. Sie werden in diesem Sommer damit nach Europa reisen . . .«

»Eine *hochsee*taugliche Yacht?« Mrs. Whitelaw Reids Glück war vollkommen.

»Ja«, sagte Oliver Payne und blickte Whitney dabei nicht ins Gesicht, sondern sah auf ihn hinab, seinen größeren Reichtum betonend.

»Sie hat die Größe eines Ozeandampfers«, sagte Hay und überließ Reid dem Präsidenten, der sehr wohl spürte, daß er die Aufmerksamkeit der Tafelrunde verloren hatte, und sich also jetzt um so mehr auf Reid konzentrierte, der mit unaufhörlichem Kopfnicken und Speichelleckerlächeln den Präsidenten prompt dazu brachte, ihm einen Vortrag über den Beagle, jenen wunderbaren Spürhund, zu halten, beginnend in prähistorischer Zeit, um stetig voranzuschreiten bis zur . . .

»Außerdem baue ich den beiden ein Haus in New York.« Oliver Payne sah zu Clara hinüber, als interessierter Adressatin. »Ihre Tochter sagte, sie gebe New York den Vorzug vor Washington.«

»Und *Ihnen* den Vorzug vor uns!« Claras jähes Lachen ruinierte die Historie der Beagles, ließ sie abbrechen bei François Premier und einer Jagdgesellschaft bei Poitiers.

»Das hat sie niemals gesagt«, murmelte der sehr reiche Mann. »Doch New York ist das Richtige für Payne und für sie. Ein geeignetes Grundstück habe ich bereits gefunden, an der Fifth Avenue, nahe der 79. Straße. Dort werde ich das Haus bauen . . .«

»Und wir alle«, sagte William Whitney, »können uns in der Fifth Avenue treffen.«

Das ließ sowohl Oliver Payne als auch Theodore Roosevelt verstummen. Hay bedauerte, daß Henry Adams nicht anwesend war, um dieses lustige Interludium mitzugenießen.

»Wie geht's dem jungen Ted?« fragte Clara in das Schweigen.

»Noch schwach, aber wieder genesen. Er befindet sich in guter Obhut.«

Der junge Ted war beinahe an Lungenentzündung gestorben, und das Ehepaar Roosevelt war nach Groton gereist, um bei ihm zu sein, so daß Hay de facto als amtierender Präsident in Washington zurückgeblieben war. Mitunter träumte er noch immer davon, wie es wäre, wenn Theodore einer Lungenentzündung oder einer Mörderkugel zum Opfer fiele – oder gar einer Straßenbahn wie jener, die im vergangenen Herbst mit der Präsidentenkutsche kollidiert war, wobei ein Geheimdienstmann den Tod gefunden hatte. Wäre an seiner Stelle Theodore Roosevelt umgekommen, so hätte John Hay seine Nachfolge angetreten. Obwohl er sich alt und krank fühlte, fand er die Vorstellung, Präsident zu sein, nicht völlig ohne Reiz. Natürlich wäre er zu gebrechlich, um viel unternehmen zu können. Andererseits würde er freie Hand haben, die Vereinigten Staaten auf die Weltbühne zu führen, als eine England ebenbürtige Macht. Gemeinsam hatten die beiden Flotten – Nationen, korrigierte er sich in Gedanken – für die absehbare Zukunft praktisch die ganze Welt unter Kontrolle. Theodore verfolgte zwar den gleichen Kurs, doch war er launenhaft und leicht ablenkbar; außerdem würde ein beträchtlicher Teil seiner Energien der Wahl von 1904 gelten, um danach als *gewählter* Präsident amtieren zu können. Im übrigen hegte er trotz seiner engen Freundschaft mit Cecil Spring-Rice tiefe Ressentiments gegen England, wie das wohl nur ein Amerikaner holländischer Herkunft konnte, da sich das Vordringen und die Vorherrschaft der Briten in Nordamerika auf Kosten seiner Vorfahren vollzogen hatten. Hay gegenüber hatte er, apropos Pauncefote, sogar einmal geäußert, der Engländer sei »kein Mensch, den ich sympathisch finde oder mit dem ich Umgang pflegen möchte. Ich wünsche ihm zwar alles Gute, doch das lieber aus der Ferne.« Mit dieser Einstellung unterschied er sich grundlegend von McKinley, dessen wohlwollende Neutralität im Burenkrieg für England von so großer Bedeutung gewesen war.

Whitelaw Reid sprach von Rußland, und der Präsident warf Hay einen raschen Blick zu. Mit jener, in Hays Augen, geistlosen, habgierigen, barbarischen Nation würden sie die gegenwärtigen Probleme *nicht* erörtern. »Wir können nichts sagen, lieber Whitelaw.« Hay sprach den Vornamen seines alten Kollegen eigentümlich förmlich aus, fast wie eine Art Titel. »Denn ganz in der Nähe lauert Cassini, um alles, was er aufschnappt, dem Zaren brühwarm zu berichten.«

»Haben Sie gesehen, wie er Takahira gemieden hat?« Der Präsident holte zu einer Taktlosigkeit aus.

Hay schaltete sich ein. »Cassini sieht nicht allzu gut. Muß wohl das Monokel sein, denke ich . . .«

»Was wird Japan hinsichtlich Rußlands und der Mandschurei tun?« Whitelaw erwies sich als taub für Hays Fingerzeig. Und verlor noch in derselben Sekunde jegliche Anwartschaft auf einen diplomatischen Posten im Ausland.

»Wir müssen die Japaner fragen.« Hay zeigte eine freundliche Miene. »Gewiß möchte keiner von uns, daß die Russen die Industriegebiete der Mandschurei besetzen . . .«

»Die Schansi-Provinz!« brach es aus Roosevelt hervor; und Hay schauderte, als sich Brooks Adams' angenehme, tiefe Stimme hier und jetzt urplötzlich in Rooseveltsches Falsett verwandelte. »Das Hauptziel jedes Empires, das es heutzutage auf der Erde gibt. Wer die Schansi-Provinz hat, der hat auch den Schlüssel zum Gleichgewicht der Kräfte . . .«

»Theodore, sie wollen den Kuchen anschneiden.« Edith erhob sich synchron mit Clara, und Hay war erleichtert. Obwohl er nicht das mindeste einzuwenden hatte gegen die kommende amerikanische Hegemonie, wie Brooks Adams sie in seiner druckfertigen Polemik »The New Empire« umriß, so fand er doch, daß die Administration unbedingt vermeiden mußte, mit solch un-amerikanischen Begriffen wie Empire assoziiert zu werden. Mochte das Empire doch kommen im Namen des . . . des Strebens nach Glück und Freiheit. Zeigten sich die Vereinigten Staaten nicht immer und immer wieder edlen Sinnes, so würde der Rest der Welt jene Charta der großen, neuen Welt, wodurch diese sich nicht nur vom einstigen britischen Mutterland abhob, sondern auch von allen anderen rastlosen, expandierenden Nationen, wohl nicht mehr allzu ernst nehmen.

Sobald man sich vom Rundtisch am Erkerfenster erhob, trennten sich Whitney und Payne voneinander, als sei es bereits vorher so verabredet gewesen. Die Hays begleiteten die Roosevelts ins Speisezimmer, wo jetzt sämtliche Gäste standen, Champagnergläser in der Hand. Hinter der riesigen weißen Torte warteten Helen und Payne; auf die Toasts; auf das Anschneiden der Torte.

Caroline trug, als eine der Brautjungfern, ein Kleid aus hellgrauem Seidenkrepp, eine wenig befriedigende Farbe oder Nicht-Farbe, doch Helen hatte darauf bestanden, daß sie zu den Brautjungfern gehörte, »denn eigentlich solltest du ja meine Brautführerin sein« – eine Rolle, die nur einer verheirateten Frau zustand. Caroline hatte den Wink verstanden und sich der Bitte gebeugt.

Jetzt stand sie zwischen Henry Adams und Cabot Lodge, und zu dritt reagierten sie auf die diversen Toasts, zumal auf jenen besonders launigen des Präsidenten, der es verstanden hatte, sich zwischen Braut und Bräutigam zu manövrieren, als sei die Hochzeit, wenn nicht gar die Ehe, irgendwie unvollständig ohne seine Nähe – ohne ihn als Mittelpunkt.

»Theodore«, murmelte Adams, »ist völlig berauscht von sich selbst.«

Lodges Lachen war kein sehr schönes Geräusch; doch unter den Umständen fand Caroline es unwiderstehlich. »Er kann's nicht ertragen, wenn ein anderer im Mittelpunkt der Aufmerksamkeit steht. Er möchte der Bräutigam sein . . .«

»Und die Braut dazu«, ergänzte Caroline.

»*Alles*«, sagte Adams. »Da frage ich mich«, fügte er mit makabrem Lächeln hinzu, »was er bei einer Beerdigung anstellen würde.«

»Im Sarg liegen«, sagte Lodge.

»Sofern es sich um ein Staatsbegräbnis handelte«, stimmte Adams zu. »Soviel Energie für alles, inklusive den Tod.«

»Wir können von Glück sagen«, meinte Lodge, jetzt mit ernster Miene, »ihn dort zu haben, wo er ist, zu einer solchen Zeit.«

»Tortenstücke herumreichend?« Caroline gab sich beißend spöttisch, doch Lodge zeigte sich unerschütterlich in seinem Glauben – Theodores Stern war auch sein Stern.

Zu Carolines Überraschung befand sich auch Frederika Bingham im Raum; und wirkte, in Hellgrün, ungewöhnlich hübsch. Obwohl es Mrs. Bingham noch nicht gelungen war, die vergoldeten Tore der Highest Society zu passieren, schien das schiefe Lächeln ihrer Tochter irgendwie jede Tür zu öffnen. Caroline bewunderte Frederika. Schließlich war eine große gesellschaftliche Karriere für ein reiches amerikanisches Mädchen womöglich die einzige Herausforderung, der sie sich jemals gegenübersah; und, mit Glück, meistern mochte. »Alice hat mich eingeladen«, beantwortete Frederika Carolines unausgesprochene Frage.

»Roosevelt?«

»Hay. Ich wußte ja nicht, daß es in Washington so viele Menchen gibt, die ich nicht kenne, und so wenige . . .«, das Lächeln war eher zu ahnen als wirklich sichtbar, ». . . so wunderbar wenige Kongreßabgeordnete.«

»Nun, *die* hat Ihre Mutter.«

»Sie soll sie nur behalten. Ich nehme an, daß das hier New Yorker sind.« Frederika sah sich im Raum um, als befände sie sich in New Yorks legendärem Löwenhaus.

»Ich bin Ausländerin.« Noch immer berief sich Caroline auf eine Art Sonderstatus; aber natürlich war sie inzwischen, ob es ihr nun gefiel oder nicht, alte Washingtonerin. »Es sind viele Leute aus Ohio hier. So wie Colonel Payne. Und die Stones. Und Senator Hanna.« Der Genannte bedachte die jungen Damen mit einer Verbeugung – Mark Hanna, bleich und fett, für einen Sekundenbruchteil die Verkörperung von ganz Ohio. »Ist Ihr Bruder hier?« fragte Frederika, während sie beide den Frischvermählten und dem adhäsiven Präsidenten in den Salon folgten.

»Nein. Er ist verschwunden. Aber er will sich hier wohl ein Haus bauen.«

»Er ist nicht in Baltimore?«

»So wenig wie irgend möglich.« Caroline hatte gerade einen inoffiziellen Bericht darüber erhalten, wie groß die Verluste des Examiner im vergangenen Jahr gewesen waren.

»Mr. Hearst muß wohl eine faszinierende Persönlichkeit sein.« Frederika erwies sich als unorthodox. Für gewöhnlich bezeugten nette, junge Ladys dem Nationalschurken gegenüber höchstens Abscheu.

»Nun, falls das Ihre Ansicht ist, so teilen Sie diese mit Blaise. Er wird von Hearst angezogen wie . . . wie . . .«

»Eine Motte vom Feuer?«

»Ich hatte diese Wendung vermeiden wollen, doch als Verlegerin sollte ich gerade das Allzuvertraute nicht verschmähen. Eine Motte, angezogen vom Feuer. Hoffentlich verbrennt er nicht.« Caroline meinte wirklich, was sie sagte; allerdings betrachtete sie Blaise auch nicht länger als ihren Feind. Schließlich verdankte sie ihm paradoxerweise sehr viel. Hätte er sich anders verhalten, so wäre sie womöglich nur eine weitere »transatlantische reiche Erbin« geworden, von jener Art, über die Mr. James immer ausführlicher schrieb. Statt dessen hatte sie sich eine Position geschaffen wie keine zweite; und mochte Marguerite die, wie sie fand, abnorme Situation auch beklagen, so freute Caroline sich um so mehr über ihre Freiheit und – warum es leugnen? – ihren Einfluß, wenn nicht gar Macht in der Washingtoner Welt, die sich rasant zu der Welt entwickelte, die wirklich zählte. Sie warf einen Blick auf den Ring, den sie am kleinen Finger der rechten Hand trug. Da Dels Feueropal in zwei gleich große Hälften zerbrochen war, hatte Caroline eine neue Fassung anfertigen lassen, mit einem unregelmäßigen gelben Saphir zwischen den beiden Hälften. Die Wirkung war eher evokativ als schön; symbolhaft für ein Leben, das entzweigebrochen, das ungelebt geblieben war . . .

An der Tür zum Salon erblickte Caroline zu ihrem Erstaunen Mrs. Jack Astor, die sich ausnahm wie ein Paradiesvogel im Washingtoner Hinterhof. »Wie ein Gemälde von Brueghel«, klang die tiefe Stimme durch den überfüllten Raum, »die Hochzeit des Bauernburschen mit der Milchmagd.«

»Und unter den Gästen, ganz voller Gold und Edelsteinen, eine Feenkönigin . . .«, begann Caroline.

». . . *Hexe,* liebe Caroline. Was suche ich an einem so bukolischen Ort?«

»Er erinnert Sie vermutlich an Newport, Rhode Island.«

»Nein. Wohl eher an Rhinebeck-on-Hudson, wenn wir für die Bauerntölpel unser alljährliches Erntefest geben und ich darauf achte, daß ihre Holztische mit Giftsumach bekränzt sind.« Mrs. Jacks Lachen, obschon vergnüglich, wirkte nicht direkt ansteckend. Rundum starrten Washingtoner Ladys ehrfurchtsvoll auf die fashionable Mrs. Astor, die man in der Hauptstadt nie zuvor zu Gesicht bekommen hatte. Es war Caroline wohltuend bewußt, daß ihre eigenen Aktien rapide stiegen.

»Sind Sie mit den Hays befreundet?« fragte Caroline.

»Nein, nicht wirklich. Doch mich entzückt dieses Geschöpf hier, so jung und so – potentiell – abscheulich . . .«

Mrs. Jack hatte einen Arm ausgestreckt und die herrische Alice Roosevelt näher zu sich herangezogen. »Sehen Sie? Ich bin gekommen. Ihr rustikaler Trubel ist jetzt komplett.«

»Wie stolz, diese Astors!« rief Alice, die sich niemals, nicht einmal von der so superben Mrs. Jack, übertrumpfen ließ. »Wo sie doch nichts waren als deutsche Juden, koschere Metzger, als wir Roosevelts . . .«

». . . davonrannten vor den Indianern in euren plumpen Holzschuhen, von denen Sie, wie ich sehe, selbst heute nicht lassen können«, sagte Mrs. Jack mit einem Blick auf Alices ziemlich große, eckig geformte Slippers. »Wie angemessen . . .«

»Ist sie nicht *foul*?« Alice blickte voll Vergnügen zu Caroline.

»Nein, nein. Sie ist fair. Nur ist ihr Biß tödlich.«

»Viper!« Vergnügt betrachtete Alice Mrs. Jack. Es war kein Geheimnis, daß das älteste Kind des Präsidenten, wie er selbst es nannte, »die einzige von uns mit Vermögen ist«, geerbt von ihrer verstorbenen Mutter. Überdies war Alice fest entschlossen, *fashionable* zu sein, etwas Unbekanntes im Kreis der Roosevelts, einer Familie, die in puncto uneleganter Selbstzufriedenheit den Apgars glich.

Plötzlich erklang ringsum lautes Gemurmel, als sich der Präsident und Mrs. Roosevelt näherten, geführt von John Hay, der in die

Rolle eines Kämmerers aus uralter Zeit geschlüpft zu sein schien. »Alice, wir gehen«, verkündete der Präsident.

»Ihr geht. Ich bleibe.«

»Alice«, murmelte ihre Stiefmutter.

»Mrs. Jack Astor.« Alice stellte den Hausgästen den Schwan vor. Mrs. Jack vollführte einen graziösen Knicks.

»Lassen Sie das!« Der Präsident war nicht amüsiert.

»Sie kann es sehr gut.« Edith lächelte ein königliches Lächeln.

»Danke schön.« Mrs. Jack richtete sich jetzt zu ihrer vollen Größe auf. »Warum nennen Sie uns ›die müßigen Reichen‹?« Sie musterte den Präsidenten mit einem spöttischen Lächeln. »Wir sind niemals müßig.«

»Einige sind weniger müßig als andere«, sagte der Präsident mit offenkundigem Unbehagen.

»Und einige sind weniger reich als andere«, ergänzte Mrs. Jack. »Dennoch sollten Sie Ihre loyalen Untertanen nicht alle in einen Topf werfen, sonst werden wir alle im nächsten Jahr für Bryan stimmen.«

»Dann werden *alle* weniger reich sein.« Der Präsident verließ den Raum. Alice blieb zurück. Auf jeden Fall fand Caroline sie erfrischend. Allerdings waren die Roosevelts insgesamt eine Überraschung für eine Welt, die sich daran gewöhnt hatte, das Weiße Haus als eine Art schäbiges Domizil für glanzlose Politiker *emeriti* zu sehen. Carolines »Society Lady«, wie sich die betreffende Autorin der Tribune nannte, war fasziniert vom Wandel von Washingtons *ton,* wie sie es auf französisch nannte, um dieses Wort dann, zu Carolines schierem Entzücken, mit dem englischen Wort *ton* zu reimen, jenem Gewichtsmaß, das auch für Masse oder Unmasse stand.

»Dieser Ort bietet Möglichkeiten.« Mrs. Jack sah sich im Raum um. Das Diplomatische Korps wirkte so farbenfroh wie eh und je; und die wenigen anwesenden Staatsmänner waren, obzwar keine wirklichen Gentlemen, doch als solche ausstaffiert. Die Ehefrauen allerdings – die armen Frauen, wie Caroline sie für sich nannte – verdarben das feine Spiel. Sie rochen nach Kleinstadt und Provinz und wirkten ewig verkrampft vor lauter Besorgnis, den richtigen *ton* zu verfehlen.

Die Begegnung mit der Frau von James Burden Day hatte

Caroline unangenehm überrascht. Zum einen hatte sie nicht damit gerechnet, daß er so unerwartet heiraten würde; und zum anderen erschien es ihr unbegreiflich, daß seine »Erwählte« jemand aus seiner Heimat war, nachdem er doch bereits Fuß gefaßt hatte in der relativ großen Welt von Washington, wo er ja immerhin in den besseren Kreisen Verwandte besaß – in den mit aller Welt verschwisterten oder verschwägerten Apgars. Caroline vermutete, daß Days Frau der Preis für seinen Sitz im Kongreß war. Aber all das ging sie nichts an.

»Wenn man die Ehefrauen subtrahieren würde . . .«, Mrs. Jack sprach laut aus, was Caroline dachte, ». . . so wäre das Resultat weitaus amüsanter als irgend etwas, das wir in New York haben.«

»Bloß«, sagte Caroline traurig, »daß sie sich nicht subtrahieren lassen.«

»Versuchen Sie's mit Dividieren.«

Clara Hay trat zu ihnen. »Kommt, ihr beiden. Amüsiert Colonel Payne.«

»Zweifellos hat er was gegen Ladys«, begann Mrs. Jack.

»Wer denn nicht?« flüsterte Caroline, die sich Clara Hays Schwerhörigkeit zunutze machte.

»Um so mehr Grund für ihn, um *Sie* eine Menge Gewese zu machen, Mrs. Astor.« Clara war fest, blieb fest, wie immer; außerdem behielt sie im allgemeinen recht. Colonel Oliver Payne war schier aus dem Häuschen, sich von Mrs. Astor und Miss Sanford eingerahmt zu finden.

»Wir müssen«, sagte Mrs. Jack, und ihre Stimme klag kehliger und drohender denn je, »für *Sie* einen Gatten finden – ich meine, eine Gattin, Colonel.«

2

Blaise hatte seinen Chefredakteur Hapgood nach New York City begleitet, um die Wahl des Chefs in den Kongreß zu beobachten, eine sichere Sache, da Hearst nichts dem Zufall überlassen hatte. Der ursprüngliche demokratische Kandidat, Brisbane, hatte zugunsten des Chefs, seines Brötchengebers, verzichtet; und Hearst war für den 11. Bezirk als demokratischer Kandidat aufgestellt worden, mit ausdrücklicher Billigung von Tammany, der Parteimaschine. Für diesen sicheren demokratischen Sitz hatte der neue Führer von Tammany, der umgängliche Charles Francis Murphy, nur verlangt, daß das Journal den Tammany-Kandidaten für das Amt des Gouverneurs rückhaltlos unterstützte. Hearst hatte eingewilligt.

Jetzt standen Blaise und Hapgood auf dem windigen Madison Square, wo sich rund vierzigtausend Menschen versammelt hatten, um die Wahlergebnisse zu erfahren und das vom Journal angekündigte Feuerwerk zu beobachten. »Er versteht es wirklich, Geld auszugeben«, meinte Hapgood anerkennend.

»Manchmal denke ich, das ist das einzige, worauf er sich versteht«, sagte Blaise säuerlich. Auch er hatte Geld ausgegeben, hatte es in seine Zeitung in Baltimore investiert. Genaugenommen stand die Investition jetzt neben ihm: ein stämmiger, teutonisch wirkender Mann mit einem gewaltigen Schnurrbart, das Paradigma eines Hearst-Journalisten von üppiger Leibhaftigkeit. Doch bisher hatte es selbst Hapgood nicht geschafft, die Auflagenhöhe zu steigern. Im Augenblick setzten sie ihre Hoffnung auf eine Serie über die »Rassenmischung«, das einzige Thema, das ihre Leser tatsächlich in Atem hielt, wie zumindest Hapgood, der Mann aus Maryland, behauptete. Blaise beneidete Caroline um *ihre* Stadt. Herrschte in Washington Nachrichtenflaute, so war dort allemal noch Embassy Row, die ausländischen Botschaften, und war bei denen nichts zu holen, so blieb noch immer das Weiße Haus, ein unerschöpflicher Quell für »warmes, menschliches Interesse«, wie das aktuelle Klischee lautete. Storys über die Roosevelt-Kinder und ihre Ponys im Fahrstuhl; ihr Erscheinen bei Staatszeremoniells auf Stelzen; ihre Schlangen und Frösche bei Tisch; und vor und über allem der jupiterhafte Souverän Theodore, der sich aufführte wie ein König, von Geburt an für sein hohes Amt bestimmt. Caroline brauchte keinen Finger zu krümmen, um die Seiten ihrer Zeitung zu füllen; sie füllten sich von selbst. Alles, was er hatte, war die Rassenmischung; und danach – was dann?

Blaise hatte Hearst im Haus in der Lexington Avenue aufsuchen wollen, war dann jedoch Hapgoods Vorschlag gefolgt, zuerst einmal die »Witterung der Menge« aufzunehmen. »Denn falls der Chef . . .«, obwohl Hapgood jetzt für Blaise arbeitete, war der Chef nach wie vor der Chef, ». . . 1904 Präsidentschaftskandidat wird, müßte man es schon jetzt spüren können, in den Reaktionen der Menge.«

»Ein Haufen Volk aus der Bowery.« Blaise kannte sich mit den diversen Typen in Manhattan gut aus. »Auch Tammany-Leute.« Alles war in Galastimmung. Riesentransparente verkündeten triumphierend Hearsts Sieg mit fünfzehntausendachthundert Stimmen über seinen mediokren republikanischen Konkurrenten, womit er der erfolgreichste demokratische Stimmensammler im ganzen Staat New York war. Tammanys Gouverneurskandidat allerdings war durchgefallen; er hatte sehr knapp gegen die Republikaner verloren. Und so war dies der Tag, der Abend, von dem Hearst geträumt hatte. Er hatte seine erste Wahl als wahrer Triumphator gewonnen.

Blaise und Hapgood standen nicht weit von einer Band, die – wenig taktvoll – »California, Here I Come« spielte – Tribut an Hearsts Heimatstadt statt an den Staat New York, dessen Bewohner und frischgewählter Abgeordneter für Washington er war. Hoch oben in der Luft wurde ein bemannter Ballon von bunten Laternen erhellt. Die Menge war in Feststimmung, am einen Ende des Platzes wurde unter einer Art Spruchband mit den Riesenlettern Freibier ausgeschenkt: »William Randolph Hearst, Freund der Arbeiter«, und ganz in der Nähe erstrahlte in elektrischem Licht der Slogan: »Der Kongreß muß die Trusts kontrollieren«, ein deutlicher Hinweis darauf, daß der gegenwärtige Präsident es an genügend Einsatz fehlen ließ, die Herren des Landes zu beherrschen.

Hearsts Sozialismus – sofern man es so nennen konnte – hatte etwas Irritierendes für Blaise, für den die Loyalität seiner eigenen Klasse gegenüber ebenso selbstverständlich wie unersetzlich war. Obwohl Hearst als Freund des Arbeiters und als Feind der Reichen auftreten mußte, um anstelle von William Jennings Bryan der Tribun des einfachen Volkes zu werden, war er keineswegs der totale Demagoge, für den andere ihn hielten. Der reiche Mr. Hearst, der sein Geld geerbt hatte, haßte alle anderen reichen Männer, die ihr Geld gleichfalls geerbt hatten. Doch fühlte er sich in Wirklichkeit weniger jenen hart arbeitenden, ehrlichen Armen zugeneigt als vielmehr denen, die sich aus der Gesellschaft ausschlossen. Er selbst war ja eine Art Outlaw, der nicht nur außerhalb des Gesetzes lebte, sondern überdies zynisch Gesetz gegen Gesetz ausspielte. Es schien durchaus denkbar, daß Hearst in diesem noch immer wilden Land genau jenen Nerv treffen würde, der ihn zu dessen natürlichem Führer machen würde. Blaise war sich plötzlich bewußt, Zeuge eines historischen Augenblicks zu sein, der später einmal als der Anfang einer erstaunlichen, ja sogar napoleonischen Karriere gelten mochte.

Wie um die Idee vom Napoleonischen zu manifestieren, explodierte der Madison Square plötzlich – explodierte buchstäblich. Blaise fiel mit den Knien auf das Pflaster, während Hapgood auf sein Hinterteil stürzte. Schallwellen schüttelten sie durch wie Brandungswogen. Die Band spielte nicht mehr. Dann erklang das Schreien; und die Geräusche der Ambulanzen. Der Ballon schwebte noch hoch oben; begann dann zu sinken. Der Slogan gegen die Trusts erstrahlte nach wie vor in elektrischem Licht, die mitgeführten Transparente hingegen waren verschwunden, indes die Menschen in wilder Panik vom Platz flüchteten, wo irgend etwas – Blaise wußte nicht was – detoniert war.

»Anarchisten!« Hapgood war wieder auf den Füßen, stets der Reporter, der Hearst-Reporter.

Durch die kühle Herbstluft drang der Geruch, der scharfe Geruch von . . . was? Schießpulver, entschied Blaise, während er und Hapgood, gleich tapferen Soldaten in einer Schlacht, gegen die Fluchtrichtung der Menge eilten. Mochten andere auch vor der Schlacht fliehen; *sie* zogen in den Krieg.

Die Feuerwehr traf in genau dem Augenblick ein, in dem Blaise und Hapgood entdeckten, wo präzise die Explosion sich ereignet hatte: in einem kleinen, gußeisernen Mörser, einem Gerät zum Abschießen von Feuerwerkskörpern, in dem eine Feuerwerksbombe losgegangen war, die dann Dutzende weiterer solcher Bomben entzündet hatte. Den Hauptschaden hatten die Fenster eines nahen Gebäudes davongetragen. Das Glas war förmlich pulverisiert worden, und die winzigen Fragmente hatten, gleich eisigen Geschossen, Dutzende von Männern, Frauen und Kindern umgemäht. Manche standen, schreiend, mit blutenden Gesichtern; andere lagen still und stumm auf dem Pflaster. Blaise erblickte einen Mann, der langgestreckt auf dem Bauch lag; tief in seinem Nacken steckte eine Glasscherbe, die die Wirbelsäule durchtrennt haben mußte. Zu Blaise' Verwunderung war kein Blut zu sehen, nur das brillantförmige Glas, das im Lampenlicht glänzte, und der dunkle Schlitz, fast wie bei einem Briefkasten, in den jemand eine gläserne Botschaft zu zwängen versucht hatte.

»Wie viele Tote, Verwundete?« Zufrieden registrierte Blaise, wie cool er war; und begriff, wie wahrhaft einfach es für Roosevelt gewesen sein mußte, damals bei der Erstürmung des Hügels von San Juan. Alles so schnell, so schockierend, so sinnlos.

»Wenigstens hundert, würde ich sagen.« Hapgood hatte sein Notizbuch gezückt, beobachtete und schrieb gleichzeitig; dann wurden sie von Polizei und Feuerwehr aufgefordert weiterzugehen.

Hearst saß an seinem napoleonischen Schreibtisch; für immer abgelegt hatte er, zweifellos, die bunten Karomuster und grellfarbenen Krawatten aus seiner Jungprinzenzeit. Jetzt trug er den schwarzen Gehrock des Staatsmanns samt weißem Hemd und schwarzer Fliege. Die Beine, früher lässig auf der Schreibtischplatte, standen jetzt genau parallel darunter, während er mit Brisbane im Büro des Journal telefonierte. George Thompson hatte Blaise warnend zugeflüstert, der Chef sei gerade dabei, »sich um das Unglück auf dem Madison Square zu kümmern«.

Blaise setzte sich auf das gegenüberstehende Sofa, wie so oft in seiner Elevenzeit. Die Willson-Mädchen, beide in glitzernden Ballkleidern, befanden sich am anderen Ende des museumsartigen Raums und spielten Parcheesi. Irgendwo wurde für eine Supper-Party gedeckt, zur Feier des Sieges des aufsteigenden politischen Sterns. Doch im Moment war Hearst vollauf damit beschäftigt, Fragen zu murmeln und auf die Antworten zu lauschen, und zwar mit geschlossenen Augen, als könne er so alles besser vor sich sehen – nicht so sehr die Explosion auf dem Platz als vielmehr die wirksamsten Schlagzeilen dafür. Schließlich legte er auf.

»Ich war dort«, sagte Blaise.

Methodisch begann Hearst, Blaise zu befragen; machte sich Notizen; ignorierte das Geplapper der Willson-Mädchen. »Es wird Gerichtsverfahren geben«, sagte er schließlich, »obwohl der Staatsanwalt bereit ist, uns keine Schuld zuzumessen. Nun, geschehen ist geschehen. Die Hauptsache ist, Roosevelt weiterhin unter Druck zu halten. Bei den Bergleuten hat er ganz schön das Gesicht verloren. Er ist ein Feind des Arbeiters, verstehen Sie.«

»Ja«, sagte Blaise. Daß der Chef einer politischen Ansicht Ausdruck gab, war irgendwie sonderbar. Für gewöhnlich zeigte er sich gleichgültig gegenüber Fragen von Recht und Unrecht, in welcher Sache auch immer. Das einzige, was ihn interessierte, war die Verwendbarkeit von Nachrichten. Jetzt jedoch war er selbst die Nachricht; wollte es unbedingt sein. Blaise fragte sich, ob Hearst wirklich begriff, was für ein Risiko er einging. Er, der viele Jahre damit verbracht hatte, andere zu finsteren Gestalten zu entstellen, gab nunmehr selbst das Modell für freie Fiktion ab. Wer in der Politik ganz nach oben wollte, machte sich automatisch zur Zielscheibe und geriet in die Schußlinie. Für alle Fälle gratulierte Blaise dem neuesten Stern am politischen Firmament.

Hearst blieb nüchtern-sachlich. »Ich hätte fürs Gouverneursamt kandidieren sollen. Aber dafür war nicht genügend Zeit. Bis 1904 ist es nicht mehr lange, und da ist niemand, den wir gegen Roosevelt stellen können. Ich habe Los Angeles.«

»Los Angeles?«

»Eine Zeitung dort. Den Examiner nenne ich sie. Als nächstes kommt Boston dran.«

»Was ist mit Baltimore?«

»Dort wird für mich einiges zu organisieren sein, Blaise. Vielleicht könnten Sie sich darum kümmern.« Hearst pendelte hin und her zwischen Zeitungen und Politik, als handle es sich dabei um ein und dasselbe, was seiner gegenwärtigen Sicht entsprechen mochte; doch falls es dabei blieb, sah Blaise ein unlösbares Problem voraus. Niemand konnte sowohl der Erfinder der amerikanischen Welt als auch das Erfundene sein.

George Thompson erschien in der Tür, das runde Gesicht von der spätabendlichen Feier stärker gerötet als sonst.

»Der Gentleman, den Sie erwarten, Sir.« Eine kryptische Ankündigung.

Hearst sprang auf; Blaise tat's ihm nach. Die Willson-Mädchen fuhren fort, Parcheesi zu spielen. Die Türöffnung umrahmte jetzt eine unverkennbar staatsmännische Gestalt in schwarzem Alpaka-Gehrock und mit schmaler Krawatte – William Jennings Bryan.

»Colonel Bryan!« Hearst reichte Bryan seine Hand, dem *Great Commoner,* wie er von der Presse genannt wurde – eine Bezeichnung, die bei den Briten für besonders große Staatsmänner Tradition hatte; und der *Great Commoner* quetschte die Finger mit erfahrenem Griff und lächelte sein dünnes, breites Lächeln. Blaise hatte das Idol der Massen noch nie aus solcher Nähe gesehen; und fand ihn, zu seiner Überraschung, auch aus kurzer Distanz genauso eindrucksvoll wie aus größerer Entfernung, wenn er, als alles bannendes Zentrum, vor großer Zuhörerschaft sprach und aus seiner mächtigen Brust gleich einer Ur- und Naturgewalt jene Stimme hervordrang, die nicht beherrscht werden konnte durch Menschen, geschweige denn durch einen einzigen wie Bryan selbst.

»Sie haben den ersten von vielen Siegen errungen.« Bryans normale Sprechstimme war angenehm leise, ganz und gar nicht wie seine donnernde Rede. »Auch ich habe mit einer Wahl ins Repräsentantenhaus angefangen«, fügte er hinzu, als sei das – so erschien es Blaise – notwendigerweise eine Empfehlung. Tatsache war allerdings, daß Bryan seither bei Wahlen nur Schlappen erlitten hatte.

Hearst machte Colonel Bryan mit den beiden Misses Willson bekannt, die er »meine Verlobte und ihre Schwester« nannte. Der Great Commoner bewahrte seine alttestamentarische Haltung. Dann wandte er sich Blaise zu und beglückwünschte ihn zu einem vor kurzem im Baltimore Examiner erschienenen Leitartikel; was Blaise prompt zu der Überzeugung brachte, daß Bryan 1904 zum drittenmal demokratischer Präsidentschaftskandidat werden wollte, falls es dem Chef nicht gelang, ihn zu verdrängen. »Wir sind alle drei Verleger«, bemerkte Bryan, auf einem goldenen, mit napoleonischen Bienen geschmückten Thron sitzend, einem Originalstück, wie Hearst immer sagte – »Persönliches Eigentum des Kaisers« –, ohne zu wissen, daß es praktisch in jedem Eisenbahnhotel in Frankreich derartige Sitzgelegenheiten gab. Bryan zog mehrere Exemplare seiner Zeitung, des Commoner, hervor, die in Nebraska, in seiner Heimatstadt Lincoln, erschien. »Zu Ihrem Amüsement, Gentlemen.«

Hearst blätterte das Blatt professionell durch; schüttelte traurig den Kopf. »Wie ich sehe, befolgen Sie meinen Ratschlag nicht, Colonel.«

»Nun, Mr. Hearst, ich ziele auf ein ruhigeres Publikum ab als das Ihre.« Bryan war fast so etwas wie die verkörperte Güte. Er lächelte sogar, wenn auch vage nur, in Richtung der Willson-Mädchen, die ihn allerdings ignorierten. Blaise fiel es schwer, zu glauben, daß dieser wie ein Farmer wirkende Mann die Phantasie der Nation derart hatte gefangennehmen können. Handelte es sich bei seiner Gabe um eine Kunst – oder nur Kunstfertigkeit, einen Kniff? Vermochte schiere Rhetorik soviel Leidenschaft zu entfachen, im positiven wie im negativen? Für mindestens ein Drittel der Nation konnte Bryan niemals irgend etwas Unrechtes tun; und wäre es den Erfindern der amerikanischen Welt, mittels der Presse, nicht so erfolgreich gelungen, ihn als einen Schurken, einen Sozialisten, Anarchisten, Gleichmacher hinzustellen, so würde er jetzt der Präsident des Landes sein; und noch populärer als der schlitzohrige Roosevelt, denn Bryans Popularität beruhte eben hierauf: Als Populist stützte er sich in sehr großem Maße auf das einfache Volk, dessen Stimme er war.

Bryan sprach kenntnisreich – und nicht gerade optimistisch – von den Wahlen. »Für gewöhnlich gewinnt die Partei, die nicht am Ruder ist, zusätzliche Sitze im Kongreß. Aber Roosevelt ist mit Fortuna im Bunde. Wir unsererseits sind ganz auf uns selbst angewiesen, und eben deshalb ist Ihre Wahl von so tiefgreifender Bedeutung.«

Hearst nickte zustimmend. Blaise fragte sich, ob der Chef womöglich den Fehler begehen würde, sich nicht nur für cleverer, sondern auch für populärer zu halten als Bryan. Was das praktische – zumal politische Leben – anbetraf, war Hearst so unerfahren, daß er seine Wahl, die er ausschließlich der Macht Tammanys verdankte, als persönlichen Triumph ansah. Blaise fürchtete, daß der Chef, bei seiner mitunter verblüffenden Naivität, den mit beträchtlichem Stimmenvorsprung errungenen Wahlsieg als Beweis für jene Art persönlicher Popularität bewertete, wie Bryan sie in einem solchen Maße erzeugte, daß nur »großes Geld«, von Mark Hanna gleichsam strategisch zum Einsatz gebracht, dem Great Commoner die Präsidentschaft hatte verwehren können. »Mich ehrt natürlich«, sagte Hearst so langsam, als spreche er zu einem begriffsstutzigen Journalisten, »das Vertrauen, das die Menschen – die armen Menschen – des 11. Bezirks in mich gesetzt haben, und ich werde alles tun, um den Kampf des Arbeiters gegen den eingefleischten Arbeiterfeind Theodore Roosevelt zu kämpfen.«

Während dieser Worte betrachtete Blaise Bryans Gesicht. Politiker gleichen Priestern zumindest darin, daß sie die hochfliegenden Visionen von Laien nur wenig schätzen. Bryans kantiges Kinn und sein dünner Mund waren eine Studie in parallelen und vertikalen Linien von absoluter Rechtwinkligkeit. Kein Wunder, daß er so leicht zu karikieren war. »Ich bin sicher, daß Sie in Washington sehr gut zurechtkommen werden.« Kurz richtete Bryan seinen Blick auf die reizvollen Willson-Schwestern; zwinkerte dann heftig, wie schuldbewußt. »Wenn ich darauf hinweisen darf«, begann er in fast entschuldigendem Tonfall, »so gibt es ja noch einen weiteren vielversprechenden Angriffspunkt bei unserem Möchtegern-Imperator, und das ist das Imperium, das Empire.«

Da Hearst Amerikas imperiale Anwesenheit auf den Philippinen letztlich befürwortete, versuchte er, Bryans Köder nach Möglichkeit auszuweichen. »Ich glaube, Mr. Taft hat die Philippinen unter Kontrolle . . .«

»Nein, Mr. Hearst. Ich beziehe mich nicht auf die Verbrechen, die wir bereits verübt haben. Ich meine jene Untat, von der Theodore träumt. Er glorifiziert den Krieg, den ich hasse. Hasse!« Wie ein fernes Grollen klang es durch den Raum, wie näherkommender Donner. Die Willson-Schwestern vergaßen ihr Parcheesi, um den großen – was sonst? – Star anzustarren, dessen Auftritt bevorzustehen schien. Mochte Politik sie auch kaum einen Pfifferling interessieren, so kannten sie sich um so besser im Show-Business aus, zu dem, alles in allem, auch Bryan, der politische Schlangenbeschwörer, gehörte. »Ich hasse seine Liebe zum Krieg, die er demonstriert, wann immer er spricht.« Bryan, wohl wissend, daß die Aufmerksamkeit der beiden Mädchen – dem Äquivalent von mindestens zwei Staaten der Union – jetzt ihm galt, packte mit seinen Händen, in altvertrauter Geste, die Revers seines Gehrocks. »In West Point hat er zu den Kadetten gesagt: ›Ein guter Soldat muß zum Kampf nicht nur bereit, sondern begierig darauf sein.‹ Soviel zur Heiligen Schrift und den Worten unseres Herrn Jesus Christus.« Jetzt füllte der berühmte Klang seiner Stimme den Raum; Arthur Brisbane und ein halbes Dutzend von Hearst-Angestellten kamen herein. »Man schätzt, daß es über hundert Tote gegeben hat!« Brisbane war aufgeregt; und wurde noch aufgeregter, als er, auf dem napoleonischen Thron, den Great Commoner entdeckte. »Tut mir leid, W. R., ich wußte ja nicht . . .«

»Schon in Ordnung, Colonel Bryan und ich sind, wie immer, ein Herz und eine Seele. Wir komplementieren einander.« Der Chef hatte es nie nötig gehabt, sich den Unterschied zwischen »komplimentieren« und »komplementieren« klarzumachen. Sein Glück.

»Möchten Sie sich nicht zu uns gesellen, Mr. Brisbane?« Auf diese seine höfliche Art machte der Chef allen klar, daß er sie nicht länger zu sehen wünschte, inklusive der Willson-Schwestern, die noch immer den großen Mimen anstarrten, der sie seinerseits mit feierlichem Ernst anlächelte, als sie schließlich in einem Geglitzer aus güldenem Gewebe und einer Wolke aus betäubendem Parfüm an ihm vorüberglitten.

Brisbane nahm Bryan gegenüber Platz; er war kein Bryan-Enthusiast, und dies aus dem einfachen Grund, daß es in der Geschichte noch nie einen großen Mann ohne blaue Augen gegeben hatte. Als Blaise in diesem Zusammenhang einmal Julius Cäsar erwähnt hatte, war Brisbane mit einer prompten Antwort zur Hand gewesen: Betreffs Julius Cäsar seien die niedergeschriebenen Indizien keineswegs klar; überdies gebe es, im Hinblick auf Cäsars Leben, genügend Hinweise bezüglich sexueller Irregularitäten, welche »Größe« ausschlössen. Blaise war der Ansicht, daß man ja wohl die Eroberung der Welt mit in die Waagschale werfen könne; doch Brisbane war ein amerikanischer Moralist, und mit ihm zu debattieren war schlicht unmöglich.

»Colonel Bryan ist hier«, sagte Hearst und packte, Bryan imitierend, seine eigenen Revers, »um seine Europareise zu erörtern.«

Brisbane nickte. »Ich habe sämtliche Arrangements getroffen, Sir. Sie werden in zwei Wochen abreisen; zu den vereinbarten Bedingungen.«

»Sie waren, nach dem letzten Stand der Dinge, durchaus akzeptabel. Schließlich bin ich nichts weiter als der Herausgeber einer Provinzzeitung.« Blaise war sowohl überrascht als auch beeindruckt. Irgendwie hatte es Hearst geschafft, den Great Commoner auf seine Lohnliste zu setzen. Offenkundig war der Chef bereit, alles dafür zu tun, sich die Nominierung für 1904 zu sichern – und warum auch nicht? War die Führerschaft der Partei käuflich, so würde er den Preis dafür zahlen. Und eine erste Rate hatte er entrichtet, indem er William Jennings Bryan dazu engagiert hatte, Europa zu bereisen und eine Artikelserie für die Hearst-Presse zu schreiben, inzwischen sechs Zeitungen, bald schon acht. Da *war* etwas Napoleonisches an der Art, mit welcher sich der Chef an die Eroberung der demokratischen Partei machte; und der Republik, für die er ja nicht unbedingt stand.

Brisbane sprach von Details. Hearst blickte zur Zimmerdecke. Bryan wirkte auf den Normalmenschen mehr denn je wie ein Monument. »Ich gebe Ihnen einen unserer besten Leute mit auf die Reise. Er heißt Michelson und versteht sich aufs Schreiben, so daß er Ihnen diese Mühe abnehmen wird. Natürlich entscheiden allein Sie selbst, worüber berichtet wird.«

»Selbstverständlich. Eine persönliche Begegnung mit Tolstoi, dem russischen Grafen, wäre mir wichtig.« Das kam für Bryans Zuhörer zweifellos unerwartet. »Nach dem, was ich von ihm gelesen habe, haben wir eine Menge miteinander gemein. Es heißt sogar, ich hätte einen großen Einfluß ausgeübt auf seine Reden – Bücher, meine ich. Außerdem ist Rußland für uns wichtig, sehr wichtig, und allem Anschein nach spricht er für den einfachen russischen Menschen, so wie ich für den einfachen amerikanischen Menschen spreche.«

»Ich hätte nicht gedacht«, sagte Brisbane mit unverkennbarer Verblüffung, »daß Sie zu den Lesern von Tolstois Büchern gehören.«

»Nein, ich kann nicht sagen, daß ich je eines von ihnen *gelesen* hätte. Aber ich habe eine Menge von ihm, ich meine über ihn gelesen, hauptsächlich in Magazinen, so wie er über mich. Wir werden zusammenpassen wie – wie Feuer und Flamme.« Bryan erhob sich, so wie sich ein Monument wohl erheben mußte, dachte Blaise. Irgendwie hatten der Ernst und die Würde dieses Mannes etwas Großartiges. Auch die anderen drei Männer standen auf. »Ich freue mich aufs Essen«, sagte Bryan, als er sich an der Tür von Hearst verabschiedete. »Wissen Sie, ich habe den größten Teil meines Lebens in Zügen oder auf Bahnhöfen verbracht und kenne Nahrung hauptsächlich als Schnellimbiß zwischen Terminen für Reden. Ich glaube, es war einer Ihrer Reporter, der einmal schrieb, Colonel Bryan habe vermutlich mehr Hamburger gegessen als irgendein anderer Amerikaner.«

Nicht einmal Hearst vergaß, mit einem Lachen zu reagieren. Dann war Bryan verschwunden.

»Er ist passé«, sagte Brisbane.

»Aber wird er mich so unterstützen, wie ich ihn die beiden Male unterstützt habe?« Hearst war nervös; mochte sich nicht setzen.

»Warum auch nicht? Außer Ihnen kommt ja niemand in Frage.«

»Er wird es wieder für sich selbst beanspruchen«, sagte Blaise, der inzwischen mit der Natur des amerikanischen Vollblutpolitikers genauso vertraut war wie jedermann sonst.

Hearst nickte mit düsterer Miene und sagte: »Das heißt, wenn er's nicht kriegen kann, wird er dafür sorgen, daß ich – oder wer sonst immer – keinesfalls gewinne.«

»Wir werden von vielen Leuten verklagt werden.« Brisbane dachte an die Katastrophe auf dem Madison Square.

»Sollen sie's doch versuchen.« Hearst zeigte sich gleichgültig. »Höhere Gewalt nennt man das oder, wie es bei uns im Gesetz wörtlich heißt, einen ›Akt Gottes‹.«

»Einen Akt von Mr. Hearst, wird Mr. Pulitzer es nennen«, sagte Blaise.

»Ist doch dasselbe«, witzelte Brisbane.

Hearst starrte die beiden anderen wortlos an, während seine Hände seine Revers packten, als sei dies der Schlüssel zu Bryans Wortgewalt. Mit einem Lachen, registrierte Blaise, reagierte er diesmal nicht. »Bryan ist erst zweiundvierzig«, sagte Hearst. »Roosevelt ist dreiundvierzig. Ich werde im April vierzig. Ich liege ziemlich weit zurück. Ich werde Elihu Roots Haus im Lafayette Park übernehmen, nahe beim Weißen Haus.«

»Dann haben Sie in zwei Jahren einen bequemen Umzug, gleich über die Straße.« Brisbane schien aufrichtig zu glauben, daß Hearsts Weg unausweichlich vorgezeichnet war. Blaise sah das anders. In seinen Augen war der Chef eine weitaus bedeutendere Persönlichkeit als ein bloßer Präsident, dessen Aktivitäten nur dann zu *news* wurden, wenn Hearst persönlich darüber entschied, ob solche Aktivitäten vermeldet oder umgedichtet werden sollten – und nicht schlicht ignoriert. Hearst verkörperte etwas Neues und Seltsames und Machtvolles; und Blaise erkannte rückhaltlos an, daß Caroline diese Neuartigkeit früher begriffen hatte als irgend jemand sonst, den er kannte. Jetzt versuchte Hearst, der Schöpfer, sich selbst zu erschaffen. Es war, als wollte ein Spiegel, statt andere Objekte zu reflektieren, ein Spiegelbild von sich selbst erzeugen. Hearst konnte zwar auf beliebige Weise verändern, was es gab, doch mußte es de facto vorhanden sein, *bevor* er seine sonderbare schwarze oder eher wohl gelbe Kunst ausübte. Konnte ein Zerrspiegel sich selbst reflektieren, falls sich nichts vor der Spiegelfläche befand? War Hearst überhaupt wirklich? Das war die Frage. Und Blaise freute sich darüber, daß er während Hearsts Zeit als Kongreßabgeordneter in Washington leben würde.

3

Mrs. James Burden Day (»Sie dürfen mich Kitty nennen, Miss Sanford«) war am Ostertag daheim, und Caroline, begleitet von Mr. und Mrs. Trimble, gehörte zu den Gästen in ihrem Haus in Mintwood Place, auf einer Anhöhe bei der Connecticut Avenue mit Blick auf den Rock Creek Park, wo Hartriegel, weiß wie rot, und Judasbäume üppig blühten, ein Bild fast urhafter Wildnis.

»Wir sollten die Demokraten näher kennenlernen«, sagte Caroline zu Mr. Trimble, der persönlich ein Bryan-Anhänger war und beträchtliche Mühe hatte, Carolines rücksichtsvolle Einstellung gegenüber den Roosevelts zu begreifen. Die Tribune sollte alle Arten von Lesern ansprechen, und das bedeutete, daß echte politische Kontroversen, wie Mr. Trimble sie angeblich liebte, völlig unmöglich waren in einer Stadt, die dominiert wurde von den Roosevelts mit ihrem sich immer weiter steigernden royalen Stil des Entertainment. Die ungewohnte Tatsache, daß ein Patrizier im Weißen Haus wohnte, schien nicht nur Washingtons alte Garde paralysiert zu haben, die seit alters her auf die Bewohner des Weißen Hauses hinabzublicken pflegte, sondern auch das Diplomatische Korps, das traditionell immer eine herablassende Attitüde eingenommen hatte gegenüber dem gesellschaftlichen Leben in dieser noch immer als provinziell geltenden Hauptstadt. Da Caroline bei den Roosevelts beliebt war, vermied sie alles, was diese – für die Tribune überaus nützliche – Tatsache gefährden konnte. Von allen Roosevelts beeindruckte Caroline am meisten die so gelassen wirkende Edith, die den Roosevelt-Zirkus mit leichter Hand und allem Anschein nach völlig mühelos leitete.

Der laute, dickliche, kurzwüchsige Präsident, der darauf versessen war, als wortgewaltig, sehnig und hochgewachsen zu gelten, betrieb inzwischen passionierte Körperertüchtigung im Weißen Haus, wo Ringer und Akrobaten stets willkommen waren; er pflegte sich an ihren gymnastischen Übungen zu beteiligen, und das mit solcher Verve, daß ihm ein Medizinball, der gegen sein rotes, schwitzendes Gesicht geprallt war, ums Haar ein Auge herausgewuchtet hätte. Das war vor der Presse zwar geheimgehalten worden, doch Caroline hatte durch Alice von dem Vorfall erfahren; später entdeckte sie, mit Hilfe von Informationen von anderer Seite, daß der Präsident auf einem Auge blind war. Die Öffentlichkeit jedoch wußte hiervon nichts; und er setzte sein strapaziöses Leben unbeirrt fort; ritt in vollem Galopp über gefährlich steile Fährten und Reitpfade und schrie jedem, der seine Bahn störte, zu: »Aus dem Weg! Ich bin der Präsident!«

Durch das Hofleben und jene leicht entrückte Welt des Hay-Adams-Hauses war Caroline – und das warf Trimble ihr auch vor – von jenen Lesern weit entfernt, die einfache Leute und Bryan-Anhänger waren. »Aber die Post ist doch die demokratische Zeitung. Warum sollten wir nicht die republikanische sein?« Caroline fand Trimbles Einstellung unvernünftig; andererseits hatte er natürlich recht in dem Sinn, daß eine Zeitung, deren Hauptziel es war, zu unterhalten, sich besser nicht zum Parteigänger nur einer Seite machte. Um Trimble zufriedenzustellen, hatte sie die Gelegenheit genutzt und Mrs. Days Einladung angenommen.

Die Days wohnten in einem von einer Reihe gleichartiger Häuser, mit hohen Veranden und Portalen, gotischen Fenstern und einem Dach, aus dem unvermuteterweise Zinnen hervorsprossen. Der Gesamteindruck war der einer Festung, erbaut, um Rock Creek zu dominieren.

Kitty saß hinter ihrer silbernen Teekanne, silbernen Kaffeekanne und ihrem Regiment von Tassen. Unter Assistenz einer Lady, die ihre – offenbar ältere – Schwester zu sein schien, goß sie ein und grüßte sie und sprach vom Wetter. Caroline erkannte eine Reihe von demokratischen Parlamentariern, deren Namen sie allerdings nicht wußte. Nur den sogenannten Minority Leader des Repräsentantenhauses – den Fraktionsvorsitzenden der Oppositionspartei – kannte sie persönlich von ein paar Dinnerpartys. John Sharp

Williams aus Tennessee war ein sardonischer, ungepflegt wirkender und nie ganz nüchterner Mann, wegen seines scharfen Witzes von vielen gefürchtet. Er belegte Caroline mit Beschlag, indem er sich prompt – und aller Etikette zuwider – bei ihr einhakte und sie in Richtung Speisezimmer steuerte, wo einsam und eigens für ihn eine Karaffe voll Whiskey bereitstand. »Ich bin Jim Days Boß, wissen Sie. Da hat er mich natürlich gut zu versorgen.« Während sich Williams einen Whiskey einschenkte, entdeckte Caroline auf dem Boden ihrer Teetasse ein hübsches Muster, aus etlichen dunklen Teeblättern, die durch Kittys grobmaschiges Sieb geschlüpft waren. »Ich wußte gar nicht, daß Sie Kitty kennen, Miss Sanford.«

»Ich kannte sie auch nicht. Nur ihren Mann.« Caroline hielt inne und fügte dann hinzu: »Flüchtig, als Währungskommissar.«

»Er wird es weit bringen, mit Kittys Vater hinter sich.«

»Dem Richter?«

»Dem Richter. Oh, was für ein Energiebündel ist dieser Mann. Hat nur ein Bein, wissen Sie. Ihm verdankt Jim seine Wahl.«

»Ist das der Grund dafür, daß Mr. Day die Tochter des Richters geheiratet hat?« Caroline milderte die Direktheit der Frage durch ein, wie sie hoffte, selbstironisch klingendes Lachen. »Ich *bin* nun mal eine aktive Journalistin, Herr Abgeordneter.«

»Ich wußte nicht, daß die Tribune auf solche Storys scharf ist.« Williams' rundes, rotes Gesicht wurde plötzlich ganz ernst, ein Ausdruck, den Caroline inzwischen gut kannte – die Miene eines Politikers, der zur Presse mehr gesagt hat, als er eigentlich wollte, und nun die Folgen fürchtete.

»Sind wir auch nicht. Meine Society Lady könnte ein paar dunkle Andeutungen machen, *falls* ich sie ließe. Aber das werde ich nicht. Die Ehe ist uns heilig.«

»So kann nur ein wahrer Wächter der Moral in dieser Republik sprechen, und genau das sind Sie ja auch, Miss. Da mach ich gar keinen Hehl draus.« Williams blickte sich um. »Oh, dort kommt der Speaker.«

»Mr. Cannon?« Caroline drehte den Kopf und hielt aufmerksam Ausschau nach dem Sprecher des Repräsentantenhauses, dieser erhabenen Persönlichkeit. Doch Williams hatte sich geirrt. Jemand, der Cannon ein wenig ähnlich sah, hatte den Salon betreten. Caroline erkannte den Mann. Es handelte sich um einen Washingtoner Immobilienmakler, dessen Spezialität es war, Kongreßmitgliedern »eine Bleibe« zu besorgen. »Es ist nicht Mr. Cannon.« Williams wirkte erleichtert. »Aber die meisten von uns sind ja auch schon unterwegs in ihre Heimatstaaten. Eigentlich wundere ich mich, daß noch so viele hier sind . . .«

»Potomac-Fieber?«

»Das tritt nur dann ein, wenn man politisch erledigt ist. Dann kann man die Stadt nicht verlassen, überhaupt nicht. Aber *wir* kommen und gehen noch immer, und je öfter wir gehen – jeder in seine Heimat, meine ich –, desto länger können wir hierbleiben.«

»Ich kann's gar nicht erwarten, bis Sie alle im November wieder zurückkommen.«

»Das ist sehr freundlich von Ihnen, Miss Sanford.« Williams strahlte sie an, und für einen kurzen Augenblick fühlte sie, wie eine Hand leicht über ihre Hüfte strich; immerhin blieb ihr das Zwicken erspart, mit dem gewisse Senatoren Ladys bedachten, deren Konturen ihnen gefielen – zartem Fleisch blaue Flecken zufügend.

»Ich habe dabei nicht nur an den Kongreß im allgemeinen gedacht«, sagte Caroline und rückte behende einen Stuhl zwischen sich und ihren Gesprächspartner, »sondern auch an die Ankunft von William Randolph Hearst.«

Williams' Stirn furchte sich. »Er hat mir bereits seine ersten Befehle zukommen lassen. Er will in den Haushaltsausschuß *und* in das Komitee für Arbeit.«

»Und, haben Sie seinen ›Wünschen‹ entsprochen?«

»Den Teufel hab ich. Und von *dem* soll er sich in die Komitees bringen lassen, nicht von mir. Wissen Sie, dieser Narr versucht, sich als Präsidentschaftskandidat aufzubauen. Der schießt wirklich den Vogel ab.«

»Er ist gewiß nicht der erste Narr, der das tut, oder . . .«, fuhr Caroline fort, sehr wohl bemerkend, daß Day sich ihr näherte, ». . . der erste Narr, der gewählt werden würde – falls er's denn wird.«

Williams lachte ein lautes Whiskey-Lachen. »Witzig ausgedrückt, Miss Sanford. Ja. Im Weißen Haus hat's einen Haufen Narren gegeben, und manchmal scheint mir, daß wir zur Zeit dort ein Sonderexemplar haben . . . Jim, ich wußte gar nicht, daß Sie in höhere gesellschaftliche Kreise streben.«

Day lächelte Caroline an; schüttelte ihr die Hand. »Wir sind alte Freunde – denke ich jedenfalls. Ich kannte den jungen Mr. Hay«, sagte er zu Williams, der sofort eine adäquat ernste Miene aufsetzte.

»Niedergestreckt wie vom Blitz, in der Blüte seines Lebens«, psalmodierte John Sharp Williams; und ließ dann, Whiskey in der Hand, Gastgeber und Gast allein.

»Wir haben uns nicht besonders gut gemacht«, bemerkte Day beiläufig. Zwischen den beiden stand ein Engelkuchen, aus dem ein großes Stück herausgeschnitten worden war. Am anderen Ende der Tafel, Teetassen balancierend und rosa glänzendes Gebäck schmausend, schwelgten etliche Ladys in Klatsch und Tratsch.

»Sie sprechen von den Wahlen?«

»Die sind hier praktisch unser einziges Thema.« Er sah sie an; seine Augen waren, wie die Society Lady das seit einiger Zeit nannte, »von reinem Blau«. Inzwischen hoffte Caroline, irgendwo einem gleichartigen Augenpaar zu begegnen, um die Society Lady damit düpieren zu können. Im übrigen war diese Dame anwesend, gewichtige Inkarnation ihrer selbst, und arbeitete sich systematisch durch einen Teller voller länglicher, kleiner Biskuitkuchen, Ladyfinger genannt: Die Methode der Society Lady bestand darin, mit dem »Fingernagel« zu beginnen, einer glänzenden, geschälten Mandel, um dann, mit zwei weiteren Bissen, den ganzen Finger zu vertilgen – vermutlich mit einem Bedauern, daß sie nicht in die ungebackene Hand beißen konnte, obschon diese sie fütterte, dachte Caroline ziemlich wirr, den Kopf wie überflutet von Metaphern, die sämtlich etwas mit Essen zu tun hatten; und all das nur, weil dieser hochgewachsene junge Mann gleich neben ihr so attraktiv war und sie, irgendwie, eben – ans Essen denken ließ. Gab es da irgendeinen Zusammenhang? Würde sie sich in eine Gottesanbeterin verwandeln und ihn verschlingen wie einen Engelkuchen; oder war sie vielmehr bereit, sich ihm hinzugeben, wie das in Liebesromanen – und auch von der beharrlichen Marguerite – geradezu gefordert wurde: ihr, Carolines, Fleisch nichts als eine Art Kuchen, eine Nascherei für sein Leckermaul? Vielleicht, dachte sie, der nahrhaften Metaphern allmählich überdrüssig, würden sie einander gar nicht verschlingen, sondern statt dessen jenen nackten Statuen in den Gärten von Saint-Cloud-le-Duc ähneln, die, einander mit Marmorarmen umschlingend, im Regen Posen einnahmen –

ja, sie sah sie beide feucht und glänzend in einem starken Sommerregen, eine männliche und eine weibliche Statue, Seite an Seite, nein, eigentlich Bauch an Bauch, Venus und Mars, vor Regenwasser triefend. Auf dem Rücken der Hand, welche die Teetasse hielt, entdeckte sie, wie in einer Art Muster, sandfarbene Härchen; und versuchte sofort, sich die Mars-Statue völlig bedeckt mit solch interessanten Mustern aus Haar vorzustellen. Doch schon patschte der Regen die Haare glatt wie bei einem nassen Hund; ja, am meisten glich so ein behaarter Mann einem Hund, wenn er weder Kuchen noch Marmor war, sondern warmes, fremdartiges – und feuchtes – Fleisch. Caroline war sich nicht sicher, ob sie ihn völlig genießen würde, den wirklichen Körper des Mannes, selbst wenn er ihr angeboten wurde – aber dafür gab es bei ihm, dem Jungverheirateten, ohnehin kein Anzeichen.

»Auf dem Weg zum Kapitol sehe ich täglich, wie das Haus Ihres Bruders Blaise wächst und wächst. Ich habe das Gefühl, das wird am Ende kaum kleiner sein als das Kapitol.«

»Ich verstehe wirklich nicht, wozu er hier ein Haus braucht.« Carolines Sieg in Washington war keinesfalls so total, daß ihr brüderliche Konkurrenz willkommen sein konnte. Schließlich kontrollierte Blaise noch immer das Sanford-Vermögen; und Washington war allemal käuflich, zu niedrigen Preisen. Wenn Blaise heiratete, würde seine Frau *die* Mrs. Sanford sein; und Miss Sanford, die unverheiratete Schwester, würde – Verlegerin hin, Verlegerin her – gleichsam von der Bildfläche verschwinden. Wer würde denn noch zu dem kleinen Haus in Georgetown kommen, wenn es in der Connecticut Avenue einen Marmorpalast gab, in dem permanent hofgehalten wurde? Sie mußte heiraten. Sie mußte sich ein Haus bauen. Sie mußte mit James Burden Day ins Bett gehen. »Natürlich will er die Post, aber Mr. Wilkins wird niemals verkaufen.«

»Eine gute Sache. Wir brauchen hier eine demokratische Zeitung.« Caroline sah, daß das Härchenmuster auf dem Handrücken am Handgelenk aufhörte, sich dann jedoch auf dem Teil des Unterarms fortsetzte, der unterhalb der lose geformten Manschette sichtbar war. Marguerite hatte Caroline bereits gewarnt: Würde sie ihre Jungfräulichkeit auch nur noch eine einzige Saison länger bewahren, so würde sie schlicht ein-, aus- und vertrocknen. Wie auf ein geheimes Warnsignal betrat in diesem Augenblick Kitty den

Raum, mit einer Platte voll Gebäck, von dem jedes Stück unheilvollerweise mit einem glasierten Scheibchen haltbargemachten Obstes garniert war. »Nein, nein.« Caroline schob die Platte von sich, mit leichtem Ekel. »Nein, *dankeschön*«, fügte sie höflich hinzu, als ihr die Heftigkeit ihres Tons bewußt wurde, »so köstlich, Ihr Engelkuchen.«

Die Gastgeberin warf einen kritischen Blick auf die große Lücke im Kuchen, und Caroline begriff, daß Kitty sie im Verdacht hatte, das Stück allein verspeist zu haben, ein allesverschlingendes Weib, zweifellos. »Gedämmte Feuer geben die meiste Hitze«, lautete eine von Marguerites Volksweisheiten, wenn sie mit mißbilligendem Blick ihre jungfräuliche und – mit ihren fünfundzwanzig Jahren – fast altjüngferliche Herrin betrachtete.

»Mr. Williams sagt, daß Präsident Cleveland wieder kandidieren will, zum drittenmal.« Anders als die meisten Washingtoner Politikerfrauen war Kitty, durch ihren Vater, politisch gebildet.

»Ich glaube, das wird er sich noch einmal überlegen, um dann daheim in Princetown bleiben zu können.« Day starrte auf Carolines Kinn. War es mit Puderzucker von Kittys Gebäck bestäubt? »Ich bin sicher, daß Bryan wieder kandidieren kann. Ich bin für ihn. Und wo ich herkomme, sind wir alle für ihn.«

»Ich habe noch nie einen Mann soviel essen sehen«, sagte Kitty; und ließ beide allein. Wie, fragte sich Caroline, war es nur gekommen, daß Essen und Eßbares zum prosaischen Leitmotiv geworden waren für – mit Erleichterung wechselte sie über zur Musik als zwingender Metapher – den *Liebestod,* der schon bald zwischen ihnen erklingen sollte? Sie blickte nicht auf den Kuchen, sondern in das zu ihr herabgebeugte Gesicht, das so straff war, hager fast, mit in den Winkeln emporgekrümmten Lippen – wie bei einem Praxiteles-Faun. Doch Marmorfaune waren nicht bedeckt mit sandfarbenen Härchenmustern, und sie war sich ganz und gar nicht sicher, wie sie reagieren würde auf die Offenbarungen der Liebe. Was den Körper eines Mannes betraf, so würden Theorie und Realität vermutlich genausoweit auseinanderklaffen wie die Theorie des amerikanischen Regierungssystems mit all ihren hochgestochenen Platitüden und die schäbige, scheußliche demokratische Praxis. Aber was für Überraschungen auch immer auf sie warten mochten, fett wie Del war er jedenfalls nicht.

Faun-Lippen, für die Liebe gemacht, sprachen jetzt leise vom jüngsten Kohlenstreik. »Wissen Sie, das Land stand kurz vor der Wahl vor dem Zusammenbruch. Daheim gab es eine richtiggehende Panik, das kann ich Ihnen sagen. Wir hätten die Initiative ergreifen sollen, doch Roosevelt kam uns bei den Grubenbesitzern und -arbeitern zuvor. Natürlich steht er auf der Seite der Besitzer. Aber er brachte sie dazu, ein paar Pennys mehr zu zahlen, was für sie ein leichtes war, wenn die Arbeiter dem Zehn-Stunden-Tag zustimmten, was sie praktisch mußten. Oh, wir werden an einem dieser Tage den Entscheidungskampf führen müssen . . .«

»Die Demokraten und die Republikaner?«

»Nein. Die Eigentümer dieses Landes und die Menschen, die die eigentliche Arbeit tun.«

»Nun, zweifellos arbeiten auch die Eigentümer.«

Day grinste; die Zähne waren weiß, doch einer der Vorderzähne hatte einen merkwürdigen Sprung – wie Marmor? Nein, Alabaster. Und da die Wirkung eher auf Mars als auf einen Faun schließen ließ, dachte Caroline sich selbst jetzt als Gefährtin des Mars, als Venus. Vielleicht würde sich ja, wundersamerweise, die Größe ihrer Brüste verdoppeln, bis es zur Vereinigung kam von Liebe und Krieg. Marguerite hatte zu gymnastischen Übungen geraten; und zum Genuß von reichlich Sahne. Aber die Übungen waren langweilig, und von der Sahne wurde Caroline nur übel; folglich entsprachen die Brüste weit eher Diana, der keuschen Göttin der Jagd, als etwa Venus. Caroline begann nervös zu schwatzen. »Wie wenig im vergangenen Herbst doch daran gefehlt hat, daß Mr. Hay Präsident geworden wäre . . .«

»Armer alter Mann . . .«

»Oh, nicht zu alt, obschon weitaus gebrechlicher seit Dels Tod.« Dumm von ihr, Del zu erwähnen; jetzt nur nicht innehalten wegen irgendwelcher Beileidsfloskeln. »Jedenfalls war er sehr aufgeregt, als von Pittsfield die Nachricht eintraf, daß eine Straßenbahn mit der Kutsche des Präsidenten zusammengestoßen war, wobei ein Geheimdienstmann umkam, während Mr. Roosevelt durch die Luft geschleudert wurde wie . . . wie ein riesiger Pfannkuchen . . .« Schon wieder so eine »nahrhafte« Metapher; und eine völlig unangemessene dazu. » . . . und natürlich wußte niemand, wie schwerwiegend seine Verletzungen waren . . .«

». . . sind. Es heißt, er sei im Kopf durcheinander.«

»Nicht mehr als sonst. Ich habe ihn ja oft auf Jackson Place gesehen, wohin er übersiedeln mußte, als das Weiße Haus renoviert wurde. Er hatte und hat noch einen Abszeß am Bein, am Knochen. Aber das ist auch alles. Er ist nach wie vor ein Energiebündel, und Mr. Hay ist nicht Präsident geworden.«

»Pech. Ich reite sonntags immer aus.« Endlich sprachen die Faun-Lippen die erwarteten Worte aus. »Den Kanal entlang. Nach dem Sonntagsbraten . . .«

Diesmal verzichtete Caroline auf nahrhafte Metaphern, um zu sagen, was sie meinte. »Da bin ich mit von der Partie.«

Doch dann war nicht sie, sondern er es, der sagte: »Ich hab so etwas noch nie getan.« Sie lagen Seite an Seite, völlig nackt; und also gar nicht in jener sittsamen Art, in welcher sich in den Vereinigten Staaten Paare zu vereinigen pflegten, so man der »Damen-Rubrik« der Tribune vertrauen wollte oder sie zumindest korrekt interpretierte; denn natürlich war in so intimen Dingen alles, aber auch alles schierer Euphemismus.

»Aber bestimmt habt ihr beide, du und Kitty, doch zumindest *versucht*, das zu tun, was wir beide gerade getan haben.« Carolines jungfräuliche Furcht vor dem männlichen Körper war zu Anfang fast noch vertieft worden durch soviel überwältigende Muskelmasse und Behaarung und schiere Größe. Für eine Frau waren allein die Proportionen viel zu heroisch. Caroline fühlte sich keineswegs wie eine Puppe, was ja noch von reizvoller Hilflosigkeit hätte sein können; sie kam sich vor wie ein Gnom, und das war nun ganz und gar nicht attraktiv. Die Übermenge maskuliner Sehnen neben ihr erschienen als gottgleiche Norm, indes ihr eigener schlanker, weißer Körper kaum etwas anderes war als eine Rippe, seinem Leib entrissen. Womöglich enthielt die biblische Geschichte in der Tat irgendeine Art Wahrheit. Zum Glück war er von ihr so fasziniert, wie sie von ihm, und er fuhr fort, sie zu liebkosen, als sei er sich nicht sicher, daß es sie auch wirklich gab. Sie ihrerseits scheute sich ein wenig, ihn zu berühren – Explosionen befürchtend, die sich sehr leicht ereignen mochten, falls sie allzu eingehend jenen gewaltigen, so mysteriös belebten Körper erforschte.

»Nein. Was ich sagen wollte, ist, daß ich noch nie mit einer anderen Frau zusammen war, seit . . .« Er brach ab.

»Nun, ich bin überhaupt noch nie mit jemandem zusammen gewesen.« Sie sagte dies, während seine Hand in Richtung ihres Schoßes glitt. Prompt verharrte, nein, erstarrte die Hand dort, wo sie sich gerade befand; und Caroline dachte an die versteinerten Bürger von Pompeji, jeder letzte Akt von Lava umfangen und bewahrt. Druscilla, Jungfrau, mit Marius, Gladiator. In ihrem Ende lag ihr Anfang.

»*Ich* bin der erste?« Verblüfft starrte er sie mit wenig attraktivem Erstaunen an.

»Bestimmt bedeutet das für dich kein Märtyrertum. Man muß ja anfangen, irgendwann, mit irgendwem . . .«

»Aber wenn ich der erste bin«, wiederholte er und starrte auf den Ursprungsort allen Lebens, den euphemistisch zu feiern Henry Adams nie müde wurde.

»Warum gibt's dann kein Blut?« Marguerite hatte ihr alles genau erklärt; und nun also erklärte sie ihm, mit wachsender Gereiztheit, wie sie sich in jungen Jahren als Reiterin bewährt und ausgezeichnet hatte, was ihr am Ende nicht nur Trophäen, sondern auch ein gerissenes Hymen eingetragen hatte.

»So etwas hatte ich noch nie gehört«, sagte er.

Caroline hatte zwar keine Romanze erwartet; aber auch keine gleichsam klinische Diskussion im Anschluß an das, was – beinahe – Ekstase gewesen war. Fest preßte sie eine Hand auf den faunartigen Mund; begann mit der anderen eigenwillige Spiele von gleichsam hydraulischer Art; offenkundig erforderte Ekstase eine Unmenge Geduld, von manueller Arbeit ganz zu schweigen.

Das zweite Mal war besser als das erste, und Caroline begann, in dem berühmten Akt ganz entschieden Möglichkeiten zu sehen. Aber sie war auch kritisch gegenüber dem Schöpfer – jenem Großen Künstler, der sowohl Männer als auch Frauen entworfen hatte, ohne sich allzusehr um die Details zu scheren, folglich allzuviel dem Zufall überlassend. Was die Winkel – respektive ihr Verhältnis zueinander – betraf, schien gar nichts so ganz zu stimmen. Vereinigungsmöglichkeiten gab es zwar, doch erforderten sie akrobatische Anstrengungen von wenig würdiger Art. Noch weniger würdig war, wie sie aus eigener Anschauung wußte, eigentlich nur das Gebären – zudem mit Schmerzen verbunden. Zum Glück schmerzte das, was sie beide an Manövern auf dem Bett aufführten, in gar keiner Weise; das Vergnügen hingegen, wenn es sich einstellte, kam irgendwie scharf und überraschend und nahm einem so ziemlich das Bewußtsein seiner selbst – ein unverhofftes Geschenk des Eros. Offensichtlich lag es in der Absicht des Großen Künstlers, die Geschlechter einander wirklich ergänzen zu lassen und darüber hinaus etwas für das Menschengeschlecht zu tun, dem er so ziemlich auf gut Glück die Aufgabe übertragen hatte, das, was es miteinander trieb, immer weiter zu treiben, um zur Lustempfindung zu gelangen – zu jener kleinen Belohnung, die er ihnen zugestand, während die Menschen unbeirrbar jenen Zweck erfüllten, den diese Übung unverkennbar einzig haben konnte: mehr und immer mehr vom immer gleichen, bis die Erde erkaltete oder in Flammen aufging und niemand mehr übrig war, um zu kopulieren.

Als Jim, wie sie ihn jetzt nannte, sich später zufrieden in der Badewanne räkelte, befolgte Caroline Marguerites Rat in Form einer ausgiebigen Dusche in einem Lowestoft-Porzellanbecken; und zu dieser Prozedur gehörte auch eine sogenannte kalte Ptisane, die garantieren sollte, daß sich in Carolines nun nicht mehr jungfräulichem Schoß kein kleiner Fremdling heranbildete.

Sie bemerkte, daß Jim sie beobachtete – ihr vielleicht allzu geschicktes Therapieren ihrer selbst; und so sagte sie: »Marguerite hat mir genaue Anweisungen gegeben. Überdies ist sie eine Hebamme, wenn ich natürlich auch hoffe, daß wir sie nie in dieser Funktion benötigen werden.«

»Französinnen wissen wohl schrecklich viel, nicht wahr?«

»Manche wissen von schrecklicheren Dingen als andere. Wenn es allerdings um fundamentale Angelegenheiten geht, ja, da wissen sie sehr gut Bescheid, und sie vertrauen es einander an, die Mutter der Tochter, über Generationen hinweg.«

»Amerikaner sprechen nie über . . . über solche Dinge.«

»Deshalb sind ja auch Zeitungen so unentbehrlich. Wir geben den Menschen etwas, worüber sie sprechen können. Auch Politik«, fügte sie, gleichsam der Höflichkeit halber, hinzu. Als sie dann in ihren seidenen Peignoir schlüpfte, fragte sie sich, ob sie sich wohl verlieben würde, richtig verlieben. Sie zweifelte daran. Dafür fehlte ihr die Grundvoraussetzung: Sie empfand keine Eifersucht, wie sie bemerkt hatte, als er vor ihren Augen in die Badewanne gestiegen war. Kitty konnte dieses häusliche, jedoch erregende Schauspiel tagtäglich genießen, während Caroline nur sonntags dazu Gelegenheit hatte; dennoch beneidete sie Kitty nicht. Immerfort einen Mann um sich zu haben, und sei es auch ein so wohlproportionierter und charmanter wie Jim, das war kein Traum, dessen Verwirklichung sie sich jemals gewünscht hatte. Sie war schon allzulange Junggesellin. Gewiß, vor erst einer Stunde hatte sie aufgehört, eine Jungfrau zu sein, und wer wollte wissen, was für Flammen, bislang gerade noch gezügelte Feuer – warum gebrauchte man für Sex nur so viele Metaphern und Bilder? –, unkontrolliert emporlodern mochten, so daß sie, Caroline, sich in Wollust nach gerade jenem Körper und keinem anderen verzehrte? *Je suis la fille de Minos, et de Pasiphaë*, murmelte sie und fand es sonderbar, daß die großen Bewunderer und Sänger der weiblichen Lust Männer wie Racine und Corneille gewesen waren. Von Sapphos Hymnen hatten nur wenige die Vernichtung überdauert, und die anderen Ladys, die über das Thema geschrieben hatten, waren vorsichtig genug gewesen, das Spiel nicht zu verraten – sofern es überhaupt ein Spiel gab, das verraten werden konnte. Vielleicht war das Ganze nichts weiter als eine Erfindung müßiggängerischer Poeten – also von Männern, die nichts Besseres zu tun hatten; ganz im Gegensatz zu den Frauen, die Kinder austragen und aufziehen mußten und überdies den Haushalt führen; die nur allzu bald ihre Reize verloren, so daß faulenzenden Männern nur noch die Freiheit blieb, die Liebe zu *erfinden*. Aber dann fielen Caroline verschiedene ihr bekannte Frauen ein, die geliebt hatten – und gelitten; und das konnte unmöglich alles nur vorgetäuscht gewesen sein. Da war Schmerz gewesen; oder doch zumindest *chagrin d'amour*, was wahrscheinlich schlimmer war. Und sie fragte sich, ob sie wohl jemals soviel leiden würde wegen irgendeines Mannes; oder irgendeiner Frau – als Schülerin von Mlle. Souvestre mußte sie sich selbst gegenüber aufrichtig sein. Sie bezweifelte es; sie war zu sehr daran gewöhnt, ganz einfach sie selbst zu sein, wachsam, von anderen fasziniert; und amüsiert über Eitelkeiten – und war Eifersucht denn etwas anderes als eine überdimensionierte Eitelkeit? Aber als sie Jim dann angekleidet sah, verhüllt der wunderschöne Körper, den ganz für sich selbst zu genießen sie gerade zu lernen begann, da empfand sie doch einen leichten Stich, weil sie jetzt nicht ohne alle Umstände von vorn anfangen konnte, jenes Gotteshaupt entblößend – so nannte sie im stillen das so absurd aussehende, jedoch ganz und gar unerläßliche Organ. Sie würde – voll Unschuld? – bis zum nächsten Sonntag warten müssen.

Die Faun-Lippen waren überraschend weich, während die sie umgebende Haut kratzig war, ein hübscher Kontrast. Jim roch nach Zedernholz; und nach dem Pferd, das er geritten hatte. »Du und Kitty, ihr müßt zum Dinner herkommen«, sagte Caroline, als sie ihn zur Schlafzimmertür führte.

Jim musterte sie verblüfft. »Wir beide *zusammen*?«

»Nun, es ist doch wohl üblich, Ehepaare zusammen einzuladen – zumindest behauptet das meine Society Lady.«

»Du *möchtest* Kitty hier sehen?«

»Sehr sogar. Wir haben ...«, Caroline lächelte, »... soviel miteinander gemein.«

»Das habt ihr wohl wirklich, scheint mir.« Er konnte genauso unterkühlt sein wie sie, was das Verhältnis zwischen ihnen beiden nur um so angenehmer gestalten würde, befand sie; und lächelte, als sie hörte, wie die Haustür ins Schloß fiel. Im selben Augenblick schoß Marguerite, ihre Arthritis vergessend, wie eine Hexe, die auf des Teufels Feuerodem ritt, ins Zimmer; und umarmte Caroline, laut schluchzend, Glückwünsche rufend; all dies vermischt und vermengt mit dieses tun und jenes lassen; und erinnerte Caroline sich noch? Wie war es gewesen – es, es, es?

»Ich hab's überlebt, Marguerite.« Caroline sprach jetzt französisch; und kam sich ein bißchen vor wie Jeanne D'Arc bei der Krönung des Dauphin. »Ich bin endlich eine Heilige – eine Frau, meine ich.«

»Gelobt sei Gott!« heulte Marguerite förmlich.

Teil XI

1

John Hay sah hinaus auf den Atlantik und dachte an Theodore Roosevelt; allerdings erinnerte Hay praktisch alles an den Präsidenten, der ihn nach Oyster Bay beordert hatte, um mit ihm über die Politik gegenüber Rußland zu sprechen. Rußland hatte sich nämlich geweigert, eine Protestnote des Präsidenten entgegenzunehmen, worin dieser seiner Empörung über das Ostermassaker an den Juden von Kischinew Ausdruck verlieh. Die amerikanischen Juden, an ihrer Spitze ein gewisser Jakob Schiff, befanden sich in vollem Aufruhr; und genauso militant zeigte sich in Washington der russische Botschafter Cassini. Der Präsident, gleich dem Atlantik, gehorchte seinen eigenen Gezeiten, rücksichtslosen Gezeiten, ausschließlich gelenkt vom Mond seines eigenen Fatums, wie Hay befand. Inmitten eines Wirrwarrs von Kindern, Ponys und Nachbarn kam er zu der Entscheidung, auf einen weiteren offiziellen Protest an die Adresse des Zaren zu verzichten, um statt dessen, in der amerikanischen Presse, die Weigerung der zaristischen Regierung hochzuspielen, die erste Protestnote überhaupt entgegenzunehmen.

»Ich bin davon überzeugt, daß mir die Nation folgen würde, wenn ich zu extremen Maßnahmen griffe.« Roosevelt stand vor seinem Haus, mit hochgerecktem Kinn; doch da Kinn und Hals wie aus einem Stück waren, dachte Hay mit einem flauen Gefühl an einen Batzen Roastbeef.

»Sie meinen: Krieg mit Rußland?« Hay lehnte sich mit dem Rücken an den Stamm einer Platane; der Druck linderte, ein wenig, die Schmerzen.

»*Ich* könnte das Volk in einen solchen Krieg führen . . .«

»Nun, wäre das anders, so würde es auch kaum einen Krieg geben können, oder?« In einem Jahr war der Parteitag der Republikaner fällig, und natürlich war Roosevelt darauf erpicht, als Präsidentschaftskandidat nominiert zu werden. Als Kriegs-, nein nicht -führender, sondern -führer, an der Spitze seiner Legionen in der

Mandschurei, würde er, seiner eigenen Überzeugung nach, ein neuer Lincoln sein, um als solcher mit überwältigender Mehrheit zum Präsidenten gewählt zu werden. Hay lebte in Furcht vor Theodores Aktivismus, welcher so sehr jenem des Atlantik glich – bei Vollmond und nordnordwestlichem Wind.

»Wie Sie wissen«, begann Hay, »bin ich nur für prächtige kleine Kriege . . .«

Doch Theodore Rex war jetzt voll in alterprobtem Routineschwung. »Wer die Schansi-Provinz hat, dominiert die Welt.« Wäre Brooks Adams, wünschte Hay jetzt inbrünstig, doch nur stumm geboren worden oder, besser noch, überhaupt nicht. Während Roosevelt die Brooks-Adams-Sprüche hinaustrompetete, erhob Hay die altgewohnten Einwände; sagte dann, inspiriert: »Nun, falls Ihnen an einem nützlichen kleinen Krieg gelegen wäre, so gäb's da ja Kolumbien.«

»Ich hätte gehofft, Sie würden sagen: Kanada.« Roosevelt lachte plötzlich auf; und hörte auf, den Imperator zu spielen. »Ja. Wir hätten gute Gründe, Truppen nach Bogotá zu schicken. Die versuchen immer wieder, uns übers Ohr zu hauen. Ist mir schon klar, daß Sie den Kanal lieber in Nicaragua hätten, doch eignet sich Panama weitaus eher dafür, und *falls* die Kolumbianer *nicht* mit sich reden lassen . . .« Noch mehr atlantische Drohung staute sich und überflutete die Rasenflächen von Sagamore Hill; dann entschwand der Präsident, um Tennis zu spielen; und Hay flüchtete trostsuchend zu Edith.

Jetzt befand Hay sich abermals in Newport, Rhode Island, in jenem Haus, das Helen und Payne für die Saison gemietet hatten. »Die Seeluft wird dir guttun«, hatte Henry Adams gesagt, als *er* nach Frankreich entflohen war; und die Seeluft hatte Hay in der Tat so gutgetan, daß er am Morgen dieses Tages sein Rücktrittsgesuch als Außenminister aufgesetzt hatte. Ein kränkelnder Mann wie er war ganz einfach überfordert von der Aufgabe, Theodore auch nur einigermaßen im Zaum zu halten. Root eignete sich dafür weit besser als er; allerdings fand Roosevelt Root zum Fürchten, ganz im Gegensatz zu Hay. Im übrigen hatte Root die Absicht, seinen Posten als Kriegsminister aufzugeben, und so erschien es nur angemessen, daß Hay beiseite trat, damit er seinen Platz einnehmen konnte, als Roosevelts Hüter.

»Ich werde frei sein.« Hay sprach zum Atlantik, der gleichgültig im gleißenden Julilicht glitzerte. »Ich werde das Leben genießen können.« Dann lachte er laut bei der Erinnerung an das, was Henry Adams gesagt hatte, als er Hays Klage hörte, er sei sich nicht sicher, ob ihm, wenn er dereinst sein Amt würde niederlegen müssen, nicht aller Lebensantrieb abhanden kommen werde.

»Da sorg dich nur nicht, mein Kleiner«, erwiderte sein alter Freund mit maliziöser Ironie, »der ist dir längst abhanden gekommen.«

Langsam stieg Hay die geschwungene Marmortreppe hinunter in die runde marmorne Eingangshalle – all dies augenscheinlich inspiriert durch Palladios Villa Rotunda. Colonel Payne mietete nur das Allerbeste für seinen »gestohlenen« Whitney-Sohn. Hay mochte Colonel Payne nicht; allerdings mußte man dem Colonel zugute halten, daß er sich der Familie von Helen Hay Whitney nicht aufdrängte. Bislang hatte er sich in Newport noch nicht sehen lassen; genausowenig wie William C. Whitney. Durch ihre Abwesenheit bewahrten beide das Gleichgewicht ihrer Fehde.

In einem getäfelten Arbeitszimmer, das dem Inneren einer Zigarrenkiste ähnelte, schrieb Clara Briefe – unter den Blicken des Hauseigentümers, dessen Porträt an der gegenüberliegenden Wand hing. Es handelte sich um einen Eisenbahnmagnaten, der sich zur Zeit im Ausland aufhielt. »Du willst dein Amt aufgeben«, sagte sie, ohne aufzublicken.

»Woher weißt du das?« fragte Hay, der sich schon längst nicht mehr darüber wunderte, daß Clara schier hellseherische Fähigkeiten besaß, soweit es seine Person betraf.

»Das verrät mir die Art, wie du dein Gewicht auf die Fersen verlegst, in der Meinung, daß du energisch auftrittst. Ich schreibe gerade an Edith. Soll ich etwas von deinem Rücktritt erwähnen?«

»Nein. Nein. Theodore darf das nur von mir erfahren.« Hay zeigte ihr das Schreiben. »Meine Freiheit.«

»Ja, Liebes.« Clara schrieb unbeirrt weiter; und Hay fühlte sich um seinen dramatischen Auftritt gebracht.

»Es geschieht nicht jeden Tag, daß ein Außenminister zurücktritt«, begann er.

»Nun, in deinem Fall *scheint* es eine alltägliche Sache zu sein. Ich wünschte . . .«, Clara beendete den Brief mit ihrer schwungvollen

Unterschrift und wandte sich ihrem Mann dann in ihrer ganzen Fülle zu, ». . . du würdest das wirklich hinter dich bringen. Ich möchte dich wieder in Bad Nauheim haben, wegen der Therapien und . . .«

»Clara, die Angelegenheit *ist* erledigt! Wir können schon nächsten Monat nach Europa abreisen. Adee sorgt dafür, daß im Ministerium alles glattläuft, ganz egal, ob ich tot bin oder noch lebe, und der Präsident . . .«

». . . wird dich zurückhalten, wie immer. Er braucht dich im nächsten Jahr, wegen der Wahl. Du wirst bleiben müssen, leider. Die Seeluft allerdings . . .«

». . . bekommt mir. Aber wie soll ich ein weiteres Jahr samt Senat und Cabot ertragen?« Hay schauderte beim Gedanken an jenen engstirnigen, pompösen Mann, den er einmal für seinen Freund gehalten hatte.

»Wir müssen ihn nun mal in Kauf nehmen, wegen Schwester Ann. Sie wiegt ein Dutzend seinesgleichen auf.«

»Und er wiegt ein Dutzend der allerabscheulichsten Senatoren auf.«

Helen kam ins Zimmer gerauscht, fast so etwas wie ein Kopie ihrer Mutter. Seit sie verheiratet war, wirkte sie in allem noch beträchtlicher dimensioniert. »Mrs. Fish gibt am Samstag einen Empfang für den Außenminister. Also verfügt und verkündet von Mr. Lehr . . .«

»Welche Hunde werden denn mit von der Party sein?« Es hatte tatsächlich eine Lehr-Fish-Dinner-Party für die Hunde der oberen Vierhundert gegeben – was Hay eher vergnüglich als etwa entsetzlich gefunden hatte. Für seine amerikanische Pioniersseele hatte altrömische Dekadenz stets etwas Anziehendes gehabt. Die Tatsache, daß Theodore beim bloßen Gedanken von Dekadenz in Rage geriet, vertiefte dieses Vergnügen noch, zumal jetzt, da Theodore selbst spätimperiale Symptome zeigte.

»Alice trifft ein.« Zu fragen, welche Alice, war längst nicht mehr nötig. *Die* Alice, die stets und ständig eintraf, war die Roosevelt. Die Presse ergötzte sich an ihr und nannte sie Prinzessin Alice. Sie entzückte; sie schockierte; sie puderte sich in der Öffentlichkeit die Nase, was eine Lady nicht einmal privatim tun sollte, und es wurde sogar getuschelt, daß sie heimlich Zigaretten rauche. Unverkennbar war es spätrömische – sehr spätrömische – Dekadenz, deren gespenstisches Licht jetzt das Weiße Haus erhellte, und der Präsident hatte Hay gegenüber sogar scherzhaft erwähnt, er sei von einer Lady aus Kanada ins Gebet genommen worden, weil er bei Helen Hays Hochzeit doch tatsächlich ein Glas Champagner getrunken habe, somit seine unsterbliche Seele großer Gefahr aussetzend.

»Dein Vater reicht seinen Rücktritt ein.«

»Ich nehme an, daß sie im Stone House wohnen wird. Aber wir könnten sie auch jederzeit hier bei uns haben . . .«

»Ist das alles, was du zum Ende meiner langen Karriere zu sagen weißt?« Hay begriff, daß die Melancholie, die er sich anmerken ließ, viel zu echt war, um überzeugend zu wirken.

»Oh, du wirst nicht zurücktreten. Nicht *wirklich*. Sei nicht albern, Vater. Du hättest ja überhaupt nichts zu tun. Außerdem wird dich der Präsident sowieso nicht gehen lassen. So ist es doch, nicht wahr?« Helen richtete ihre Frage an Clara, und diese nickte mit sibyllinischer Würde.

Hay fühlte sich überaus unbehaglich, denn es war ihm ernst gewesen mit seiner Rücktrittsabsicht; doch unversehens kehrten sich alle Omen gegen ihn. Nur der Tod konnte ihn von seinem Amt befreien, und der würde nur zu bald kommen. »Ihr beide seid erbarmungslos«, sagte er.

»Du mußt im übrigen noch dafür sorgen, daß wir den Kanal von Kolumbien kriegen«, sagte Helen, während sie vor einem Spiegel ihre Frisur zurechtstupste. Sie war jetzt fast so voluminös wie ihre Mutter; und im gleichen dramatischen Stil gekleidet. »Warum machen die soviel Schwierigkeiten?«

»Die halten uns hin, weil im nächsten Jahr die alte französische Konzession für einen Kanal ausläuft, die wir übernommen haben; und dann sollen wir, wenn's nach ihnen geht, noch einmal für alles bezahlen.«

»Räuber«, sagte Helen, während sie sich eine Locke um einen ihrer Finger wickelte.

»Milde ausgedrückt. Möglicherweise müssen wir, nun ja, intervenieren. Die Menschen, die tatsächlich dort leben, die Panamaer, hassen die kolumbianische Regierung.«

»Wir müssen ihnen ihre Freiheit geben.« Helen gab sich emphatisch. »Das ist das mindeste, was wir tun können.«

»Du denkst genauso wie der Präsident«, sagte Hay. »In den letzten beiden Jahren haben die Panamaer viermal gegen Kolumbien revoltiert.«

»Nächstes Mal werden wir ihnen helfen, und dann können sie ein Teil der Union werden wie, wie Texas.«

»Ein Texas mag schon zuviel sein.« Helen zeigte sich nüchtern. »Aber falls Panama zu uns gehören möchte, so sollten wir's ihnen gestatten.«

»Oder«, meinte Hay, »wir sollten sagen, daß wir den Kanal in Nicaragua bauen werden. Die bloße Drohung wird Kolumbien zur Besinnung bringen.« Das war Hays Politik gewesen; und Roosevelt hatte sie gebilligt, fürs erste jedenfalls. »Ich werde zurücktreten«, wiederholte er, während er hinausging. Keine der beiden Damen antwortete. Helens Haar hing jetzt, in katastrophaler Unordnung, tief über Nacken und Rücken, und Clara wurde völlig von ihrer Briefschreiberei in Anspruch genommen.

In der marmornen Vorhalle reichte Hay seinen Brief dem Butler, damit dieser das Schreiben an den Präsidenten in Oyster Bay zur Post gebe; der Butler seinerseits reichte Hay eine Depeschentasche, die soeben aus Washington eingetroffen war.

Als Payne die Treppe herabkam, gab Hay die Depeschentasche wieder dem Butler. »Ich werde heute faulenzen«, sagte er. »Bringen Sie dies auf mein Zimmer.«

»Ich werde dich fahren.« Payne blickte zu seinem winzig wirkenden Schwiegervater hinab. »Der Pope Toledo ist gerade eingetroffen.«

»Der was?«

»Der Pope Toledo, mein neues Automobil . . .«

»Klingt wie der Names eines Gemäldes, das im Prado hängen könnte.«

»Sollen wir die Damen bitten?« Payne blickte zum Arbeitszimmer.

»Nein«, sagte Hay. »Ich spreche nicht mehr mit ihnen. Ich bin als Außenminister zurückgetreten, und sie akzeptieren es einfach nicht – meinen Rücktritt, meine ich.«

»Fahren wir doch bei der alten Mrs. Delacroix vorbei. Caroline und Blaise sind dort.«

Hatte Payne überhaupt zugehört? fragte sich Hay unwillkürlich, während er dem jungen Mann durch die Vordertür zur *Porte cochère* folgte, wo ein wundersam kompliziertes, glänzendes Stück Maschinerie stand.

Der Butler half Hay auf den Vordersitz neben Payne, der für Hays Rücktritt genausowenig Interesse bekundete wie die Damen der Familie. Vielleicht bin ich ja schon tot, dachte Hay, und alle sind zu höflich, um es mir zu sagen. Vielleicht träume ich all dies auch nur. In der letzten Zeit waren Hays Träume immer lebensähnlicher – und unangenehmer – geworden, während sein Leben im Wachzustand mehr denn je einem Traum glich und fast genauso unangenehm war. Schließlich *konnte* es doch nur ein Traum sein, daß der junge Teddy jetzt Präsident war und daß Hay ihn gerade in Sagamore Hill besucht hatte und daß Teddy von der Möglichkeit, ja sogar der Wünschbarkeit eines Krieges mit Rußland sprach. So etwas ereignete sich in Träumen. Im wirklichen Leben gab es wirkliche Präsidenten, wie Lincoln und McKinley; und wirkliche Außenminister wie Seward – und nicht jemanden wie ihn, gleichsam in Maskerade, der kleine Johnny Hay aus Warsaw, Illinois, kaum erwachsen, mit spärlich sprießendem Schnurrbart, in einer Kutsche dahinzuckelnd über die schlammige Hauptstraße von Springfield, statt flott dahinzubrausen in einem eleganten Gefährt auf Gummirädern, die einem das Gefühl gaben voranzuschweben, indes die Bellevue Avenue vorüberglitt mit ihren Palästen, die eher fürs Paradies – oder Venedig – geeignet schienen als für die gewöhnliche Erde.

Der Pope Toledo trug den Außenminister zum Delacroix-Cottage; die Leute erkannten ihn; und prompt wurden Hüte gelüftet, und Hay nickte huldvoll den Fremden zu, die ihn – oder eher sein Amt – mit soviel Respekt bedachten. Wenn man tot war, wußte man das? Wie in jenen Träumen, wenn der Träumende weiß, daß er träumt? Das erschien ihm als dringende Frage, die er dem allwissenden Henry Adams vorlegen mußte.

Im Delacroix-Salon wurden die beiden Herren von Caroline begrüßt, die in einer Hand ein Dutzend Zeitungen hielt. »Sie erwischen mich gerade bei meinen Hausarbeiten«, sagte sie.

»Die sonst auch die meinen sind«, erwiderte Hay. »Allerdings habe ich mir geschworen, bis September nichts von dem Zeug zu lesen.«

»Ich wünschte, das könnte ich auch.« Caroline begrüßte Payne wie die Schwägerin, die sie ihm hätte sein können, und Hay fragte sich, was für eine Ehe sie und Del wohl geführt haben würden. Vermutlich hätte Del nicht gewünscht, daß sie weiterhin als Zeitungsverlegerin tätig gewesen wäre; und ebenso wahrscheinlich schien es Hay, daß sie diese Tätigkeit nicht aufgegeben haben würde. Sie besaß einen ziemlich starken Willen, wie Hay schon seit langem wußte; und wenn es eine Eigenschaft gab, die er sich nicht bei einer Ehefrau gewünscht haben würde, so war es ein Wille von der Art, wie Caroline ihn besaß, ein eher männlicher Wille, im Unterschied zu Clara, die auf ihre Weise zwar formidabel war, jedoch weiblich, fraulich, mütterlich.

»Mrs. Delacroix ist umringt von Ladys aus Louisiana, und Blaise spielt Tennis mit Mr. Day.«

»Das reimt sich auf Hay«, sagte Hay, »und wer ist dieser Mr. Day?«

»James Burden Day. Ebenfalls ein Apgar. Er sitzt im Kongreß.«

»Warum ist er nicht daheim und kümmert sich um das Volk, wie alle anderen Volkstribune?« Hay blickte sehnsüchtig zu einem Lehnstuhl, doch das Gewirr der Damenstimmen genügte, um ihn auf den Beinen zu halten; häufiges Sich-Setzen und Wieder-Aufstehen war zuviel Strapaze.

»Er möchte Mr. Hearst in New York treffen. Mr. Hearst will nächstes Jahr zum Präsidenten gewählt werden.«

»Er hat die Revuetänzerin geheiratet«, sagte Payne, der vor seiner Heirat in glamourösen Broadway-Kreisen verkehrt hatte.

»Sie wird eine hinreißende First Lady abgeben.« Carolines Stimme klang ernst.

»Was für ein glückliches Land!« Hay war amüsiert; bis sich der Raum mit Damen aus Louisiana füllte.

Mrs. Delacroix war gealtert: Das versicherte sie selbst, und zwar jedem, ob er es hören wollte oder nicht. Für Hays Augen wirkte sie allerdings völlig unverändert; und das seit den dreißig Jahren, da er sie, wenn auch eher flüchtig, kannte. »Ich bin inzwischen bis zur Unkenntlichkeit gealtert«, sagte sie, Hay eine Hand reichend, während sie mit der anderen ihren großen Hut vom Kopf nahm.

»Sie wirken unverändert«, sagte Hay. »Aber dem Hut sieht man sein Alter an.«

»Wie taktlos! Er ist erst zehn Jahre alt.« Prompt erscholl der zustimmende Chor der Louisiana-Ladys, denen das zwischen ihnen zirkulierende irische Hausmädchen gerade Teetassen reichte. »Nehmen Sie doch Platz, Mr. Hay. Bitte. Sie sehen sehr erschöpft aus.«

»Daran ist der Pope Toledo schuld«, sagte Hay, während er in einen Lehnstuhl sank.

»*Pope*? Welcher Papst?« Mrs. Delacroix blickte besorgt zu dem irischen Hausmädchen. Der Katholizismus war, wie Hay wußte, in Gegenwart von Bediensteten stets ein heikles Thema.

»*Pope Toledo*, mein neues Auto«, sagte Payne.

»Blaise ist auch hier. Ist das nicht wunderbar?« Die Worte von Mrs. Delacroix waren an Payne, Blaise' ehemaligen Kommilitonen, gerichtet.

»Aber kommt er Sie denn nicht immer besuchen?« Paynes eigenes intensives Familienleben war so sehr von furioser Dramatik erfüllt, daß er wenig Appetit hatte auf die Familiendramen anderer.

»Nicht wenn Caroline bei mir ist. Aber jetzt haben sie sich vertragen.« Mrs. Delacroix blickte lächelnd zu Caroline.

»Nein, haben wir nicht. Wir begraben nur unsere Differenzen, solange wir uns unter deinem Dach befinden. Wegen unserer Zuneigung zu dir, nicht zueinander. Für mich bedeutet es überdies Buße.«

»Ja. Ja.« Mrs. Delacroix lächelte in Richtung Caroline; nahm dann Hay gegenüber Platz, indes die Louisiana-Ladys den Flügel umlagerten, als gedächten sie, in ein Lied auszubrechen.

»Geht es noch immer um die Erbschaft?« fragte Hay, der vor längerem, durch Del, über sämtliche Verwicklungen des Sanford-Testaments ins Bild gesetzt worden war: ein Dokument, das, wie Hay fand, die Dummheit von Carolines Vater – und Hays Altersgenossen – sehr präzise widerspiegelte.

»Ja. Aber in weniger als zwei Jahren werde ich die Erbschaft unter den mysteriösen Bedingungen des Testaments antreten.«

»Die Eins, die wie eine Sieben aussieht?« Hay erinnerte sich an jenes sonderbare Detail.

»Genau. Nun, wenn ich erst siebenundzwanzig bin, dann macht das keinen Unterschied mehr, und ich werde bekommen, was mir zusteht . . .«

»Du mußt heiraten.« Mrs. Delacroix krauste die Stirn. »Du bist viel zu alt, um ledig zu sein.«

»Ich bin nun mal eine alte Jungfer, fürchte ich.«

»Beschrei's nicht!« Mrs. Delacroix machte das Zeichen gegen den bösen Blick. »Payne, warum heiraten Sie sie nicht?«

»Aber ich bin doch verheiratet, Mrs. Delacroix. Mit Mr. Hays Tochter.«

»Das hatte ich ganz vergessen.«

»Wir nicht«, sagte Hay liebenswürdig. »Die Erinnerung daran ist noch sehr lebendig.«

»Eine solch prachtvolle Hochzeit«, ergänzte Caroline.

»Sie müssen nach New Orleans kommen, Caroline. Dort haben wir sehr viele junge Männer, die heiraten und eine Familie gründen wollen.«

»Nicht zu jung«, sagte Caroline. »Nicht in meinem Alter.« Hay fragte sich unwillkürlich, warum es einer so attraktiven jungen Frau offenbar Spaß machte, sich selbst als alt und im Grunde unattraktiv darzustellen. Vielleicht gehörte sie, wie sie selbst gesagt hatte, tatsächlich zu jener sonderbaren Kategorie von Geschöpfen, die man alte Jungfern nannte.

Er hatte schon immer ein wenig gezweifelt, ob es Del gelungen wäre, sie wirklich zu heiraten. Sie war zu eigenständig – zu kalt? Doch irgendwie paßte dieses Wort nicht auf einen Menschen von so charmanter und freundlicher Wesensart. Caroline war ganz einfach unabhängig und selbständig, und zwar auf eine Weise, die für die amerikanische Welt ungewohnt war.

»Warte nicht zu lange«, lautete Mrs. Delacroix' konventionelle Weisheit.

Blaise und der junge Kongreßabgeordnete standen im Türrahmen. Sie trugen weiße Baumwollhemden und Flanellhosen; und sie schwitzten. Man mußte schon sehr betagt sein, dachte Hay, um das Gefühl zu haben, daß Kongreßabgeordnete wie Schuljungen aussahen.

»Nicht eintreten!« befahl Mrs. Delacroix. »Geht und zieht euch um, alle beide.«

Die jungen Männer entschwanden, zur offenkundigen Betrübnis der Louisiana-Ladys. »Ich möchte«, sagte Payne zu Mrs. Delacroix, »Sie alle bitten, zum Lunch auf Onkel Olivers Yacht zu kommen.«

»Ich hasse Schiffe«, sagte Mrs. Delacroix mit Nachdruck. »Aber die jungen Leute werden sicher gern kommen. Caroline?«

»Oh, ja. Ich liebe Schiffe.« Abrupt erhob sie sich. Hay bemerkte, daß sie das Spitzentaschentuch in ihrer Hand zerrissen hatte. War sie unpäßlich? Oder hatte sie der Gedanke an ein Altjungferndasein verstört?

»Ich bin gleich wieder da«, sagte sie; und schlüpfte hinaus.

»Die Versöhnung der beiden macht mir helle Freude«, versicherte Mrs. Delacroix mit düsterer Genugtuung.

»Sonderbar, nicht? Daß es bei Familienstreitigkeiten *immer* um Geld geht«, sagte Hay, der mit seinem reichen Schwiegervater mancherlei Probleme gehabt hatte.

»Worüber sollte man denn sonst streiten?« fragte Payne, überraschenderweise; zwar war er selbst Opfer eines Familienstreits, doch dessen Ursache bildete zweifellos nicht das Geld.

»Unerwiderte Liebe«, sagte Hay und beobachtete mit Vergnügen, daß sein Schwiegersohn rot wurde. Hay vermutete seit jeher, daß Colonel Payne Schwager Whitney geliebt hatte; da jedoch eine solch unkonventionelle Liebe nie den ihr gemäßen Ausdruck finden konnte, hatte Oliver Payne sie derart heftig in Haß umschlagen lassen, daß bei der Prozedur vermutlich zumindest das gleiche Quantum an wilder Emotion verbrannt worden war.

Caroline stand in ihrem Badezimmer an der Waschkommode; und übergab sich. Sie hatte das Gefühl, jeden Augenblick von innen nach außen gestülpt zu werden, so gewaltig und von so langer Dauer waren die Krämpfe. Niemals, beschloß sie, würde sie sich vergiften. Dann legten sich die Krämpfe, und sie spülte sich ihr Gesicht mit Kölnischwasser und sah, wie rot und geschwollen ihre Augen waren.

Plötzlich tauchte Marguerite bei ihr auf. »Was ist denn? Was ist denn?«

»Liebe Marguerite, wie kannst ausgerechnet du mich das fragen?« Caroline legte das Handtuch zur Seite. »Ich bin schwanger«, sagte sie. »Im fünften Monat.« Noch ehe Marguerite vor Verblüffung aufschreien konnte, preßte Caroline ihre Hand fest auf den Mund der alten Frau. »*Maintenons le silence*«, flüstere sie.

In einen Bademantel gehüllt, trat Blaise in Jims Zimmer, das unmittelbar neben seinem eigenen lag. Die Badezimmertür war offen, und er sah Jim, wie er mit geschlossenen Augen unter der Dusche stand. Was den Komfort von heißem Wasser betraf, so hielt es Mrs. Delacroix nicht mit der Tradition der alteingesessenen Newporter, die der Ansicht waren, heißes Wasser sei erst dann ein wahrer Luxus, wenn es von Dienstboten in Metallbehältern aus der Kellerküche heraufgeschafft werde. Zu jedem Schlafzimmer in ihrem Grand Trianon gehörte ein Bad mit großen, blankpolierten Wasserhähnen. Nachdenklich betachtete Blaise seinen Tennispartner; und wünschte, er wäre so groß und so wohlproportioniert wie dieser. Während seine eigenen Beine kurz und muskulös waren, waren Jims Beine lang und schlank, wie der ganze Mann; er besaß einen in jeder Hinsicht klassischen, ja sogar heroischen Körper, sehr wohl geeignet, in einem Museum zur Schau gestellt zu werden, sofern sich nur ein genügend großes Feigenblatt finden ließe.

Jim öffnete die Augen; und sah Blaise und lächelte unbefangen. »So eine Dusche wie diese kann man in Washington nicht kaufen«, sagte er. »Kitty hat sich überall danach umgesehen.«

»Ich glaube, die muß man eigens anfertigen lassen.« Als Jim die Dusche abstellte, wandte Blaise sich zur Seite und griff nach einem Handtuch. »Wie hat Ihnen Brisbane gefallen?«

Während sich Hearst mit seiner jungen Frau im Ausland befand, trug Arthur Brisbane die Verantwortung nicht nur für die Zeitungen, sondern auch für Hearsts Karriere als Politiker. Hearst hatte den Wunsch gehabt, James Burden Day kennenzulernen, und dieser hatte den gleichen Wunsch in bezug auf Hearst. Als demokratische Kongreßmitglieder konnten sie einander nützlich sein. Unglücklicherweise war es Day jedoch nur möglich gewesen, gerade zu der Zeit in New York zu sein, da Hearst sich im Ausland befand. Blaise hatte ein Zusammentreffen mit Brisbane arrangiert und Day eingeladen, sich ihm nach Newport anzuschließen; Day hatte, ohne seine Frau, akzeptiert. Caroline schien sich über den jungen Kongreßabgeordneten als Gast zu freuen, und Blaise sah seine Halbschwester plötzlich in einem neuen Licht, als sie sich mit Day über Politik unterhielt – zwei Profis allem Anschein nach. Zweifellos wirkte sie vernünftiger als Hearst, ihr Vorbild, wie sie gern behauptete, wohl wissend, wie sehr Blaise das irritierte.

Jim kleidete sich nach alter Gewohnheit rasch an und sagte: »Ich hetze von der Pension zur Picknickpartie zum Bahnhof. Immer geht's Hals über Kopf. Nie Zeit zum Denken. Nur immer Politik, Politik.«

»Solch ein Leben könnte ich mir nicht vorstellen.«

»Und ich könnte mir – *kann* mir nicht vorstellen, so reich zu sein.« Jim sah sich im Schlafzimmer um, das mehr oder weniger im Stil des originalen Grand Trianon gehalten war.

»Das ist so ungefähr, wie wenn man mit sechs Fingern geboren wird statt mit fünf. Man selbst achtet nicht drauf, doch die andern tun's. Was für einen Eindruck hat Ihnen Brisbane gemacht?«

Jim kämmte sich seine nassen Locken und zuckte jedesmal zusammen, wenn der Kamm sich verhakte. »Er versteht nicht soviel von Politik, wie er sich einbildet. Zumindest nicht von unserer Art Politik, im Westen und im Süden. Er hält Bryan für irgend so einen Narren . . .«

»Ist er das denn nicht?«

Jim lachte. »Ich schätze, ihr haltet uns aus dem Westen sämtlich für Trottel, was wir auch sind, wenn ihr uns in einem Ort wie diesem einpfercht, doch wissen wir ein paar Sachen übers Land, von denen die Leute mit sechs Fingern an einer Hand keine Ahnung haben.«

Blaise lachte; unfähig, der Versuchung zu widerstehen, sagte er: »Wenn ihr soviel wißt, wieso schlagen wir euch dann immer wieder bei den Wahlen?«

»Geld. Geben Sie mir, was Mark Hanna McKinley gegeben hat und Roosevelt gibt, und ich werde gleichfalls Präsident.«

»Das würde Ihnen gefallen?«

Der jungenhafte Kopf war einem goldgerahmten Spiegel zugewandt, in dem jetzt beide Gesichter zu sehen waren. Jim blickte Blaise an. »Oh, ja, warum nicht? Schließlich gibt's das Amt ja.«

»Aber Sie brauchen sechs Finger.«

»Ich brauche *Freunde* mit sechs Fingern.« Jim setzte sich aufs Fußende des Bettes und band seine Schnürsenkel zu. »Wenn's keine besonderen Probleme gibt, ist Geld ja wirklich nicht alles. Bei uns draußen wartet eine Menge Arbeit, und da sind die Farmer und die neuen Leute, die aus Europa kommen. Die meisten von ihnen kommen zu uns. Aus diesem Grund interessiert mich Hearst. Er hat all die Demokratischen Clubs ins Leben gerufen, mit denen man die Leute gut an die Partei binden kann, nur fürchte ich, daß er so sehr darauf bedacht ist, die Clubs für seine Nominierung einzusetzen, daß sie nur wenig Nutzen haben für uns, für die Partei, das heißt . . . bisher.«

»Glauben Sie, daß er eine Chance hat?«

Jim schüttelte den Kopf. »Er ist zu reich für uns Demokraten. Bei euch wäre er besser aufgehoben. Allerdings ist er wegen seiner Zeitungen bei all euren Hochnoblen in Ungnade gefallen. Wissen Sie, ich würde Bryan gern einen weiteren Versuch zugestehen, aber . . .«

»Er würde verlieren.«

Jim nickte ein wenig hilflos. »Die Presse hat ihn zu einer Art nationalem Narren gestempelt. So wird es schließlich immer gemacht, wenn es jemanden gibt, der dem einfachen Arbeiter helfen will.«

Blaise war sich bei Politikern nie sicher, wo die Wahrheit endete und die Propagandasprüche begannen. Interessierte sich dieser stattliche, gottähnliche junge Mann – zugegebenermaßen mehr ein bäuerlicher Gott, mehr Pan als Apollo – wirklich auch nur einen Deut für den einfachen Arbeiter oder die Baumwollpreise oder die Schutzzölle? Oder glichen die Geräusche, die er pflichtgemäß von sich gab, nicht eher dem Lockruf eines Vogels, der eine bestimmte Absicht verfolgte? Blaise ließ die Frage auf sich beruhen. Und er erinnerte Jim daran, daß Hearst es gewesen war, der den populistischen, wenn auch nicht unbedingt populären Bryan gleichsam miterfunden hatte. »Also haben die sechsfingrigen Eigentümer dieses Landes sein Bild nicht völlig verzerrt. Auch unter den Reichen hat er Bewunderer.«

»Ja, das ist für uns ein Glück gewesen. Hearst hat für uns zweifellos manches Gute bewirkt, aus welchen Gründen auch immer.« Jim erhob sich; und Blaise bemerkte, daß er selbst noch unbekleidet war. Er ging zur offenen Tür seines Schlafzimmers. »Wir sind zum Lunch auf Paynes Ozeandampfer eingeladen«, sagte er und blieb an der Tür stehen. »Hat Brisbane Ihnen gesagt, daß Sie's in der Politik weit bringen werden?«

Jim lachte. »Ja, hat er. Und er hat mir auch gesagt, warum.«

»Weil Sie blaue Augen haben.«

»Genau. Ist Hearst auch so verrückt?«

»Noch verrückter, in gewisser Weise.«

»Wir müssen«, sagte Jim, während er das Zimmer verließ, um wieder zur Haus-Party zu stoßen, »ihn im Auge behalten.«

»Im kalten, blauen Auge.«

»Gerichtet vor allem auf jene sechs Finger.«

Marguerites Bitten zum Trotz ließ sich Caroline nicht davon abhalten, an der Party auf der Yacht teilzunehmen. »Ich muß absolut normal erscheinen«, sagte sie, »bis . . .«

»Bis . . . was?«

»Ich tue, was ich tun muß.« Dieser Satz löste einen Sturzbach wohltuend stummer Tränen aus. In Wahrheit hatte Caroline keinen Plan für die kommende Katastrophe. Nur nicht die Nerven verlieren, schärfte sie sich ein; nichts überstürzen; keinem etwas sagen.

Der Vater ihres zukünftigen Kindes wirkte ungemein attraktiv, dort auf dem Achterdeck der Yacht, mit der plumpen Masse von Block Island als einer Art Kulisse. Die übrigen Gäste befanden sich im Hauptsalon und warteten auf die Aufforderung zum Lunch. Caroline war ihm bisher sorgfältig aus dem Weg gegangen; der Versuchung, frische Luft zu schöpfen, hatte sie jedoch nicht widerstehen können. Noch nie in ihrem Leben war sie ohnmächtig geworden; jetzt fürchtete sie eben dies. In ihrem Körper spielte sich, um es vorsichtig auszudrücken, allerlei Unheilvolles ab.

»Ich hätte wahrscheinlich nicht kommen sollen.« Jim lächelte. »Aber Blaise hat darauf bestanden, und ich bin in seiner Schuld, wegen Mr. Hearst oder Mr. Brisbane vermutlich.«

»Ich freue mich, daß du hier bist.« Caroline bemühte sich, ihrer Stimme einen munteren Klang zu geben. »Natürlich«, fügte sie hinzu.

»Ich hatte keine Ahnung, daß Menschen so . . . so luxuriös leben.«

»Hat es für dich etwas Verlockendes?«

»Nein. Was ich tue, ist interessanter. Ich langweile mich nie, während diese Menschen . . .«

»Dinnerpartys für ihre Hunde geben.«

»Ich habe gerade Mr. Lehr kennengelernt.« Jim schnitt eine Grimasse.

»Zähle nicht auf meinen Schutz . . .«

»Die arme Frau, mit der er verheiratet ist.«

»Das hast du bemerkt?«

»Bei uns zu Hause sind ja nicht alle auf den Kopf gefallen.«

»So habe ich dich auch nie eingeschätzt.« Caroline war froh, daß sie durch den Schock, den ihr Zustand hervorgerufen hatte, nicht das geringste Verlangen nach Jim empfand. Er seinerseits strahlte sexuelle Energie aus wie einer von Henry Adams' Dynamos. Sie würde ihn entmutigen müssen, überlegte sie und wußte nicht recht, was bei einer so weit vorangeschrittenen Schwangerschaft in intimer Hinsicht geboten oder noch erlaubt war. Der Arzt, den sie in Baltimore anonym konsultiert hatte, war an seinem Honorar für die geplante Abtreibung so sehr interessiert gewesen, daß sie ihn nicht wieder aufgesucht hatte. Statt dessen hatte sie gewartet; worauf, wußte sie nicht.

»Du wirst jetzt nach American City zurückkehren?«

Jim nickte. Da sie seinen Mund noch immer verführerisch fand, blickte sie, an Jim vorbei, nach Block Island hinüber. »Am Montag. Kitty ist schwanger.«

»Oh, nein!« Carolines Verblüffung war so echt, daß sie fürchtete, sich verraten zu haben.

Doch Jim grinste nur. »Nun, deswegen heiratet man doch schließlich, weißt du.«

»Das weiß ich . . . nicht.« Die Situation löste in Caroline eine Art Galgenhumor aus. »Aber ich kann's mir natürlich vorstellen.« Sie war wieder ihr gewöhnliches Selbst. »Ist sie unpäßlich? Ich meine, hat sie . . . Anfälle von Übelkeit?«

Jim nickte; wirkte nicht sehr interessiert. »So ganz wohlauf fühlt sie sich wohl nie, glaube ich.«

»Wann wird es . . . das Kind, meine ich . . . zur Welt kommen?«

»Im Oktober, schätzen die Ärzte.«

Im selben Monat würde es auch bei Caroline soweit sein. Er war von einem Bett ins andere gestiegen, vielleicht sogar am selben Tag; wie ein Hahn. Zum erstenmal wurde ihr klar, *wie* gefährlich so ein Mann war. Die überlegene physische Kraft schien schon schlimm genug; doch die Fähigkeit, mit einem einzigen eher zufälligen Stoß neues Leben zu zeugen, war wahrhaft erschreckend. Mlle. Souvestre hatte recht gehabt. Ein lesbisches Leben, die »weißen Heiraten«

zwischen Damen, dergleichen war besser als diese schwitzende schwarze Magie.

Blaise erschien in der Tür. »Der Lunch ist bereitet.« Caroline war für sein unvermitteltes Auftauchen dankbar.

»Ich habe keinen Appetit«, erklärte sie wahrheitsgemäß und betrat dann, als aus dem Speisezimmer der Gong ertönte, den Schiffssalon. Harry Lehr nahm ihren Arm, als ginge es zu einem Kotillon.

»Ich wußte gar nicht, daß Kongreßabgeordnete so attraktiv sind.« Beklommen fragte sich Caroline, ob Harry Lehr über sie und Jim im Bilde war. Aber nein, er konnte nichts wissen, natürlich nicht; und ihr Herzschlag verlangsamte sich wieder. Sie mußte sich Mühe geben, nicht schuldbewußt zu wirken, eine Heimlichtuerin, die sich eben dadurch verriet.

»Sie meinen Mr. Day?« Caroline lächelte Mamie Fish zu, die mit einem majestätischen Nicken reagierte. »Er ist ein Freund von Blaise.«

»Sie sind ein attraktives Paar, nicht wahr?« Lehr ließ ein musikalisches Lachen hören, in das Caroline einstimmte; plötzlich hatte sie einen Plan.

2

Genau zur Mittagszeit betrat Caroline im Waldorf-Astoria die Peacock Alley, die weitgehend verödet war. In einem Umkreis von etwa hundert Meilen rund um die City war das fashionable New York jetzt, da die Stadt des Business gleichsam auf Schongang geschaltet hatte, nicht zu finden. Die Leere und Stille der großen Räume wirkte ein wenig beunruhigend. So, dachte Caroline, mußte es in Paris gewesen sein, als Bismarck vor den Toren gestanden hatte.

Unter einer Topfpalme saß John Apgar Sanford, ein wenig kahler und grauer als im Jahr zuvor, als sie einander zum letztenmal in Washington getroffen hatten, wo Vetter John, wie gewohnt, von seinen vergeblichen Bemühungen berichtet hatte, Mr. Houghteling zum Einlenken zu bewegen. Da Caroline, so oder so, ohnehin bald erben würde, hatten sie den Fall aufgegeben. »Du hast in deinem Telegramm nicht gesagt, worüber du mit mir sprechen wolltest, aber da ich davon ausging, es werde den Fall betreffen, habe ich die wichtigsten Dokumente mitgebracht.« Er hob ein ledernes Aktenköfferchen in die Höhe.

»Das ist in Ordnung«, sagte sie und nahm ihm gegenüber Platz. »Den Fall betrifft es jedoch eigentlich nicht.« Sie hatte überlegt, wie sie die Sache angehen sollte, und sich mehrere Möglichkeiten ausgedacht; jedoch alle wieder verworfen. Sie würde sich, hatte sie gemeint, ganz auf ihre Inspiration verlassen; doch nun fühlte sie sich von aller Inspiration verlassen und empfand nur ein leises Gefühl von Panik.

John erkundigte sich nach den diversen Apgars in Washington. Prompt reagierte Caroline falsch. »Einer ist sogar in den Kongreß gewählt worden. James Burden Day. Ich glaube, seine Mutter . . . «

»Seine Großmutter, soweit ich weiß . . . «, John nickte, ». . . war eine Apgar. Ich bin ihr einmal begegnet.«

»Er hat eine charmante Frau.« Doch sofort ließ Caroline wieder die Finger von diesem so brandgefährlichen Thema. »Du müßtest auch eine finden . . .« Sie brach mitten im Satz ab.

Doch John nahm den Faden wie selbstverständlich auf. »Ja, das Leben ist für mich ziemlich einsam. Obwohl es so viele Apgars gibt, habe ich keinerlei Familienleben mehr, überhaupt nicht.«

»Von uns Sanfords gibt's nur noch wenige.«

»Sehr wenige, in der Tat. Blaise . . .« John ließ den Satz unbeendet.

Caroline schwieg eine Weile. Da sich keine Inspiration einstellen wollte, sagte sie schließlich: »Ich habe daran gedacht zu heiraten.«

»Das ist ja wohl nur natürlich.« John schien nicht überrascht; auch nicht interessiert.

»Bald schon wird die Erbschaft fällig.« Sofort spielte sie ihre Trumpfkarte aus.

»Ja. Du wirst sehr vermögend sein. Soweit ich das beurteilen kann, hat Blaise nicht getan, was wir befürchtet hatten. Zwar steht noch die Tilgung einiger Mr. Hearst gewährter Darlehen aus, doch da dürfte es keine Probleme geben. Im übrigen ist die Erbschaft intakt. Ich hoffe nur . . .«, John lächelte schwach, ». . . daß du nicht deines Vermögens wegen geheiratet wirst . . .«

»So wie die bedauernswerten Damen in Mr. James' Romanen? Nein, ich glaube nicht, daß das eine Rolle spielt bei meiner ... bisherigen Kalkulation. Ist Patentrecht so schwierig?«

John musterte sie überrascht. »Es ist nicht schwierig, nein. Aber es ist nicht leicht, damit seinen Lebensunterhalt zu verdienen. Ich habe die Firmen gewechselt, wie du weißt. Doch die lange Krankheit meiner Frau ...« Er verstummte verlegen.

»Das alles ist für dich nicht leicht gewesen, John. Das weiß ich. Tut mir leid. Wirklich«, fügte sie hinzu, angetan von ihrem eigenen Mitgefühl. Er gefiel ihr soweit; auch gefiel es ihr sehr, daß er ihr gefiel. »Du hast mir einmal die ...«, Caroline blickte empor zur Palme und erwartete so halb und halb, eine fallbereite Kokosnuß zu sehen, wenn nicht gar ein Äffchen, »... Ehre erwiesen, mir einen Heiratsantrag zu machen.«

»Oh, ich möchte mich dafür entschuldigen«, stammelte John mit blassem Gesicht. »Das war, nachdem ... nachdem ...«

»Sie gestorben war. Ich wünschte, ich hätte sie gekannt. Sie war eine ...«

»... eine Heilige«, ergänzte John.

»Genau das Wort, das ich gebrauchen wollte. Ich habe mir deinen Antrag durch den Kopf gehen lassen – hat ein Weilchen gedauert, wie ich zugeben muß. Wie lange ist es her? Vier Jahre, mindestens. Und ich akzeptiere ihn.« Es war vollbracht.

Caroline fand, daß Johns verblüffter Blick nicht unbedingt das größte Kompliment war, das man ihr gezollt hatte. War sie, ohne es selbst zu merken, gealtert? Oder war er mit einer anderen verlobt? Was wußte sie schon von seinem Leben? Vielleicht hatte er eine Geliebte, die ihn voll in Anspruch nahm; womöglich eine Negerin, die, wie Clarence Kings heimliche Frau, in Flushing lebte. »Aber ... aber, Caroline ...«

»Du kannst kaum behaupten, daß es so überraschend kommt, John.« Caroline gewann der Situation fast so etwas wie eine unterhaltsame Seite ab.

»Gewiß. Gewiß. Ich habe mir nur nie träumen lassen ... ich meine ... warum ich?«

»Weil du mir einen Antrag gemacht hast. Erinnerst du dich?«

»Aber zweifellos haben doch auch andere ...«

»Nur Del Hay. Du und ich, wir sind ... Überlebende.«

»Ich weiß nicht, was ich sagen soll.« John blickte drein, als hätte ihn die von Caroline nur erdachte fallende Kokusnuß mitten auf die Stirn getroffen.

»Du kannst ja sagen, lieber John. Oder du kannst nein sagen. Das eine wie das andere werde ich akzeptieren. Was ich nicht akzeptieren kann, ist ein ›Jein‹. Denke nicht auf deine so zeitraubende juristische Weise darüber nach. Ich will die Antwort jetzt haben, so oder so.«

»Nun ja. Ja . . . Natürlich. Aber . . .«

»Was für ein Aber ist das?«

»Ich habe alles verloren. Ich, meine Familie, meine ich, hat beim Bankrott der Monongahela furchtbar Federn lassen müssen, außerdem war da die Krankheit meiner . . .«

»Ich habe«, sagte Caroline leise, »genug für zwei. Oder werde jedenfalls bald genug haben.«

»Aber es gehört sich nicht, daß der Ehemann vom Vermögen seiner Frau lebt . . .«

»Das ist durchaus in Ordnung. Geschieht doch dauernd, sogar in Newport, Rhode Island«, fügte sie des dramatischen Effekts willen hinzu.

»Ich weiß nicht, was ich denken soll.«

Zu ihrer Erleichterung besaß John nichts, das man ein sexuelle Aura hätte nennen können. Er war für sie eher so etwas wie ein Bruder, ein konventioneller *amerikanischer* Bruder, wie sie vor dem hohen Tribunal ihres Gewissens plädierte, das jetzt über sie zu Gericht saß. Blaise, mochte er auch nur ihr Halbbruder sein, besaß – nein, er war besessen von der gleichen Art von Dynamo, auf den sie bei Jim reagiert hatte. John Apgar Sanford hingegen glich Adelbert Hay; er war auf bequeme, nicht-störende – oder gar verstörende – Weise anwesend; und mehr nicht.

»Ich werde dir finanziell helfen können«, sagte sie und machte sich gar nicht erst die Mühe, es mit Koketterie zu versuchen; selbst wenn sie zu ihrem Stil gehört hätte, für die gegenwärtige Prozedur wäre sie irrelevant gewesen.

»Das wäre demütigend.« John fühlte sich sehr unbehaglich.

»›Ein fairer Handel ist kein Raub‹, wie die Franzosen sagen.« Caroline betrachtete die Palmwedel über ihrem Kopf. »Deshalb werde ich genau erklären, worin der Handel besteht. Ich weiß, daß du von allen Familienmitgliedern hier der erfahrenste und realistischste bist.« Caroline hielt es für ratsam, möglichst dick aufzutragen, da sie sich keineswegs sicher war, wie er reagieren würde. »Du hast dich großartig für mich eingesetzt, und ich bin dir natürlich dankbar.« Die Tatsache, daß John überhaupt nichts für sie erreicht hatte, verblaßte völlig, je mehr sie ihn ebenso methodisch wie nachdrücklich als weisen Mann von Welt darstellte.

»Ich habe getan, was ich konnte . . . Blaise ist schwierig, ganz gewiß.« John segelte auf hoher See.

Caroline warf ihr Netz aus. »Wenn du mich heiratest, wirst du nicht nur die Unterstützung erhalten, die du brauchst bei deinen . . . äh, Unternehmungen; du wirst auch in der Lage sein, mich mit einem Vater für mein Kind zu versorgen.« Caroline blickte ihn mit, wie sie hoffte, leuchtenden, madonnahaften Augen an.

John war blaß geworden. John hatte mißverstanden. »Gewiß, bei einer Heirat ist der Gedanke an eine Familie für mich von höchster Bedeutung, soll er doch weitergetragen werden, der Name . . .«

»*Unser* Name«, murmelte Caroline; und fragte sich, wie um alles in der Welt sie es ihm so erklären konnte, daß er endlich begriff.

»Unser Name, ja. Wir sind beide Sanfords. Dein Monogramm wird sich also nicht ändern, nicht wahr?« Er ließ ein humorloses Lachen hören. »Ich habe immer bedauert, daß ich keine Kinder mit meiner Frau hatte, meiner ersten Frau, aber ihre Krankheit . . .« Er verstummte.

»Ich glaube, John, daß ich mich noch nicht mit jener Klarheit ausgedrückt habe, auf die du, als Jurist, mit Recht so stolz bist.« Caroline kam sich vor wie eine von Henry James' ältlichen europäischen Damen, wenn sie einer beschränkten amerikanischen »Unschuld« eine grauenvolle Eröffnung machten. »Ich sprach nicht von einer künftigen hypothetischen Vaterschaft für dich, sondern von einer immanenten Mutterschaft meinerseits . . . im Oktober genau gesagt, weshalb ich sehr darauf erpicht bin, noch diese Woche im Rathaus zu heiraten. Erkundigungen habe ich diesbezüglich bereits eingeholt.«

John starrte sie mit offenem Mund an; doch endlich hatte er begriffen. »Du . . .« Er schien knapp bei Atem zu sein.

Während er tief durchatmete, sagte Caroline. »Ja, ich bin schwanger. Wer der Vater ist, kann ich dir nicht verraten, da es sich um einen verheirateten Mann handelt. Aber ich kann dir sagen, daß er mein erster und einziger Liebhaber war. Ich komme mir vor wie der keusche König von Spanien, der . . .« Sie hielt inne. Mlle. Souvestres Lieblingsgeschichte mochte hier fehl am Platz sein: die Geschichte vom asketischen König Philip, der schließlich mit einer Frau ins Bett gegangen war und sich prompt die Syphilis zugezogen hatte. John mochte des rechten Sinns dafür ermangeln.

»Er, der Vater ist in Spanien?« John gab sich alle Mühe, die Situation zu begreifen.

»Nein, in Amerika. Er ist Amerikaner. Er hat Spanien besucht«, improvisierte sie und hoffte, die Bemerkung vom keuschen König gleichsam aus dem Protokoll zu löschen.

»Verstehe.« John starrte auf seine Schuhe.

»Ich weiß sehr gut, daß das sehr viel verlangt ist, weshalb ich ja auch gleich zu Beginn gesagt habe, es werde einen fairen Handel geben, bei dem wir beide unseren Nutzen hätten.« Unwillkürlich fragte sich Caroline, was sie wohl an Johns Stelle tun würde. Wahrscheinlich lachen und nein sagen. Aber sie war nun mal nicht an seiner Stelle und wußte also auch nicht, in welchem Maße die beiden Imponderabilien seiner Zuneigung zu ihr und der Anziehungskraft ihres Vermögens ins Gewicht fallen würden. Dies waren die beiden entscheidenden Faktoren.

»Wirst du dich weiterhin mit ihm treffen?« John kam rasch zu dem – für ihn – so wichtigen Punkt.

»Nein.« Caroline log so selten, daß es ihr jetzt um so leichter fiel. Würde sie sich womöglich zu einer Gewohnheitslügnerin entwikkeln, zu einer zweiten Mrs. Bingham?

»Was wirst du mit der Zeitung machen?«

»Ich werde sie weiterführen. Es sei denn, *du* möchtest der Verleger sein.« Dies war definitiv ein Winkelzug à la Mrs. Bingham. Caroline hatte nicht die leiseste Absicht, jemals die Kontrolle über die Tribune aufzugeben.

»Nein. Nein. Ich bin schließlich Jurist und nicht Verleger. Ich muß sagen, ein solcher . . . solcher Fall ist mir noch nie untergekommen.« Er betrachtete sie, besorgt, bekümmert; ein Anwalt, den seine Klientin völlig verwirrte.

»Ich dachte, das sei gang und gäbe, daß schwangere Ladys rasch unter die Haube wollen.«

»Ja, schon. Doch als Ehefrauen des Mannes, der . . . der . . .«

»Sie geschwängert hat. Nun, das ist in meinem Fall unmöglich.«

»Du liebst ihn.« John war erstaunlich direkt.

»Mach dir keine Sorgen, John. Ich werde eine so gute Ehefrau sein, wie mir das meiner Einstellung nach möglich ist, das heißt, das Musterexemplar einer *amerikanischen* Ehefrau werde ich wohl kaum werden.«

»Ich nehme an, daß du meine Bücher wirst sehen wollen . . .«

»Bist du Sammler?«

»Meine *Geschäfts*bücher . . .«

»Ich bin kein Buchprüfer. Du hast Schulden. Soweit mir das möglich ist, zahle ich sofort. Den Rest werde ich zahlen, wenn ich die Erbschaft erhalte. Ich gehe davon aus . . .« Vielleicht, überlegte sie, war es doch ratsam, einen Buchprüfer zu engagieren; sie lachte beklommen. »Ich gehe davon aus, daß deine Schulden nicht größer sind als mein Vermögen.«

»Oh, bei weitem nicht. Bei weitem nicht. Dies ist für uns beide recht peinlich.«

»In Frankreich würden unsere Verwandten dieses Gespräch führen, aber wir befinden uns nun mal nicht in Frankreich, und ich kann mir nicht vorstellen, daß Blaise diese Angelegenheiten für mich regeln würde.« Als Caroline sich erhob, sprang John sofort auf. Ja, er war offenbar der Ihre. So weit, so gut. Was jetzt noch zu regeln blieb, war die heikle Frage des Ehebetts. Caroline hatte nicht die mindeste Absicht, mit John zu schlafen, während er offenkundig die volle Absicht hatte, seine ehelichen Rechte geltend zu machen. Im Augenblick konnte sie sich sicher fühlen: In ihrer Familiengeschichte gab es genügend Fälle von schwierigen, ja sogar katastrophal verlaufenden Schwangerschaften – die bloße Erwähnung würde genügen, um John auf Distanz zu halten. Später, dessen war sie sicher, würde ihr schon etwas einfallen.

Caroline nahm Johns Arm, so wie das eine Gattin bei ihrem Gatten tut. »Lieber John«, sagte sie, während beide die verödete Peacock Alley entlangschritten und über ihnen als einziges Geräusch das Rotieren der Deckenventilatoren klang.

»Es ist wie ein Traum«, sagte John.

»*Genau* mein Gedanke«, sagte Caroline, hellwach wie nie zuvor.

3

Noch immer erschien es John Hay unfaßbar, welche Veränderungen im Weißen Haus vor sich gegangen waren. Das gesamte Obergeschoß wurde von den Roosevelts und ihren sechs Kindern bewohnt, die auf Hay eher wie ein rundes Dutzend wirkten. Die Eingangshalle, die so lange Zeit von Präsident Arthurs Tiffany-Wand geschmückt worden war, glich mittlerweile dem imposanten Foyer eines anglo-irischen Landsitzes aus dem 18. Jahrhundert mit angrenzenden Salons *en suite*, und die einstige Holztreppe war durch eine Marmortreppe ersetzt worden, auf der Präsidenten in Glanz und Glorie herabschreiten konnten. Die sogenannte Westtreppe hatte man entfernt zwecks Vergrößerung des offiziellen Speisezimmers, dessen neuer Kamin eine Art Inschrift trug, mit der Roosevelt die fromme Hoffnung bekundete, daß in diesem republikanischen Palast hinfort nur Männer präsidieren würden, die so edel waren wie er selbst.

Während eigens dafür abgestellte Diener die Türen öffneten, betrat Hay den neuen Westflügel, in dem auf geschickte Weise die Amtsräume untergebracht waren. Die Architekten des Präsidenten hatten sich das Oval des Blue Room als Vorbild dienen lassen für sein Büro, das nach Süden hinausging, in Richtung Potomac. Das Kabinett hatte endlich seinen eigenen Raum, und das Büro von Roosevelts Sekretär bildete gleichsam einen Puffer zwischen diesem Raum und dem Oval des Souveräns.

Theodore stand vor seinem Schreibtisch, einen Medizinball in den Händen, den er allem Anschein nach im nächsten Augenblick dem schmächtigen deutschen Botschafter zuwerfen wollte, einem speziellen Freund sowie, für Hay, ein Quell beträchtlichen Ärgers, weil Cassini nun davon überzeugt war, daß Theodore und der Kaiser sich insgeheim gegen den Zaren verbündet hatten. Mindestens einmal wöchentlich sah Hay sich genötigt, den Russen zu beschwichtigen. Der neue französische Botschafter, Jusserand, war weltlicher und weniger erregbar als sein Vorgänger, während Sir Michael Herbert, Pauncefotes Nachfolger, fast schon zur Familie des Präsidenten zu gehören schien und mit Theodore täglich durch Rock Creek Park ritt; auch beim Tennis vergnügten sich die beiden – Spiele voller Lärm und Ungeschick, bei denen Roosevelts Ungestüm und Fast-Blindheit für Aufregung und alle möglichen Gefahren sorgten.

Hay verbeugte sich vor dem Präsidenten und dem Botschafter. »Falls ich störe . . .«, fing er an.

»Nein. Nein, John.« Theodore wuchtete den Medizinball in Richtung von Sternberg, der die Kugel mühelos fing. »Das war ausgezeichnet, *Speck*!« Es amüsierte Hay immer wieder, daß Roosevelt genauso klang wie seine zahllosen Imitatoren. Allerdings war es noch keinem gelungen, das Aufeinanderklicken der Zähne genauso akkurat zu reproduzieren.

Der Botschafter wünschte Hay einen »Guten Morgen« und ging mit dem Medizinball hinaus.

Roosevelt tupfte sich mit einem Taschentuch das Gesicht. »Der Kaiser gibt sich indifferent.« Bei der Arbeit war der Präsident ein anderer, seinen Imitatoren ganz und gar unähnlich; und jetzt gab es sehr viel zu tun. »Sie haben das Telegramm?«

Hay reichte ihm den Entwurf, den er gemeinsam mit Adee angefertigt hatte. Vier Tage zuvor hatte eine Junta die Unabhängigkeit Panamas von Kolumbien erklärt. Die Ankunft der amerikanischen Kriegsschiffe *Nashville, Boston* und *Dixie* am 2. November 1903 hatte Kolumbien vermutlich davon abgehalten, den Aufstand mit Gewalt niederzuschlagen. Die Anwesenheit der amerikanischen Kriegsmarine, so Roosevelt zur Begründung, sei unerläßlich, da amerikanische Staatsangehörige im Verlaufe einer Revolution, die allerdings bis zum 2. November noch nicht ausgebrochen war, zu Schaden kommen könnten. Weder Roosevelt noch Hay hatten sich besonders behaglich gefühlt angesichts dieser recht hohlen Erklärung, doch die ganze Sache war wie am Schnürchen gelaufen. Die Revolution, am 3. November ausgebrochen, war am vierten schon wieder zu Ende, als die Republik Panama ausgerufen wurde, und jetzt, am sechsten, machten sich die Vereinigten Staaten bereit, diesen prachtvollen Zuwachs im Konzert der Nationen anzuerkennen. Endlich war Panama von kolumbianischen Banden befreit.

»›Das Volk von Panama‹«, las der Präsident mit feierlicher Stimme, »›hat in offenkundig einmütiger Bewegung‹, das gefällt mir, John, ›seine politische Verbindung mit der Republik Kolumbien gelöst . . .‹ Klingt sehr wie Jefferson in seiner Art.«

»Sie schmeicheln mir.«

»Ist viel zu gut für diese Esel.« Rasch las Roosevelt den Rest des Telegramms; gab es dann Hay zurück. »Schicken Sie es ab.«

»Ich setze auch einen Vertrag für den Kanal auf, der noch vor Ende des Monats unterzeichnet sein sollte. Und wenn Cabot dann zuläßt, daß der Senat ihn ratifiziert . . .«

»Cabot wird eine namentliche Abstimmung verlangen, und seine eigene Stimme wird die lauteste sein.« Roosevelt war offensichtlich entzückt. »Es hat doch Verluste gegeben«, sagte er. »Ein Hund ist getötet worden; und ein Chinese.« Mit einem Lachen ließ sich der Präsident auf seinem Stuhl nieder. Auch Hay setzte sich; nicht mit einem Lachen, sondern einem Ächzen.

»Die Bedingungen für Panama werden natürlich nicht die allerbesten sein . . .« Hay fragte sich, wie viele Schmerzen ein Körper ertragen konnte, ehe der Tod für die endgültige Anästhesie sorgte.

»Die sind jetzt doch unabhängig, nicht wahr? Nun, das haben *wir* möglich gemacht. Also haben wir auch was verdient, finde ich.«

»Ich denke an nächstes Jahr.«

Roosevelt nickte; und legte die Stirn in Falten, wie stets, wenn er an seine Wiederwahl, oder, um genau zu sein, an seinen ersten Wahlkampf als Präsidentschaftskandidat dachte. »Nun, die Anti-Imperialisten können uns daraus keinen Strick drehen. Wir müssen einen Kanal haben, und der kann sich nur irgendwo befinden, wo das Land nicht zu breit ist.«

»Aber er hätte durch Nicaragua verlaufen können, völlig problemlos – ohne Flotte, ohne toten Hund oder toten Chinesen; ohne, sagen wir einmal, den leisesten Verdacht eines abgekarteten Spiels zwischen uns und der panamesischen Junta.«

»Nun ja, gewiß hat es da eine Verbindung gegeben.« Roosevelt ließ die linke Faust gegen den rechten Handteller prallen. »Wir sind überall für freie Menschen – und gegen eine mörderische und korrupte Bande von jener Art, die in Kolumbien herrscht . . .«

». . . und jetzt in Panama.«

»Sie haben nie viel für den Kanal übrig gehabt, nicht wahr?«

Oft vergaß Hay bei Roosevelts lauttönendem Gehabe, daß der Präsident ein scharfer und aufmerksamer Beobachter war. »Ich bin seit jeher davon überzeugt«, sagte Hay, »daß die Eisenbahn die Aufgabe genausogut lösen könnte wie ein Kanal, dessen Bau ebenso schwierig wie teuer ist und darüber hinaus voller Probleme steckt –

für die Zukunft jedenfalls, politisch gesehen. Ja«, fügte Hay hinzu, bevor ihn der Präsident damit aufziehen konnte, »ich besitze beträchtliche Beteiligungen an einigen Eisenbahngesellschaften, aber das ist nicht der Punkt.«

Mit einer nachlässigen Handbewegung brachte Roosevelt den neben seinem Schreibtisch stehenden Globus zum Rotieren. »Wir müssen etwas Nützliches für unser Land tun, John, *das* ist der Punkt. Mit einem Kanal können unsere Flotten zwischen dem Atlantik und dem Pazifik schnell hin- und hermanövrieren.«

»Sehen Sie eine so kriegerische Zukunft heraufziehen?« Plötzlich wünschte Hay, er hätte sich vom Präsidenten nicht dazu überreden lassen, sein Rücktrittsgesuch vom Juli zu vergessen.

»Ja, das tue ich.« Die sonst so hohe, schrille Stimme klang auf einmal leise und fast sanft. »Ich sehe auch die Mission, die uns zufällt. Sie besteht darin, zu führen, wo zuvor England führte, doch in weltweitem Maßstab . . .«

»Die ganze Welt?«

»Dazu könnte es kommen. Aber soviel hängt davon ab, was für ein Volk wir sind und weiterhin sein werden.« Er schnitt eine Grimasse. »Da ist eine Schwäche, die unsere Menschen charakterisiert, eine Neigung zur Bequemlichkeit, ein Mangel an Mut . . .«

»Sie müssen uns weiterhin ein Vorbild sein und uns inspirieren.«

»Genau das ist es, was ich zu tun versuche.« Roosevelt sprach mit beinahe feierlichem Ernst, und Hay erinnerte sich an die Formulierung von Henry Adams: »der holländisch-amerikanische Napoleon«. Aber warum auch nicht? Wie sonst nimmt ein Empire seinen Anfang?

»Und jetzt, Mr. President, werde ich das juristische Fundament für unsere jüngste Erwerbung in Angriff nehmen.«

»Der Justizminister hat mir erklärt, eine so großartige Errungenschaft dürfe keinesfalls den Makel mangelnder Legalität tragen.« Roosevelts Gelächter ähnelte dem Kläffen eines wütenden Wachhundes.

Als Hay sich erhob, schien der Raum plötzlich erfüllt zu sein von dunkelgrünem Rauch, in dem kleine goldene Sterne glänzten. Einen Augenblick lang glaubte er, ohnmächtig zu werden. Doch dann war Theodore bei ihm und stützte ihn.

»Alles in Ordnung?«

»Ja. Ja.« Der Raum war wieder im Lot. »Mir wird oft schwindlig, wenn ich mich zu rasch erhebe. Aber das Sonderbare war – ich glaubte tatsächlich, mich in Mr. Lincolns Büro zu befinden. Das, wissen Sie, mit den dunkelgrünen Wänden und den goldenen Sternen, einen für jeden Staat, der abtrünnig zu werden versuchte, wie wir zu sagen pflegten.«

Roosevelt brachte Hay zur Tür; sein Arm stützte den älteren Mann unter der Achsel. »Ich sehe ihn manchmal.«

»Den Präsidenten?«

Roosevelt öffnete die Tür zum Zimmer seines Sekretärs. »Ja. Das heißt, ich stelle ihn mir lebhaft vor, meist des Nachts oben im Korridor am anderen Ende . . .«

»Auf der östlichen Seite.« Hay nickte. »Im Gang vor seinem Büro gab es einen Wasserkühler. Er trank einen Becher Wasser nach dem anderen.«

»Danach werde ich Ausschau halten, wenn ich ihn das nächste Mal sehe. Er ist so oft schlechter Stimmung.«

»Dafür gab es Gründe genug.«

»Meine Probleme sind so geringfügig, verglichen mit seinen. Ein merkwürdiges Gefühl, mich mit ihm zu vergleichen. Ich halte mich nicht für unbescheiden, wenn ich sage, daß ich den meisten Politikern unserer Zeit weit überlegen bin. Aber wenn ich daran denke, welche Größe *er* besaß . . .« Roosevelt seufzte, eine für ihn höchst untypische Reaktion. »Sie müssen sich etwas Ruhe gönnen, John.«

Hay nickte. »Sobald der Vertrag erledigt ist. Dann gehe ich nach Süden.«

»Bully!« Wieder einmal war Roosevelt sein bester eigener Imitator.

4

Das ungeheure Geräusch von Metall, das gegen den Stamm eines Magnolienbaums krachte, ließ Caroline und Marguerite an einem Fenster des Hauses in Georgetown auftauchen. Irgendwie war ein Automobil von der N Street auf den Bürgersteig geraten und gegen den größeren von Carolines beiden Magnolienbäumen geknallt. Hinter dem Lenkrad saß Alice Roosevelt, auf dem Kopf einen gefiederten Hut, der ihr jetzt über die unversöhnlich blauen Augen gerutscht war, neben ihr Marguerite Cassini, die, ein Bild der Schönheit und des Entsetzens, vor sich die Hände schwenkte, ja, zu ringen schien – eine hochdramatische Geste, wie Caroline sie eigentlich nur von *ihrer* Marguerite kannte.

Caroline eilte hinaus auf die Straße, wo ein ältlicher Neger angestrengt versuchte, die Autotür auf Alice' Seite zu öffnen; sie klemmte.

»Die Bremse!« schimpfte Alice. »Sie funktioniert nicht. Das ist die Schuld Ihres Chauffeurs.«

»Es ist *meine* Schuld, wenn Vater davon erfährt.« Marguerite stieg aus dem Auto. Caroline half dem Neger, die republikanische Prinzessin zu befreien, die ihren verrutschten Hut in Ordnung brachte, dem Neger dankte und sagte: »Die Polizei soll diesen Schrotthaufen zurück zur russischen Botschaft am Scott Circle schaffen. Es ist das häßlichste Haus dort, gar nicht zu verfehlen.«

»Mein Vater«, begann Marguerite.

»Mein Vater? *Mein* Vater. Das ist das Problem. Er würde nicht zulassen, daß ich mir ein Auto kaufe, wissen Sie.« Alice führte Caroline in ihr eigenes Haus, während Marguerite Cassini dem Neger ausführliche Anweisungen erteilte. »Ich werde aus ihm nicht schlau. Manchmal scheint er in einem anderen Jahrhundert zu leben. Ich hatte mir ein Prachtauto ausgesucht, einen Sportwagen, todschick. Doch er sagt nein. Niemals. Frauen sollen nicht fahren, nicht rauchen, nicht wählen. Was das Wählen betrifft, so bin ich natürlich derselben Meinung. Am Wahlergebnis würde sich dadurch nichts ändern. Trotzdem . . . Wie fühlt man sich denn so als verheiratete Frau?«

Sie befanden sich im hinteren Salon, der auf einen kleinen Garten hinausging, in dem um diese Jahreszeit nur noch späte Chrysanthemen wuchsen. Die Bäume hatten ihre Blätter verloren; und in dem kleinen Teich trieb ein fetter Goldfisch mit nach oben gekehrtem Bauch, Opfer seiner eigenen Freßsucht.

»Sehr gelöst. Im Grunde unverändert. John ist fast ständig in New York bei seiner Anwaltsfirma. Ich bin meist hier bei der Zeitung; und dem Kind.«

Die zwei Monate alte Emma Apgar Sanford machte weit weniger Lärm, als Caroline erwartet hatte, und ihre bloße Anwesenheit im Haus hatte etwas ungemein Wohltuendes. Caroline ließ es sich – Marguerites Mahnungen zum Trotz – nicht nehmen, ihr Töchterchen selbst zu stillen, und mit tiefer Verwunderung hatte sie bemerkt, wie groß ihre vollen Brüste geworden waren. Zum erstenmal in ihrem Leben befand sie sich körperlich auf der Höhe der Zeit – *à la mode* in der großen fleischigen Welt.

Marguerite Cassini trat ein. Caroline bewunderte ihre Schönheit; weiter aber auch nichts. Mysteriöserweise schien ihr Dels Schatten anzuhaften. Caroline hatte gehört, daß der Opalring, der auf dem Pflaster von New Haven in zwei Teile gebrochen war, ein Geschenk der Gräfin Cassini gewesen sei. Offenkundig lagen Dichtung und Wahrheit miteinander in einem nie endenden Krieg. Marguerite steuerte geradewegs auf eine offene Bonbonniere von Huyler's, der besten Zuckerbäckerei am Ort, zu. Jedes Haus bestellte seine eigene, spezielle Mischung, und Caroline hatte in Washington weiße Schokolade eingeführt, eine nach wie vor umstrittene Novität in jenen Kreisen, in denen sich die Society Lady der Tribune so heißhungrig bewegte. »Sie sollten keine Schokolade essen. Davon werden Sie dick«, verkündete Alice. »Ich nehme niemals ein Dessert. Nur Fleisch und Kartoffeln, wie Vater.«

»Vielleicht werden Sie dann genauso stämmig wie er«, sagte Marguerite und sah plötzlich mongolisch aus – oder tartarisch? – oder war das dasselbe? Die Freundschaft zwisch La Cassini und Alice war Stadtgespräch und keineswegs auf die Kreise der Society Ladys beschränkt. Bei den gegenwärtigen Spannungen zwischen Rußland und Japan neigte Präsident Roosevelt dazu, sich auf die Seite der Japaner zu schlagen, zum ungeheuren Zorn Cassinis, der in Carolines Anwesenheit gebrüllt hatte: »Der Mann ist ein Heide! Wir sind eine christliche Nation wie die Vereinigten Staaten, und er hält zu den gelben, barbarischen Heiden.« Im Weißen Haus wurde die Gier der Russen tief beklagt. Die Administration war bereit, auf Japans Vorschlag einzugehen, wonach die Russen die Mandschurei annektieren mochten, sofern Japan gestattet würde, sich Korea einzuverleiben. Die Tribune versuchte, eine unparteiische Haltung einzunehmen, tendierte jedoch dank Mr. Trimble dazu, Rußland zu bevorzugen; zum Zorn des Präsidenten. Im neuen Cabinet Room hatte er Caroline einen langen Vortrag über die Gezeiten der Geschichte gehalten, während ein Lincoln-Porträt müde an der sitzenden Frau und dem auf und ab marschierenden Präsidenten vorbeiblickte. Bei Empfängen bedachte Cassini Caroline seit einiger Zeit mit geradezu herzlichen Handküssen, und Marguerite hatte ihr für ihre Unterstützung als Kommentatorin gedankt. »Es ist ja so schwierig für mich«, hatte sie geseufzt, »jetzt, wo ich die *doyenne* des Diplomatischen Korps bin.« Durch Pauncefotes Tod war Cassini der dienstälteste Missionschef in der Hauptstadt geworden. Marguerite, seine Dame des Hauses, hatte sich anfangs bei jedem offiziellen Treffen gezeigt; dann trotzte die Tochter des Präsidenten ihrem Vater und freundete sich mit Marguerite an; und zwar allein deshalb, wie nur Caroline wußte, weil der Präsident Alice nicht erlaubt hatte, ein rotes Automobil zu erwerben; folglich hatte Alice die Maschine des russischen Botschafters »requiriert«. Im vergangenen Sommer waren Alice und Marguerite, gleich arktischen Forschern, nach Newport gefahren; unter dem ängstlichen Beifall der Öffentlichkeit; zum Entsetzen überfahrener Fußgänger und von der Straße gedrängter Automobilisten. Nach der heutigen Kollision, da war sich Caroline recht sicher, würde es zwischen Alice und Marguerite wohl zu einem Gezeitenwechsel kommen. Cassini würde die Ingebrauchnahme seines Automobils dementieren; und Japan würde über Rußland triumphieren. »Die kausalen Bindeglieder«, wie Brooks Adams mit Genuß zu sagen pflegte.

»Was soll ich morgen in der britischen Botschaft tragen?« fragte Alice, während sie ihre Handtasche öffnete, ein Zigarettenetui herausnahm und sich mit maskuliner Selbstverständlichkeit eine Zigarette anzündete – ein Anblick, der Caroline noch immer einen leisen Schock versetzte, was sie Alice auch offen gesagt hatte. »Aber jetzt, nachdem ich es getan habe«, hatte Alice ihr versichert, »wird es mir doch jede nachtun.«

»Im Haus Ihres Vaters tun Sie's nicht.«

»Oh, doch – zum Fenster hinaus. Eine Prozedur, die er akzeptiert und respektiert. Also, was werde ich tragen?«

»Das dunkelblaue Samtkleid . . .«, begann Caroline.

»Ich werde Ihnen meinen Zobel *nicht* wieder leihen.« Marguerite zerquetschte die Pralinen mit den Fingern; sie mochte nur die süßen Füllungen.

Sowohl Mrs. Roosevelt als auch Alice liebten es, phantasievolle Kostümierungen zu erfinden, die sie gar nicht besaßen, um dann dem Pressesekretär des Weißen Hauses Beschreibungen dieser fabulösen Kreationen zu geben, über die später auf jeder Society-Seite enthusiastisch berichtet wurde. Dabei konnte sich im Grunde keine der beiden Damen exklusive Garderobe leisten, obschon Alice ein wenig reicher war als die Präsidentengattin selbst. Als Caroline hinter das Spielchen gekommen war, das die beiden trieben, hatte Alice sie gebeten, ihr bei der Erfindung von Kostümierungen zu helfen, die Caroline später in der Tribune beschreiben sollte – sehr zur Verblüffung derer, die tatsächlich gesehen hatten, was die Roosevelt-Ladys trugen.

Das Hausmädchen, ein Mädchen für alles, erschien mit dem Tee. Caroline hatte eigentlich die Absicht gehabt, in ein größeres Haus umzuziehen und angemessenes Personal zu engagieren, wie die Apgars das genannt haben würden, doch Johns Zahlungsverpflichtungen hatten ihr Einkommen für das laufende Jahr aufgebraucht; zum Glück erwirtschaftete die Zeitung inzwischen ein wenig Gewinn, so daß Caroline behaglich als eine Mrs. Sanford in Georgetown leben konnte. *Die* Mrs. Sanford würde sie erst am 5. März 1905 sein, also in rund fünfzehn Monaten. Insgeheim hegte sie den Verdacht, daß Johns Schulden noch größer waren, als er bislang zugegeben hatte. Darüber hinaus vermutete sie, daß Blaise sehr wohl wußte, wie insolvent ihr frisch erworbener Ehemann war, denn vor kurzem hatte er ihr vorgeschlagen, die Tribune an ihn zu verkaufen, sofern sie die Neigung verspüre, sich ihrer zu entäußern. Diese Neigung verspüre sie keineswegs, hatte sie ihm entgegnet und auch weiterhin, samt dem übrigen Washington, beobachtet, wie sein Palast in der Connecticut Avenue zusehends Gestalt gewann, in seiner schmucken Marmorpracht ein Rivale für jene Paläste am Dupont Circle, wo die Leiters regierten und jetzt auch die Pattersons, deren Tochter Eleanor, »Cissy«, eine rastlose Neunzehnjährige, gerade in diesem Moment am Arm von Nicholas Longworth eintrat, dem elegantesten Mitglied des Abgeordnetenhauses. Er stammte aus Ohio, war Anfang Dreißig und von buchstäblich glänzender Glatzköpfigkeit. Mal wurde gemunkelt, er werde Marguerite Cassini heiraten; mal galt Alice Roosevelt als seine Auserkorene; dann wieder hieß es, er werde überhaupt niemanden ehelichen, denn »er ist«, wie seine Mutter der Presse anvertraut hatte, »der geborene Junggeselle«.

Caroline schenkte Tee ein und machte Konversation; großer Mühe bedurfte es da allerdings nicht, solange Alice Roosevelt zugegen war, die in einem fort sprach, zumal wenn sie jemanden schockieren wollte, und es schien Longworth zu sein, der ihr im Augenblick als Zielscheibe diente. Während Marguerite Cassini auf ihre tatarische Art strahlte und Alice sich gröblich über das Abgeordnetenhaus verbreitete, vertraute Cissy Patterson Caroline ihre Probleme an. Cissy hatte das Gesicht eines stumpf rothaarigen Pekinesen und eine kleine rosa Nase; und gerötete Augen, denn sie hatte geweint. »Ja, ich habe an Nicks Schulter geheult«, flüsterte sie Caroline zu.

»Der Pole?«

»Der Pole. Ich kann nicht glauben, daß Mutter mir das antut.«

»Aber er ist doch attraktiv . . .«

»Ich glaube nicht, daß ich mich für Männer interessiere«, sagte Cissy und bedachte Caroline mit einem Blick, welcher der jungen Mutter, und jungen Ehefrau, leichtes Unbehagen einflößte; allzusehr fühlte sie sich an die Blicke von Mlle. Souvestre erinnert.

»Oh, Sie werden sich an sie gewöhnen. Sie sind natürlich zu groß, für die meisten Zwecke.« Zärtlich dachte Caroline an Jim, der sie jeden Sonntag nach seinem Ritt am Kanal besuchte. Stets roch er nach Pferd. Inzwischen assoziierte sie Sex in einem solchen Maße mit Pferden, daß sie einmal zu Jim gesagt hatte, er könne ihr ja vielleicht an einem Sonntag sein Pferd schicken und seinerseits nach Hause zu Kitty gehen. Er war schockiert gewesen.

»Das ist es nicht. Jedenfalls glaube ich nicht, daß es das ist. Natürlich bin ich noch Jungfrau.«

»Natürlich«, sagte Caroline. »Das sind wir alle einmal gewesen. Was für eine glückliche, sorglose Zeit.«

»Also glücklich . . . ich weiß nicht recht. Aber Joseph ist von meiner Jungfräulichkeit tief beeindruckt. Offenbar gibt es in Europa keine Jungfrauen.«

»Gewiß nur sehr wenige.« Caroline war um bestes Einvernehmen bemüht. Cissys Onkel war Robert McCormick, der darauf erpicht war, die Tribune zu kaufen – die Familie seiner Frau verlegte die Chicagoer Tribune. Cissys Bruder, Joe Patterson, arbeitete als

Reporter für die Zeitung ihres Onkels; und so waren die Pattersons, gleichsam einem Naturgesetz folgend, zunehmend in Richtung der Sanfords gravitiert, Druckerschwärze war von ähnlicher Bindungskraft wie Blut. Cissy hatte literarische Träume; sie werde Romane schreiben, sagte sie; und griff prompt nach Mr. James' jüngster Bemühung, »Die Gesandten«, gewidmet Henry Adams, der das Buch Caroline empfohlen hatte; nur las Caroline längst keine erfundenen Geschichten mehr, als Zeitungsverlegerin war sie schließlich selbst eine Hauptlieferantin jener vergänglichen Produkte.

»Er ist jetzt zu weitschweifig.« Cissy hatte gelernt, das zu sagen, was jedermann sonst sagte, bevor die schalen Klischees zum Staub konventioneller Weisheit zerfielen. Folglich hielt sie sich für klug. »Er bekommt eine Million«, flüsterte sie Caroline ins Ohr, während sie, Stück für Stück, die Spitzen eines extradünnen Schokoladenblatts abbiß.

»Graf Gizycki?«

Cissy nickte, tragisch; den Mund voller Schokolade.

»Das ist fair, will mir scheinen.« Caroline gab sich ausgewogen. »In Europa bringt die Braut das Geld mit, während der Bräutigam den Titel, den Namen und das Schloß einbringt. Es gibt doch ein Schloß?

»In *Polen*.« Cissy seufzte. »Er liebt mich nicht, wissen Sie.«

»Warum ihn dann heiraten?«

»Mutter möchte, daß ich eine Gräfin werde. Vater wird natürlich zahlen. Aber es ist sehr un-amerikanisch, einen Ehemann zu kaufen.«

»Möglich, daß es un-amerikanisch ist, doch tun es die Amerikaner in einem fort. Sehen Sie sich Harry Lehr und die arme Drexel an. Oder lesen Sie die Zeitung Ihres Onkels, oder meine; oder – falls Sie wirklich unschuldig sind – irgendeine von Mr. Hearsts Zeitungen. Es ist durchaus üblich.«

»Üblich!« Cissy schien jeden Augenblick in Tränen ausbrechen zu wollen. »Ich wünschte«, sagte sie völlig überraschend, »ich hätte Ihren Mund.«

»Meinen Mund? Sie sollen ihn haben, an Ihrem Hochzeitstag – in Form eines Kusses«, sagte Caroline. Unbehaglich wurde sie sich bewußt, daß sie angeschwärmt wurde.

Marguerite Cassini gesellte sich zu ihnen; Nick Longworth unklugerweise, wie Caroline fand, der raubtierhaften Alice überlassend, die, genau wie ihr Vater, das ununterdrückbare Bedürfnis hatte, stets im Mittelpunkt der Aufmerksamkeit zu stehen. *Sie* war zweifellos bereit, jeden x-Beliebigen zu heiraten, sofern dies die einzige Möglichkeit zu sein schien, sich die allgemeine volle Aufmerksamkeit zu sichern. Von allen republikanischen Dollarprinzessinen war Alice die interessanteste, doch war sie auch, wie Caroline fand, am unausweichlichsten zum Unglücklichsein verdammt. Die berühmteste junge Dame in den Vereinigten Staaten zu sein war sicherlich eine feine Sache, doch wurden aus allmächtigen Präsidenten nur allzubald obskure Ex-Präsidenten, indes junge Damen zu richtigen Frauen, Ehefrauen und Müttern reiften – und noch mehr in Vergessenheit gerieten als ihre Väter. Es war Caroline unmöglich, sich Alice alt vorzustellen; irgendwie würde das gegen die Natur sein. Unterdes war die schöne Cassini damit beschäftigt, Cissy zu trösten, mit gräflicher Weisheit. »Es handelt sich um eine angesehene Familie – für Polen, meine ich natürlich. Und sein bester Freund, der uns sehr nahesteht, Ivan von Rubido Zichy, versichert, daß Joseph Sie sehr liebe!«

»Diese Namen«, sagte Caroline, »klingen, als handle es sich um Charaktere aus ›Der Gefangene von Zenda‹.«

»Sie sind so literarisch«, sagte Marguerite mißbilligend. »Das kommt wohl, weil Sie all die vielen Zeitungen lesen müssen.«

»*Meine* Weiße-Haus-Hochzeit wird die erste sein, seit die arme Julia Grant Prinz Cantacuzene heiratete.« Alice schleuderte sich geradezu ins Zentrum der Bühne.

»Nellie Grant, Julias Mutter, wurde im Weißen Haus getraut.« Longworth war von träger Pedanterie. »Das war die letzte Trauung im Weißen Haus. Julia heiratete in Newport . . .«

»Und mein Vater, als Repräsentant des Zaren, hatte seine Einwilligung zu geben, was er natürlich nicht tat, weil Julias Tante, Mrs. Potter Palmer, die Mitgift mit der Begründung zurückhielt, Julia sei hübsch genug, um um ihrer selbst willen geheiratet zu werden.«

»Kaum wahr«, riefen die drei Damen wie aus einem Munde.

»Und so sagte Vater zu Mrs. Potter: ›Wieviel bezahlen Sie *Ihrer* Köchin?‹ Dann erklärte er, daß ein frisch vermähltes Prinzenpaar genügend Geld haben müßte, um seinen eigenen Koch zu bezahlen.

Er war überwältigend. Natürlich war der Prinz an sich durchaus vermögend . . .«

Caroline unterbrach Marguerite in ihrer zaristischen Prahlerei. »Alice, Sie müssen uns sagen, wann Ihre Hochzeit im Weißen Haus stattfinden wird; und mit wem . . .«

Alice gab sich forsch. »Voraussichtlich 1905. Nach Vaters Wiederwahl. *Ich* habe noch keinen erwählt. Blaise ist sehr reich, nicht wahr?«

»Ja, sehr.« Caroline hatte schon oft daran gedacht, was für eine gute Partie es für ihn sein würde; ganz zu schweigen von der Verlegerin der Tribune. Die Roosevelts, ob nun im Weißen Haus oder nicht, würden allemal von Interesse sein; garantiert. »Und da wäre auch sein neuer Palast, in dem Sie wohnen könnten.«

»Oh, ich würde niemals *hier* leben wollen! Viel zu langweilig. Verwelkter Glanz und so weiter. Ich hätte keine Lust, zum überständigen Inventar zu gehören. Nein, hier würde ich niemals leben. Ich will New York, Paris, London . . .«

»Oyster Bay ist wahrscheinlich das, was Sie kriegen werden«, sagte Longworth. »Und auch verdienen.«

»Immer noch besser als Cincinnati.« Alice hatte, wie Caroline jetzt bemerkte, erstaunlich dichte Augenwimpern; irgendwie fehlte ihr zu wirklicher Schönheit nur ein winziges Stück; störte sie das?

Dann wartete Longworth mit einer Imitation oder Impression von Theodore Roosevelt auf, die sogar dessen Tochter zum Lachen brachte; und Alice war stets bereit, eine *lèse-majesté* zu verdammen. Doch Nick war, genau wie der Präsident, ein Mitglied des Harvard's Porcellian Club und somit nahezu ein Ebenbürtiger.

»Ich war am Montag in seinem Büro und sprach über Angelegenheiten im Abgeordnetenhaus; er befand sich in schlechter Stimmung – das heißt, für seine Verhältnisse. Deshalb wurde ich ein wenig nervös, weil da dieser junge Reporter aus Cincinnati war, dem ich versprochen hatte, ihm ein oder zwei Minuten Gehör beim Präsidenten zu verschaffen; und der wartete nun im Vorzimmer. Nachdem wir alles besprochen hatten, sagte ich zum Präsidenten: ›Wissen Sie, Colonel, da ist ein junger Journalist, der gern guten Tag sagen möchte . . .‹« Und nun begann Longworth damit, Theodore Roosevelt zu imitieren – schnaubend, grimassierend, mit wild durch die Luft zuckenden Fäusten. »›Niemals! Niemals, Nick! Sie erwarten zuviel! Gewiß, auch Sie sind ein Mitglied des Porcellian Club. Wir sind einander verbunden durch die Bande, die alle Gentlemen miteinander verbinden, gewiß! Es ist richtig, daß ich der oberste Amtsträger bin und, *der Theorie nach*, für jeden Bürger zugänglich. Aber wenn ich sie alle empfangen würde, bliebe mir keine Zeit, mein Amt auszuüben . . .‹ – ›*Oberster* Amtsträger‹, warf ich ein – ›. . . mein Amt‹«, die Stimme glich jetzt einem unmenschlichen Schrillen, »› . . . *wahrzunehmen*. Wie heißt er denn?‹ Ich sagte es ihm. ›Noch nie gehört. Wie heißt die Zeitung?‹ Ich sagte es ihm. ›Noch nie gehört.‹ Ich war verzweifelt. ›Sein Vater, Soundso, führte die Bewegung an, die General Grant die dritte Amtszeit verweigerte.‹ ›Ich glaub's nicht. Schicken Sie ihn herein.‹ Nun, der junge Mann trat voller Ehrfurcht ein, und der Präsident schloß ihn praktisch in seine Arme. ›Ich bin, junger Mann, hocherfreut, Ihre Bekanntschaft zu machen. Wissen Sie auch, warum? Weil Ihr Großvater einer der großartigsten Männer war, die kennenzulernen ich jemals die Ehre hatte. Wie gut erinnere ich mich noch daran, mit welcher Kraft er seine Argumente vor den Führern der Partei vortrug – diese Beredsamkeit! –, welche Sie geerbt haben, wie ich den Seiten Ihrer inspirierten Zeitung entnehmen kann. Nun, Sir, bei jener Gelegenheit war Ihr Großvater ein neuer Demosthenes, doch im Unterschied zu dem wirklichen Demosthenes gelang es ihm, den Tyrannen aufzuhalten und die Republik vor jener Art von Korruption zu bewahren, bei deren Betrachtung es mich selbst jetzt noch schaudert. So geht denn dahin, mein Jüngling, und tut desgleichen!‹ Mit diesen Worten schüttelte der Präsident die Hand des enthusiasmierten jungen Mannes und geleitete ihn hinaus, einen nunmehr lebenslänglich Hörigen von TR. Dann wandte er sich mir zu und zischte: ›Tun Sie mir so etwas nie wieder an!‹ Und zwinkerte.«

Während alle lachten, sagte Alice nachdenklich: »Da sind gewisse Unaufrichtigkeiten bei Vater, gegen die nicht einmal er gefeit ist.«

»Das gehört«, sagte Longworth, »zum Wesen der Kunst unserer Politiker.«

Die Damen verlangten, das Baby zu sehen, das auch bald in den Salon gebracht wurde, ein ernstes, großäugiges Kind. Prompt brach Cissy in Tränen aus; beim Gedanken an Ehe und Babys und Geld und einen Titel; und Caroline gab ihr ein Gläschen Brandy, das sie zur allgemeinen Verblüffung in einem einzigen Zug leerte.

Als die Idylle dann zu welken begann, nahm Marguerite Cassini Caroline beiseite und vertraute ihr an: »Nick hat um meine Hand angehalten. Verraten Sie das niemandem.«

Außer der Öffentlichkeit, dachte Caroline und fragte: »Werden Sie akzeptieren?«

Marguerite nickte.

»Kommen Sie, Maggie«, befahl Alice. »Nick befördert uns in seinem Gefährt. Ich hoffe, daß Ihr Vater die Bremse reparieren läßt. *Wir*«, fügte sie dramatisch hinzu, »hätten getötet werden können.«

»Womöglich«, sagte Cissy dunkel und ohne ihre Worte an irgendwen zu richten, »wäre es das Beste gewesen.«

»Schweigen Sie«, sagte Prinzessin Alice; und sie waren entschwunden.

Bedrückt setzte sich Caroline an ihren Schreibtisch und beschäftigte sich, wieder einmal, mit den Schulden ihres Mannes. So nach und nach wurde ihr bewußt, daß sie, falls Johns Gläubiger nicht bereit waren, noch länger zu warten, womöglich die Tribune würde verkaufen müssen. Sie gab sich alle Mühe, John all dies nicht anzulasten. Schließlich hatte sie ihn geheiratet; und nicht andersherum. Trotzdem, man erwartete von Männern, daß sie sich auskannten im Gewerbe oder Geschäft; und auf irgendeine dunkle, buchstäblich obskure Weise fühlte sie sich betrogen. Der Tribut der Sünde, dachte sie; und lachte laut: Sie fing schon an, wie eine Zeitung zu denken. Dennoch fragte sie sich, wo, um alles in der Welt, wohl Geld aufzutreiben war.

Teil XII

1

Blaise starrte einen Augenblick lang auf die Tür des Hauses am Lafayette Square, genau gegenüber dem Weißen Haus. Alles in allem, fand er, war es ein Beweis für die Energie, ja die Faszination Roosevelts, daß dieses nicht gerade prachtvolle Haus, dessen Mieter einmal Elihu Root gewesen war, jetzt vom Kongreßabgeordneten William Randolph Hearst bewohnt wurde. Zweifellos war es Roosevelts machtvoller Magnetismus, der Hearst – und auch ihn selbst – in dieses verschlafene, rückständige Washington gezogen hatte. Elihu Root war inzwischen nach New York zurückgekehrt, um dort als Anwalt tätig zu sein, und sein Platz wurde jetzt überreichlich ausgefüllt von jenem menschlichen Mastodon namens William Howard Taft, dem vertrautesten Ratgeber des Präsidenten auf den Philippinen, wo er in vizeköniglicher Pracht regiert hatte während des . . . was auch immer es war: Niemand hatte bislang die richtige Bezeichnung gefunden für den heftigen Widerstand so vieler Filipinos gegen die Yankee-Herrschaft. Am 1. Februar 1904 – vor einer Woche also – war Taft Kriegsminister geworden; bitterlich darüber klagend, daß er von seinem Gehalt unmöglich werde leben können, aber das war bei allen Amtsinhabern so – nur daß nie einer sein jeweiliges Amt deswegen ausschlug und sich stets wunderbarerweise irgendwie »über Wasser hielt«, wie Blaise zynisch dachte.

Der altvertraute, korpulente George öffnete die Tür, ganz als befänden sie sich noch immer in einer richtigen Stadt und nicht in diesem sonderbaren südlichen Dorf. »Mr. Blaise, Ihr Anblick tut wunden Augen gut.« Im Laufe der Jahre hatte George es sich angewöhnt, Blaise als eine Art jüngeren Bruder des Chefs zu betrachten, wenn nicht gar als einen Sohn, eine Rolle, nach der sich Blaise noch niemals gesehnt hatte. Doch »schauspielern« mußten sie beide, der allgewaltige Hearst, inzwischen Verleger von acht Zeitungen – Boston hatte kapituliert –, und der reiche Blaise, der nach wie vor darauf aus war, etwas Richtiges zu leisten und sich einen Namen zu machen, zumal jetzt, denn am Tag zuvor hatte ein verheerendes Feuer in Baltimore seine Druckerpresse zerstört. Zwar hatte Hapgood sofort eine neue bestellt, dennoch würde der Examiner mehrere Wochen lang nicht erscheinen können.

Hearst thronte, buchstäblich, in seinem holzgetäfelten Arbeitszimmer und lauschte einem kleinen und, für Blaise, absolut widerlichen Georgianer namens Thomas E. Watson, der, als Mitglied der Farmers' Alliance, Kongreßabgeordneter gewesen war; später dann Vizepräsidentschaftskandidat der Populist Party; und der in diesem Jahr Präsidentschaftskandidat der Populisten werden mochte. Zur Zeit wurde er von Hearst intensiv umworben, die Demokratische Partei zu unterstützen – und vor allem Hearst selbst, der im frommen Süden recht schwach war, dank der Aura von Skandalen, die sich mit seinem Namen verband; praktisch gesehen, war Hearst jedoch von allen Politikern auf nationaler Ebene wohl jener, der einem Sozialisten oder Populisten am nächsten kam. Zweifellos fand Watson den Zeitungszaren politisch attraktiv; sich selbst jedoch weitaus attraktiver.

Jim Day saß, Hearst gegenüber, auf einem Sofa; er begrüßte Blaise mit einem Lächeln; und fuhr fort, dem winzigen, feurigen Watson zuzuhören, der deklamierend in der Mitte des Raumes stand. Blaise' Eintritt blieb fast unbeachtet. Hearst winkte ihn zu einem Stuhl. Watson ignorierte ihn, wie ein Prediger einen Zuspätkommenden bei einer Wiedererweckungsandacht ignoriert.

»Ich habe mein Buch über Thomas Jefferson Ihnen gewidmet, Mr. Hearst, weil ich in Ihnen Jeffersons Erben sehe, politisch, meine ich.«

»Zu meinem Glück.« Seit einiger Zeit versuchte Hearst zaghaft, humoristische Züge zu entwickeln. »Er hat bei seinem Tod nicht einen einzigen Cent hinterlassen.«

»Was ihm ewig zur Ehre gereichen wird.« Watsons blaue Augen blitzten; ohne eine Spur von Belustigung. »Ich verfasse die Biographien meiner – und Ihrer – Helden, Jackson und Napoleon, und ich werde sie sämtlich Ihnen widmen, wenn Sie fortfahren, den guten Kampf des Volkes zu kämpfen, genau wie die es getan haben, gegen die Trusts, die jüdischen Banker, die götzendienerischen Papisten und all die übrigen ausländischen Elemente, die unser Volk niederdrücken, das ursprüngliche Volk der Republik.« In dieser Tonart ging es weiter. Hearst hörte geduldig zu. Auf dem Parteitag der Demokraten im Juli konnte Watson die Delegierten der Südstaaten auf Hearsts Seite bringen und ihm die Nominierung sichern; zur Wahlzeit war Watson für den Präsidentschaftskandidaten fünf Millionen Stimmen wert. Doch würde Watson im Juli überhaupt ein Demokrat sein? Oder womöglich Kandidat der Populisten? Blaise beneidete den Chef nicht. Nach allem, was er selbst über die Durchschnittsamerikaner wußte – wobei der Anblick der amerikanischen Volkstribune möglicherweise ein leicht verschobenes Bild bot –, neigten die Leute zu sektiererhaftem Wahn. Wie Gift pulste die Religion durch ihre Adern, gefolgt von oder vermischt mit Rassismus von einer Art, von der man sich im verruchten alten Europa keine Vorstellung machte. Stets gab es da irgendein kollektives »Sie«, dem man ein herabsetzendes Etikett anheften konnte, wobei dieses »Sie« dann automatisch umgewandelt wurde in jenes bedrohliche »Die da«, die absolut Bösen, die vernichtet werden mußten, auf daß der Garten Eden wiedergewonnen werden könne. Blaise wäre lieber einfacher Arbeiter in der Kachelfabrik seines Vaters in Lowell, Massachusetts, geworden als Präsident eines so strapaziös wahnhaften Landes, wie die Vereinigten Staaten es waren. Er konnte es nicht ergründen; wollte es auch nicht; staunte, daß Caroline sich hier zurechtfand, ohne dabei in irgendeiner Weise eine von . . . ja, von ihnen zu werden, von *denen da*.

Watson sprach eine weitere halbe Stunde lang; steigerte seine Rede bis zu jenem Punkt, an dem er erklärte, falls die Vereinigten Staaten denn je wirkliche Größe zu beanspruchen gedächten, so müßten sie die absolute Notwendigkeit kostenloser ländlicher Postlieferungen befürworten; und hielt inne.

»Mr. Watson.« Hearst erhob sich; ragte hoch auf über dem winzigen Redner. »Ich habe Sie bewundert – Ihnen sogar nachgeeifert . . .«

»Nachgeeifert«, murmelte Blaise leise für sich.

»Ich weiß«, fuhr Hearst fort, »daß wir gemeinsam großartige Dinge vollbringen können; in diesem Sommer, Herbst, immer. Aber was ich von Ihnen brauche, wirklich brauche, das ist, daß Sie für mich arbeiten. Nein, das ist falsch ausgedrückt. Ich werde für Sie arbeiten, für Ihre Ideen, sofern Sie nur Chefredakteur des New York American werden. Sie sind absolut *der* Mann.«

Ausgezeichnet gemacht, dachte Blaise. Der Chef lernte offensichtlich dazu. Watson drückte seinen Dank aus für das in ihn gesetzte Vertrauen; schluckte den Köder jedoch nicht so ganz. Nach dem Austausch weiterer Komplimente ging er. Hearst seufzte.

»Harte Arbeit«, sagte Blaise.

»Er ist ein großartiger Redner«, sagte Jim. »Aber wenn man nicht einer aus der großen Menge ist, dann ist er doch ziemlich strapaziös.«

»Was halten Sie von ihm, Jim?« Hearst blickte zu Day hinüber. Blaise empfand plötzlich eine ungeheure Eifersucht. Sie nannten einander beim Vornamen, was Hearst überaus selten tat. Gewiß, als Kongreßabgeordneter war Jim von beiden der Dienstältere; doch Blaise erinnerte sich, daß es ein ganzes Jahr gedauert hatte, bis Hearst ihn mit dem Vornamen anredete.

»Ich glaube, Colonel Bryan wird es wieder versuchen, und ich werde, wie immer, zu ihm halten, und er wird nicht nominiert werden, so daß Sie dann wohl der Kandidat sind. Oder aber Cleveland, falls er sich gerade in einer Lazarus-Stimmung befindet.«

»Cleveland ist praktisch tot.« Hearst sah Blaise an. »Wissen Sie, ich bin über Williams' Leiche ins Labor Committee gekommen.« Zu Jim: »Wie stellt man es eigentlich an, daß im Repräsentantenhaus ein Gesetz verabschiedet wird?«

»Zunächst«, sagte Jim, »läßt man einen Entwurf anfertigen. Dann . . . Nun, der Kongreß ist ganz und gar nicht wie eine Zeitung.«

»Das weiß ich inzwischen. Aber . . .«, Hearst deutete in Richtung des Weißen Hauses, » . . . *dort* geht's so zu. Roosevelt ist genau wie ich; rennt herum und macht Nachrichten . . .« Er blickte wieder zu Blaise. »Tut mir leid, daß mit dem Feuer – aber Sie werden doch sicher weitermachen, nicht?«

»Nächste Woche. Es besteht die Möglichkeit, daß Caroline mir die Tribune verkauft.« Caroline hatte sich in diesem Punkt überaus vage gegeben, selbst für ihre Verhältnisse. Blaise wußte, daß sie Geld brauchte, um John Apgars Schulden zu bezahlen. Hielt sie jedoch noch ein Jahr durch, so würde sie ihren Anteil bekommen, an einem Vermögen, das größer und größer wurde, obwohl er in seinen Palazzo in der Connecticut Avenue eine Menge Geld hineinpumpte. Und so hatte Blaise Houghteling eingeschärft, den Druck auf Sanfords nervöse Gläubiger zu verstärken. Vielleicht ließ sich ja eine Krise provozieren . . .

»Das Blatt würde ich liebend gern in die Hand bekommen«, sagte Hearst sehnsüchtig. »Sie hat's in Schwung gebracht. Erstaunlich. Eine Frau.«

»Unerhört! Meine eigene Schwester.«

»Sie versteht sich sogar auf Politik«, ergänzte Jim. »Kitty hat sie richtig gern«, fügte er hinzu. »Kitty ist das politische Talent in unserer Familie«, setzte er noch einmal an.

»Ich will diesen dunklen Geschäften auf den Grund gehen«, sagte Hearst, eher zu Jim als zu Blaise. »Ich meine das Eisenbahn-Kohle-Monopol. Ich habe bereits sechzigtausend Dollar investiert in die Ermittlungen, die folgendes klären sollen: Wie kommt es, daß sechs Eisenbahngesellschaften heimlich elf Kohleminen besitzen; diese Kohle billig fördern; dann ihre Aktien, wie man das ja nennt, ›verwässern‹ – und ans breite Publikum veräußern – und daß der Justizminister ebenso wie der großmäulige Präsidentendarsteller dort im Weißen Haus über all das genau im Bilde sind und trotzdem nichts, aber auch gar nichts unternehmen?«

Blaise schätzte Hearsts Leitartiklereinstellung zur Politik. Er spürte Skandalen nach; fand sie; publizierte sie. Jetzt auf einmal war das anders. Denn statt nur Zeitungen zu verkaufen, konnte Hearst mit einem Skandal dieser Art womöglich die Regierung vernichten. Das war unmittelbare Macht.

»Legen Sie diese Angelegenheit dem sogenannten House Judiciary Committee vor. Ich werde Ihnen zeigen, wie sie dabei am besten vorgehen. Allerdings glaube ich kaum, daß Sie den Justizminister werden ›ausräuchern‹ können.«

»Abwarten. Wissen Sie, falls ich nominiert werde, stelle ich dem Democratic National Committee anderthalb Millionen Dollar für den Wahlkampf zur Verfügung.«

Jim stieß einen Pfiff aus; lächelte dann. »Warum erst *nach* Ihrer Nominierung? Verbreiten Sie das vorher, und Sie werden nominiert werden.« Hearst ging nicht darauf ein; fuhr vielmehr fort: »Der Grundgedanke ist: Um zu Geld zu kommen, muß die Partei dann nicht die Eisenbahngesellschaften angehen, nicht die Trusts, so wie sie's tut, wenn der Kandidat ein Konservativer ist, der seine Hand aufhält . . .«

»Mit nur fünf Fingern.« Jim lächelte Blaise an, dem plötzlich bewußt wurde, daß er eigentlich noch nie einen Freund gehabt hatte, außer dem Sohn seiner inzwischen verflossenen Geliebten.

»Was?« Hearst zeigte sich verdutzt.

»Ein Scherz. Ist eine persönliche Sache zwischen uns.« Jims Betonung auf *uns* war für Blaise ein besonderer Genuß.

»Roosevelt«, sagte Hearst mit Nachdruck, »hat unheimlich viel Glück.«

»Wird vom Glück richtiggehend verfolgt«, ergänzte Jim. »So was wie ihn hat's wirklich noch nie gegeben.«

»Ich hasse ihn, glaube ich.« Doch Hearsts dünne Stimme klang eher sehnsüchtig als leidenschaftlich. »Er nennt mich McKinleys Mörder.«

»Warum lassen Sie nicht durchblicken, daß *er* einen Anarchisten gedungen hat, um McKinley zu ermorden, damit er Präsident werden konnte?« improvisierte Blaise zu Jims Belustigung.

»Wir haben auch nicht den kleinsten Anhaltspunkt dafür finden können«, sagte Hearst traurig und zu Blaise' Überraschung, traute dieser dem Chef doch so gut wie alles zu. Allerdings schien selbst Hearst im vorliegenden Fall mit seinem Latein am Ende zu sein.

»Nun, im Zweifelsfall läßt sich allemal was erfinden.« Jim gab sich fröhlich.

Blaise erinnerte sich Wort für Wort an das, was Henry Adams erst jüngst zur Charakterisierung von William McKinley gesagt hatte: ». . . ein sehr geschickter und hoch bezahlter Agent des gröbsten Kapitalismus.« Zweifellos war es vernünftig, das Hearst gegenüber nicht zu erwähnen; jedenfalls nicht jetzt, wo er mit gewohnter Gelassenheit akzeptiert hatte, daß er niemals auf der anderen Seite des Lafayette Square empfangen werden würde.

Inzwischen sprach Hearst mit James Burden Day über die Freuden der Elternschaft. Da Millicent in zwei Monaten niederkommen würde, weigerte sie sich, New York City zu verlassen, aus Angst, daß ein Kind, das im District of Columbia geboren würde, einmal Politiker würde. »Oder ein Neger«, sagte Jim, »das Gesetz der Wahrscheinlichkeit.«

George meldete »Miss Frederika Bingham«; zu Hearsts Überraschung. Blaise erhob sich. »Ich bat sie, mich hier zu treffen. Wir wollen uns mein neues Haus ansehen. Sie ist ehrgeizig, als Innenarchitektin. Sie hat Mrs. Whartons Buch gelesen.«

Frederika war kühl. Hearst war höflich. Jim war freundlich; er war Frederika schon mehrmals begegnet. Blaise schüttelte ihr die Hand.

»Meine Mutter möchte wissen, Mr. Hearst, warum Sie sich weigern, zu ihren Treffen für Kongreßabgeordnete zu kommen.« Während Frederika sprach, hielt sie ihre Augen auf Blaise gerichtet, der voller Bewunderung für die mühelose Art und Weise war, in der sie mit jeder gesellschaftlichen Situation fertig wurde. Hierin glich sie Caroline; nicht unbedingt eine Empfehlung, zweifellos. Haßte er seine Schwester? Beneidete er sie? Liebte er sie? Wäre er der Verleger der Tribune und sie nichts weiter als die Society Lady, so kämen sie gewiß miteinander aus. Nach Lage der Dinge handelte es sich wohl um eine Art Urgefühl: Neid.

»Ich kenne keine Kongreßabgeordneten«, sagte Hearst bedauernd. »Mit Ausnahme von Mr. Day und Mr. Williams . . .«

»Der Speaker«, sagte Jim, »schwört, daß er Sie nicht mal vom Sehen kennt.«

»Na, dann verstehen Sie doch um so besser, daß *ich* dort nicht zu Hause wäre, nicht wahr?«

»Um so mehr Grund, in unser Haus zu kommen. Mutter wird Sie mit den richtigen Leuten bekannt machen. Mr. Sanford, mir bleibt nur noch eine Stunde . . .«

Sie verabschiedeten sich und stiegen in das Bingham-Automobil mit Chauffeur am Steuer. »Haben Sie von Cissy Patterson gehört?«

Blaise gestand, daß er nicht wußte, von wem die Rede war; und wurde eingeweiht; dann: »Vorige Woche, nach der Trauung, ließ sich der junge Ehemann nicht beim Hochzeitsfrühstück der Pattersons sehen.« Der Palast der Pattersons zog an ihnen vorbei, als sie in den Dupont Circle einbogen. »Und so war Cissy in Tränen aufgelöst, und ein Freund des jungen Ehemanns, dieser Österreicher, machte sich auf die Suche nach ihm und fand ihn im Bahnhof, als er gerade eine Fahrkarte nach New York kaufte. Offenbar war er sofort nach der Trauung zu seiner Bank gegangen, und dort hatte man ihm gesagt, daß die Million Dollar, die man ihm versprochen hatte, bislang nicht überwiesen worden war.«

»Fuhr er?«

»Er blieb. Die Sache mit dem Scheck mußte erst noch geklärt werden. Ich glaube kaum, daß Cissy sehr glücklich sein wird, Sie vielleicht?«

Blaise verneinte.

»Ich wäre gern wie Caroline. Unabhängig. Und hätte etwas zu tun.«

»Kinder zu haben, das müßte doch ausreichen.« Blaise war patriarchalisch; französisch.

Das Haus in der Connecticut Avenue war ein großes und in Blaise' Augen schönes Gebäude, eine Art moderne Version von Saint-Cloud-le-Duc, das ihm immer mehr fehlte. Ihrer Abmachung gemäß hatten weder er noch Caroline den französischen Landsitz inzwischen besucht, und es war Blaise, dessen Heimweh immer mehr zunahm, während es bei Caroline abzunehmen schien. Dabei hatte sie den Ort doch in weit stärkerem Maße geliebt und sich davon kaum trennen mögen, während Blaise sich schon voll Eifer zum Vollzeitamerikaner gemausert hatte. Mittlerweile waren die Rollen vertauscht.

Eine Art Hausmeister in einem dicken Mantel ließ sie hinein. Drinnen war es noch kälter als draußen. Gemeinsam erforschten sie den Doppelsalon, ganz Saint-Cloud nachempfunden, und den Ballsaal, die Kopie eines Vorbilds aus einem der Schlösser des Bayernkönigs Ludwig. Es gab sogar einen Fahrstuhl, was Frederika jedoch für einen Fehler hielt. »Die armen Walshes glaubten, sie seien sehr klug, ihren Ballsaal in der obersten Etage zu haben. Aber der Fahrstuhl konnte immer nur vier Personen auf einmal befördern. Treffen also alle Gäste zur gleichen Zeit ein, dauert es ewig, bis die Feier anfangen kann.« Sie lachte; Blaise fand sie unbeschwert und umgänglich, etwas, was man von den meisten jungen Amerikanerinnen nicht behaupten konnte. Sie neigten dazu, das Kommando zu übernehmen.

Aber dann, als wollte sie beweisen, daß auch sie eine Amerikanerin und ihrem Wesen nach herrschsüchtig sei, erklärte Frederika Blaise präzise, wie die diversen Räume einzurichten seien; und zu seiner angenehmen Überraschung stellte er fest, daß er ihr diese Ratschläge in gar keiner Weise übelnahm. Während sie miteinander sprachen und sich ihre Atemwolken in der eisigen Luft wie

Rauchschwaden vermischten, dachte Blaise plötzlich an eine Ehe, nicht mit Frederika, sondern mit, nun ja, mit einem geeigneten weiblichen Wesen, das sich um das Haus und natürlich auch um Saint-Cloud-le-Duc kümmern könnte. Sowohl Alice Roosevelt als auch Marguerite Cassini hatten auf ihn recht anziehend gewirkt. Alice nahm sich jedoch allzu wichtig, und Marguerite erschien ihm zu slawisch-verschlagen. Alice Hay hatte ihn bezaubert, eine leider einseitige Angelegenheit; und jetzt war sie mit einem aus der New Yorker Linie der Wadsworth verheiratet. Was Millicent Smith, die Countess Glenellen, betraf, so war sie sicher auch nicht ohne Anziehungskraft. Sie war in Washington aufgewachsen; mit Caroline zur Schule gegangen; hatte den Earl Glenellen geheiratet, von dem sie sich später wieder trennte – im Anschluß an den, wie man sich erzählte, aufregendsten Boxkampf in der Geschichte der amerikanischen Botschaft in London. Dort nämlich war Lord Glenellen von seiner schmächtigen Frau k.o. geschlagen worden. Millicent verriet dem entsetzten Botschafter später, daß sie gemogelt hatte: Zwar hatte sie nicht wie ein gewöhnlicher Straßenschläger eine Rolle Münzen in ihrer rechten Faust gehalten, zumindest aber ein metallenes Zigarrenetui (samt Inhalt), was ihre Schlagkraft, wenn auch auf nicht gerade faire Weise, ungemein erhöht hatte. Überdies wurde Millicent sehr wegen ihrer Charakterstärke bewundert. Dennoch, je eingehender Blaise über mögliche Kandidatinnen nachdachte, desto weniger sagten sie ihm zu. Er hatte sogar schon mit dem Gedanken gespielt, nach Paris zurückzukehren; doch wäre das ein Eingeständnis seiner Niederlage gewesen, und mithin ein Sieg für Caroline.

»Ich friere. Und ich bin spät dran«, erklärte Frederika, als beide zur Vordertür gingen. »Mutter ist samstags daheim«, sagte Frederika, als sie Blaise beim Willard's absetzte.

»Ich werde kommen«, versicherte er. Höflich reichten sie einander die Hand, und er betrat das Hotel. Warum eigentlich nicht Frederika heiraten? dachte er. Die Attraktivität, über die sie verfügte, war absolut praktischer Natur; anders gesagt: Es gab keinerlei Leidenschaft von jener Art, die zu einem Faustkampf im – beispielsweise – Blue Room des Weißen Hauses führen konnte. Was Häuser oder Haushalte betraf, so würde sie zweifellos mit einem ganzen Dutzend zurechtkommen. Andererseits war da noch

Mrs. Bingham; und all diese Kühe. Nein, ein Sanford mußte sich in jenem güldenen Kreis verheiraten, wo jene Kühe allenfalls von peripherer Bedeutung waren, niemals jedoch wie im Falle der Binghams das Zentrum ausmachten.

2

Während Blaise Betrachtungen über Kühe anstellte, stattete Caroline Henry Adams einen Besuch ab; als pflichtgetreue Nichte, mittlerweile gereift durch die Ehe. Er wirkte kleiner, älter und unverkennbar trauriger. »Das Feuer, das die Druckpresse Ihres Bruders vernichtet hat, hat auch mein Büchlein über das zwölfte Jahrhundert nicht verschont.« Er seufzte und streckte die Hände in einer besänftigenden Geste in Richtung Kaminfeuer und mithin dem Element entgegen, das die Druckplatten hatte schmelzen lassen. »Ich werde die Veröffentlichung verschieben müssen; nicht, daß ich im eigentlichen Sinn jemals etwas veröffentliche. Die Ausgabe ist nur für mich, für Sie und noch ein paar andere bestimmt . . .«

»Ein paar ›Herzen‹?«

»Wir sind jetzt nur noch drei.« Er runzelte die Stirn. »Ich mache mir um Hay Sorgen. Langsam wird er zu Tode geschunden von diesem Wahnsinnigen auf der anderen Seite der Straße und von jenem Irrenhaus, das sich Senat nennt. Cabot . . .«, begann er; und brach ab. »Wie Sie sehen, befinde ich mich in fröhlicher Stimmung.« Er betrachtete sie nachdenklich. »Warum bekommen wir niemals Mr. Sanford zu Gesicht?«

»Weil ich annahm, es sei die alternde Mrs. Sanford, deren Gesellschaft Sie vorgeblich genießen.«

»Vorgeblich? Nein, von vorgeblich kann nicht die Rede sein. Ich habe Schwierigkeiten, mich mit manchen der neuen jungen Damen zu unterhalten. Allerdings bin ich ja auch furchtbar langweilig, finden Sie nicht?«

»Doch. Aber es ist der anziehendste Zug an Ihnen. Wären Sie älter, hätte ich vielleicht Sie geheiratet, und nicht meinen Vetter, der auf höchst schlichte – und unattraktive – Weise langweilig ist.«

Adams lachte sein gedämpftes Hundebellenlachen. »Sie werden sehr gut zurechtkommen.«

»Bestimmt mögen Sie Alice.« In Washington sprach man den Namen inzwischen mit einer kurzen, doch deutlichen Trennung zwischen den Silben, um klarzumachen, daß *die* Alice gemeint sei.

»Ich mag sie lieber als ihren Vater. Allerdings mag ich jeden lieber als ihren Vater. Vorige Woche ging ich zu meinem ersten Dinner im Weißen Haus seit 1878 während der trüben Amtsperiode von Rutherford B. Hayes, als Limonade floß wie Champagner. Eingeladen wurde ich nur, weil Brooks nicht konnte. Man benötigte einen Adams, irgendeinen Adams, da der Präsident stets ein Paar geduldige Ohren braucht. Meine sind so geduldig indes niemals gewesen. Zwei Stunden lang sprach er pausenlos. Der Inhalt . . .«, mit einem lieblichen Lächeln betrachtete Adams den grasfressenden Nebukadnezar, ». . . seines Gehirns betäubt mich geradezu! In jenem großen, runden holländischen Käse von einem Kopf ist die gesamte menschliche Geschichte fein säuberlich sortiert; und sein Besitzer ist so . . . so großmütig, daß er sein ganzes Wissen mit jedem teilt, mag dieser auch noch so bescheidenen Gemütes sein. Ich war wie benommen. Sprachlos. Armer John, was muß er Tag für Tag über sich ergehen lassen . . .«

Rasch versuchte Caroline der Adamsschen Düsterkeit vorzubeugen, die sich über den hellen Raum zu breiten drohte. Sie sagte: »Gerade bin ich Alice und der jungen Cassini begegnet, die auf der Connecticut Avenue rodeln. Sie starten am Dupont Circle und rodeln mitten durch den Verkehr, ohne jede Kontrolle.«

»Eine treffende Metapher, mein Kind, für die Administration des Vaters.«

»Wie«, fragte Caroline, »kommt man zu Geld?«

Zum erstenmal, seit sie miteinander befreundet waren, musterte Adams sie mit wirklicher Verblüffung. »In unserer Welt sucht man sich Eltern aus, die Geld haben, das sie einem dann vermachen. Ist man beim Aussuchen seiner Eltern leichtsinnig gewesen, so heiratet man jemanden, der nicht so leichtsinnig war. Übrigens kann ich sehr gut mit Geld umgehen. Wieso, weiß ich nicht. Doch habe ich mich oft genug in finanziellen Krisen bewährt. Brooks, der das monetäre System besser versteht als irgend jemand sonst, büßt regelmäßig Geld ein. Das hat etwas höchst Befriedigendes. Doch wie dem auch sei: Nächstes Jahr – nicht wahr? – werden Sie doch Ihr Vermögen erben . . .«

»Aber *dieses* Jahr befinde ich mich in einer verzweifelten Lage.«

»Ihr Mann hat Schulden.« Adams traf eine Feststellung; in der Welt, in der sie lebten, wußte man übereinander Bescheid.

»Mehr Schulden, als ich erwartet hatte.«

»Wenden Sie sich doch an Ihren Bruder.«

»Der will die Zeitung haben.«

»Wenden Sie sich an die Juden.«

»Habe ich bereits versucht. Doch zu einem erträglichen Zinssatz ist bei denen nichts zu wollen.«

»Ich könnte Ihnen Geld leihen . . .«

»Ich werde sofort gehen und niemals wieder herkommen, falls Sie eine solche . . . solche Ungehörigkeit im Ernst vorschlagen.«

Adams lächelte wie eine beschwichtigte Katze. »Ich wußte, daß Sie das zurückweisen würden. Sonst hätte ich eine solche Unhöflichkeit auch niemals vorgebracht. Warum wollen Sie Blaise Ihre Zeitung nicht verkaufen?«

»Weil das alles ist, was ich wirklich besitze. Ein Kind gehört einem niemals ganz. Es gehört ja auch . . . dem Vater.« Caroline genoß die Ironie. Jim hatte, wenn Emma auf seinem Knie saß, garantiert noch nie auch nur im Traum daran gedacht, daß sie sein eigen Fleisch und Blut war, blaue Augen und lockiges Haar.

»Gehen Sie doch taktisch vor. Verkaufen Sie Blaise die Hälfte der Tribune-Aktien minus einer, so daß Sie die Kontrolle behalten.«

Caroline hatte daran bereits gedacht. »Das würde bedeuten, daß er einen tieferen Einblick bekäme, als mir lieb ist.«

»Männer sind doch alle gleich.« Adams verabscheute seine Geschlechtsgenossen mit Ausnahme einiger ältlicher Ironiker, wie er selber einer war. Caroline hatte nie einen anderen Mann kennengelernt, der Weiblichkeit – auch in der Mehrzahl – so unbedingt brauchte wie Adams; und wieder einmal fragte sie sich, warum sich seine brillante Frau umgebracht haben mochte; wieso er sich nie wieder verheiratet hatte; und weshalb er diese eigentümliche und offenbar unerwiderte Leidenschaft für Lizzie Cameron empfand.

»Sie kommen doch mit einem Vetter als Ehemann zurecht. Gewiß gelingt Ihnen das auch mit einem Halbbruder – als Juniorpartner.«

William erschien in der Tür und meldete: »Professor Langley.« Der unfallanfällige Sekretär der Smithsonian Institution trat ein, ohne auch nur andeutungsweise zu straucheln. Henry Adams bezeichnete Samuel P. Langley als den besten wissenschaftlichen Kopf der gesamten westlichen Welt. (Besonders bewunderte Adams Langleys Bolometer genannte Erfindung, welche, wie Adams voller Vergnügen zu sagen pflegte: »Die Hitze mißt – von *nichts!*«) In jüngster Zeit weidete sich die Presse gehörig an Langleys vergeblichen Versuchen, Körper zum Fliegen zu bringen, die schwerer waren als Luft. Immer wieder schien er drauf und dran, den Menschen aus seiner Erdenschwere zu befreien; doch eben dieser Erdenschwere blieb er verhaftet, soweit es diese Art von Flugkörper betraf. Jene hingegen, die leichter waren als Luft, Segler oder Ballons, zählten irgendwie nicht. Caroline fand Langleys Obsessionen rätselhaft; dennoch hatte sie dafür gesorgt, daß er von der Tribune oft und freundlich interviewt wurde. Deshalb glaubte er fälschlicherweise, daß sie ihn, genau wie das seiner Meinung nach Adams tat, bewunderte; und Caroline hatte ihn in diesem Glauben gelassen. Was Adams Freude bereitete, machte auch ihr Freude. Außerdem konnte Langley recht interessant sein, wenn er sich nicht gerade von Adams dazu verführen ließ, über den berühmten Dynamo zu debattieren, den beide auf der Pariser Weltausstellung gesehen hatten. Adams wollte für die Geschichte eine wissenschaftliche Basis finden, in der Art des Zweiten Hauptsatzes der Thermodynamik. Caroline, die wenig über Geschichte und nichts über die Naturwissenschaften wußte, war davon überzeugt, daß es keinerlei Naturgesetze gab, die sich auf die Menschheit anwenden ließen – eine Sache des Zufalls, bei der es kein Aufwärts und kein Abwärts gab, sondern ein *Weiter* unter Zucken und Zappeln, aus keinerlei Ursache oder Grund. Sie hatte es seit jeher merkwürdig gefunden, daß Männer plausible Gründe suchten für Dinge, von denen Frauen wußten, daß sie nicht ergründbar waren.

»Einem Gerücht zufolge sollen zwei Fahrradmechaniker in North Carolina einen selbstgebauten Flugkörper geflogen haben, der schwerer als Luft ist.« Mit diesen gewichtigen Worten begrüßte Langley seinen alten Freund.

»Wann?« Adams war hellwach; wie stets, wenn es um Wunder der Wissenschaft ging. »Und wie lange sind sie geflogen?«

»Vor drei Monaten war das. Die Story ist sehr wirr. Niemand scheint das richtig verstanden zu haben. Aus Norfolk wurde mir ein Zeitungsausschnitt zugeschickt mit lauter unverständlichem Zeug . . .«

»Auch wir sind benachrichtigt worden«, sagte Caroline und erinnerte sich an Mr. Trimbles Belustigung über die Meldung von den zwei Brüdern, in der es geheißen hatte, sie seien die ersten, die sich je mit einer solchen Maschine in die Luft erhoben hätten. An ein und demselben Tag waren sie mehrmals gestartet und gelandet. Caroline erinnerte sich, daß sie behauptet hatten, eine halbe Meile geflogen zu sein. Was sie Langley mitteilte, der weniger erfreut als vielmehr deprimiert wirkte. Zweifellos ersehnte dieser uninteressierte Mann für sich selbst den Ruhm, als erster zu fliegen wie . . . War es Ikarus? überlegte sie und erinnerte sich an Mlle. Souvestres eindringlichen Rat, stets eine klassische Analogie zur Hand zu haben, ohne diese indes zu verwenden.

»Etwas in der Art habe ich gehört. Doch bleibt mir unerfindlich, wie das möglich sein könnte. Ich meine, wer oder was sind diese Leute?«

»Es ist höchst sonderbar, daß die Presse die Story nicht gebracht hat.« Adams sah Caroline an. »Warum haben Sie nicht darüber berichtet?«

»Weil wir so viele Storys dieser Art bekommen, aus dem Nichts. Außerdem wußte Mr. Trimble nicht, ob es sich bei der Maschine womöglich nur um so ein Segelflugzeug handelte wie jenes, das vom Eiffelturm gestartet ist.«

»Ich werde diesen Leuten wohl schreiben.« Langley wirkte bedrückt. »Ich bin so nahe, so ganz nahe an einer brauchbaren Maschine . . .«

»Was für einen Zweck hat eine Flugmaschine denn überhaupt?« Caroline war wirklich neugierig; allerdings weniger, was das Herumbasteln an Maschinen betraf – ein typisch männlicher Wahn –, als vielmehr, welchen Nutzen eine so unpraktische Sache haben könnte.

»Das Fliegen wird unser aller Leben verändern«, sagte Langley. »Menschen können mit großer Geschwindigkeit über weite Entfernungen hinweg befördert werden.«

»Vermutlich ist das etwas Gutes.« Caroline war im Zweifel; ihr

Magnolienbaum war das Opfer einer bösen Kollision geworden, bewirkt durch den Aufprall eines Fahrzeugs aus Metall.

»Es wird die Kriegführung verändern«, sagte Adams nachdenklich. »Man könnte Explosivstoffe über feindliches Territorium transportieren und dort zerstören, was immer man zerstören will, denke ich.«

Langley nickte. »Bereits im Bürgerkrieg wurden höchst wirkungsvoll Ballons verwendet. Jetzt, mit motorisierten Flugkörpern . . .«

»Aber die anderen werden schnell etwas erfinden, um sie vom Himmel herunterzuholen.« Caroline erinnerte sich an eine der jüngsten Arien des Präsidenten. Er hatte vom deutschen Kaiser gesprochen, den er sympathisch fand, dank der Bemühungen Specks, dem stets charmanten Bindeglied zwischen diesen beiden Kriegslustigen oder auch -lüsternen. Laut Roosevelt hatte Speck ihm geschildert, wie geschickt der Munitionsmacher Krupp den Kaiser zu nehmen verstand. »Offensichtlich ist Krupp ein hervorragender Staatsmann.« Das Pincenez des Präsidenten funkelte im Widerschein des Lichts. »Er geht zum Kaiser und sagt: ›Ich habe eine Stahlplatte entwickelt, die von keiner Kugel durchschlagen werden kann.‹ Also ordert der Kaiser auf der Stelle große Mengen davon. Ein Jahr später kommt Krupp wieder zum Kaiser und sagt mit traurigem Blick: ›Ich fürchte, wir haben eine Kugel erfunden, die vermag, unsere absolut sichere Stahlplatte zu durchschlagen.‹ Also muß der arme Kaiser tonnenweise diese Zauberkugeln ordern, wonach dann natürlich die Entwicklung neuer absolut sicherer Panzerplatten folgt, die dann von noch neueren und noch besseren Kugeln durchschlagen werden können. Der Kaiser hat mich gewarnt, nicht auf so etwas hereinzufallen, wie ihm das passiert ist.« Als Caroline das jetzt Adams und Langley berichtete, tauschten die beiden einverständige Blicke aus; und Langley sagte: »Der Kaiser möchte, daß wir mit der Entwicklung hinterherhinken. Und eben deshalb müssen wir, für den Fall eines Krieges, die erste Flugmaschine haben.«

»Aber wenn die dann eine Möglichkeit finden, sie abzuschießen . . .«

»Wir werden etwas erfinden, das nicht abgeschossen werden kann . . .«, begann Langley.

»Bis es dann doch abgeschossen wird«, sagte Caroline. »Wenn ich Ihnen meine weibliche Ansicht äußern darf: Diese Art von Wettkampf wird endlos immer weitergehen.« Die Geschichte aus dem Mund des Präsidenten hatte Caroline tief beeindruckt.

»Fortschritt, einmal in Schwung, *ist* endlos.« Langley übte sich in Spruchweisheit.

»Fortschritt«, sagte Caroline, »bedeutet, daß man sich von einem bekannten Ort zum nächsten bewegt. Besteht das Problem hier nicht darin, daß das eigentliche Ziel *unbekannt* ist?«

»Der Zufall – ob nun glücklich oder auch nicht so glücklich – waltet in eigener Souveränität.« Adams zeigte sich, wenn auch nicht optimistisch, so doch weit weniger pessimistisch als sonst.

»Wir schreiten fort, weil wir es müssen«, sagte Langley. »Das ist wie die Evolution.«

»Sie haben mir ins Gedächtnis gerufen, daß ich Katholikin bin und genealogisch in keiner Weise verbunden mit irgendwelchen Affen, so charmant diese ja auch sein mögen.« Caroline erhob sich, um zu gehen.

»Sie sind aus Adams Rippe erschaffen worden, wie uns allen zu unserem Entzücken bekannt ist.« Nachdem Caroline sich von Langley verabschiedet hatte, begleitete Adams sie hinaus zum Treppenpodest, wo es nach vorzeitigen Maiglöckchen duftete; in der Tat erinnerte Caroline das Haus, das stets übermäßig erwärmt und voller Blumen war, an die Gewächshäuser des Weißen Hauses, die es mittlerweile jedoch nicht mehr gab. »Verkaufen Sie Blaise einen Teil der Zeitung.«

»Er wird versuchen, alles zu bekommen.«

»Lassen Sie's nicht zu. Sie sind doch ein kluges Kind.« Adams tätschelte ihre Hand; und Williams geleitete sie hinaus.

3

John Hay saß allein in seinem fahrenden Salon und betrachtete durch die frischgewaschenen Fenster die vorüberjagenden Vereinigten Staaten. Die Casetts von der Pennsylvania Railroad hatten dem Außenminister ihren üppig ausgestatteten privaten Salonwagen sowie spezielle schwarze Diener zur Verfügung gestellt. Auf Drängen des Präsidenten hatte Hay sich bereit erklärt, die Weltausstellung in St. Louis zu besuchen, um dort eine Ansprache zu halten, eine hochsinnige, witzige und elegante Rede, welche gleichsam die erste Salve für die bevorstehende Schlacht um die Präsidentschaft bilden würde. Es gab nicht den mindesten Zweifel, daß Theodore Roosevelt im Juni von der Republikanischen Partei nominiert werden würde; und es gab auch kaum einen Zweifel, daß er dann im November Bryan oder Hearst oder Parker oder irgendeinen anderen Kandidaten der Demokraten schlagen würde. Doch Theodore witterte Löwen auf all seinen Wegen; und so hatte er den ohne Unterlaß kränkelnden Hay nach Westen entsandt. Clara hatte darauf bestanden, daß Henry Adams, ein *aficionado* von Weltausstellungen, ihnen Gesellschaft leistete; und Adams seinerseits hatte darauf bestanden, seine echte Nichte mitzubringen; Abigail, ein einfach wirkendes, doch interessantes und interessiertes Mädchen.

Hay schrieb langsam in einem Notizbuch. Das Redenschreiben fiel ihm nicht mehr leicht wie früher; allerdings fiel ihm überhaupt nichts mehr leicht. Außer dem Ärger mit der Prostata litt er jetzt auch unter Angina pectoris, einer neuen und grausamen Quälerei, die ihn mitten in einer Rede heimsuchen konnte, gürtelförmige, stechende Schmerzen um die Brust, die ihm die Luft nahmen und ihn sich völlig kraftlos fühlen ließen. Er hatte seit jeher gewußt, daß sein Leben einmal enden würde; und es verwunderte ihn stets aufs neue, daß so viele seiner Bekannten überrascht waren, wenn der Tod schließlich den Weg auch zu ihnen fand.

Zu denen, die sich den Tod nicht vorstellen konnten, gehörte Theodore; nicht seinen eigenen Tod und auch nicht den irgendeines anderen – was vielleicht seine unnatürliche Passion für den Krieg erklärte. Das eine und einzige Mal, da Theodore dem Sensenmann wirklich gegenübergestanden hatte – als seine Frau und seine Mutter gleichzeitig starben –, hatte er buchstäblich die Flucht ergriffen wie jener Reisende nach – oder war es von? – Samarra. Er hatte alles im Stich gelassen, sein soeben geborenes Töchterchen, seine Karriere, die Welt; um sich im Wilden Westen zu verstecken, wo die Entfernungen groß waren und das Terrain so flach, daß man den Tod von weitem sehen konnte, so daß man ihm, notfalls, durch erneute Flucht zu entgehen vermochte. Die Tatsache, daß der Außenminister praktisch ein Sterbender war, bekümmerte Theodore nicht im geringsten; er dachte nur an die bevorstehende Wahl und seine eigene fortgesetzte Glorie. John Hay war die prachtvolle Galionsfigur der Republikanischen Partei, die im Juli ein halbes Jahrhundert alt werden würde. Deshalb mußte Lincolns junger Sekretär und Roosevelts alter Außenminister im Land umhergetragen werden wie eine Ikone, Platitüden äußernd, auf daß Theodore siegreich sei als Präsident aus eigener Kraft – und nicht nur als Präsidentenersatz.

Hays Handschrift wirkte noch lockerer als sonst, als er jetzt seine pietätvollen Platitüden entwarf und seinen scharfen Witz zügelte, der in einem so entscheidenden Jahr offenkundig deplaziert sein würde. Unvermeidlich stellte sich ein altgewohntes Problem: das Volk – jenes berühmte Volk, das der »Alte« an jenem heißen Tag in Gettysburg mitten im Bürgerkrieg auf so mysteriöse Weise erhöht hatte, als er in seiner Rede die Formulierung von der »Herrschaft des Volkes durch das Volk und für das Volk« gebrauchte. Hatte ein großer Mann jemals etwas so völlig Wirklichkeitsfremdes gesagt, etwas so buchstäblich Demagogisches? Von der Herrschaft des Volkes – oder auch nur der Teilnahme an dieser Herrschaft – konnte schon zu Lincolns Zeiten nicht die Rede sein; jetzt, in den Tagen von Theodore Rex, wirkte diese Vorstellung geradezu absurd. Lincoln hatte dazu geneigt, durch Erlasse zu regieren, wobei ihm jene Allzweckmaxime von der »militärischen Notwendigkeit« überaus dienlich war, gab sie doch auch seinen willkürlichsten Handlungen die erwünschte Legitimität. Roosevelt verfolgte seine eigenen Interessen auf seine erstaunlich verschwiegene Weise; er war für das Empire, koste es, was es wolle. Natürlich blieb das Volk immer irgendwie *existent*; man mußte den Leuten von Zeit zu Zeit schmeicheln; sie aufrufen zum Kampf, oder was immer sonst der Augustus von Washington von ihnen verlangte. Die Folge davon war eine ständige Spannung zwischen dem Volk einerseits und der herrschenden Klasse andererseits. Diese – wie ja auch Hay – glaubte an die Notwendigkeit, den Reichtum in den Händen weniger zu konzentrieren und diese Wenigen möglichst »tugendsam« zu halten, zumindest dem Anschein nach. Deshalb die periodischen Attacken gegen die großen Trusts. Aber die Behandlung der einfachen, arbeitenden Menschen blieb eine überaus heikle Angelegenheit, und obwohl Theodore den Forderungen der Arbeiter genauso ablehnend und feindselig gegenüberstand wie etwa ein Carnegie, wußte er doch genau, daß er ihnen wie ihr Tribun erscheinen mußte. Deshalb hatte er – zu Hays Amüsement und Verdruß – am 4. Juli 1903 in Springfield, Illinois, eine Rede gehalten, in der er erklärte: »Ein Mann, der gut genug ist, für sein Vaterland sein Blut zu vergießen, ist auch gut genug, später einen anständigen Handel zu verdienen. Auf mehr hat kein Mann ein Recht, und weniger als das soll kein Mann bekommen.« Diese atemberaubende Verkündung hatte in den besseren Clubs der Republik Zorn ausgelöst, hingegen keinerlei Begeisterung bei jenen, denen der mysteriöse »anständige Handel« versprochen worden war. Sie würden ohnehin für Bryan stimmen.

Trotzdem schrieb Hay jetzt in großen, leicht verschnörkelten Buchstaben: »der anständige Handel« – und strich die Formulierung dann durch. Für seine Rede eignete sich das nicht. Das war nur etwas für Theodores pathetischen Stil. In der letzten Kabinettssitzung hatte Root die Ehre ausgeschlagen, als Wahlkampfmanager aktiv zu werden, zu Theodores offenkundiger Bestürzung. Die Aufgabe war daraufhin dem Handelsminister übertragen worden (ein überflüssiges, von Roosevelt geschaffenes Amt), Mr. Cortelyou, Mann des Ausgleichs und lebendige Erinnerung an McKinleys goldene Zeit, die Hay jetzt ebenso fern erschien wie Lincolns Zeit des Blutes. In seiner Rede in St. Louis würde er das Thema »anständiger Handel« nicht zur Sprache bringen.

Er starrte aus dem Fenster; draußen folgte in einem endlosen Zyklorama der Monotonie ein einsames Dorf dem anderen. Das fahle Frühlingslicht ließ die Häuser besonders schäbig erscheinen, im Kontrast zum hellen gelbgrünen Laub der Bäume und zur satten Farbe des Frühweizens. Ist heute der 15. oder der 16. April? überlegte er. Ohne Adee – oder eine griffbereite Zeitung – wußte er nie das genaue Datum. Falls es der 15. April war, so jährte sich die Ermordung Lincolns zum 39. Mal. Nur noch wenige Menschen aus jener Zeit schienen zu leben. 1882 war in Springfield, im Zustand geistiger Umnachtung, Mary Todd gestorben; und schon lange vor ihr Tad, das geliebte Kind. Nur der älteste Sohn, Robert Lincoln, lebte noch: ein steifer Eisenbahnmagnat, den die Erinnerung an seinen Vater ziemlich gleichgültig ließ. Nachdem Hay und Nicolay ihre Lincoln-Biographie seinerzeit abgeschlossen hatten, war de facto auch Hays Verbindung zu Robert zu Ende gewesen. Keiner fühlte sich in der Gesellschaft des anderen noch wohl. Doch neununddreißig Jahre zuvor hatten sie im Weißen Haus zusammen bei einem Drink gesessen, als der Pförtner mit dem Ruf zu ihnen hereingestürzt kam: »Auf den Präsidenten ist geschossen worden!« Und gemeinsam waren sie zum Boardinghouse nahe dem Ford's Theater geeilt und hatten den Alten sterben sehen.

Es fiel Hay zunehmend schwer, sich zu konzentrieren. Für gewöhnlich genügte es, wenn er die Feder aufs Papier setzte. Doch jetzt grübelte er, eingelullt durch das regelmäßige metallene Klicken der Zugräder auf den Schienen, undiszipliniert vor sich hin. Die Außenpolitik eignete sich als Thema für seine Rede zweifellos besser als jener verschwommene »anständige Handel«. Der Krieg zwischen Rußland und Japan war von großer Bedeutung, nur, wie sollte er das seinen Zuhörern erklären, da es ihm doch nicht einmal gelungen war, es dem Präsidenten verständlich zu machen? Ihn beunruhigte die Tatsache, daß sich zwischen dem Kaiser und dem Präsidenten ein allzu freundschaftliches Verhältnis entwickelte; im Gefühl ihrer jeweiligen imperialen charismatischen Mission waren sie einander nicht unähnlich. Beide neigten sie dazu, den Zusammenbruch des zaristischen östlichen Empire als gute Sache zu betrachten. Hay jedoch meinte, daß ein im Pazifik siegreiches Japan für die Vereinigten Staaten und ihr neues strahlendes pazifisches Empire nichts als Ärger bedeuten würde.

»Offene Türen«, schrieb Hay, diesmal jedoch ohne seinen gewohnten Stolz auf die berühmte theatralische Formel, die einmal ihre Wirkung gehabt hatte; und vielleicht wieder haben würde. Konnte er es wagen, die mysteriöse Vergrößerung der deutschen Flotte zu erwähnen? Gab es, wie manche argwöhnten, ein deutsches Komplott zur Zerstörung des britischen Empires sowie zur Unterminierung der Vereinigten Staaten; mit Hilfe jener Millionen – wie viele mochten es jetzt sein? – deutscher Einwanderer mit ihren eigenen Zeitungen, Gemeinden, ihrer Nostalgie? Doch der Präsident glaubte nicht an ein solches Komplott. Er meinte, den Kaiser und die Deutschen zu verstehen. Hay wußte, daß *er* diesen barbarischen Stamm verstand; und er fürchtete die Deutschen. Mit einem durch Japan verkrüppelten Rußland im Osten des Deutschen Reiches konnte sich der Kaiser gen Westen wenden. »Freude«, schrieb Hay; verlor er seinen Verstand? Er strich das Wort wieder durch und schrieb »Friede«; dann »Fleisch«. Zumindest buchstabierte er jetzt richtig. Seit dem Skandal um das verdorbene Fleisch im Krieg gegen Spanien war nach der Regierung gerufen worden, und Roosevelt hatte schließlich den Meat Inspection Act vorgelegt, der dann aber vom Kongreß abgelehnt worden war. Das war eine gute Sache gewesen, aber Hay bezweifelte sehr, ob er der Geschichte die notwendige rhetorische Magie würde abgewinnen können.

Henry Adams hüstelte höflich. »Störe ich den schöpferischen Prozeß?«

»Ich war gerade dabei, dem Meat Inspection Act eine lyrische Note zu verleihen. Aber die Sache trägt nicht.« Er schloß sein Notizbuch. Ein Steward erschien mit Tee. »Mrs. Hay sagt, Sie sollen das hier trinken, Sir.«

»Dann werde ich's auch tun.«

Hay und Adams starrten aus dem Fenster, als erwarteten sie, etwas von großem Interesse zu erblicken. Doch alles war von der gleichen Monotonie.

»Theodore Rex sorgt sich um sein . . . Rextum«, sagte Hay schließlich.

»Unsinnigerweise, auch wenn Mark Hanna jetzt tot ist.« Das Monster der Korruption war im Februar gestorben, während er emsig für die Kriegskasse sammelte – nicht für seine eigene, sondern für Roosevelts Nominierung. Die beiden Erzfeinde waren längst schon zu einer Verständigung gelangt. Was die Demokraten betraf, so war deren Paladin William C. Whitney gleichfalls im Februar gestorben. Ohne Whitney gab es – mit Ausnahme von Hearst – niemanden, der einen siegreichen Wahlkampf finanzieren konnte. Alles schien zugunsten von Roosevelt zu laufen; dennoch war Adams verwirrt. »Warum hat Root den Job als Wahlkampfmanager ausgeschlagen?«

Hay gewann seiner Antwort ein morbides Vergnügen ab. »Er war – und ist es vielleicht noch immer – davon überzeugt, daß er Brustkrebs hat.«

Adams' verwunderter Gesichtsausdruck war höchst befriedigend. »Für diesen besonderen Beweis von Gottes Gunst sind doch wohl ausschließlich die Damen auserkoren worden.«

»Die Damen – und Elihu Root. Jedenfalls hat er sich einen Tumor entfernen lassen, und ich bin sicher, daß er wieder wohlauf ist. Was für einen Präsidenten hätte er abgeben können.«

»Warum sagst du: ›hätte können‹?«

»Schließlich ist er Rechtsanwalt und viel zu sehr in die Machenschaften der bösen Corporations und Trusts verstrickt. Außerdem war da der Bergarbeiterstreik . . .« Der Bergarbeiterstreik von 1902 hatte im Land eine solche Panik hervorgerufen, daß Roosevelt damit gedroht hatte, die Minen treuhänderisch zu übernehmen; da die öffentliche Meinung für die Bergarbeiter war, war die Drohung populär. Obschon die öffentliche Meinung selten als Richtschnur genommen wurde, fürchtete Roosevelt, daß Demagogen wie Bryan und Hearst versuchen könnten, den Mob loszulassen. Er schickte deshalb Root aus, um einer möglichen Revolution vorzubeugen und den mächtigen Magnaten, J. Piermont Morgan persönlich, dazu zu zwingen, den Bergarbeitern eine Lohnerhöhung zu gewähren, wofür diese, unter gefährlichen Arbeitsbedingungen, auch weiterhin einen Neun-Stunden-Tag absolvieren würden. Roosevelt sah in der Beilegung des Streiks sein persönliches Verdienst, während Root wegen der unbefriedigenden Lösung sowohl von den Arbeitern als auch von den Unternehmern kritisiert wurde; und für alle Zeit die Chance verlor, Präsident zu werden.

»In welchem Maße beeinflußt dein Bruder Brooks Theodore Roosevelt?« Im Falle ernsthafter Zweifel hielt Hay es mit der Direktheit.

Henry Adams neigte den Kopf zur Seite, eine kahlköpfige, bärtige alte Eule. »Du bist es doch, der mit Seiner Majestät jeden Tag zusammen ist. Nicht ich.«

»Aber du siehst Brooks . . .«

». . . so wenig wie möglich. Denn ihn sehen, heißt ihn *hören*.« Adams schauderte. »Er ist das blutdürstigste Wesen, das ich je gekannt habe. Er will einen Krieg, ganz egal, wo, solange wir am Ende Treuhänder von Nordchina werden. ›Wir brauchen eine neue Politik‹, hat er mir geschrieben; jene Staaten, die eine zentralisierte Diktatur in Washington befürworten, müßten unterdrückt werden. Schreibt er oft an Theodore?«

Hay nickte. »Doch genieße ich da nicht ihr Vertrauen. Ich liebe den Krieg nicht genug. Was soll ich in St. Louis über unsere großen Ruhmestaten sagen?«

Adams lächelte. »Du kannst sagen, daß die hervorragendste Idee meines Großvaters, die Monroe-Doktrin, ursprünglich dafür gedacht, unsere Hemisphäre – man beachte das verräterische Possessivpronomen – vor den raubgierigen europäischen Mächten zu schützen, jetzt von Präsident Roosevelt absolut rechtswidrig dahingehend erweitert worden ist, daß sie sich auch auf China bezieht und, durch abermalige Erweiterung, auf jeden Teil der Welt, wo wir eventuell Ansprüche geltend machen wollen.«

»Das ist aber nicht die Hay-Doktrin«, begann Hay.

»Das ist auch nicht die Monroe-Doktrin. Aber das Meisterwerk meines Großvaters ging ja bereits 1848 aus dem Leim, als Präsident Polk die Stirn hatte, dem Kongreß mitzuteilen, unser Eroberungskrieg gegen Mexiko sei durch die Monroe-Doktrin gerechtfertigt. Mein Großvater, zu dieser Zeit ein einfacher Kongreßabgeordneter, denunzierte den Präsidenten im Repräsentantenhaus und brach nach seiner Rede tot zusammen. Als Theodore vor kurzem erklärte, wir hätten auf Grund der Monroe-Doktrin die Verpflichtung, in Südamerika ›chronische Übeltäter‹ zu bestrafen und überdies ›die Autorität einer internationalen Polizeigewalt auszuüben‹, da bin beinahe *ich* tot über meinem Frühstücksei zusammengebrochen.«

Hay war selbst nicht so recht froh über all die Implikationen einer Politik, an der er zum überwiegenden Teil vorbehaltlos mitgewirkt hatte. Dennoch versuchte er, sie zu verteidigen: »Zweifellos haben wir doch eine *moralische* – ja, auch mir ist das Wort zuwider – Pflicht, den weniger vom Glück gesegneten Nationen dieser Hemisphäre zu helfen . . .«

»Und das sonnige Hawaii und das arme Samoa und die tragischen Philippinen? John, was ihr alle wollt, ist ein Empire, und ein Empire habt ihr jetzt, und zwar zu einem sehr geringen Preis, wenn man's recht bedenkt.«

»Und welcher Preis wäre das?« Das Glitzern in Adams' Augen verriet ihm, daß die Antwort alles andere als angenehm sein würde.

»Die amerikanische Republik. Als konservativer christlicher Anarchist habe ich nie viel für sie übriggehabt.« Adams hob seine Tasse. »Die Republik ist tot; lang lebe das Empire.«

»Oh, Grundgütiger.« Hay stellte seine Tasse klappernd auf die Untertasse. »Wir haben doch alle *Formen* einer Republik. Ist das nicht genug? Ist das denn nicht alles? Warum wohl sonst jage ich jetzt durch Ohio – oder wo immer wir uns gerade befinden –, um eine Rede zu halten, die das Volk dazu bewegen soll, zur Wahl zu gehen?«

»Wir lassen die Leute wählen, damit sie sich nicht überflüssig vorkommen. Doch je mehr wir, der Theorie nach, die Demokratie erweitern, desto mehr geht ihr der Kraftstoff aus.« Clarence King nacheifernd, liebte Adams neuerdings modische Metaphern – eine Art Arbeiterslang.

»Deswegen breche ich nicht in Tränen aus.« Hay hatte seine Entscheidung vor langer Zeit getroffen. Eine Republik – oder wie immer sonst man die Vereinigten Staaten nennen wollte – wurde am besten von vermögenden und verantwortungsvollen Männern geleitet. Allerdings neigten vermögende Männer, zumindest in der ersten Generation, meist zu kriminellem Verhalten, weshalb sich für die hochgesinnten und patriotischen Wenigen die Notwendigkeit ergab, ein oder zwei Generationen abzuwarten, um dann aus ihrer Mitte einen zu küren, der jenen volkshaften – oder königlichen? – Instinkt besaß und sich also hervorragend zum Präsidenten eignete. So ermüdend und strapaziös Theodore Roosevelt als Mensch auch war – »völlig berauscht von sich selbst«, wie Henry gern sagte –, so einzigartig war er dennoch für sein Amt geeignet, und sie konnten alle wahrhaft von Glück sagen, ihn zum Präsidenten zu haben. Ob zum Guten oder zum Schlechten, das System schloß die Bryans von der Macht aus, allerdings nicht die Hearsts. Hay war sich bewußt, daß der piratenhafte Verleger ein neues cäsarisches Element in der Szene bildete: Der reiche Meinungsmacher, der sozusagen mit den Massen gemeinsame Sache machte, konnte es womöglich schaffen, die »Wenigen« zu stürzen.

Lincoln hatte seinerzeit warm und gewinnend vom gemeinen Mann gesprochen, doch war er von jener einfachen Spezies nicht weniger weit entfernt gewesen als irgendeiner von Henrys geliebten Dynamos von einem Ochsenkarren. Man *ritt* auf der öffentlichen Meinung, hatte Hay immer wieder beobachtet. Theodore glaubte, daß ein glanzvoller populärer Führer wie er selbst die öffentliche Meinung lenken könne, doch *in praxi* war Roosevelt die verkörperte Vorsicht: Pfiffen feindliche Kugeln in seine Richtung, so wagte er sich niemals aus der Festung seines Amtes heraus. Hearst war anders; er konnte bei Menschen völlig unvorhersehbare Reaktionen bewirken; er konnte Probleme erfinden und Lösungen anbieten, gleichfalls »erfundene«, aber dennoch populäre Lösungen. Der Wettstreit fand zwischen den hochgesinnten Wenigen statt, die angeführt wurden von Roosevelt – und von Hearst, dem eigentlichen Erfinder der modernen Welt. Hearsts willkürliche Entscheidung bestand darin, daß Nachricht Nachricht sei; und die mächtigen Wenigen sahen sich gezwungen, auf seine Erfindungen zu reagieren. Konnte er auch – diese Frage wurde unter den Wenigen viel diskutiert – sich selbst in einem solchen Maße zur Nachricht machen, daß er in der Position sein würde, nach dem allerhöchsten Staatsamt zu greifen? Theodore hatte über die bloße Vorstellung gespottet – hatte das amerikanische Volk denn jemals *nicht* einen der respektablen Wenigen gewählt? Zumindest hierin stimmte man überein: Hearst war alles, aber auch wirklich alles andere als respektabel. Das Volk, die arbeitenden Massen, mochten da allerdings anders denken. Hay hatte jedenfalls seine Zweifel. Er fürchtete Hearst.

Der Zug hielt auf dem Bahnhof einer Kleinstadt namens Heidegg, wie ein Schild verriet, von dem die Farbe blätterte. Clara und Abigail erschienen in der Tür des Salonwagens. »Wir halten«, verkündete Clara mit lauter, herrischer Stimme.

»In der Tat, meine Liebe, das tun wir.« Hay schnellte geradezu hoch: ein akrobatisches Manöver, bei dem er sich nach rechts fallen ließ, während er mit dem linken Arm die Rücklehne des vor ihm stehenden Stuhls umschlang; die Schwerkraft, sonst sein Erzfeind, wurde so geschickt für die eigenen Zwecke eingespannt.

Adams deutete auf eine kleine Menschenmenge am hinteren Teil des Zugs. »Wir sollten uns unter die Menschen mischen, in deren Namen wir – das heißt, du und Theodore – regieren.«

»Wir haben eine Viertelstunde Aufenthalt, Onkel Henry«, sagte Abigail und führte ihn zum hinteren Teil des Wagens, wo ihnen ein lächelnder Steward hinabhalf auf die gute Erde von Ohio – oder waren sie schon in Indiana? Hay trat hinaus in den kühlen Tag, der gleichsam getrennt existierte von den Stunden, die im Eisenbahnwagen vergingen, in einer Atmosphäre voller Wärme und voller

Gerüche, die teils unmittelbar vom Zug stammten, teils aus jener kleinen Küche, in der ein schwarzer Koch mit einer hohen, weißen Mütze Wunder in Form von Schildkrötensuppe wirkte.

Für einen Augenblick schien sich die Erde unter Hays Füßen zu bewegen, als befände er sich noch immer im Zug; er schwankte leicht. Clara stützte seinen schwachen Arm, und dann mischten sich die vier Besucher aus der Hauptstadt der imperialen Republik, angeführt von John Hay, dem zweithöchsten Amtsinhaber des Landes, unter das Volk.

Und das amerikanische Volk in Gestalt von einem halben Hundert Farmer samt Frauen, Kindern und Hunden, umringte die zweithöchste Amtsperson, die sie mit einem lieben Lächeln bedachte und dabei prompt in seine volkstümelnde Art à la »Little Breeches« verfiel, wobei Hay es an unfreiwilliger ländlicher Komik mühelos selbst mit Mark Twain aufnehmen konnte. »Ich schätze«, sagte er mit einem bescheidenen Lächeln, »daß ich, so gut ich das Land hier rungsum auch kenne . . .«, er war sicher, daß er sich in Indiana befand, legte sich jedoch vorsichtshalber nicht fest, ». . . noch nie zuvor das Glück gehabt habe, Heidegg zu besuchen. Ich selbst stamme aus Warsaw, Warsaw, Illinois, wie Sie vermutlich wissen. Jedenfalls sind wir jetzt auf dem Weg zu der großen Ausstellung in St. Louis, und als ich das Schild mit dem Namen Heidegg sah, da sagte ich, halten wir doch einfach an und sagen wir den Leuten guten Tag. Also guten Tag.« Hay war von seiner eigenen Lockerkeit und Volkstümlichkeit sehr angetan. Doch wagte er es nicht, Henry Adams anzusehen. Dieser amüsierte sich unsinnigerweise immer wieder über Hays lincolnesken volkstümlichen Umgang mit dem gemeinen Mann.

Die Menge fuhr fort, die vier Fremden freundlich anzustarren. Dann trat ein hochgewachsener, dünner Farmer vor und schüttelte Hay die Hand. »Willkommen«, sagte er auf deutsch zu der zweithöchsten Amtsperson im Lande und fügte noch einige weitere deutsche Worte hinzu.

Hay fragte, ebenfalls auf deutsch, ob es in Heidegg jemanden gebe, der englisch spreche. Er erhielt, auf deutsch, die Antwort, der Schullehrer spreche ausgezeichnet englisch, doch liege er zu Hause krank im Bett. Hay ignorierte jene erstickten Geräusche, die ihm verrieten, daß Henry Adams einen Lachanfall zu unterdrücken versuchte. Zum Glück war Hays Deutsch recht gut, so daß er die Neugier der Menge befriedigen konnte – wer er denn eigentlich sei. Inzwischen erzählten sich die Leute nämlich, er müsse eine hochbedeutende Persönlichkeit sein – wohl kein Geringerer als der Präsident der Eisenbahngesellschaft. Als Hay bescheiden seine Identität enthüllte, wurde diese Information höflich aufgenommen; aber da noch nie jemand von dem – oder auch nur einem – Außenminister gehört hatte, löste sich die Menge auf und ließ die vier Fremden allein auf dem schlammigen Erdboden zurück, wo inmitten des jungen Grases verstreute Veilchen wuchsen. Während Abigail ein paar Blumen pflückte, schwelgte Adams in Exaltation. »Das Volk!« rief er jubelnd.

»Ach, sei doch bloß still, Henry!« Selten war Hay so verärgert gewesen über seinen alten Freund; oder über sich selbst, weil er sich in einer Situation von einem Symbolgehalt, an den zu erinnern Adams ganz gewiß nicht müde werden würde, so ungewöhnlich ungeschickt verhalten hatte.

Beim Dinner war es dann Adams, der sprach und sprach. Clara ihrerseits aß und aß, Gang auf Gang; und staunte zwischendurch über die Erlesenheit der Gerichte, welche jener winzigen Küche entstammten. Abigail starrte durch das Fenster auf einen großen, schlammigen Fluß, der im Dämmerlicht dahinströmte, von den Großen Seen in Richtung New Orleans. »Du mußt – Theodore muß – *irgend jemand* muß«, verkündete Adams, »das Land durchqueren, auf diese Weise, nur mit dem Auto, und halten – doch ich meine, *wirklich* halten und bleiben und schauen und zuhören. Das Land ist voller Menschen, die für uns so fremd sind wie wir für sie. Jener Fluß . . .«, mit dramatischer Geste wies Adams zu dem Fluß, an dessen Ufern rechteckige Fachwerkhäuser mit rechteckigen Fenstern standen, in denen nach und nach Lichter aufzuleuchten begannen, ». . . könnte ein Stück des Rheins oder der Donau sein. Was wir hier sehen, ist die letzte große Welle der Einwanderung. Wir befinden uns in *Mitteleuropa,* umgeben von Deutschen, Slawen und – was waren das für Menschen in Heidegg?«

»Schweizer«, sagte Hay, während er sich, als nächsten Gang, gedünsteten Potomac-Shad mit Rogen aussuchte.

»John, du bist an diesem Fluß geboren worden, und jetzt ist er dir fremder als die Donau. Wenn Theodore sich unablässig über den wahren Amerikaner verbreitet, seinen Mut, seinen Sinn für Fairneß, seine Institutionen, so ist ihm offenbar nicht bewußt, daß jener Amerikaner genauso selten ist wie die Büffel, bei deren Ausrottung er mitgeholfen hat.«

»Wir werden«, sagte Hay, den Mund voll Rogen, »all diese Deutschen und Slawen ummodeln in . . . ja nun, in Büffel. Alles zu seiner Zeit.«

»Nein«, sagte Adams, wieder einmal in Dunkelsinn schwelgend, »sie werden uns ummodeln. Als ich über Aaron Burr schrieb . . .«

»Was ist mit dem Buch geworden?« fragte Clara, ihre Worte an eine, wenn man so wollte, Büffelflanke richtend.

»Ich habe es natürlich verbrannt. Es gibt nur diese Möglichkeiten: in absoluter Heimlichkeit veröffentlichen . . . oder aber verbrennen.«

»Heimlich?« fragte Hay. Er hatte seit jeher gefunden, daß Burr für einen Biographen so etwas wie der ideale Schurke war, über den man wirklich faszinierend schreiben konnte. Doch irgend etwas in Burrs Charakter oder Leben hatte Henry offenbar verunsichert, so daß er zu dem Schluß gelangt war, der Mann sei zwar ein Schurke, doch für ihn, als Biographen, nicht unbedingt ideal. Allerdings vermutete Hay, daß Adams das Buch keineswegs vernichtet hatte, sondern vielmehr höchst praktisch verwertet: in seiner Studie von Jefferson.

»Als alter Mann ging Burr einmal mit einer Gruppe junger Juristen die Fifth Avenue entlang, und einer von denen fragte ihn, wie nach seiner Meinung bestimmte Aspekte der Verfassung interpretiert werden sollten. Burr blieb vor einer Baustelle stehen und deutete auf einige vor kurzem eingewanderte irische Arbeiter und sagte: ›In absehbarer Zeit werden *die* darüber entscheiden, was die Verfassung ist – und was sie nicht ist.‹ Er, der abgefeimte Schurke, begriff sehr wohl, daß die Einwanderer uns einmal zahlenmäßig überlegen sein und die Republik nach ihren eigenen Vorstellungen prägen würden.«

Abigail musterte ihren Onkel, der, gottlob, außer Atem war, und sagte: »Noch ist das Land nicht ganz katholisch. Das ist immerhin etwas.«

»Nun, in diesem Schweizer Dorf namens Heidegg waren alle katholisch . . .«

»Lutheranisch«, sagte Hay, der, wo immer es um Wahlen und Wählerstimmen ging, die wesentlichen Fakten im Handumdrehen absorbierte.

»Übrigens neige ich jetzt gleichfalls dem Katholizismus zu«, behauptete Adams perverserweise.

»Marienkult.« Hays Herz meldete sich mit unangenehmem Flattern. Er sah sich auf der Ausstellung, vor zwanzigtausend Menschen; sah, wie er tot zusammenbrach.

»Katholische Dienstmädchen sind dauernd schwanger. Ich begreife einfach nicht, wieso«, sagte Clara.

»Zum Glück wird die Dampfkraft, die auch diesen Zug antreibt, all diese verschiedenen Rassen zu einer einzigen verschmelzen. Genauso wie die Idee von der Jungfrau – von Marienkult kann da kaum die Rede sein –, die Europäer des zwölften Jahrhunderts vereinte.«

Abigail unterbrach ihren Onkel. Stillschweigend pries Hay ihre Tapferkeit. »Weshalb St. Louis für eine Weltausstellung?«

Hay, als zweithöchste Amtsperson der Nation, antwortete: »St. Louis ist die viertgrößte Stadt im Land. Zentral gelegen. Die neue Union Station ist der größte Bahnhof der Welt, heißt es jedenfalls. Im übrigen pflegte der verstorbene, hochverehrte Präsident William McKinley, wenn er im Zweifel war, was die Menschen dieser großen Nation von ihm wollten, regelmäßig zu sagen: ›Da muß ich nach St. Louis.‹ Diese Stadt ist so etwas wie unser Herzstück. Die Stadtväter haben zur Hundertjahrfeier des Ankaufs von Louisiana – des *ungesetzlichen* Ankaufs durch Mr. Jefferson – «, fügte Hay zu Adams Vergnügen hinzu, »die größte Ausstellung ihrer Art in der Geschichte der ganzen Welt organisiert. Es wird«, sagte er unheilvoll, »zahllose Dynamos und weitere Stücke stupider Maschinerie geben.«

»Oh, Gütiger«, sagte Abigail.

»Oh, Wonne«, sagte Adams.

»Oh, Ober«, sagte Clara, »mehr Rindfleisch.«

»Alle«, seufzte Hay, »werden dort sein.«

4

Mr. und Mrs. John Apgar Sanford bewohnten eine kleine Suite des Blair-Benton Hotels in der Market Street, der Hauptstraße von St. Louis, unweit der gepflasterten Front Street, von den Einheimischen der »Damm« genannt, weil sie sich rund vier Meilen am Ufer entlangzog und nicht nur den Flußhafen, sondern auch eine Art Promenade bildete.

»Wir können von Glück sagen, wenigstens das hier bekommen zu haben«, meinte Sanford, auf das Schlafzimmer mit dem Himmelbett deutend; Carolines Mißvergnügen war ihm nicht entgangen. Außer in Notfällen teilten die Eheleute niemals ein Bett miteinander. Als Sanford ihr mitgeteilt hatte, zur Ausstellung werde eine Anzahl seiner Erfinder und ihrer Sponsoren anreisen und man wünsche seine Anwesenheit, damit er persönlich nachprüfen könne, ob nicht irgendwelche Konkurrenten die Patentrechte seiner Schützlinge verletzten, hatte Caroline sofort erwidert, natürlich müsse er nach St. Louis reisen. Immerhin mochten ja zusätzliche Honorare herausspringen – etwa für Teekessel, die keinen Lärm machten; oder für elektrische Steckdosen, die einem keinen Schlag versetzten; oder für Maschinen, die – wie nannte Langley das doch noch? – »den Menschen von der Erdenschwere befreien«. Als der beste Reporter der Tribune erkrankt war, hatte Mr. Trimble Caroline dazu überredet, persönlich über die Ausstellung zu berichten, zumindest über die Eröffnungsfeierlichkeiten. Auf Clara Hays Angebot, die Sanfords in ihrem privaten Eisenbahnwagen mitzunehmen, war Caroline wohlweislich nicht eingegangen. Sie hatte den Hays und den Adams die Begegnung mit ihrem Ehemann erspart. John wirkte immer verdrossener, was noch zu ertragen war, doch schämte und entschuldigte er sich überdies fortwährend für sein Leben – absolut unerträglich.

Der Hotelmanager persönlich hatte ihnen die Suite gezeigt.

»Alle Welt«, hatte er beteuert, »befindet sich in dieser Woche in St. Louis.«

»Soll mir recht sein«, hatte Caroline freundlich erwidert; und ihm für seine Höflichkeit gedankt.

Während John auspackte, machte sich Caroline ordnungsgemäß Notizen. Die Louisiana Purchase Exposition, wie die präzise

Bezeichnung lautete, umfaßte eine Fläche von 1240 Acres, von denen 250 überdacht waren – Pavillons, Hallen, Restaurants. Die Sanfords hatten rein zufällig einen flüchtigen Blick auf den Außenminister und Clara erhascht, als das Ehepaar durch die hellgeschmückte Stadt gefahren war. Während Caroline an dem oktagonalen Tisch aus schwarzglänzendem Nußbaum arbeitete, ging John mit sorgenvoll gefurchter Stirn einen Stapel von Papieren durch. »Eigentlich sollte dies«, sagte Caroline, inzwischen so etwas wie eine Expertin für eheliche Konversation, »ein Paradies sein für einen Patentanwalt.«

»Das hoffe ich natürlich. Nur . . .«, John gab sich bereits vor Beginn der Schlacht geschlagen, wie Caroline spürte, ». . . besteht praktisch keine Möglichkeit mehr, eine Patentklage wirklich zu gewinnen. Jeder Erfinder meldet für ein und dieselbe Erfindung gleich ein Dutzend Patente an. Droht man ihm mit Klage, so läßt er drei Patente fallen, behält jedoch die neun übrigen, um das Gericht und seine Konkurrenten zu verwirren.«

»Was für eine phantastische Chance für einen Anwalt . . . endlose Prozesse.«

»Leider«, sagte John, mit seinem Latein offensichtlich am Ende, »gibt es fast immer gütliche Einigungen. Irgendwas Neues?«

»Ja. Ich bin zu den ›Juden‹ gegangen, wie Mr. Adams sagen würde. In diesem Fall handelt es sich um eine Yankee-Firma mit dem Namen Whittaker – fromme Presbyterianer. Deinem Wunsch entsprechend, habe ich sie um einen Kredit von einer halben Million Dollar gebeten, zum üblichen Zinssatz.«

»Und warum haben sie abgelehnt?« John war inzwischen als Ehemann erfahren genug, um Carolines Sätze zu Ende führen zu können; auch wenn ihm der Zugang zu *ihrem Bett* verwehrt blieb. Der einzige Versuch, den sie unternommen hatten, um ihre ehelichen Pflichten zu erfüllen, war fehlgeschlagen. Anschließend hatten sich beide ziemlich geniert. Allerdings war Caroline der Meinung, daß sie ihre Rolle als hingebungsvolles Eheweib durchaus überzeugend gespielt hatte. Sie war dabei sogar, entgegen ihrer eigenen Überzeugung, soweit gegangen, Marguerites Rat zu befolgen, der da lautete: Augen zu und sich vorstellen, daß der Männerkörper über ihr James Burden Day gehöre. Dennoch blieb so manches Irritierende – der Geruch, das Hautgefühl, die Art der Berührung.

Caroline hatte schon immer gewußt, daß es ihr an Phantasie fehlte, wie denn auch dieser erste und letzte Versuch bewies; und sie beneidete jene Frauen, die von einem Männerkörper zum nächsten wechseln konnten, so wie ein Forscher, nein, eine Forscherin in einem endlosen Männer-Archipel – selbst wenn die Männer Frauen waren, zumindest in Paris –, sich an der einen Insel wegen ihrer üppigen Bäume erfreuend, an der anderen wegen ihrer Silberbäche. Doch in ihren Adern floß kein solches Forscherblut; sie neigte in dieser Hinsicht zur Seßhaftigkeit inmitten einer altvertrauten, friedvollen Landschaft. Der Versuch, aus der Heimat – sprich James Burden Day – in die Fremde – sprich John – zu streben, das war wie das Eintauschen einer vollkommenen Oase gegen die sie umgebende Sahara. John, auch wenn es ihm nicht zustand, beklagte sich. Caroline, der das nicht zukam, moralisierte. Bald erledigte sich das Thema von selbst. Johns finanzieller Ruin paralysierte auch seine Sexualität. Er konnte nur noch an seine drückenden Probleme denken; Caroline ging es seit einiger Zeit nicht anders.

»Mr. Whittaker versuchte mir auszuweichen.« Caroline war zuerst überrascht gewesen; dann wütend geworden. »Ich nannte als Termin den kommenden März, wenn ich siebenundzwanzig werde. Ich sagte, es gebe nicht die leiseste Möglichkeit, daß ich mein Erbteil nicht bekommen würde. Und doch sagte er: ›Da gibt's Komplikationen.‹ Ich fragte: ›Was?‹ Aber er gab keine Antwort.«

»Natürlich nicht.« John war verbittert. »Die Whittakers engagieren als juristischen Berater oft unseren Freund Houghteling.«

Caroline empfand plötzlich wilden Haß auf ihren Bruder. »Blaise stellt es so dar, als gäbe es wegen des Vermögens Probleme . . .«

». . . oder es sei nicht existent; oder deine Rechte seien nicht eindeutig.« John, der Anwalt, war ein weitaus besserer Gesprächspartner als John, der Ehemann. »Ich treffe mich mit einigen meiner Mandanten zum Lunch. Vielleicht kann ich . . .« Er beendete den Satz nicht. Doch zweifellos würde er versuchen, von irgend jemandem Geld zu leihen; genau wie Caroline.

»Ich muß zu den Hays. Er hält heute nachmittag auf der Ausstellung eine Rede. Vielleicht . . .« Auch sie beendete ihren Satz nicht.

Doch Caroline hatte Pläne, bei denen die Hays keine Rolle spielten. Im warmen Sonnenschein ging sie die Uferpromenade entlang, auf der sich die Besucher drängten. Die Einheimischen hingegen schienen den Fluß eher zu ignorieren. Caroline fiel auf, daß die Häuser ihre Rückfronten dem zukehrten, was auf seine Weise ein phänomenaler Anblick war: dahinschießendes gelbliches Wasser, keinesfalls häßlicher als das des Tiber etwa, jedoch wesentlich breiter und mächtiger.

Vor einem Saloon mit dem Namen The Anchor blieb sie stehen. Soweit sie den Damm überblicken konnte, waren schwarze Männer damit beschäftigt, Lastkähne und Schiffe zu entladen oder zu beladen. Unwillkürlich dachte Caroline an Marseille, verwandelt in ein Stück Afrika.

Vom Saloon her näherte sich ihr James Burden Day, in staatsmännischem Schwarz. »Was für eine Überraschung«, sagte er und warf einen Blick auf seine Uhr. »Du bist absolut pünktlich.«

»Ich bin immer pünktlich.« Sie nahm seinen Arm; und zusammen schritten sie den Damm entlang wie ein glücklich verheiratetes Paar, was sie *de facto* wohl auch waren. Caroline nahm es längst als ein Stück ungetrübten, goldenen Glücks, daß sie nicht gezwungen waren zusammenzuleben, Tag um Tag, Nacht für Nacht, in ein und demselben Ehebett, dem mitternächtlichen Geschrei vieler Kinder lauschend – übliches Eheschicksal in diesem Land. Mitunter vermißte sie ihn während der Woche, doch das war ein geringer Preis, der für den Sonntag als solchen zu zahlen war; und jetzt also sogar . . . St. Louis. »Wo ist Kitty?«

»Sie führt den Vormittag über den Vorsitz im Democratic Ladies' Committee für das Frauenwahlrecht. Anschließend wird sie sich mit den anderen Damen zur Ausstellung begeben, um Mr. Hays Rede zu hören. Ich werde mit dir gehen.«

»Oder auch nicht.«

»Oder auch nicht.«

Sie liebten sich in Carolines Suite im Blair-Benton Hotel. Jim war nervös, weil er fürchtete, erkannt zu werden. Doch die Lobby war so überfüllt, daß praktisch jedermann anonym blieb. Im übrigen hatte Caroline, was Hotels betraf, inzwischen einige Routine erworben. Wollte sie sich mit Jim treffen, so suchte sie sich ein Hotel mit einer Suite in der ersten Etage, zu der vom Parterre mindestens zwei Treppen führen mußten. Jim meinte, daß sie als Mann einen hervorragenden General abgegeben haben würde.

Doch Caroline hatte widersprochen. »Aber in der Geschäftswelt hätte ich Erfolg haben können«, lautete ihre Antwort. »Ich hätte mich, sagen wir einmal, voll auf Weizen konzentriert und eine überaus profitable finanzielle Krise zustandegebracht.«

Sie sah zu, wie Jim sich anzog – so oder so bot er einen befriedigenden Anblick. Er seinerseits beobachtete, wie sie ihn beobachtete; erahnte ihre Gedanken. »Du denkst an Geld«, sagte er.

»Ans *fehlende* Geld«, sagte sie. »John hat sich – das heißt, uns – in die tiefsten Tiefen manövriert. Und Blaise hat dafür gesorgt, daß ich kein Darlehen bekomme.«

Jim runzelte die Stirn, als in seinem drahtigen Kupferhaar ein Zinken von Carolines Kamm abbrach. »Ich habe deinen Kamm zerbrochen. Tut mir leid. Wieso kannst du kein Geld leihen? Im nächsten März gehört doch sowieso alles dir. Banker lieben doch kurzfristige Darlehen. Wie kann Blaise sie davon abhalten, dir etwas zu leihen?«

»Indem er lügt. Durch seine Anwälte. Einfach behauptet, das Vermögen sei – kompromittiert.«

»Aber das läßt sich doch leicht nachprüfen.« Jim setzte sich in einen Schaukelstuhl, lehnte seinen Kopf gegen das fleckenlose Schutzdeckchen. Ganz St. Louis war, zum Entzücken der Welt, für die Weltausstellung auf Hochglanz gebracht worden.

Caroline kletterte aus dem Bett; begann sich anzuziehen. »Hätte ich Zeit, könnte ich alles aufklären. Doch mir bleibt keine Zeit. Blaise hat Johns Gläubiger unter Druck gesetzt. Wenn John jetzt nicht zahlt, ist er ruiniert.« Caroline gefiel der Klang dieses Halbsatzes: ». . . ist er ruiniert«; doch was hatte das in Wirklichkeit zu bedeuten? Was *war* ein finanzieller Ruin? In ihrem eigenen Leben hatte es viele finanzielle Krisen gegeben; und so viele Freunde oder Bekannte waren finanziell ruiniert worden; dennoch hatten sie weiterhin gemütlich gefrühstückt und einander besucht. Ruin als solcher – das sagte ihr nicht viel. Doch der Gedanke an den erzwungenen Verkauf der Tribune war wie ein Messer an ihrer Kehle, ein höchst unangenehmes Gefühl.

»Du wirst an Blaise verkaufen müssen.« Jims Stimme klang flach.

»Ich würde eher sterben.«

»Was aber sonst?«

»Statt zu sterben?«

»Statt zu verkaufen. Du solltest Mr. Adams' Rat befolgen und die Kontrolle behalten . . .«

»Falls er mich läßt.«

Jim starrte sie im Spiegel an, wie sie den Schaden zu reparieren versuchte, den Eros selbst der einfachsten Frisur zufügt. »Warum«, fragte Jim, »läßt du John nicht untergehen. Es ist doch seine Schuld, nicht deine.«

»Weil er, mein Liebling, weiß, wer der Vater meines Kindes ist.« Caroline sah Jims Gesicht im Spiegel unmittelbar neben ihrem, wenn auch, durch die Perspektive, deutlich kleiner. Caroline weidete sich an Jims verblüfftem Gesichtsausdruck.

»Aber *er* ist doch der Vater, etwa nicht?«

»Nein, er ist es nicht.«

Ein langes Schweigen, beendet durch Jims jähes Lachen. Er sprang auf, schuljungengleich, und umarmte Caroline von hinten; küßte sie auf den Nacken, verwuschelte ihr das Haar; faßte sich endlich, bekam sich wieder in die Gewalt. »Verdammt«, sagte Caroline, zum erstenmal in ihrem Leben. »Meine Haare.«

»Mein Kind! Emma gehört auch mir!«

»Du klingst wie ein Pferdezüchter.«

»Wieso auch nicht? Schließlich bin ich der einzige in Frage kommende . . . Deckhengst. Warum hast du mir das nie verraten?«

»Ich wollte dich nicht beunruhigen. Wenn du noch einmal in die Nähe meines Haars kommst, werde ich . . . etwas Drastisches tun.« Abermals steckte Caroline den Berg ihres hochgetürmten Haares fest, *ganz und gar ihr eigenes*, wie Marguerite zu rühmen pflegte, wenn sie es arrangierte.

Jim zog sich in seinen Stuhl zurück. Er schien entzückt; und Caroline fragte sich, warum. Männer waren sonderbar, zweifellos. Jimmy hatte jetzt zwei Kinder von Kitty; und eines von ihr. »Gibt es noch weitere?« fragte sie.

»Weitere was?«

»Kinder von dir, von denen ich wissen sollte? Wenn Klein-Emma groß ist, wird sie alles über ihre Halbbrüder und Halbschwestern wissen wollen.«

Jim schüttelte den Kopf. »Nicht daß ich wüßte.« Er furchte die Stirn. »Woher weiß John, daß ich es bin?«

»Er weiß es nicht. Ich hab nur ein bißchen dramatisiert. Er weiß nur, daß Emma nicht von ihm ist. Als ich feststellte, daß ich schwanger war, hab ich es ihm gesagt, und er hat mich geheiratet. Mein Geld für seine – für *meine* Respektabilität.«

»Warum hast du nicht einfach so getan, als sei es von ihm?«

»Weil ich noch nie mit ihm ins Bett gegangen war.«

Jim pfiff durch die Zähne, ein irgendwie sympathisches rustikales Geräusch. »Du bist wirklich französisch«, sagte er schließlich.

Caroline zeigte sich nicht amüsiert. »Du wärst erstaunt, *wie* amerikanisch ich bin, zumal in einer Situation wie dieser. Ich bin im Begriff, etwas zu verlieren, das . . .« Aber noch während sie sprach, wußte sie, daß es sich um reine Prahlerei handelte. Sie war im Begriff, die Tribune zu verlieren. Sie hatte, sehr ernsthaft, daran gedacht, John scheitern zu lassen; doch dergleichen verbot ihr die Ehre, ganz zu schweigen vom gesunden Menschenverstand. Hielt sie ihren Teil der Abmachung nicht ein, so stand es ihm frei, sich von ihr scheiden zu lassen oder, schlimmer noch, die unvollzogene Ehe zu annullieren; und der Presse die Gründe zu nennen.

»Soll ich Blaise bearbeiten? Er scheint mich zu mögen.«

»Mehr als nur das, meinem Eindruck nach.«

Jims Kopf füllte sich plötzlich mit Blut; sein Gesicht wurde scharlachrot. Das hydraulische System, welches die Röte hervorrief, war, wie Caroline mit einer gewissen Verwunderung beobachtete, dasselbe, welches den Sex in einem Mann produzierte. »Ich«, stammelte er, »weiß nicht, was du meinst.«

»Was nichts anderes heißt, als daß du genau weißt, was ich meine. Er ist wie ein Schulmädchen in deiner Nähe.« Caroline, gewappnet für den Tag, erhob sich von ihrem Toilettentisch. »Verführe ihn.«

»Das ist absolut französisch«, sagte Jim, wieder ganz er selbst.

»Nein, in Wirklichkeit ist es englisch. *Le vice anglais,* wie wir es nennen; auch hierorts keineswegs unbekannt.«

»Würdest du im Ernst wollen, daß ich . . .?« Jim konnte nicht aussprechen, was in einer amerikanischen Stadt unaussprechbar war.

»Es könnte dir gefallen. Schließlich sieht Blaise unbedingt besser aus als ich.«

»Ich glaube nicht, daß ich das tun könnte, nicht einmal für dich.« Jim umschlang vorsichtig ihre Taille, während sie zur Tür schritten.

»Allerdings glaube ich, daß ich mit ihm vielleicht irgendwie flirten könnte.«

»Ihr amerikanischen Boys!« Caroline fühlte sich absolut amüsiert.

»Nun, das ist doch das mindeste, was ich tun könnte – dafür, daß du mir Emma gegeben hast.«

In der Lobby sahen sie sich plötzlich Mrs. Henry Cabot Lodge gegenüber, einer ebenso ernsten wie gestrengen Lady.

»Caroline«, sagte Mrs. Lodge, einen Blick auf Jim.

»Schwester Anne. Den Abgeordneten Day kennen Sie doch, nicht wahr? Und auch Mrs. Day«, fügte Caroline inspiriert hinzu. Dann sah sie Jim an und fragte: »Wo ist denn Kitty? Vor einer Minute war sie doch noch hier.«

»Sie hat ihre Handtasche oben vergessen.«

Schwester Anne schien zufrieden. »Werden Sie sich Mr. Hays Rede anhören?« fragte sie.

»Anhören – und mir genau notieren, für die Tribune.«

»Es ist gemein von Theodore – ich meine, daß er ihn gezwungen hat, hierherzukommen. Eigentlich sollte er das Bett hüten, daheim in Sunapee.« Schwester Anne verabschiedete sich; und entschwand.

»Du würdest eine gute Politikerin abgeben«, sagte Jim, als sie zur Olive Street gingen, von wo sie ein Spezialwagen zur Ausstellung befördern würde.

»Weil mir das Lügen so leicht fällt?« Caroline zog die Stirn kraus. »Ist schon irgendwie sonderbar. Früher habe ich nie gelogen. Aber dann kamst . . . du.«

»Der Apfel im Garten Eden?«

»Ja. Seit die Schlange mich in Versuchung geführt hat, bin ich nicht mehr dieselbe. Ich habe gesündigt . . .«

Caroline empfand die nächtliche Schönheit der Ausstellung schlicht überwältigend. Riesige, luftige Paläste wurden erhellt von einer Million elektrischer Kerzen, die den prosaischen Himmel von Missouri in ein Spektakel verwandelten, wie sie es nie zuvor gesehen hatte. Im Laufe des Abends war Caroline wieder mit John zusammengekommen. Jetzt dinierten beide mit Henry Adams und dessen Nichte Abigail im französischen Restaurant. Der Abgeordnete James Burden Day und seine Gemahlin speisten hingegen im deutschen Restaurant, und zwar in Gesellschaft von zwei Senatoren aus Jims Heimatstaat; einer dieser beiden Herren war wirklich schon sehr alt, und es blieb zu hoffen, daß er das Richtige tun werde, sich nämlich aus der aktiven Politik zurückziehen oder aber das Zeitliche segnen, so daß sein Platz als Senator für Kittys Mann frei werden würde (so bezeichnete Caroline Jim für sich, wenn sie ihn in seiner offiziellen Funktion sah). Die Leute behaupteten ja, er sei ganz und gar das Geschöpf des legendären Richters, seines Schwiegervaters. Caroline bezweifelte das, doch beweisen ließ sich weder das eine noch das andere.

»Noch nie habe ich etwas so Schönes gesehen . . .« Adams war ekstatisch; Abigail gelangweilt. Caroline befriedigt, jedenfalls sexuell. John seinerseits fühlte sich verzweifelt – bei seinen Klienten war nichts für ihn herausgesprungen.

»Aber gewiß sind doch Mont-St.-Michel und Chartres . . .«, begann Caroline.

»Sind anders. Im Laufe der Jahrhunderte entstanden. Dies hingegen ist wie aus Tausendundeiner Nacht. Irgend jemand hat über eine Laterne gestrichen und gesagt: ›Eine Stadt aus Licht an den Ufern des Mississippi.‹ Und hier ist sie, rings um uns.« Tatsächlich waren sie rings umgeben von massigen, höchst zufrieden wirkenden Amerikanern aus dem Mittelwesten, die sich mit Delikatessen der französischen Küche vollstopften. Jedes der Teilnehmerländer war mit einem eigenen Restaurant vertreten, und wie stets hielt Frankreich die Spitze.

»Die Frage ist – blicken wir angesichts all dieser gleichsam vibrierenden Energie in die Zukunft? Oder ist es die letzte Feier der amerikanischen Vergangenheit?« Adams wirkte, für seine Verhältnisse, geradezu enthusiastisch.

»Die Zukunft«, sagte John; und Caroline wußte, daß das ein Thema war, das ihn – wie wohl auch anders? – düster stimmte. »Etwas wie das hier ist uns bislang noch nicht gelungen.«

»Nun, wir haben es uns vorgestellt, und das läuft fast aufs gleiche hinaus. Doch werden unsere Städte 1950 alle diesem Gebilde hier ähneln?«

»Ist es nicht so, daß Städte – genau wie Kathedralen – wachsen und sich entwickeln?« Caroline nickte Marguerite Cassini zu, die just ihren sorgfältig geplanten und höchst gelungenen glanzvollen Auftritt hatte, am Arm eines ältlichen französischen Diplomaten.

»Und wenn dem so ist, so müssen sie am Ende doch einfach gräßlich sein . . .«

»So wie Chartres?« Adams zeigte sich völlig untypisch vergnügt. »Jedenfalls habe ich eine wahre Passion für Ausstellungen. Ich wünschte nur, das wirkliche Leben wäre so – stets darauf bedacht, sich von der allerbesten Seite zu zeigen.« Dann sprach Henry Adams von Dynamos, und Caroline dachte an Geld; und spürte ihre aufsteigende Verzweiflung.

Teil XIII

1

Unter einem rotierenden Ventilator studierte Hay das Aktenstück, das Adee ihm gebracht hatte. Adee versuchte, und das keineswegs völlig erfolglos, sich den Anschein zu geben, er sei gar nicht vorhanden. Die Hitze war unerträglich, und das einzige, woran Hay denken konnte, war New Hampshire, das ihm jetzt für alle Zeiten unerreichbar erschien. Er war angewiesen worden, am 6. Juli in Jackson, Michigan, eine Rede zu halten. Inzwischen war der Juni fast vorüber, und Washington zeigte sich mehr denn je von seiner äquatorialen Seite. Aber Hay sah sich gezwungen, an seinem Schreibtisch auszuharren, weil der Präsident gerade so etwas wie einen Nervenzusammenbruch durchmachte. Würde er auch *wirklich* nominiert werden? Und falls er nominiert wurde, konnte er wohl *jemals* damit rechnen, auch zum Präsidenten gewählt zu werden? Soweit Hay dieser Tage irgendeinem Menschen überhaupt noch eine interessante Seite abgewinnen konnte, fand er Theodores plötzliche Nervenkrise faszinierend. Liebend gern hätte er sich mit Adams über diesen höchst befriedigenden Zustand unterhalten; doch das Stachelschwein war nach Frankreich entflohen, nach einem kurzen Zwischenaufenthalt in Washington, der gerade für einen Besuch im Weißen Haus reichte – nachdem Adams sich vergewissert hatte, daß Theodore nicht daheim war. Bei seinem Besuch hatte Adams Mrs. Roosevelt dazu gedrängt, unbedingt nach St. Louis zu reisen, um die transzendente Schönheit der Weltausstellung zu erleben.

»Also, das ist ja ein schauderhaftes Durcheinander«, sagte Hay; vergaß jedoch, den Kopf zu heben – so daß Adee keine Möglichkeit hatte, ihm die Worte von den Lippen abzulesen. Hay schlug mit der Hand auf den Schreibtisch, ein Zeichen für Adee, daß er etwas sagen wollte. Prompt sah Adee Hay an. »Zweifellos«, sagte Hay, »ist er kein amerikanischer Staatsbürger.«

»Zweifellos. Was mit ihm geschieht, geht uns folglich überhaupt nichts an.«

»Aber die Presse . . .«

»Und der Präsident.«

Beide seufzten. Im Mai hatte ein marokkanischer Bandit aus dem sogenannten Palast der Nachtigallen einen gewissen Ion H. Perdicaris entführt, den Sohn einer Lady aus South Carolina und eines Griechen, der amerikanischer Staatsbürger geworden war. Das Kidnapping war für die gesamte amerikanische Presse ein Affront. Zumal Hearst gebärdete sich apoplektisch: Was war das für eine Administration, die es zuließ, daß amerikanische Staatsbürger als Geiseln genommen wurden, um Lösegelder zu erpressen, und dies in einem Teil der Welt, in dem die stolze Flotte Thomas Jeffersons einmal absolut dominiert hatte? Theodore, auf Grund der bevorstehenden Wahl ohnehin in einem Zustand der Hysterie, hatte praktisch durchgedreht; und vor Hay und vor Taft gewütet: Krieg, Krieg, Krieg! Die Flotte wurde in Alarmzustand versetzt. Hay erhielt den Befehl, auf die marokkanische Regierung Druck auszuüben. Das hatte Hay dann auch getan; überdies hatte er, auf eigene Faust, Ermittlungen in Sachen I. H. Perdicaris angeordnet. Und jetzt hielt er den Beweis in der Hand. Mr. Perdicaris war *kein* amerikanischer Staatsbürger. Um – während des Bürgerkrieges – dem Militärdienst zu entgehen, war er nach Athen, in die Geburtsstadt seines Vaters geflüchtet. Dort hatte er sich ordnungsgemäß als griechischer Untertan registrieren lassen; folglich war er kein amerikanischer Staatsbürger mehr. Der Leiter des sogenannten Citizenship Bureau des Außenministeriums, Gaillard Hunt, befand sich mit weiterem Beweismaterial im Vorzimmer. Am Tag zuvor, dem 21. Juni, hatte der Präsident Hay angewiesen, Perdicaris' sofortige Freilassung zu verlangen; andernfalls – Krieg. Da der 21. Juni der erste Tag des republikanischen Parteitags in Chicago war, hielt der schier hysterische Präsident einen lauten Trompetenstoß für angebracht.

»Schicken Sie Mr. Hunt hinüber zum Weißen Haus. Er soll dort erklären . . .« Aber Hay wußte, daß der sanfte Mr. Hunt dem Präsidenten nicht einmal in dessen allergnädigster Monarchenstimmung gewachsen sein würde. »Rufen Sie das Büro des Präsidenten an. Ich bin schon auf dem Weg.«

»Ja, Sir. Sie werden doch fahren, hoffe ich.«

»Ich hatte gehofft, zu Fuß zu gehen. Doch nicht in dieser Hitze.«

In der letzten Zeit verursachte ihm das Gehen nicht nur in der stets anfälligen Lendenwirbelregion Schmerzen; jegliche Anstrengung konnte überdies einen Anfall von Angina hervorrufen. Er hatte seine Zweifel, ob er diesen höllischen Sommer überleben würde; und erhoffte sich das Gegenteil.

Theodore verhielt sich unheilvoll ruhig, als Hay das Büro des Präsidenten betrat, in der Hand die unwillkommenen Dokumente. Der massige Kriegsminister wandte sich gerade zum Gehen, doch Theodore bedeutete ihm zu bleiben. »Sie haben das Telegramm vorbereitet, John?«

»Nein, Mr. President.« Bei der Anrede gab sich Hay formvollendet; ansonsten nahm er die Sache lässig. Ohne dazu aufgefordert worden zu sein, setzte er sich, plötzlich sehr müde.

»Es ist Ihnen doch wohl klar, daß, während wir hier sitzen, der Parteitag seinen Fortgang nimmt!?« Die berühmten Zähne begannen ihr berühmtes nervöses Aufeinanderklicken. »Wir verfolgen das alles über das Telefon im Cabinet Room. Wegen dieser marokkanischen Angelegenheit kann es eine Menge echten Ärger geben. Wir wirken schwach, unentschlossen . . .«

»Mr. President, Perdicaris ist kein amerikanischer Staatsbürger. Er ist Grieche. Er braucht uns nicht weiter zu interessieren.«

Taft strahlte; und ließ ein glucksendes Lachen hören, so wie man das von fetten, jovialen Männern erwartete. Aber was immer sonst Taft auch sein mochte, jovial war er nicht. Er war ehrgeizig, launenhaft, mißtrauisch. Doch seine gloriose Beleibtheit machte ihn in den Augen der Nation überaus sympathisch. »Dann sind wir den Ärger ja los«, meinte er. »Sagen Sie der Presse, sie soll sich auf die griechische Regierung stürzen und uns zufriedenlassen.«

Der Präsident studierte die von Hunt zusammengestellten Dokumente und blickte dann, zu Hays Überraschung, voller Wut auf. »Das ruiniert alles«, sagte er schließlich. »*Alles!* Ich hatte in mein Kalkül fest ein wirkungsvolles Telegramm miteinbezogen, das dem Parteitag, das dem Land, ja der ganzen Welt ins Bewußtsein rufen würde, daß nirgendwo auf dieser Welt einem amerikanischen Staatsbürger Unrecht widerfahren kann, ohne daß blutige Vergeltung geübt wird; und jetzt gräbt irgend so ein idiotischer Schreibtischtäter in Ihrem Amt diesen . . . diesen Unsinn aus! Nein!« Die hohe Stimme steigerte sich zu einem Gellen. »Er ist in Amerika geboren worden. Seine Eltern waren Amerikaner. Das sind die Tatsachen. Woher wollen wir wissen, daß irgendwas von dem hier wahr ist?« Der Präsident schob die Papiere wieder Hay zu. »Wir wissen es nicht. Wir werden das verifizieren müssen. Das heißt, daß unsere Vertretung in Athen die Akten durchgehen muß, um festzustellen, ob er seine Staatsangehörigkeit wirklich aufgegeben hat. Das wird einige Zeit beanspruchen. Zuviel Zeit. Ich möchte heute noch ein Telegramm abschicken. An den amerikanischen Generalkonsul in Tanger. Verstanden?«

»Verstanden, natürlich.« Hay erhob sich.

»Juristisch . . .«, begann Taft.

»Ich bin kein Jurist, Richter Taft. Ich bin ein Mann der Tat, und das alles verlangt nach der Tat. John, sorgen Sie für ein gutes Telegramm.«

»Ich werde von klassischer Kürze sein, so wie es einem Direktor der Western Union zukommt.«

Hay befand sich bereits bei der Tür, als Theodore rief: »Halten Sie den gesamten Vorgang unter Verschluß, solange wir der Angelegenheit auf den Grund gehen.«

»Aber . . .«, setzte Taft an.

»Passen Sie gut auf sich auf«, schrillte der Präsident hinter seinem Schreibtisch.

»Ich glaube, das habe ich bereits getan, Theodore«, sagte Hay; und entzog sich der majestätischen Präsenz. Er hatte sich bereits einen Text ausgedacht, der sich sogar – reibungslos – in eine Hearst-Schlagzeile fügen würde.

Im Außenministerium war es dann Hay selbst, der seine Botschaft an den Generalkonsul von Tanger diktierte: »Perdicaris lebendig oder Raisuli tot.« Der Telegrafist strahlte: »Tolle Sache für Sie, Sir! Sie zeigen den Niggern, wo's langgeht.«

»Ja«, sagte Hay. »Klingt irgendwie gut. Verstehe überhaupt nicht, warum ich die Poesie aufgegeben habe.«

Dann ging er zurück in sein Büro und verschloß die Perdicaris-Akte in seinem Schreibtisch. Von Lincoln zu Roosevelt – das war nicht unbedingt immer eine unaufhörlich aufwärtsstrebende Spirale gewesen.

2

Das Jefferson Hotel in St. Louis war das Hauptquartier des »William Randolph Hearst for President Committee«. Hearst selbst bewohnte die Suite in der Etage unmittelbar über dem unscheinbaren Einzelzimmer von William Jennings Bryan, einem einfachen Delegierten aus Nebraska.

Blaise bahnte sich seinen Weg durch die überfüllten Vorräume von Hearsts Kommandoposten, einem großen Verkaufsraum mit Ausblick auf den ein wenig fernen Fluß. Die Hitze war furchtbar; der Geruch von Schweiß und Tabak und Whiskey beklemmend. Mit angehaltenem Atem bahnte Blaise sich einen Weg durch die Menge der Delegierten und Anhänger, die alle Hearsts Gastfreundschaft genossen. Er klopfte an die Tür, die einen Spalt breit geöffnet wurde. Brisbanes mißtrauisches Gesicht erschien; aber dann ließ er Blaise ein.

Trotz der Hitze trug Hearst einen schwarzen Gehrock, der völlig faltenfrei wirkte, ganz im Gegensatz zu seiner Stirn, während er in ein Telefon sprach. »Aber meine Delegierten aus Illinois sind die legitimen«, sagte er, Blaise kurz zuwinkend. Ein Dutzend politische Typen, sämtlich in Hemdsärmeln, saßen im Zimmer herum, Zeitungen lesend und die Stärke der Delegationen kalkulierend. Alton B. Parker, ein Richter am Appellationsgericht in New York City, war der Kandidat des konservativen Flügels der Partei, der jetzt, nach Whitneys Tod, von August Belmont geführt wurde.

Selbst Blaise war von der Tüchtigkeit von Hearsts politischen Machern beeindruckt gewesen. Obwohl die östliche Führungsspitze der Partei Hearst unakzeptabel fand, war es ihm gelungen, im Süden und im Westen soviel Unterstützung zu gewinnen, daß er eine ausgezeichnete Chance besaß, die Nominierung zu erringen, falls Parker bei der ersten Abstimmung durchfiel. Im Augenblick sah sich das sogenannte Credentials Committee dem Problem gegenüber, daß es zwei Delegationen aus Illinois gab. Die eine hatte der Chicagoer Boß Sullivan auf die Beine gestellt; die andere war Hearst verpflichtet. »Holen Sie Bryan. Er haßt Sullivan. Er wird diesem Unfug ein Ende bereiten.« Hearst hängte auf. Er wandte sich Blaise zu. »Ich bekomme Bryan nicht an den Apparat. Er wohnt hier im Hotel. Doch er will mich nicht unterstützen ...«

»Er wird auch Parker nicht unterstützen«, sagte Brisbane beschwichtigend.

»Er wartet auf ein Wunder.« Hearst setzte sich auf die Platte eines länglichen Tischs. »Aber es wird kein Wunder geben. Jedenfalls nicht für ihn.«

»Wie stehen Ihre Chancen bei der ersten Abstimmung?« Blaise hatte bereits eine eigene Schätzung vorgenommen.

»Mit Illinois habe ich 269 Stimmen, und Parker hat 248, ohne Illinois.«

James Burden Day betrat die Suite, in Hemdsärmeln wie die meisten. »Ich war gerade mit Bryan zusammen. Er ist auf dem Weg zur Tagungshalle. Und er wird sich für die Zulassung Ihrer Delegierten einsetzen.«

Die anwesenden Männer applaudierten; und Brisbane führte einen kleinen Freudentanz auf. »Aber«, fragte Hearst unbeeindruckt, »wird er mich auch unterstützen?«

Day zuckte die Achseln. »Er unterstützt niemanden soweit. Es geht ihm darum, Parker zu stoppen, das ist alles.«

»Ich bin der einzige, der das tun kann.« Hearsts Augen wirkten plötzlich wie elektrisiert; giftig blitzten sie Day an. »Weiß er das nicht? Weiß er nicht, daß es jetzt nur noch mich gibt?«

Brisbane antwortete für Day. »Er ist noch immer davon überzeugt, daß alles vergessen und vergeben sein wird, wenn er vor der Vollversammlung erscheint.«

Hearst sah wieder zu Day hinüber. »Bieten Sie ihm, was immer er verlangt.«

»Will's versuchen. Aber er ist in schlechter Stimmung.« Jim ging hinaus. Blaise hatte er überhaupt nicht bemerkt. Doch das war bezeichnend. Die Politik hatte diese Wirkung auf jene, die sich in ihrem Bannkreis befanden. Es handelte sich um die gleiche Art totaler Absorption, wie Blaise sie in Spielkasinos beobachtet hatte, wo die Spieler so gebannt auf die nächste Karte oder die rollenden Würfel warteten, daß nicht einmal der bevorstehende Weltuntergang sie dabei hätte beirren können.

Dann wurde eine Anzahl von Delegierten hereingelassen, und der Chef empfing sie mit herrschaftlicher Distanziertheit. Würde er die Partei verlassen, falls man ihn nicht nominierte? Natürlich nicht, lautete seine Antwort: Dies sei die Partei des Volkes, und niemals würde er dem den Rücken kehren, was doch im Grunde die Nation selbst war. Überdies war nur die Demokratische Partei fähig, den Frieden zu erhalten in einer Welt, die durch die Kriegslust Theodore Roosevelts gefährdet war. Ob er denn nicht beeindruckt gewesen sei von der Handlungsfreudigkeit des Präsidenten, als dieser mit Hilfe eines einzigen Telegramms einen amerikanischen Bürger aus der Gefangenschaft eines marokkanischen Geiselnehmers befreit hatte? Mit einem Schulterzucken tat Hearst das als »reine Sensationshascherei« ab. Für Blaise war die neue Respektabilität des Chefs von ebenso unwiderstehlicher Komik wie irgendein Sketch von Weber und Fields.

Brisbane nahm Blaise auf die Seite. »Er bekommt die Nominierung nur, falls Bryan . . .«

»Was stimmt denn mit Bryan nicht?« Blaise war ehrlich neugierig; allerdings besaß er keinen politischen Instinkt, und das angespannte Lauern auf »das Aufdecken einer Karte« erschien ihm reizlos.

»Oh, da ist wohl Eitelkeit mit im Spiel. Der unvergleichliche Führer von '96 und 1900 irrt auf dem Parteitag umher wie eine verlorene Seele, und seine einzige Macht besteht darin, dem Chef beim Siegen zu helfen – oder beim Verlieren.«

»Er wird wollen, daß er verliert, damit Parker von Roosevelt geschlagen wird. Beim nächstenmal – also in vier Jahren – ist Bryan dann wieder an der Reihe, um die Menschheit an sein Kreuz aus Gold zu nageln.« Blaise war recht stolz auf eine Erkenntnis, die für Brisbane so eindeutig auf der Hand lag, daß er nur nickte und sagte: »Ja, so ungefähr. Falls er jedoch die Zulassung unserer Delegierten aus Illinois durchsetzt, könnte das den Ausschlag geben.« John Sharp Williams hielt glanzvollen Einzug. Hearst gab sich entzückt. Brisbane sagte: »Wie ich höre, kaufen Sie die Zeitung Ihrer Schwester.«

»Ich versuche es. Deshalb bin ich eigentlich hier. Nicht daß dies hier die Reise nicht wert wäre. Meine Schwester ist politischer als ich. Sie ist hergekommen, um über den Parteitag zu schreiben. Sie schreibt tatsächlich selbst, wissen Sie.«

»Viele von uns«, sagte Brisbane säuerlich, »tun das.«

Am 4. Juli wurde Hearst von einem Politiker aus San Francisco, einem Freund des verstorbenen Senator George Hearst, zur Nominierung vorgeschlagen. Blaise saß zusammen mit Caroline und John Sanford in der riesigen, stickigen Halle auf der Pressetribüne. Die Plattform wurde beherrscht von einem zwei Meter hohen Porträt von Hearst, und eine Hearst-Band spielte zuerst »America« und dann, als Anerkennung der Bedeutung des Südens für den populistischen Millionär, »Dixie«. Obwohl an diesem Tag Thomas E. Watson von der sogenannten People's Party als Präsidentschaftskandidat nominiert wurde, hatte er Hearsts Organisation eine Anzahl demokratischer Südstaatenpolitiker zugeführt.

Nach den Reden, die zugunsten von Hearsts Nominierung gehalten wurden, veranstaltete die kalifornische Delegation eine Art Parade durch die Riesenhalle. Blaise war verblüfft, wie populär der Chef tatsächlich geworden war. »Natürlich hat er keine Chance«, sagte Caroline und erhob sich.

Auch Blaise stand auf. »Wieso nicht?«

»Seine Illinois-Delegation ist nicht anerkannt worden. Das bedeutet vierundfünfzig Stimmen für Parker. Und Bryan wird ihn niemals unterstützen. Laß uns an die frische Luft gehen. Hier wird einem ja schwindlig.«

Für das heikle Geschäft, das es zu verhandeln galt, hatte Blaise ein Boot ausgewählt. Der Eigner hatte ihm eine Suite angeboten, als sich herausgestellt hatte, daß in der Stadt jedes Hotel ausgebucht war; und so hatte er sie nun ganz für sich selbst, die Wunder der *Delta Queen*, einer großen, romantischen Holzkonstruktion mit Schaufelrädern von jener Art, wie sie besungen wurden in John Hays »Jim Bludso von der *Prairie Bell*«. Die Nacht war stickig, beengend, heiß. Die *Delta Queen* lag in der Nähe der Market Street. An der Laufplanke stand eine einzelne Wache, die vor Blaise lässig salutierte; und sie willkommen hieß.

Auf dem Oberdeck wurden sie von einem Stewart empfangen, der sie in eine widerhallende Mahagoni-Bar führte. Dort saß, im Schein einer einzigen Gaslampe, unheilvoll in seiner Vergnügtheit, bedrohlich die Jovialität seines Lächelns, Mr. Houghteling mit seinem rötlichen Backenbart. Blaise war erleichtert, seinen Verbündeten an Ort und Stelle zu finden. Zuvor hatte Blaise Caroline und John in der Übermacht gesehen – drei und nicht nur zwei gegen sich, da Caroline auf Grund ihres Erfolges gewissermaßen doppelt zählte, während Blaise, der Erfolglose, sich ausgesprochen klein vorkam. Mr. Houghteling erhob sich,und das von oben auf sein Gesicht fallende Licht verlieh seinem Lächeln etwas Gespenstisches. »Mrs. Sanford. Mr. Sanford. Mr. Sanford. Zumindest mit den Namen hat man keine Schwierigkeiten . . .«

Aus den Schatten trat eine Gestalt hervor und sagte: »Ich bin Mr. Trimble – nicht Sanford.«

Wieder fühlte sich Blaise in der Minderheit. Und doch begrüßte er Trimble höflich; dann saß man zu fünft am runden Tisch, und der Steward brachte Champagner, mit freundlichen Empfehlungen des Eigners. Blaise bemerkte, daß es neben jedem Stuhl einen Spucknapf gab, der fest mit dem Boden verbunden war. Wie, fragte er sich, wurden die Dinger je geleert? Und was geschah, wenn sich die Flugbahn von ausgespienem Tabaksaft jäh änderte, weil das Schiff eine schlingernde Bewegung vollführte? Er versuchte, sich die physikalischen Gesetze in Erinnerung zu rufen, die er in der Schule gelernt – und wieder vergessen hatte. Galileo auf dem Schiefen Turm von Pisa. Speichel auf dem Deck. Während Blaise noch wirr über Spucknäpfe nachdachte, breiteten Sanford und Houghteling auf dem Tisch eine Menge Papiere aus, und Caroline und Trimble tuschelten leise miteinander. Eigentlich hätte Blaise eine Art Triumph empfinden müssen; statt dessen fühlte er sich nur heiß, müde, gereizt. Sanford begann, für den Feind. »Sie haben Gelegenheit gehabt, die finanzielle Situation der Tribune zu studieren.«

»Ja.« Houghteling sah Blaise an, der zu Caroline blickte, die in ihr Champagnerglas starrte. Er dachte an jenes andere Champagnerglas, dachte an Del, wie er tot auf einem Trottoir in New Haven lag. »Ja«, wiederholte Mr. Houghteling, »alles ist in Ordnung, wie mir mein Buchhalter bestätigt. Ich selbst kann, fürchte ich, weder addieren noch subtrahieren. Doch er ist schon seit dreißig Jahren bei mir und versteht sich auf beides – wie mir zumindest die versichern, die sich da auskennen. Er sagt, alles sei in Ordnung, und also ist alles in Ordnung. Wir sind bereit . . .«, Houghteling brachte das Kunststück fertig, gleichzeitig die Stirn in Falten zu legen und zu lächeln, ». . . fünfzig Prozent der Anteile zu kaufen.«

Es war Caroline, die sprach, und nicht ihr Gatte und Anwalt. »Achtundvierzig Prozent der Anteile stehen zum Verkauf, nicht fünfzig.«

Schweißtropfen rollten auf der linken Seite über Blaise' Haut;

verursachten ein mörderisches Jucken. »Wir haben uns auf gleiche Teile geeinigt, du und ich.« Er starrte Caroline an, die seinen Blick in aller Unschuld erwiderte.

»Das haben wir. Und so soll's auch sein«, sagte sie. »Ich werde dir achtundvierzig Prozent der Anteile verkaufen und selbst achtundvierzig Prozent behalten. Damit sind wir gleichauf. Wir, du und ich, werden, wie vereinbart, genau die gleiche Menge besitzen.«

»Und wem«, fragte Mr. Houghteling, und sein Lächeln wirkte jetzt weniger jovial, »gehören die restlichen vier Prozent?«

»Mr. Houghteling hat uns getäuscht!« Caroline gab sich verdächtig charmant. »Er kann blitzartig addieren und subtrahieren ...«

»*Mir* gehören vier Prozent«, sagte Trimble und richtete seinen hellblauen Blick auf Blaise. »Mrs. Sanford wollte mir einen Bonus geben, als die Zeitung anfing, Gewinn abzuwerfen. Ich sagte, ich würde den Bonus in Form von Aktien nehmen.«

»Ich bin davon ausgegangen ...«, setzte Houghteling an.

»Ich meinte, es sei alles geregelt.« Sanford klang triumphierend nüchtern, für Blaise. »Die Schwester verkauft dem Bruder die Hälfte ihrer Anteile für 156 000 Dollar. Wie besprochen.«

Houghteling pochte auf den Papierstapel vor ihm. »Mein Buchhalter erwähnt hier keinen Besitzer außer Mrs. Sanford.«

»Die Trimble-Anteile finden Sie in Abschnitt fünf aufgeführt.« Sanford klang gelangweilt; dabei war es sein Leben, das auf dem Spiel stand. Blaise fand ihn fast genauso rätselhaft wie Caroline, deren Geheimnis darin bestand, genau das zu sein, was sie zu sein schien: jemand, der auf etwas Bestimmtes aus war und es zu erreichen versuchte, indem er – sie – ihre Opfer soweit irgend möglich schonte. Ja, er sah sich in der Rolle des Opfers. Zweifellos war er von Anfang an aufs Glatteis geführt worden. Caroline hatte es faustdick hinter den Ohren.

»Wir«, sagte Mr. Houghteling, »haben von Beginn an in gutem Glauben gehandelt.«

»Sie wollen doch«, sagte Sanford, »nicht etwa unterstellen, daß wir das nicht getan hätten?«

»Doch, genau das behaupte ich. Mein Klient mußte, ebenso wie ich selbst, davon ausgehen, daß er die Tribune zur Hälfte besitzen werde. Statt dessen erhält er das Angebot, Besitzer einer Aktienminorität zu werden, was nichts anderes heißt, als daß er jederzeit von

Mrs. Sanford und Mr. Trimble überstimmt werden kann, sofern beide sich zu gemeinsamem Handeln entschließen.«

»Was stets der Fall sein wird.« Blaise erhob sich. »Ich sehe keine Veranlassung, noch weiter miteinander zu reden.« Er blickte zu Caroline. Sie lächelte und schwieg.

»Tut mir leid, falls es ein Mißverständnis gegeben hat.« Doch aus Sanfords Stimme klang nicht das leiseste Bedauern.

»So ist es ja immer«, sagte Caroline plötzlich. »Wir sind auf Mißverständnisse spezialisiert. Das liegt so in der Familie. Was für den einen wie eine Eins aussieht, kommt dem anderen wie eine Sieben vor.«

Blaise erlebte einen Moment geradezu reinen Zorns, einen Schwall von Blut, der ihm zu Kopf schoß, gefolgt von jäher Schwäche. Schwerfällig nahm er wieder Platz. Caroline tat, als sei kein böses oder auch nur gereiztes Wort gefallen. »Falls du lieber nicht kaufen möchtest, so wende ich mich an Mr. Hearst, der schon morgen wieder ein Verleger ist, oder an Mr. McLean.«

Das war ein Bluff. Blaise wußte, daß der Chef kein Geld verfügbar hatte (fast zwei Millionen Dollar hatte er investiert, um sich die Nominierung zu sichern), und John R. McLean hatte ja bereits abgelehnt. »Ich werde die achtundvierzig Prozent der Anteile zum vereinbarten Preis kaufen.« Blaise vernahm seine eigene Stimme wie von fern, wie die eines Fremden. Schließlich war es die bei weitem wichtigste Entscheidung, die er jemals getroffen hatte.

»Mr. Houghteling, ich lenke Ihre Aufmerksamkeit auf die Pflicht Ihres Klienten und meiner Klientin . . .«, John war ebenso trocken wie korrekt, ». . . im Falle des künftigen Verkaufs dieser Anteile, einander zunächst wechselseitig eine entsprechende Option einzuräumen . . .«

»Ja, ja.« Houghteling reichte Caroline ein Blatt Papier, winkte dann dem Steward. »Bitten Sie den Kapitän oder den Maat, oder wer immer sonst gerade Dienst hat, als Zeuge bei der Unterzeichnung zugegen zu sein.«

Schweigend warteten sie unter der Bronzelampe, die sacht im gleichen Rhythmus schwankte, in den die Strömung das Schiff versetzte. Zwei uniformierte Männer erschienen. Als erste unterzeichnete Caroline; dann kam Blaise; dann folgten die Offiziere.

Schließlich bestellte Houghteling eine weitere Flasche Champagner; und Caroline fragte: »Wo ist mein Scheck?«

Houghteling lachte; und gab ihn ihr. Blaise betrachtete Sanfords Gesicht, konnte jedoch keinerlei Reaktion entdecken: Der Mann, der an Carolines Dilemma schuld war, schien mit sich selbst im reinen.

Trimble hob sein Glas. »Auf die Washington Tribune«, sagte er.

Feierlich tranken sie. Dann räumten Sanford und Houghteling ihre Dokumente fort. Die Offiziere entschuldigten sich, und Trimble sagte: »Ich weiß nicht, wie es die Verleger halten, doch der Chefredakteur muß wieder in die Tagungshalle.«

»Ich auch.« Caroline erhob sich und sah Blaise an. »Bist du mit von der Partie?«

»Ja«, sagte Blaise.

Doch in der Halle war er dann nicht zu sehen. Er zog es vor, zum Jefferson Hotel zu fahren, zum Chef, der jetzt in Hemdsärmeln war, einen Telefonhörer dicht am Ohr, um zu erfahren, was Brisbane aus der Halle berichtete. Aktueller Stand: Alton B. Parker bewarb sich um die Präsidentschaftskandidatur. Ergänzung dazu: William Jennings Bryan hatte sich seinerseits noch nicht entschieden. »Ich werde bei der ersten Abstimmung 194 Stimmen bekommen«, sagte Hearst zur Begrüßung.

Blaise' Antwort war von ähnlicher Art. »Ich habe die Hälfte der Washington Tribune gekauft.«

Möchtegern-Präsident Hearst legte den Hörer aus der Hand und verwandelte sich zurück in den Verleger Hearst. »Für wieviel?«

Blaise nannte ihm die genaue Summe, verschwieg jedoch, daß er lediglich die Hälfte von Carolines Anteilen erworben hatte. »Zuviel.« Hearst befreite sich von Krawatte und Kragen; und wirkte von Sekunde zu Sekunde weniger präsidentenhaft. »Ich könnte mit Ihnen einsteigen. Vielleicht . . .«, sagte er und betrachtete Blaise mit der gleichen unpersönlichen Intensität, mit der er Entwürfe für Titelseiten zu studieren pflegte.

»Vielleicht aber auch nicht«, sagte Blaise. »Ich möchte keinen Ärger mit dem Tribune American; und Sie ja wohl auch nicht.«

»Nein, eigentlich nicht. Stehen Sie mit Ihrer Schwester jetzt auf freundschaftlichem Fuß?«

»Das weiß ich nicht.«

»Sie werden es schon früh genug herausfinden.«

Blaise nickte.

Am Morgen des 8. Juli gegen vier Uhr dreißig, nachdem sämtliche Nominierungsreden gehalten worden waren, saßen Blaise und Jim Day nebeneinander auf der Pressetribüne und aßen Erdnüsse, um sich wachzuhalten. So mancher war inzwischen der Müdigkeit oder dem Alkohol erlegen. Überall unten in der Halle und auf den Galerien sah man in sich zusammengesackte Gestalten auf den Stühlen. Der Geruch von Rauch, Whiskey und Schweiß war jetzt so überwältigend, daß sich Blaise, inzwischen akklimatisiert, buchstäblich fragte, ob er jemals wieder frische Luft würde atmen können. Bald würde die Abstimmung beginnen. Hearst hatte noch immer eine Chance. Bryan war ihm allerdings nicht zur Hilfe gekommen; hatte vielmehr einen Senator aus Missouri, einen Niemand vorgeschlagen; dann jedoch ergänzend hinzugefügt, er werde den Freund des Volkes, William Randolph Hearst, unterstützen, falls er von der Mehrheit nominiert werden sollte. Anschließend war Bryan in sein Hotel zurückgekehrt, wo er, wie Hearst freudvoll vermerkte, zusammengebrochen war, allem Anschein nach mit einer Lungenentzündung.

»Bryan will, daß wir verlieren, fürchte ich«, sagte Jim.

»Spielt das eine Rolle?«

»Nun, in meinem Heimatstaat bin ich abgesichert. Aber es wäre nicht schlecht, auf der Liste des erfolgreichen Kandidaten zu stehen.«

Plötzlich kam im hinteren Teil der Halle Applaus auf. Der Redner – auf der Plattform befand sich immer irgend jemand, der gerade eine Rede hielt – hielt inne, während unten im Hauptgang William Jennings Bryan langsam und majestätisch Einzug hielt.

»Das verspricht noch was zu werden.« Jim war jetzt hellwach. Er schüttelte Erdnußschalen von seiner Hose; saß dann sehr aufrecht. Sogar Blaise spürte etwas von der allgemeinen Erregung, als Bryan, augenscheinlich krank, mit finsterem Gesicht und stark schwitzend, die Stufen zur Plattform emporstieg. Die zwanzigtausend Delegierten und Besucher waren sämtlich aufmerksam geworden. Lauter Beifall erklang. Und die sich ausbreitende Erregung war von einer Art, wie Blaise sie bislang nur einmal erlebt hatte, bei einem Stierkampf in Madrid, als der Matador – Bryan? – und der Stier – die

Versammelten? Oder verhielt es sich genau anders herum? – sich dem Höhepunkt ihres Kampfes näherten. Zehn Minuten lang – Blaise sah auf die Uhr – jubelte die Menge Bryan zu, für den die Zustimmung dieser Leute offenkundig eine Labsal bedeutete. Seiner Leute. Dann hob er beide Arme, und in der Halle wurde es still.

Die Stimme hob an, und wie jeder war Blaise mesmerisiert von ihrer unglaublichen Kraft. Die Krankheit hatte Bryan heiser gemacht; doch keinesfalls weniger eloquent. »Vor acht Jahren, in Chicago, hat mir der Parteitag der Demokraten die Standarte der Partei in die Hand gegeben und mich zu seinem Kandidaten berufen. Vor vier Jahren wurde diese Berufung erneuert . . .«

»Er will's wieder wissen!« Jims Augen glänzten. »Er wird den Parteitag überrollen.«

Die Spannung in der Halle befand sich auf dem Höhepunkt. Die Delegierten von Parker und von Hearst blickten in der Tat grimmig drein. Auf der Galerie war man ekstatisch, genau wie ein rundes Drittel der Delegierten, das Bryan fest ergeben war.

»Heute nacht bin ich zum Parteitag gekommen, um diese Berufung, diesen Auftrag, zurückzugeben . . .«

Ein Chor von Nein-Stimmen übertönte ihn. Seine Augen glänzten, doch nicht vor Fieber. Wieder hob er gebieterisch die Arme. ». . . und um euch zu sagen, daß ihr darüber debattieren mögt, ob ich einen guten Kampf gekämpft habe und ob ich meiner Aufgabe gerecht geworden bin. Keinesfalls werdet ihr bestreiten können . . .«, und die Stimme klang jetzt so klar wie eine gewaltige Glocke, ». . . daß ich nie den Glauben verloren habe.«

Als Bryan schließlich endete, war er der Held des Parteitags und für alle Zeit der Paladin der Partei. Doch im Gegensatz zu Jims Hoffnung überrollte er den Parteitag nicht. Er nahm die Ovation in Empfang und wurde dann von besorgten Freunden zum Jefferson Hotel geschafft, wo ihn zweifellos die Plagen seiner Lungenentzündung wieder übermannten.

Im Morgengrauen fand dann die erste Abstimmung statt, und Parker erhielt neun Stimmen weniger, als er für die zur Nominierung notwendige Zweidrittelmehrheit brauchte. Hearst war zweiter mit 194 Stimmen, genau wie von ihm vorhergesagt. Die Wahlgänge wurden fortgesetzt. Hearsts Stimmenanteil wuchs auf 263 an, zu Blaise' Verblüffung. Wie konnte irgend jemand, der bei Verstand war, sich den Chef *tatsächlich* als Präsidenten wünschen? Aber die Delegierten waren nicht dazu verpflichtet, bei Verstand zu sein; und es war einiges Geld investiert worden, zumal in die Delegationen aus Iowa und Indiana. Wäre Bryan Hearst zu Hilfe gekommen, der Chef hätte die Nominierung in der Tasche gehabt. Und ein Wettkampf zwischen Hearst und Roosevelt wäre, wenn schon nichts sonst, so doch ein großartiges – wie lautete das griechische Wort doch noch? – *Agon* gewesen. Schon auf der Schule hatte Blaise für dieses Wort eine Vorliebe gehabt. *Agon*. Agonie. Ein Wettkampf um einen Preis; ein Duell; bis zum Tod vermutlich.

Während der Abstimmungsprozedur war Jim unten bei der Delegation seines Staates, während Blaise mit Brisbane auf der Pressetribüne saß. Caroline und ihr Mann hatten sich schon lange zurückgezogen; nur Trimble und Blaise repräsentierten noch die Tribune. Richter Alton B. Parker wurde ordnungsgemäß nominiert, als er schließlich 658 Stimmen erhielt. »Wir müssen Bryan herholen«, sagte Brisbane wütend. »Das ist das mindeste.«

»Bryan hat es nicht anders gewollt.« Blaise sprach nüchtern und flach. »Vergessen wir ihn. Was steht als nächstes an?«

Brisbane wirkte erschöpft. »Ich weiß nicht. Der Gouverneur von New York vermutlich.«

»Schlimmer als Glücksspielerei, die Politik.« Blaise sah, daß Jim ihm von unten her zuwinkte.

»Aber denken Sie nur, worum es geht.« Brisbane seufzte. »Um die ganze Welt.«

»Oh, noch halte ich das Weiße Haus nicht für die Welt.« Am Haupteingang traf Blaise mit Jim zusammen, der sich das Gesicht abtupfte; doch selbst müde und verschwitzt wirkte er wie die Verkörperung maskuliner Energie und Jugend.

»Ich gehe ins Bett«, sagte Jim.

»Ich habe ein Zimmer auf dem Boot.« Blaise winkte eine Droschke herbei. »Mit freundlicher Empfehlung des Eigners.«

»Und es wird Ihnen doch keine Ungelegenheiten bereiten?«

»Nein«, erwiderte Blaise, als sie in die Droschke stiegen. »Zum Damm«, sagte er zum Fahrer. »Es ist näher; und warum wollen Sie Kitty aufwecken?«

Teil XIV

1

Im hellen Wintersonnenschein saß Henry Adams wie eine uralte weißrosa Orchidee am Fenster und blickte hinunter auf den Lafayette Square, während John Hay, ihm gegenüber, die jüngsten Depeschen aus Moskau studierte. Hay war überglücklich, lange genug gelebt zu haben, daß er Adams nach seinem Europaaufenthalt wieder daheim hatte willkommen heißen können.

Der Sommer und der Herbst hatten ihn fast endgültig geschafft. Auf Theodores Anweisung hatte er in New York in der Carnegie Hall sprechen müssen, um die Leistungen der Republikanischen Partei im allgemeinen und von Theodore Rex im besonderen im rechten Licht leuchten zu lassen. Und es hatte Hay ein schier diabolisches Vergnügen bereitet, vor die Schranken der Geschichte zu treten und sich selbst falsche Eide zu schwören. Was Roosevelts kriegerischen Sinn betraf, hatte Hay mit unbewegter Miene verkündet: »Er und sein Vorgänger haben im Interesse des universellen Friedens mehr getan als irgendein anderer Präsident, seit unser Regierungssystem besteht.« Adams hatte das Adjektiv »universell« als raffiniert bezeichnet. »Er wirkt für den universellen Frieden – was immer das sein mag –, indem er energisch Krieg führt. Du hast es rückhaltlos ausgesprochen.« Hay war von seiner Rede nicht weniger angetan als der Präsident. Die Betonung hatte auf dem konservativen Kern des angeblich so überaus progressiven Roosevelt gelegen. Was die Schutzzölle betraf, so war zweifellos eine Reform vonnöten, doch darum kümmerten sich am besten die Magnaten persönlich. Diese Haltung kam ganz ausgezeichnet in New York an, wohin sich der Präsident, mit dem Hut in der Hand, hatte begeben müssen, um Geld zu erbetteln von Leuten wie Henry Clay Frick. Da Parker im Kern ein Konservativer war, finanzierten die großen Magnaten – von Belmont und Ryan bis hin zu Schiff und Ochs – die Demokratische Partei. Roosevelt, jetzt ohne einen Mark Hanna, der ihm die nötigen Mittel beschaffte, sah sich gezwungen, mancherlei Kompromisse einzugehen, um aus Leuten wie J. P.

Morgan und E. H. Harriman Geld herauszuholen. Inzwischen erpreßte Cortelyou praktisch jeden, den er kannte, um die Mittel für den Wahlkampf lockerzumachen.

Hay hatte noch nie etwas Ähnliches wie Roosevelts Panik erlebt. Es gab kein anderes Wort für Theodores Verhalten während der letzten Monate seines Feldzugs für eine Wahl, die er überhaupt nicht verlieren konnte. Bis zum Oktober hatte Bryan den über alles Erhabenen gespielt; dann hatte er seine Anhänger vor Roosevelts dunklen Finanzierungspraktiken gewarnt und auch vor Theodores Kriegslüsternheit. Selten sagte Bryan etwas über Parker, der am Ende nicht nur den gesamten Westen, sondern auch den Staat New York verlor, die ursprüngliche Quelle seiner Kraft. Es wurde der größte republikanische Sieg seit 1872. Theodore war – und blieb auch weiterhin – ekstatisch. Im übrigen hatte er darauf bestanden, daß Hay auch weiterhin im Amt blieb.

»Ich sollte mir ein Teleskop anschaffen.« Mit verkniffenen Augen schielte Adams in die grelle Sonne. »Dann könnte ich sehen, wer Theodore Besuche abstattet. Seit ich wieder in Washington bin, warte ich auf das Auftauchen von J. P. Morgans leuchtendem Riecher.«

»Jene besondere Art von Erleuchtung ist wahrscheinlich nicht mehr allzusehr gefragt. Ich glaube nicht, daß Theodore ihn oder irgendeinen der anderen wird gewähren lassen.«

»Verrat?« Adams' Augen glänzten.

»*Treue* - zu früheren Prinzipien. Du weißt doch, Bryan ist in der Stadt und hält im Kapitol hof. Er hat Theodore gerühmt . . .«

»Ein böses Zeichen.«

»Er hat auch gesagt, daß die Demokraten, falls sie sich für die Verstaatlichung der Eisenbahnen aussprechen würden, das gesamte Land mit sich rissen.«

»Wieso auch nicht?« lautete die Antwort des Mitautors von »Tales of Erie«, der vermutlich härtesten Verurteilung der Eisenbahnbesitzer sowie ihrer nicht enden wollenden Korrumpierung von Gerichten, Kongreß und Weißem Haus. Dann, triumphierend: »Da kommen sie ja!«

Hay befand sich, erstaunlicherweise, in vertikaler Position, als Lizzie Cameron den Raum betrat, gemeinsam mit ihrer Tochter Martha, die, mit ihren achtzehn Jahren, größer, dunkler und langweiliger war als ihre Mutter: Diese – zumindest in den Augen der Herzen – war noch immer die schönste Frau der Welt, die Helena von Troja vom Lafayette Park, »La Dona«. Adams hieß die Heißgeliebte mit einer tiefen Verbeugung willkommen; gab Martha einen Kuß auf die Wange. »Niemals habe ich damit gerechnet, euch beide hier wiederzusehen.«

»Oh, doch, das hast du.« Lizzy nahm Hays Hand und bedachte ihn mit dem taxierenden Sherman-Blick. »John, gehen Sie nach Georgia. Auf der Stelle. Sie sind wahnsinnig, hierzubleiben. Ich werde Don telegrafieren . . .«

»Jetzt, wo Sie wieder da sind, wäre es verrückt von mir. Und sei's nur wegen des diplomatischen Empfangs.« Lizzie hatte Henry gebeten, sie und Martha auf die Gästeliste für den diplomatischen Empfang im Weißen Haus am zwölften Januar zu setzen. Das würde *de facto* Marthas offizielles – und wenig kostspieliges – gesellschaftliches Debüt sein.

»Ich bin die Ärmste der Armen.« Lizzie ließ ihr Hermelin-Cape auf den kleinen Stuhl beim Kamin fallen, wo Adams zu sitzen pflegte; und nahm darauf Platz.

»Du bist nicht arm. Sei nicht dramatisch, Mutter.« Martha hatte die gewichtige Art ihres Vaters, wenn auch nicht die gleiche körperliche Gewichtigkeit. »Mutter möchte Einundzwanzig wiedereröffnen. Ich halte sie für verrückt.«

»Heutzutage scheinen alle verrückt zu sein.« Hay setzte sich auf die Armlehne eines Sofas; von dort konnte er sich ohne große Mühe wieder erheben. »Entmutigen Sie Ihre Mutter nicht. Wir möchten sie wiederhaben. Gleich nebenan. Für immer.«

»Siehst du?« Lizzie blickte empor zu Martha, deren Körper jetzt den Kamin blockierte. In der hellen Luft beobachtete Hay die umherwirbelnden Staubkörner, gleißend und glitzernd wie winzige Goldkörnchen, ein hübscher Anblick – solange er ihm nicht wieder einen Anfall bescherte wie damals, als er sich in Lincolns Büro versetzt gefühlt hatte. Er wagte nicht, die anderen zu fragen, ob auch ihnen die leuchtenden Staubwolken auffielen.

Dann begrüßte Clara Mutter und Tochter, und endlich war der kleine Kreis geschlossen. »Was für einen Ehemann würden Sie sich wünschen?« fragte Clara, als sei sie in der Lage, Martha ganz nach Wunsch mit einem Mann zu versorgen.

»Einen reichen.« Lizzie besaß nach wie vor eine starke Ausstrahlung, fand Hay; sie wirkte unverändert.

Adams war noch immer in sie vernarrt; gleichfalls unverändert. »Die Reichen sind langweilig, La Dona.«

»Ich glaube, ich mag Mr. Adams.« Martha war cool. »Er ist niemals langweilig, es sei denn, er sieht einen Dynamo.«

Clara, Meisterin des Small talk, verabscheute sich dahinschleppende Unterhaltungen. »Blaise Sanford. Er ist genau im richtigen Alter. Er besitzt einen Palast in der Connecticut Avenue und die Hälfte der Tribune. Hat also etwas zu tun, und zwar immer Wichtiges. *Und* er lebt für einen Teil des Jahres in Frankreich. Ich glaube«, sagte sie und sah Hay an, »wir sollten die Dinge in Bewegung setzen.«

»*Sie* setzen sie in Bewegung. Ich habe genug mit den Russen zu tun. Die haben gerade Port Arthur den Japanern übergeben.« Er hob einen Hefter mit den Depeschen aus Moskau in die Höhe.

Adams war plötzlich hellwach. »Jetzt ordnet sich alles wie von selbst. Genau wie's Brooks vorhergesagt hat, wißt ihr. Wollen doch mal sehen, ob sich auch seine nächste Voraussage bewahrheitet. Rußland wird eine Art interner Revolution durchmachen, sagt er, und das russische Empire wird, falls es die Revolution überlebt, auseinanderfallen, oder aber, auf unsere Kosten, expandieren. England ist am Ende, die Zivilisation kommt schauernd und zitternd zum Stillstand und . . .«

»Ich kann gar nicht genug bekommen von deiner Weltuntergangsstimmung.« Hay genoß diese Art Zeitalter markierender, chiliastischer Arien. »Aber wir haben es in Asien mit Japan zu tun, und der Frieden muß bewahrt werden wegen der . . .«

». . . offenen Türen.« Alle, auch Martha, wiederholten die magische, bedeutungsleere Formel.

»Es ist mir allemal lieber, wenn mein Name damit in Verbindung gebracht wird als mit ›Little Breeches‹.«

»Ich fürchte, mein Sohn«, sagte Adams zufrieden, »daß dein künftiger Ruhm auf einer noch größeren Banalität basieren wird, ›Perdicaris lebendig . . .‹«

»›. . . oder Raisuli tot!‹« psalmodierten die anderen.

»Die tödliche Gabe der Formulierungskunst«, seufzte Adams und schien so glücklich, wie Hay ihn nur je erlebt hatte, mit Lizzie an seiner Seite und allen noch lebenden Herzen hier in diesem Raum. Doch wie um Adams' Glückseligkeit Konkurrenz zu machen, tauchte im Türrahmen in diesem Moment die gewaltig beleibte Gestalt seines Hausgastes auf, dessen kahles Haupt im Winterlicht wie parischer Marmor glänzte und dessen große Augen die Anwesenden ebenso vergnügt wie listig musterten. »Ich habe«, ertönte Henry James' Stimme, »bereits im buchstäblichen Sinn mein Fasten abgebrochen, aber da gerüchteweise verlautet, daß eine späte, ah, *collation* serviert wird und zwar *à la fourchette*, was soviel ordentlicher ist als *au canif*, bin ich heimgeeilt von meiner morgendlichen Besuchsrunde, die Stadt mit einem veritablen Blizzard von Visitenkarten füllend.« James begrüßte höchst formvollendet Lizzie und Martha. Adams zog eine Visitenkarte aus seiner Westentasche und reichte sie James.

»Was, oder vielmehr, wer ist das hier?« James hielt die Karte dicht vor seine Augen.

»Von ihrem Besitzer abgegeben, während du aus warst.«

»George Dewey«, las James mit ehrfurchtsvoll tönender Stimme. »Admiral der Navy. Mein Kelch quillt über, von Salzwasser. Weshalb wohl«, fragte er in den Raum hinein, »sollte ein Nationalheld, den zu treffen ich niemals das Vergnügen, die Ehre, die Auszeichnung hatte, herabsteigen von dem hohen, nun ja, Achterdeck seines Flaggschiffs, welches, wie ich mir vorstellen könnte, im Potomac festgemacht hat mit Ketten aus Gold, inmitten wehender Fahnenpracht, und seinen Fuß setzen auf die triste Erde, um jemandem einen Besuch abzustatten, der völlig unbekannt ist in heroischen Kreisen und wohl kaum mehr als ein Wellenkräuseln in jenen der Seefahrer?«

Hay fand James im Alter weit umgänglicher und weniger beunruhigend als in mittleren Jahren. Schon rein äußerlich wirkte er ungleich sanfter, da er sich den Bart abrasiert hatte; und die Kombination von kahlem Haupt und rosigglattem, eiförmigem Gesicht ließ einen automatisch an Humpty Dumpty denken, jene eiförmige Märchengestalt. »Du gehörst wie er zu den Berühmtheiten dieser Welt«, erwiderte Hay. »Das ist die ganze Erklärung. Die Presse, die uns alle einordnet, feiert sowohl dich als auch ihn. Jetzt kommt er quasi, um dich zu feiern - wodurch er letztlich wieder sich selbst feiert.«

»Ein merkwürdiger Narr«, sagte Adams. »Bleibe länger, und ich werde ihn hierher einladen.«

»Nein. Nein. Nein. Die Ladys von Amerika warten darauf, daß ich ihnen von Balzac erzähle. Soviel, ah, Geld kann durch Vorträge verdient werden, ich hatte ja keine Ahnung.«

James war seit 1882 nicht in Washington gewesen; und seit mehreren Jahren auch nicht mehr in den Vereinigten Staaten. »Verachtenswerter, schwächlicher Snob!« pflegte Theodore Rex zu brüllen, wann immer sein Name erwähnt wurde. Doch Theodore war selbst zur Genüge ein Snob, wenn auch kein »schwächlicher«, um zu wissen, was der Präsident zu tun hatte, wenn der regierende Romancier der englischsprachigen Welt nach Amerika kam, um einen letzten langen Blick auf sein Heimatland zu werfen: Er mußte ihn zumindest zum Diplomatischen Empfang einladen. Als Resident des Weißen Hauses wurde Theodore von Jahr zu Jahr royaler, und die Empfänge und Dinner-Partys, die er gab, hatten jetzt entschieden etwas vom Stil des Sonnenkönigs. Folglich verlangte es das Protokoll, daß Amerikas großer Schriftsteller von seinem Souverän empfangen wurde. James war über die Einladung erfreut und gleichzeitig, maliziöserweise, amüsiert gewesen; seine Meinung vom Präsidenten war ganz genauso dunkel wie die des Präsidenten von ihm; doch wo Theodore donnerte, spottete James sanft; Theodore Rex war nichts als ein marktschreierischer Hurrapatriot, den man nicht noch ermutigen mußte.

»Wir sind dabei«, bemerkte James, als Adams die Gesellschaft ins Speisezimmer führte, wo Silber und Kristall funkelten und William gütig in Bereitschaft stand, »die Haus-Party auf Surrenden Dering zu rekonstruieren. Mrs. Cameron, die entzückende Martha – inzwischen erwachsen; wir selbst . . .«

Mit plötzlichem Schuldgefühl dachte Hay an Del, was sonst kaum noch geschah. James, dem bewußt war, daß der Tod der Party ein Mitglied entrissen hatte, besann sich rasch auf Caroline. »Was ist mit ihr?« fragte er. Adams sagte es ihm. James zeigte sich, wie stets, an allem interessiert, was vom Üblichen abwich. Eine junge Amerikanerin, die den Ehrgeiz hatte, eine Zeitung herauszugeben, war für James eine recht unvertraute Vorstellung; doch Hay hatte das sichere Gefühl, daß James es verstehen würde, Caroline schon bald in seine Begriffswelt einzuordnen.

Lizzie fragte James geradeheraus, was er von Washington halte. Der Meister krauste die Stirn, ein mimischer Ausdruck von ganz eigenem Charme, als James sich den Anschein totaler Konzentration gab, einem Mann ähnlich, der in seinem Kopf eine höchst komplizierte Rechenprozedur vollführt. »Die Thematik – so unüberschaubar. Die Sprache – so unzulänglich«, begann er, in der Hand, zerbrechend, zerbröselnd, ein Stück von Maggies Maisbrot. »Man muß subjektiv sein, keine andere Einstellung tut's - um hier zu leben, das gälte jedenfalls für mich, *nicht* für John, einen großartigen Minister oder, kurz gesagt, einen Staatsmann in, wenn man so will, seinem eigenen Staat, der Hauptstadt; oder Henry, der Historiker, der Beobachter, der Schöpfer geschichtlicher Theorien und, ah, *Energie*, welch besseren Ort gäbe es, um die Welt zu beobachten? Auch Sie, Mrs. Cameron, sind von dieser Welt, wenn auch, wie ich vermute, geschieden oder doch zwiespältig in Ihrem Urteil durch eine Vorliebe für unsere schäbige alte europäische Welt; doch *sehe* ich Sie hier, als glanzvollen Mittelpunkt, zusammen mit Mrs. Hay und vielleicht auch Martha; doch was mich betrifft, ach, meine Leidenschaft für Rindfleisch ist in diesem Haus ja noch gut bekannt.« James füllte seinen Teller, ohne auch nur eine einzige Silbe sich entgleiten zu lassen von jenem Sprechstil, der sich mittlerweile kaum noch von dem seiner Romane unterschied – seiner Romane, die für Hay, im Gegensatz zu ihrem Verfasser, ganz einfach zu langstielig waren, sofern ihr Text nicht von James' wunderschönem, gesetztem Organ gesprochen wurde, von einer Stimme, deren britischer Akzent weit weniger ausgeprägt war als jener von Henry Adams – dieser klang präzise so wie jene britischen Gentlemen, die ihn und seinen Vater, als letzterer Botschafter in London gewesen war – so von oben herab behandelt hatten. ». . . was mich betrifft, so wäre es Tod und Wahnsinn, hier zu leben. Die Politik ist ohne Belang, sofern man kein Politiker ist, und die Position, ganz zu schweigen von der enormen Irritation, einer Berühmtheit würde mich zweifellos ersticken lassen . . .«

2

Zu Carolines Überraschung gab es zwischen ihr und Blaise kaum Meinungsverschiedenheiten. Der neue Verleger kannte seinen Job, wenn auch nicht unbedingt Washington. Trimble sorgte weiterhin für das Erscheinen der Zeitung, und Caroline überließ Blaise liebend gern die Aufgabe, bei ihrer beider Verwandtschaft – und wo immer sonst – gutzahlende Inserenten zu werben. Inzwischen hatte er zweimal Mrs. Bingham besucht; und keine große Verachtung an den Tag gelegt. Frederika half ihm bei der Einrichtung seines Palastes, doch bekundete er keinerlei besonderes Interesse an ihr oder irgendwem sonst. Auf mysteriöse Weise war er ein Geschöpf Hearsts geworden. Die enge Verbindung zwischen den beiden schien es Blaise unmöglich zu machen, irgend jemanden außer dem Chef interessant zu finden; dabei mochte er Hearst persönlich gar nicht so sehr. Offenkundig handelte es sich um einen Fall von ungewollter Faszination. Für die Tribune wirkte sich das glücklicherweise ausgesprochen positiv aus. Blaise war, von welcher Seite man es auch sah, ein hervorragender Verleger.

Während Marguerite Caroline beim Ankleiden für den Diplomatischen Empfang half, zählte diese die Tage bis zu ihrem siebenundzwanzigsten Geburtstag, ein an sich nicht unbedingt freudiges, aber dennoch magisches Datum – zweiundfünfzig Tage noch, und sie würde dahinschweben können auf Adlerschwingen aus Gold. Aber wohin? Was würde sich denn ändern, abgesehen von der ständigen Sorge um das allzu knappe Geld? John hatte seine Schulden bezahlt; und war, auf ihre Bitte, in New York geblieben. Jim kam sie fast regelmäßig sonntags besuchen; und Caroline war soweit ziemlich zufrieden. Aber Marguerite hatte, ausnahmsweise, einmal recht, wenn sie behauptete, eine solch lächerliche Situation könne nicht bis in alle Ewigkeit so weitergehen. Mrs. Belmont hatte bewiesen, daß es möglich, wenn auch nicht unbedingt fashionable war, sich scheiden zu lassen und dennoch der Welt nicht adieu zu sagen. Das war immerhin ein Fortschritt. Andererseits erwuchs aus einer Scheidung die Alternative einer neuen Ehe, und außer Jim gab es keinen Mann, der sie interessierte; Jim jedoch war für sie unerreichbar, selbst wenn es sie danach verlangt hätte, was nicht der Fall war. Trotzdem blieb als absolutes Faktum, daß Caroline für John Apgar

Sanford keine Verwendung mehr hatte; genausowenig wie er für sie. Einzig Emma zählte.

Blaise erschien in einem Automobil mit einem stattlichen, uniformierten Chauffeur, der Caroline auf den Hintersitz half, wo Blaise bereits saß – mit prachtvoller weißer Krawatte. »Wir sind«, bemerkte Caroline, »ein Paar.«

»Zumindest für den Zweck eines Diplomatischen Empfangs«, erwiderte er mit unverkrampftem Lächeln. Das Treffen auf dem Boot hatte im Verhältnis der beiden Geschwister zueinander den absoluten Tiefpunkt bedeutet. Danach hatte es nur noch den völligen Bruch oder eine wirkliche Verbesserung geben können. Letzteres war der Fall gewesen. »Heute abend wird's bei Hofe ungewöhnlich brillant zugehen.« Caroline verwandelte sich in ihre Society Lady. »Mr. Adams kommt zwar nicht, doch schickt er nicht nur Henry James, sondern auch Saint-Gaudens und John La Farge – Literatur, Bildhauerei, Malerei werden unseren Souverän feiern und seinen Hof zieren.«

»Er ist so sehr von sich selbst erfüllt.«

»Nicht mehr als Mr. Hearst.«

»Hearst ist ein Original. Er hat etwas geleistet.«

»Ist etwa der . . . der . . . Panamakanal nicht auch etwas?«

»Nichts, verglichen mit dem Verbreiten . . .«

». . . und vor allem Erfinden . . .«

». . . von Nachrichten.« Das war inzwischen kein Streit mehr zwischen ihnen, sondern so etwas wie ein eingeübter Dialog; denn im wesentlichen stimmten sie überein. Die Entscheidung darüber, was Menschen tagtäglich lasen und dachten, war ein Handeln ganz besonderer Art, ein Ausüben von Macht, wie sie, in solcher Regelmäßigkeit, kein Machthaber besaß. Oft stellte sich Caroline die Öffentlichkeit, das Publikum, als eine riesige Masse von formlosem Modellierton vor, den sie, zumindest in Washington, mit Hilfe der Tribune so zurechtkneten konnte, wie es ihr ins Konzept paßte. Kein Wunder, daß Hearst mit seinen acht Zeitungen und den ein oder zwei Magazinen das Gefühl hatte – ja, es haben mußte –, Präsident werden zu können. Kein Wunder auch, daß Theodore Roosevelt ihn aus tiefstem Herzen haßte und fürchtete.

Der East Room des Weißen Hauses war auf eine solche Weise vereinfacht worden, daß er eine unverkennbare Brillanz besaß, die allerdings weniger republikanisch als vielmehr absolutistisch wirkte. Darüber hinaus hatten die Roosevelts die Anzahl der militärischen Adjutanten erhöht, deren goldgewirkte Schnüre all das Gold- und Silbergeflecht des Diplomatischen Korps noch intensivierten. Die absonderlichen McKinley-Kürbissitze, aus denen jeweils eine schwächliche Palme hervorgesprossen war, gab es schon längst nicht mehr; und gleiches galt für den senffarbenen Teppich aus jener Zeit, da der East Room der Lobby eines Mittelklassehotels geähnelt hatte. Jetzt gab es einen auf Hochglanz polierten Parkettfußboden, ungeheuer prunkvolle Kronleuchter und sehr sparsames Mobiliar, das wie aus Gold und Marmor zusammengefügt schien. Überall fanden sich rotfarbene Seidenseile, um das Publikum, das – zu bestimmten Stunden – den Palast seines Souveräns durchqueren durfte, in Bahnen zu halten.

Der Präsident und Mrs. Theodore Roosevelt standen in der Mitte des Raums und schüttelten Hände, während die goldbetreßten Adjutanten die Gäste sanft voranbewegten. Theodore wirkte stämmiger denn je; und so überaus herzlich und von sich selbst entzückt, während Edith Roosevelt ihr gewohntes ruhiges Selbst war, allzeit bereit, ihren übersprudelnden Gatten zu zügeln.

»Sehr vernünftig. *Sehr* vernünftig, das mit Japan, Mrs. Sanford«, lautete seine Begrüßung für Caroline. »Da tut sich so einiges.« Plötzlich verfinsterte sich seine Miene, und Caroline sah, daß sich Cassini, der Doyen des Diplomatischen Korps, zusammen mit Marguerite näherte. Caroline tauschte mit Edith Roosevelt leise ein paar freundliche Floskeln und bewegte sich weiter. Der Präsident und der russische Botschafter wußten einander nichts zu sagen und taten es auch nicht, entgegen aller diplomatischen Gepflogenheiten. Marguerite wirkte abgezehrt. Sie hatte eine unglückliche Liebesaffäre hinter sich, und jetzt hieß es überdies, daß Cassini abgelöst werden sollte. Das Ende der Glorie, dachte Caroline, während Henry James, die Verkörperung aller literarischen Glorie, ihr herzlich die Hand schüttelte und sagte: »Endlich. Endlich.«

»Es sind fast sieben Jahre vergangen seit . . . Surrenden Dering«, bemerkte Caroline, ehrlich verwundert darüber, wie schnell tatsächlich die Zeit verging.

»Da Ihr nie auf unsere Seite des Großen Wassers gekommen seid, bin ich auf Eure Seite gekommen.« In gespielter Angst – so als könnte Theodore zuhören – senkte James seine Stimme. »Unsere. *Unsere!* Was habe ich da nur gesagt!? *Lèse-majesté des États-Unis.*«

»Ich werde auf die andere Seite kommen, noch in diesem Sommer«, sagte Caroline, als sie mit James den Raum durchquerte, der voller Leute war, die sie zumeist kannte. Washington war in der Tat noch immer ein Dorf, und ein Neuankömmling wie Henry James wirkte wie eine kleine Sensation. Nach dem Diplomatischen Empfang würde es ein Supper geben für die wenigen Auserwählten, darunter auch James und Caroline, jedoch nicht Blaise.

Während sie in einer ruhigen Ecke stehenblieben, hatten die Hays ihren Auftritt. »Unser Henry hat sich tatsächlich geweigert zu kommen«, bemerkte James mit offenkundiger Zufriedenheit.

»Er war in diesem Monat bereits hier und meint, er habe ihn zur Genüge genossen, den erhabenen Theodore, indes er durchaus konzediert, wie zäh und wie energievoll und, geben wir es nur zu, wie *flexibel* unser Souverän ist, die Sonne im Zentrum unseres Himmels mit uns als . . . als . . .«

»Wolken«, ergänzte Caroline.

James runzelte die Stirn. »Ich habe einmal eine hervorragende Typistin entlassen müssen, weil sie, wann immer ich innehielt, um nach dem passenden Wort zu suchen, sofort mit einem eigenen zur Hand war, nicht einfach mit irgendeinem falschen, sondern mit dem allerfalschesten . . .«

»Tut mir leid. Aber mir gefällt dieses Bild – wir als Wolken.«

»Gibt es denn, abgesehen von der köstlichen Ausnahme, die Sie selbst bilden, hier bei Hofe keine schönen Frauen?«

»Nun, da ist Mrs. Cameron – oder auch Martha.«

»Aber nein, doch nicht Martha. Und Mrs. Cameron ist eine Besucherin. Die, wenn ich das richtig sehe, lokalen Ladys hier sind deutlich unattraktiver als irgend etwas, das man – nun ja – im armen, schäbigen London finden könnte auf einem Empfang, der vergleichbar wäre diesem . . . unvergleichlichen Empfang.«

Caroline spulte prompt das alte Klischee herunter, wonach die Hauptstadt voller ehrgeiziger und energievoller Männer war – sowie jener verwelkten Frauen, die sie im strotzenden Grün ihrer Jugend geheiratet hatten.

James zeigte sich amüsiert. »Das gleiche gilt offensichtlich auch für die Diplomaten . . .«

Jules Jusserand, der prunkvolle französische Botschafter, trat zu ihnen, und sie wechselten über ins Französische, eine Sprache, die James praktisch genauso melodiös sprach wie die englische.

»Was hat der Präsident zu Ihnen gesagt?« fragte Jusserand. »Wir alle habe Sie beide voller Faszination beobachtet.«

»Er sagte, er sei ent-zückt, ein Wort, das er ja gern gebraucht; und auch diesmal gebrauchte; über meine – und seine – Wahl in etwas mit dem Namen National Institute of Arts and Letters, das parthenogenetisch eine sogenannte American Academy geboren hat, eine rustikale Version Ihrer erhabenen Französischen Akademie, mit einem runden halben Hundert Mitglieder, deren Seelen, wenn schon nicht ihre Leistungen, als unsterblich gelten.«

»Was«, fragte Jusserand, »werden Sie tragen?«

»Oh, diese Frage beschäftigt uns außerordentlich. Da sowohl der Präsident als auch ich selbst zur Korpulenz neigen, habe ich Togen vorgeschlagen, nach altrömischem Vorbild, doch unser Führer John Hay ist für eine bestimmte Art von Uniform, so wie die von . . . Admiral Dewey.« James vollführte eine tiefe Verbeugung, als der Held gleichen Namens vorüberschritt. »Er ist mein neuer Freund. Wir haben unsere Visitenkarten getauscht. Endlich . . .«, James schwenkte seinen ausgestreckten Arm durch die Luft, ». . . kenne ich *jedermann*.«

»Sie sind ein Löwe«, sagte Caroline.

Das Supper wurde im neuen Speisezimmer serviert, wo Tische für jeweils zehn Personen gedeckt worden waren. Henry James hatte einen Platz am Tisch des Präsidenten, mit einer Ministergattin zwischen sich und Theodore. Auch Saint-Gaudens saß an der Tafel des Monarchen, mit Caroline zu seiner Rechten. Edith Roosevelt verließ sich inzwischen, wann immer die Beherrschung des Französischen unabdingbar schien, ganz auf Caroline. Allerdings sprach der große amerikanische Bildhauer, aus Dublin gebürtig, trotz seines französisch klingenden Namens kaum französisch. Schließlich lebte er in New Hampshire. Von Lizzie Cameron, die ihm Modell gestanden hatte für die Gestalt der Siegesgöttin, für das Reiterdenkmal für ihren Onkel, General Sherman, sagte er: »Sie besitzt das schönste weibliche Profil der Welt.«

»Wie überaus befriedigend, so etwas zu haben; und es von *Ihnen* anerkannt zu wissen.«

Bedauerlicherweise war eine Tafel mit zehn Personen für den Präsidenten nicht der rechte Ort für den normalen Konversationsritus einer Dinnerparty: erster Gang, Partner (oder Partnerin) zur Rechten; zweiter Gang, Partner (oder Partnerin) zur Linken; und so weiter und so fort. Eine Tafel für zehn, das war für Theodore so etwas wie eine Kanzel, mit neunköpfiger Gemeinde. »Wir müssen Mr. James häuiger in unserem Land sehen.« Theodores Pincenez blitzte. Als James den Mund öffnete, um zu einer zweifellos ebenso langen wie ausnehmend schön formulierten Erwiderung anzusetzen, sprach der Präsident gleichsam durch ihn hindurch, über ihn hinweg, und James schloß – ebenso langsam wie komisch – seinen Mund, als der Sturzbach aus Silben über die Tafel hinwegflutete, akzentuiert nur vom Klicken der Zähne. »Ich kann nicht behaupten, daß mir der Gedanke, Mark Twain in unserer Akademie zu haben, sehr gefällt.« Er sah James an, sprach jedoch zum ganzen Tisch. »Howells, der schon; klingt meist ganz vernünftig. Twain jedoch ist wie ein altes Weib – ereifert sich über den Imperialismus. Ich habe herausgefunden, daß sich bei solchen Leuten meist eine physische Ursache findet. Sie sind erblich in puncto Physis geschwächt, und das bedingt bei ihnen eine Schwäche der Nerven, des Mutes; läßt sie furchtsam sein vor Krieg . . .«

»Aber gewiß . . .«, setzte James an.

Die schrille Stimme des Präsidenten fuhr fort: »Alle Welt weiß, daß Mark Twain vor dem Bürgerkrieg geflüchtet ist, eine schändliche Sache . . .«

Zu Carolines Verwunderung blieb James' tiefer Bariton hörbar, während sich Theodores Tirade fortsetzte. Das Ergebnis war ebenso ungewöhnlich wie faszinierend: wie Cello und Flöte, die gleichzeitig zwei verschiedene Melodien spielten.

». . . Mr. Twain, oder Clemens, wie ich ihn lieber nennen möchte . . .«

». . . eine Probe des Charakters und der Mannheit. Ein Verschmelzen . . .«

». . . viel Kampfesmut wie auch, sagen wir . . .«

». . . kann nicht gedeihen ohne Waffenkünste, so wenig wie irgendeine Zivilisation . . .«

». . . hervorragendes und absolut unverkennbares amerikanisches Genie . . .«

». . . Desertion der Vereinigten Staaten, um im Ausland zu leben . . .«

». . . als Mr. Hay vom Century Club aus mit Mr. Clemens telefonierte . . .«

». . . ohne welche die weiße Rasse nicht länger gedeihen und dominieren kann.« Der Präsident hielt inne, um Suppe zu trinken. Die Tafelrunde schaute und lauschte, als Henry James, Meister so vieler Millionen Worte, nunmehr das letzte hatte: »Und wenn ich auch sage – oh, versuchsweise nur natürlich . . .« Der Präsident starrte James über seinen Suppenlöffel hinweg an. ». . . die Sublimität der allergrößten Kunst liegt womöglich jenseits seiner Methode, seiner – welch anderes Wort trifft's?« Die gesamte Tafelrunde beugte sich vor. Welches Wort würde . . . folgen? Und worauf, fragte sich Caroline unwillkürlich, beruhte sein erstaunliches Selbstbewußtsein; und seine Autorität, ja sogar Majestät? »*Drollerie*, welche so oft ermüdend wirkt, ohne für uns jemals völlig die Vision jenes mächtigen Flusses zu verwischen, welcher so einzigartig erhaben ist und, ah – ja, ja? Ja! *Amerikanisch*.«

Bevor der Präsident die Tafel wieder dominieren konnte, wandte sich James seiner Nach-Suppen-Partnerin zu, und Caroline wandte sich Saint-Gaudens zu, der zu ihr sagte: »Ich kann's gar nicht erwarten, Henry von allem zu berichten. Er weigert sich ja strikt, dieses Haus jemals wieder zu betreten, aus dem einfachen Grund, daß man ihn hier niemals ausreden läßt – ein Adams erträgt's nun mal nicht, dauernd unterbrochen zu werden.«

»Mr. James ist wirklich ein Meister . . .«

». . . in einer Kunst, die sehr viel mehr wert ist als bloße Politik.« Saint-Gaudens machte Caroline den Eindruck eines bärtigen puritanischen Satyrs, falls es ein solches Wesen überhaupt geben konnte; er wirkte sehr alt, und zwar auf eine Weise, wie das bei dem lebhaften Adams oder dem jungenhaften, wenn auch kränklichen Hay nicht der Fall war. »Ich wünschte, ich hätte in meinem Leben mehr gelesen«, sagte er, während ihnen Fisch offeriert wurde.

»Sie haben ja noch Zeit.«

»Keine Zeit.« Er lächelte. »Hay war wütend auf Mark Twain, der nicht ans Telefon ging. Wir wußten ganz genau, daß er zu Hause war, doch er wollte sich mit uns nicht im Century Club treffen. Was für Grillen der Mann im Kopf hat! Twains jüngste Spinnerei ist die

Christliche Wissenschaft. Er versicherte mir, nach nur einem Scotch sour, allen Ernstes, daß spätestens in dreißig Jahren Christliche Wissenschaftler die Regierung der Vereinigten Staaten übernehmen werden – und eine absolute religiöse Tyrannei etablieren.«

»Warum sind Amerikaner nur so verrückt auf Religion?«

»In Ermangelung von Zivilisation, oder Kultur . . .« Saint-Gaudens war sehr direkt. »Was sonst bliebe ihnen?«

»In Ermangelung . . .?« Caroline wies auf James, der gedankenverloren den Präsidenten anlächelte, welcher wieder im Konversationssattel saß, allerdings nur an seinem Ende der Tafel. »Und Sie? Und Mr. Adams? Und der Sonnenkönig dort?«

»Mr. James ist im Grunde gar nicht hier. Er hat uns schon vor Zeiten endgültig verlassen. Mr. Adams schreibt über Jungfrauen und Dynamos in Frankreich. Ich bin nichts. Der Präsident – nun ja . . .«

»Also gibt die Christliche Wissenschaft . . .«

». . . oder die Un-Wissenschaft . . .«

». . . den Ton an.« Caroline war immer aufs neue über die Menge religiöser Sekten und Gesellschaften verblüfft, die Jahr für Jahr wie Pilze emporschossen in diesem Land. Von Jim wußte sie, daß er, falls er auch nur eine einzige Sonntagsandacht in der Methodisten-Kirche in American City versäumte, nicht wiedergewählt werden würde; Kitty ihrerseits lehrte in der Sonntagsschule, aus echter Überzeugung. Was Caroline betraf, so war sie Mlle. Souvestre nicht zuletzt dafür dankbar, daß diese dem Herrgott so nachdrücklich den Todesstoß versetzt hatte, daß Caroline nie wieder das leiseste Bedürfnis nach jener allem Anschein nach so überaus amerikanischen – oder amerikanisierten – Einrichtung empfunden hatte.

Wieder wurde drüben an der Tafel Theodores Stimme hörbar. »Ich erinnere mich, wie ich in der Wahlnacht im Red Room stand und gegenüber der Presse erklärte, daß ich nicht wieder kandidieren würde. ›Zwei Amtszeiten sind für jeden genug‹, sagte ich, und wiederhole es hier und heute.« Verträumt betrachtete Henry James den Präsidenten; als könnte er mit Hilfe eingehender Beobachtung dessen Essenz herausdestillieren. »Politiker versuchen immer, zu lange oben zu bleiben. Man sollte die Spitze erklimmen, solange man in Höchstform ist, und dann einem anderen die Chance geben, sich zu bewähren, denn genau darum geht es doch.«

»Sich bewähren«, murmelte James mit – für Caroline – unerforschlicher Zustimmung. »Ja, ja, ja«, fügte er vage hinzu, als Theodore der Tafelrunde erzählte, wie er zunächst Panama erfunden habe; und dann den Kanal. An Wertschätzung der eigenen Persönlichkeit mangelte es ihm nicht. James wiederholte leise: »Sich *bewähren. Sich* bewähren. Ja. Ja.«

3

Blaise überantwortete William Randolph Hearst der zielstrebig erpichten Gastgeberin Mrs. Bingham. »Ich kann Ihnen gar nicht genug danken«, sagte Frederika, während sie und Blaise am einen Ende des Bingham-Salons standen und gemeinsam beobachteten, wie Mrs. Bingham über einen so großen Fang in reine Ekstase geriet. Der Chef verstand es inzwischen, gleichzeitig zu reden und zu lächeln, eine wertvolle politische Fähigkeit, die schließlich auch er sich angeeignet hatte.

»Hoffentlich ist Mr. Sullivan nicht eingeladen worden.« Blaise betrachtete Frederika mit unvermittelter Zärtlichkeit, eine simple Folge der Tatsache, daß sie jemand war, den er endlich näher und damit besser kennengelernt hatte. Das Erlebnis, ein Haus gemeinsam mit einem anderen Menschen einzurichten, war, so fand er, allerinnigste Intimität: Man lernt einander durch und durch kennen, bis die bloße Erwähnung von Louis-seize bei *beiden* schier endlose Vibrationen auslöst.

»Mr. Sullivan ist rechtzeitig gewarnt worden. Haben Sie gestern Mr. Hearsts Rede gehört?«

Blaise nickte. »Er war bemerkenswert gut.« Sullivan, ein ikonoklastischer Demokrat, hatte es für richtig befunden, Hearst im Repräsentantenhaus zu attackieren. Bis zu jenem Augenblick hatte Hearst noch nie eine Rede gehalten; genau wie er es anderen überlassen hatte, seine Gesetzesvorlagen zu präsentieren: Die jüngste davon betraf die Höhe der Eisenbahntarife und hatte Sullivan erzürnt. Sein Angriff gegen den abwesenden Kongreßabgeordneten Hearst wurde mit einer Attacke gegen Sullivan im New York American beantwortet. Sullivan seinerseits reagierte mit einem erneuten Angriff im Repräsentantenhaus, und diesmal brachte er gegen Hearst Anwürfe vor, die bereits Jahre zuvor in Kalifornien gemacht worden waren. Er nannte Hearst einen siechen Wüstling und bezeichnete ihn als ebenso erpresserisch wie bestechlich – zur reinen Freude der Nicht-Hearst-Presse im ganzen Land. Laut Sullivan war Hearst »der Nero der modernen Politik«.

Daraufhin erhob sich der Chef, um im »Haus« seine Jungfernrede zu halten. Er sprach mehr in Sorge als im Zorn, ein Stil, auf den er sich bemerkenswert gut verstand. Die alten Vorwürfe, so Hearst, stammten von einem Mann, der im Staat New York wegen Fälscherei rechtskräftig verurteilt worden sei; unter einem anderen Namen habe er sich dann nach Kalifornien abgesetzt. Was Sullivan selbst betreffe . . . Hearst schüttelte traurig den Kopf. Aus seiner Zeit in Harvard erinnere er sich an Sullivan nur allzu gut. Sullivan und sein Vater seien Besitzer eines Saloons gewesen, den Hearst niemals besucht habe, da er Temperenzler sei. Doch kenne in Boston jedermann diesen Saloon, nachdem Sullivan und sein Vater einen betrunkenen Gast zu Tode geprügelt hätten.

Blaise saß zusammen mit Brisbane auf der überfüllten Pressetribüne, als das Haus vor Wut und Wonne schier explodierte. Etliche Freunde von Sullivan riefen dem Speaker zu, er solle Hearst das Wort entziehen, doch Mr. Cannon, ein Republikaner, war entzückt über diese Schlacht zwischen zwei Demokraten, und Hearst konnte seinen Angriff in der frommen Hoffnung zu Ende führen, von den kriminellen Klassen für alle Zeit als Feind betrachtet zu werden.

Später war der Chef dann, obschon überschwenglich, in einer sonderbaren Stimmung gewesen. »Diese Schlacht habe ich zwar gewonnen«, sagte er, »doch die Partei kann ich nicht für mich gewinnen. Ich muß eine dritte Partei gründen. Das ist die einzige Möglichkeit, will ich nicht die Hälfte aller Politiker im Land vernichten; was ich könnte, wenn ich's wirklich wollte.« Als Blaise fragte, wie er das denn bewerkstelligen wolle, musterte ihn der Chef höchst mysteriös. »Ich habe über alle ausgiebig Nachforschungen anstellen lassen.« Inzwischen bereitete er sich darauf vor, 1906 für das Amt des Gouverneurs des Staates New York zu kandidieren; und von Albany aus wollte er dann, 1908, abermals um das Präsidentenamt kämpfen.

James Burden Day machte Blaise mit einem erst kürzlich gewählten Kongreßabgeordneten aus Texas bekannt. »John Nance Garner«, sagte Day. »Blaise Sanford.« Wieder einmal kam sich Blaise irgendwie nackt vor ohne den dritten – mittleren – Namen, den seine Landsleute so sehr schätzten. Garner war ein fröhlicher junger Mann mit flinken, hellen Augen.

»Wir haben über Mr. Hearst gesprochen«, sagte Frederika. »Und über Mr. Sullivan.«

»Sullivan ist ein Skunk«, erklärte Garner. »Ich bin für Hearst. Sind wir alle bei uns in den Wäldern, jetzt wo Bryan abgetreten ist.«

Blaise blickte zu Jim, der müde und zerstreut wirkte. Im vergangenen Herbst war es ihm nicht gelungen, in den Senat gewählt zu werden; und mittlerweile bildete er so etwas wie einen nervösen Störfaktor im Haus. Kitty war ihm eine gute politische Partnerin, mehr nicht. Blaise vermutete, daß es in Jims Leben noch eine Frau gab, doch stellte er keine Fragen; und Jim war klug genug, seine Geheimnisse für sich zu behalten. Andererseits hatte er hocherfreut die Gelegenheit wahrgenommen, zusammen mit Blaise New Yorks elegantestes Bordell in der Fifth Avenue zu besuchen. Dort hatte Jim Heroisches geleistet und Blaise an Beliebtheit noch übertroffen; dieser war nie zufriedener, als wenn er, gemeinsam mit einem Freund wie Jim, in seinem gemieteten Harem Sultan spielen konnte. »Ich mag unseren Kollegen«, sagte Jim, auf Hearsts Rücken deutend, »aber jene, die ihn nicht mögen, mögen ihn *wirklich* nicht.«

»Eine dritte Partei?« Blaise wiederholte nicht nur die Worte, sondern ahmte auch die Intonation des Chefs nach.

»Das klappt nie«, sagte Garner. »Man sehe sich nur die Populisten an. Die müssen sich doch vorkommen wie eine Fledermaus in der Hölle.«

»Genau wie wir«, meinte Jim grimmig. »Das Land ist republikanisch, und wir können nichts daran ändern. TR hat's geschafft. Er redet genau wie wir, handelt jedoch wie die Leute, die für ihn zahlen, das von ihm erwarten. Schwer, dagegen anzukommen.«

Mrs. Bingham zog Blaise in ihren Orbit, in dem sich bereits, überlebensgroß, Hearst bewegte. »Er ist mein Ideal!« rief sie aus.

»Auch meins.« Blaise zwinkerte Hearst zu, der sein Zwinkern erwiderte; und lächelte; und sagte: »Ich werde für das Amt des Bürgermeisters von New York City kandidieren. In diesem Jahr.«

Mrs. Bingham ließ einen tragischen Schrei entweichen. »Sie werden uns doch nicht verlassen? Nicht jetzt. Wir brauchen Sie. Hier. Sie machen das Leben aufregend.«

»Oh, er wird zurückkehren.« Doch Blaise fragte sich, wie jemand mit der eigentümlichen Persönlichkeit des Chefs in der Politik wohl würde erfolgreich sein können. Und dann erinnerte er sich an die jubelnden Delegierten in St. Louis; und an die beträchtlichen Mehrheiten, die Hearst in seinem Wahlbezirk errungen hatte. »Was ist mit Tammany?« fragte Blaise. Der demokratische Kandidat für das Amt des Bürgermeisters war fast ausnahmslos eine Kreatur der Parteimaschine.

»Ich kandidiere als Vertreter einer dritten Partei.« Der Chef wirkte plötzlich ebenso maliziös wie zufrieden. »Tammany wird wieder McClellan aufstellen. Ich werde ihn schlagen.«

Hearsts Selbstvertrauen amüsierte Blaise. Immerhin war George B. McClellan, Sohn des Bürgerkriegsgenerals, für New York City Kongreßabgeordneter gewesen; und war derzeit der amtierende Bürgermeister der Stadt. Aber trotz der Unterstützung durch »Silent« Charlie Murphy, den Führer von Tammany, galt McClellan als ehrlich und kultiviert und, so glaubte Blaise, unkorrumpierbar. »Ich werde ihn schlagen. Ich baue meine eigene Maschine zusammen.«

»So wie Professor Langley.« Mrs. Bingham konnte taktlos sein.

»Diese Maschine wird nicht versagen.« Hearst gab sich gelassen. »Ich trete ein für den öffentlichen Besitz aller der Allgemeinheit dienenden Einrichtungen.«

»Ja, aber – ist das nicht Sozialismus?« Mrs. Binghams Augen weiteten sich, während sich ihre Lippen verengten.

»Nein, nicht wirklich. Ihre Kühe sind sicher«, ergänzte er.

»*Mr.* Binghams Kühe. Ich bin ihnen nie begegnet.«

»Haben Sie auch über McClellan Nachforschungen anstellen lassen?« Blaise dachte an Hearsts Bemerkung, die so geklungen hatte, als lasse er über all seine Gegner – Feinde? – so etwas wie Polizeidossiers anfertigen.

»Nachforschungen?« Der Chef musterte ihn mit leerem Blick. »Ach ja. Das. Vielleicht. Ich weiß eine ganze Menge. Kann aber nicht sagen, wie oder was.«

Wie sich dann zwei Wochen später herausstellte, wußte Blaise, was der Chef wußte. Inzwischen befand sich die Tribune in einem neuen Gebäude in der 11. Straße, direkt gegenüber vom Kaufhaus Woodward and Lothrop. Blaise' Büro lag in der ersten Etage, ein Eckzimmer; Caroline residierte auf der anderen Seite, zwischen ihnen saß Trimble; über ihnen war der Nachrichtenraum; unter ihnen die Druckerpressen.

Vor Blaise stand ein gutgekleideter junger Neger, der erst nach einer Debatte von Blaise' mißbilligender Stenotypistin eingelassen worden war. In Washington wurden selbst gutgekleidete Neger zu Besuchen bei Verlegern nicht unbedingt ermutigt. Offenbar hatte die Tatsache, daß der junge Mann aus New York City stammte, den Ausschlag gegeben, und so war Mr. Willie Winfield also eingelassen worden. »Ich bin ein Freund von Mr. Fred Elridge.« Winfield nahm Platz, ohne dazu aufgefordert worden zu sein; und bedachte Blaise mit einem breiten Lächeln. Über orangefarbenen Schuhen trug er kanariengelbe Gamaschen.

»Wer«, fragte Blaise perplex, »ist Mr. Fred Elridge?«

»Er meinte, möglicherweise würden Sie sich nicht an ihn erinnern, aber ich sollte Sie trotzdem aufsuchen. Er ist Redakteur beim New Yorker American.«

Blaise entsann sich, höchst vage, eines solchen Menschen. »Was will Mr. Elridge?«

»Nun, die Frage ist vielleicht weniger, was er will, als vielmehr, was Sie wollen.« Der junge Mann heftete seinen Blick auf ein Gemälde der Gärten von Saint-Cloud-le-Duc.

»Nun denn, was also . . . will ich?«

»Informationen über gewisse Leute, Sie wissen schon, große Tiere. Senatoren und dergleichen. Kennen Sie John D. Archbold?«

»Standard Oil?«

»Jaa. Genau der. Er kümmert sich um Politiker, für Mr. John D. Rockefeller. Nun, mein Stiefvater ist sein Butler in seinem großen Haus in Tarrytown, und Mr. Archbold, ein wirklich feiner Mann übrigens, hat mir diesen Job als Bürojunge, Nummer achtundzwanzig Broadway, verschafft, dort, wo Standard Oil ist.«

Blaise gab sich Mühe, möglichst uninteressiert auszusehen. »Ich fürchte, wir haben hier keine offene Stelle für einen Bürojungen«, fing er an.

»Oh, aus *dem* Geschäft bin ich jetzt raus. Ich und mein Partner, wir machen einen Saloon in der 134. Straße auf. Jedenfalls sind wir beide – mein Partner und ich – Mr. Archbolds Akten durchgegangen, wo er auch all diese Briefe hat von den großen Tieren in der Politik, denen er eine Menge Geld zahlt, damit sie Standard Oil bei so verschiedenen Sachen helfen. Jedenfalls bin ich so um diese Zeit – das war im vergangenen Dezember – auf Mr. Elridge gestoßen, und der hat mich dann gebeten, diese Briefe zum American zu bringen, wo er sie fotografieren konnte; und danach konnte ich sie wieder zu den Akten tun, so daß keiner rausbekommen konnte, daß sie irgendwann mal nicht dort waren.«

Hearst war im Besitz der Briefe. Zumindest ihrer Fotokopien. Soviel stand fest. Aber welchen Gebrauch würde er von ihnen machen? Oder, genauer gefragt: Wie würde – oder konnte – Blaise sie verwenden? »Ich nehme doch an, daß Mr. Elridge zu Ihnen gesagt hat, ich könnte womöglich Interesse an den Briefen haben . . .«

»Ja, darauf läuft's so ungefähr hinaus. Mr. Hearst hat uns für den ersten Packen gut bezahlt. Dann, so vor zwei Wochen, hat Mr. Archbold uns gefeuert, meinen Partner und mich. Wahrscheinlich haben wir die Sachen nicht in der richtigen Ordnung zurückgetan oder irgend so was.«

»Weiß er, welche Briefe Sie haben fotografieren lassen?«

Winfield schüttelte den Kopf. »Wie könnte er? Er weiß ja nicht einmal, daß überhaupt *irgendwelche* Briefe fotografiert worden sind. Denn das war ja etwas, daß nur jemand wie Mr. Eldridge tun konnte, in einer Zeitungsredaktion – genau wie der hier.«

Ein langes Schweigen folgte. Blaise sah zum Fenster hinüber, in dessen Rahmen sich ein prachtvolles Unwetter zusammenbraute. »Was haben Sie zu verkaufen?« fragte er schließlich.

»Nun, als wir beide gefeuert wurden, ließ ich einen großen Ordner mitgehen, der die Briefe vom ersten Halbjahr 1904 enthält. Ich habe ihn noch immer, diesen Ordner mit den Briefen . . .«

»Dann werden Sie ins Gefängnis wandern, wenn Mr. Archbold den Diebstahl anzeigt . . .«

Willie Winfields Lächeln wurde noch viel breiter als zuvor. »Er wird nichts, rein gar nichts anzeigen. Da drin sind nämlich Briefe von tatsächlich *allen*. Wieviel er diesem Richter gezahlt hat; und wieviel jenem Senator; und noch so alles mögliche andere. Ich hab den ganzen Schwung Mr. Eldridge zum Verkauf angeboten, aber er hat gesagt, der Preis sei zu hoch, und Mr. Hearst hätte bereits genug.«

»Haben Sie den . . . den Aktenordner mitgebracht?«

»Halten Sie mich für übergeschnappt, Mr. Sanford? Oh, nein. Aber ich habe für Sie eine Liste aufgestellt, auf der ein paar von jenen Leuten vermerkt sind, die an Mr. Archbold geschrieben haben, um sich bei ihm für das gezahlte Geld zu bedanken; und so weiter.«

»Könnte ich diese Liste sehen?«

»Genau deshalb bin ich ja hier, Mr. Sanford.« Willie Winfield zog zwei Bogen Papier hervor; beide waren mit säuberlich getippten Namen gefüllt. Blaise legte die beiden Papierbogen auf seinen Schreibtisch. Während früher die Eisenbahngewaltigen Politiker gekauft und bezahlt hatten, waren es jetzt die Ölmagnaten, die genau das gleiche taten; und Mr. Archbold war Mr. Rockefellers Hauptverteiler von Bestechungsgeldern, sein Chefkorrumpierer. Alles in allem verblüfften die aufgeführten Namen Blaise nicht weiter. Allein schon die Beständigkeit, mit der bestimmte Kongreßabgeordnete ihre Stimme in den Dienst einer Sache stellten, verriet zur Genüge, wer sie bezahlte. Überraschend war es allerdings, so viele Briefe von Senator Joseph Benson Foraker aus Ohio zu finden – von jenem Mann also, der für 1908 als der wahrscheinlichste republikanische Präsidentschaftskandidat galt. Blaise war erleichtert, Jims Namen nicht auf der ersten Seite zu finden. Er griff nach dem zweiten Blatt. Der erste Name ganz oben lautete: »Theodore Roosevelt«.

Blaise ließ das Blatt sinken. »Ich glaube«, sagte er, »wir kommen miteinander ins Geschäft.«

Teil XV

1

Am 3. März 1905 schrieb John Hay einen Brief an den Präsidenten, dessen Inauguration am folgenden Tag stattfinden sollte. Adee stand wachsam in der Nähe und kämmte sich seinen Backenbart mit einem sonderbaren orientalischen Elfenbeinkamm. »Lieber Theodore«, schrieb Hay. »Das Haar in diesem Ring stammt von Abraham Lincolns Haupt. Dr. Taft schnitt es in der Nacht des Attentats ab, und ich erhielt es von seinem Sohn – kein langer Weg. Bitte tragen Sie morgen den Ring; Sie sind einer der Männer, die Lincoln am gründlichsten verstehen und schätzen. Ich habe Ihr und Lincolns Monogramm in den Ring eingravieren lassen.« Hay fügte noch eines seiner Lieblings-Horaz-Zitate hinzu – und hoffte, daß das Latein tatsächlich korrekt war. Er versiegelte den Brief und gab ihn dann Adee; zusammen mit dem winzigen Samtetui, das den Ring enthielt. »Es ist wie eine Art Handauflegen, von Mann zu Mann«, sagte er, und Adee, dessen Blick starr auf ihm haftete, nickte. »Sie sind das letzte Bindeglied.« Sobald Adee den Raum verlassen hatte, trat Hay ans Fenster und sah hinüber zu dem im Licht gleißenden Weißen Haus, wo, wie gewöhnlich, Besucher in rascher Folge kamen und gingen. Der Himmel war bewölkt, wie er bemerkte; Wind aus Nordost. Morgen würde es Regen geben. Aber während der Inauguration war das Wetter ja fast immer schlecht. Hatte es bei Lincolns zweiter Amtseinführung nicht sogar geschneit? Oder war das bei Garfield gewesen? Es fiel Hay schwer, sich auf irgend etwas zu konzentrieren, außer auf die Schmerzen in seiner Brust, die wie stets kamen und gingen; jetzt jedoch, wann immer sie kamen, länger blieben. Eines Tages würden sie seinen Körper nicht mehr verlassen; im Gegensatz zu ihm selbst.

Clara und Adams traten ein, unangemeldet. »Wir haben den Ringträger gesehen, bei seinem frohen Botengang.« Adams war sardonisch. Hays angestrengten Bemühungen zum Trotz hatte Adams den Ring bereits gesehen. »Du wirst, lieber John, der Nachwelt als der Barbier der Präsidenten im Gedächtnis bleiben.«

»Du bist ja neidisch, weil du kein Haar besitzt, das du in solch einen Ring geben könntest.«

»Wir sind gebucht«, sagte Clara, »und zwar auf der *Cretic*, die am 18. März ausläuft.«

Hay hustete bestätigend; regelmäßig wurde er im Januar von einem Bronchialkatarrh heimgesucht; und es war immer noch Januar.

»Am 3. April landen wir in Genua, und um diese Zeit solltest du an Deck die Tarantella tanzen.« Adams blickte nachdenklich empor in die Augen seines Großvaters, die von dem Platz über dem Kamin auf alle herniederstarrten. Abgesehen von beider Kahlköpfigkeit gab es keine große Ähnlichkeit zwischen ihnen.

»Ich habe Arrangements in Nervi getroffen. Mit dem Herzspezialisten«, verkündete Clara eher müßig.

»Danach dann Bad Nauheim und Dr. Groedel, jedoch nicht mit mir«, sagte Adams. »Da ich nun mal absolut valide bin, habe ich keine Lust, mich zu den Invaliden zu gesellen . . .«

»Mark Twain scheint Bad Nauheim zu mögen.« Hay begann sich besser zu fühlen. »Dann weiter nach Berlin. Der Kaiser ruft.«

»Du wirst ihn nicht besuchen.« Clara sagte das mit großem Nachdruck.

»Ich muß. Er ist begierig, mich kennenzulernen. Und ich ihn. Jedenfalls sagt der Präsident, ich muß.«

»Du bist«, sagte Clara, »zu krank, und er ist viel, viel zu laut.«

»Das liegt in der Natur von Kaisern«, sagte Adams, »und von zumindest einem Präsidenten . . .«

»Henry, nicht an diesem Tag der Tage.« Hay hob eine Hand, wie um Segen zu spenden.

»Alles ist Energie«, sagte Adams abrupt. »Der Führer der Welt ist, zu jedem beliebigen Zeitpunkt, ganz einfach eine Art Ausfluß der gesamten Energie des *Zeitgeistes*, welche sich zur Gänze in ihm konzentriert.«

»Major McKinley war viel ruhiger«, sagte Clara nachdenklich.

»Damals gab es auch noch nicht soviel gebündelte Energie.« Hay bedeutete Clara, daß sie ihm aufhelfen konnte. »Ich habe das Gefühl, daß es morgen regnen wird.«

In der Tat regnete es dann am frühen Morgen; aber später, während der Parade auf der Pennsylvania Avenue und der ersten

Inauguration von Theodore Roosevelt beim Kapitol, war der Himmel klar, und ein starker Wind machte es unmöglich, die Rede des Präsidenten zu verstehen; zum Glück, wie Hay fand, denn es war eine ziemlich laue und vage Rede. Theodore hatte zu vielen Magnaten zu viele Versprechungen gemacht, als daß er in einer Position für schmetternde Fanfarenstöße gewesen wäre. Das große Wort vom »anständigen Handel« war derzeit auf Eis gelegt – und der progressive Präsident ausgesprochen un-progressiv. Später, dessen war Hay sicher, würde Theodore seine reichen Anhänger und Gönner voll Wonne verraten! Es war für ihn einfach unmöglich, längere Zeit *nicht* er selbst zu sein.

Hay saß mit dem Kabinett in der vordersten Reihe der Tribüne, die über den Stufen an der Ostseite des Kapitols errichtet worden war. Er empfand es als sehr angenehm, unmittelbar neben Taft zu sitzen, denn dessen mächtiger Körper schützte ihn vor dem eisigen Wind. Wenige Meter vor Hay hielt Theodore Rex seine Ansprache an seine Untertanen, und wie stets verblüffte Hay der Anblick des übergangslos aus dem Hals hervorgehenden Präsidentenkopfes.

Leicht würde Theodore es während seiner nächsten Amtsperiode gewiß nicht haben. Nach Mark Hannas Tod ließ sich absehen, daß es Schwierigkeiten geben würde, eine Gesetzesvorlage wie jene zur Fleischkontrolle durch den Senat zu schleusen: Dort waren fast alle Verkäufer ihrer eigenen Stimme gewesen, oder aber millionenschwere Käufer von Stimmen, wie etwa Aldrich von Rhode Island; auch Cannon, der Sprecher des Repräsentantenhauses, unterhielt enge Beziehungen zu den Reichen des Landes, worin Hay grundsätzlich keinen Mangel erblickte, schließlich war er selbst, nicht nur durch Heirat, sondern auch durch eigene Anstrengungen, Millionär geworden. Mehr noch als Adams hatte er stets ein »goldenes Händchen« besessen, was überraschen mochte bei jemandem, der ursprünglich als Poet angefangen hatte.

Obwohl Hay fest an das »eiserne Gesetz« der Oligarchie glaubte, wie Madison es genannt hatte, sah er, genau wie Roosevelt, die Möglichkeit einer Revolution, falls es keine Reformen gab, welche die Neureichen daran hinderten, sich auf Kosten der machtlosen Massen allzu skrupellos zu bereichern. Der Oberste Gerichtshof und die Polizei sorgten gemeinsam nicht nur für den Schutz des Eigentums, sondern auch dafür, daß jeder rücksichtslose Tatmensch das Recht hatte, die Nation in den Bankrott zu stürzen; und der Kongreß war, zum allergrößten Teil, käuflich. Gewiß gab es auch ein paar ehrliche Männer, doch mußten sie, wie etwa der laute junge Beveridge, buchstäblich als Exzentriker gelten: Er war viel zu weit vom Machtzentrum entfernt, um mehr als die Liebe der Öffentlichkeit zu erreichen – das allmächtige Steering Commitee des Senats ignorierte ihn.

Was Cabot betraf . . . Hay schauderte; doch nicht vor Kälte. Cabots Eitelkeit und Treulosigkeit waren zwei Konstanten des Washingtoner Lebens. Cabot, hatte Adams einmal bemerkt, wird der Fels sein, an dem Theodore zerschellt. Bislang kreuzte Theodores Barke die hohe See der Republik noch ohne Zwischenfall; doch Cabot war stets zur Stelle, um nach Möglichkeit jeden von Hays Verträgen zu blockieren. Cabot ist *mein* Fels, murmelte Hay leise für sich; und war froh, daß er bald schon auf dem Mittelmeer kreuzen würde, statt auf dem wütenden Meer der Republik.

Lauter, lang anhaltender Applaus dankte Theodore für seine Rede. Im Norden erschien eine schwarze Wolke. Taft half Hay auf die Füße; und fragte, zu Hays Überraschung: »War es hier, wo Lincoln seine letzte Antrittsrede gehalten hat?«

Hay nickte. »Ja. Unmittelbar hier. *Jetzt* fällt's mir wieder ein. Zu Anfang regnete es. Mr. Johnson, der Vizepräsident, war betrunken. Dann hörte der Regen auf, und der Präsident las seine Rede vor.«

Taft wirkte nachdenklich. »Ich kenne die Rede auswendig.«

»Wir ahnten damals ja nicht, daß wir alle so . . . historisch waren. Wir fanden uns ganz einfach gefangen in dieser schrecklichen Verwirrung und versuchten, den Tag zu überstehen. Ich erinnere mich, daß es Applaus gab, noch ehe er den ersten Satz beendet hatte.« Eine eigentümliche Empfindung erfüllte Hay, es war nicht das Gefühl, zur selben Zeit an zwei Orten zu sein, sondern zu zwei verschiedenen Zeiten am selben Ort, gleichzeitig; und wieder hörte er, wie sich die Stimme des Präsidenten über den Applaus erhob und mit großer Einfachheit die vier furchtbaren Worte sprach: »Und der Krieg kam.«

»Wir verloren eine Welt«, sagte Hay, verwundert, daß er selbst so lange überlebt hatte in dem, was für ihn ein so fremdes Land geworden war.

2

Am Tag nach dem Inaugural Ball feierte Caroline ihren siebenundzwanzigsten Geburtstag; mit Blaise und zwei Anwälten – ihrem Mann John und Mr. Houghteling. Die Feier begann in ihrem Büro bei der Tribune, wo diverse Dokumente unterzeichnet und bezeugt und gegengezeichnet und notariell beglaubigt werden mußten. John stellte präzise Fragen. Houghtelings Antworten waren so präzise, wie es sein Charakter erlaubte. Blaise starrte ins Leere, als sei er gar nicht anwesend. Caroline hatte jetzt, was ihr gehörte; Blaise seinerseits besaß die Hälfte dessen, was im Grunde ihr Eigentum war; und schnitt mithin ein Stückchen besser ab. Der Halb-Verleger einer erfolgreichen Zeitung zu sein war besser, als Nicht-Verleger zu sein; oder eine Art Treuhänder des Baltimore Examiner.

»Nun«, sagte Houghteling, als die letzten Unterschriften geleistet waren und Caroline somit als vielfache Millionärin gelten mußte, »was den Besitz von Saint-Cloud-le-Duc betrifft, so gibt das Testament Ihres verstorbenen Vaters keine eindeutige Auskunft darüber, wer von Ihnen beiden ihn erben soll. Ein Gericht würde zweifellos dahingehend entscheiden, daß Sie beide, genau wie beim übrigen Vermögen, gemeinsame Eigentümer sind; und im Fall des Verkaufs des Grundbesitzes würden Sie den Erlös zu gleichen Teilen untereinander aufteilen. Ist das akzeptabel?« Er sah John an, der zu Caroline hinüberblickte, die »ja« sagte und zu Blaise blickte, der mit den Schultern zuckte und »okay« sagte.

»Ich möchte es für Mai und Juni für mich haben«, sagte Caroline. »Mir fehlt Saint-Cloud-le-Duc.«

»Ich werde im Juli und im August kommen«, sagte Blaise. »Auf meiner Hochzeitsreise.«

»Gut«, sagte Houghteling, der niemals jemandem zuhörte, sofern er nicht eigens dafür bezahlt wurde.

Caroline blickte betont zu Blaise, der damit beschäftigt war, Tinte von seinem Mittelfinger zu wischen. »Frederika?«

»Ja. Wir werden im Mai heiraten.«

»Dann mußt du Saint-Cloud haben. Im Mai, meine ich.«

»Wir können doch alle dort wohnen.« Blaise zeigte sich versöhnlich.

»Gratuliere«, sagte John und schüttelte Blaise förmlich die Hand.

Houghteling hatte inzwischen die Dokumente in seiner Aktentasche verstaut, ohne mitzubekommen, daß sein Klient von seiner bevorstehenden Hochzeit sprach; und jetzt verabschiedete er sich in dem Gefühl, daß nach nahezu sieben Jahren es wirklich nur heißen konnte: Ende gut, alles gut.

Blaise regte an, daß Caroline sich am Abend zum Dinner in Harvey's Oyster House zu ihm und Frederika gesellen möge. »Und auch Sie, John«, fügte er hinzu; und verließ den Raum.

In den letzten Jahren sahen Caroline und John einander nur noch selten wirklich an; und noch seltener verstohlen. »Nun, es ist vorbei.« John zog seine Pfeife hervor; stopfte sie und zündete sie an. Caroline betrachtete den Entwurf für die »Damen-Seite« der Sonntagsausgabe. Wieder einmal wurde über Prinzessin Alice berichtet; es gab Andeutungen, daß sie vielleicht Nicholas Longworth heiraten werde; aber womöglich auch nicht. »Wie geht es Emma?« Irgendwie hatte es Caroline angerührt, daß John sich zu dem Kind hingezogen fühlte; und umgekehrt.

»Sie wächst heran. Sie fragt nach dir. Ich habe mit Riggs Bank gesprochen. Man wird dir die zwischen uns vereinbarten monatlichen Beträge auf dein Konto überweisen.«

John erhob sich, streckte sich. Er sah wesentlich älter aus, als er war; und sein Gesicht war mittlerweile genauso grau wie sein Haar. »Ich nehme an, daß du dich scheiden lassen möchtest.« Er spielte mit seiner schweren goldenen Uhrkette, an der die Embleme exklusiver Clubs und Gesellschaften befestigt waren. Auch John war ein Porcellian, ein Gentleman.

»Ich denke schon. Du nicht auch?« Caroline war überrascht von dem Ton, der ihnen beiden gelang, der Ton müder Abgespanntheit, wie Gäste auf einer Dinnerparty, die einfach nicht in Schwung kommen wollte.

»Nun, das ist eine Entscheidung, die wohl du treffen mußt. Denn, siehst du, ich habe keine Zukunft.«

»Wieso meinst du, daß ich eine habe?«

John lächelte dünn; seinen Lippen entwich blasser, bläulicher Pfeifenrauch, zusammen mit den Worten: »Reiche Erbinnen können gar nicht umhin, eine Zukunft zu haben. Das ist dein Schicksal. Du wirst wieder heiraten.«

»Wen?«

»Emmas Vater.«

»Unrealisierbar. Für immer.«

»Kitty könnte doch sterben . . .«

Zum ersten- und zum letztenmal in ihrer Ehe war Caroline über John verblüfft. »Woher weißt du?«

»Ich habe Augen, und Emma hat *seine* Augen, und Emma kann sprechen, und sie spricht von seinen Sonntagsbesuchen, und zwar voller Vergnügen.«

»Du hast mich doch nicht bespitzelt?« Carolines Wangen waren plötzlich unnatürlich warm.

»Warum sollte ich? Das geht mich nichts an. Was uns beide – geschäftlich – miteinander verbunden hat, ist vorbei.«

Caroline erhob sich von ihrem Schreibtisch. »Ich vertraue darauf«, sagte sie, »daß du mir weiterhin erhalten bleibst – als Anwalt.«

»Und du mir als Klientin.« John lächelte und schüttelte ihr förmlich die Hand. »Weißt du, ich wollte dich ja heiraten, als du damals hier ankamst. Ich meine, *wirklich* heiraten.«

Caroline empfand jäh eine starke Gefühlswoge, die sie nicht zu identifizieren vermochte. War es das Gefühl des Verlusts? »Ich fürchte, es hat nicht so sein sollen; was sicher nicht dein Fehler war – eher vielleicht meiner. Ich wollte nun mal ganz ich selbst sein, doch hatte ich gar kein wirkliches Selbst, nicht einmal teilweise. Aber das klingt wohl alles ziemlich unsinnig.« Caroline fühlte sich verwirrt. Über derartig private Dinge sprach sie sonst kaum mit irgend jemandem, nicht einmal mit Jim.

»Du hast es genau getroffen«, erklärte John, sachlich-nüchtern wie eh und je, »es hat einfach nicht sein sollen, das kann als erwiesen gelten. Dennoch, ich habe dir geholfen, und, weiß Gott, du auch mir. Soll ich mich von dir scheiden lassen, oder willst du dich von mir scheiden lassen?«

»Oh, laß du dich von mir scheiden!« Caroline hatte ihre Fassung zurückgewonnen. »Wegen böswilligen Verlassens, wie das ja jetzt die Mode ist. In den Dakotas, was im Sommer recht angenehm sein müßte.«

»Ich werde dich offiziell davon in Kenntnis setzen. Hier.« Zu ihrer Überraschung gab er ihr sein Taschentuch und verließ das Zimmer. Und zu ihrer Überraschung stellte sie fest, daß sie weinte.

3

Blaise saß am Rand eines künstlichen Sees und beobachtete die Schwäne, die, hin und her segelnd, gierig nach Nahrung spähten, bereit, mit ihren Raubschnäbeln auf jedes erreichbare Landwesen loszugehen. Wer auch immer im 18. Jahrhundert diesen Garten angelegt hatte, er hatte umsichtig für diese Perspektive gesorgt: Zweifellos war er fest davon überzeugt gewesen, die Natur sei in ihrer essentiellen Natürlichkeit nur mit Hilfe absoluter Künstlichkeit zu offenbaren. Bäume von verschiedener Größe vermittelten den eigenartigen Eindruck eines riesigen Parks, der sich bis zu einem zweiten, scheinbar größeren See erstreckte, der in Wirklichkeit jedoch kleiner war als der erste. Voll erblühte Rosen wirkten wie farbige Freudenfeuer in trübschattigem Grün. Blaise war zufrieden. Mochte er selbst auch über kein besonderes Talent für die Ehe verfügen, Frederika besaß mehr als genug für zwei. In offenkundig bestem Einvernehmen hatten sie und Caroline je einen Flügel des Châteaus übernommen, und jede beschränkte sich strikt auf ihr Revier, sofern sie nicht von der anderen zu Besuch geladen wurde.

Die großen Repräsentationsräume benutzte man gemeinsam, unter der Oberaufsicht des Butlers, der de facto auch der Gutsverwalter war. Monsieur Brissac befand sich schon seit dreißig Jahren im Château; er war es auch, der das Personal einstellte und entließ und der heimlich in die eigene Tasche wirtschaftete; er hatte beide Mrs. Sanford gekannt und noch nie irgend etwas Interessantes über sie zu sagen gewußt. Jetzt näherte sich der alte Mann Blaise vom zentralen Teil des Châteaus her – einer erstaunlichen Kreation aus rosenroten Ziegeln, hohen Mansardenfenstern, vergoldeten Eisenornamenten sowie einer beträchtlichen Anzahl von Schornsteinen, von denen ein jeder für einen von Saint-Simons so geliebten Franzosen von allerhöchstem Adel zu stehen schien.

Brissac verbeugte sich tief und reichte Blaise ein Telegramm, der es sofort öffnete: »Millicent und ich und noch vier werden am 30. Mai zum Lunch kommen. Hearst.«

Sich nur einen Tag im voraus anzumelden, war typisch für den Chef. Während Blaise Monsieur Brissac Anweisungen erteilte, tauchten Caroline und Emma aus dem Wald auf. Sie sahen aus wie

Figuren auf einem Watteau-Fächer, fand Blaise – und entdeckte überdies, daß er nicht nur französisch, sondern französisch-maliziös dachte: *Diesen* Fächer, überlegte er, konnte man nicht einfach zusammenklappen.

Emma lief auf ihren Onkel zu, der sie hochhob und ihrem Geplapper lauschte, einem Gemisch aus Französisch und Englisch. Sie hatte den Teint und das Haar ihrer Großmutter.

»Der Chef kommt morgen. Zum Lunch. Mit vier Kammerherren als Gefolge.«

»Er erweist uns die Ehre.« Caroline setzte sich auf einen der sonderbar geformten Throne aus Sandstein, die der Erbauer des Châteaus in einer Art Anfall von deplaziertem Pharaonismus unmittelbar am See hatte meißeln lassen. »Mit der schönen Millicent?«

Blaise nickte. »Er ist jetzt sehr respektabel. Schließlich erwartet er, im Herbst zum Bürgermeister von New York gewählt zu werden.«

»Armer Mann. Aber dann hat er wenigstens etwas zu tun. Frederika fügt sich wunderbar ein.«

Blaise war ein wenig enttäuscht darüber, daß sein Frau und seine Halbschwester so gut miteinander auskamen. Allerdings kannte Caroline Frederika ja auch schon länger als er.

»Sie hat Mrs. Bingham davon abgebracht, hierherzukommen«, sagte er, bemüht sich genehm zu machen.

»*Die* würde sich nicht einfügen.« Caroline streckte die Hand vor. »Den Schlüssel.«

»Welchen Schlüssel?«

»Zu Vaters Schreibtisch. Ich möchte Großvater Schuylers Memoiren lesen – oder was immer das ist.«

»Der Schreibtisch ist offen. Sie befinden sich in zwei ledernen Hüllen.«

»Hast du sie gelesen?«

»Ich hab für die Vergangenheit nichts übrig.«

»Aber dort liegt *der* Schlüssel. Falls es überhaupt einen gibt, natürlich. Komm, Emma.«

Als Caroline ihr Kind bei der Hand nahm, fragte Blaise: »Warum hast du dich eigentlich scheiden lassen?«

»Warum nicht?«

»Das ist sehr amerikanisch von dir.«

»Ich bin sehr amerikanisch. Im übrigen waren wir ja nicht kirchlich getraut. Es war nichts weiter als eine juristische – Annehmlichkeit. Lediglich ein weiterer Schlüssel für ein weiteres Schloß.«

Blaise war von der ganzen Angelegenheit noch immer irritiert. »Hatte John etwas mit . . . einer anderen?«

Carolines Lachen fegte jedweden Verdacht beiseite. »Wenn es nur so gewesen wäre.«

»Und du?« Blaise war überzeugt, daß Caroline schon seit einiger Zeit eine Affäre hatte, doch schützte sie ihr Privatleben noch sorgfältiger als er das seine. Bei ihrem Liebhaber mußte es sich wohl um einen verheirateten Mann handeln, denn sonst hätte sie ihn jetzt, nach ihrer Scheidung, zumindest erwähnen können, wenn sie ihn schon nicht heiraten wollte. Auch eine leidenschaftliche Liaison mit einer Lady schloß Blaise keinesfalls aus: Das eindrucksvolle Beispiel, das Mlle. Souvestre geboten hatte, war eine der Tatsachen der Welt, in der sie aufgewachsen waren. Allerdings erschien Washington kaum als die gegebene Szenerie für derart pariserische Aktivitäten.

»Wenn dem nur so wäre«, wiederholte Caroline und entschwand.

Blaise fand, daß der Chef weniger phlegmatisch wirkte als früher. Er hatte in einem solchen Maße zugenommen, daß er, wäre er kurzwüchsiger gewesen, der Welt wohl ein behagliches Erscheinungsbild à la McKinley geboten hätte. Doch wegen seiner enormen Körperlänge hatte er eher etwas Bärenhaft-Bedrohliches. Bei Hearsts Gefolge handelte es sich um zwei Paare, die etwas mit seiner Funktion als Verleger zu tun hatten. »Ich habe gerade das Cosmopolitan-Magazin gekauft«, sagte er, während Blaise ihn durch die Prunkzimmer führte.

Der Chef verhielt bei jedem Gemälde, jeder Skulptur, jeder Tapisserie. Daß er sich so beeindruckt zeigte, behagte Blaise. »Noch nie habe ich so etwas gesehen«, sagte Hearst, als sie den Grand Salon betraten, wo sich durch die Fenster ein weiter Blick auf Seen und Wälder bot, »außer vielleicht in einem Königspalast. Sind das Gobelins?«

»Frühe Aubussons. Es war das Hobby meines Vaters, dieses

Château entsprechend einzurichten. Als er es in den siebziger Jahren kaufte, war es sehr heruntergekommen.« Hinter den beiden Männern standen Frederika, die Gastgeberin, und Millicent, deren Mondgesicht leuchtete, als sie mit unverkennbarem irisch-New-Yorker Akzent sagte: »Daß Sie bloß kein eines Stück Möbel an Willy verkaufen, sonst will der noch alles und bringt uns ins Armenhaus.«

»Lagerhaus trifft es wohl eher.« Hearst genoß es, von seiner Manie zu sprechen, der Manie, alles und jedes auf Erden zu erwerben – Saint-Cloud-le-Duc miteingeschlossen: »Sie denken wohl nicht daran zu verkaufen, oder?«

»Niemals«, sagte Caroline, die an Plons Arm jetzt ihren großen Auftritt hatte. »Wir sind endlich daheim.«

Nach dem Lunch gingen Blaise und Hearst zusammen am See spazieren. »Ich möchte über Willie Winfield Bescheid wissen«, sagte Blaise sehr direkt.

Hearst blieb unvermittelt stehen. Für einen Augenblick war Blaise eigentümlich berührt von dem Kontrast: das gänzlich Unvereinbare von, einerseits, der Fassade aus dem 17. Jahrhundert hinter ihnen sowie den Schwänen und den fahlen Statuen vor ihnen – und, andererseits, dem politischen Sumpf Amerikas, der für sie beide das beherrschende Thema war. Gewiß, der Großherzog, der das Château erbaut hatte, war ein berüchtigter Dieb gewesen; allerdings hatte er das geraubte Geld dann wieder herausgeworfen für eine Pracht, die auf der New Yorker Fifth Avenue oder selbst in Newports Ochre Point noch immer ihresgleichen suchte. »Woher kennen Sie ihn?«

Blaise blieb kühl. »Er hat mich bei der Tribune besucht; und behauptete, von Mr. Archbold Briefe gestohlen zu haben, die er dann einem ihrer Redakteure beim American gebracht habe, der sie prompt fotografierte. Und Sie, behauptete er, hätten dafür bezahlt.«

Hearst funkelte auf Blaise hinunter. »Sie haben doch gleichfalls bezahlt.« Eine Feststellung, keine Frage.

Blaise lächelte. »Nicht für dieselben Briefe – leider. Ich habe einen Teil der Briefe von 1904.«

»Den habe ich nicht gekauft.« Hearst nahm auf einem der Sandsteinthrone Platz. In einiger Entfernung spielten Caroline und Frederika mit den Gästen Krocket, und die Kleider der Damen leuchteten fast so farbenfroh wie die Rosen rings um sie herum. Emma hielt ihr wohlverdientes Schläfchen.

»Meiner Meinung nach haben wir genug Material. Wir haben Foraker im Sack. Sie wissen ja, daß ich ihn zur Nominierung für die republikanische Partei geradezu gedrängt habe. Nun ja. Kurz vor der Wahl – falls er nominiert werden sollte – werde ich die Bombe hochgehen lassen. Jetzt . . .«, der Chef warf Blaise einen traurigen Blick zu, ». . . können Sie gleich morgen früh das gleiche tun, und irgendein anderer wird die Nominierung bekommen . . .«

»Jemand, der Archbold *keine* Briefe geschrieben hat?«

Hearst nickte. »Wie Root oder Taft. Keiner von beiden ist davon betroffen, soweit ich das sagen kann. Doch all die kleinen politischen Fische und auch ein Haufen der großen werden geschmiert. Was also werden Sie tun?« Obwohl auf Hearsts Gesicht kein Platz für einen Ausdruck von Anspannung oder Unschlüssigkeit war, geriet seine dünne Stimme trotzdem in ein sonderbares Zittern. Hearst, das lag auf der Hand, verfolgte eine politische Strategie, bei der eine entscheidende Rolle spielte, die besagten Briefe 1908 zu publizieren – oder aber, gegen einen Preis, zurückzuhalten.

»Wir könnten sicher eine Lösung ausarbeiten.« Blaise war sich in gar keiner Weise sicher, ob er irgend etwas mit den Briefen erreichen konnte. Hearst war schließlich zu allem fähig: Er war nun einmal Hearst. Ein Sanford, auch wenn es kein ähnlich klar definiertes Bild von ihm gab, konnte die gestohlenen Briefe kaum veröffentlichen, es sei denn, beispielsweise, als Hintergrund für eine von einem Rockefeller-Richter geführte Ermittlung. Standard Oil hatte, was Richter betraf, genau die gleichen »Eigentümergefühle« wie Blaise' Schwiegermutter gegenüber Kongreßabgeordneten: nur daß Standard Oil Riesensummen zahlte, um sicherzugehen, daß die Richter stets zu ihren Gunsten entschieden. Ein Blick auf die Briefe hätte genügt, um zu erkennen, daß die von Archbold gekauften Leute einen riesigen Kreis ausmachten, der von Rathäusern über Gouverneurspaläste bis zum Kongreß und von allen möglichen Gerichtshöfen bis zum Weißen Haus reichte. Doch der eine einzige Brief, den Archbold von Theodore Roosevelt erhalten hatte, war für Blaise eine Enttäuschung gewesen. Der Brief konnte alles bedeuten; oder irgendwas; oder nichts.

»Ich glaube nicht, daß ich für die Briefe Verwendung habe.«

Auf Hearsts Gesicht war auch für den Ausdruck von Erleichterung kein Platz. Mit leerem Blick starrte er Blaise an, der sagte: »Ich glaube nicht, daß sich die Tribune als eine Washingtoner Zeitung in diese Dinge verwickeln lassen sollte. Und sollte es einen erneuten Kreuzzug für eine gute Regierung geben, so würden wir uns dem vielleicht anschließen, jedenfalls Caroline. Ich bin auch mit einer schlechten Regierung zufrieden.«

»Sie stecken mit drin, ob Ihnen das nun gefällt oder nicht«, sagte Hearst mit Nachdruck. »Sie werden die Briefe zurückhalten?«

»Ich glaube schon.« Aber es ging Blaise darum, Hearst so lange wie möglich im Ungewissen zu lassen. »Wirklich interessiert bin ich nur an einem Brief, einem Politiker . . .«

»Roosevelt?«

Blaise nickte. »Der Brief, den ich besitze, kann nur in seinem Kontext richtig interpretiert werden. Leider kenne ich diesen Kontext nicht. Kennen Sie ihn?«

Hearst summte einige Takte eines gerade populären Schlagers; summte die Melodie grauenhaft falsch; und Blaise war heilfroh, daß der Chef sich nicht auch noch mit einem Banjo begleitete. »Ich will Ihnen sagen, welchen Kontext ich *vermute*. Hanna hatte ganz enge Verbindungen zu Rockefeller. Genau wie Quay. Die Briefe, über die ich verfüge, sind voll davon. Aber über die ist sowieso jeder im Bilde. Sie beschafften Geld von Rockefeller, von vielen anderen, für die Republikanische Partei, für Roosevelt, für sich selbst.«

»Für ihn – als Privatperson?«

Hearst zuckte die Schultern. »Ich glaube kaum, daß er ein so großer Narr ist. Aber er braucht Geld, um zur Wahlzeit im Land umherzureisen und die Trusts zu attackieren, die ihm die Fahrtkosten zahlen. Von wann ist Ihr Brief datiert?«

»Vom vorigen Sommer. Nachdem Roosevelt nominiert worden war.«

»Nun, das ergibt keinen Sinn. Andererseits – Hanna und Quay sind tot. Und so hat er niemanden, der den Nerv besitzt, zum alten Rockefeller oder selbst zu Archbold zu gehen und zu sagen: ›Geben Sie mir eine halbe Million für den Wahlfeldzug, und ich werde Sie schonen.‹ Als er an Archbold schrieb, wollte er nur die Angel ins Wasser halten.«

»Hat er etwas gefangen?«

Hearsts dünnes Lächeln wirkte direkt und unverfälscht.

»Macht es denn einen Unterschied, ob er etwas gefangen hat oder nicht? Ich meine, es kommt doch darauf an, wie die Sache *aussieht*. Sie könnten darauf hinweisen, daß Roosevelts Manager gegenüber der Standard Oil seit jeher sehr ›empfänglich‹ gewesen sind; und wenn Sie dann davon sprechen, daß Roosevelt *selbst* mit Archbold Kontakt aufgenommen hat, und zwar genau um die Zeit, da er verzweifelt versuchte, Mittel von Morgan und Frick und Harriman zu beschaffen – nun, dann wird jeder glauben, daß auch Teddy auf der Liste steht, was vermutlich der Wahrheit entspricht.«

Höchst egoistisch fragte sich Blaise, wie er es schaffen konnte, die Story zu komplettieren, ehe ihm Hearst zuvorkam. Offensichtlich war das unmöglich, solange er nicht den Inhalt der Hearst-Briefe kannte, die vor 1904 geschrieben worden waren. »Ich nehme an, daß Sie das alles verwenden werden, falls Roosevelt irgend etwas zugunsten von Standard Oil tut.«

Hearst schüttelte den Kopf. »Das, was ich glaube, werde ich – falls überhaupt – nur in Verbindung mit meinem eigenen Wahlkampf 1908 gebrauchen.«

Blaise vermied selbst in Gedanken das Wort »Erpressung«, obschon es die Absichten des Chefs am genauesten bezeichnete. Als Eigentümer von acht populären Zeitungen und im Besitz der Archbold-Briefe konnte er die Führer der Republik ganz nach seiner Pfeife tanzen lassen. »Es gibt noch ein weiteres Detail, das Sie kennen sollten«, sagte Hearst. »John D. Archbold ist ein alter persönlicher Freund von Theodore Roosevelt.«

»Wenn das nichts ist.«

»Allerdings.«

»Nur einmal angenommen«, sagte Blaise so beiläufig wie möglich, »Sie würden diese Briefe veröffentlichen – mit welcher Begründung würden Sie Ihren Diebstahl rechtfertigen . . .?«

Wieder summte Hearst zwei, drei Schlagertakte; brach dann ab und sagte: »Nun, auf gar keinen Fall würde ich sagen, daß *ich* sie gestohlen hätte. Sie sind mir zu Augen gekommen, weiter nichts. Und *dann* würde ich auch noch sagen, daß Briefe, die an Männer der Öffentlichkeit geschrieben wurden und Probleme der Öffentlichkeit betreffen, sowie das Wohlergehen der Öffentlichkeit gefährden, kaum jemals Privatbriefe sein können.«

In diesem Augenblick wurde Blaise bewußt, daß Hearst womöglich tatsächlich Präsident werden würde; und daß er dann wahrscheinlich jedermann verblüffen würde – auf welche Weise allerdings, das war schwer zu sagen.

4

Caroline saß an dem großen Intarsientisch, den, wie es hieß, einst der Herzog persönlich benutzt haben sollte, als er noch der Verwalter der königlichen Einkünfte gewesen war, und öffnete zwei Hüllen mit Briefen. Die erste enthielt Fragmente von Aaron Burrs Autobiographie sowie einen Kommentar seines juristischen Assistenten Charles Schermerhorn Schuyler. Caroline überflog ein paar Seiten und kam zu dem Schluß, daß, falls schon niemand sonst, jedenfalls Henry Adams fasziniert sein würde. Sie machte einen Sprung, gleich bis zum Ende des Buches, das Jahre nach Burrs Tod geschrieben worden war; und las, was sie bereits wußte – von der zufälligen Entdeckung ihres Großvaters, daß er eines von Burrs zahlreichen unehelichen Kindern gewesen war.

Die zweite Lederhülle enthielt das letzte Tagebuch ihres Großvaters, das Jahr 1876 betreffend. Zum erstenmal seit 1836 war er nach New York zurückgekehrt, zusammen mit seiner Tochter Emma, der Prinzessin d'Agrigente. Und dieses Tagebuch wollte sie sorgfältig, sehr sorgfältig lesen.

Nach Hearsts Abreise verbrachte Caroline jede freie Sekunde damit, sich in die Aufzeichnungen ihres Großvaters zu vertiefen. Sie war entzückt von seiner Belustigung über die absonderliche amerikanische Welt; fasziniert von seiner Beschreibung der Bemühungen ihrer Mutter, einen reichen Ehemann zu finden; entsetzt über seine zynische Selbstzufriedenheit. Aber dann waren Vater und Tochter finanziell am Ende, und er konnte sie beide nur dadurch ernähren, daß er Artikel für Magazine schrieb. Zum Glück nahm sich Mrs. Astor ihrer an; und sie waren gesellschaftlich gefragt – dank Emmas Schönheit und ihres Vaters Charme. Einmal hätte Emma beinahe einen Apgar-Vetter geheiratet, aus praktischen Erwägungen, so wie ihre Tochter es dann tatsächlich getan hatte.

Als Caroline weiterlas, erkannte sie, wie sich Emmas Charakter irgendwie veränderte – veränderte oder sich aber zumindest für Caroline, die Leserin, nach und nach enthüllte; wenn auch nicht unbedingt für den Erzähler oder Berichterstatter, der allem Anschein nach die Bedeutung seines eigenen Berichts nicht recht zu erfassen vermochte. Sanford hatte seinen Auftritt, zusammen mit seiner Gattin Denise, die nur unter Gefahren Mutter werden konnte. Während Denise und Emma immer engere Freundinnen wurden, spürte Caroline, daß ihre Finger plötzlich so kalt waren, daß sie kaum noch eine Seite umwenden konnte. Caroline kannte das Ende bereits im voraus: Emma überredete Denise dazu, Blaise zu gebären. De facto ermordete Emma somit Denise, um Sanford heiraten zu können.

Emmas Sühne bestand darin, daß es qualvoll lange dauerte, bevor sie dann, nach Carolines Geburt, starb. Aber fühlte Emma sich schuldig? Büßte sie? Beichtete sie?

Caroline ließ Plon kommen. Es war später Nachmittag. Sie wollte mit Emmas ältestem Sohn sprechen, solange das Verbrechen ihr noch auf der Seele brannte. Plon räkelte sich attraktiv auf dem Sofa. Caroline erzählte ihm, was ihre Mutter getan hatte. Schließlich hob sie ein wenig dramatisch das Tagebuch empor und schwenkte sie durch die Luft; erzählte ihm dann von dem Mord. »*Brûlez*«, las Plon von der Titelseite ab. »Genau das ist es, was du Dummkopf hättest tun sollen. Es verbrennen! Was für einen Unterschied macht irgendwas davon jetzt schon?«

»Du hast es die ganze Zeit gewußt, stimmt's?«

Plon hob die Schultern. »Ich hab' mir gedacht, daß irgendwas vorgefallen ist.«

»Hat sie irgendwann einmal etwas erzählt?«

»Natürlich nicht.«

»Wirkte sie tragisch oder traurig oder . . . finster?«

»Sie war immer nur anbetungswürdig, selbst noch am Ende, als sie so leiden mußte.«

»Hat sie noch gebeichtet, bei einem Priester?«

»Sie erhielt die Sterbesakramente. Da sie bei Bewußtsein war, nehme ich an, daß sie auch eine Beichte abgelegt hat.«

Plon entnahm einem neuen goldenen Etui eine Zigarette, zündete sie an. »Weißt du, wenn jemand Kaiser von Frankreich wird und ganz Europa erobert, so macht er sich wenig Gewissensbisse wegen der Menschen, die er umgebracht hat.«

»Aber sie war eine Frau und Mutter und nicht der Kaiser von Frankreich . . .«

»Wer will wissen, wie sie sich selbst sah? *Ich* weiß es jedenfalls nicht. Sie mußte überleben, und wenn die traurige Dame, ihre Freundin, Blaise' Mutter, bei der Entbindung sterben mußte, nun, dann mußte sie eben sterben.«

Am nächsten Morgen lud Caroline Blaise zum Frühstück in ihren Flügel des Châteaus. Er wußte, warum; Plon hatte ihn ins Bild gesetzt. Sie setzten sich in ein Frühstückszimmer mit taubengrauen Wänden. »Jetzt weißt du«, sagte er eher beiläufig, »daß deine Mutter meine Mutter umgebracht hat, wegen Vaters Geld. Dergleichen geschieht vermutlich dauernd.«

»Hör auf – das ist nicht zum Scherzen. Ich weiß jetzt, warum deine Großmutter so unnachgiebig zu mir war. Ich sollte büßen . . .«

»Du? Mach dich nicht wichtiger, als du bist. Du hast damals ja noch nicht einmal existiert. Ich meinerseits war immerhin die unmittelbare Ursache für den Tod meiner Mutter.«

»Ich glaube, solche Dinge behalten ihr Gewicht, wirken fort in die nächste Generation – und vielleicht sogar noch weiter.«

»So etwas sagst *du*? Die Atheistin aus Mlle. Souvestres Stall?« Blaise schien in sein Omelette hineinzulachen.

»Atheisten glauben an Charakter, und ich glaube ganz gewiß an Ursache und Wirkung und Konsequenzen.«

»Die Konsequenz besteht darin, daß wir beide, du und ich, nach den Maßstäben unserer Welt noch ziemlich jung sind und überdies sehr reich. Dies ist nicht das Haus von Artois.«

»Atreus«, korrigierte sie ihn aus alter Gewohnheit. »Plon tat so, als würde er nicht gezögert haben, genauso zu handeln.«

»Das bezweifle ich. Männer sind niemals so grausam wie Frauen, wenn es um solche Dinge geht. Nimm doch nur deine Scheidung von John. Das war Emma sehr ähnlich. Ich hätte so etwas nicht fertiggebracht.«

Frostige Luft durchzog den Raum, Caroline spürte es deutlich; doch handelte es sich keineswegs um einen Geist, sondern um einen jähen kalten Wind vom See her – ein Sommergewitter war im

Anzug. Blaise schloß das Fenster. »Du hast meine Behauptung noch untermauert«, sagte Caroline. »Genau die gleiche kriminelle Tendenz.«

»Steigere dich da bloß nicht in etwas hinein. Überleg doch nur, was für neue Verbrechen wir begehen könnten, du wie ich. Laß die arme Emma in Frieden ruhen. Ich habe nie auch nur ein einziges Mal an Denise gedacht. Warum solltest du an Emma denken, die doch, mal abgesehen von diesem einen, säuberlich durchgeführten Mord, laut Plon eine entzückende Frau und eine bewundernswerte Mutter war?«

»Du bist unmoralisch, Blaise.« Gern wäre Caroline schockiert gewesen; doch sie empfand nichts.

»Ich habe auch nie das Gegenteil behauptet. Ich bin indifferent. Erinnerst du dich an unseren letzten Abend in New York, im Rector's? Als du so schockiert darüber warst, in welcher Weise sämtliche Anwesenden jenen Song sangen? Nun, ich meinerseits war fasziniert, weil ich genauso empfand wie der Sänger des Songs.«

Caroline schauerte bei der Erinnerung. Im jüngsten Victor-Herbert-Musical gab es einen ungeheuer drohend wirkenden Song mit dem Titel »I Want What I Want When I Want It«. An jenem Abend, an dem Caroline und Blaise – nachdem beide einander nun wahrhaft gründlich kannten – im Rector's gespeist hatten, war der Sänger aus dem Herbert-Musical ins Restaurant getreten, mit laut dröhnender Stimme verkündend: *»I want . . .«*; und sofort waren alle eingefallen und hatten jedesmal bei dem Wort *want* mit der Faust auf den Tisch geschlagen. Irgendwie hatte es geschienen, als würde ein Krieg geführt von ungeheuer fetten Menschen – gegen die Kellner, oder gegen jedermann auf Erden, der nicht so fett und nicht so reich war wie die Fetten und Reichen? »Emma hatte also recht zu wollen, was sie wollte?«

»Manchmal hat man nur eine einzige Chance. Was sie wollte . . .«, Blaise schlug mit der Faust auf den Tisch, und Caroline zuckte heftig zusammen, ». . . hat sie jedenfalls bekommen, nur das zählt, und weil sie's bekommen hat, gibt es dich.«

So erwies sich am Ende, daß Caroline, die erfolgreiche amerikanische Verlegerin, keineswegs so akklimatisiert amerikanisch war wie ihr Bruder und Anhängsel. Sie bedauerte nur, daß Mr. Adams nicht anwesend war, um diese Ironie zu genießen.

Henry Adams kam am nächsten Tag, gemeinsam mit John und Clara Hay, doch fand sich keine Gelegenheit, über dergleichen Dinge zu sprechen; allbeherrschend schien die Tatsache, daß John Hay buchstäblich dahinzubleichen schien. Sein Haar war jetzt so weiß wie sein Bart, und das sei eine Folge, wie er mit einem Anflug seines altgewohnten Humors bemerkte, ». . . der Anwendung der Wasser von Bad Nauheim, welche alles blanchieren – welch schönes Wort, könnte ich es doch nur häufiger benutzen –, was dunkelfarbig, vor allem gefärbt ist. Claras Henna ist völlig verschwunden.«

Während Hay und Caroline auf zwei Sandsteinthronen saßen, betätigten sich Blaise und Frederika als Fremdenführer durch das Château, und sogar Henry Adams tat zumindest beeindruckt.

Caroline hatte nicht viel Erfahrung mit Sterbenden. Doch war eine ihrer Tanten so etwas wie eine Spezialistin für Sterbebetten gewesen, die, wenn sie von einem Moribunden im Umkreis von hundert Meilen hörte, sich sofort in düsterem Schwarz auf den Weg machte, samt Bibeln und Gebetbüchern sowie Medikamenten für einen tröstlichen Abgang; und Trostmitteln für den Gram der Hinterbliebenen. »Ob sie im Begriff sind hinüberzugehen, läßt sich stets erkennen an einem bestimmten starken Glanz in ihren Augen, unmittelbar vor dem Ende. Nun, das kommt von der bevorstehenden Glorie.« Was diese Sanford-Tante persönlich betraf, so war ihr ein schlimmes Schicksal widerfahren. Im Bemühen, noch rechtzeitig an ein hochwichtiges Sterbebett zu gelangen, war sie eine Treppe hinuntergestürzt und hatte sich den Hals gebrochen – mithin beraubt der glänzenden Glorie, auf die ihre Freunde schon so lange, lange warteten.

In John Hays Augen fand sich jedoch nichts von Glanz oder Glorie; vielmehr wirkten sie trübe und glasig. Überdies war er dünner und blasser als vor der Kur. Das Interesse am Leben hatte er jedoch nicht verloren, ganz im Gegenteil. »Ich würde nicht in einem so faden kleinen Haus in Georgetown leben können, wenn ich etwas wie das hier besäße. Das stellt ja sogar Cleveland in den Schatten.«

»Gewiß, das Haus ist prächtig, doch die Gesellschaft ist fade. Also gebe ich Washington den Vorzug. Außerdem haben wir uns über den Besitz erst in diesem Frühjahr geeinigt.«

»Auf zufriedenstellende Weise?« Hay warf ihr einen neugierigen Blick zu.

Caroline nickte. »So zufriedenstellend, wie irgend etwas nur sein kann. Jedenfalls mag ich meine junge Schwägerin.«

»Ich nehme an, daß Sie wieder heiraten werden.«

»Sie sagen das so mißbilligend.« Caroline lachte. »Allerdings bin ich ja eine geschiedene Frau. Man hat mir gesagt, wenn ich mich in Cleveland blicken ließe, würde ich gesteinigt werden . . .«

»Nicht als Geschiedene schlechthin. Nur als geschiedene Ehebrecherin. Oh, das hier wird mir fehlen«, sagte er mit einem solchen Ausdruck von Wehmut, daß das Taktgefühl Caroline verbot, tiefer zu dringen.

»Sie werden weiterreisen, nach London?«

»Danach Washington, dann New Hampshire.«

»Warum Washington, bei der Hitze?«

Hay seufzte. »Theodore ist dort. Theodore ist geschäftig. Und wenn Theodore geschäftig ist, fühle ich mich verfassungsmäßig verpflichtet, zur Hand zu sein.«

»Die Russen?« Das Journalistische war Caroline zur zweiten Natur geworden. Auch der Anblick dieses dahinsiechenden Mannes änderte daran nichts.

»Die Japaner, würde ich eher sagen. Aber ich bin so weit von allem entfernt. Um auf dem laufenden zu bleiben, habe ich die ausländische Presse gelesen – mit so einer Art von geistigem Dechiffrierapparat im Gehirn. Offenbar ist Theodore von den Japanern gebeten worden, zwischen ihnen und den Russen einen Friedensvertrag auszuhandeln. Was jedoch wirklich geschieht – sofern denn etwas geschieht –, weiß ich nicht. Spencer Eddy . . .«

»Surrenden Dering?«

»Derselbe. Er ist derzeit unser, wenn man so will, Mann in Petersburg. Er hat den weiten Weg nach Bad Nauheim nicht gescheut, um mir mitzuteilen, daß Rußland auseinanderfalle. Der Zar, so scheint es, ist religiösem Wahn verfallen, und deshalb regieren die fünfunddreißig Großfürsten das Land, was de facto bedeutet, daß eine Art Chaos herrscht. Die Arbeiter streiken. Die Studenten streiken. Vielleicht hat Brooks am Ende doch recht. Die Russen werden schließlich *ihre eigene* Französische Revolution haben. Unterdessen hat die russische Regierung Eddy beauftragt, mir mitzuteilen, daß Rußland gern einen Vertrag mit uns abschließen möchte, und ich sah mich gezwungen, ihm zu erklären, daß, dank dem Senat und dem lieben Cabot, ein solcher Vertrag unerreichbar ist, solange auch nur ein einziger Wähler irgendeines Senators dagegen opponiert.«

Adams gesellte sich zu ihnen. Auf Caroline wirkte er unermeßlich alt; dennoch schien er, paradoxerweise, niemals zu altern. Er wurde nur immer mehr er selbst, die letzte Verkörperung der ursprünglichen amerikanischen Republik. »Ihre Schwägerin gefällt mir. Sie weiß, was man Gästen bei einer Hausbesichtigung *nicht* zeigt.«

»Es gibt da so vieles, das man besser *nicht* sieht. Weil es sich im Zustand des Verfalls, des Vermoderns befindet . . .«

»Genau wie ich, fürchte ich.« Hay seufzte. »Zum Schluß hat mich ein gestrenger bayerischer Arzt untersucht, der mir mit ergreifender deutscher Bescheidenheit versicherte, er sei der größte Herzexperte der Welt. Da ich alles glaube, was man mir sagt, fragte ich: ›Was fehlt mir denn?‹ Er erwiderte: ›Sie haben ein Loch oder eine Beule in Ihrem Herzen.‹ Es kam ihm augenscheinlich nicht so genau darauf an. Als ich ihn fragte, weshalb all die anderen großen Herzspezialisten dieses Loch oder diese Beule denn nicht bemerkt hätten, sagte er: ›Entweder haben sie's nicht gesehen, oder aber sie wollten Sie nicht beunruhigen.‹ ›Ist es tödlich?‹ fragte ich. ›Alles ist tödlich‹, sagte er mit zuversichtlichem Lächeln. Ich muß gestehen, irgendwie wuchs er mir geradezu ans Herz. Jedenfalls versicherte er mir, er könne das mit den Sterbesakramenten hinauszögern. Scheint ein Kinderspiel für ihn zu sein.«

»Ich hasse Ärzte. Ich gehe nie zu einem.« Adams sprach energisch. »Sie machen einen krank. Wie auch immer, du siehst zumindest nicht schlechter – wenn auch nicht besser – aus nach all den Wassermengen, die durch dich hindurchgeströmt sind . . .«

». . . und über mich hinweg.« Hay streckte seine Arme. »Ich kann's gar nicht erwarten, Theodore zu sehen und ihm zu sagen, daß mein Urteil über den Kaiser absolut richtig war. Theodore meint, der Kaiser sei – wie Henry James das über Theodore sagt – ›ein fleischgewordener Lärmkomplex‹, und somit auch ein Dummkopf . . .«

»Genau wie Theodore?«

»Henry, bitte. Theodore hat einen Kopf, der zum Bersten voller Ideen ist . . .«

»Auch *Gedanken*?«

»Prächtige Gedanken. Jedenfalls, jüngsten Informationen zufolge wird dem Kaiser, nachdem er seinen beschränkten Vetter, den Zaren, zur Kriegserklärung gegen Japan gedrängt hat, nunmehr klar, daß Rußland *zu* schwach ist, selbst für seine Zwecke, und so übt er sich jetzt in leidenschaftlichem Liebeswerben gegenüber Japan und auch gegenüber Theodore.«

»Sie sind füreinander geschaffen.«

»Noch nicht. Doch der Kaiser hat einen Plan. Ich wünschte bei Gott, ich könnte nach Berlin reisen, um ihn zu besuchen. Er mag ja ein wilder Redner sein, aber er ist auch ein kalter Rechner.«

Zwei Diener kamen, schoben einen Teetisch. Die Krocket-Spieler schlossen sich ihnen an. Frederika spielte die Gastgeberin, während Caroline und Clara am Rande des Sees lustwandelten, in achtsamem Abstand von den Schwänen. »Es *scheint* ihm besser zu gehen.« Caroline fiel nichts anderes dazu ein.

Clara wirkte gewaltig, wenn nicht gar monumental; ihr Benehmen hatte, wie eh und je, etwas Altgeübt-Deklamatorisches. »Er könnte noch ein Jahr leben. Vielleicht sogar länger – wenn er sich nur von Washington trennen wollte.«

»Und dazu ist er nicht bereit?«

»Noch nicht. Am zweiten Juni reisen wir inkognito nach London. Dann fahren wir mit der *Baltic*. Anschließend will er unbedingt ins Außenministerium, bevor wir uns nach New Hampshire begeben. Er hat kein rechtes Vertrauen zu Theodore.« Claras Schatten fiel wie der einer Trauerweide weit über den See.

»Vielleicht ist es das Beste weiterzumachen, bis . . .« Caroline beendete den Satz nicht.

»Ich frage mich manchmal, wie es gewesen wäre mit Del und dir.« Zum erstenmal sprach Clara zu Caroline von ihrem Sohn. »Ich bin mir nicht mehr sicher, ob es gut gewesen wäre.«

»Wir werden es niemals wissen, nicht wahr?«

»Nein. Das werden wir nie. Aber wenn ich all das hier sehe, begreife ich, daß du . . . Ausländerin bist. Was er nicht war.«

»Ich bin beides. Oder, vielleicht, weder das eine noch das andere.« Es amüsierte Caroline, daß Clara noch immer eine strenge

Grenze zog zwischem dem, was ausländisch war – und höchstwahrscheinlich schlecht –, und dem, was amerikanisch war – und folglich rundherum gut. »Aber wenigstens gebe ich die Tribune nicht auf französisch heraus.«

Clara lächelte, wie sie es stets tat, wenn sie vermutete, daß jemand einen Scherz gemacht hatte. »Kommt ihr beide gut miteinander aus, du und Blaise?«

»Jetzt schon. Aber in der Zukunft wahrscheinlich weniger.« Caroline war, wie stets, überrascht, wenn sie aussprach, was sie wirklich dachte.

»Das entspricht genau meinem Eindruck. Das Mädchen ist reizend. Aber er möchte nicht so wie Mr. Hearst sein . . .«

»Ebensowenig wie ich . . .«

»Caroline! Du bist eine Lady.«

»Aber ausländisch.«

»Trotzdem könntest du niemals auch nur wollen, so zu sein wie jener abscheuliche Mensch. Henry James hat uns den Hauptschlüssel zurückgegeben.« Claras Verstand war so beschaffen, daß es ihr mühelos gelang, vom Journalismus jäh überzuwechseln zu der Tatsache, daß Henry James den Hays den versehentlich mitgenommenen Schlüssel zu ihrem Haus zurückgegeben hatte; und irgendwie wirkten diese zusammengewürfelten Sätze wie Teile eines bedeutungsvollen Ganzen; waren es vielleicht sogar, dachte Caroline, die sich unvermittelt ihres Gesprächs mit Blaise entsann, über wirkliche und metaphysische Schlüsse.

»Werden Sie Mr. James in London besuchen?«

»Sofern wir Gelegenheit dazu haben. Ich möchte, daß John sich möglichst nur mit alten Freunden trifft. Aber der König ist beharrlich. Also werden wir wohl auch zum Buckingham Palast fahren.«

»Der König ist politisch.«

»Der mag John. Ich habe gesagt: *Kein Essen!* Der König ißt stundenlang. Wir werden genau eine halbe Stunde bleiben, habe ich gesagt, keinesfalls länger.« Die beiden Frauen setzten sich auf eine Bank und sahen den anderen beim Tee zu. Adams marschierte aufgeregt hin und her, ein gutes Zeichen. Hay saß zusammengekauert auf seinem Thron, eine Studie in Grau und Weiß. Blaise saß auf dem Rand seines Stuhls, wie ein aufmerksamer Schuljunge. »Eine

Scheidung schockiert mich noch immer.« Clara verkündete es wie ein Gebot, und selbst im Sitzen hatte ihre Gestalt etwas von der Monumentalität des Sinai.

»Wir waren niemals wirklich verheiratet.« Caroline setzte dazu an, die Wahrheit zu erzählen; doch da sie keine Lust hatte, den Rest ihres Lebens in Frankreich zu verbringen, erzählte sie nur einen Teil. »Nach Dels Tod war ich allein. Und so heiratete ich meinen Vetter – zum Schutz.« Caroline hoffte, daß es ihr gelingen würde, sich selbst als hilflos zu porträtieren.

Es gelang ihr nicht; zumindest nicht Clara gegenüber. »Ich weiß.« Clara klang apodiktisch. »Wieder zu sich finden. Aus dem Gram. Trotzdem wäre es angezeigt gewesen zu warten, bis ein richtiger Ehemann verfügbar war und nicht bloß ein . . . Vetter.«

»Das ist alles Vergangenheit. Ich bin jetzt allein und sehr zufrieden. Ich habe ja Emma. Was«, fragte Caroline in der gleichen jähen und übergangslosen Art, die Clara so meisterlich zu handhaben wußte, »ist eigentlich mit den Kindern geworden, die Clarence King mit der Negerin hatte?«

Clara wurde rot. Caroline genoß ihren Sieg. »Sie sind noch in Kanada, glaube ich. John und Henry haben geholfen. Sie erzählen mir nichts, und ich frage nie.« Clara erhob sich, beendete das Thema. In Begleitung Carolines kehrte der Berg Sinai zum Teetisch zurück.

Hay schilderte sein Treffen mit dem französischen Außenminister. »Der Präsident hatte mir ausdrücklich verboten, mit ihm zu sprechen, da ich noch nicht beim Kaiser war. Aber auch mir muß man meine Diplomatie zugestehen. All die Probleme in Marokko – nein, nicht Perdicaris, nicht Raisuli . . .«

»Verschone uns mit deiner hohen Dramatik.« Adams blieb unvermittelt stehen und setzte sich auf einen Stuhl, der für ihn zu hoch war. Die beiden winzigen, auf Hochglanz polierten schwarzen Lackschuhe baumelten eine halbe Handbreit über dem Boden.

». . . spitzen sich immer mehr zu, und der Kaiser setzt die Franzosen unter Druck und droht ihnen damit, selbst nach Marokko zu gehen und es ihnen wegzunehmen. Der arme Delcassé ist voller Trübsinn. Mit Rußland am Rande einer Revolution gibt es in Europa nur eine einzige Armee von Bedeutung, die des deutschen Kaisers. Die Franzosen zeugen nicht genügend Kinder, klagte

Delcassé, und die englische Armee ist zu klein, so daß der Kaiser tun kann, was ihm gefällt, es sei denn, Theodore setzt seinen großen Stiefel in Bewegung . . .«

»Großen Knüppel, meinst du wohl«, warf Adams ein. »Der, von dem er behauptet, er trage ihn immer bei sich, wenn er mit leiser Stimme spricht. Natürlich ist das genaue Gegenteil wahr. Er brüllt – und von Knüppel keine Spur . . .«

»Eine große Kriegsflotte, Henry, ist ein großer Knüppel.«

»Wenn es in Europa Krieg gibt, wird es ein Landkrieg sein, der von Landarmeen gewonnen wird, und das wird Deutschlands letzte Chance sein, den alten Kontinent zu beherrschen.«

»Wir . . .«, Clara sprach das Schlußwort, ». . . werden uns da heraushalten.«

Der vollkommene Tag ging zu Ende, und goldenes Licht brach durch das Blättergewirr des westlichen Parks; Caroline und Blaise und Frederika begleiteten die letzten der Herzen zu ihren Automobilen. Adams wollte zu den Lodges, denn »es gehört zu meiner Geheimdiplomatie, Cabot von Johns Kehle fernzuhalten«. Erst jetzt – und also zu spät – fiel Caroline auf, daß sie ganz vergessen hatte, Adams von den Fragmenten von Aaron Burrs Memoiren zu erzählen. Doch würde dafür, falls sein gesundes Aussehen nicht trog, glücklicherweise noch im Winter in Washington Zeit sein.

»Du mußt uns unbedingt in Sunapee besuchen.« Hay nahm Carolines Hand; die kalte Berührung ließ sie um ein Haar zurückzucken.

»Ich werde im Juli kommen.«

»Komm am vierten Juli. Dann werden wir alle dort sein.« Clara küßte Caroline auf die Wange. Und dann waren die Gäste verschwunden.

Das junge Trio blickte dem alten Trio bedauernd hinterher – zumindest galt das für Caroline. »Sie sind die letzten«, sagte sie.

»Die letzten was?« Nachdenklich betrachtete Frederika Caroline, deren Haar im Schein der Sonnenstrahlen glänzte.

»Die letzten, die . . . glauben.«

»Woran?« Blaise drehte sich um, wollte hineingehen.

»An . . . Herzen.«

»Ich glaube an Herzen.« Frederika hatte nicht begriffen. »Du etwa nicht, Caroline?«

»Ich habe etwas anderes mit ›Herzen‹ gemeint. Und was *sie* waren und zu sein versuchten, das unterschied sie von uns.«

»Sie unterscheiden sich überhaupt nicht von uns«, erklärte Blaise mit Nachdruck. »Außer daß sie alt sind und wir nicht. Noch nicht.«

5

John Hay saß in einem Schaukelstuhl auf der Veranda von The Fells und blickte über den grünen Rasen von New Hampshire hinweg zu den grauen Bergen, vor denen sich der Lake Winnepesaukee ausbreitete, eine weite, glänzende Wasserfläche, in der sich der tiefe klare, blaue Sommerhimmel spiegelte. Hays Befinden war mit Erschöpfung nur unzutreffend bezeichnet. Am 15. war er zurückgekehrt, und nach einem Tag in Manhasset bei Helen war er nach Washington weitergereist – trotz der klaren Weisung des Präsidenten, sich nach Hause zu begeben. In der tropisch feuchten Hitze der Hauptstadt hatte er sich dann eine Woche lang um die Angelegenheiten seines Ministeriums gekümmert und gemeinsam mit Theodore beraten, wie – und wo – man die Japaner und die Russen dazu bekommen konnte, einen Friedensvertrag zu unterzeichnen. Mehr denn je wirkte Theodore Rex herrscherlich, mehr denn je schien das Mammut Taft unentbehrlich. Die letzte politische Aktion, die sie in Gang gesetzt hatten, bestand in der Beendigung des sogenannten Chinese Exclusion Act, den frühere Administrationen dazu benutzt hatten, Chinesen von der Einwanderung in die Vereinigten Staaten abzuhalten. Doch der Aufstieg Japans führte, paradoxerweise, dazu, das Gespenst von der Gelben Gefahr als politisches Instrument zu neutralisieren. Urplötzlich war es untunlich, dem Volk damit angst zu machen.

Das Haus in Washington wirkte bedrückend. Fenster und Jalousien waren geschlossen, die Möbel mit weißen Hüllen bedeckt, und die Räume rochen stickig. Clarence, inzwischen erwachsen und umgänglich, wenn auch nicht unbedingt brillant, leistete Hay Gesellschaft; und am 24. Juni hatten sie beide die Stadt dann in Richtung Newbury verlassen, in einem Schlafwagen, in dem Hay sich unvermeidlicherweise eine Erkältung zuzog. Heute fühlte er sich besser, wenn auch tödlich müde. Es war ihm überdies zur Gewohnheit geworden, mitten in einem Satz einzuschlafen und sehr lebhaft zu träumen; wachte er dann, verwirrt, wieder auf, so erfüllte ihn in der Regel jenes eigentümliche Gefühl, sich gleichzeitig an zwei verschiedenen Orten, ja sogar in verschiedenen Zeitepochen zu befinden. Jetzt jedoch saß Clarence neben ihm, in einem knarrenden Schaukelstuhl, der um so heftiger knarrte, als der junge Mann voller Schwung schaukelte, was ältere Herren eher sachte zu tun pflegen.

»Gewiß habe ich Glück gehabt.« Hay blickte zum Himmel empor. »Es muß da eine Art Gesetz geben. Für jedes Stück Unglück, das Clarence King, dein Namenspatron, erlitt, bekam ich gleichsam einen Preis. Er wollte ein Vermögen machen – und verlor ein Vielfaches davon. Mir war das so oder so nicht weiter wichtig, doch so ziemlich alles, was ich unternahm, machte mich reich und reicher, auch wenn ich keine reiche Erbin geheiratet hätte.« War dies wirklich die ganze Wahrheit? fragte sich Hay. Als er für Amasa Stone gearbeitet hatte, war er in puncto Business gründlich gedrillt worden. Zweifellos war er ein sehr fähiger Student gewesen, doch ohne die Schulung durch Stone wäre aus ihm möglicherweise nichts weiter geworden als ein durchschnittlicher Zeitungsredakteur, der sich von Zeit zu Zeit mit einer Vortragstour ein bißchen was dazuverdiente.

»Ich bin bisher noch niemals wirklich krank gewesen oder, wie der alte Shylock sagt, hab's ›nie gefühlt bis jetzt‹. Die Familie hat sich besser entwickelt, als ich mir das je erhoffen durfte.« Er drehte den Kopf und sah den aufmerksamen Clarence an. »An deiner Stelle würde ich Jura studieren. Und nicht jung heiraten. Ist ein Fehler, sich zu jung zu binden.«

»Ist auch nicht meine Absicht«, sagte Clarence.

»Braver Junge. Armer Del.« Hays Brustkorb schien sich für einen Augenblick zusammenzuziehen; sein Atem stoppte. Doch ausnahmsweise überkam ihn kein Gefühl der Panik. Entweder würde er wieder atmen können oder nicht; das war alles. Er atmete; er seufzte. »Doch Dels Leben war voller Glanz für einen so jungen Mann. Wir – meine Generation, meine ich – waren daran gewöhnt, in jungen Jahren zu sterben. Fast alle mir bekannte Altersgenossen kamen um in jenem schrecklichen Wirrwarr. Nenne mir eine

Schlacht, und ich kann dir sagen, welcher meiner Freunde dort gefallen ist. Sage Fredericksburg, und ich sehe Johnny Curtis aus Springfield, wie es ihm das Gesicht wegriß. Sage ...« Aber noch während er sprach, begann Hay zu vergessen, die Schlachten und ihre jungen jugendlichen Opfer. Dinge begannen zu verblassen; Vergangenheit und Gegenwart vermischten sich miteinander.

»Ich glaubte, ich würde jung sterben; doch hier bin ich nun. Ich glaubte, ich würde nicht viel erreichen und ... ich glaube wirklich, daß ich in der gesamten Geschichte noch nie von einem Mann gelesen habe, der soviel – und vor allem so verschiedenartigen – Erfolg gehabt hat wie ich, der ich so geringe Fähigkeiten mitbrachte und so wenig Energie und Entschlußkraft. Wirklich nichts, um darauf stolz zu sein. Aber dankbar, das schon.« Nachdenklich wandte Hay seinen Blick wieder Clarence zu; und war ein wenig überrascht und leicht irritiert, als er ihn bei der Lektüre eines ganzen Stapels von Briefen fand.

»Du bist beschäftigt, wie ich sehe.« Hay schlug einen sardonischen Ton an.

»Was auch du sein solltest.« Clarence blickte nicht auf. Jedesmal, wenn er mit einem Brief fertig war, ließ er ihn auf den Fußboden der Veranda fallen, auf zwei getrennte Stapel. Offensichtlich sollte die eine Kategorie von Briefen beantwortet werden, die andere nicht. Wer pflegte das so zu handhaben? überlegte Hay. Dann dachte er wieder an sich selbst, von dem es schon bald überhaupt kein Selbst mehr geben würde; und er fragte sich, wieso er John Hay gewesen war und nicht irgendein anderer; warum er überhaupt *gewesen* war und nicht ganz einfach ... nichts. »Ich hatte Erfolg über alle Träume meiner Kindheit hinaus«, erklärte er. Aber das entsprach nicht der Wahrheit. Der Dichter John Hay, Erbe eines Milton und eines Poe, hatte nichts weiter erschaffen als ein Paar *very little breeches*. »Mein Name wird in den Journalen der Welt ohne besondere Qualifikationen gedruckt.« Wer war es gewesen, der gesagt hatte, eben dies sei der Beweis von Ruhm im Unterschied zum bloßen Berüchtigtsein? Klang irgendwie nach Root, aber Hay erinnerte sich nicht mehr.

Wieder blickte Hay zu Clarence hinüber, der inzwischen aufgestanden war. Zum erstenmal bemerkte er, daß der Junge – der junge Mann – einen Spitzbart trug; was dem Stil junger Leute von heute wenig entsprach. Man würde ihm taktvoll beibringen müssen, daß er sich, gegen Ende des Sommers, der Welt glattrasiert würde präsentieren müssen.

»Der Präsident wünscht dich zu sehen«, sagte Clarence.

Hay sprang, zu seiner eigenen Verwunderung, auf die Füße und durchquerte den überfüllten Korridor zum Amtszimmer des Präsidenten. Offensichtlich hatte er von New Hampshire geträumt, während er im Weißen Haus ein Nickerchen hielt, auf Theodores Weisung wartend. Die Japaner . . .

Im Amtszimmer fand Hay den Präsidenten, wie er durch das Fenster zum Potomac hinüberstarrte, mit dem blaubläulichen Virginia im Hintergrund. Der Präsident wirkte gekrümmt und war ganz und gar nicht sein sonstiges überschäumendes, lärmendes Selbst. Über dem Kamin hing das Porträt von Jackson, der düster auf die Welt herabstarrte.

»Setzen Sie sich, John.« Die altvertraute hohe Stimme klang tödlich müde. »Tut mir leid, daß Sie krank gewesen sind.«

»Danke, Mr. President«, erwiderte Hay; und begriff, daß es ein Fehler gewesen war, so hastig durch den Korridor zu eilen. Erschöpft nahm er auf dem speziellen Besucherstuhl Platz, von dem aus man die Karten von den Schlachten voll im Blick hatte; und auch den gelben Vorhang, der verfügbar blieb, sie samt und sonders zu verhüllen, sofern dem Besucher nicht zu trauen war.

Abraham Lincoln drehte sich vom Fenster um und lächelte. »Sie sehen ziemlich mitgenommen aus, Johnny.«

»Sie wirken auch nicht gerade taufrisch, falls ich das sagen darf, Sir.«

»Wann hätte ich das wohl jemals getan?« Lincoln trat zu seinem Schreibtisch mit den vielen Fächern und holte zwei Briefe aus ihm hervor. »Ich habe ein paar Briefe für Sie zur Beantwortung. Nichts von Bedeutung.« Lincoln gab sie ihm; ließ sich dann tief auf den gegenüberstehenden Stuhl rutschen, so daß sein Rücken gegen die harte Holzlehne drückte, wobei er eines seiner Beine über die Armlehne des Stuhls schwang. Nicht ohne eine gewisse Erregung wurde Hay bewußt, daß er sich, nach so vielen Jahren, nun endlich doch an Lincolns wirkliches und wahres Gesicht erinnern konnte; und nicht bloß an jenes gleichsam offizielle Konterfei. Aber – was dachte er? Das hier *war* der Präsident; an irgendeinem Sommernachmittag. »Ich kann nicht schlafen«, sagte der Alte. »Ich *glaube*, schläfrig zu sein, doch ich döse nur vor mich hin wie bei einem Tagtraum und werde wieder wach, und am Morgen fühle ich mich dann zerschlagen oder, wie der Prediger zu seiner Frau sagte . . .«

Plötzlich hatte Hay das Gefühl, eins zu werden mit dem Präsidenten, während die melancholisch dunkelgrünen Wände, mit winzigen goldenen Sternen besprenkelt, rings um die beiden Männer herumzuwirbeln begannen, eine ähnliche Empfindung wie bei der ersten Attacke des Schlafs, welche stets, und mag man auch noch so rastlos gewesen sein, mit einem Nichts beginnt, mit einer absoluten Leere, aus der sich sodann ein Bild herauslöst, und danach ein zweites, bis sich schließlich wilde, verrückte Ereignisse entwickeln, welche den Platz der wirklichen Welt einnehmen, die der Schlaf noch im selben Augenblick raubt – falls nicht der Schlaf die wirkliche Welt ist, geraubt vom Tag, ein Leben lang.

Teil XVI

1

Caroline hatte versprochen, bei den Adams vorbeizuschauen, bevor sie sich zum Dinner im Weißen Haus begab, das ausnahmsweise einmal keinen hochoffiziellen Anlaß hatte. Als sie bei den Adams erschien, trug sie in ihrem Haar die Brillanten, die sie im Herbst von Mrs. Delacroix geerbt hatte. Die alte Dame war also keineswegs unsterblich gewesen; andererseits schien sie sich noch im nachhinein dankbar zeigen zu wollen für das, was sie als Carolines »Buße« betrachtet haben mochte, nachdem sich die beiden Geschwister miteinander – und wohl auch mit der Vergangenheit – versöhnt zu haben schienen.

Adams saß vor seinem mexikanischen Onyx-Kamin und wirkte noch kleiner und vereinsamter als sonst. »Ich sehe niemand. Außer Nichten. Ich bin niemand. Außer ein Onkel. Sie sind sehr schön für eine Nichte . . .«

»Sie müßten doch glücklich sein.« Caroline ließ sich in der Nähe des Feuers nieder. »Sie haben doch Mrs. Cameron in Ihrer Nachbarschaft. Was wollen Sie noch mehr?«

»Ja, La Dona macht einen Unterschied.« Im Jahr zuvor hatte sich Mrs. Cameron mit Martha wieder in 21 Lafayette Square eingerichtet. Erneut war sie die Königin von Washington, welchen Wert man dem auch beimessen mochte; Adams ließ das offenbar kalt. Obwohl inzwischen ein Jahr vergangen war, hatte er sich noch immer nicht mit John Hays Tod am 1. Juli 1905 abgefunden. Die Nachricht hatte ihn in Frankreich erreicht, so daß es ihm unmöglich gewesen war, zur Bestattung nach Cleveland zu kommen, wo Hay, in Anwesenheit aller Großen des Landes, an Dels Seite beigesetzt worden war. Ironischerweise hatte sich Adams in der Gesellschaft von Cabot und Schwester Anne befunden, als die traurige Botschaft eingetroffen war; und es hieß, das meist gutmütige Stachelschwein habe bei dieser Gelegenheit seine gesamten Stacheln in das hochempfindliche Senatorenfell abgefeuert – indem er, und dies nicht ganz unberechtigt, Lodge die Schuld gab an Hays Tod.

»Jedenfalls langweile ich mich. Ich schimmle so vor mich hin. Verfalle immer schneller. Habe nichts, gar nichts, für das es sich zu leben lohnt . . .«

»Doch. Uns. Die Nichten. Und Ihr Buch über das zwölfte Jahrhundert, mit dem Sie inzwischen doch längst fertig sein müßten. Und der beste, der allerbeste Grund, wie Sie schließlich selbst gesagt haben: daß Sie in diesem Leben niemals wieder Theodore Roosevelt sehen müssen.«

Adams' Augen glänzten plötzlich. »Sie verstehen es wirklich, mich aufzumuntern! Sie haben absolut recht! Niemals wieder werde ich jenes Haus betreten. Was für eine unendliche Erleichterung. Außerdem habe ich mich von Cabot isoliert, und wäre da nicht Schwester Anne, so würde ich mir sämtliche Lodges vom Hals schaffen. Warum gehen *Sie* heute abend zu dem Dinner?«

»Ich bin noch immer Verlegerin – und als einzige von der Tribune willkommen. Der Präsident ist wütend auf Blaise wegen dessen Unterstützung von Hearsts Wahlkampagne.«

»Hearst.« Adams zischte das S; derart zelebrierte die Schlange im Garten Eden das Böse. »Sollte er zum Gouverneur von New York gewählt werden, so wird er in zwei Jahren dort drüben . . . residieren.«

Caroline stimmte ihm insgeheim zu. Hearst hatte zwar die Wahl zum Bürgermeister von New York City verloren, doch hatte ihm zum Sieg praktisch nur eine Handvoll Stimmen gefehlt. Ein geschicktes Manöver von Murphy, dem Strategen von Tammany Hall, hatte in allerletzter Minute für den Wahlsieg von McClellan gesorgt. Hearst führte sich seitdem auf wie ein tragischer Shakespeare-Held auf der Suche nach dem fünften Akt.

Mit erstaunlichem Geschick hatte er es verstanden, sich im Staat New York seine eigene politische Maschine zu schaffen; und jetzt war er bereit, die Hand nach dem Amt des Gouverneurs zu strecken, mit Blaise' Hilfe. Caroline wußte nicht recht, aus welchem Grund ihr apolitischer Bruder sich entschlossen hatte, einem konkurrierenden Verleger zu Hilfe zu kommen, es sei denn, eben *das* war der Grund. Falls Hearst Gouverneur und dann gar Präsident wurde, so mochte er sich gezwungen sehen, seine Zeitungen zu verkaufen; und Blaise würde sie haben wollen. Genau wie, im übrigen, Caroline.

»Ich habe immer gehofft, daß ich mich in meiner Senilität nicht, wie die ersten drei Adams, gegen die Demokratie wenden würde. Doch ich kann die Symptome bereits spüren. Fliegender Puls, erhöhte Temperatur; Entsetzen gegenüber Immigranten – oh, die Offenbarung in Heidegg! Selbst John war entsetzt, bis zu welchem Maße wir unser Land verloren haben. Die Römisch-Katholischen sind schlimm genug. Ja, mein Kind, ich weiß, daß Sie eine Katholikin sind, und mitunter habe ich sogar eine Neigung für die unwahre Wahre Kirche, doch der Abschaum des Mittelmeers, der Schutt aus Mitteleuropa und die Juden, die Juden . . .«

»Sie werden einen Schlaganfall bekommen, Onkel Henry.« Caroline sprach mit Nachdruck. »Eines Tages wird Sie Ihr Steckenpferd abwerfen.«

»Ich kann's gar nicht erwarten, abgeworfen zu werden. Aber ich sitze immer rittlings. Das kommt daher, daß ich niemand bin. Macht ist Gift, wissen Sie.«

»Ich weiß es nicht. Aber ich würd's gern mal kosten.«

»Das Problem ist das, was ich Bostonitis nenne. Die alteingefleischte Gewohnheit des Doppelstandards, was für einen Literaten eine Inspiration sein kann, für einen Politiker jedoch tödlich.« Adams griff nach einer Art Hefter neben seinem Stuhl. »Briefe an John Hay. Briefe von John Hay. Clara hat sie gesammelt. Und sie möchte, daß sie veröffentlicht werden.«

Caroline hatte ab und zu einen Brief von Hay erhalten. Er war ein exzellenter Briefschreiber gewesen – und also entsprechend indiskret. »Ist das eine gute Idee?«

»Vermutlich nicht. Theodore, dessen bin ich sicher, wird das kaum gutheißen. Hay mochte ihn zwar, sah jedoch all seine Fehler. Schlimmer noch: seine Absurditäten. Große Männer können es nicht ertragen, in irgendeiner Weise als absurd zu gelten.«

»Publizieren! Und gepriesen werden.«

»Ich glaube, ich *werde* sie herausgeben.«

»Warum nicht seine Biographie schreiben?«

Adams schüttelte den Kopf. »Es wäre ja auch meine Biographie, mein Leben.«

»Dann schreiben Sie es.«

»Nach dem heiligen Augustinus würde ich irgendwie blaß aussehen. Er hat sich großartig auf das verstanden, was eigentlich gar nicht zulässig ist – Bericht und didaktische Absicht und Stil miteinander zu verquicken. Rousseau kam mit alledem nicht zu Rande. Augustinus hatte zumindest eine Vorstellung von einer literarischen Form – den Gedanken, eine Geschichte zu schreiben, die ein Ende und einen Gegenstand hatte; nicht dem Gegenstand zuliebe, sondern der Form halber, wie eine . . . Romanze. Ich lebe zur falschen Zeit.«

»Jedoch genau im richtigen Raum«, sagte Caroline. »Im übrigen gebe ich nicht viel auf die Zeit . . .«

»Sind Sie zufrieden?« Adams musterte sie sehr aufmerksam.

»Ich denke schon. Ich möchte . . . ich selbst sein, nicht bloß eine Ehefrau oder Mutter oder . . .«

»Nichte?«

»Das gefällt mir noch am besten.« Caroline sprach völlig im Ernst. »Allerdings habe ich Ihnen noch nie gestanden, wie ehrgeizig ich bin. Sehen Sie . . .«, sie wagte den großen Sprung, ». . . ich möchte ein ›Herz‹ sein.«

»Oh, mein Kind!« Adams schlug einen Ton an, wie sie ihn noch nie bei ihm vernommen hatte. Keinerlei Ironie, keine Schärfe klang aus der schönen Stimme. »Sie sind doch eines. Wußten Sie das nicht?«

»Ich wollte es . . . wollte es wissen.« Sacht fühlte sie vor.

»Das ist es. Das ist alles, was es da gibt – wissen wollen . . .«

Elizabeth Cameron und Martha traten ein; beide waren für das Dinner im Weißen Haus gekleidet.

»Wir haben von Whitelaw Reid gehört«, sagte Lizzie, nachdem sie Caroline, wie gewohnt, warm, jedoch nicht allzu warm begrüßt hatte. »Martha soll am ersten Juni bei Hof eingeführt werden, und wissen Sie, was sie gesagt hat?«

»›Ich möchte lieber in Paris bleiben‹, hat Martha gesagt«, sagte Martha.

»Du mußt Whitelaw die Freude machen. Es gibt so viele, die er präsentieren muß, und so wenige, die präsentabel sind.« Adams hatte Whitelaw Reids Ernennung zum Botschafter am englischen Hof mit Hohn und Spott aufgenommen. Reids Jagd nach einem Posten samt allem begleitenden Pomp war durch den Präsidenten, der darauf gedrungen hatte, daß sämtliche Botschafter und Gesandte nach der Wahl demissionierten, am Ende belohnt worden. Beim fälligen Revirement hatte man reihum gewechselt – und ein paar waren ohne Pöstchen geblieben.

»Ich tu's für Mutter.« Eine Schönheit würde Martha gewiß nie werden, dachte Caroline, dennoch konnte sie auf ihre Weise recht anziehend wirken.

Sorgfältig wurden die Uhren miteinander verglichen, und man einigte sich darauf, daß die drei in derselben Kutsche das kurze, jedoch gefährlich vereiste Stück der Pennsylvania Avenue überqueren würden.

Adams erhob sich und begleitete die Damen zur Tür seines Arbeitszimmers, wo er jede auf die Wange küßte.

»Hoffentlich wird Cabot nicht dort sein«, sagte Lizzie. »Seit Johns Tod hege ich einen ständigen Groll gegen ihn.«

»Übe dich in Vergebung, Dona.« Adams lächelte sein heimliches Lächeln. »Das Leben ist viel zu lang, als daß man auf Dauer einen Groll hegen sollte.«

Die Lodges waren nicht anwesend; es handelte sich um ein relativ kleines Dinner, und es gab, zu Carolines Freude, kein dominierendes Thema. Von den Kabinettsmitgliedern war nur Elihu Root, Hays Nachfolger, anwesend. Er und Caroline näherten sich einander im Red Room, wo die Gesellschaft vor dem Dinner versammelt war. Die Roosevelts vollzogen ihren majestätischen Einzug stets erst dann, wenn niemand mehr fehlte.

»Was *tut* Ihr Bruder eigentlich?« fragte Root anstelle einer förmlichen Begrüßung.

»Er reist durch den Staat New York und genießt die Landschaft.«

»Ich bin beunruhigt. Wir sind alle beunruhigt. Sie wissen ja sicher, daß Hearst tatsächlich zum Bürgermeister von New York gewählt worden ist. Aber Tammany hat einen Teil der Stimmen vernichtet.«

»Warum sind Sie dann beunruhigt? Sollte er zum Gouverneur gewählt werden, so wird Tammany die Stimmen wieder vernichten. Betrug ist ein hochwichtiges Instrument, um Ihre – Verzeihung, *unsere* – Verfassung in der richtigen Balance zu halten.«

Roots gespielte Beunruhigung verwandelte sich zwar nicht unbedingt in echte, jedoch in Unbehagen. »Auf dieses alterprobte Instrument können wir uns diesmal nicht verlassen. Hearst hat einen Handel abgeschlossen. Er wird Tammanys Kandidat sein.«

»Ist denn das möglich?« Caroline war verblüfft.

»Alles ist möglich bei diesen schrecklichen Leuten. Warnen Sie auf jeden Fall Ihren Bruder.«

Während Caroline zu erklären versuchte, warum Blaise wohl kaum eine Warnung von ihr befolgen würde, traten Alice Roosevelt und ihr Mann Nicholas Longworth ein. Root warf einen Blick auf seine Armbanduhr. »Erstaunlich! Sie trifft vor ihrem Vater ein. Das muß an Nicks Einfluß liegen.«

Alice besaßt eine Art rosiger Bräune, während das kahle Haupt ihres Mannes scharlachrot glänzte, sonnenverbrannt. Beide waren im Februar unter großem Pomp im East Room getraut worden; die anschließende Hochzeitsreise hatte Kuba zum Ziel gehabt. Dies war ihr erster Auftritt im Weißen Haus als Ehepaar. Alice trat zu Root und Caroline. »Also, ich bin oben auf dem San-Juan-Hügel gewesen, und das ist absolut nichts. Und ich habe Ausschau gehalten nach dem Dschungel – erinnert ihr euch an den berühmten Dschungel? In dem Vater inmitten umherschwirrender Kugeln gestanden hat, von Querschlägern, die von den Bäumen abprallten, und wo Papageien und Flamingos – nie habe ich die bei einer Schilderung ausgelassen – herumflogen? Also, der Flecken könnte gar nicht langweiliger sein. Der Hügel ist ein Erdbuckel, und von Dschungel keine Spur. All das Geschwätz über so wenig. Aber man gab uns etwas, das sich Daiquiri-Cocktail nennt, mit Rum. Danach erinnere ich mich an nichts weiter.«

Der Präsident und Mrs. Theodore Roosevelt wurden angekündigt, göttlichen Erscheinungen gleich, und in der Tat führte sich Theodore auf wie der Herrgott persönlich, mit stiller Genugtuung seine Schöpfung betrachtend. Edith Roosevelt sah müde aus, ganz wie es der so gewissenhaften Gefährtin dieses Gottes zukam.

Der Präsident begrüßte Caroline mit seiner gewohnten Freundlichkeit; gewohnt, weil er es gewohnt war, von der Tribune freundlich behandelt zu werden. Zur Belohnung lud er Caroline gelegentlich ins Weiße Haus ein, wo er ihr dann das Material für eine – meist unwichtige – Story lieferte, die noch keine andere Zeitung gebracht hatte. Er wirkte in diesem Jahr noch stämmiger, und sein Gesicht war noch röter; augenscheinlich war das energievolle, strapaziöse Leben, das er anderen empfahl und auch selbst lebte, kein Patentmittel gegen überflüssige Pfunde. »Sie müssen zum Lunch kommen und mir von Frankreich erzählen. Ich habe Sie im vergangenen Sommer beneidet. Sollte ich je von hier fortkommen . . .«

»Besuchen Sie uns, Mr. President.«

»Ent-zückt!«

»Was wird, wenn ich für einen Augenblick einmal nicht Hofdame sein muß, nur mit der Hepburn Bill werden?« Hierbei handelte es sich um eine wichtige Gesetzesvorlage, die bereits im vorigen Jahr vom Repräsentantenhaus ratifiziert worden war. Es ging um die Frachttarife bei derEisenbahn – etwas, das aus irgendeinem Grund das nationale Gemüt zutiefst bewegte. Die Fortschrittlichen sahen in dem Gesetz ein notwendiges Mittel, die profitgierigen Eisenbahngesellschaften zu kontrollieren, während die konservativen Gerichte und der Senat darin die ersten Vorboten des Sozialismus erblickten – also genau das, was man alle Amerikaner von Geburt an zu verabscheuen lehrte.

Roosevelt schwankte, charakteristischerweise. Als er für seinen Präsidentschaftswahlkampf Geld gebraucht hatte, hatte er den Eisenbahnmagnaten E. H. Harriman ins Weiße Haus zum Dinner eingeladen; was man dort einander versprochen haben mochte, wußte niemand. Doch Caroline hatte genau auf eine von Adams' Binsenweisheiten oder -wahrheiten geachtet, die so wahr war, daß sie von Gehirnen, welche von Geburt an durch eine amerikanische Erziehung geprägt waren, niemals begriffen werden konnte: »Wer für das Lebensnotwendige die Preise diktieren kann, kontrolliert den gesamten Reichtum der Nation im selben Maße wie der, welcher Steuern erhebt.« Das sagte alles. Aber die Eigentümer des Landes kontrollierten sowohl den Obersten Gerichtshof als auch den Senat, und so brauchten sie niemals auch nur das mindeste aufzugeben. »Ich bleibe natürlich fest, wie immer. Schon aus Prinzip. Ich bin sicher, daß ich Senator Aldrich durchbringen kann. Eines würde ich jedoch keinesfalls akzeptieren, und das wäre ein Zusatzgesetz.«

»Sonderbar, Sie sozusagen im Bündnis zu sehen mit den Populisten, wie Tillman . . .«

»Schrecklicher Mensch! Aber wenn das Ende gerecht ist, so sind Streitereien vergessen. Wir müssen es schaffen. Für den Fall, daß es uns nicht gelingt, fürchtet Brooks eine Revolution auf der Linken oder einen Coup d'état auf der Rechten. Ich sage ihm, daß wir stabiler strukturiert sind. Dennoch . . .«

Ein Adjutant, goldbetreßt, bugsierte den Präsidenten weiter durch den Raum, damit er auch andere Gäste begrüßte. »Es war in eben diesem Raum, am Abend der Wahl«, bemerkte Root, »wo Theodore der Presse mitteilte, er werde sich keinesfalls ein zweites Mal als Präsidentschaftskandidat aufstellen lassen.«

»Da muß er wohl – vorübergehend – verwirrt gewesen sein«, bemerkte Caroline; und bewunderte gleichzeitig Edith Roosevelts ungeheur interessierte Miene in Gegenwart selbst des allerübelsten Langweilers.

»Ich glaube, er hat die verrückte Idee von dem verrückten Brooks, den er gerade zitierte. Um eine echte Hilfe zu sein, ist Brooks mehrere Millionen unveröffentlichter Adams-Papiere durchgegangen und hat herausgefunden, daß beide Adams als Präsidenten eine Amtsperiode für völlig ausreichend hielten und das verachteten, was sie ›das Geschäft mit der zweiten Amtszeit‹ nannten.«

»Verständlicherweise. Denn da sie beide bei ihren Versuchen, zum zweitenmal gewählt zu werden, böse Schlappen erlitten, war die Vorstellung von einer zweiten Amtsperiode für sie naturgemäß verachtenswert.«

»Genau. Jedenfalls hat Theodore in prahlerisch überschäumender Stimmung verkündet, daß für ihn eine zweite Amtszeit nicht in Frage komme.«

Der dicke kleine Präsident war gerade dabei, dem deutschen Botschafter einen neuen Jiu-Jitsu-Griff zu demonstrieren, als Ediths Lippen sich zu den drei gefürchteten Silben formten: »Thee-oh-dore.«

»Er wird sich langweilen. Und schließlich wird er fortfahren zu regieren, und zwar durch seinen Nachfolger – durch Sie, Mr. Root.«

»Niemals, Mrs. Sanford. Erstens würde ich es nicht zulassen. Zweitens werde ich nicht sein Nachfolger sein.« Roots dunkle Augen glitzerten. »Ich bin nicht der Mann, Präsident zu werden. Und wäre ich es, so würde ich meinem Vorgänger sagen, er möge sich nach Hause nach Oyster Bay begeben und ein Buch schreiben. Dies ist ein Job, mit dem man allein fertig wird – oder gar nicht. Und er kann sich ja ausgiebig in Ruhm sonnen. Er hat den Krieg geliebt, und er hat uns den Kanal gegeben. Er hat den Frieden geliebt und die Japaner und die Russen dazu gebracht, einen Friedensvertrag zu unterzeichnen. Er wird für alle Zeit – und das heißt in der Politik vier Jahre – bekannt sein als Theodore der Große.«

»Der Große was?« murmelte Caroline.

»Politiker«, sagte Root. »Politik ist eine Art Kunsthandwerk, wenn nicht gar Kunst.«

»Wie die Schauspielerei.«

»Oder das Verlegen – das Gestalten einer Zeitung.«

»Nun, Mr. Root, wir schaffen Dinge, wie wahre Künstler. Nachrichten, Neuigkeiten, wir erfinden sie.«

»Allerdings müssen Sie die Hauptdarsteller schildern, wie sie sind . . .«

»Richtig. Aber nur so, wie *wir* sie sehen . . .«

»So betrachtet«, bemerkte Root, »komme ich mir vor wie eine rein fiktive Figur, wie Klein-Nell etwa . . .«

»Und *ich*«, sagte Caroline, »komme mir vor wie der Autor von ›Freckles‹.«

Während man sich zum Dinner begab, erzählte Alice Caroline von den großen Vorteilen ihres neuen Status als Ehefrau. »Ich kann jetzt mein eigenes Automobil haben, und Vater hat mir nichts mehr zu sagen.«

»Das bedeutet, daß du eine Sozialistin bist.«

Ausnahmsweise stoppte das Alices gewohnten Redefluß. »Eine Sozialistin, wieso?«

»Du warst in Kuba, und so hast du wohl nichts davon gehört. Der neue Präsident von Princeton hat gesagt, nichts habe zur Verbreitung sozialistischer Gefühle in diesem Land stärker beigetragen als der Gebrauch des Automobils.«

»Der ist wohl übergeschnappt. Wie heißt er?«

»Ich erinnere mich nicht. Aber Colonel Harvey von Harper's Weekly meint, er werde Präsident werden.«

». . . von Princeton?«

»Der Vereinigten Staaten.«

»Ha«, sagte Alice, »keine Chance. Da sind *wir* bereits.«

2

Blaise war voller Bewunderung für Hearst, der es fertiggebracht hatte, sich zum Kandidaten der unabhängigen Anhänger guten Regierens zu machen, jener Leute also, die voll unversöhnlicher Feindschaft gegen die politischen Bosse waren, während er sich gleichzeitig der Unterstützung durch Murphy von Tammany Hall und eines weiteren halben Dutzend gleichermaßen unheilvoller »Fürsten der Dunkelheit« im ganzen Land versichert hatte: Diese würden ihn, falls er im November zum Gouverneur von New York gewählt werden sollte, später als Präsidentschaftskandidaten gegen Roosevelts Nachfolger aufstellen. Hearst hatte die Rooseveltsche Faustregel übernommen, mit der Unterstützung der Bosse die Wahlkampagne gegen eben diese Bosse zu führen. Hearst hatte sogar verkündet, und zwar in seinem allerbesten Ton, nein, nicht zorniger, sondern eher sorgenvoller Empfindung: »Murphy mag ja für mich sein, aber ich bin nicht für Murphy.« So war denn das Bündnis geschlossen, und die Tomahawks wurden im Tammany-Wigwam vorübergehend begraben.

In der Tat wurde Hearst der demokratische Kandidat für das Amt des Gouverneurs und wurde überdies auch noch nominiert von seiner eigenen, inzwischen potenten Parteimaschine, der sogenannten Municipal Ownership League. Kandidat der Republikaner war ein ausgezeichneter, wenn auch eher glanzloser Jurist, Charles Evans Hughes, bekannt als die Geißel korrupter Versicherungsgesellschaften. Er galt als kaum ernstzunehmender Rivale für Hearst, dessen Ruhm jetzt vollkommen war.

Als San Francisco im April von einem Erdbeben und einem Feuer verwüstet wurde, hatte Hearst die Rettungsarbeiten angekurbelt; hatte für die Verpflegung der Notleidenden gesorgt; hatte Zugladungen mit Hilfsgütern organisiert; hatte mit Hilfe des Kongresses und seiner Zeitungen Geldmittel aufgebracht. Hätte sich irgend jemand, der *nicht* Hearst hieß, auf so eindrucksvolle Weise als guter und ganz konkret helfender Engel bewiesen, so wäre ihm der Status eines Nationalhelden und die nächste Präsidentschaft sicher gewesen. Doch nach Lage der Dinge stand seine Person nicht nur für alle Zeiten für »gelben« Journalismus, was den meisten Menschen ziemlich gleichgültig war, sondern an ihm haftete auch der Makel des Sozialismus – er trat für einen achtstündigen Arbeitstag ein –, der Nemesis aller guten Amerikaner, die eifrig darauf bedacht waren, ihren Herren den Luxus zu erhalten und sich selbst die Hoffnung, eines Tages in der Lotterie selbst das *ganz* große Los zu gewinnen. Doch trotz all dieser Handicaps, fand Blaise, würde Hearst kaum zu stoppen sein.

Ende Oktober stieg Blaise an einem hellen, kalten Morgen in Hearsts privaten Eisenbahnwagen, *Reva,* auf einem Nebengleis in Albany. Begrüßt wurde er von dem stets präsenten George, der inzwischen zu taftschen Dimensionen ausgewuchert war. »Es ist immer dasselbe, Mr. Blaise. Der Chef befindet sich im Salon. Mrs. Hearst will nicht aus dem Bett, und der kleine George will nicht ins Bett. Wäre das alles doch nur erst vorüber!«

Zu Blaise' Erleichterung war Hearst allein und damit beschäftigt, einen Stapel Zeitungen durchzugehen. Das blonde Haar wurde mit zunehmendem Alter nicht grau, sondern eigentümlich braun. Er warf Blaise einen Blick zu und lächelte kurz. »Sieben Uhr morgens, das ist die einzige Zeit, die mir für mich selbst bleibt. Schauen Sie, was Bennett im Herald mit mir gemacht hat.« Hearst hielt ein Blatt mit einem Bild hoch; darüber die Riesenschlagzeile »Hearsts kalifornischer Palast . . .«, und als ergänzende zweite Zeile: ». . . durch Kuliarbeit erbaut.«

»Sie haben doch gar kein Haus in Kalifornien, ob nun von oder ohne Kulis erbaut.«

Hearst ließ die Zeitung sinken. »Natürlich habe ich keines. Es handelt sich um Mutters Haus. Vor vielen Jahren von, wie ich glaube, Iren erbaut. Ein Schlag ins Leere.«

Blaise ließ sich in einem Lehnstuhl nieder; ein Steward servierte Kaffee. »Der agile Staubwedel . . .«, so Hearsts Spitzname für Charles Evans Hughes, ». . . erreicht überhaupt nichts. Keine Organisation. Keine Unterstützung in der Öffentlichkeit.« Hearst gab Blaise einen kurzen Überblick über den derzeitigen Stand der Wahlkampagne. Die Demokraten schienen auf der ganzen Linie zu gewinnen; und Hughes fand beim Wahlvolk kaum Widerhall, trotz der Anti-Hearst-Presse – der gesamten Presse, die *nicht* Hearst gehörte –, die Hearst in puncto Erfindungen und Verleumdungen sogar noch übertraf. Doch die Wähler schienen unbeeindruckt. »Ich habe noch nie so große Menschenmengen gesehen.« Hearsts fahle Augen glänzten. »Und sie werden in zwei Jahren wieder da sein.«

»Was ist mit den Archbold-Briefen?« Für Blaise waren die Briefe der wesentliche Beweis für die Korruptheit eines Systems, das nicht mehr lange würde bestehen können. Entweder würde das Volk die Regierung stürzen; oder aber, was wahrscheinlicher war, die Regierung würde das Volk unterdrücken – mit Hilfe irgendeiner Diktatur oder Junta. Sollte es zu letzterem kommen, so schien Blaise für einen solchen Job besser geeignet als Hearst.

»Ich brauche die Briefe nicht. Ich gewinne auch so. Die Briefe sind für 1908. Für den Fall, daß ich dann Probleme habe. Sehen Sie, dann werde ich nämlich der Reformkandidat sein.«

»An Ihrer Stelle würde ich sie jetzt verwenden. Roosevelt eins versetzen, bevor er etwas gegen Sie in Gang setzen kann.«

»Wozu die Mühe?« Hearst zerkaute ein Stück Zucker. »Es gibt nichts, was Vierauge mir antun kann, jedenfalls nicht in diesem Staat.«

Am darauffolgenden Sonntag fuhr Blaise zu Carolines Haus in Georgetown; gleich zu Beginn des neuen Jahres sollte sie in ihr neues Haus am Dupont Circle umziehen, unweit der Pattersons.

Blaise klopfte an die Haustür; keine Reaktion. Er betätigte die Türklinke; die Tür war unverschlossen. Als er in die Eingangsdiele trat, tauchte auf der Treppe Jim Day auf – brachte seine Krawatte in Ordnung.

Für einen kurzen Augenblick starrten sie einander wie vom Donner gerührt an. Dann fuhr Jim fort, an seiner Krawatte zu nesteln, so beiläufig er irgend konnte; sein Gesicht war anziehend gerötet, so wie seinerzeit auf dem Flußboot in St. Louis. »Caroline ist oben«, sagte er. »Ich muß gehen.« Sie gingen aneinander vorbei, wechselten jedoch keinen Händedruck. Blaise verspürte bei Jim einen vertrauten warmen Duft.

Caroline lag auf ihrem Bett, eingehüllt in einen mit weißen Federn abgesetzten Morgenrock. »Jetzt«, begrüßte sie Blaise in einer hohen tragischen Olga-Nethersole-Stimme, »weißt du's also.«

»Ja.« Blaise setzte sich, ihr gegenüber, auf ein kleines Zweiersofa und hielt Ausschau nach irgendwelchen Spuren eines Liebesspiels. Doch außer einem großen, verknautschten Handtuch auf dem

Fußboden gab es keinerlei Hinweis auf das, was stattgefunden hatte – wie oft wohl? Und warum war ihm nie ein Verdacht gekommen?

»Es ist alles höchst respektabel. Da Jim Emmas Vater ist, müssen wir dafür sorgen, daß außerhalb der Familie niemand davon erfährt. Meinst du nicht auch?«

»Ja.« Endlich sah Blaise in der ganzen Angelegenheit klar – die bislang so sinnlos wirkende Heirat mit John eingeschlossen. Mit Anstrengung verdrängte er die Vorstellung von Jims Körper dort auf jenem Bett, lauter braune Haut und glatte Muskeln. »Es wäre sein Ende, wenn Kitty davon erführe«, bemerkte er wie beiläufig.

»Oder der Anfang.« Caroline sprach sehr von oben herab. »Heutzutage endet die Welt nicht mehr mit einer Affäre.«

»In der Politik schon, jedenfalls in seinem Heimatstaat.«

»Falls sie sich von ihm scheiden läßt, werde ich in die Bresche springen, so gut ich kann. Und das wäre ja wohl nicht das schlimmste Schicksal, oder?«

»Für ihn vermutlich schon.« Blaise war, rätselhafterweise, zornig.

Doch was ihm selbst noch ein Rätsel sein mochte, lag für Caroline nur allzu klar auf der Hand. »Du bist eifersüchtig«, stichelte sie. »Du möchtest ihn auch haben. Zurückhaben.«

Blaise fühlte sich wie ein menschlicher Vulkan vor der Eruption – Blut statt Lava? »Wovon sprichst du?« Das klang eher kläglich. Aber er wußte, daß er sich verraten hatte.

»Ich meine, was ich bereits sagte; daß wir am besten dafür sorgen, daß das alles in der Familie bleibt.« Sie lächelte maliziös. »Und das scheinen wir ja auch soweit getan zu haben. Was Männer betrifft, haben wir jedenfalls den gleichen Geschmack . . .«

»Du Luder!«

»Comme tu es drôle, enfin. Cette orage . . .« Caroline wechselte wieder über ins Englische, die Geschäftssprache. »Solltest du versuchen, zwischen Jim und Kitty oder zwischen Jim und mir Schwierigkeiten zu machen, so wird deine Nacht der Leidenschaft an Bord jenes Schiffes, wobei der arme Jim in aller Unschuld sein Bestes tat, um dir Vergnügen zu bereiten, für dich genauso ruinös sein wie irgend etwas, das du ihm oder mir oder der armen blinden Kitty antun könntest.« Caroline schwenkte ihre Beine seitlich aus dem Bett und schlüpfte in ihre Pantoffeln. »Beherrsche dich. Sonst

wirst du einen Schlaganfall bekommen; und Frederika wird eine Witwe sein – und meine beste Freundin.«

Irgendwo in der Tiefe von Blaise' Gehirn hatte stets der Gedanke – die Hoffnung – geschlummert, daß er und Jim noch einmal würden tun können, was damals geschehen war. Doch seither hatte der peinlich berührte Jim sehr auf Distanz gehalten, und wieder einmal gab es für Caroline einen Grund zu triumphieren. Von der Tribune bis zu Jim hatte Caroline alles bekommen, was Blaise sich so sehr gewünscht hatte. Bei soviel Glück ihrerseits hatte er das Gefühl, einen Hauch von Schwefelgeruch in der Luft zu spüren. Doch galt es für ihn gerade jetzt, gelassen, wachsam zu sein.

»Das Weiße Haus glaubt, daß Hearst gewinnen wird.« Caroline saß an ihrem Frisiertisch und ordnete ihr Haar.

»Genau wie ich. Und wie er selbst. Und wie der agile Staubwedel.«

»Mr. Root reist nach Utica.« Caroline straffte ihr Haar und betrachtete sich ohne besonderes Wohlgefallen im Spiegel.

»Was hat das zu bedeuten?«

»Der Präsident schickt ihn. Zu Hearst.«

»Zu spät.«

»Mr. Root besitzt in New York großen Einfluß. Als Abgesandter des Präsidenten . . . an Mr. Hearsts Stelle würde mich das nervös machen.«

Blaise wollte eigentlich nur über Jim sprechen, doch genau dieses Thema konnte zwischen Caroline und ihm nie wieder zur Sprache kommen.

Blaise befand sich beim Chef in New York, als der Außenminister in Utica sprach. Das Wetter war besonders abscheulich, selbst für New York, und ein Nieseln, das weder Schnee noch Regen war, verwandelte die Straßen in Schlammpfade.

Hearst hatte in seinem Arbeitszimmer seinen eigenen Nachrichtenticker, zwischen der Büste von Alexander dem Großen und – warum? – Tiberius. Blaise befand sich an seiner Seite, als der Bericht aus Utica kam, noch während Root sprach. Im Zimmer war auch eine Anzahl von Politikern, die von Brisbane bei Laune gehalten wurden; eine leichte Aufgabe, da keiner daran zweifelte, daß sie bald alle im Zug des siegreichen Hearst nach Albany fahren würden.

Zeile für Zeile gelesen, wirkte die Rede lapidar. Roots Stil war von altrömischer Qualität, mehr Cäsar als Cicero. Die kurzen Sätze wurden wie Messer gegen ihr Ziel geschleudert; und jedes traf. Hearst. Kongreßabgeordneter, der durch Abwesenheit glänzte. Heuchlerischer Kapitalist. Falscher Freund der Arbeiter. Kreatur der Bosse. Demagoge in der Presse wie in der Politik, die Klassen gegeneinander hetzend.

»Na, ja«, sagte der Chef mit einem leisen Lächeln, »ich habe schon Schlimmeres gehört.«

Doch Blaise fürchtete, daß noch Schlimmeres folgen würde; und genauso kam es, gegen Ende der Rede. Root zitierte Ambrose Bierce' berüchtigten Vierzeiler, in dem zur Ermordung McKinleys aufgerufen wurde. Hearst erstarrte, als die bekannten Worte aus dem über Kabel angeschlossenen Nachrichtenempfänger drangen. Root zitierte ein weiteres Hearstsches Verdammungsurteil gegen McKinley, worin der verrückte Anarchist zum Mord aufgehetzt wurde. Und anschließend zitierte Root im Wortlaut Roosevelts Attacke gegen den »Ausbeuter des Sensationalismus«, der mitschuldig war an der Ermordung des von allen geliebten Präsidenten McKinley.

Hearst war jetzt sehr blaß, während das schmale Band mit dem Text durch seine Finger in Blaise' Hand glitt. »Ich sage, mit der Autorität des Präsidenten, daß er, im Entsetzen über Präsident McKinleys gerade erst erfolgte Ermordung, hierbei ganz speziell an Mr. Hearst dachte.«

»Elender Schweinehund«, zischte Hearst. »Wenn ich mir den vornehme . . .«

Die Rede ging weiter: »Und so sage ich, mit der Autorität des Präsidenten, daß er das, was er damals über Mr. Hearst dachte, auch jetzt noch über Mr. Hearst denkt.«

Die Anklage wegen Königsmords, das mußte ganz einfach Hearsts Niedergang sein. Blaise bewunderte die Präzision, mit der Roosevelt, Root geschickt als Messer benutzend, den tödlichen Stoß geführt hatte.

»Champagner?« Brisbane näherte sich mit einer Flasche in der Hand.

»Warum nicht?« Der Chef, der sonst niemals fluchte, hatte gerade geflucht; er, der sonst niemals trank, trank jetzt. Dann sah er

Blaise an: »Ich möchte, daß Sie mit mir zusammen die Archbold-Briefe durchgehen.«

»Mit Vergnügen, wenn ich sie als erster veröffentlichen kann.«

»Nun, zumindest gleichzeitig mit mir.«

3

Caroline wurde in den Red Room geleitet, den die Getreuen Roosevelts stets den Raum des Großen Irrtums nannten. Sie hatte in allerletzter Minute eine Einladung zu einem »Familien«-Dinner erhalten, was sich bei den Roosevelts auf rund fünfzig Leute belaufen mochte. Doch in der Tat handelte es sich diesmal in der Hauptsache um engere Familienangehörige. Alice und Nick Longworth, ihr Mann, waren bereits anwesend; und auch, zu Carolines Überraschung, der Souverän persönlich, der buchstäblich emporschnellte und in präzise dem gleichen Tonfall wie seine Varieté-Imitatoren sagte: »Hoch-ent-zückt, Mrs. Sanford. Nehmen Sie doch Platz. Hier neben mir.«

»Warum nicht bei uns?« fragte Alice.

»Weil ich mich mit ihr und nicht mit euch unterhalten möchte.«

»Es gibt keinen Grund, unhöflich zu sein«, sagte Alice, »weil ich nur die Frau eines einfachen Repräsentanten des Abgeordnetenhauses . . .«

Doch der Präsident hatte seiner Tochter und seinem Schwiegersohn bereits den Rücken gekehrt und führte Caroline zu einer Sitzbank bei der Tür, ein strategisch geschickt gewählter Punkt: War die Tür, so wie jetzt, geöffnet, blieb die Sitzbank unsichtbar. Roosevelt, mit Blick auf Caroline, probierte gleichsam einige eher unangenehme Grimassen aus, bevor er fragte: »Sie wissen von den Archbold-Briefen?«

Caroline nickte. Trimble hatte eine Anzahl von Kopien dieser Briefe erhalten, jedoch nicht den ganzen Stapel. »Ich nehme an, daß Ihr Bruder sie alle gesehen hat.«

»Wir sprechen zur Zeit nicht miteinander.«

»Aber falls er sich für eine Veröffentlichung entscheidet, so werden sie in der Tribune erscheinen.«

»Falls *ich* mich für die Veröffentlichung entscheide, werden sie in der Tribune erscheinen.«

Roosevelt klickte dreimal mit den Zähnen, als sende er ein codiertes Signal zu einem in Not befindlichen Schiff auf hoher See. Dann nahm er sein Pincenez ab und putzte es mit einem weichen Leder. Caroline fiel auf, wie trüb die Augen ohne die Intensivierung durch die glänzenden, vergrößernden Brillengläser wirkten. »Sie sind im Besitz der Aktienmajorität?«

»Mr. Trimble und ich gemeinsam, und er richtet sich ganz nach meinen Wünschen.«

»Gut.« Das glänzende Pincenez saß wieder an Ort und Stelle. »Ich *hoffe* es. Würden Sie veröffentlichen?«

»Ich müßte ein Motiv haben. Angenommen, Senator Foraker würde irgendeine Gesetzesvorlage zugunsten von, sagen wir, Standard Oil einbringen. Dann würde ich natürlich veröffentlichen.«

»Natürlich! Wie Sie wissen, habe ich – hat die Administration – nichts für die Standard Oil getan. Ganz im Gegenteil.«

»Aber«, sagte Caroline kühn, »da sind Ihre Briefe an Archbold.«

»An die ich mich nicht einmal mehr erinnere. Er war einmal ein Freund, vor langen Jahren. Er ist ein Gentleman. Ich bin fest davon überzeugt, daß es in dem, was ich ihm jemals geschrieben haben mag, nichts gibt, das nicht, ohne daß ich mich dessen im mindesten zu schämen brauchte, jede Zeitung im ganzen Land auf ihrer ersten Seite abdrucken könnte . . .«

Caroline arrangierte das winzige Sträußchen von Treibhauslilien, die sie, mehr Marguerites Drängen folgend als ihrem eigenen Wunsch, in dieser kalten Novembernacht als Zierde trug. »Ich fürchte, Mr. President, daß Sie jene Briefe wahrscheinlich auf allen Titelseiten werden lesen können, außer auf meiner, es sei denn, sie erwiesen sich als relevant.« Irgendwie gefiel Caroline der vage Sinn dieses Wortes.

»Sie glauben, daß Hearst die Briefe veröffentlichen wird?«

»Aber gewiß. Er brennt auf Rache. Mr. Root – und Ihnen – verdankt er seine Wahlniederlage.«

»Was hat er denn erwartet? Er bildet sich doch wohl nicht ein, daß eine Republik in aller Ruhe mitansieht, wie sie zugrundegerichtet wird.« Roosevelt stieß das mit solchem Ingrimm hervor, daß Caroline unwillkürlich erschrak.

»Glauben Sie wirklich, Hearst würde darauf hinarbeiten – auf einen Umsturz?«

»Ich halte ihn für zu allem fähig. Er befindet sich außerhalb unserer Gesetze, unserer Konventionen, unserer Republik. Er glaubt an den Klassenkampf. Deshalb würde ich alles tun, um ihn zu erledigen . . .«

»Sie haben ja alles getan, und er hat erklärt, er werde sich nie wieder um ein Amt bewerben.« Hearsts Zorn war wahrhaftig bemerkenswert gewesen. Trotz eines ursprünglich enormen Stimmenvorsprungs hatte er wieder – und wieder durch äußere Einmischung – eine Wahl verloren, die er eigentlich schon gewonnen hatte; diesmal an den mediokren Hughes. Anderthalb Millionen Wahlzettel waren abgegeben worden, und Hearst hatten zum Sieg 58 000 Stimmen gefehlt. Bis auf ihn waren sämtliche Kandidaten der Demokraten gewählt worden; und am unerhörtesten war wohl das am wenigsten gehörte Detail: stellvertretender, respektive Vizegouverneur, ein völlig unwichtiges Amt, war ein Demokrat aus der Provinz geworden, ein gewisser Chandler, ein aristokratischer Typ, weder bekannt für seine Anziehungskraft auf die Massen noch wegen irgendwelcher sonstiger Qualitäten. Roosevelt hatte Hearst erledigt; würde Hearst sich nun zu revanchieren versuchen? »Ich nehme an«, sagte Caroline, »daß von der Standard Oil genauso viele Demokraten geschmiert werden wie Republikaner?«

»Was erklärt, warum dieser edle Bürger seit Jahren die Veröffentlichung seiner sogenannten Korruptionsbeweise hinauszögert – nicht der Gerechtigkeit wegen, sondern zugunsten seiner eigenen Karriere.« Roosevelt sprach jetzt für die Ewigkeit, und Edith, die von allzuviel Ewigkeit auf leeren Magen nichts hielt, signalisierte, daß es an der Zeit sei, sich zum Dinner zu begeben.

Teil XVII

1

Ich werde nie wieder kandidieren. Doch werde ich weiterhin in New York leben und jene Reformprinzipien fördern und vertreten, die ich stets vertreten habe.« So zog sich William Randolph Hearst aus der Politik zurück; als Kandidat. Doch Blaise wußte, daß der Chef jetzt noch machtvoller war als zuvor. Ohne den Zwang, hier und da einen Kuhhandel machen zu müssen, dem kein Politiker entrinnen konnte, der auf Wählerstimmen aus war, stand es ihm frei zu tun, was ihm beliebte – womöglich gar die Republik von Grund auf umzukrempeln. Keiner wußte mehr über die internen – meist korrupten – Vorgänge in der amerikanischen Politik als Hearst; und Hearst wußte auch, daß er, bei maßgerechtem Einsatz von Zeit und Geld, die Ergebnisse zahlloser Wahlen entscheiden konnte, und zwar über seine Independent League.

Bryan, andererseits, war gezwungen, sich nach den herrschenden Winden zu richten. Was war denn geworden aus seiner Devise; Silber und Gold im Verhältnis von sechzehn zu eins? Silber, früher einmal das angeblich einzige Mittel, um den amerikanischen Arbeiter von seinem Kreuz aus Gold, an das er mit drei Nägeln genagelt war, zu erlösen – ihn davon hernieder- oder aufsteigen zu lassen –, dieses Silber war inzwischen zum Nicht-Thema geworden. Im Unterschied zu Bryan hatte Hearst in seinem politischen Programm nie geschwankt. Trotzdem, als Politiker war er erledigt. Natürlich konnte er in seinen Zeitungen weiterhin als der unermüdliche Tribun des Arbeiters agieren. Warum ausgerechnet dem Arbeiter diese Auszeichnung zuteil wurde, hatte Blaise nie ergründen können; doch hatte er Hearst niemals irgendeine Art von Wetterwendigkeit vorwerfen können, ganz im Gegensatz zu Bryan und Roosevelt, die mal in diese, mal in jene Richtung neigten. Wie dachte Roosevelt eigentlich *wirklich* über jenen festen Fels, auf dem seine Partei gründete – das Prinzip der Schutzzölle? Privatim seufzte er darüber und sprach von »Zweckdienlichkeit«, von einem

Preis, den er seinen Anhängern entrichten müsse wegen des Empires, das er für die Nachkommen dieser seiner Anhänger erschaffe. Bryan blieb sich zumindest treu in seinem Haß gegen den Krieg und gegen die Eroberung ferner Territorien sowie die gedankenlose Unterwerfung anderer Rassen. Lediglich was Roosevelts verlokkende Vision eines Empires betraf, war auch Hearst ambivalent: manchmal billigte er sie, manchmal nicht.

Blaise schob das auf Hearsts Haß gegen das britische Empire; schließlich waren viele seiner Anhänger irischer Abstammung. Wann immer Hearst, vor einer irischen Zuhörerschaft, nichts weiter einfiel, pflegte er zu verkünden, als sei dies für ihn ein ganz neuer Gedanke: »Wißt ihr, falls ich jemals Präsident werde, so ist das erste, was ich tue: Ich schicke einen irischstämmigen Amerikaner als Botschafter nach Großbritannien. Der wird die aufwecken.« Ohrenbetäubender Jubel. Diesen Satz gebrauchte er noch immer; und fügte hinzu: »Ich gebe die Idee weiter an jeden künftigen Präsidenten und hoffe inbrüstig, daß er's tatsächlich tun wird.«

Für Theodore Roosevelt hatte Hearst nur Verachtung übrig. »Er hat sich dem Teufel verkauft, um gewählt zu werden; und man muß es ihm lassen, ausnahmsweise hat er sein Wort einmal eingelöst.« Der erste Teil dieser Behauptung, das wußte Blaise, stimmte. In seiner – berühmt-berüchtigten – Panik vor der Wahl hatte Roosevelt den Reichen alles versprochen. Dann jedoch hatte er – da er ja nie wieder für das Präsidentenamt kandidieren würde – »den ganzen Haufen aufs Kreuz gelegt«; oder, wie Frick das gar nicht so trocken formulierte: »Wir haben ihn gekauft, doch er ist nicht gekauft geblieben.«

Wann immer Blaise mittlerweile an Hearst dachte, der für ihn längst nicht mehr der »Chef« war, dachte er an ungeöffnete Kisten. Hearst hatte erworben, was immer es zu erwerben gab, war dann jedoch niemals dazu gekommen, das auszupacken, was ihm gehörte, und die Käufe so zu einem sinnvollen Ende zu bringen. Und so bildeten ungeöffnete Kisten, ganz buchstäblich, das einzige Mobiliar in Hearsts neuem Heim im Clarendon Apartment Building an der Ecke Riverside Drive und 86. Straße. Hearst hatte die oberen drei Etagen übernommen, insgesamt rund dreißig Räume.

Ganz oben – in der zwölften Etage – gingen Hearst und Blaise die Archbold-Briefe durch, die über einen langen Refektoriumstisch aus Spanien verstreut lagen, einem Tisch mit erst kürzlich gebohrten Wurmlöchern als Beweis für seine Echtheit. Über die Jahre hatte Blaise in Saint-Cloud-le-Duc eine Menge über Möbel gelernt. Hearst hatten auch die Jahre nicht geholfen. Doch im Endeffekt stand das Wahrscheinlichkeitsgesetz auf seiner Seite. Wenn man alles kaufte, mußte man früher oder später auch etwas von wirklichem Wert besitzen; und so würde auch der »verlorene Giorgione« Hearst gehören. Blaise fragte sich, ob das nicht gleichfalls auf die Politik anwendbar war. Bei entsprechender Ausdauer, wenn man genügend Geld ausgab, auf die Wähler einwirkte, würde man am Ende dastehen mit dem »verlorenen . . .« – was? Der verlorenen Krone zweifellos, in Hearsts Fall.

»Und was wird, falls Archbold Sie wegen Diebstahls verklagt?«

»Ich habe nichts gestohlen. Ich habe nur ein paar Briefe kopiert, die mir angeboten wurden, *pro bona publica.*«

»Pro bono publico.«

»Sage ich doch. Ich wünschte, wir könnten mehr herausholen aus Theodores Briefen.« Hearst warf einen sehnsüchtigen Blick auf die kurzen, rätselhaften Briefe aus dem Weißen Haus an Archbold. Im »richtigen« Zusammenhang könnten sie den Präsidenten hinter Gitter bringen. Allerdings fehlte eben dieser Zusammenhang bei diesen viel- oder nichtssagenden Texten. »Natürlich könnte man da was zusammenbrauen.«

»Würde ich nicht tun«, sagte Blaise mit Nachdruck.

»Werde ich auch nicht tun. Bis ich nicht was Handfestes zum Weitermachen habe. Für mich arbeiten Detektive, gehen seine Bankkonten durch. Und auch die Konten der Republikanischen Partei, um die es fast genauso schlimm bestellt ist wie um die . . .«

». . . der Demokraten.«

Hearst musterte Blaise mit düsterem Blick. Aus dem Stockwerk unter ihnen konnten sie Millicents Stimme hören, laut und schrill genug, um auch noch hinten im dritten Balkon des Palace Theater vernommen zu werden. Sie arbeitete mit ihrem Designer und erschuf gleichsam ein besonderes Zentrum des Vergnügens – zumindest jedoch das größte Apartment in New York, angefüllt mit der inzwischen größten Sammlung alter und neuer Antiquitäten in der gesamten westlichen Welt. »Ich werde mit Hanna und Quay anfangen. Beide sind tot. Ich werde zeigen, wieviel Geld sie für

Roosevelts Wahlkampf gesammelt haben. Dann werde ich zeigen, was TR für Standard Oil getan hat . . .«

»Er hat gar nichts getan. Diese Story haben wir ja gebracht. Was wirklich passiert ist zu schreiben, ist natürlich schwer. Die Tatsache, daß er de facto überhaupt nichts getan hat, ist das einzige, was sich gegen ihn anführen läßt.«

»Daraus kann ich schon was machen«, sagte Hearst. »Und mich trotzdem an die Fakten halten. Er hat nichts getan, weil die ihn mit finanziert haben. Zumindest 1904. Oh, den kaufe ich mir. Dem schlottern doch die Hosen. Am nächsten Sonntag bringe ich in allen Zeitungen ein paar Andeutungen darüber, daß wir seine Briefe an Archbold haben, kompromittierende Briefe.«

Allmählich bekam Blaise das Gefühl, daß das Unmögliche tatsächlich geschehen konnte: Hearst war im Begriff, zu weit zu gehen. Sofern die Detektive nichts Neues zutage förderten, würde Hearst sich in einer gefährlichen Lage befinden – als der Mann, der den amtierenden und überaus populären Präsidenten der Korruption bezichtigte. So etwas ließ sich nicht mit einer Attacke gegen Murphy von Tammany Hall vergleichen. Blaise sprach seine Bedenken offen aus. Hearst nahm sie auf die leichte Schulter.

»Ich brauche ihn nur auszuräuchern. Im übrigen halte ich ihn tatsächlich für korrupt. Ich meine, in der Politik ist das natürlich jeder – braucht ja Geld, um zu kandidieren. Aber TR ist übler als andere, weil er ein Heuchler ist. Und deshalb möchte ich ihn verunsichern. Mein Trumpf besteht darin, daß er nicht weiß, wieviel oder was wir wissen; und bestimmt würde er alles dafür geben, um das herauszubekommen.«

Hearst trat an die hohe Tür, die auf eine Terrasse hinausging, mit Blick auf den Hudson und die Palisades. »Wenn ich Hanna und Quay und auch Foraker, seine alten Busenfreunde, zitiere, weiß jeder, daß ich auch Roosevelt meine. Und dann sagen wir, daß wir nächste Woche die Roosevelt-Briefe veröffentlichen werden. Na, das wird garantiert ein heißer Tag werden – *a hot time in the old town*.«

Hearst war damit einverstanden gewesen, daß Blaise bestimmte Briefe verwandte, für die er selbst im Augenblick keine Verwendung hatte. Der einflußreiche Senator Penrose wurde Blaise überlassen; dazu ein halbes Dutzend Kongreßabgeordnete. Als Gegenleistung sollte Blaise das Archiv der Tribune nach Material für Hearsts Ermittlungen durchforschen – eine wohl etwas hochtrabende Bezeichnung. Da die meisten Politiker von den Reichen bezahlt wurden, und da die meisten Wähler es wußten und sich offensichtlich nicht daran stießen, drängte Blaise Hearst immer wieder zu einer möglichst einfachen, gezielten Aktion: der Veröffentlichung einer Liste von Namen mit dem jeweiligen »Preis« dahinter. Hearst lehnte ab. Und bekannte sich offen zu seinen Rachegelüsten. Roosevelt hatte ihn erneut des Mordes an McKinley bezichtigt, und wegen dieses Tiefschlags schliff Hearst seine journalistische Axt. Was jedoch echte Reformen betraf, so bedachte Hearst Blaise mit einem traurigen Blick. »Wissen Sie«, sagte er schließlich, »wenn es Ihnen hier nicht gefällt, können Sie doch nach Frankreich zurückkehren.« Alles in allem nahm Hearst dieses – sein – Land als selbstverständlich; Blaise hingegen tat es nicht.

Blaise saß an seinem Schreibtisch, als Caroline unangemeldet in sein Zimmer trat; zum erstenmal, seit sie es beide für richtig gehalten hatten, einander mehr Wahrheiten zu sagen, als das für das Alltagsleben in der amerikanischen Republik notwendig war.

»Sieh doch«, sagte Caroline nur.

Blaise faltete auf seinem Schreibtisch den New York Journal American auseinander und las die Schlagzeile: »W. R. Hearst beweist die Herrschaft von Oil Trust in der Politik.« Rasch überflog er den Artikel. Irgend jemand, vermutlich Brisbane, hatte einen höchst brisanten Bericht über die »intimen Beziehungen« zwischen Standard Oil und den Politikern beider Parteien zusammengestellt. Mit beträchtlichem Geschick manövrierte die Story immer ganz dicht an Roosevelt und der Republikanischen Partei entlang, doch wurde keine einzige Zeile von Roosevelt zitiert. Das, so war am Schluß zu lesen, würde noch kommen.

»Wird heute wohl kaum ein glücklicher Morgen sein im Weißen Haus.« Caroline setzte sich; starrte ins Leere, wo sie noch ungedruckte Schlagzeilen zu sehen schien.

»Jedenfalls hat er etwas getan, was ich für unmöglich gehalten habe. Er hat bewiesen, daß Standard Oil in Roosevelts Wahlkampf eine Menge Geld investiert hat, und daß Roosevelt bis jetzt eigentlich nichts gegen die Oil Trusts unternommen hat. Da kann man doch wohl von Ursache und Wirkung sprechen, oder?«

»Allerdings«, sagte Caroline, »hat Archbold auch Richter Parker und den Demokraten Geld zukommen lassen. Das hebt sich also wechselseitig auf.«

»Na, ich weiß nicht.« Blaise sah Caroline an. »Bist du – und ist Mr. Trimble – bereit, die Penrose-Story zu bringen?«

Caroline nickte. »Mr. Trimble bringt sie morgen, auf der Titelseite.«

»Damit laufen wir der Post den Rang ab.« Blaise war zufrieden. »Hearst will die besten Sibley-Briefe verwenden. Aber wir können den Rest davon haben – diejenigen die nicht den Präsidenten betreffen.«

Joseph C. Sibley war ein republikanischer Kongreßabgeordneter, der aus seiner Loyalität gegenüber Rockefellers Ölinteressen nie ein Geheimnis gemacht hatte. Sibley schrieb an Archbold: »Zum erstenmal in meinem Leben habe ich dem Präsidenten ein paar einfache, wenn auch schwer verdauliche Wahrheiten über die politische Situation gesagt, und daß kein Mann gewinnen sollte – oder es wert sei zu gewinnen –, der sich lieber auf den Pöbel stützt als auf die konservativen Männer der Wirtschaft . . .« Dies, überlegte Blaise, mochte der Auslöser gewesen sein für Roosevelts plötzliches Überwechseln zu den Reichen – und zu Standard Oil –, um für den Wahlkampf von 1904 Geld aufzutreiben.

»Hast du schon einmal daran gedacht, nach Hause zurückzukehren?« fragte Caroline abrupt.

»Nach Hause? In die Connecticut Avenue?«

»Nach Frankreich.«

Blaise lachte. »Genau dasselbe hat Hearst mir geraten – statt mich vermutlich zur Hölle zu wünschen, als ich ihm wegen einiger seiner besonders verrückten Taktiken ins Gewissen zu reden versuchte. Nein. Mir gefällt es hier mehr denn je. Außerdem, weißt du irgend etwas über *französische* Politik? Sieh doch nur, was die mit deinem Freund Hauptmann Dreyfus gemacht haben.«

Caroline wirkte ungewohnt deprimiert. »In Frankreich wären wir beide, du und ich, keine Verleger. Wir würden solche Leute gar nicht kennen und uns auch nicht um sie kümmern müssen.«

Blaise schüttelte den Kopf. »Verkaufe mir deine Anteile und kehre du zurück. Ich bin hier in meinem Element.«

Carolines Lächeln war ohne Freude. »Ja, so geht's mit dem

vielzitierten Wurzelnschlagen. Oh, auch ich werde bleiben. Ich stecke zu tief drin. Ich habe ja etwas zu . . . büßen.«

»Ach, du und das mit deiner Mutter!« Das Thema war Blaise zutiefst zuwider. »Du brauchst keine Buße zu leisten. Was du brauchst, ist ein Exorzist.«

»Ich möchte das Tagebuch meines Großvaters, das ja von ihr handelt, veröffentlichen.«

»Tu es doch. Mich geht das nichts an«, sagte Blaise; und meinte es auch so. Dann tauchte Mr. Trimble plötzlich auf, einen Zettel in der Hand und ein Glänzen in den Augen. »Aus dem Weißen Haus. Vom Präsidenten.«

»Niemals erklären«, seufzte Caroline, »niemals klagen.«

»Er hat beides getan.« Trimble gab ihnen die kurze, zur Veröffentlichung bestimmte Mitteilung. Diesem Statement zufolge konnte sich der Präsident an kein Gespräch erinnern, wie Mr. Sibley es geschildert hatte. »Der Präsident möchte Sie morgen mittag bei sich sehen.« Das war an Blaise gerichtet. Dann verließ Trimble das Zimmer, und Blaise sagte zu Caroline: »Wir haben Wirkung erzielt.«

»Bei wem und von welcher Art?« fragte Caroline.

Der Präsident empfing gerade eine Delegation aus dem neuen Staat Oklahoma, als Blaise gemeldet wurde. »Bully!« rief der Präsident, und Blaise' Eintritt war für die Leute aus Oklahoma das Zeichen, sich zurückzuziehen. Blaise fand Gelegenheit, sich den ersten Gouverneur des neuen Staates genau anzusehen, der überdies der Schatzmeister der Demokratischen Partei war. Dieser Gentleman, C. N. Haskell, war gerade von Hearst als ein weiterer »Söldling« von Standard Oil bezeichnet worden, der nicht dem Volk, sondern den Rockefellers diene. Bryan, inzwischen wieder konkurrenzloser Führer der Partei, sollte Haskell angewiesen haben, als Schatzmeister zurückzutreten.

Der Präsident verabschiedete sich von jedem der Delegierten per Handschlag, und die Szene wirkte völlig ungetrübt, bis sich die Tür hinter der Delegation schloß. Dann erfolgte eine Art Explosion: »Taft, dieser Zauderer, hat uns die Suppe eingebrockt. Wir hätten alle sieben Wahlmännerstimmen von Oklahoma haben können. Aber dann kamen die mit diesem verrückten Verfassungsentwurf, der reine Sozialismus, und Taft sagte, wartet und schreibt einen neuen, als ob sich irgendwer einen Dreck um eine solche Staatsverfassung schert, und während er das Zittern hat, erscheint Bryan auf der Bildfläche, preist die Verfassung, und jetzt haben die nur Demokraten gewählt, darunter auch diesen Lumpen Haskell. Überdies haben die uns in ihrer unendlichen Western-Weisheit zwei Senatoren geschickt, von denen der eine ein Blinder und der andere ein Indianer – ein Indianer! – ist.«

»Sir«, sagte Blaise, »ich kenne Ihre Ansichten über die Vorzüge von toten Indianern, doch Ihre negative Einstellung Blinden gegenüber war mir unbekannt.«

»Sie betrifft auch nur diesen einen.« Roosevelts Zähne klickten zweimal gegeneinander. »Ein populistischer Demagoge . . . Sie haben über Haskell gelesen?«

»Ich habe alles gelesen.«

»Was hat Hearst eigentlich vor? Will er unser politisches System ruinieren?«

»Wenn Sie das so formulieren, Sir, ja, das will er.«

Roosevelt ließ die ebenso direkte wie radikale Antwort unkommentiert. »Welche Briefe von mir hat er?« Die Frage kam ganz plötzlich. Der Präsident, der Blaise den Rücken zugekehrt hatte, drehte sich jetzt zu ihm herum. Durch das Fenster hinter ihm konnte man das rötliche und gelbliche Herbstlaub sehen, ein eigentümlicher Anblick: Roosevelt schien eingeschlossen zu sein in eine bunte Glasscheibe.

»An sich besagen diese Briefe, soweit ich weiß, nicht viel. Werden sie jedoch *interpretiert* . . .«

»Oh, er wird interpretieren! Hier.« Roosevelt reichte Blaise ein getipptes Statement. »Können Sie das morgen bringen? Exklusiv ist es allerdings nicht, fürchte ich. Ich lasse das im ganzen Land verbreiten. Aber Sie haben es vor McLean von der Post.«

Blaise las das kurze Statement und bewunderte den mühelosen, gleichmäßigen Fluß politischer Heuchelei in ihrer höchsten Ausformung. »Mr. Hearst hat viel interessante und wichtige Korrespondenz von Standard Oil Leuten veröffentlicht, zumal jene zwischen Mr. Archbold und einer Reihe von Männern der Öffentlichkeit. Ich habe Mr. Hearst früher des öfteren kritisiert, doch in dieser Angelegenheit hat er der Öffentlichkeit einen Dienst von großer Wichtigkeit erwiesen, und ich hoffe, daß er sämtliche diesbezüglichen Briefe veröffentlichen wird, die er besitzt. Sollte Mr. Hearst oder irgend jemand sonst irgendwelche Briefe von mir haben, die sich mit Angelegenheiten von Standard Oil befassen, so würde ich ihre Veröffentlichung mit Freuden begrüßen.«

Dies also war Roosevelts Taktik, um eine unschöne Geschichte zu seinen Gunsten zurechtzuschminken: Er pries den Feind und versuchte, wieder festen Boden unter den Füßen zu bekommen, auf einem Terrain, das sich immer mehr in Sumpfgelände zu verwandeln drohte. Wie, fragte sich Blaise zum erstenmal, stand es *de facto* mit den Beziehungen zwischen dem Präsidenten und Standard Oil? Offensichtlich gab es da etwas, das er nicht veröffentlicht sehen wollte; und wahrscheinlich hatte das etwas mit der Finanzierung seines Wahlkampfs von 1904 zu tun. Der Präsident hatte eine betont lässige Pose eingenommen, wirkte jedoch eigentümlich angespannt.

»Ich werde Ihr Statement morgen bringen.«

»Gut. Ich darf doch annehmen, daß Sie mit Hearst in Verbindung stehen?« Blaise nickte. »Dann sagen Sie ihm, wenn Sie ihn das nächste Mal treffen, daß ich ihn gern sprechen möchte, und zwar möglichst bald hier im Weißen Haus. Sagen Sie ihm, daß andere ... Mächte am Werk sind, von denen er wissen sollte.« Das Lächeln des Präsidenten wirkte wie sein Pincenez, künstlich und voll Glanz; er begleitete Blaise zur Tür.

2

William Randolph Hearst war gebeten worden, das Weiße Haus von der Südseite her zu betreten, durch den Eingang für private Besucher; doch der mächtige Mann befahl seinem Chauffeur, die Hauptauffahrt hinaufzufahren, zum Nordportikus – zur Bestürzung der Polizei. Dann betrat Hearst wie ein riesiger Bär – einer von jener Art, wie der Präsident sie in Massen abzuschießen liebte, ungeachtet seiner lautstarken Lippenbekenntnisse für den Schutz wilder Tiere – die Haupthalle jenes Hauses, in dem er niemals residieren würde, es sei denn mit Hilfe einer bewaffneten Revolution. Der Hauptpförtner empfing Hearst mit beklommener Miene.

»Melden Sie dem Präsidenten, daß ich hier bin.« Hearst machte sich nicht die Mühe, seinen Namen zu nennen. Er schlüpfte aus seinem Mantel und ließ ihn einfach fallen; irgend jemand würde ihn schon auffangen. In der Tat war ein Diener zur Stelle.

»Wenn Sie mir folgen wollen, Mr. Hearst.« Der Hauptpförtner führte Hearst zum Westflügel. Als er gebeten wurde, im Büro des Sekretärs zu warten, öffnete Hearst die Tür zum leeren Cabinet Room und nahm am Kopfende des langen Tisches Platz. Der Schock des Sekretärs war tief und von stummer Beredtheit.

Hearst lehnte sich auf dem Staatsstuhl zurück und schloß die Augen wie jemand, der nach edlem Streit redlich erschöpft ist. Er fühlte sich, mehr noch, er war zu Hause. Doch nur für einen winzigen Augenblick. Wie stets kündeten unverwechselbare Geräusche den Präsidenten an. »Hochentzückt, Sie hier zu sehen! Bully!« Roosevelt befand sich in der Tür zum Cabinet Room. Hearst öffnete die Augen und nickte feierlich zum Gruß. Eine Sekunde lang schien Roosevelt unsicher, was als nächstes zu tun sei. Dann schloß er hinter sich die Tür. Bei dem, was folgen mochte, würde es keinen Zeugen geben.

Hearst erhob sich langsam und majestätisch. Während die beiden Männer sich die Hände schüttelten, zog Hearst den kurzwüchsigen Roosevelt absichtlich näher zu sich heran, so daß der Präsident gezwungen war, steil zu dem hochgewachsenen Hearst emporzublicken. »Es war Ihr Wunsch, mich zu sehen?« fragte Hearst, als gewähre er einem kleinen Redakteur eine gigantische Gunst.

»In der Tat. In der Tat. Wir haben ja über so vieles zu reden.« Obwohl Hearst zwischen dem Präsidenten und dem Präsidentenstuhl stand, gelang es dem zwar rundlichen, aber auch stämmigen Roosevelt, das Problem zu lösen; im wortwörtlichsten Sinn ging er auf den Stuhl los, wobei er Hearst einfach zur Seite rammte. Nunmehr nahm er mit königlicher Würde Platz und sagte in freundlich herablassendem Ton: »Setzen Sie sich doch hierher. Zu meiner Rechten. Auf Mr. Roots Stuhl.«

Hearsts Lächeln war noch dünner als sonst. »Wenn man sich auf den Stuhl eines solch notorischen Lügners setzt, muß man ja eine üble Infektion befürchten.«

Roosevelt wurde dunkelrot; sein Lächeln glich einem Fletschen. »Ich wüßte nicht, daß Mr. Root jemals gelogen hätte.«

»Dann verfügen Sie über wesentlich weniger Erfahrungen mit Juristen, als ich angenommen habe.« Hearst rückte einen Stuhl an der Mitte des langen Tisches für sich zurecht – legte zwischen sich und den Präsidenten eine beträchtliche Distanz.

»Root hat für mich in Utica gesprochen.« Roosevelt sagte es mit Nachdruck.

»Ich habe auch nicht angenommen, daß er das Wort Gottes verbreiten wollte. Natürlich hat er für Sie gesprochen, als er mir die Schuld an der Ermordung McKinleys gab.«

Das Gespräch nahm offenkundig nicht den von Roosevelt gewünschten Verlauf. »Ihre Presse hetzte – hetzt – zu Gewalttätigkeit und Klassenhaß. Bestreiten Sie das etwa?«

»Ich bestreite nichts, und ich bestätige nichts. Verstehen Sie? Ich befinde mich auf *Ihre* Bitte hier, Roosevelt. Ich meinerseits hege nicht den leisesten Wunsch, Sie irgendwo und irgendwann zu sehen, es sei denn, wir müßten in der Hölle dasselbe Quartier miteinander teilen. Deshalb muß ich Sie warnen. Niemand sagt ›Bestreiten Sie das?‹ zu mir in meinem Land.«

»*Ihr* Land, wie?« Roosevelts Falsett hatte sich zur honigsüßen Fülle einer Altstimme gewandelt. »Wann haben Sie es denn gekauft?«

»1898, als ich mit Spanien Krieg führte und gewann. Das geht samt und sonders auf mein Konto. Sie haben daran nicht den geringsten Anteil. Seither ist es mit diesem Land ziemlich genau so weitergegangen, wie ich das wollte, und Sie waren immer mit dabei, weil Ihnen gar nichts anderes übrig blieb.«

»Sie übertreiben Ihre Bedeutung, Mr. Hearst.«

»Sie begreifen nichts, Mr. Roosevelt.«

»Ich begreife immerhin, daß Sie, der Eigentümer, nein, nein, der *Vater* des Landes, die Demokraten nicht dazu bewegen konnten, Sie als ihren Präsidentschaftskandidaten zu nominieren – nicht einmal in dem Jahr, in dem die Demokraten ohnehin ohne Siegeschance waren. Wie erklären Sie denn das?«

Hearsts bleiche, eng beieinanderliegenden Augen waren jetzt direkt auf Roosevelt gerichtet, eine Art Zyklopenblick von einschüchternder Wirkung. »Als erstes möchte ich sagen, daß es völlig gleichgültig ist, wer auf Ihrem Stuhl dort sitzt. Das Land wird von den Trusts beherrscht, woran Sie uns ja so gern erinnern. Die Trusts haben alles und alle gekauft, auch Sie. Mich können sie nicht kaufen. Ich bin reich. Und deshalb steht es mir frei zu tun, was ich tun möchte, im Gegensatz zu Ihnen. Zum guten Teil lasse ich den Dingen ihren Lauf. Einfach, um die Leute – das Volk – nicht aufsässig zu machen, derzeit. Das bewirke ich über die Presse. Was Sie betrifft, so sind Sie nichts weiter als ein Amtsinhaber. Bald werden Sie hier ausziehen, und das bedeutet für Sie das Ende. Ich dagegen werde weitermachen, immer weiter. Werde die Welt beschreiben, in der wir leben. Und die dann das wird, was ich sage. Lange, nachdem niemand mehr den Unterschied zwischen Ihnen und Chester A. Arthur kennen wird, werde ich noch immer da sein.« Hearsts Lächeln war frostig. »Sollte man sich jedoch wieder an Sie erinnern, so deshalb, weil ich, vielleicht, den Leuten erzähle, wie ich Sie seinerzeit in Kuba überhaupt erst *erfunden* habe.«

»Zweifellos haben Sie, Mr. Hearst, den sogenannten vierten Stand zu ungeahnten Höhen emporgeführt . . .«

»Das weiß ich selbst. Ausnahmsweise haben Sie einmal recht. Ich habe die Presse emporgehoben über alles andere, ausgenommen vielleicht nur das Geld, aber selbst, was das Geld betrifft, kann ich die Börsenkurse in der Regel positiv oder negativ beeinflussen. Als ich den Krieg mit Spanien machte – ihn erfand, sollte ich sagen, denn Erfindung, Fiktion war es von Anfang an –, da sorgte ich dafür, daß es schließlich ein richtiger Krieg werden würde. Genauso geschah es. Wir bekamen ein wirkliches Empire – von der Karibik bis zur chinesischen Küste. Dabei und davon haben viele kleine Fische wie Sie und wie Dewey profitiert. Das, was ich in Gang gesetzt habe, konnte ich leider nicht unter Kontrolle halten. Niemand konnte das. Außerdem mußte ich der Tatsache Rechnung tragen, daß man in einem Krieg nun einmal Helden braucht. Da kamen – ausgerechnet – Sie dahergebraust, und ich sagte zu den Redakteuren: ›Okay, baut ihn auf.‹ Und so ist es gekommen, daß aus einem zweitrangigen New Yorker Politiker, der, so blind und so effektiv wie eine Fledermaus, auf dem Kettle Hill umherirrte, ein großer Kriegsheld wurde. Auf jeden Fall wissen Sie, wie man aus einer Sache was macht. Das muß man Ihnen lassen. Von all meinen Erfindungen sind absolut Sie es gewesen, der von der Titelseite des Journal heruntergehüpft ist – und zwar bis ins Weiße Haus. Im Gegensatz zu dem armen, törichten Dewey, der aus seinen Chancen überhaupt nichts zu machen verstand, sondern praktisch immer ein Wesen aus Druckerschwärze blieb.«

Hearst lehnte sich auf seinem Stuhl zurück und verschränkte die Hände hinter dem Kopf, den Blick auf den Ventilator an der Decke gerichtet. »Als ich sah, was meine Erfindung alles vermochte, beschloß ich, gleichfalls zu kandidieren. Ich wollte zeigen, daß ich es mit den Leuten aufnehmen kann, denen dieses Land gehört, das ich, ja, das ich miterfunden habe – und mitgewonnen. Wie sich erwies, mußte ich den Preis des Erfinders zahlen. Mich verabscheuen und fürchten die Reichen, die Sie lieben. Ich konnte von Standard Oil niemals soviel Geld bekommen wie Sie. Auf lange, nein, auf kurze Sicht gewinnt diese albernen Wahlen also der, der am meisten zahlt. Doch werden Sie und werden Ihresgleichen nicht für alle Zeit Oberwasser haben. Die Zukunft gehört dem sogenannten gemeinen Mann, und von seinesgleichen gibt es sehr viel mehr als von Ihnen . . .«

». . . oder von Ihnen.« Roosevelt starrte auf das Gemälde von Lincoln an der gegenüberliegenden Wand. Das melancholische Gesicht des Alten blickte auf irgend etwas Unbestimmbares in der Ferne. »Nun ja, Mr. Hearst, Ihr Selbstverständnis als Verleger ist für mich ja nichts Neues. Neu ist mir allerdings, daß Sie sich als der alleinige Erfinder von uns allen betrachten.«

»Oh, ganz so weit würde ich nicht gehen.« Hearst gab sich bescheiden. »Ich machte dieses Land nur weitgehend zu dem, was es zur Zeit ist. Das ist kaum eine besondere Leistung, wenn *Sie* mir auch dafür dankbar sein sollten, weil *Sie* es sind, der letztlich Hauptnutznießer ist.«

Roosevelt rückte ein paar Folianten auf dem Tisch zurecht. »Was wissen Sie über mich und Mr. Archbold?«

»Standard Oil hat Ihnen bei der Finanzierung Ihres letzten Wahlkampfs geholfen. Das weiß jeder.«

»Haben Sie irgendwelche Beweise dafür, daß *ich* um das Geld gebeten habe?«

»Das haben Hanna, Quay und Penrose getan. Von Ihrer Seite genügten Andeutungen.«

»Mr. Archbold ist ein alter Freund von mir.« Roosevelt schien mehr sagen zu wollen; schwieg dann jedoch.

Hearsts Stimme klang verträumt. »Ich werde viele Männer aus

der Öffentlichkeit vertreiben. Ich werde auch enthüllen, was für ein Heuchler Sie sind.«

Roosevelts Lächeln war verschwunden; sein Gesicht hatte wieder seine normale Farbe; seine Stimme klang sachlich nüchtern. »Bei den Sibleys und Haskells werden Sie es leicht haben. Bei mir jedoch beißen Sie auf Granit.«

»Sie bekämpfen die Trusts?«

»So gut ich kann.«

»Haben Sie jemals die zahllosen Verbrechen von Standard Oil angeprangert, verübt gegen Einzelindividuen, von der Öffentlichkeit ganz zu schweigen?«

»Ich habe sie oft als Übeltäter von großem Reichtum bezeichnet.«

»Aber was«, fragte Hearst, und seine Stimme klang leise, fast sanft, »haben Sie *getan*, um Standard Oil zur Rechenschaft zu ziehen? Inzwischen sind Sie schon sechs Jahre hier. Was haben Sie getan, außer in der Öffentlichkeit über sie zu wettern, im geheimen jedoch ihr Geld zu nehmen?«

»Sie werden sehen.« Roosevelt wirkte ausgesprochen ruhig. »Nächstes Jahr machen wir denen in Indiana den Prozeß . . .«

»*Nächstes* Jahr!« Triumphierend klatschte Hearst mit der flachen Hand auf den Tisch. »Wer sagt, daß dies nicht mein Land ist? Ich habe Sie, ausgerechnet Sie, dazu gezwungen, gegen Ihre eigenen Leute vorzugehen. Wegen meiner Enthüllungen in diesem Jahr, werden Sie im nächsten Jahr etwas unternehmen. Doch es sind ja gar nicht Sie, der jemals wirklich führt. Vielmehr folgen Sie *meiner* Führung, Roosevelt.« Hearst war aufgestanden, doch Roosevelt, niemals zweiter Sieger, hatte sich gleichzeitig auf seine ganz spezielle Weise in die Senkrechte hochkatapultiert, so daß, technisch gesehen, der Präsident als erster aufgestanden war und also die Audienz absolut protokollgemäß beendete.

An der Tür des Cabinet Room gelang es dann Hearst, als erster seine Hand zum Türknauf zu strecken. »Sie sind, für den Augenblick, so ziemlich in Sicherheit.«

»Ich frage mich«, sagte Roosevelt leise, »ob Sie das sind.«

»Es ist doch meine Story, oder nicht? Dieses Land. Der Autor ist immer in Sicherheit. Es sind seine Charaktere, die auf der Hut sein sollten. Natürlich gibt es immer wieder Überraschungen. Hier ist eine. Wenn Sie ohne Job sind und für den Lebensunterhalt Ihrer Familie Geld brauchen, so werde ich Sie engagieren, um für mich zu schreiben, so wie Bryan das tut. Ich werde Ihnen zahlen, was immer Sie verlangen.«

Roosevelt ließ sein strahlendstes Lächeln sehen. »Ich mag ja ein Heuchler sein, Mr. Hearst, ein Schurke bin ich jedoch nicht.«

»Wem sagen Sie das«, meinte Hearst mit spöttischem Bedauern. »Schließlich bin ich es doch, der Sie erfunden hat, oder?«

»Mr. Hearst«, sagte der Präsident, »nicht Sie haben mich erfunden, sondern die Geschichte.«

»Nun, wenn wir schon so geschwollen daherreden, so bin, zu dieser Zeit und an diesem Ort, ich die Geschichte – oder zumindest der Schöpfer der Geschichtsannalen.«

»Die wahre Historie kommt erst lange nach uns. Dann wird sich entscheiden, ob wir uns bewährt haben oder nicht, und unsere Größe, oder unser Mangel an Größe, wird endgültig definiert werden.«

»Die wahre Historie«, sagte Hearst mit einem Lächeln, das ausnahmsweise fast charmant wirkte, »ist die endgültige Fiktion. Ich hatte angenommen, selbst Sie wüßten das.« Dann war Hearst verschwunden, und der Präsident blieb allein zurück im Cabinet Room mit seinem großen Tisch, den ledernen Lehnstühlen und dem lebensgroßen Gemälde von Abraham Lincoln, den Blick auf ein fernes, dem Betrachter verborgenes Ziel gerichtet; auf irgendeinen Punkt, vielleicht in der Zukunft, doch unbekannt und unerkennbar für den bloßen Beobachter, zu diesem Zeitpunkt noch auf hoher See.

Ich habe mich bei den historischen Gestalten in *Empire* an die allgemein akzeptierten Fakten gehalten, jedoch Del Hays Fenstersturz von Mitternacht auf den Tag verlegt. Was die Schlußbegegnung zwischen Theodore Roosevelt und William Randolph Hearst betrifft, so stand sie in der Tat im engsten Zusammenhang mit den Archbold-Briefen, doch weiß niemand, was dabei gesagt wurde. Ich hoffe allerdings, daß ich in meinem Dialog, wenn schon nichts sonst, das eingefangen habe, was die beiden Männer füreinander empfanden.

G. V.
18. März 1987